吉米多维奇

Борис Павлович Демидович

数学分析习题集题解

总主编　郭柏灵　张天德
主　编　孙钦福

(第5版)

5

山东科学技术出版社
·济南·

图书在版编目（CIP）数据

吉米多维奇数学分析习题集题解. 5 / 孙钦福主编. 5 版. -- 济南 ： 山东科学技术出版社，2024. 7.
ISBN 978-7-5723-2103-0

Ⅰ. 017-44

中国国家版本馆 CIP 数据核字第 202451EP59 号

吉米多维奇数学分析习题集题解　5

JIMIDUOWEIQI SHUXUE FENXI XITIJI TI JIE　5

责任编辑：段　琰　王炳花
装帧设计：孙　佳

主管单位：山东出版传媒股份有限公司
出 版 者：山东科学技术出版社
地址：济南市市中区舜耕路517号
邮编：250003　电话：(0531) 82098088
网址：www.lkj.com.cn
电子邮件：sdkj@sdcbcm.com
发 行 者：山东科学技术出版社
地址：济南市市中区舜耕路517号
邮编：250003　电话：(0531) 82098067
印 刷 者：山东华立印务有限公司
地址：山东省济南市莱芜高新区钱塘江街019号
邮编：271100　电话：(0531) 76216033

规格：16开（184 mm × 260 mm）
印张：20.5　**字数：**500千
版次：2024年7月第5版　**印次：**2024年7月第19次印刷
定价：28.00元

序

在数学的广袤天地中，数学分析占据着举足轻重的地位。它是数学专业的基础课程之一，对于学习后续课程如复变函数、实变函数与泛函分析、微分方程、微分几何、计算方法、概率论与数理统计发挥着重要的基础作用。它更是深入研究工程力学、物理、经济等众多学科不可或缺的工具。在科研方面，数学和其他许多相关学科的新思想和新应用都源于对数学分析的深入研究。因此，数学分析不仅是数学研究的重要基础，也是其他自然科学领域研究的关键工具。

众所周知，学好数学需要通过不断的练习和思考，才能真正掌握其精髓。科学地做题不仅节省时间，而且能事半功倍。在这样一个背景下，一本优质的数学分析习题集就显得尤为重要。

我读大学时，全国的数学系学生做《吉米多维奇数学分析习题集》蔚然成风。这本书对培养人的数学思维功不可没，甚至可以说不亚于当年数学专业学生几乎人手一套的多卷本课外参考书、苏联数学家菲赫金哥尔茨的《微积分学教程》。在大学4年里，我做了逾2万道题，其中就包含了《吉米多维奇数学分析习题集》全部的4462道题。至今我仍清楚地记得，书中约有四分之一的题难度相当大，我和我的同窗们也正是通过攻下这些难题而逐步练就出解决数学分析难题的真功夫，为以后从事数学研究打下坚实的基础。如今我已经从教40年，在我的学生当中有被誉为“北京大学数学黄金一代”的80后数学家，也有新近在国际数学界脱颖而出的90后数学家，他们很多人都做过《吉米多维奇数学分析习题集》，可见理解和做完这本习题集中题目的价值和作用。

1980年，《吉米多维奇数学分析习题集题解》首版由山东科学技术出版社出版，当时是国内第一次对《吉米多维奇数学分析习题集》中的全部习题进行了一一解答。历经40余年，这套图书仍受到大家的喜爱，很令人欣喜。得知出版社近期对这套图书做了改版，增加了新的内容，希望能赋予这套图书新的活力，更好地适应现在的教育教学模式。

我衷心地希望各位读者能够从本书中受益，并在攀登数学分析这座山峰的旅途中取得更好的成绩和更大的进步！

中国科学院院士 

2024年7月于北京大学怀宁园

第5版前言

《吉米多维奇数学分析习题集》是国内外高校最为经典的数学分析习题集之一，作者是白俄罗斯籍数学家吉米多维奇（Б.П.ДЕМИДОВИЧ）。本书自20世纪50年代引进以来，对我国数学分析、高等数学和微积分的教与学产生了重大影响。从事高等数学教学的教师，常以该书中的习题，作为检验学生是否掌握高等数学基本知识和基本技能的一项重要手段。长久以来，该书只有习题，没有解答，让不少初学者望而却步。

山东科学技术出版社于1980年策划出版了《吉米多维奇数学分析习题集题解》，对《吉米多维奇数学分析习题集》中的4462道习题逐一进行解答，成为国内第一套数学分析题解类图书，受到了广大读者的喜爱，先后于1999年、2005年和2012年三次再版，陪伴数以百万计的数学爱好者走过了四十余载春秋。从《吉米多维奇数学分析习题集》到《吉米多维奇数学分析习题集题解》，虽然只有两字之差，但后者包含了一代代数学大师们无数的心血，也让该书在数学分析、高等数学和微积分领域牢牢占据一席之地。

加强基础研究是建设科技强国和教育强国的关键要素。2023年4月，教育部启动了包括数学在内的基础学科“101计划”。为响应国家号召，助力核心课程建设，加之《吉米多维奇数学分析习题集题解》第4版出版距今已十余年，书中不少解题方法已不适用于现代教学，为此，山东科学技术出版社启动《吉米多维奇数学分析习题集题解》再版工作。

在多位专家的悉心指导和广大读者的热情支持下，第5版的再版工作得以顺利完成。我们深知，每一次更新迭代都是对知识深度和广度的双重挑战，因此，我们始终秉承对知识的敬畏和对读者的承诺，在再版过程中倾注大量心血，不断精益求精，力求将最完美的解答过程和最容易让读者理解的解题方法，呈现给热爱数学的读者，确保本书能够继续作为数学分析学习的黄金标准。

今天，我们荣幸地推出《吉米多维奇数学分析习题集题解》第5版，这不仅是对经典的传承，更是对未来的展望。根据读者反馈和实际教学中发现的问题，本书较第4版改动较大，主要体现在以下几个方面：

1. 对全书4462道习题进行了重新验算和解答，答题步骤、方法更贴合日常教学和考研标准，并在部分题目中增加了一题多解、方法总结等有助于读者发散思维的点拨。

2. 每章增加了本章概括和知识图谱，以帮助读者更好地把握整章知识脉络，在更高的维度上理解知识的前后逻辑关系。

3. 每节增加了知识点预览和知识拓展。知识点预览介绍本节知识点对应的题目序号，能够让读者快速检索题目所在的位置；知识拓展则可以帮助读者回忆类型题目所用到的公式、定理，为解题打下良好基础。

4. 题目按知识点模块化。将原有题目顺序进行微调，按照知识点重新分类，将同类题目模块化，有助于读者更清晰地了解每个知识点的考查方式和难易程度，更准确地查找相应题目进行练习，从而更有效地进行教学和复习。

5. 题目和解答字号大小有别。题目字号适当放大，解答字号则保持不变，使题目和解答可以明显区分开来，这样的改动方便读者先看题目、自己验算，再对照解答进行验证、勘误。

6. 每册图书最后增加各高校考研真题和解析，方便读者进行过关检测，在夯实知识的同时，保证学以致用、学有所得。

本书不仅适用于数学专业数学分析的学习，也同样适用于非数学专业理工科学生学习高等数学及微积分等科目。在历届大学生数学竞赛、硕士研究生招生入学考试中不乏出现本书原题，比如2019年全国硕士研究生入学招生考试数学一中第17题，即为本书第2410题的原题复现。

华东交通大学费定晖教授、山东大学周学圣教授对前4版的编写做出了突出贡献，对此深表感谢。清华大学邹文明教授，中国科学院数学与系统科学研究院丁彦恒研究员，中国科学技术大学李平教授，曲阜师范大学栾世霞教授、孙钦福副教授，海军航空大学刘波副教授为本书再版工作倾注了很多心血，在此一并表示感谢。感谢许多阅读了本书，并向我们分享见解的读者们，以及为本书付出努力的审稿专家和编辑们，谢谢你们！

本书虽然历经40余年的反复修订，但因规模庞大，编者水平有限，书中难免有错误和不当之处，敬请各位专家、同仁和广大读者批评指正，不胜感激。

中国科学院院士 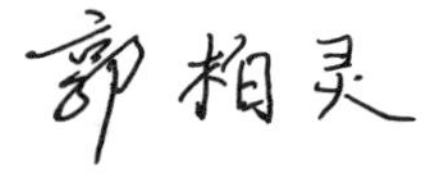

山东大学数学学院教授 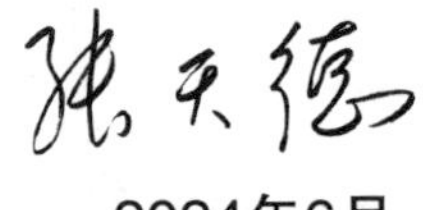

2024年6月

第4版前言

本书自1980年出版发行以来，历经30多个春秋，一直畅销不衰，深得读者厚爱。在郭大钧教授的帮助和指导下，我们本着对读者高度负责的态度，对全书不断进行修订和补充，力求本书一直保持其先进性、完整性和准确性。读者通过学习本书，在掌握数学分析的基本知识、基础理论和基本技能方面，感到获益匪浅，赞誉其为学习数学分析“不可替代”之图书，对此我们倍感欣慰，鞭策我们为读者做出更多的奉献。

这次受山东科学技术出版社的邀请，并在郭大钧教授的大力支持下，我们进行本书第4版的改版工作，主要包括以下几方面：

第一，为全书4462题中的近三成的习题，根据题型的不同，在原题解的前面或给出提示，或给出解题思路，或给出证明思路。希望能启发读者怎样分析该题，怎样下手求解；启发读者怎样总结解题的规律；启发读者怎样正确使用有关的数学公式、概念和理论，开拓视野，活跃思路；帮助读者逐步解决学习中的困难，为他们在学习过程中提供一个良师益友。这是本次改版的主要工作。

第二，根据当前的语言习惯，对全书的文字做了较多的润色，使其表述更加准确，更加简洁。

第三，改正了第3版中的个别印刷错误，修正了函数图像中的个别问题和个别习题的答案。

第四，根据国家相关标准，规范了有关术语和数学公式的表达，并对全书使用的外国人名按照现行标准或通用译法重新翻译。

第五，对全书的版面和开本进行了调整，使其更富有时代的色彩。

我们殷切期望使用本书的读者，懂得只有通过个人的独立思考，加上勤学苦练才能取得成功。读者使用本书最好是不要先看题解，而是自己先对照教材中的有关概念、公式和理论独立进行思考，必要时可参照书中的提示、解题思路或证明思路独立完成解题，然后再查看书中是怎样解答的，比较自己的解答和书中解答的异同，从中找出差距，找出自己的问题所在，甚至找出书中解答的错误和不足之处，进而找到更为简洁的解答。只有这样才能提高自己的思维能力和创造才能，任何削弱独立思考的做法都是违背我们出版本书的初衷的。

山东科学技术出版社颜秀锦、宋德万、胡新蓉等老一代资深编辑为本书前三版的出版和发行付出了艰辛努力，责任编辑宋涛为本书第4版怎样提高质量倾注了不少心血，在此我们一并表示感谢。同时感谢山东大学、华东交通大学、山东师范大学等兄弟学校对本书出版的支持。感谢社会各界同仁对本书的支持。虽然历经30余年的反复修订，面对如此庞大的图书，限于作者水平，书中难免有错误和不当之处，敬请各位专家、同仁和广大读者批评指正，不胜感激。

编者

2012年5月

第3版前言

这套书自1980年出版发行以来，20余年一直畅销不衰，读者称其为学习数学分析“不可替代”之图书，我们对此倍感欣慰。

本次改版主要做了如下改动：

第一，修正了部分题目的解法，使其更加注重科学性、规范性和简明性。

第二，改正了第2版的个别印刷错误。

第三，在文字上进行了些润色，力求文字更加准确。

第四，对版面和开本进行了调整，突出了时代感。

本次改版得到山东科学技术出版社的大力支持，责任编辑宋德万、胡新蓉等对该书的再版付出了艰辛的劳动，在此深表感谢。

在第3版修改过程中由费定晖逐章逐题予以校阅，不当之处恳请指正。

编者

2005年1月

第2版前言

《吉米多维奇数学分析习题集》一书内容丰富，覆盖面广泛，是数学分析的经典之作。从事数学分析教学的老师也常以《吉米多维奇数学分析习题集》中的题目，作为检验学生掌握数学分析基本知识和基本技能的一项重要手段。

《吉米多维奇数学分析习题集》共4462道题目，涵盖了数学分析的全部主题，为了适应我国广大数学爱好者学习，我们将全书4462道题目一一解答，编写了《吉米多维奇数学分析习题集题解》，分六册出版。本书自1980年出版以来，一直畅销不衰，读者称其为学习数学分析“不可替代”之图书，我们对此倍感欣慰。

第2版较第1版主要做了如下改动：

第一，修正了部分题目的解法，使其更加注重了科学性、规范性和简明性。

第二，改正了个别印刷错误。

第三，在文字上进行润色，力求表述更加准确。

本次再版得到山东科学技术出版社的大力支持，在此深表感谢。

编者

1999年3月

首版前言

《吉米多维奇数学分析习题集》一书的中译本，自20世纪50年代初在我国翻译出版以来，在全国各大高校师生中引起巨大反响。凡从事数学分析教学的老师，常以该习题集中的习题，作为检验学生是否掌握数学分析基本知识和基本技能的一项重要手段。二十多年来，对我国数学分析的教学工作是甚为有益的。

该书四千多道习题，数量多，内容丰富，由浅入深，部分题目难度大。内容涉及函数与极限，单变量函数的微分学，不定积分，定积分，级数，多变量函数的微分学，带参变量积分以及重积分与曲线积分、曲面积分等等，涵盖了数学分析的全部主题。当前，我国广大读者，特别是肯于刻苦自学的广大数学爱好者，处在为四个现代化而勤奋学习的热潮中，迫切需要对一些疑难习题有一个较明确的回答。鉴于此，我们将全书4462题一一解答，汇辑成书，分六册出版。本书可以作为高等院校的教学参考用书，同时也可作为广大读者在自学数学分析过程中的参考用书。

众所周知，《吉米多维奇数学分析习题集》中所涉及的题目数量众多，其中不少习题如果认真习作的话，既可以深刻地巩固我们所学到的基本概念，又可以有效地提高我们的运算能力，特别是有些难题还可以使我们学会综合分析的思维方法。正由于这样，我们殷切期望初学数学分析的读者，一定要刻苦钻研，千万不要轻易查抄本书的解答，因为任何削弱独立思索的做法，都是违背我们出版此书的本意。何况作者所作解答并非标准解法，仅作参考而已。如有某些误解、差错也在所难免，恳请读者指正，不胜感谢。

本书承蒙潘承洞教授对部分难题进行了审校。特请郭大钧教授、邵品琮副教授对全书做了仔细审校。其中相当数量的高难度习题，是由郭大钧、邵品琮亲自作解。

楼世拓、姚琦、陈兆宽同志参加了本书的审校工作，黄春朝同志参加了本书的编演工作。本书在编审过程中，还得到山东大学、山东工学院、山东师范学院和曲阜师范学院的领导和同志们的大力支持，特在此一并致谢。

编者

1979年4月

目 录

第6章　多元函数微分学

第7章　含参变量的积分

第6章 多元函数微分学

本章概括

本章为多元函数微分学,包括《吉米多维奇数学分析习题集》中与多元函数微分学有关的575道习题,涵盖了多元函数的极限与连续、偏导数与全微分、隐函数的微分、多元函数的几何应用、泰勒公式及多元函数的极值等7节内容.

多元函数是一元函数的推广,因此它保留着一元函数的许多性质,但也由于自变量由一个增加到多个,产生了某些新的性质,读者对这些性质尤其要加以注意. 对于多元函数,将着重讨论二元函数. 在掌握了二元函数的有关理论与研究方法之后,可以把它们推广到一般的多元函数中去. 本章中重点研究多元函数的几何应用及多元函数的极值与最值问题.

知识图谱

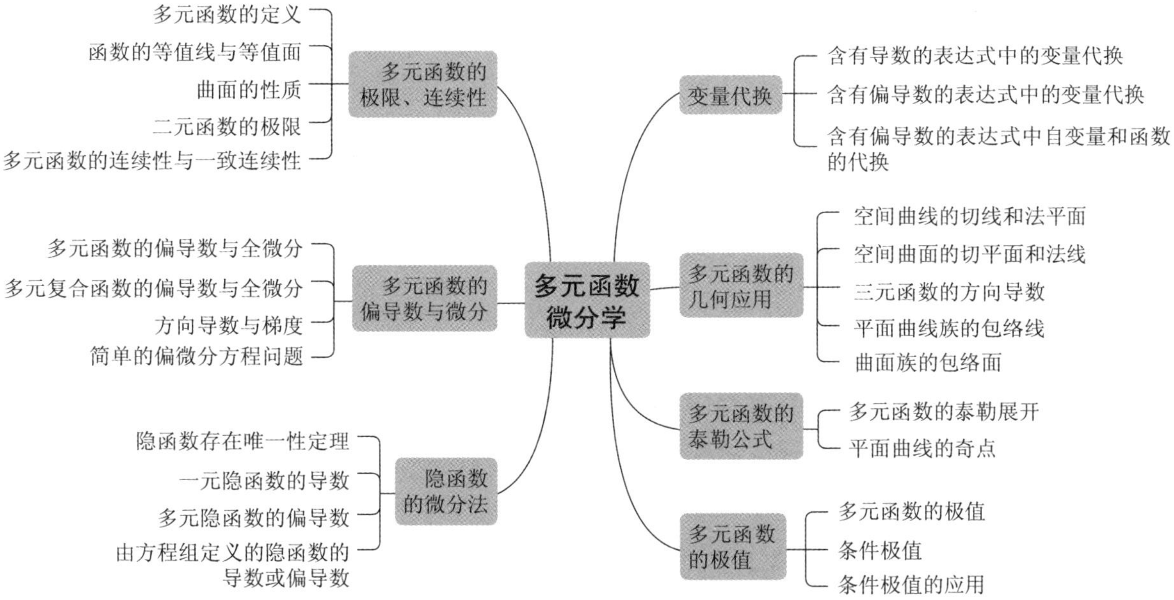

第1节 多元函数的极限、连续性（习题3136—3210）

知识点预览

序号	知识点	题目序号	所在页码
1	多元函数的定义	3136—3156	P2
2	函数的等值线与等值面	3157—3176	P6
3	曲面的性质	3177—3180	P11
4	二元函数的极限	3181—3193	P13
5	多元函数的连续性与一致连续性	3194—3210	P16

知识点1 多元函数的定义

1. 定义　设n维空间点集$D\subset \mathbf{R}^n$，若按照对应法则f，对$\forall P(x_1,x_2,\cdots,x_n)\in D$，都有唯一确定的实数$z$与之对应，则称$f$为定义在$D$上的$n$元函数，记作

$$f:D\to \mathbf{R},$$
$$P\mapsto z.$$

且称D为f的定义域，$P\in D$所对应的z为f在点P的函数值，记作

$$z=f(P)\text{ 或 }z=f(x_1,x_2,\cdots,x_n).$$

2. 自然定义域　多元函数自然定义域与一元函数的自然定义域类似，需要满足以下条件：

(1) $\dfrac{1}{x}$，　$x\neq 0$；　(2) $\sqrt{x}$，　$x\geqslant 0$；　(3) $\log_a x$，　$x>0$；

(4) $\arcsin x,\arccos x$，　$|x|\leqslant 1$；

此处的x所在位置为一元或者多元形式.

习题 3136—3150　多元函数的定义域

【确定并画出下列函数的定义域(3136—3150)】

【3136】　$u=x+\sqrt{y}$.

解　定义域为上半平面，即$\{(x,y)\mid y\geqslant 0\}$，如图6.1阴影部分所示，包括整个$Ox$轴在内.

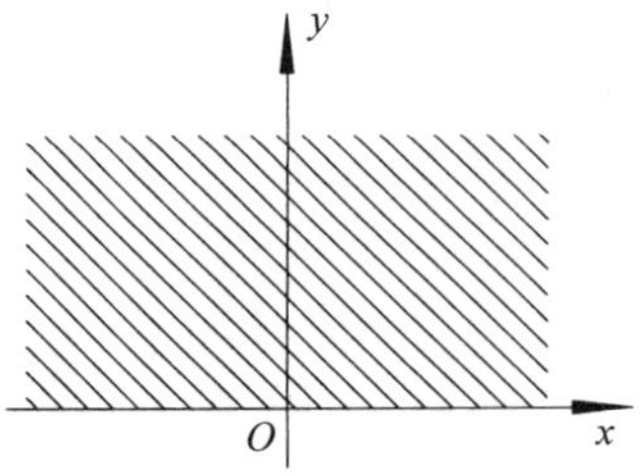

图 6.1

【3137】 $u=\sqrt{1-x^2}+\sqrt{y^2-1}$.

解 定义域为$\{(x,y)\mid |x|\leqslant 1,|y|\geqslant 1\}$,如图 6.2 阴影部分所示,包括边界(粗实线)在内.

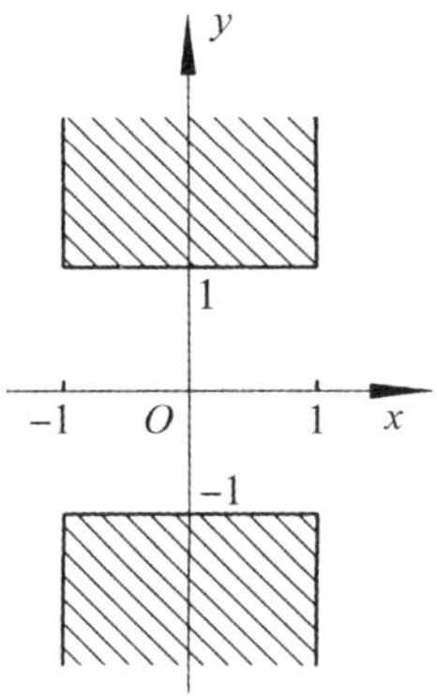

图 6.2

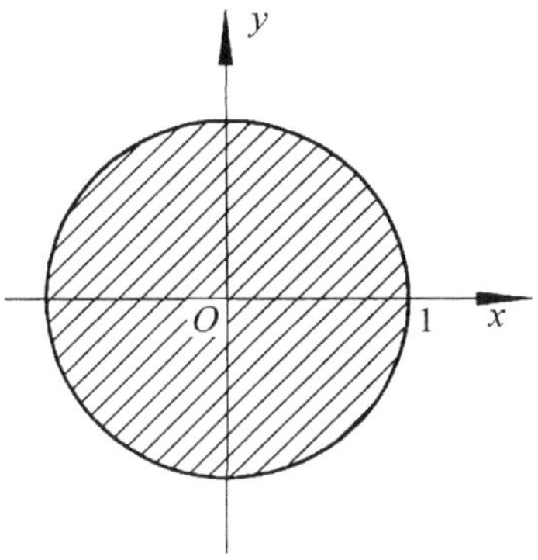

图 6.3

【3138】 $u=\sqrt{1-x^2-y^2}$.

解 定义域为$\{(x,y)\mid x^2+y^2\leqslant 1\}$,如图 6.3 阴影部分所示,包含圆周在内.

【3139】 $u=\dfrac{1}{\sqrt{x^2+y^2-1}}$.

解 定义域$\{(x,y)\mid x^2+y^2>1\}$,如图 6.4 所示,不包含圆周(虚线)在内.

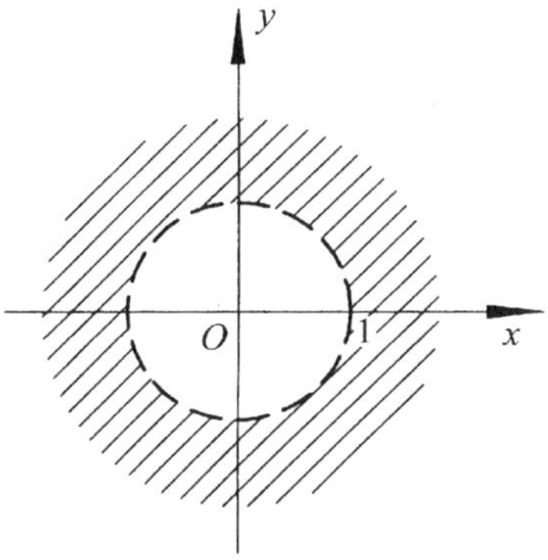

图 6.4

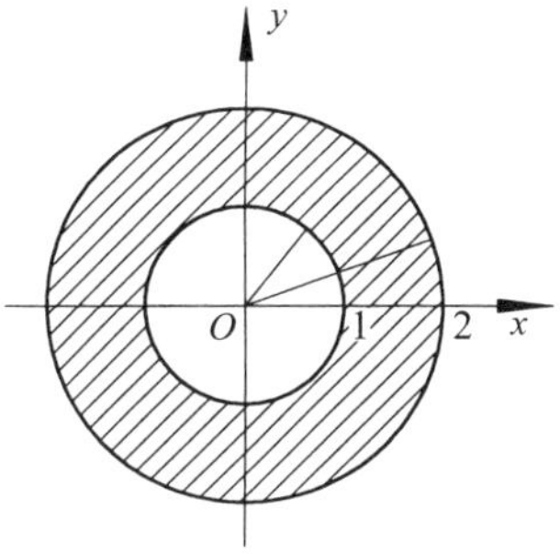

图 6.5

【3140】 $u=\sqrt{(x^2+y^2-1)(4-x^2-y^2)}$.

解 定义域为$\{(x,y)\mid 1\leqslant x^2+y^2\leqslant 4\}$,如图 6.5 所示的圆环,包含边界在内.

【3141】 $u=\sqrt{\dfrac{x^2+y^2-x}{2x-x^2-y^2}}$.

解 定义域为$\{(x,y)\mid x\leqslant x^2+y^2<2x\}$. 由 $x^2+y^2\geqslant x$ 得出 $\left(x-\dfrac{1}{2}\right)^2+y^2\geqslant\left(\dfrac{1}{2}\right)^2$,由 $x^2+y^2<2x$ 得出$(x-1)^2+y^2<1$,两者组成一月形,如图 6.6 阴影部分所示,不包含大圆圆周,但包含小圆圆周.

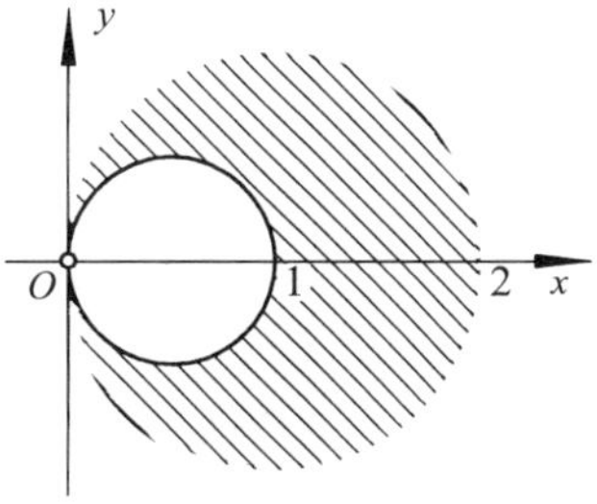

图 6.6

【3142】 $u=\sqrt{1-(x^2+y)^2}$.

解 定义域为$\{(x,y)\mid -1\leqslant x^2+y\leqslant 1\}$,如图 6.7 阴影部分所示,包含边界在内.

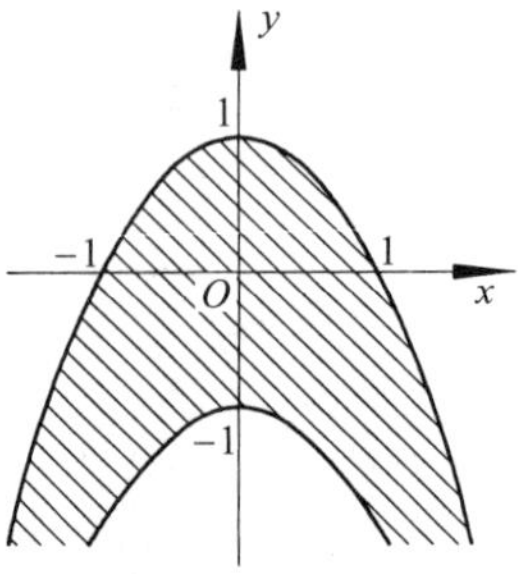

图 6.7

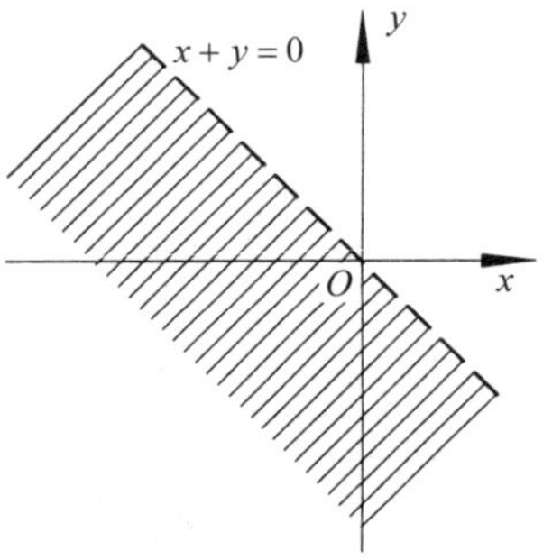

图 6.8

【3143】 $u = \ln(-x-y)$.

解　定义域为$\{(x,y) \mid x+y<0\}$,如图 6.8 阴影部分所示,不包含直线 $x+y=0$.

【3144】 $u = \arcsin \dfrac{y}{x}$.

解　定义域为$\{(x,y) \mid |y| \leqslant |x| (x \neq 0)\}$,这是一对对顶的直角,如图 6.9 阴影部分所示,不包含原点.

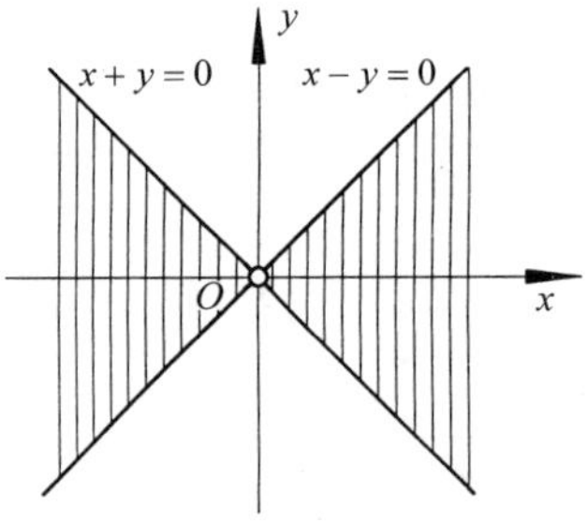

图 6.9

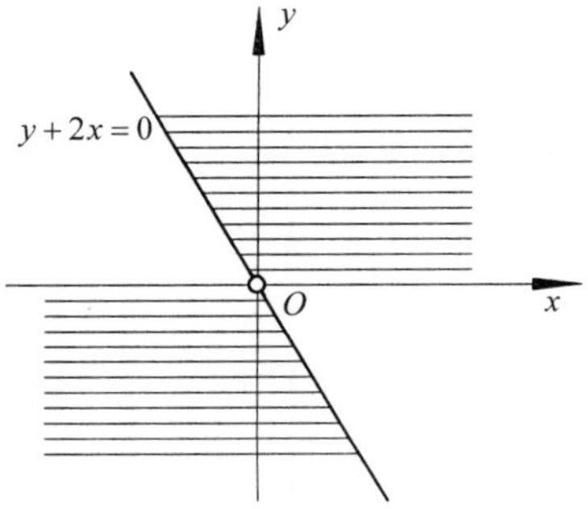

图 6.10

【3145】 $u = \arccos \dfrac{x}{x+y}$.

解　定义域为$\{(x,y) \mid |x| \leqslant |x+y| (x \neq -y)\}$,即 $x^2 \leqslant x^2+2xy+y^2$ 或 $y(y+2x) \geqslant 0$,也即 $\begin{cases} y \geqslant 0, \\ y \geqslant -2x \end{cases}$ 或 $\begin{cases} y \leqslant 0, \\ y \leqslant -2x. \end{cases}$ 但 x,y 不能同时为零,这是由直线 $y=0$ 和 $y=-2x$ 所构成的一对对顶角,如图 6.10 阴影部分所示,包含边界在内,但不包含公共顶点 $O(0,0)$.

【3146】 $u = \arcsin \dfrac{x}{y^2} + \arcsin(1-y)$.

解　定义域为满足不等式 $\left|\dfrac{x}{y^2}\right| \leqslant 1$ 及 $|1-y| \leqslant 1 (y \neq 0)$ 的点集,即 $\begin{cases} y^2 \geqslant x, \\ 0 < y \leqslant 2 \end{cases}$ 和 $\begin{cases} y^2 \geqslant -x, \\ 0 < y \leqslant 2. \end{cases}$

这是由抛物线 $y^2 = x, y^2 = -x$ 和直线 $y=2$ 所围成的曲边三角形,如图 6.11 阴影部分所示,不包含原点在内.

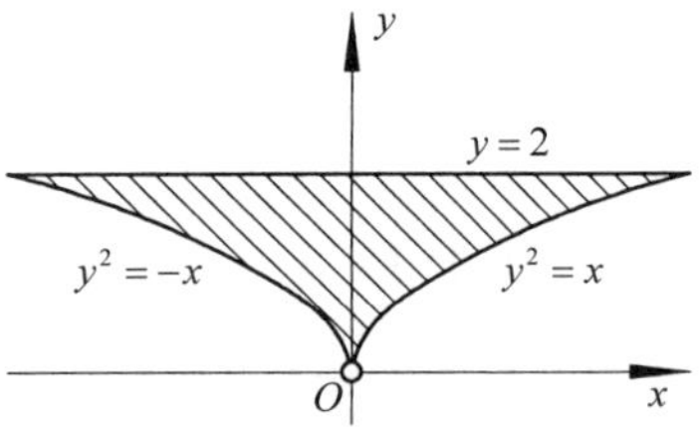

图 6.11

【3147】 $u = \sqrt{\sin(x^2+y^2)}$.

解　定义域为满足不等式 $\sin(x^2+y^2) \geqslant 0$ 即 $2k\pi \leqslant x^2+y^2 \leqslant (2k+1)\pi (k=0,1,2,\cdots)$ 的点集,如图 6.12 所示的同心环族.

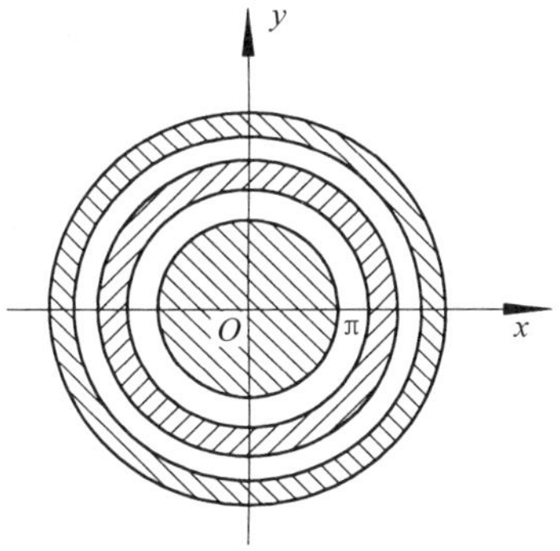

图 6.12

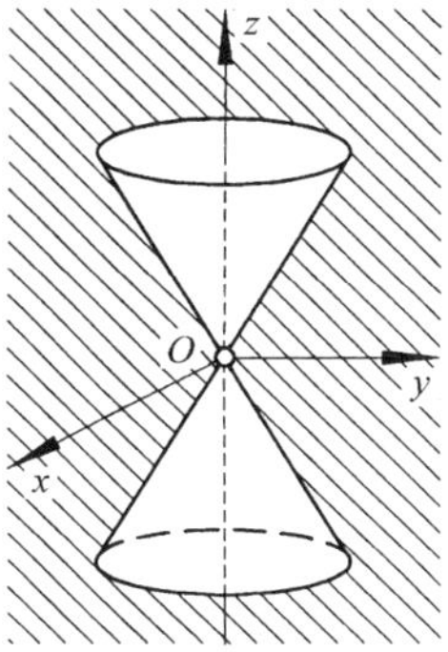

图 6.13

【3148】 $u=\arccos\dfrac{z}{\sqrt{x^2+y^2}}$.

解 定义域为满足不等式 $\left|\dfrac{z}{\sqrt{x^2+y^2}}\right|\leqslant 1$，即 $x^2+y^2-z^2\geqslant 0$（x,y 不同时为零）的点集，这是圆锥 $x^2+y^2-z^2=0$ 的外面，如图 6.13 阴影部分所示，包含边界在内，但要除去圆锥的顶点.

【3149】 $u=\ln(xyz)$.

解 定义域为满足不等式 $xyz>0$ 的点集，即 $x>0,y>0,z>0$；或 $x>0,y<0,z<0$；或 $x<0,y<0,z>0$；或 $x<0,y>0,z<0$. 其图形为空间第一、第三、第六及第八卦限的总体，但不包含坐标面，由于图形为读者所熟知，故省略. 以下有类似情况，不再说明.

【3150】 $u=\ln(-1-x^2-y^2+z^2)$.

解 定义域为满足 $-x^2-y^2+z^2>1$ 的点集，即双叶双曲面 $x^2+y^2-z^2=-1$ 的内部，如图 6.14 阴影部分所示，不包含界面在内.

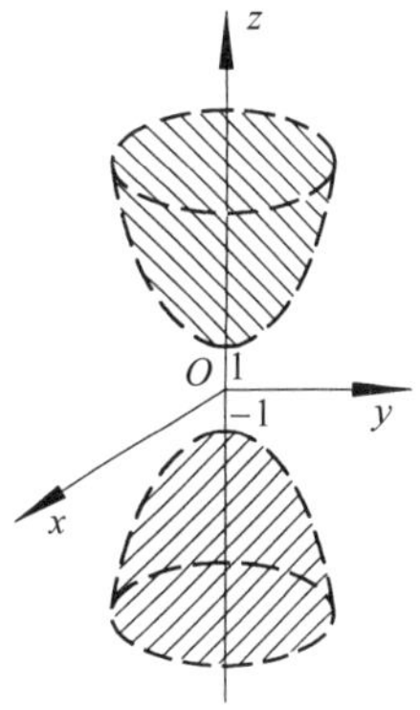

图 6.14

习题 3151—3156 多元函数的函数值与解析式

【3151】 作出函数 $F(t)=f(\cos t,\sin t)$ 的图像，其中 $f(x,y)=\begin{cases}1, & y\geqslant x,\\0, & y<x.\end{cases}$

解 当 $\sin t\geqslant\cos t$，即 $\dfrac{\pi}{4}+2k\pi\leqslant t\leqslant\dfrac{5\pi}{4}+2k\pi(k=0,\pm1,\pm2,\cdots)$ 时，$F(t)=1$；

而当 $\sin t<\cos t$，即 $-\dfrac{3}{4}\pi+2k\pi<t<\dfrac{\pi}{4}+2k\pi$ 时，$F(t)=0$. 如图 6.15 所示.

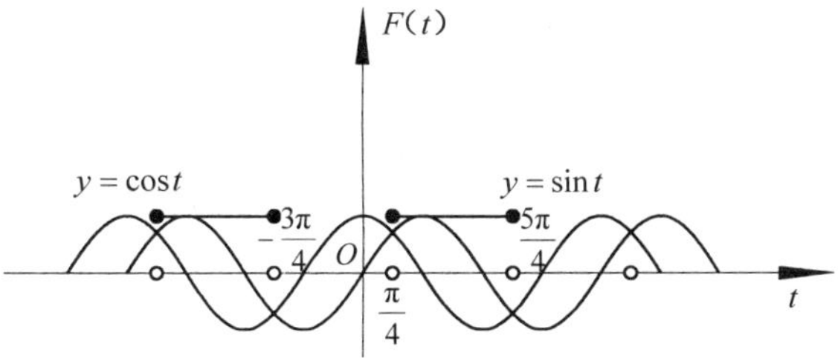

图 6.15

【3152】 若 $f(x,y)=\dfrac{2xy}{x^2+y^2}$，求 $f\left(1,\dfrac{y}{x}\right)$.

解 $f\left(1,\dfrac{y}{x}\right)=\dfrac{2\cdot 1\cdot \dfrac{y}{x}}{1+\left(\dfrac{y}{x}\right)^2}=\dfrac{2xy}{x^2+y^2}=f(x,y)$.

【3153】 若 $f\left(\dfrac{y}{x}\right)=\dfrac{\sqrt{x^2+y^2}}{x}\ (x>0)$，求 $f(x)$.

解 由 $f\left(\dfrac{y}{x}\right)=\sqrt{1+\left(\dfrac{y}{x}\right)^2}$ 知 $f(x)=\sqrt{1+x^2}$.

【3154】 设 $z=\sqrt{y}+f(\sqrt{x}-1)$. 若当 $y=1$ 时 $z=x$，求函数 f 和 z.

解 因为当 $y=1$ 时 $z=x$，所以

$$f(\sqrt{x}-1)=x-1=(\sqrt{x}-1)(\sqrt{x}+1)=(\sqrt{x}-1)[(\sqrt{x}-1)+2],$$

从而得

$$f(t)=t(t+2)=t^2+2t,$$

$$z=\sqrt{y}+x-1\quad(x>0).$$

【3155】 设 $z=x+y+f(x-y)$. 若当 $y=0$ 时，$z=x^2$. 求函数 f 及 z.

解 因为当 $y=0$ 时 $z=x^2$，所以

$$x^2=x+f(x)\text{，即 } f(x)=x^2-x,$$

$$z=x+y+(x-y)^2-(x-y)=2y+(x-y)^2.$$

【3156】 若 $f\left(x+y,\dfrac{y}{x}\right)=x^2-y^2$，求 $f(x,y)$.

解 因 $f\left(x+y,\dfrac{y}{x}\right)=x^2-y^2=(x+y)(x-y)=(x+y)^2\dfrac{x-y}{x+y}=(x+y)^2\dfrac{1-\dfrac{y}{x}}{1+\dfrac{y}{x}}$，故

$$f(x,y)=\frac{x^2(1-y)}{1+y}.$$

知识点2 函数的等值线与等值面

1. 等值线 多元函数的等值线是指在二维坐标系中表示多元函数数值相等的各点的连线. 在二维坐标系中，可以将多元函数表示为 $z=f(x,y)$，其中 x 和 y 是自变量，z 是因变量. 因此，等值线就是满足 $f(x,y)=c$ 的曲线，其中 c 是常数.

例如，对于函数 $f(x,y)=x^2+y^2$，等值线就是满足 $x^2+y^2=c$ 的圆. c 的值越大，圆的半径就越大.

2. 等值面 多元函数的等值面是指在三维坐标系中表示多元函数的等值的曲面. 在三维坐标系中，可以将多元函数表示为 $u=f(x,y,z)$，其中 x,y,z 是自变量. 等值面就是满足 $f(x,y,z)=c$ 的曲面，其中 c 是常数.

例如，对于函数 $f(x,y,z)=x^2+y^2+z^2$，等值面就是满足 $x^2+y^2+z^2=c$ 的球面. c 的值越大，球的半径就越大.

习题 3157—3171 函数的等值线

【作出下列函数的等值线(3157—3171)】

【3157】 $z = x + y$.

解 等值线为平行直线族 $x + y = k$，其中 $k \in \mathbf{R}$，如图 6.16 所示.

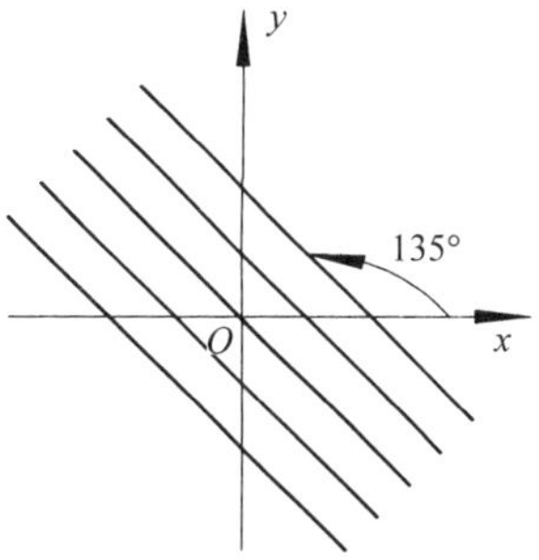

图 6.16

【3158】 $z = x^2 + y^2$.

解 等值线为曲线族 $x^2 + y^2 = a^2 (a \geqslant 0)$. 当 $a = 0$ 时为原点；当 $a > 0$ 时，等值线为以原点为圆心的同心圆族.

【3159】 $z = x^2 - y^2$.

解 等值线为曲线族 $x^2 - y^2 = k$. 当 $k = 0$ 时为两条互相垂直的直线：$y = x, y = -x$. 当 $k \neq 0$ 时为以 $y = \pm x$ 为公共渐近线的等边双曲线族，其中 $k > 0$ 时顶点为$(-\sqrt{k}, 0), (\sqrt{k}, 0)$，$k < 0$ 时顶点为$(0, -\sqrt{-k}), (0, \sqrt{-k})$.

【3160】 $z = (x + y)^2$.

解 等值线为曲线族$(x + y)^2 = a^2 (a \geqslant 0)$. $a = 0$ 时为直线 $x + y = 0$. $a \neq 0$ 时为与直线 $x + y = 0$ 平行且等距的直线 $x + y = \pm a$.

【3161】 $z = \dfrac{y}{x}$.

解 等值线为以坐标原点为束心的直线束 $y = kx (x \neq 0)$，不包括 Oy 轴在内.

【3162】 $z = \dfrac{1}{x^2 + 2y^2}$.

解 等值线为椭圆族 $x^2 + 2y^2 = a^2 (a > 0)$. 长半轴为 a，短半轴为$\dfrac{a}{\sqrt{2}}$，焦点为$\left(-a\sqrt{\dfrac{3}{2}}, 0\right)$及$\left(a\sqrt{\dfrac{3}{2}}, 0\right)$.

【3163】 $z = \sqrt{xy}$.

解 等值线为曲线族 $xy = a^2 (a \geqslant 0)$. 当 $a = 0$ 时为坐标轴 $x = 0$ 及 $y = 0$. 当 $a > 0$ 时为以两坐标轴为公共渐近线且位于第一、第三象限内的等边双曲线族，顶点为$(-a, -a)$及(a, a).

【3164】 $z = |x| + y$.

解 等值线为曲线族 $|x| + y = k$，其中 $k \in \mathbf{R}$，当 $x \geqslant 0$ 时为 $x + y = k$；当 $x < 0$ 时为 $-x + y = k$. 这是顶点在 Oy 轴上两支互相垂直的射线所构成的折线族，如图 6.17 所示.

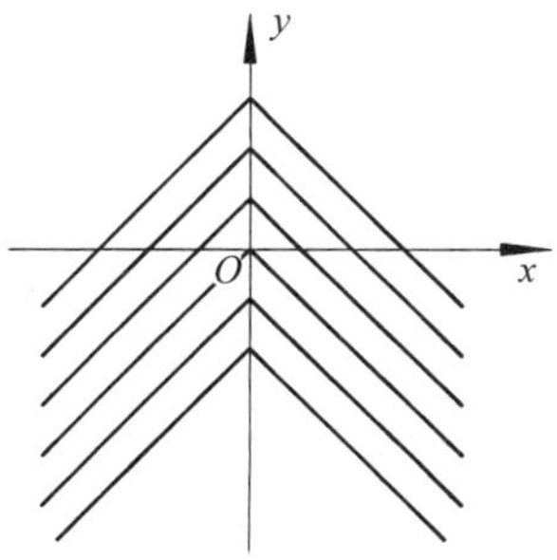

图 6.17

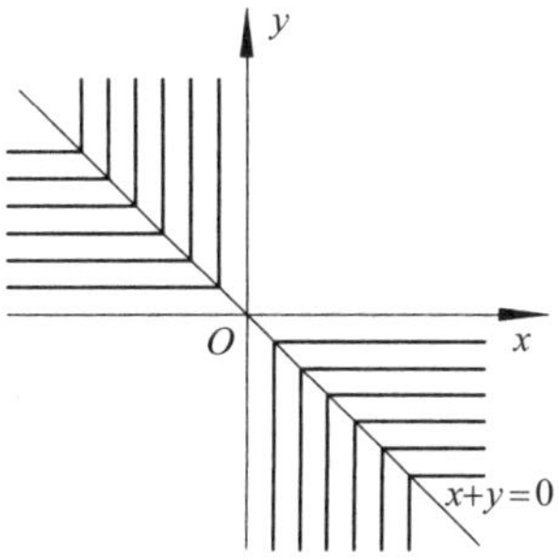

图 6.18

【3165】 $z = |x| + |y| - |x + y|$.

解 等值线为曲线族 $|x| + |y| - |x + y| = a$. 因恒有 $|x| + |y| \geqslant |x + y|$，故 $a \geqslant 0$. 当 $a = 0$ 时，

由 $|x|+|y|=|x+y|$ 两边平方即得 $xy\geqslant 0$，即为整个第一、第三象限，包括两坐标轴在内.

当 $a>0$ 时，$xy<0$ 分下面四组求解：

(1)$x>0,y<0,x+y\geqslant 0$，$|x|+|y|-|x+y|=a$，解得 $y=-\dfrac{a}{2}$；

(2)$x>0,y<0,x+y\leqslant 0$，$|x|+|y|-|x+y|=a$，解得 $x=\dfrac{a}{2}$；

(3)$x<0,y>0,x+y\geqslant 0$，$|x|+|y|-|x+y|=a$，解得 $x=-\dfrac{a}{2}$；

(4)$x<0,y>0,x+y\leqslant 0$，$|x|+|y|-|x+y|=a$，解得 $y=\dfrac{a}{2}$.

这是顶点位于直线 $x+y=0$ 上的两支互相垂直的折线族，它的各射线平行于坐标轴，如图 6.18 所示.

【3166】 $z=e^{\frac{2x}{x^2+y^2}}$.

解 等值线为曲线族 $\dfrac{2x}{x^2+y^2}=k$(x,y 不同时为零)，其中 k 为异于零的一切实数. 上式可变形为 $\left(x-\dfrac{1}{k}\right)^2+y^2=\left(\dfrac{1}{k}\right)^2$ $(k\neq 0)$.

当 $k=0$ 时，即得 $e^{\frac{2x}{x^2+y^2}}=1$，从而等值线为 $x=0$ 即 Oy 轴，但不包括原点.

当 $k\neq 0$ 时，为中心在 Ox 轴上且经过原点(但不包含原点在内) 的圆束，圆心为 $\left(\dfrac{1}{k},0\right)$，半径为 $\left|\dfrac{1}{k}\right|$，如图 6.19 所示.

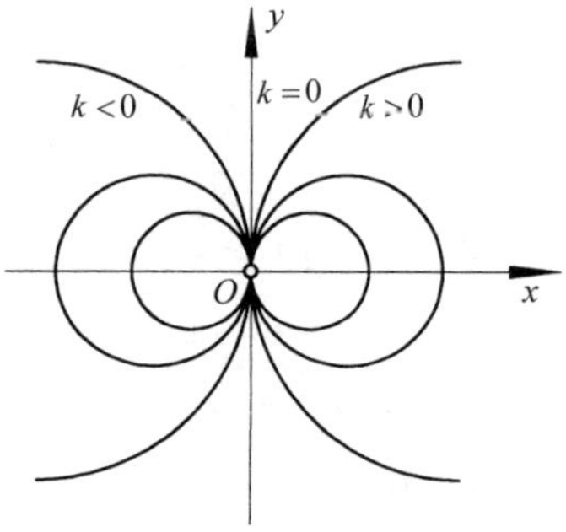

图 6.19

【3167】 $z=x^y(x>0)$.

解 等值线为曲线族 $x^y=a(a>0)$. 当 $a=1$ 时为直线 $x=1$ 及 Ox 轴的正向半射线，但不包括原点在内. 当 $0<a<1$ 与 $a>1$ 时，$y=\dfrac{1}{\log_a x}$，图像如图 6.20 所示.

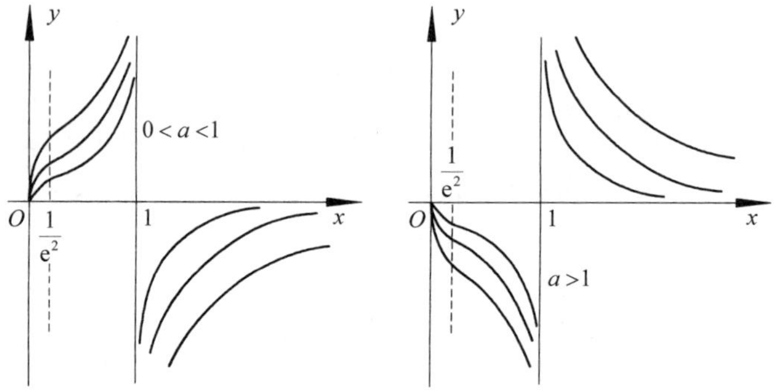

图 6.20

【3168】 $z=x^y e^{-x}(x>0)$.

解 等值线为曲线族 $x^y e^{-x}=a(a>0)$，即 $y\ln x-x=\ln a$.

当 $a=e^{-1}$ 时为直线 $x=1$ 和曲线 $y=\dfrac{x-1}{\ln x}$；当 $0<a<\dfrac{1}{e}$，$\dfrac{1}{e}<a<1$ 或 $a\geqslant 1$ 时图像布满整个右半平面，如图 6.21 所示，不包括 Oy 轴.

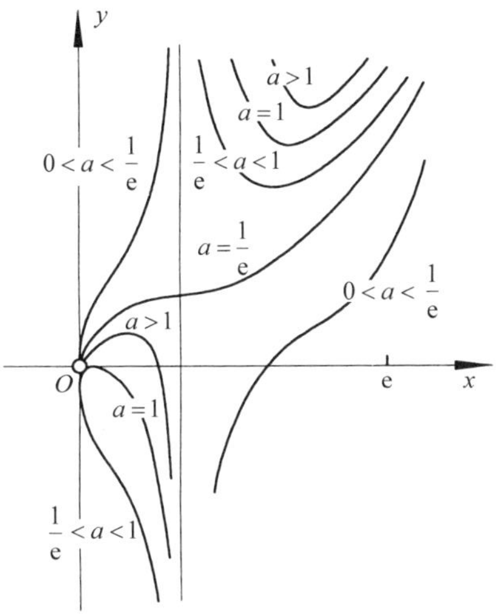

图 6.21

【3169】 $z=\ln\sqrt{\dfrac{(x-a)^2+y^2}{(x+a)^2+y^2}}\quad(a>0)$.

解 等值线为曲线族

$$\frac{(x-a)^2+y^2}{(x+a)^2+y^2}=k^2\quad(k>0).$$

整理得

$$(1-k^2)x^2-2a(1+k^2)x+(1-k^2)a^2+(1-k^2)y^2=0.$$

当 $k=1$ 时得 $x=0$,即 Oy 轴. 当 $k\neq1$ 时,上式可变形为 $\left[x-\dfrac{a(1+k^2)}{1-k^2}\right]^2+y^2=\left(\dfrac{2ak}{1-k^2}\right)^2$,这是以点 $\left(\dfrac{a(1+k^2)}{1-k^2},0\right)$ 为圆心、半径为 $\left|\dfrac{2ak}{1-k^2}\right|$ 的圆族. 当 $0<k<1$ 时,圆分布在右半平面;当 $k>1$ 时,圆分布在左半平面.

注意到圆心与原点距离的平方为

$$\left[\frac{a(1+k^2)}{1-k^2}\right]^2=\frac{a^2[(1-k^2)^2+4k^2]}{(1-k^2)^2}=a^2+\left(\frac{2ak}{1-k^2}\right)^2,$$

即等值线圆族与圆 $x^2+y^2=a^2$ 在交点处的半径互相垂直(或圆心距与两圆的半径构成直角三角形),便知等值线圆族与圆 $x^2+y^2=a^2$ 成正交. 如图 6.22 所示.

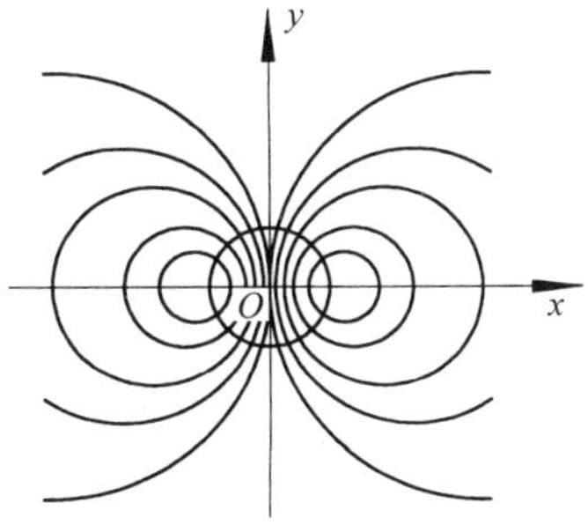

图 6.22

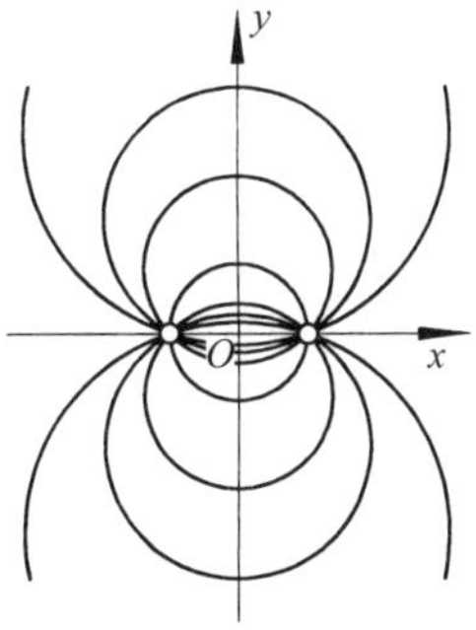

图 6.23

【3170】 $z=\arctan\dfrac{2ay}{x^2+y^2-a^2}(a>0)$.

解 等值线为曲线族$\dfrac{2ay}{x^2+y^2-a^2}=k$，其中$k$为一切实数，但要除去点$(-a,0)$及$(a,0)$. 当$k=0$时，$y=0$，即为$Ox$轴，但不包括上述两点；当$k\neq 0$时，方程可变形为$x^2+\left(y-\dfrac{a}{k}\right)^2=a^2\left(1+\dfrac{1}{k^2}\right)$，这是圆心在$Oy$轴上且经过点$(-a,0)$及$(a,0)$但不包括这两点在内的圆族，如图6.23所示.

【3171】 $z=\operatorname{sgn}(\sin x\sin y)$.

解 若$z=0$，则$\sin x\sin y=0$，此即直线族$x=m\pi$和$y=n\pi(m,n=0,\pm 1,\pm 2,\cdots)$；若$z=-1$或$z=1$，则$\sin x\sin y<0$或$\sin x\sin y>0$，此即正方形系

$$m\pi<x<(m+1)\pi, n\pi<y<(n+1)\pi,$$

其中$z=(-1)^{m+n}$. 如图6.24所示，$z=0$时为图中网格直线；$z=1$为图中带斜线的正方形；$z=-1$为图中空白正方形，但后两者都不包括边界.

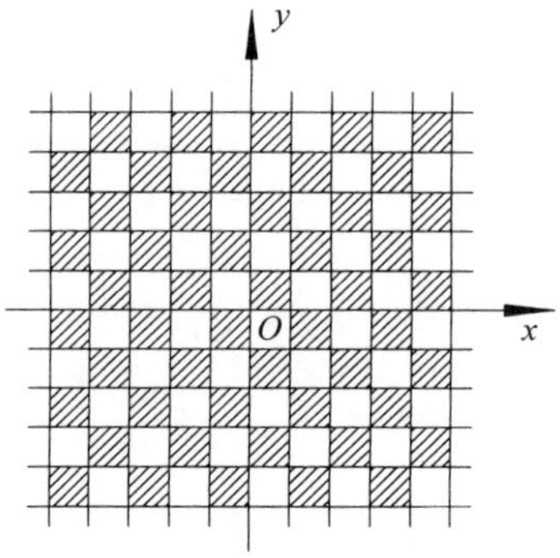

图6.24

习题3172—3176 函数的等值面

【求下列函数的等值面(3172—3176)】

【3172】 $u=x+y+z$.

解 等值面为平行平面族$x+y+z=k$，其中k为一切实数.

【3173】 $u=x^2+y^2+z^2$.

解 等值面为中心在原点的同心球族$x^2+y^2+z^2=a^2(a\geqslant 0)$，其中当$a=0$时即为原点.

【3174】 $u=x^2+y^2-z^2$.

解 当$u=0$时等值面为圆锥$x^2+y^2-z^2=0$；
当$u>0$时等值面为单叶双曲面族$x^2+y^2-z^2=a^2(a>0)$；
当$u<0$时等值面为双叶双曲面族$-x^2-y^2+z^2=a^2(a>0)$.

【3175】 $u=(x+y)^2+z^2$.

解 等值面为曲面族$(x+y)^2+z^2=a^2(a\geqslant 0)$.
当$a=0$时为$x+y=0$和$z=0$.
当$a>0$时，作坐标变换

$$\begin{cases} x'=x\cos\dfrac{\pi}{4}+y\sin\dfrac{\pi}{4}=\dfrac{\sqrt{2}}{2}(x+y), \\ y'=-x\sin\dfrac{\pi}{4}+y\cos\dfrac{\pi}{4}=\dfrac{\sqrt{2}}{2}(-x+y), \\ z'=z. \end{cases}$$

这是旋转变换. 在新坐标系中原等值面方程转化为

$$2x'^2+z'^2=a^2,\text{即}\frac{x'^2}{\frac{a^2}{2}}+\frac{z'^2}{a^2}=1,$$

这是以 y' 轴为公共轴的椭圆柱面，母线的方向平行于 y' 轴，准线为 $y'=0$ 平面上的椭圆

$$\frac{x'^2}{\frac{a^2}{2}}+\frac{z'^2}{a^2}=1,$$

长半轴为 a（z' 轴方向），短半轴为 $\frac{a}{\sqrt{2}}$（x' 轴方向）.

Oy' 轴在新系 $Ox'y'z'$ 中的方程为

$$\begin{cases}x'=0,\\ z'=0,\end{cases}$$

而在旧系 $Oxyz$ 中的方程为

$$\begin{cases}x+y=0,\\ z=0,\end{cases}$$

即为所求的椭圆柱面族的公共对称轴.

【3176】 $u=\operatorname{sgn}\sin(x^2+y^2+z^2)$.

解 当 $u=0$ 时等值面为球心在原点的同心球族

$$x^2+y^2+z^2=n\pi(n=0,1,2,\cdots).$$

当 $u=-1$ 或 $u=1$ 时等值面为球层族

$$n\pi<x^2+y^2+z^2<(n+1)\pi(n=0,1,2,\cdots),$$

其中 $u=(-1)^n$.

知识点3 曲面的性质

1. 定义 曲面是直线或曲线在一定约束条件下的运动轨迹. 运动的直线或曲线，称为曲面的母线；曲面上任一位置的母线称为素线. 母线运动时所受的约束，称为运动的约束条件. 在约束条件中，控制母线运动的直线或曲线称为导线；控制母线运动的平面称为导平面.

2. 曲面的分类 当动线按照一定的规律运动时，形成的曲面称为规则曲面；当动线作不规则运动时，形成的曲面称为不规则曲面. 形成曲面的母线可以是直线，也可以是曲线. 如果曲面是由直线运动形成的则称为直线面（如圆柱面、圆锥面等）；由曲线运动形成的曲面则称为曲线面（如球面、环面等）. 直线面的连续两直素线彼此平行或相交（即它们位于同一平面上），这种能无变形地展开成一平面的曲面，属于可展曲面；如连续两直素线彼此交叉（即它们不位于同一平面上）的曲面，则属于不可展曲面.

3. 曲面的表示法 曲面的表示法和平面的表示法相似，最基本的要求是作出决定该曲面各几何元素的投影，如母线、导线、导面等. 此外，一般需画出曲面的外形线，以确定曲面的范围.

习题 3177—3180 曲面的性质

【根据曲面方程研究曲面的性质（3177—3180）】

【3177】 $z=f(y-ax)$.

解 引入参数 t,s，将曲面方程 $z=f(y-ax)$ 表成参数方程

$$\begin{cases} x = t, \\ y = at + s, \\ z = f(s). \end{cases}$$

固定 s，得到以 t 为参数的直线方程，其方向数为 $1,a,0$. 因此，曲面为以 $1,a,0$ 为母线方向的一个柱面. 令 $t=0$，可得

$$\begin{cases} x = 0, \\ y = s, \\ z = f(s), \end{cases} \quad 或 \begin{cases} x = 0, \\ z = f(y), \end{cases}$$

这是 $x=0$ 平面上的一条曲线，也是柱面 $z=f(y-ax)$ 的一条准线.

【3178】 $z = f(\sqrt{x^2+y^2})$.

解 这是绕 Oz 轴旋转的旋转曲面的标准形式. 令 $y=0$，得曲线

$$\begin{cases} y = 0, \\ z = f(x) \quad (x \geqslant 0), \end{cases}$$

它是旋转曲线的一条母线.

【3179】 $z = xf\left(\frac{y}{x}\right)$.

解 引入参数 t,a，将曲面方程 $z = xf\left(\frac{y}{x}\right)$ 表成参数方程

$$\begin{cases} x = t, \\ y = st, \quad (t \neq 0). \\ z = tf(s) \end{cases}$$

固定 s，这是以 t 为参数的一条过原点的直线. 因此，所给曲面方程为顶点在原点的一锥面，但不包括原点在内. 令 $t=1$，得曲线

$$\begin{cases} x = 1, \\ y = s, \\ z = f(s), \end{cases} \quad 或 \begin{cases} x = 1, \\ z = f(y), \end{cases}$$

这是 $x=1$ 平面上的一条曲线，也是锥面 $z = xf\left(\frac{y}{x}\right)$ 的一条准线.

【3180】 $z = f\left(\frac{y}{x}\right)$.

解 引入参数 t,s，将曲面方程 $z = f\left(\frac{y}{x}\right)$ 表成参数方程

$$\begin{cases} x = t, \\ y = st, \\ z = f(s). \end{cases}$$

固定 s，这是一条过点 $(0,0,f(s))$ 的直线，方向数为 $1,s,0$. 因此，它与 Oz 轴垂直，与 Oxy 平面平行，且其方向与 s 有关. 从而得知，曲面 $z = f\left(\frac{y}{x}\right)$ 表示一个直纹面. 一般说来，它既不是柱面，也不是锥面. 令 $t=1$，得到直纹面的一条准线

$$\begin{cases} x = 1, \\ z = f(y). \end{cases}$$

从此曲线上每一点引一条与 Oz 轴垂直相交的直线，这样的直线的全体，便构成由 $z = f\left(\frac{y}{x}\right)$ 所表示的直纹面.

知识点4 二元函数的极限

1. 多元函数的极限(也称重极限)

设函数 $f(P)=f(x_1,x_2,\cdots,x_n)$ 在以 P_0 为聚点的集合 E 上有定义. 若 $\forall\varepsilon>0,\exists\delta=\delta(\varepsilon,P_0)>0$,只要 $P\in E$ 及 $0<\rho(P,P_0)<\delta$,其中 $\rho(P,P_0)$ 为 P 和 P_0 二点间距离,都有

$$|f(P)-A|<\varepsilon,$$

则称 f 在 E 上当 $P\to P_0$ 时以 A 为极限,记作 $\lim\limits_{P\to P_0}f(P)=A$.

2. 累次极限(以二元函数为例)

设二元函数 $f(x,y),(x,y)\in D,D$ 在 x 轴与 y 轴上的投影分别为 X,Y,x_0,y_0 均为 X, Y 的聚点. 若对 $\forall y\in Y(y\neq y_0)$,存在极限 $\varphi(y)=\lim\limits_{x\to x_0}f(x,y)$,将进一步还存在极限 $L=\lim\limits_{y\to y_0}\varphi(y)$,则称 L 为 $f(x,y)$ 先对 $x(x\to x_0)$,后对 $y(y\to y_0)$ 的累次极限,记作

$$L=\lim_{y\to y_0}\lim_{x\to x_0}f(x,y).$$

类似地可定义先对 $y(y\to y_0)$,后对 $x(x\to x_0)$ 的累次极限 $K=\lim\limits_{x\to x_0}\lim\limits_{y\to y_0}f(x,y)$.

注 若两个累次极限和重极限都存在,则三者必相等;若两个累次极限存在但不相等,则重极限必不存在.

习题3181—3193 二元函数的极限

【3181】 证明:对于 $f(x,y)=\dfrac{x-y}{x+y}$,有 $\lim\limits_{x\to0}\lim\limits_{y\to0}f(x,y)=1,\lim\limits_{y\to0}\lim\limits_{x\to0}f(x,y)=-1$,从而 $\lim\limits_{\substack{x\to0\\y\to0}}f(x,y)$ 不存在.

证

$$\lim_{x\to0}\lim_{y\to0}f(x,y)=\lim_{x\to0}\lim_{y\to0}\frac{x-y}{x+y}=\lim_{x\to0}\frac{x}{x}=1,$$

$$\lim_{y\to0}\lim_{x\to0}f(x,y)=\lim_{y\to0}\lim_{x\to0}\frac{x-y}{x+y}=\lim_{y\to0}\frac{-y}{y}=-1,$$

由于两个累次极限都存在但不等,故 $\lim\limits_{\substack{x\to0\\y\to0}}f(x,y)$ 不存在.

【3182】 证明:对于 $f(x,y)=\dfrac{x^2y^2}{x^2y^2+(x-y)^2}$,有 $\lim\limits_{x\to0}\lim\limits_{y\to0}f(x,y)=\lim\limits_{y\to0}\lim\limits_{x\to0}f(x,y)=0$,然而 $\lim\limits_{\substack{x\to0\\x\to0}}f(x,y)$ 不存在.

证

$$\lim_{x\to0}\lim_{y\to0}f(x,y)=\lim_{x\to0}\lim_{y\to0}\frac{x^2y^2}{x^2y^2+(x-y)^2}=\lim_{x\to0}0=0,$$

$$\lim_{y\to0}\lim_{x\to0}f(x,y)=\lim_{y\to0}\lim_{x\to0}\frac{x^2y^2}{x^2y^2+(x-y)^2}=\lim_{y\to0}0=0.$$

如果按 $y=kx\to0$ 的方向取极限,则有

$$\lim_{\substack{y=kx\\x\to0}}f(x,y)=\lim_{x\to0}\frac{k^2x^4}{k^2x^4+(1-k)^2x^2}=\begin{cases}1, & k=1,\\0, & k=0.\end{cases}$$

因此 $\lim\limits_{\substack{x\to0\\x\to0}}f(x,y)$ 不存在.

【3183】 证明：对于函数 $f(x,y)=(x+y)\sin\frac{1}{x}\sin\frac{1}{y}$，累次极限 $\lim\limits_{x\to 0}\lim\limits_{y\to 0}f(x,y)$ 和 $\lim\limits_{y\to 0}\lim\limits_{x\to 0}f(x,y)$ 不存在，但 $\lim\limits_{\substack{x\to 0\\ y\to 0}}f(x,y)=0$.

证 由不等式 $0\leqslant\left|(x+y)\sin\frac{1}{x}\sin\frac{1}{y}\right|\leqslant|x+y|\leqslant|x|+|y|$，易知

$$\lim_{\substack{x\to 0\\ y\to 0}}f(x,y)=0.$$

但当 $x\neq\frac{1}{k\pi}$，$y\to 0$ 时，$(x+y)\sin\frac{1}{x}\sin\frac{1}{y}$ 的极限不存在，因此，累次极限 $\lim\limits_{x\to 0}\lim\limits_{y\to 0}f(x,y)$ 不存在.

同法可证累次极限 $\lim\limits_{y\to 0}\lim\limits_{x\to 0}f(x,y)$ 也不存在.

【3184】 求 $\lim\limits_{x\to a}\lim\limits_{y\to b}f(x,y)$ 及 $\lim\limits_{y\to b}\lim\limits_{x\to a}f(x,y)$，设：

(1) $f(x,y)=\dfrac{x^2+y^2}{x^2+y^4}$，$a=\infty$，$b=\infty$；

(2) $f(x,y)=\dfrac{x^y}{1+x^y}$，$a=+\infty$，$b=0^+$；

(3) $f(x,y)=\sin\dfrac{\pi x}{2x+y}$，$a=\infty$，$b=\infty$；

(4) $f(x,y)=\dfrac{1}{xy}\tan\dfrac{xy}{1+xy}$，$a=0$，$b=\infty$；

(5) $f(x,y)=\log_x(x+y)$，$a=1$，$b=0$.

解 (1) $\lim\limits_{x\to\infty}\lim\limits_{y\to\infty}f(x,y)=\lim\limits_{x\to\infty}\lim\limits_{y\to\infty}\dfrac{x^2+y^2}{x^2+y^4}=\lim\limits_{x\to\infty}0=0$，

$$\lim_{y\to\infty}\lim_{x\to\infty}f(x,y)=\lim_{y\to\infty}\lim_{x\to\infty}\frac{x^2+y^2}{x^2+y^4}=\lim_{y\to\infty}1=1;$$

(2) $\lim\limits_{x\to+\infty}\lim\limits_{y\to 0^+}f(x,y)=\lim\limits_{x\to+\infty}\lim\limits_{y\to 0^+}\dfrac{x^y}{1+x^y}=\lim\limits_{y\to+\infty}\dfrac{1}{2}=\dfrac{1}{2}$，

$$\lim_{y\to 0^+}\lim_{x\to+\infty}f(x,y)=\lim_{y\to 0^+}\lim_{x\to+\infty}\frac{x^y}{1+x^y}=\lim_{y\to+\infty}1=1;$$

(3) $\lim\limits_{x\to\infty}\lim\limits_{y\to\infty}f(x,y)=\lim\limits_{x\to\infty}\lim\limits_{y\to\infty}\sin\dfrac{\pi x}{2x+y}=\lim\limits_{x\to\infty}0=0$，

$$\lim_{y\to\infty}\lim_{x\to\infty}f(x,y)=\lim_{y\to\infty}\lim_{x\to\infty}\sin\frac{\pi x}{2x+y}=\lim_{y\to\infty}1=1;$$

(4) $\lim\limits_{x\to 0}\lim\limits_{y\to\infty}f(x,y)=\lim\limits_{x\to 0}\lim\limits_{y\to\infty}\dfrac{1}{xy}\tan\dfrac{xy}{1+xy}=\lim\limits_{x\to 0}\left\{\lim\limits_{y\to\infty}\dfrac{1}{xy}\cdot\lim\limits_{y\to\infty}\tan\dfrac{xy}{1+xy}\right\}=\lim\limits_{x\to 0}\{0\cdot\tan 1\}=0$，

$$\lim_{y\to\infty}\lim_{x\to 0}f(x,y)=\lim_{y\to\infty}\lim_{x\to 0}\frac{1}{xy}\tan\frac{xy}{1+xy}=\lim_{y\to\infty}\left\{\lim_{x\to 0}\frac{\tan\frac{xy}{1+xy}}{\frac{xy}{1+xy}}\cdot\lim_{x\to 0}\frac{1}{1+xy}\right\}=\lim_{y\to\infty}1=1;$$

(5) $\lim\limits_{x\to 1}\lim\limits_{y\to 0}f(x,y)=\lim\limits_{x\to 1}\lim\limits_{y\to 0}\log_x(x+y)=\lim\limits_{x\to 1}\lim\limits_{y\to 0}\dfrac{\ln(x+y)}{\ln x}=\lim\limits_{x\to 1}\dfrac{\ln x}{\ln x}=1$，

$$\lim_{y\to 0}\lim_{x\to 1}f(x,y)=\lim_{y\to 0}\lim_{x\to 1}\frac{\ln(x+y)}{\ln x}=\infty.$$

【求下列二元函数的极限(3185—3192)】

【3185】 $\lim\limits_{\substack{x\to\infty\\ y\to\infty}}\dfrac{x+y}{x^2-xy+y^2}$.

解 当 $|x|>1$，$|y|>1$ 时，由 $x^2+y^2\geqslant 2|xy|$ 可得

$$0\leqslant\left|\frac{x+y}{x^2-xy+y^2}\right|\leqslant\frac{|x+y|}{x^2+y^2-|xy|}\leqslant\frac{|x+y|}{|xy|}\leqslant\frac{1}{|x|}+\frac{1}{|y|},$$

而$\lim\limits_{\substack{x\to\infty\\y\to\infty}}\left(\frac{1}{|x|}+\frac{1}{|y|}\right)=0$,故有$\lim\limits_{\substack{x\to\infty\\y\to\infty}}\frac{x+y}{x^2-xy+y^2}=0$.

【3186】 $\lim\limits_{\substack{x\to\infty\\y\to\infty}}\frac{x^2+y^2}{x^4+y^4}$.

解 由$0\leqslant\frac{x^2+y^2}{x^4+y^4}\leqslant\frac{x^2+y^2}{2x^2y^2}=\frac{1}{2}\left(\frac{1}{x^2}+\frac{1}{y^2}\right)$ $(xy\neq 0)$及$\lim\limits_{\substack{x\to\infty\\y\to\infty}}\frac{1}{2}\left(\frac{1}{x^2}+\frac{1}{y^2}\right)=0$,有

$$\lim_{\substack{x\to\infty\\y\to\infty}}\frac{x^2+y^2}{x^4+y^4}=0.$$

【3187】 $\lim\limits_{\substack{x\to 0\\y\to a}}\frac{\sin xy}{x}$.

解 $\lim\limits_{\substack{x\to 0\\y\to a}}\frac{\sin xy}{x}=\lim\limits_{\substack{x\to 0\\y\to a}}\left(\frac{\sin xy}{xy}y\right)=a$.

【3188】 $\lim\limits_{\substack{x\to+\infty\\y\to+\infty}}(x^2+y^2)\mathrm{e}^{-(x+y)}$.

解 不妨设$x>0,y>0$,则$0\leqslant(x^2+y^2)\mathrm{e}^{-(x+y)}\leqslant(x+y)^2\mathrm{e}^{-(x+y)}$,由于

$$\lim_{\substack{x\to+\infty\\y\to+\infty}}(x+y)^2\mathrm{e}^{-(x+y)}=\lim_{t\to+\infty}\frac{t^t}{\mathrm{e}^t}=0,$$

故$\lim\limits_{\substack{x\to+\infty\\y\to+\infty}}(x^2+y^2)\mathrm{e}^{-(x+y)}=0$.

【3189】 $\lim\limits_{\substack{x\to+\infty\\y\to+\infty}}\left(\frac{xy}{x^2+y^2}\right)^{x^2}$.

解 当$x>0,y>0$时,由不等式$0\leqslant\left(\frac{xy}{x^2+y^2}\right)^{x^2}\leqslant\left(\frac{1}{2}\right)^{x^2}$及$\lim\limits_{x\to+\infty}\left(\frac{1}{2}\right)^{x^2}=0$,即得

$$\lim_{\substack{x\to+\infty\\y\to+\infty}}\left(\frac{xy}{x^2+y^2}\right)^{x^2}=0.$$

【3190】 $\lim\limits_{\substack{x\to 0\\y\to 0}}(x^2+y^2)^{x^2y^2}$.

解 由不等式

$$|x^2y^2\ln(x^2+y^2)|\leqslant\frac{(x^2+y^2)^2}{4}|\ln(x^2+y^2)|$$

及

$$\lim_{\substack{x\to 0\\y\to 0}}\frac{(x^2+y^2)^2}{4}\ln(x^2+y^2)=\lim_{t\to 0^+}\frac{1}{4}t^2\ln t=0,$$

即得

$$\lim_{\substack{x\to 0\\y\to 0}}(x^2+y^2)^{x^2y^2}=\lim_{\substack{x\to 0\\y\to 0}}\mathrm{e}^{x^2y^2\ln(x^2+y^2)}=\mathrm{e}^0=1.$$

【3191】 $\lim\limits_{\substack{x\to\infty\\y\to a}}\left(1+\frac{1}{x}\right)^{\frac{x^2}{x+y}}$.

解 $\lim\limits_{\substack{x\to\infty\\y\to a}}\left(1+\frac{1}{x}\right)^{\frac{x^2}{x+y}}=\lim\limits_{\substack{x\to\infty\\y\to a}}\left(1+\frac{1}{x}\right)^{x\cdot\frac{x}{x+y}}=\lim\limits_{\substack{x\to\infty\\y\to a}}\left[\left(1+\frac{1}{x}\right)^x\right]^{\frac{x}{x+y}}=\mathrm{e}^1=\mathrm{e}$.

【3192】 $\lim\limits_{\substack{x\to 1\\y\to 0}}\frac{\ln(x+\mathrm{e}^y)}{\sqrt{x^2+y^2}}$.

解 $\lim\limits_{\substack{x\to 1\\y\to 0}}=\frac{\ln(x+\mathrm{e}^y)}{\sqrt{x^2+y^2}}=\frac{\ln(1+\mathrm{e}^0)}{1}=\ln 2$.

【3193】 若$x=\rho\cos\varphi,y=\rho\sin\varphi$,问下列极限沿怎样的方向$\varphi$存在有限的极限值:

(1) $\lim\limits_{\rho\to 0^+} e^{\frac{x}{x^2+y^2}}$； (2) $\lim\limits_{\rho\to +\infty} e^{x^2-y^2}\sin 2xy$.

解 (1) $\lim\limits_{\rho\to 0^+} e^{\frac{x}{x^2+y^2}} = \lim\limits_{\rho\to 0^+} e^{\frac{\cos\varphi}{\rho}} = \begin{cases} 0, & \cos\varphi < 0, \\ 1, & \cos\varphi = 0, \\ +\infty, & \cos\varphi > 0. \end{cases}$

于是，仅当 $\cos\varphi \leqslant 0$ 即 $\frac{\pi}{2} \leqslant \varphi \leqslant \frac{3\pi}{2}$ 时，所给的极限才存在有限的极限值.

(2) $e^{x^2-y^2}\sin 2xy = e^{\rho^2\cos 2\varphi}\sin(\rho^2\sin 2\varphi)$.

当 $\rho\to+\infty$ 时，$\sin(\rho^2\sin 2\varphi)$ 有界，除 $\varphi = \frac{k\pi}{2}(k=0,1,2,3)$ 外无极限，且

$$\lim_{\rho\to+\infty} e^{\rho^2\cos 2\varphi} = \begin{cases} 0, & \cos 2\varphi < 0, \\ 1, & \cos 2\varphi = 0, \\ +\infty, & \cos 2\varphi > 0. \end{cases}$$

于是，仅当 $\frac{\pi}{4} < \varphi < \frac{3\pi}{4}$ 及 $\frac{5\pi}{4} < \varphi < \frac{7\pi}{4}$ 以及 $\varphi = 0, \varphi = \pi$ 时，才存在有限的极限值.

知识点 5 多元函数的连续性与一致连续性

1. 多元函数的连续性

若 $\lim\limits_{P\to P_0} f(P) = f(P_0)$，则称函数 $f(P)$ 在 P_0 点连续.

若函数 $f(P)$ 在所给区域内的每一点都连续，则称函数 $f(P)$ 在此区域内连续.

2. 多元函数的一致连续性

若 $\forall \varepsilon > 0, \exists \delta > 0, \forall P', P'' \in G$，只要 $\rho(P', P'') < \delta$，就有 $|f(P') - f(P'')| < \varepsilon$，则称函数 $f(P)$ 在区域 G 内一致连续.

有界闭区域内的连续函数在此闭区域内一致连续.

习题 3194—3202 多元函数的连续性

【求下列函数的间断点(3194—3201)】

【3194】 $u = \dfrac{1}{\sqrt{x^2+y^2}}$.

解 $u = \dfrac{1}{\sqrt{x^2+y^2}}$ 在点(0,0)无定义，故(0,0)为此函数的间断点. 以下各题类似情况，不再说明.

【3195】 $u = \dfrac{xy}{x+y}$.

解 直线 $x+y=0$ 上的一切点均为 $u = \dfrac{xy}{x+y}$ 的间断点.

【3196】 $u = \dfrac{x+y}{x^3+y^3}$.

解 对于任意不等于零的实数 a，有

$$\lim_{\substack{x\to a\\ y\to -a}} \frac{x+y}{x^3+y^3} = \lim_{\substack{x\to a\\ y\to -a}} \frac{1}{x^2-xy+y^2} = \frac{1}{3a^2}.$$

于是，对于直线 $x+y=0$ 上除去原点 O 外的一切点均为可去间断点，而原点 O 为无穷间断点.

【3197】 $u = \sin\dfrac{1}{xy}$.

解 $xy=0$ 上的一切点即两坐标轴上的诸点均为 $u=\sin\dfrac{1}{xy}$ 的间断点.

【3198】 $u=\dfrac{1}{\sin x\sin y}$.

解 直线 $x=m\pi$ 及 $y=n\pi(m,n=0,\pm1,\pm2,\cdots)$ 上的各点均为 $u=\dfrac{1}{\sin x\sin y}$ 的间断点.

【3199】 $u=\ln(1-x^2-y^2)$.

解 圆周 $x^2+y^2=1$ 上各点是 $u=\ln(1-x^2-y^2)$ 的间断点.

【3200】 $u=\dfrac{1}{xyz}$.

解 坐标面：$x=0,y=0,z=0$ 上各点均为 $u=\dfrac{1}{xyz}$ 的间断点.

【3201】 $u=\ln\dfrac{1}{\sqrt{(x-a)^2+(y-b)^2+(z-c)^2}}$.

解 点 (a,b,c) 为 $u=\ln\dfrac{1}{\sqrt{(x-a)^2+(y-b)^2+(z-c)^2}}$ 的间断点.

【3202】 证明：

(1) 函数 $f(x,y)=\begin{cases}\dfrac{2xy}{x^2+y^2}, & x^2+y^2\neq0,\\ 0, & x^2+y^2=0\end{cases}$ 分别对于每一个变量 x 或 y（当另一变量的值固定时）连续，但并非对这些变量的总体是连续的.

(2) 函数 $f(x,y)=\begin{cases}\dfrac{x^2y}{x^4+y^2}, & x^2+y^2\neq0,\\ 0, & x^2+y^2=0\end{cases}$ 在点 $O(0,0)$ 处沿过此点的每一条射线 $x=t\cos\alpha,y=t\sin\alpha(0\leqslant t<+\infty)$ 连续，即 $\lim\limits_{t\to0}f(t\cos\alpha,t\sin\alpha)=f(0,0)$；但此函数在点 $(0,0)$ 不连续.

证 (1) 先固定 $y=a\neq0$，则得 x 的函数

$$g(x)=f(x,a)=\begin{cases}\dfrac{2ax}{x^2+a^2}, & x\neq0,\\ 0, & x=0\end{cases}=\frac{2ax}{x^2+a^2}(-\infty<x<+\infty),$$

它是处处有定义的连续函数. 又当 $y=0$ 时，$f(x,0)\equiv0$，显然连续. 于是，当变量 y 固定时，函数 $f(x,y)$ 对于变量 x 连续.

同理可证，当变量 x 固定时，函数 $f(x,y)$ 对于变量 y 也是连续的.

作为二元函数，$f(x,y)$ 虽在除点 $(0,0)$ 外的各点均连续，但在点 $(0,0)$ 不连续. 事实上，当动点 $P(x,y)$ 沿 $y=kx$ 趋于原点时，有

$$\lim_{\substack{x\to0\\ y=kx}}f(x,y)=\lim_{x\to0}\frac{2kx^2}{x^2(1+k^2)}=\frac{2k}{1+k^2},$$

随 k 的变化而变化，从而 $\lim\limits_{\substack{x\to0\\ y\to0}}f(x,y)$ 不存在. 因此，函数 $f(x,y)$ 点 $(0,0)$ 不连续.

(2) 当 $\sin\alpha=0$ 时，$\cos\alpha=1$ 或 -1. 于是，当 $t\neq0$ 时，

$$f(t\cos\alpha,t\sin\alpha)=\frac{t^2\cdot0}{t^4+0}=0,$$

而 $f(0,0)=0$，故有

$$\lim_{t\to0}f(t\cos\alpha,t\sin\alpha)=f(0,0).$$

当 $\sin\alpha\neq0$ 时，有

$$\lim_{t\to0}f(t\cos\alpha,t\sin\alpha)=\lim_{t\to0}\frac{t^3\cos^2\alpha\sin\alpha}{t^4\cos^4\alpha+t^2\sin^2\alpha}=\lim_{t\to0}\frac{t\cos^2\alpha\sin\alpha}{t^2\cos^4\alpha+\sin^2\alpha}=\frac{0}{0+\sin^2\alpha}=0,$$

故

$$\lim_{t\to0}f(t\cos\alpha,t\sin\alpha)=f(0,0).$$

其次，设动点 $P(x,y)$ 沿抛物线 $y=x^2$ 趋于点(0,0)，得

$$\lim_{\substack{x\to0\\y=x^2}}f(x,y)=\lim_{x\to0}\frac{x^4}{x^4+x^4}=\frac{1}{2}\neq f(0,0).$$

因此，函数 $f(x,y)$ 在点(0,0)不连续.

习题 3203—3210 多元函数的一致连续性

【3203】 (1) 证明：线性函数 $u=2x-3y+5$ 在 $\mathbf{R}^2$ 上一致连续.

(2) 证明：函数 $u=\sqrt{x^2+y^2}$ 在 $\mathbf{R}^2$ 上一致连续.

(3) 判断函数 $f(x,y)=\sin\dfrac{\pi}{1-x^2-y^2}$ 在区域 $\{(x,y)\mid x^2+y^2<1\}$ 内是否一致连续？

(4) 设函数 $u=\arcsin\dfrac{x}{y}$.

(ⅰ) 判断函数在其定义域 E 内是否连续；

(ⅱ) 判断函数 $u=\arcsin\dfrac{x}{y}$ 在其定义域 E 内是否一致连续(给出证明).

证 (1) $\forall\varepsilon>0$，由于 $\forall P_1(x_1,y_1),P_2(x_2,y_2)\in\mathbf{R}^2$，有

$$\begin{aligned}|u(P_2)-u(P_1)|&=|2(x_2-x_1)-3(y_2-y_1)|\leqslant2|x_2-x_1|+3|y_2-y_1|\\&\leqslant5\sqrt{(x_2-x_1)^2+(y_2-y_1)^2},\end{aligned}$$

取 $\delta=\dfrac{\varepsilon}{5}$，则 $\forall P_1(x_1,y_1),P_2(x_2,y_2)\in\mathbf{R}^2$，当 $\sqrt{(x_2-x_1)^2+(y_2-y_1)^2}<\delta$ 时，有

$$|u(P_2)-u(P_1)|<\varepsilon,$$

因此，函数 $u=2x-3y+5$ 在 $\mathbf{R}^2$ 上一致连续.

(2) $\forall\varepsilon>0$，由于 $\forall P_1(x_1,y_1),P_2(x_2,y_2)\in\mathbf{R}^2$，有

$$|u(P_2)-u(P_1)|=\left|\sqrt{x_1^2+y_1^2}-\sqrt{x_2^2+y_2^2}\right|\leqslant\sqrt{(x_2-x_1)^2+(y_2-y_1)^2},$$

取 $\delta=\varepsilon$，则 $\forall P_1(x_1,y_1),P_2(x_2,y_2)\in\mathbf{R}^2$，当 $\sqrt{(x_2-x_1)^2+(y_2-y_1)^2}<\delta$ 时，有

$$|u(P_2)-u(P_1)|<\varepsilon,$$

因此，函数 $u=\sqrt{x^2+y^2}$ 在 $\mathbf{R}^2$ 上一致连续.

> **注** 利用三角形两边之差小于第三边可得不等式
>
> $$\left|\sqrt{x_1^2+y_1^2}-\sqrt{x_2^2+y_2^2}\right|\leqslant\sqrt{(x_2-x_1)^2+(y_2-y_1)^2}.$$

(3) 记 $E=\{(x,y)\mid x^2+y^2<1\}$，则 $f(x,y)$ 在区域 E 内不一致连续.

事实上，取 $P_n=\left(0,\sqrt{1-\dfrac{1}{2n}}\right)$，$Q_n=\left(0,\sqrt{1-\dfrac{1}{2n+\frac{1}{2}}}\right)$，则 $P_n,Q_n\in E$，且

$$\lim_{n\to\infty}\rho(P_n,Q_n)=0,$$

但有

$$\lim_{n\to\infty}|f(P_n)-f(Q_n)|=\lim_{n\to\infty}\left|\sin2n\pi-\sin\left(2n+\frac{1}{2}\right)\pi\right|=1\neq0,$$

故 $f(x,y)$ 在区域 E 内不一致连续.

(4) 函数 $u=\arcsin\frac{x}{y}$ 的定义域为 $E=\left\{(x,y)\,\middle|\,\left|\frac{x}{y}\right|\leqslant 1,y\neq 0\right\}$.

(ⅰ) 显然函数 $u=\arcsin\frac{x}{y}$ 在其定义域 E 内连续.

(ⅱ) 函数 $u=\arcsin\frac{x}{y}$ 在 E 内不一致连续.

事实上，取 $P_n=\left(\frac{1}{n},\frac{1}{n}\right)$，$Q_n=\left(\frac{1}{2n},\frac{1}{n}\right)$，则 $P_n,Q_n\in E$，且 $\lim\limits_{n\to\infty}\rho(P_n,Q_n)=0$，但有

$$\lim_{n\to\infty}|f(P_n)-f(Q_n)|=\lim_{n\to\infty}\left|\arcsin 1-\arcsin\frac{1}{2}\right|=\frac{\pi}{3}\neq 0.$$

故函数 u 在区域 E 内不一致连续.

【3204】 证明：函数 $f(x,y)=\begin{cases}x\sin\dfrac{1}{y}, & y\neq 0,\\ 0, & y=0\end{cases}$ 的不连续点的集合不是闭集.

证 当 $y_0\neq 0$ 时，$f(x,y)$ 在点 (x_0,y_0) 显见是连续的，即 $f(x,y)$ 在除去 Ox 轴以外的一切点均连续.

又因 $|f(x,y)-f(0,0)|=|f(x,y)|\leqslant|x|$，故知 $f(x,y)$ 在原点也是连续的.

考虑当 $x_0\neq 0$ 时，对于点 $(x_0,0)$，由于极限

$$\lim_{y\to 0}f(x_0,y)=\lim_{y\to 0}x_0\sin\frac{1}{y}$$

不存在，故知 $f(x,y)$ 在点 $(x_0,0)$ 不连续.

综上，函数 $f(x,y)$ 的全部不连续点为 Ox 轴上除去原点外的一切点. 显然，原点是不连续点集合的一个聚点，但它本身却不是 $f(x,y)$ 的不连续点. 因此，$f(x,y)$ 的不连续点的集合不是闭集.

【3205】 证明：若函数 $f(x,y)$ 在某区域 G 内对变量 x 是连续的，而关于 x 对变量 y 是一致连续的，则此函数在该区域内连续.

证 任意固定一点 $P_0(x_0,y_0)\in G$. 由于函数 $f(x,y)$ 关于 x 对变量 y 一致连续，故对 $\forall\varepsilon>0$，存在 $\delta_1=\delta_1(\varepsilon)>0$，当 $(x,y')\in G$，$(x,y'')\in G$ 且 $|y'-y''|<\delta_1$ 时，就有

$$|f(x,y')-f(x,y'')|<\frac{\varepsilon}{2}.$$

又因 $f(x,y)$ 在点 (x_0,y_0) 关于变量 x 连续，故对上述的 ε，存在 $\delta_2>0$，使当 $|x-x_0|<\delta_2$ 时，就有

$$|f(x,y_0)-f(x_0,y_0)|<\frac{\varepsilon}{2}.$$

取 $0<\delta\leqslant\min\{\delta_1,\delta_2\}$，并使点 (x_0,y_0) 的 δ 邻域全部包含在区域 G 内，则当点 $P(x,y)$ 属于点 (x_0,y_0) 的 δ 邻域，即 $|PP_0|<\delta$ 时，

$$|x-x_0|<\delta\leqslant\delta_2,\ |y-y_0|<\delta\leqslant\delta_1.$$

从而有

$$|f(x,y)-f(x_0,y_0)|\leqslant|f(x,y)-f(x,y_0)|+|f(x,y_0)-f(x_0,y_0)|<\frac{\varepsilon}{2}+\frac{\varepsilon}{2}=\varepsilon.$$

因此，$f(x,y)$ 在点 P_0 连续. 由 P_0 的任意性知，函数 $f(x,y)$ 在 G 内连续.

【3206】 证明：若在某区域 G 内函数 $f(x,y)$ 对变量 x 连续，对变量 y 满足利普希茨条件，即

$$|f(x,y')-f(x,y'')|\leqslant L|y'-y''|,$$

其中 $(x,y')\in G$，$(x,y'')\in G$，而 L 为常数，则此函数在该区域内连续.

证 由于 $f(x,y)$ 在 G 内满足对 y 的利普希茨条件，故知 $f(x,y)$ 在 G 内关于 x 对变量 y 是一致连续的. 因此，由 3205 题的结果即知，$f(x,y)$ 在 G 内连续.

【3207】 证明：若函数 $f(x,y)$ 分别对每一个变量 x 和 y 是连续的，并对其中的一个是单调的，则此函数对两个变量的总体是连续的（杨定理）.

证 不妨设 $f(x,y)$ 关于 x 是单调的.

设 (x_0,y_0) 为函数 $f(x,y)$ 的定义域 G 内的任一点. 由于 $f(x,y)$ 关于 x 连续，故 $\forall\varepsilon>0$，存在 $\delta_1>0$（假定 δ_1 足够小，使所考虑的点都落在 G 内），当 $|x-x_0|<\delta_1$ 时，就有

$$|f(x,y_0)-f(x_0,y_0)|<\frac{\varepsilon}{2}.$$

对于点 $(x_0-\delta_1,y_0)$ 及 $(x_0+\delta_1,y_0)$，由于 $f(x,y)$ 关于 y 连续，故对上述的 ε，存在 $\delta_2>0$（也要求 δ_2 足够小，使所考虑的点落在 G 内），当 $|y-y_0|<\delta_2$ 时，就有

$$|f(x_0-\delta_1,y)-f(x_0-\delta_1,y_0)|<\frac{\varepsilon}{2},$$

$$|f(x_0+\delta_1,y)-f(x_0+\delta_1,y_0)|<\frac{\varepsilon}{2}.$$

令 $\delta=\min\{\delta_1,\delta_2\}$，则当 $|x-x_0|<\delta$，$|y-y_0|<\delta$ 时，由于 $f(x,y)$ 关于 x 单调，故有

$$\begin{aligned}&|f(x,y)-f(x_0,y_0)|\\ \leqslant{}&\max\{|f(x_0+\delta_1,y_0+\Delta y)-f(x_0,y_0)|,|f(x_0-\delta_1,y_0+\Delta y)-f(x_0,y_0)|\}.\end{aligned}$$

但是

$$\begin{aligned}&|f(x_0\pm\delta_1,y_0+\Delta y)-f(x_0,y_0)|\\ \leqslant{}&|f(x_0\pm\delta_1,y_0+\Delta y)-f(x_0\pm\delta_1,y_0)|+|f(x_0\pm\delta_1,y_0)-f(x_0,y_0)|\\ <{}&\frac{\varepsilon}{2}+\frac{\varepsilon}{2}=\varepsilon,\end{aligned}$$

故当 $|x-x_0|<\delta$，$|y-y_0|<\delta$ 时，就有

$$|f(x,y)-f(x_0,y_0)|<\varepsilon,$$

即 $f(x,y)$ 在点 (x_0,y_0) 是连续的. 由点 (x_0,y_0) 的任意性知，$f(x,y)$ 是 G 内的二元连续函数.

【3208】 设函数 $f(x,y)$ 在区域 $[a,A]\times[b,B]$ 上连续，函数序列 $\varphi_n(x)(n=1,2,\cdots)$ 在 $[a,A]$ 上一致收敛并满足条件 $b\leqslant\varphi_n(x)\leqslant B$. 证明：函数序列

$$F_n(x)=f[x,\varphi_n(x)](n=1,2,\cdots)$$

也在 $[a,A]$ 上一致收敛.

证 由于 $b\leqslant\varphi_n(x)\leqslant B$，故 $F_n(x)=f[x,\varphi_n(x)]$ 有意义.

由题设 $f(x,y)$ 在区域 $E=[a,A]\times[b,B]$ 上连续，故在 E 上一致连续，即 $\forall\varepsilon>0$，$\exists\delta=\delta(\varepsilon)>0$，对于 $\forall(x_1,y_1),(x_2,y_2)\in E$，只要 $|x_1-x_2|<\delta$，$|y_1-y_2|<\delta$ 时，就有

$$|f(x_1,y_1)-f(x_2,y_2)|<\varepsilon.$$

特别地，当 $|y_1-y_2|<\delta$ 时，对于一切的 $x\in[a,A]$，均有

$$|f(x,y_1)-f(x,y_2)|<\varepsilon.$$

对于上述的 $\delta>0$，因 $\varphi_n(x)$ 在 $[a,A]$ 上一致收敛，故 $\exists N\in\mathbf{N}_+$，当 $m>N,n>N$ 时，$\forall x\in[a,A]$，有

$$|\varphi_n(x)-\varphi_m(x)|<\delta.$$

于是，对 $\forall\varepsilon>0$，$\exists N\in\mathbf{N}_+$，当 $m>N,n>N$ 时，对于 $\forall x\in[a,A]$，均有

$$|F_n(x)-F_m(x)|=|f[x,\varphi_n(x)]-f[x,\varphi_m(x)]|<\varepsilon.$$

因此 $F_n(x)$ 在 $[a,A]$ 上一致收敛.

【3209】 设：(1) 函数 $f(x,y)$ 在区域 $R=(a,A)\times(b,B)$ 内连续；(2) 函数 $\varphi(x)$ 在 (a,A) 内连续，且函数值属于 (b,B). 证明：函数 $F(x)=f[x,\varphi(x)]$ 在 (a,A) 内连续.

证 设点 (x_0,y_0) 为区域 R 内的任一点. 由题设知函数 $f(x,y)$ 在区域 R 内连续，故 $\forall\varepsilon>0$，$\exists\delta>0$，当 $|x-x_0|<\delta$，$|y-y_0|<\delta((x,y)\in R)$ 时，就有

$$|f(x,y)-f(x_0,y_0)|<\varepsilon.$$

再由 $\varphi(x)$ 在 (a,A) 内的连续性可知，对上述的 $\delta>0$，$\exists\,\eta>0$（可取 $\eta<\delta$），当 $|x-x_0|<\eta(x\in(a,A))$ 时，有

$$|\varphi(x)-\varphi(x_0)|=|y-y_0|<\delta.$$

于是当 $|x-x_0|<\eta$ 时，有

$$|f[x,\varphi(x)]-f[x_0,\varphi(x_0)]|<\varepsilon,$$

即

$$|F(x)-F(x_0)|<\varepsilon.$$

因此，$F(x)$ 在点 x_0 处连续. 由点 x_0 的任意性知，函数 $F(x)$ 在 (a,A) 内连续.

【3210】 设：(1) 函数 $f(x,y)$ 在区域 $R=(a,A)\times(b,B)$ 内连续；(2) $x=\varphi(u,v)$ 及 $y=\psi(u,v)$ 在 $R'=(a',A')\times(b',B')$ 内连续，且函数值分别属于 (a,A) 和 (b,B). 证明：函数 $F(u,v)=f[\varphi(u,v),\psi(u,v)]$ 在区域 R' 内连续.

证 以下假定所取的 δ 或 η 足够小，使点的 δ 或 η 邻域都在所给的区域内.

设点 (x_0,y_0) 为区域 R 内任一点，注意到 $f(x,y)$ 在 R 内连续，即对 $\forall\,\varepsilon>0$，$\exists\,\delta>0$，当 $|x-x_0|<\delta$，$|y-y_0|<\delta$ 时，就有 $|f(x,y)-f(x_0,y_0)|<\varepsilon$.

再由 φ 及 ψ 的连续性知，对于上述的 δ，$\exists\,\eta>0$，当 $|u-u_0|<\eta$，$|v-v_0|<\eta$ 时，就有

$$|x-x_0|<\delta,\ |y-y_0|<\delta,$$

其中 $x_0=\varphi(u_0,v_0)$，$y_0=\psi(u_0,v_0)$.

于是，对 $\forall\,\varepsilon>0$，$\exists\,\eta>0$，当 $|u-u_0|<\eta$，$|v-v_0|<\eta$ 时，就有

$$|f[\varphi(u,v),\psi(u,v)]-f[\varphi(u_0,v_0),\psi(u_0,v_0)]|<\varepsilon.$$

即

$$|F(u,v)-F(u_0,v_0)|<\varepsilon.$$

因此，$F(u,v)$ 在点 (u_0,v_0) 连续，由点 (u_0,v_0) 的任意性知，函数 $F(u,v)$ 在区域 R' 内连续.

第2节 多元函数的偏导数与微分（习题3211—3360）

知识点预览

序号	知识点	题目序号	所在页码
1	多元函数的偏导数与全微分	3211—3282	P21
2	多元复合函数的偏导数与全微分	3283—3340	P39
3	方向导数与梯度	3341—3351	P52
4	简单的偏微分方程问题	3352—3360	P55

知识点1 多元函数的偏导数与全微分

1. 偏导数 在求多元函数的偏导数时，若计算中出现的所有偏导数均连续，则求导结果与求导次序无关.

2. 函数的微分 若函数 $f(x,y,z)$ 的全增量可写为以下形式：

$$\Delta f(x,y,z)=A\Delta x+B\Delta y+C\Delta z+o(\rho),$$

式中 A,B,C 与 $\Delta x,\Delta y,\Delta z$ 无关，$\rho=\sqrt{(\Delta x)^2+(\Delta y)^2+(\Delta z)^2}$，则称函数 $f(x,y,z)$ 在点 (x,y,z) 可微，而增量的线性部分 $A\Delta x+B\Delta y+C\Delta z$，即

$$df(x,y,z)=f'_x(x,y,z)dx+f'_y(x,y,z)dy+f'_z(x,y,z)dz, \quad ①$$

(其中 $dx=\Delta x,dy=\Delta y,dz=\Delta z$) 称为此函数的全微分.

当变数 x,y,z 为其他自变量的可微函数时，公式 ① 仍有其意义.

若 x,y,z 为自变量，且函数 $f(x,y,z)$ 有直至 n 阶的连续偏导数，则对于高阶微分，有以下符号公式：

$$d^n f(x,y,z)=\left(dx\frac{\partial}{\partial x}+dy\frac{\partial}{\partial y}+dz\frac{\partial}{\partial z}\right)^n f(x,y,z).$$

习题 3211—3239 多元函数的偏导数

【3211】 证明：$f'_x(x,b)=\dfrac{d}{dx}[f(x,b)]$.

证 令 $\varphi(x)=f(x,b)$，则

$$\frac{d}{dx}[f(x,b)]=\varphi'(x)=\lim_{\Delta x\to0}\frac{\varphi(x+\Delta x)-\varphi(x)}{\Delta x}=\lim_{\Delta x\to0}\frac{f(x+\Delta x,b)-f(x,b)}{\Delta x}=f'_x(x,b).$$

注 在求某一固定点的导数及微分时，用本题结果可减少运算量. 例如，3212 题中，由于 $f(x,1)=x$，故 $f'_x(x,1)=1$.

【3212】 设 $f(x,y)=x+(y-1)\arcsin\sqrt{\dfrac{x}{y}}$，求 $f'_x(x,1)$.

解 由于 $f(x,1)=x$，故 $f'_x(x,1)=1$.

【求下列函数的一阶和二阶偏导数(3213—3228)】

【3213】 $u=x^4+y^4-4x^2y^2$.

解
$$\frac{\partial u}{\partial x}=4x^3-8xy^2,\frac{\partial u}{\partial y}=4y^3-8x^2y,\frac{\partial^2 u}{\partial x^2}=12x^2-8y^2,$$
$$\frac{\partial^2 u}{\partial y^2}=12y^2-8x^2,\frac{\partial^2 u}{\partial x\partial y}=\frac{\partial^2 u}{\partial y\partial x}=-16xy.$$

注 以下各题不再说明$\dfrac{\partial^2 u}{\partial y\partial x}=\dfrac{\partial^2 u}{\partial x\partial y}$，而仅写$\dfrac{\partial^2 u}{\partial x\partial y}$，因为当它们连续时是相等的，并且在今后各题中均把$\dfrac{\partial^2 u}{\partial x\partial y}$ 理解为$\dfrac{\partial}{\partial y}\left(\dfrac{\partial u}{\partial x}\right)$.

【3214】 $u=xy+\dfrac{x}{y}$.

解 $\dfrac{\partial u}{\partial x}=y+\dfrac{1}{y},\dfrac{\partial u}{\partial y}=x-\dfrac{x}{y^2},\dfrac{\partial^2 u}{\partial x^2}=0,\dfrac{\partial^2 u}{\partial y^2}=\dfrac{2x}{y^3},\dfrac{\partial^2 u}{\partial x\partial y}=1-\dfrac{1}{y^2}$.

【3215】 $u=\dfrac{x}{y^2}$.

解 $\dfrac{\partial u}{\partial x}=\dfrac{1}{y^2},\dfrac{\partial u}{\partial y}=-\dfrac{2x}{y^3},\dfrac{\partial^2 u}{\partial x^2}=0,\dfrac{\partial^2 u}{\partial y^2}=\dfrac{6x}{y^4},\dfrac{\partial^2 u}{\partial x\partial y}=-\dfrac{2}{y^3}$.

【3216】 $u=\dfrac{x}{\sqrt{x^2+y^2}}$.

解 $\frac{\partial u}{\partial x}=\frac{\partial}{\partial x}\left(x\cdot\frac{1}{\sqrt{x^2+y^2}}\right)=\frac{1}{\sqrt{x^2+y^2}}-\frac{2x\cdot x}{2(x^2+y^2)^{\frac{3}{2}}}=\frac{y^2}{(x^2+y^2)^{\frac{3}{2}}}$,

$\frac{\partial u}{\partial y}=-\frac{xy}{(x^2+y^2)^{\frac{3}{2}}}$,

$\frac{\partial^2 u}{\partial x^2}=-\frac{3}{2}y^2\frac{2x}{(x^2+y^2)^{\frac{5}{2}}}=-\frac{3xy^2}{(x^2+y^2)^{\frac{5}{2}}}$,

$\frac{\partial^2 u}{\partial y^2}=-\frac{x}{(x^2+y^2)^{\frac{3}{2}}}+\frac{3}{2}xy\frac{2y}{(x^2+y^2)^{\frac{5}{2}}}=\frac{x(2y^2-x^2)}{(x^2+y^2)^{\frac{5}{2}}}$,

$\frac{\partial^2 u}{\partial x\partial y}=\frac{\partial}{\partial y}\left[\frac{y^2}{(x^2+y^2)^{\frac{3}{2}}}\right]=\frac{2y}{(x^2+y^2)^{\frac{3}{2}}}-\frac{3y^3}{(x^2+y^2)^{\frac{5}{2}}}=\frac{y(2x^2-y^2)}{(x^2+y^2)^{\frac{5}{2}}}$.

注 关于$\frac{u}{v}$形式的偏导均有两种求法：

(1) $\frac{\partial}{\partial x}\left(\frac{u}{v}\right)=\frac{\partial}{\partial x}\left(u\cdot\frac{1}{v}\right)=\frac{1}{v}\frac{\partial u}{\partial x}+u\frac{\partial}{\partial x}\left(\frac{1}{v}\right)$；(2) $\frac{\partial}{\partial x}\left(\frac{u}{v}\right)=\frac{v\frac{\partial u}{\partial x}-u\frac{\partial v}{\partial x}}{v^2}$.

以下各题不再列出两种方法.

【3217】 $u=x\sin(x+y)$.

解 $\frac{\partial u}{\partial x}=\sin(x+y)+x\cos(x+y)$，$\frac{\partial u}{\partial y}=x\cos(x+y)$，

$\frac{\partial^2 u}{\partial x^2}=\cos(x+y)+\cos(x+y)-x\sin(x+y)=2\cos(x+y)-x\sin(x+y)$，

$\frac{\partial^2 u}{\partial y^2}=-x\sin(x+y)$，$\frac{\partial^2 u}{\partial x\partial y}=\cos(x+y)-x\sin(x+y)$.

【3218】 $u=\frac{\cos x^2}{y}$.

解 $\frac{\partial u}{\partial x}=-\frac{2x\sin x^2}{y}$，$\frac{\partial u}{\partial y}=-\frac{\cos x^2}{y^2}$，$\frac{\partial^2 u}{\partial x^2}=-\frac{2\sin x^2+4x^2\cos x^2}{y}$，$\frac{\partial^2 u}{\partial y^2}=\frac{2\cos x^2}{y^3}$，$\frac{\partial^2 u}{\partial x\partial y}=\frac{2x\sin x^2}{y^2}$.

【3219】 $u=\tan\frac{x^2}{y}$.

解 $\frac{\partial u}{\partial x}=\frac{2x}{y}\sec^2\frac{x^2}{y}$，$\frac{\partial u}{\partial y}=-\frac{x^2}{y^2}\sec^2\frac{x^2}{y}$，

$\frac{\partial^2 u}{\partial x^2}=\frac{2}{y}\sec^2\frac{x^2}{y}+\frac{2x}{y}\cdot 2\sec^2\frac{x^2}{y}\cdot\tan\frac{x^2}{y}\cdot\frac{2x}{y}=\frac{2}{y}\sec^2\frac{x^2}{y}+\frac{8x^2}{y^2}\sec^3\frac{x^2}{y}\sin\frac{x^2}{y}$，

$\frac{\partial^2 u}{\partial y^2}=\frac{2x^2}{y^3}\sec^2\frac{x^2}{y}+\frac{2x^4}{y^4}\sec^3\frac{x^2}{y}\sin\frac{x^2}{y}$，$\frac{\partial^2 u}{\partial x\partial y}=-\frac{2x}{y^2}\sec^2\frac{x^2}{y}-\frac{4x^3}{y^3}\sec^3\frac{x^2}{y}\sin\frac{x^2}{y}$.

【3220】 $u=x^y$.

解 由 $u=x^y=e^{y\ln x}$ 即得

$\frac{\partial u}{\partial x}=yx^{y-1}$，$\frac{\partial u}{\partial y}=e^{y\ln x}\cdot\ln x=x^y\ln x$，$\frac{\partial^2 u}{\partial x^2}=y(y-1)x^{y-2}$，$\frac{\partial^2 u}{\partial y^2}=x^y\ln^2 x$，

$\frac{\partial^2 u}{\partial x\partial y}=x^{y-1}+yx^{y-1}\ln x=x^{y-1}(1+y\ln x)$.

【3221】 $u=\ln(x+y^2)$.

解 $\frac{\partial u}{\partial x}=\frac{1}{x+y^2}$，$\frac{\partial u}{\partial y}=\frac{2y}{x+y^2}$，$\frac{\partial^2 u}{\partial x^2}=-\frac{1}{(x+y^2)^2}$，$\frac{\partial^2 u}{\partial y^2}=\frac{2}{x+y^2}-\frac{2y2y}{(x+y^2)^2}=\frac{2(x-y^2)}{(x+y^2)^2}$，

$\frac{\partial^2 u}{\partial x\partial y}=-\frac{2y}{(x+y^2)^2}$.

【3222】 $u=\arctan\frac{y}{x}$.

解 $\frac{\partial u}{\partial x}=\frac{1}{1+\left(\frac{y}{x}\right)^2}\left(-\frac{y}{x^2}\right)=-\frac{y}{x^2+y^2},\frac{\partial u}{\partial y}=\frac{1}{1+\left(\frac{y}{x}\right)^2}\cdot\frac{1}{x}=\frac{x}{x^2+y^2},\frac{\partial^2 u}{\partial x^2}=\frac{2xy}{(x^2+y^2)^2}$,

$\frac{\partial^2 u}{\partial y^2}=-\frac{2xy}{(x^2+y^2)^2},\frac{\partial^2 u}{\partial x\partial y}=-\frac{1}{x^2+y^2}+\frac{y2y}{(x^2+y^2)^2}=-\frac{x^2-y^2}{(x^2+y^2)^2}$.

【3223】 $u=\arctan\frac{x+y}{1-xy}$.

解 $\frac{\partial u}{\partial x}=\frac{1}{1+\left(\frac{x+y}{1-xy}\right)^2}\cdot\frac{1-xy+y(x+y)}{(1-xy)^2}=\frac{1}{1+x^2}$,

$\frac{\partial u}{\partial y}=\frac{1}{1+\left(\frac{x+y}{1-xy}\right)^2}\cdot\frac{1-xy+x(x+y)}{(1-xy)^2}=\frac{1}{1+y^2}$,

$\frac{\partial^2 u}{\partial x^2}=-\frac{2x}{(1+x^2)^2},\ \frac{\partial^2 u}{\partial y^2}=-\frac{2y}{(1+y^2)^2},\frac{\partial^2 u}{\partial x\partial y}=0$.

【3224】 $u=\arcsin\frac{x}{\sqrt{x^2+y^2}}$.

解 $\frac{\partial u}{\partial x}=\frac{1}{\sqrt{1-\frac{x^2}{x^2+y^2}}}\left(\frac{x}{\sqrt{x^2+y^2}}\right)'_x=\frac{\sqrt{x^2+y^2}}{|y|}\cdot\frac{y^2}{(x^2+y^2)^{\frac{3}{2}}}=\frac{|y|}{x^2+y^2}$,

$\frac{\partial u}{\partial y}=\frac{1}{\sqrt{1-\frac{x^2}{x^2+y^2}}}\left(\frac{x}{\sqrt{x^2+y^2}}\right)'_y=\frac{\sqrt{x^2+y^2}}{|y|}\left[-\frac{xy}{(x^2+y^2)^{\frac{3}{2}}}\right]=-\frac{x}{x^2+y^2}\cdot\frac{y}{|y|}=-\frac{x\operatorname{sgn} y}{x^2+y^2}$,

$\frac{\partial^2 u}{\partial x^2}=-\frac{2x|y|}{(x^2+y^2)^2}$,

$\frac{\partial^2 u}{\partial y^2}=\frac{\partial\left[-\frac{xy}{|y|(x^2+y^2)}\right]}{\partial y}=-\frac{x|y|(x^2+y^2)-xy\left[\frac{|y|}{y}(x^2+y^2)+2y|y|\right]}{y^2(x^2+y^2)^2}=\frac{2x|y|}{(x^2+y^2)^2}$,

$\frac{\partial^2 u}{\partial x\partial y}=\frac{\frac{|y|}{y}(x^2+y^2)-2y|y|}{(x^2+y^2)^2}=\frac{x^2\operatorname{sgn} y-y|y|}{(x^2+y^2)^2}=\frac{(x^2-y^2)\operatorname{sgn} y}{(x^2+y^2)^2}$.

【3225】 $u=\frac{1}{\sqrt{x^2+y^2+z^2}}$.

解 $\frac{\partial u}{\partial x}=-\frac{x}{(x^2+y^2+z^2)^{\frac{3}{2}}},\frac{\partial u}{\partial y}=-\frac{y}{(x^2+y^2+z^2)^{\frac{3}{2}}},\frac{\partial u}{\partial z}=-\frac{z}{(x^2+y^2+z^2)^{\frac{3}{2}}}$,

$\frac{\partial^2 u}{\partial x^2}=-\frac{1}{(x^2+y^2+z^2)^{\frac{3}{2}}}+\frac{3x^2}{(x^2+y^2+z^2)^{\frac{5}{2}}}=\frac{2x^2-y^2-z^2}{(x^2+y^2+z^2)^{\frac{5}{2}}},\frac{\partial^2 u}{\partial x\partial y}=\frac{3xy}{(x^2+y^2+z^2)^{\frac{5}{2}}}$.

利用对称性,即得

$$\frac{\partial^2 u}{\partial y^2}=\frac{2y^2-x^2-z^2}{(x^2+y^2+z^2)^{\frac{5}{2}}},\frac{\partial^2 u}{\partial z^2}=\frac{2z^2-x^2-y^2}{(x^2+y^2+z^2)^{\frac{5}{2}}},$$

$$\frac{\partial^2 u}{\partial y\partial z}=\frac{3yz}{(x^2+y^2+z^2)^{\frac{5}{2}}},\frac{\partial^2 u}{\partial z\partial x}=\frac{3xz}{(x^2+y^2+z^2)^{\frac{5}{2}}}.$$

【3226】 $u=\left(\frac{x}{y}\right)^z$.

解 $u=x^zy^{-z}$.

$\frac{\partial u}{\partial x}=zx^{z-1}y^{-z}=\frac{z}{x}\left(\frac{x}{y}\right)^z,\frac{\partial u}{\partial y}=-zx^zy^{-z-1}=-\frac{z}{y}\left(\frac{x}{y}\right)^z,\frac{\partial u}{\partial z}=\left(\frac{x}{y}\right)^z\ln\frac{x}{y}$,

$$\frac{\partial^2 u}{\partial x^2}=z(z-1)x^{z-2}y^{-z}=\frac{z(z-1)}{x^2}\left(\frac{x}{y}\right)^z,$$

$$\frac{\partial^2 u}{\partial y^2}=(-z)(-z-1)x^z y^{-z-2}=\frac{z(z+1)}{y^2}\left(\frac{x}{y}\right)^z,$$

$$\frac{\partial^2 u}{\partial z^2}=\left(\frac{x}{y}\right)^z\ln^2\frac{x}{y},$$

$$\frac{\partial^2 u}{\partial x\partial y}=\left(\frac{z}{x}u\right)'_y=\frac{z}{x}\left[-\frac{z}{y}\left(\frac{x}{y}\right)^z\right]=-\frac{z^2}{xy}\left(\frac{x}{y}\right)^z,$$

$$\frac{\partial^2 u}{\partial y\partial z}=\left(-\frac{z}{y}u\right)'_z=-\frac{z}{y}\left(\frac{x}{y}\right)^z\ln\frac{x}{y}-\frac{1}{y}\left(\frac{x}{y}\right)^z=-\frac{1+z\ln\frac{x}{y}}{y}\left(\frac{x}{y}\right)^z,$$

$$\frac{\partial^2 u}{\partial z\partial x}=\left(u\ln\frac{x}{y}\right)'_z=\frac{z}{x}\left(\frac{x}{y}\right)^z\ln\frac{x}{y}+\frac{1}{x}\left(\frac{x}{y}\right)^z=\frac{1+z\ln\frac{x}{y}}{x}\left(\frac{x}{y}\right)^z.$$

【3227】 $u=x^{\frac{y}{z}}$.

解 $\frac{\partial u}{\partial x}=\frac{y}{z}x^{\frac{y}{z}-1}=\frac{yu}{xz},\frac{\partial u}{\partial y}=\frac{1}{z}x^{\frac{y}{z}}\ln x=\frac{u\ln x}{z},$

$$\frac{\partial u}{\partial z}=-\frac{y}{z^2}x^{\frac{y}{z}}\ln x=-\frac{yu\ln x}{z^2},$$

$$\frac{\partial^2 u}{\partial x^2}=\frac{xyz\frac{\partial u}{\partial x}-yzu}{x^2z^2}=\frac{y(y-z)u}{x^2z^2},$$

$$\frac{\partial^2 u}{\partial y^2}=\frac{\ln x}{z}\frac{\partial u}{\partial y}=\frac{u\ln^2 x}{z^2},$$

$$\frac{\partial^2 u}{\partial z^2}=-y\ln x\left(\frac{z^2\frac{\partial u}{\partial z}-2uz}{z^4}\right)=\frac{yu\ln x(2z+y\ln x)}{z^4},$$

$$\frac{\partial^2 u}{\partial x\partial y}=\frac{1}{xz}\left(u+y\frac{\partial u}{\partial y}\right)=\frac{u(z+y\ln x)}{xz^2},$$

$$\frac{\partial^2 u}{\partial y\partial z}=\ln x\left(\frac{1}{z}\frac{\partial u}{\partial z}-\frac{u}{z^2}\right)=-\frac{u\ln x(z+y\ln x)}{z^3},$$

$$\frac{\partial^2 u}{\partial z\partial x}=-\frac{y}{z^2}\left(\ln x\frac{\partial u}{\partial x}+\frac{u}{x}\right)=-\frac{yu(z+y\ln x)}{xz^3}.$$

【3228】 $u=x^{y^z}$.

解 $\frac{\partial u}{\partial x}=y^z x^{y^z-1}=\frac{uy^z}{x},\frac{\partial u}{\partial y}=zy^{z-1}x^{y^z}\ln x=zuy^{z-1}\ln x,$

$$\frac{\partial u}{\partial z}=x^{y^z}y^z\ln x\ln y=uy^z\ln x\ln y,$$

$$\frac{\partial^2 u}{\partial x^2}=y^z\left(-\frac{u}{x^2}+\frac{1}{x}\cdot\frac{\partial u}{\partial x}\right)=\frac{uy^z(y^z-1)}{x^2},$$

$$\frac{\partial^2 u}{\partial y^2}=z\ln x\left[y^{z-1}\frac{\partial u}{\partial y}+(z-1)y^{z-2}u\right]=uzy^{z-2}\ln x(zy^z\ln x+z-1),$$

$$\frac{\partial^2 u}{\partial z^2}=\left(y^z\frac{\partial u}{\partial z}+uy^z\ln y\right)\ln x\ln y=uy^z\ln x\ln^2 y(1+y^z\ln x),$$

$$\frac{\partial^2 u}{\partial x\partial y}=\frac{1}{x}\left(y^z\frac{\partial u}{\partial y}+uzy^{z-1}\right)=\frac{uzy^{z-1}(y^z\ln x+1)}{x},$$

$$\frac{\partial^2 u}{\partial y\partial z}=\left(y^{z-1}u+uzy^{z-1}\ln y+zy^{z-1}\frac{\partial u}{\partial z}\right)\ln x=uy^{z-1}\ln x[1+z\ln y(1+y^z\ln x)],$$

$$\frac{\partial^2 u}{\partial z\partial x}=y^z\ln y\left(\frac{\partial u}{\partial x}\ln x+\frac{u}{x}\right)=\frac{uy^z\ln y(y^z\ln x+1)}{x}.$$

【在下列问题中求所列高阶偏导数(3229—3238)】

【3229】 $\dfrac{\partial^4 u}{\partial x^4},\dfrac{\partial^4 u}{\partial x^3\partial y},\dfrac{\partial^4 u}{\partial x^2\partial y^2}$,若

$$u = x - y + x^2 + 2xy + y^2 + x^3 - 3x^2y - y^3 + x^4 - 4x^2y^2 + y^4.$$

解 $\dfrac{\partial^2 u}{\partial x^2} = 2 + 6x - 6y + 12x^2 - 8y^2,\dfrac{\partial^3 u}{\partial x^3} = 6 + 24x.$

$\dfrac{\partial^4 u}{\partial x^4} = 24,\dfrac{\partial^4 u}{\partial x^3\partial y} = 0,\dfrac{\partial^4 u}{\partial x^2\partial y^2} = -16.$

【3230】 $\dfrac{\partial^3 u}{\partial x^2\partial y}$,若 $u = x\ln(xy)$.

解 $\dfrac{\partial u}{\partial x} = \ln(xy) + 1,\dfrac{\partial^2 u}{\partial x^2} = \dfrac{1}{x}$. 于是,$\dfrac{\partial^3 u}{\partial x^2\partial y} = 0.$

【3231】 $\dfrac{\partial^6 u}{\partial x^3\partial y^3}$,若 $u = x^3\sin y + y^3\sin x$.

解 $\dfrac{\partial^3 u}{\partial x^3} = 6\sin y + y^3\sin\left(x + \dfrac{3\pi}{2}\right) = 6\sin y - y^3\cos x.$

$\dfrac{\partial^6}{\partial x^3\partial y^3} = 6\sin\left(y + \dfrac{3\pi}{2}\right) - 6\cos x = -6(\cos y + \cos x).$

【3232】 $\dfrac{\partial^3 u}{\partial x\partial y\partial z}$,若 $u = \arctan\dfrac{x + y + z - xyz}{1 - xy - xz - yz}$.

解 由于 $\tan(\alpha + \beta + \gamma) = \dfrac{\tan\alpha + \tan\beta + \tan\gamma - \tan\alpha\tan\beta\tan\gamma}{1 - \tan\alpha\tan\beta - \tan\beta\tan\gamma - \tan\alpha\tan\gamma}$,同 776 题的讨论可得

$$u = \arctan x + \arctan y + \arctan z + \varepsilon\pi(\varepsilon = 0, \pm 1),\text{即}\frac{\partial^3 u}{\partial x\partial y\partial z} = 0.$$

【3233】 $\dfrac{\partial^3 u}{\partial x\partial y\partial z}$,若 $u = e^{xyz}$.

解 $\dfrac{\partial u}{\partial x} = yze^{xyz},\dfrac{\partial^2 u}{\partial x\partial y} = ze^{xyz} + xyz^2e^{xyz}.$

$$\frac{\partial^3 u}{\partial x\partial y\partial z} = e^{xyz} + xyze^{xyz} + 2xyze^{xyz} + x^2y^2z^2e^{xyz} = e^{xyz}(1 + 3xyz + x^2y^2z^2).$$

【3234】 $\dfrac{\partial^4 u}{\partial x\partial y\partial\xi\partial\eta}$,若 $u = \ln\dfrac{1}{\sqrt{(x-\xi)^2(y-\eta)^2}}$.

解 设 $r = \sqrt{(x-\xi)^2 + (y-\eta)^2}$,则 $u = -\ln r$.

$$\frac{\partial u}{\partial x} = -\frac{1}{r}\frac{\partial r}{\partial x} = -\frac{x-\xi}{r^2},\frac{\partial^2 u}{\partial x\partial y} = \frac{2(x-\xi)(y-\eta)}{r^4},$$

$$\frac{\partial^3 u}{\partial x\partial y\partial\xi} = -\frac{2(y-\eta)}{r^4} + \frac{8(x-\xi)^2(y-\eta)}{r^6}.$$

于是

$$\begin{aligned}\frac{\partial^4 u}{\partial x\partial y\partial\xi\partial\eta} &= \frac{2}{r^4} - \frac{8(y-\eta)^2}{r^6} - \frac{8(x-\xi)^2}{r^6} + \frac{48(x-\xi)^2(y-\eta)^2}{r^8}\\ &= -\frac{6}{r^4} + \frac{48(x-\xi)^2(y-\eta)^2}{r^8}.\end{aligned}$$

【3235】 $\dfrac{\partial^{p+q} u}{\partial x^p\partial y^q}$,若 $u = (x - x_0)^p(y - y_0)^q$.

解 $\dfrac{\partial^p u}{\partial x^p} = p!(y - y_0)^q$. 于是,$\dfrac{\partial^{p+q} u}{\partial x^p\partial y^q} = p!q!$($p,q$ 均为正整数).

【3236】 $\dfrac{\partial^{m+n} u}{\partial x^m\partial y^n}$,若 $u = \dfrac{x + y}{x - y}$.

解 $$u=1+\frac{2y}{x-y},\frac{\partial^m u}{\partial x^m}=(-1)^m m!\frac{2y}{(x-y)^{m+1}}.$$

利用莱布尼茨公式，即得

$$\begin{aligned}\frac{\partial^{m+n}u}{\partial x^m\partial y^n}&=(-1)^m\cdot 2(m!)\left\{y\frac{\partial^n}{\partial y^n}\left[\frac{1}{(x-y)^{m+1}}\right]+C_n^1\frac{\partial}{\partial y}(y)\cdot\frac{\partial^{n-1}}{\partial y^{n-1}}\left[\frac{1}{(x-y)^{m+1}}\right]\right\}\\&=2(-1)^m m!\left\{\frac{(m+1)(m+2)\cdots(m+n)y}{(x-y)^{m+n+1}}+\frac{n(m+1)(m+2)\cdots(m+n-1)}{(x-y)^{m+n}}\right\}\\&=\frac{2(-1)^m(m+n-1)!(nx+my)}{(x-y)^{m+n+1}}.\end{aligned}$$

【3237】 $\frac{\partial^{m+n}u}{\partial x^m\partial y^n}$，若 $u=(x^2+y^2)e^{x+y}$.

提示 注意 $u=u_1+u_2$，其中 $u_1=x^2e^xe^y,u_2=y^2e^ye^x$，仿3236题的解法.

解 令 $u=(x^2+y^2)e^{x+y}=x^2e^xe^y+y^2e^ye^x=u_1+u_2$，其中

$$u_1=x^2e^xe^y,u_2=y^2e^ye^x,\frac{\partial^m u_2}{\partial x^m}=e^xy^2e^y.$$

利用莱布尼茨公式，即得

$$\begin{aligned}\frac{\partial^{m+n}u_2}{\partial x^m\partial y^n}&=\frac{\partial^n}{\partial y^n}\left(\frac{\partial^m u_2}{\partial x^m}\right)=\frac{\partial^n}{\partial y^n}(e^xy^2e^y)=e^x\frac{\partial^n}{\partial y^n}(y^2e^y)\\&=e^x\left[y^2\frac{\partial^n}{\partial y^n}(e^y)+C_n^1\frac{\partial}{\partial y}(y^2)\frac{\partial^{n-1}}{\partial y^{n-1}}(e^y)+C_n^2\frac{\partial^2}{\partial y^2}(y^2)\frac{\partial^{n-2}}{\partial y^{n-2}}(e^y)\right]\\&=e^{x+y}[y^2+2ny+n(n-1)].\end{aligned}$$

同法可求得 $\frac{\partial^{m+n}u_1}{\partial x^m\partial y^n}=e^{x+y}[x^2+2mx+m(m-1)]$.

于是，$\frac{\partial^{m+n}u}{\partial x^m\partial y^n}=\frac{\partial^{m+n}u_1}{\partial x^m\partial y^n}+\frac{\partial^{m+n}u_2}{\partial x^m\partial y^n}=e^{x+y}[x^2+y^2+2mx+2ny+m(m-1)+n(n-1)]$.

【3238】 $\frac{\partial^{p+q+r}u}{\partial x^p\partial y^q\partial z^r}$，若 $u=xyze^{x+y+z}$.

解 $$\begin{aligned}\frac{\partial^{p+q+r}u}{\partial x^p\partial y^q\partial z^r}&=\frac{\partial^{p+q+r}}{\partial x^p\partial y^q\partial z^r}(xe^xye^yze^z)=\frac{\partial^p}{\partial x^p}(xe^x)\cdot\frac{\partial^q}{\partial y^q}(ye^y)\cdot\frac{\partial^r}{\partial z^r}(ze^z)\\&=e^x(x+p)\cdot e^y(y+q)\cdot e^z(z+r)=e^{x+y+z}(x+p)(y+q)(z+r).\end{aligned}$$

【3239】 若 $f(x,y)=e^x\sin y$，求 $f_{x^my^n}^{(m+n)}(0,0)$.

解 $$f_{x^my^n}^{(m+n)}(0,0)=e^x\sin\left(y+\frac{n\pi}{2}\right)\bigg|_{\substack{x=0\\y=0}}=\sin\frac{n\pi}{2}.$$

习题3240—3249 化简与证明偏微分关系式

【3240】 证明：若 $u=f(xyz)$，则 $\frac{\partial^3 u}{\partial x\partial y\partial z}=F(t)$，其中 $t=xyz$，并求函数 F.

解 $\frac{\partial u}{\partial x}=yzf'(t),\frac{\partial^2 u}{\partial x\partial y}=yzf''(t)xz+zf'(t)$.

$$\begin{aligned}\frac{\partial^3 u}{\partial x\partial y\partial z}&=x^2y^2z^2f'''(t)+2xyzf''(t)+f'(t)+xyzf''(t)\\&=x^2y^2z^2f'''(t)+3xyzf''(t)+f'(t)=t^2f'''(t)+3tf''(t)+f'(t)=F(t).\end{aligned}$$

【3241】 设(1) $u=x^2-2xy-3y^2$；(2) $u=x^{y^2}$；(3) $u=\arccos\sqrt{\frac{x}{y}}$，验证等式

$$\frac{\partial^2 u}{\partial x\partial y}=\frac{\partial^2 u}{\partial y\partial x}.$$

证 (1) $\frac{\partial u}{\partial x}=2x-2y,\frac{\partial u}{\partial y}=-2x-6y,\frac{\partial^2 u}{\partial x\partial y}=-2,\frac{\partial^2 u}{\partial y\partial x}=-2$，于是，$\frac{\partial^2 u}{\partial x\partial y}=\frac{\partial^2 u}{\partial y\partial x}$.

(2)
$$\frac{\partial u}{\partial x}=y^2x^{y^2-1},\frac{\partial u}{\partial y}=2yx^{y^2}\ln x,$$
$$\frac{\partial^2 u}{\partial x\partial y}=2yx^{y^2-1}+2y^3x^{y^2-1}\ln x,$$
$$\frac{\partial^2 u}{\partial y\partial x}=2y^3x^{y^2-1}\ln x+2yx^{y^2-1},$$

于是
$$\frac{\partial^2 u}{\partial x\partial y}=\frac{\partial^2 u}{\partial y\partial x}.$$

(3) 当 $0<x\leqslant y$ 时,有
$$u=\arccos\sqrt{\frac{x}{y}}=\arccos\frac{\sqrt{x}}{\sqrt{y}}.$$
$$\frac{\partial u}{\partial x}=-\frac{1}{\sqrt{1-\frac{x}{y}}}\cdot\frac{1}{2\sqrt{x}\sqrt{y}}=-\frac{1}{2\sqrt{x(y-x)}},$$
$$\frac{\partial u}{\partial y}=-\frac{1}{\sqrt{1-\frac{x}{y}}}\left(-\frac{\sqrt{x}}{2y^{\frac{3}{2}}}\right)=\frac{\sqrt{x}}{2\sqrt{y^2(y-x)}},$$
$$\frac{\partial^2 u}{\partial x\partial y}=\frac{1}{4\sqrt{x}(y-x)^{\frac{3}{2}}},$$
$$\frac{\partial^2 u}{\partial y\partial x}=\frac{1}{4\sqrt{x}\sqrt{y^2(y-x)}}+\frac{\sqrt{x}}{4y(y-x)^{\frac{3}{2}}}=\frac{1}{4\sqrt{x}(y-x)^{\frac{3}{2}}},$$
于是,当 $0<x\leqslant y$ 时,有 $\frac{\partial^2 u}{\partial x\partial y}=\frac{\partial^2 u}{\partial y\partial x}$.

当 $y\leqslant x<0$ 时,$u=\arccos\frac{\sqrt{-x}}{\sqrt{-y}}$.
$$\frac{\partial u}{\partial x}=-\frac{1}{\sqrt{1-\frac{x}{y}}}\left(-\frac{1}{2\sqrt{-x}\sqrt{-y}}\right)=\frac{1}{2\sqrt{-x}\sqrt{x-y}},$$
$$\frac{\partial u}{\partial y}=-\frac{1}{\sqrt{1-\frac{x}{y}}}\left[\frac{\sqrt{-x}}{2(-y)^{\frac{3}{2}}}\right]=-\frac{\sqrt{-x}}{2\sqrt{xy^2-y^3}},$$
$$\frac{\partial^2 u}{\partial x\partial y}=\frac{1}{4\sqrt{-x}(x-y)^{\frac{3}{2}}},$$
$$\frac{\partial^2 u}{\partial y\partial x}=\frac{1}{4\sqrt{-x}\sqrt{xy^2-y^3}}+\frac{\sqrt{-x}}{4\sqrt{y^2}(x-y)^{\frac{3}{2}}}=\frac{1}{4\sqrt{-x}(x-y)^{\frac{3}{2}}},$$
于是,当 $y\leqslant x<0$ 时,也有 $\frac{\partial^2 u}{\partial x\partial y}=\frac{\partial^2 u}{\partial y\partial x}$.

注 在不同的区域上,一阶偏导数相差一个符号,但二阶混合偏导数却是相等的.

【3242】 设 $f(x,y)=\begin{cases}xy\dfrac{x^2-y^2}{x^2+y^2}, & x^2+y^2\neq 0,\\ 0, & x^2+y^2=0.\end{cases}$ 证明:$f''_{xy}(0,0)\neq f''_{yx}(0,0)$.

证 由于
$$\lim_{x\to 0}\frac{f(x,y)-f(0,y)}{x}=\lim_{x\to 0}\frac{xy\frac{x^2-y^2}{x^2+y^2}-0}{x}=-y,$$

故$f'_x(0,y)=-y$，从而

$$f''_{xy}(0,0)=\frac{\mathrm{d}}{\mathrm{d}y}[f'_x(0,y)]\bigg|_{y=0}=-1.$$

同法可求得 $f'_y(x,0)=x$，从而

$$f''_{yx}(0,0)=\frac{\mathrm{d}}{\mathrm{d}x}[f'_y(x,0)]\bigg|_{x=0}=1.$$

于是$f''_{xy}(0,0)\neq f''_{yx}(0,0)$.

【3243】 设 $u=f(x,y,z)$ 为 n 次齐次函数，就下列各题验证齐次函数的欧拉定理：

(1)$u=(x-2y+3z)^2$； (2)$u=\dfrac{x}{\sqrt{x^2+y^2+z^2}}$； (3)$u=\left(\dfrac{x}{y}\right)^{\frac{y}{z}}$.

证 关于 n 次齐次函数的欧拉定理如下：

设 n 次齐次函数 $f(x,y,z)$（为了书写方便，这里仅讨论三个变量情形）在区域 A 中关于所有变量均有连续偏导数，则下述等式成立：

$$xf'_x(x,y,z)+yf'_y(x,y,z)+zf'_z(x,y,z)=nf(x,y,z).$$

(1) 由于$(tx-2ty+3tz)^2=t^2u$，故 u 为二次齐次函数. 又因

$$\frac{\partial u}{\partial x}=2(x-2y+3z),\frac{\partial u}{\partial y}=-4(x-2y+3z),\frac{\partial u}{\partial z}=6(x-2y+3z),$$

故得

$$x\frac{\partial u}{\partial x}+y\frac{\partial u}{\partial y}+z\frac{\partial u}{\partial z}=(x-2y+3z)(2x-4y+6z)=2u,$$

即函数 u 满足欧拉定理.

(2) 因对 $\forall t>0$，$\dfrac{tx}{\sqrt{(tx)^2+(ty)^2+(tz)^2}}=\dfrac{x}{\sqrt{x^2+y^2+z^2}}=t^0\cdot u$，故 u 为零次齐次函数. 又因

$$\frac{\partial u}{\partial x}=\frac{y^2+z^2}{(x^2+y^2+z^2)^{\frac{3}{2}}},\frac{\partial u}{\partial y}=-\frac{xy}{(x^2+y^2+z^2)^{\frac{3}{2}}},\frac{\partial u}{\partial z}=-\frac{xz}{(x^2+y^2+z^2)^{\frac{3}{2}}},$$

故得

$$x\frac{\partial u}{\partial x}+y\frac{\partial u}{\partial y}+z\frac{\partial u}{\partial z}=\frac{1}{(x^2+y^2+z^2)^{\frac{3}{2}}}(xy^2+xz^2-xy^2-xz^2)=0\cdot u,$$

即函数 u 满足欧拉定理.

(3) 因$\left(\dfrac{tx}{ty}\right)^{\frac{ty}{tz}}=\left(\dfrac{x}{y}\right)^{\frac{y}{z}}=t^0\cdot u \quad (t>0)$，故函数 u 为零次齐次函数. 又因

$$\frac{\partial u}{\partial x}=\frac{1}{y}\cdot\frac{y}{z}\left(\frac{x}{y}\right)^{\frac{y}{z}-1}=\frac{yu}{xz},$$

$$\frac{\partial u}{\partial y}=(\mathrm{e}^{\frac{y}{z}\ln\frac{x}{y}})'_y=\left(\frac{x}{y}\right)^{\frac{y}{z}}\left[\frac{1}{z}\ln\frac{x}{y}-\frac{y}{z}\frac{1}{y}\right]=\frac{u}{z}\left(\ln\frac{x}{y}-1\right),$$

$$\frac{\partial u}{\partial z}=\left(\frac{x}{y}\right)^{\frac{y}{z}}\ln\frac{x}{y}\left(-\frac{y}{z^2}\right)=-\frac{yu}{z^2}\ln\frac{x}{y},$$

故得 $x\dfrac{\partial u}{\partial x}+y\dfrac{\partial u}{\partial y}+z\dfrac{\partial u}{\partial z}=x\dfrac{yu}{xz}+y\dfrac{u}{z}\left(\ln\dfrac{x}{y}-1\right)-z\dfrac{yu}{z^2}\ln\dfrac{x}{y}=0\cdot u$，即函数 u 满足欧拉定理.

【3244】 证明：若可微函数 $u=f(x,y,z)$ 满足方程 $x\dfrac{\partial u}{\partial x}+y\dfrac{\partial u}{\partial y}+z\dfrac{\partial u}{\partial z}=nu$，则它为 n 次齐次函数.

证 任意固定区域中一点(x_0,y_0,z_0)，考察下面 t 的函数$(t>0)$：

$$F(t)=\frac{f(tx_0,ty_0,tz_0)}{t^n},$$

它当 $t>0$ 时有定义且是可微的. 应用复合函数的求导法则，对 t 求导数即得

$$F'(t)=\frac{1}{t^n}\{x_0 f'_x(tx_0,ty_0,tz_0)+y_0 f'_y(tx_0,ty_0,tz_0)+z_0 f'_z(tx_0,ty_0,tz_0)\}-\frac{n}{t^{n+1}}f(tx_0,ty_0,tz_0)$$

$$=\frac{1}{t^{n+1}}\{tx_0 f'_x(tx_0,ty_0,tz_0)+ty_0 f'_y(tx_0,ty_0,tz_0)+tz_0 f'_z(tx_0,ty_0,tz_0)-nf(tx_0,ty_0,tz_0)\}$$

由于

$$tx_0 f'_x(tx_0,ty_0,tz_0)+ty_0 f'_y(tx_0,ty_0,tz_0)+tz_0 f'_z(tx_0,ty_0,tz_0)=nf(tx_0,ty_0,tz_0),$$

故 $F'(t)=0$. 从而当 $t>0$ 时,$F(t)=C$,其中 C 为常数. 在 $F(t)$ 的定义式中令 $t=1$,则得 $C=f(x_0,y_0,z_0)$. 于是

$$F(t)=\frac{f(tx_0,ty_0,tz_0)}{t^n}=f(x_0,y_0,z_0),\text{即 } f(tx_0,ty_0,tz_0)=t^n f(x_0,y_0,z_0).$$

上式说明函数 $f(x,y,z)$ 为一个 n 次齐次函数.

【3245】 证明:若 $f(x,y,z)$ 是可微的 n 次齐次函数,则其偏导数 $f'_x(x,y,z)$, $f'_y(x,y,z)$, $f'_z(x,y,z)$ 是 $(n-1)$ 次齐次函数.

证 由等式 $f(tx,ty,tz)=t^n f(x,y,z)$ 两端分别对 x,y,z 求偏导数,则得

$$tf'_1(tx,ty,tz)=t^n f'_1(x,y,z),\ tf'_2(tx,ty,tz)=t^n f'_2(x,y,z),\ tf'_3(tx,ty,tz)=t^n f'_3(x,y,z),$$

其中 $f'_1(\cdot,\cdot,\cdot)$, $f'_2(\cdot,\cdot,\cdot)$, $f'_3(\cdot,\cdot,\cdot)$ 分别代表 $f(\cdot,\cdot,\cdot)$ 对第一个、第二个、第三个变量的偏导数. 于是

$$f'_1(tx,ty,tz)=t^{n-1} f'_1(x,y,z),\ f'_2(tx,ty,tz)=t^{n-1} f'_2(x,y,z),\ f'_3(tx,ty,tz)=t^{n-1} f'_3(x,y,z),$$

即偏导数 $f'_x(x,y,z)$, $f'_y(x,y,z)$ 及 $f'_z(x,y,z)$ 均为 $(n-1)$ 次齐次函数.

【3246】 设 $u=f(x,y,z)$ 是二阶可微的 n 次齐次函数. 证明:

$$\left(x\frac{\partial}{\partial x}+y\frac{\partial}{\partial y}+z\frac{\partial}{\partial z}\right)^2 u=n(n-1)u.$$

证 由 3245 题知 $\frac{\partial u}{\partial x}$, $\frac{\partial u}{\partial y}$ 及 $\frac{\partial u}{\partial z}$ 均为 $(n-1)$ 次齐次函数. 应用欧拉定理,即得

$$\left(x\frac{\partial}{\partial x}+y\frac{\partial}{\partial y}+z\frac{\partial}{\partial z}\right)\frac{\partial u}{\partial x}=(n-1)\frac{\partial u}{\partial x}, \quad ①$$

$$\left(x\frac{\partial}{\partial x}+y\frac{\partial}{\partial y}+z\frac{\partial}{\partial z}\right)\frac{\partial u}{\partial y}=(n-1)\frac{\partial u}{\partial y}, \quad ②$$

$$\left(x\frac{\partial}{\partial x}+y\frac{\partial}{\partial y}+z\frac{\partial}{\partial z}\right)\frac{\partial u}{\partial z}=(n-1)\frac{\partial u}{\partial z}. \quad ③$$

将 ① 式两端乘以 x,② 式两端乘以 y,③ 式两端乘以 z,然后相加,即得

$$\left(x\frac{\partial}{\partial x}+y\frac{\partial}{\partial y}+z\frac{\partial}{\partial z}\right)^2 u=(n-1)\left(x\frac{\partial u}{\partial x}+y\frac{\partial u}{\partial y}+z\frac{\partial u}{\partial z}\right)=n(n-1)u,$$

这就是所要证明的等式.

【3247】 设 $Au=x\frac{\partial u}{\partial x}+y\frac{\partial u}{\partial y}$. 求 Au 和 $A^2u=A(Au)$,其中

(1)$u=\frac{x}{x^2+y^2}$; (2)$u=\ln\sqrt{x^2+y^2}$.

解 (1)

$$\frac{\partial u}{\partial x}=\frac{y^2-x^2}{(x^2+y^2)^2},\ \frac{\partial u}{\partial y}=-\frac{2xy}{(x^2+y^2)^2}.$$

于是 $Au=\frac{x(y^2-x^2)}{(x^2+y^2)^2}-\frac{2xy^2}{(x^2+y^2)^2}=-\frac{x}{x^2+y^2}=-u$, $A^2u=A(Au)=A(-u)=-Au=u$.

(2)

$$\frac{\partial u}{\partial x}=\frac{x}{x^2+y^2},\ \frac{\partial u}{\partial y}=\frac{y}{x^2+y^2}.$$

$$Au=\frac{x^2}{x^2+y^2}+\frac{y^2}{x^2+y^2}=1,\ A^2u=A(Au)=0.$$

【3248】 设 $\Delta u=\frac{\partial^2 u}{\partial x^2}+\frac{\partial^2 u}{\partial y^2}$. 求 Δu,其中(1)$u=\sin x\operatorname{ch} y$;(2)$u=\ln\sqrt{x^2+y^2}$.

解 (1) $\frac{\partial^2 u}{\partial x^2}=-\sin x\operatorname{ch} y,\frac{\partial^2 u}{\partial y^2}=\sin x\operatorname{ch} y$. $\Delta u=-\sin x\operatorname{ch} y+\sin x\operatorname{ch} y=0$.

(2) $\frac{\partial u}{\partial x}=\frac{x}{x^2+y^2},\frac{\partial^2 u}{\partial x^2}=\frac{y^2-x^2}{(x^2+y^2)^2}$,由对称性知,$\frac{\partial^2 u}{\partial y^2}=\frac{x^2-y^2}{(x^2+y^2)^2}$. 于是

$$\Delta u=\frac{y^2-x^2}{(x^2+y^2)^2}+\frac{x^2-y^2}{(x^2+y^2)}=0.$$

【3249】 设 $\Delta_1 u=\left(\frac{\partial u}{\partial x}\right)^2+\left(\frac{\partial u}{\partial y}\right)^2+\left(\frac{\partial u}{\partial z}\right)^2,\Delta_2 u=\frac{\partial^2 u}{\partial x^2}+\frac{\partial^2 u}{\partial y^2}+\frac{\partial^2 u}{\partial z^2}$. 求 $\Delta_1 u$ 和 $\Delta_2 u$,

(1)$u=x^3+y^3+z^3-3xyz$; (2)$u=\frac{1}{\sqrt{x^2+y^2+z^2}}$.

解 (1)$\Delta_1 u=9[(x^2-yz)^2+(y^2-zx)^2+(z^2-xy)^2],\Delta_2 u=6(x+y+z)$.

(2) 令 $r=\sqrt{x^2+y^2+z^2}$,则 $u=\frac{1}{r}$.

$$\frac{\partial u}{\partial x}=-\frac{1}{r^2}\frac{\partial r}{\partial x}=-\frac{x}{r^3},\frac{\partial^2 u}{\partial x^2}=-\frac{1}{r^3}+\frac{3x}{r^4}\frac{\partial r}{\partial x}=-\frac{1}{r^3}+\frac{3x^2}{r^5}.$$

由对称性即知

$$\Delta_1 u=\frac{x^2+y^2+z^2}{r^6}=\frac{1}{r^4}=\frac{1}{(x^2+y^2+z^2)^2},$$

$$\Delta_2 u=\left(-\frac{1}{r^3}+\frac{3x^2}{r^5}\right)+\left(-\frac{1}{r^3}+\frac{3y^2}{r^5}\right)+\left(-\frac{1}{r^3}+\frac{3z^2}{r^5}\right)=0.$$

习题 3250—3277 多元函数的微分与近似计算

【求下列函数的一阶和二阶微分(x,y,z 为自变量)(3250—3256)】

【3250】 $u=x^m y^n$.

解 $du=x^{m-1}y^{n-1}(my\mathrm{d}x+nx\mathrm{d}y)$,

$$\begin{aligned}\mathrm{d}^2 u&=m(m-1)x^{m-2}y^n\mathrm{d}x^2+2mnx^{m-1}y^{n-1}\mathrm{d}x\mathrm{d}y+n(n-1)x^m y^{n-2}\mathrm{d}y^2\\&=x^{m-2}y^{n-2}[m(m-1)y^2\mathrm{d}x^2+2mnxy\mathrm{d}x\mathrm{d}y+n(n-1)x^2\mathrm{d}y^2].\end{aligned}$$

【3251】 $u=\frac{x}{y}$.

解 $\mathrm{d}u=\frac{y\mathrm{d}x-x\mathrm{d}y}{y^2}$.

方法一 $\mathrm{d}^2 u=\frac{y^2(\mathrm{d}x\mathrm{d}y-\mathrm{d}x\mathrm{d}y)-2y\mathrm{d}y(y\mathrm{d}x-x\mathrm{d}y)}{y^4}=-\frac{2}{y^3}(y\mathrm{d}x-x\mathrm{d}y)\mathrm{d}y$.

方法二
$$\begin{aligned}\mathrm{d}^2 u&=\frac{1}{y^2}\mathrm{d}(y\mathrm{d}x-x\mathrm{d}y)+(y\mathrm{d}x-x\mathrm{d}y)\mathrm{d}\left(\frac{1}{y^2}\right)\\&=\frac{1}{y^2}(\mathrm{d}x\mathrm{d}y-\mathrm{d}x\mathrm{d}y)-\frac{2}{y^3}(y\mathrm{d}x-x\mathrm{d}y)\mathrm{d}y=\frac{-2}{y^3}(y\mathrm{d}x-x\mathrm{d}y)\mathrm{d}y.\end{aligned}$$

注 关于商式微分均有两种求解方法:乘积与商的微分,下述各题均同.

【3252】 $u=\sqrt{x^2+y^2}$.

解 $\mathrm{d}u=\frac{x\mathrm{d}x+y\mathrm{d}y}{\sqrt{x^2+y^2}}$,

$$\begin{aligned}\mathrm{d}^2 u&=\frac{\mathrm{d}(x\mathrm{d}x+y\mathrm{d}y)}{\sqrt{x^2+y^2}}+(x\mathrm{d}x+y\mathrm{d}y)\mathrm{d}\left(\frac{1}{\sqrt{x^2+y^2}}\right)\\&=\frac{\mathrm{d}x^2+\mathrm{d}y^2}{\sqrt{x^2+y^2}}-\frac{(x\mathrm{d}x+y\mathrm{d}y)^2}{(x^2+y^2)^{\frac{3}{2}}}=\frac{(y\mathrm{d}x-x\mathrm{d}y)^2}{(x^2+y^2)^{\frac{3}{2}}}.\end{aligned}$$

【3253】 $u=\ln\sqrt{x^2+y^2}$.

解 $\mathrm{d}u=\dfrac{x\mathrm{d}x+y\mathrm{d}y}{x^2+y^2}$,

$$\mathrm{d}^2u=\frac{\mathrm{d}(x\mathrm{d}x+y\mathrm{d}y)}{x^2+y^2}-\frac{2(x\mathrm{d}x+y\mathrm{d}y)^2}{(x^2+y^2)^2}=\frac{\mathrm{d}x^2+\mathrm{d}y^2}{x^2+y^2}-\frac{2(x\mathrm{d}x+y\mathrm{d}y)^2}{(x^2+y^2)^2}$$
$$=\frac{(y^2-x^2)(\mathrm{d}x^2-\mathrm{d}y^2)-4xy\mathrm{d}x\mathrm{d}y}{(x^2+y^2)^2}.$$

【3254】 $u=\mathrm{e}^{xy}$.

解 $\mathrm{d}u=\mathrm{e}^{xy}(y\mathrm{d}x+x\mathrm{d}y)$,

$$\mathrm{d}^2u=\mathrm{e}^{xy}[(y\mathrm{d}x+x\mathrm{d}y)^2+2\mathrm{d}x\mathrm{d}y]=\mathrm{e}^{xy}[y^2\mathrm{d}x^2+2(1+xy)\mathrm{d}x\mathrm{d}y+x^2\mathrm{d}y^2].$$

【3255】 $u=xy+yz+zx$.

解 $\mathrm{d}u=(y+z)\mathrm{d}x+(z+x)\mathrm{d}y+(x+y)\mathrm{d}z,\mathrm{d}^2u=2(\mathrm{d}x\mathrm{d}y+\mathrm{d}y\mathrm{d}z+\mathrm{d}z\mathrm{d}x)$.

【3256】 $u=\dfrac{z}{x^2+y^2}$.

解 $\mathrm{d}u=-\dfrac{2z}{(x^2+y^2)^2}(x\mathrm{d}x+y\mathrm{d}y)+\dfrac{\mathrm{d}z}{x^2+y^2}=\dfrac{(x^2+y^2)\mathrm{d}z-2z(x\mathrm{d}x+y\mathrm{d}y)}{(x^2+y^2)^2}$,

$$\mathrm{d}^2u=\frac{1}{(x^2+y^2)^4}\{(x^2+y^2)^2[2(x\mathrm{d}x+y\mathrm{d}y)\mathrm{d}z-2(x\mathrm{d}x+y\mathrm{d}y)\mathrm{d}z-2z(\mathrm{d}x^2+\mathrm{d}y^2)]-$$
$$4(x^2+y^2)(x\mathrm{d}x+y\mathrm{d}y)[(x^2+y^2)\mathrm{d}z-2z(x\mathrm{d}x+y\mathrm{d}y)]\}$$
$$=\frac{1}{(x^2+y^2)^3}\{2z[(3x^2-y^2)\mathrm{d}x^2+8xy\mathrm{d}x\mathrm{d}y+(3y^2-x^2)\mathrm{d}y^2]-$$
$$4(x^2+y^2)(x\mathrm{d}x+y\mathrm{d}y)\mathrm{d}z\}.$$

【3257】 设 $f(x,y,z)=\sqrt[z]{\dfrac{x}{y}}$,求 $\mathrm{d}f(1,1,1)$ 及 $\mathrm{d}^2f(1,1,1)$.

解 由 3211 题的方法可得

$$f'_x(x,1,1)=1,f'_x(1,1,1)=1,f'_y(1,y,1)=-\frac{1}{y^2},f'_y(1,1,1)=-1,$$
$$f'_z(1,1,z)=0,f'_z(1,1,1)=0,$$

于是有

$$\mathrm{d}f(1,1,1)=f'_x(1,1,1)\mathrm{d}x+f'_y(1,1,1)\mathrm{d}y+f'_z(1,1,1)\mathrm{d}z=\mathrm{d}x-\mathrm{d}y.$$

又因

$$f'_x(x,1,1)=1,f''_{xx}(x,1,1)=0,f''_{xx}(1,1,1)=0,$$
$$f'_x(1,y,1)=\frac{1}{y},f''_{xy}(1,y,1)=-\frac{1}{y^2},f''_{xy}(1,1,1)=-1,$$
$$f'_x(1,1,z)=\frac{1}{z},f''_{xz}(1,1,z)=-\frac{1}{z^2},f''_{xz}(1,1,1)=-1,$$
$$f'_y(1,y,1)=-\frac{1}{y^2},f''_{yy}(1,y,1)=\frac{2}{y^3},f''_{yy}(1,1,1)=2,$$
$$f'_y(1,1,z)=-\frac{1}{z},f''_{yz}(1,1,z)=\frac{1}{z^2},f''_{yz}(1,1,1)=1,$$
$$f'_z(1,1,z)=0,f''_{zz}=(1,1,z)=0,f''_{zz}=(1,1,1)=0,$$

因此

$$\mathrm{d}^2f(1,1,1)=f''_{xx}(1,1,1)\mathrm{d}x^2+f''_{yy}(1,1,1)\mathrm{d}y^2+f''_{zz}(1,1,1)\mathrm{d}z^2+2f''_{xy}(1,1,1)\mathrm{d}x\mathrm{d}y+$$
$$2f''_{yz}(1,1,1)\mathrm{d}y\mathrm{d}z+2f''_{xz}(1,1,1)\mathrm{d}x\mathrm{d}z$$
$$=2\mathrm{d}y^2-2\mathrm{d}x\mathrm{d}y+2\mathrm{d}y\mathrm{d}z-2\mathrm{d}x\mathrm{d}z=2(\mathrm{d}y-\mathrm{d}x)(\mathrm{d}y+\mathrm{d}z).$$

【3258】 证明:若 $u=\sqrt{x^2+y^2+z^2}$,则 $\mathrm{d}^2u\geqslant 0$.

证 $$du=\frac{xdx+ydy+zdz}{u},$$

$$d^2u=\frac{1}{u^2}[u(dx^2+dy^2+dz^2)-(xdx+ydy+zdz)du]$$

$$=\frac{1}{u^3}[(xdy-ydx)^2+(ydz-zdy)^2+(zdx-xdz)^2].$$

由于 $u>0$（在原点处 du 不存在），故 $d^2u\geqslant 0$.

【3259】 假定 x,y 的绝对值很小，对下列各式推出近似公式：

(1) $(1+x)^m(1+y)^n$； (2) $\ln(1+x)\cdot\ln(1+y)$； (3) $\arctan\dfrac{x+y}{1+xy}$.

解 (1) 设 $f(x,y)=(1+x)^m(1+y)^n$，则

$$f'_x(x,0)=m(1+x)^{m-1},f'_x(0,0)=m,f'_y(0,y)=n(1+y)^{n-1},f'_y(0,0)=n.$$

于是

$$f(x,y)\approx f(0,0)+f'_x(0,0)x+f'_y(0,0)y=1+mx+ny,$$

即有近似公式

$$(1+x)^m(1+y)^n\approx 1+mx+ny.$$

(2) 设 $f(x,y)=\ln(1+x)\cdot\ln(1+y)$，则

$$f'_x(x,0)=0,f'_x(0,0)=0,f'_y(0,y)=0,f'_y(0,0)=0,$$

$$f''_{xx}(x,0)=0,f''_{xx}(0,0)=0,f''_{yy}(0,y)=0,f''_{yy}(0,0)=0,$$

$$f'_x(0,y)=\ln(1+y),f''_{xy}(0,y)=\frac{1}{1+y},f''_{xy}(0,0)=1.$$

于是

$$f(x,y)\approx f(0,0)+f'_x(0,0)x+f'_y(0,0)y+\frac{1}{2!}[f''_{xx}(0,0)x^2+2f''_{xy}(0,0)xy+f''_{yy}(0,0)y^2]=xy,$$

即有近似公式

$$\ln(1+x)\cdot\ln(1+y)\approx xy.$$

本题如不用求偏导数的方法，也可直接获解：

$$\ln(1+x)\cdot\ln(1+y)=[x+o(x)][y+o(y)]\approx xy.$$

(3) 设 $f(x,y)=\arctan\dfrac{x+y}{1+xy}$，则

$$f'_x(x,0)=\frac{1}{1+x^2},f'_x(0,0)=1,f'_y(0,y)=\frac{1}{1+y^2},f'_y(0,0)=1.$$

于是

$$f(x,y)\approx f(0,0)+f'_x(0,0)x+f'_y(0,0)y=x+y,$$

即有近似公式

$$\arctan\frac{x+y}{1+xy}\approx x+y.$$

【3260】 用微分来代替函数的增量，近似地计算：

(1) $1.002\times 2.003^2\times 3.004^3$；(2) $\dfrac{1.03^2}{\sqrt[3]{0.98\sqrt[4]{1.05^3}}}$；(3) $\sqrt{1.02^3+1.97^3}$；

(4) $\sin 29°\tan 46°$； (5) $0.97^{1.05}$.

解 (1) 设 $f(x,y,z)=(1+x)^m(1+y)^n(1+z)^l$，则当 $|x|,|y|,|z|$ 足够小时，有近似公式（参阅 3259(1)）

$$f(x,y,z)\approx 1+mx+ny+lz.$$

利用上式即得

$$1.002\times 2.003^2\times 3.004^3=(1+0.002)\cdot 2^2\left(1+\frac{0.003}{2}\right)^2\cdot 3^3\left(1+\frac{0.004}{3}\right)^3$$

$$\approx 1\cdot 2^2\cdot 3^3\left(1+0.002+2\,\frac{0.003}{2}+3\,\frac{0.004}{3}\right)=108.972;$$

(2) $\dfrac{1.03^2}{\sqrt[3]{0.98\sqrt[4]{1.05^3}}}=(1+0.03)^2(1-0.02)^{-\frac{1}{2}}(1+0.05)^{-\frac{1}{4}}$

$$\approx 1+2\times 0.03+\left(-\frac{1}{3}\right)(-0.02)+\left(-\frac{1}{4}\right)0.05\approx 1.054;$$

(3) $\sqrt{1.02^3+1.97^3}=(1.97)^{\frac{3}{2}}\left[1+\left(\dfrac{1.02}{1.97}\right)^3\right]^{\frac{1}{2}}=2^{\frac{3}{2}}\left(1-\dfrac{0.03}{2}\right)^{\frac{3}{2}}\left[1+\left(\dfrac{1.02}{1.97}\right)^2\right]^{\frac{1}{2}}$

$$\approx 2^{\frac{3}{2}}\left[1+\frac{3}{2}\left(-\frac{0.03}{2}\right)+\frac{1}{2}\left(\frac{1.02}{1.97}\right)^3\right]\approx 2.958.$$

(4) 设 $f(x,y)=\sin x\tan y$,则有近似公式

$$f(x,y)\approx \sin x_0\tan y_0+\cos x_0\tan y_0(x-x_0)+\frac{\sin x_0}{\cos^2 y_0}(y-y_0).$$

在本题中,令 $x_0=\dfrac{\pi}{6}$,$y_0=\dfrac{\pi}{4}$,$x-x_0=-\dfrac{\pi}{180}$,$y-y_0=\dfrac{\pi}{180}$,即得

$$\sin 29^\circ\tan 46^\circ\approx \sin\frac{\pi}{6}\tan\frac{\pi}{4}+\cos\frac{\pi}{6}\tan\frac{\pi}{4}\left(-\frac{\pi}{180}\right)+\frac{\sin\frac{\pi}{6}}{\cos^2\frac{\pi}{4}}\left(\frac{\pi}{180}\right)\approx 0.502.$$

(5) 设 $f(x,y)=x^y$,由于

$$f'_x(1,1)=\frac{\mathrm{d}}{\mathrm{d}x}f(x,1)\Big|_{x=1}=1,f'_y(1,1)=\frac{\mathrm{d}}{\mathrm{d}y}f(1,y)\Big|_{y=1}=0,$$

于是,$x^y\approx x$. 所以有 $0.97^{1.05}\approx 0.97$.

【3261】 设矩形的边 $x=6\mathrm{m}$ 和 $y=8\mathrm{m}$,若第一边增加 2mm,而第二边减少 5mm,问矩形的对角线和面积变化多少?

解 面积 $A=xy$,对角线 $l=\sqrt{x^2+y^2}$. 于是

$$\Delta A\approx y\mathrm{d}x+x\mathrm{d}y,\Delta l\approx\frac{x\mathrm{d}x+y\mathrm{d}y}{\sqrt{x^2+y^2}}.$$

以 $x=6\,000$,$y=8\,000$,$\mathrm{d}x=2$,$\mathrm{d}y=-5$ 代入上述二式,即得

$$\Delta A\approx 8\,000\cdot 2+6\,000(-5)=-14\,000\mathrm{mm}^2=-140\mathrm{cm}^2,$$

$$\Delta l\approx\frac{6\,000\cdot 2+8\,000(-5)}{\sqrt{6\,000^2+8\,000^2}}\approx -2.8\mathrm{mm},$$

即对角线减少约 3mm,面积减少约 $140\mathrm{cm}^2$.

【3262】 扇形的中心角 $\alpha=60^\circ$ 增加 $\Delta\alpha=1^\circ$. 为了使扇形的面积保持不变,则应当把扇形的半径 $R=20\mathrm{cm}$ 减少多少?

解 扇形的面积 $A=\dfrac{1}{2}R^2\alpha$. 于是,$\Delta A\approx\mathrm{d}A=R\alpha\mathrm{d}R+\dfrac{1}{2}R^2\mathrm{d}\alpha$. 按题设,应有 $\Delta A=0$,即

$$20\,\frac{\pi}{3}\mathrm{d}R+\frac{1}{2}20^2\,\frac{\pi}{180}\approx 0.$$

解得

$$\mathrm{d}R\approx-\frac{1}{6}\mathrm{cm}\approx-1.7\mathrm{mm},$$

即应当使半径减少约 1.7mm.

【3263】 证明:乘积的相对误差近似地等于乘数的相对误差之和.

证 设 $u=xy$,则 $\mathrm{d}u=x\mathrm{d}y+y\mathrm{d}x$,从而,$\dfrac{\mathrm{d}u}{u}=\dfrac{\mathrm{d}x}{x}+\dfrac{\mathrm{d}y}{y}$. 取绝对值,得

$$\left|\frac{\mathrm{d}u}{u}\right|\leqslant\left|\frac{\mathrm{d}x}{x}\right|+\left|\frac{\mathrm{d}y}{y}\right|,$$

上式各项均表示该量的相对误差.

【3264】 当测量圆柱的底半径 R 和高 H 时得到以下结果：

$$R=2.5\text{m}\pm0.1\text{m},H=4.0\text{m}\pm0.2\text{m},$$

则计算出的圆柱体积会有怎样的绝对误差 Δ 和相对误差 δ?

解 体积 $V=\pi R^2H$. 故 $\Delta V\approx \mathrm{d}V=2\pi RH\mathrm{d}R+\pi R^2\mathrm{d}H$. 以 $R=2.5,H=4.0,\mathrm{d}R=0.1,\mathrm{d}H=0.2$ 代入上式，即得

$$\Delta V\approx 10.2\text{m}^3,\delta V=\left|\frac{\Delta V}{V}\right|\approx 13\%.$$

【3265】 三角形的边 $a=200\text{m}\pm2\text{m},b=300\text{m}\pm5\text{m}$，它们之间的角 $C=60^\circ\pm1^\circ$，则所计算出三角形的第三边 c 会有怎样的绝对误差？

解 按余弦定律，有 $c^2=a^2+b^2-2ab\cos C$，微分得

$$c\mathrm{d}c=a\mathrm{d}a+b\mathrm{d}b-b\cos C\mathrm{d}a-a\cos C\mathrm{d}b+ab\sin C\mathrm{d}C.$$

以 $a=200,b=300,c=\sqrt{200^2+300^2-2\cdot200\cdot300\cos60^\circ}$，$C=\frac{\pi}{3}$，$\mathrm{d}a=2,\mathrm{d}b=5,\mathrm{d}C=\frac{\pi}{180}$ 代入上式，即得 $\mathrm{d}c\approx7.6\text{m}$，故第三边 c 的绝对误差约为 7.6m.

【在下列各题中求所指出的阶的全微分(3266—3275)】

【3266】 d^3u，若 $u=x^3+y^3-3xy(x-y)$.

解 $\mathrm{d}^3u=6(\mathrm{d}x^3+\mathrm{d}y^3-3\mathrm{d}x^2\mathrm{d}y+3\mathrm{d}x\mathrm{d}y^2)$.

【3267】 d^3u，若 $u=\sin(x^2+y^2)$.

解 $\mathrm{d}u=2x\cos(x^2+y^2)\mathrm{d}x+2y\cos(x^2+y^2)\mathrm{d}y=2(x\mathrm{d}x+y\mathrm{d}y)\cos(x^2+y^2)$,

$$\mathrm{d}^2u=-4\sin(x^2+y^2)(x\mathrm{d}x+y\mathrm{d}y)^2+2\cos(x^2+y^2)(\mathrm{d}x^2+\mathrm{d}y^2).$$

$$\begin{aligned}\mathrm{d}^3u=&-8\cos(x^2+y^2)(x\mathrm{d}x+y\mathrm{d}y)^3-8\sin(x^2+y^2)(x\mathrm{d}x+y\mathrm{d}y)(\mathrm{d}x^2+\mathrm{d}y^2)-\\&4\sin(x^2+y^2)(x\mathrm{d}x+y\mathrm{d}y)(\mathrm{d}x^2+\mathrm{d}y^2)\\=&-8(x\mathrm{d}x+y\mathrm{d}y)^3\cos(x^2+y^2)-12(x\mathrm{d}x+y\mathrm{d}y)(\mathrm{d}x^2+\mathrm{d}y^2)\sin(x^2+y^2).\end{aligned}$$

【3268】 $\mathrm{d}^{10}u$，若 $u=\ln(x+y)$.

解 $\mathrm{d}u=\frac{\mathrm{d}x+\mathrm{d}y}{x+y}$. 于是，$\mathrm{d}^{10}u=-\frac{9!(\mathrm{d}x+\mathrm{d}y)^{10}}{(x+y)^{10}}$.

【3269】 d^6u，若 $u=\cos x\operatorname{ch}y$.

解

$$\begin{aligned}\mathrm{d}^6u=&\left(\mathrm{d}x\frac{\partial}{\partial x}+\mathrm{d}y\frac{\partial}{\partial y}\right)^6u=-\cos x\operatorname{ch}y\mathrm{d}x^6-6\sin x\operatorname{sh}y\mathrm{d}x^5\mathrm{d}y+15\cos x\operatorname{ch}y\mathrm{d}x^4\mathrm{d}y^2+\\&20\sin x\operatorname{sh}y\mathrm{d}x^3\mathrm{d}y^3-15\cos x\operatorname{ch}y\mathrm{d}x^2\mathrm{d}y^4-6\sin x\operatorname{sh}y\mathrm{d}x\mathrm{d}y^5+\cos x\operatorname{ch}y\mathrm{d}y^6\\=&-(\mathrm{d}x^6-15\mathrm{d}x^4\mathrm{d}y^2+15\mathrm{d}x^2\mathrm{d}y^4-\mathrm{d}y^6)\cos x\operatorname{ch}y-2\mathrm{d}x\mathrm{d}y(3\mathrm{d}x^4-10\mathrm{d}x^2\mathrm{d}y^2+3\mathrm{d}y^4)\sin x\operatorname{sh}y.\end{aligned}$$

【3270】 d^3u，若 $u=xyz$.

解 注意到 $\mathrm{d}^2x=\mathrm{d}^2y=\mathrm{d}^2z=0$，即得

$$\mathrm{d}^3u=\mathrm{d}^3(xyz)=C_3^1\mathrm{d}x\mathrm{d}^2(yz)=3\mathrm{d}x(C_2^1\mathrm{d}y\mathrm{d}z)=6\mathrm{d}x\mathrm{d}y\mathrm{d}z.$$

【3271】 d^4u，若 $u=\ln(x^xy^yz^z)$.

解 由于 $u=x\ln x+y\ln y+z\ln z$，故

$$\mathrm{d}^4u=(x\ln x)^{(4)}\mathrm{d}x^4+(y\ln y)^{(4)}\mathrm{d}y^4+(z\ln z)^{(4)}\mathrm{d}z^4=2\left(\frac{\mathrm{d}x^4}{x^3}+\frac{\mathrm{d}y^4}{y^3}+\frac{\mathrm{d}z^4}{z^3}\right).$$

【3272】 d^nu，若 $u=\mathrm{e}^{ax+by}$.

解 注意到 $\mathrm{d}^2(ax+by)=0$，即得

$$\mathrm{d}^nu=\mathrm{d}^n(\mathrm{e}^{ax+by})=\mathrm{e}^{ax+by}[\mathrm{d}(ax+by)]^n=\mathrm{e}^{ax+by}(a\mathrm{d}x+b\mathrm{d}y)^n.$$

【3273】 $d^n u$,若 $u = X(x)Y(y)$.

解 $d^n u = \sum_{k=0}^{n} C_n^k d^{n-k} X(x) d^k Y(y) = \sum_{k-0}^{n} C_n^k X^{(n-k)}(x) Y^{(k)}(y) dx^{n-k} dy^k$.

【3274】 $d^n u$,若 $u = f(x+y+z)$.

解 注意到 $d^2(x+y+z) = 0$,即得

$$d^n u = f^{(n)}(x+y+z)(dx+dy+dz)^n.$$

【3275】 $d^n u$,若 $u = e^{ax+by+cz}$.

解 注意到 $d^2(ax+by+cz) = 0$,即得

$$d^n u = e^{ax+by+cz}(a dx + b dy + c dz)^n.$$

【3276】 设 $u = x^4 - 2x^3 y - 2xy^3 + y^4 + x^3 - 3x^2 y - 3xy^2 + y^3 + 2x^2 - xy + 2y^2 + x + y + 1$,求 $d^4 u$,并求 $\frac{\partial^4 u}{\partial x^4}, \frac{\partial^4 u}{\partial x^3 \partial y}, \frac{\partial^4 u}{\partial x^2 \partial y^2}, \frac{\partial^4 u}{\partial x^2 y^3}$ 和 $\frac{\partial^4 u}{\partial y^4}$.

解 由微分运算的线性性质可得

$$d^4 u = 24dx^4 - 2C_4^1 d^3(x^3)dy - 2C_4^1 dx d^3(y^3) + 24dy^4 = 24(dx^4 - 2dx^3 dy - 2dx dy^3 + dy^4).$$

又由 $d^4 u = \left(dx \frac{\partial}{\partial x} + dy \frac{\partial}{\partial y}\right)^4 u$,得

$$\frac{\partial^4 u}{\partial x^4} = 24, \frac{\partial^4 u}{\partial x^3 \partial y} = -12, \frac{\partial^4 u}{\partial x^2 \partial y^2} = 0, \frac{\partial^4 u}{\partial x \partial y^3} = -12, \frac{\partial^4 u}{\partial y^4} = 24.$$

【3277】 $P_n(x,y,z)$ 为 n 次齐次多项式. 证明:

$$d^n P_n(x,y,z) = n! P_n(dx,dy,dz).$$

证 $P_n(x,y,z)$ 可表示为形如 $Ax^p y^q z^r$ 的单项式之和,其中 A 为常数,p,q,r 为非负整数,且 $p+q+r=n$.

由于微分运算对加法及数乘是线性的(可交换的),因此要证 $d^n P_n(x,y,z) = n! P_n(dx,dy,dz)$,只要证明 $d^n(x^p y^q z^r) = n! dx^p dy^q dz^r$ 即可. 事实上,

$$d^n(x^p y^q z^r) = C_n^{p+q} d^{p+q}(x^p y^q) d^r(z^r) = \frac{n!}{r!(p+q)!}[C_{p+q}^p d^p(x^p) d^q(y^q) d^r(z^r)]$$

$$= \frac{n!}{r!(p+q)!} \cdot \frac{(p+q)!}{p!q!} p!q!r! dx^p dy^q dz^r = n! dx^p dy^q dz^r.$$

习题 3278—3282 连续、可微与偏导数存在之间的关系

【3278】 证明:在点(0,0) 连续的函数 $f(x,y) = \sqrt{|xy|}$ 在点(0,0) 有两个偏导数 $f'_x(0,0)$ 和 $f'_y(0,0)$,但在点(0,0) 不可微.

说明导数 $f'_x(x,y)$ 和 $f'_y(x,y)$ 在点(0,0) 的邻域中的性质.

解 $$f'_x(0,0) = \frac{d}{dx}[f(x,0)]\Big|_{x=0} = 0, f'_y(0,0) = \frac{d}{dy}[f(0,y)]\Big|_{y=0} = 0.$$

考察极限

$$\lim_{\substack{x\to0\\y\to0}} \frac{f(x,y) - f(0,0) - f'_x(0,0)x - f'_y(0,0)y}{\sqrt{x^2+y^2}} = \lim_{\substack{x\to0\\y\to0}} \frac{\sqrt{|xy|}}{\sqrt{x^2+y^2}},$$

由于 $\lim\limits_{\substack{x\to0\\y\to kx}} \frac{\sqrt{|xy|}}{\sqrt{x^2+y^2}} = \lim\limits_{x\to0} \frac{\sqrt{|kx^2|}}{\sqrt{x^2+k^2x^2}} = \frac{\sqrt{|k|}}{\sqrt{1+k^2}}$ 随 k 的变化而变化. 因此,$\lim\limits_{\substack{x\to0\\y\to0}} \frac{\sqrt{|xy|}}{\sqrt{x^2+y^2}}$ 不存在,故 $\sqrt{|xy|}$ 在点(0,0) 不可微.

不难得到

$$f'_x(x,y)=\begin{cases}\dfrac{\sqrt{|xy|}}{2x}, & x\neq 0,\\ 0, & x^2+y^2=0,\\ \text{无意义}, & x=0,y\neq 0.\end{cases}$$

因此，$f'_x(x,y)$ 在点$(0,0)$ 的任何邻域中均有无意义的点及无界，$f'_y(x,y)$ 的性质类似.

【3279】 证明：函数

$$f(x,y)=\begin{cases}\dfrac{xy}{\sqrt{x^2+y^2}}, & x^2+y^2\neq 0,\\ 0, & x^2+y^2=0\end{cases}$$

在点$(0,0)$ 的邻域中连续且有有界的偏导数$f'_x(x,y)$ 和$f'_y(x,y)$，但在点$(0,0)$ 不可微.

证 先证函数 $f(x,y)$ 在点$(0,0)$ 的邻域中连续. 在 $x^2+y^2\neq 0$ 的点显然连续. 当 $x^2+y^2\neq 0$ 时，由

$$|f(x,y)|=\left|\frac{xy}{\sqrt{x^2+y^2}}\right|\leqslant\frac{x^2+y^2}{2\sqrt{x^2+y^2}}=\frac{\sqrt{x^2+y^2}}{2},$$

知$\lim\limits_{\substack{x\to 0\\ y\to 0}}f(x,y)=0=f(0,0)$，故 $f(x,y)$ 在点$(0,0)$ 的邻域中连续.

其次，证明$f'_x(x,y)$ 及$f'_y(x,y)$ 有界. 易求得

$$f'_x(x,y)=\begin{cases}\dfrac{y^3}{(x^2+y^2)^{\frac{3}{2}}}, & x^2+y^2\neq 0,\\ 0, & x^2+y^2=0.\end{cases}$$

当 $x^2+y^2\neq 0$ 时，由于

$$|f'_x(x,y)|\leqslant\frac{|y^3|}{(y^2)^{\frac{3}{2}}}=1,$$

故$f'_x(x,y)$ 在点$(0,0)$ 的邻域内有界. 同法可以证明$f'_y(x,y)$ 在点$(0,0)$ 的邻域内有界.

最后，证明函数 $f(x,y)$ 在点$(0,0)$ 不可微. 由于$f'_x(0,0)=f'_y(0,0)=0$，且极限

$$\lim_{\substack{x\to 0\\ y\to 0}}\frac{f(x,y)-f(0,0)-xf'_x(0,0)-yf'_y(0,0)}{\sqrt{x^2+y^2}}=\lim_{\substack{x\to 0\\ y\to 0}}\frac{xy}{x^2+y^2},$$

因 $\lim\limits_{\substack{x\to 0\\ y\to kx}}\dfrac{xy}{x^2+y^2}=\lim\limits_{x\to 0}\dfrac{kx^2}{x^2+k^2x^2}=\dfrac{k}{1+k^2}$ 随 k 的变化而变化，故$\lim\limits_{\substack{x\to 0\\ y\to 0}}\dfrac{xy}{x^2+y^2}$ 不存在，则 $f(x,y)$ 在点$(0,0)$ 不可微.

【3280】 证明：函数

$$f(x,y)=\begin{cases}(x^2+y^2)\sin\dfrac{1}{x^2+y^2}, & x^2+y^2\neq 0,\\ 0, & x^2+y^2=0\end{cases}$$

在点$(0,0)$ 的邻域中偏导数$f'_x(x,y)$ 和$f'_y(x,y)$ 都存在，这些偏导数在点$(0,0)$ 不连续，且在此点的任何邻域中无界；然而，此函数在点$(0,0)$ 可微.

证 先证$f'_x(x,y)$ 及$f'_y(x,y)$ 存在. 当 $x^2+y^2\neq 0$ 时，$f'_x(x,y)$ 及$f'_y(x,y)$ 均存在，且

$$f'_x(x,y)=2x\sin\frac{1}{x^2+y^2}-\frac{2x}{x^2+y^2}\cos\frac{1}{x^2+y^2},$$

$$f'_y(x,y)=2y\sin\frac{1}{x^2+y^2}-\frac{2y}{x^2+y^2}\cos\frac{1}{x^2+y^2},$$

$$f'_x(0,0)=\lim_{x\to 0}\frac{f(x,0)-f(0,0)}{x}=\lim_{x\to 0}x\sin\frac{1}{x^2}=0,$$

$$f'_y(0,0)=\lim_{y\to 0}\frac{f(0,y)-f(0,0)}{y}=\lim_{y\to 0}y\sin\frac{1}{y^2}=0,$$

故知在点$(0,0)$ 的邻域内偏导数$f'_x(x,y)$ 及$f'_y(x,y)$ 都存在.

其次，证明 $f'_x(x,y)$ 及 $f'_y(x,y)$ 在点 $(0,0)$ 不连续，且在此点的任何邻域中无界. 只对 $f'_x(x,y)$ 证明. 考虑在点 $\left(\frac{1}{\sqrt{2n\pi}},0\right)$ 的偏导数 $f'_x(x,y)$：

$$f'_x\left(\frac{1}{\sqrt{2n\pi}},0\right)=\frac{2}{\sqrt{2n\pi}}\sin 2n\pi-2\sqrt{2n\pi}\cos 2n\pi=-2\sqrt{2n\pi}\to-\infty\quad(n\to\infty),$$

故 $f'_x(x,y)$ 在点 $(0,0)$ 的任何邻域内无界，由此又知 $f'_x(x,y)$ 在点 $(0,0)$ 不连续. 同法可证 $f'_y(x,y)$ 在 $(0,0)$ 的任何邻域中也无界，从而 $f'_y(x,y)$ 在点 $(0,0)$ 也不连续.

最后，证明 $f(x,y)$ 在点 $(0,0)$ 可微. 事实上 $f'_x(0,0)=f'_y(0,0)=0$，且

$$\lim_{\substack{x\to0\\y\to0}}\frac{f(x,y)-f(0,0)-xf'_x(0,0)-yf'_y(0,0)}{\sqrt{x^2+y^2}}=\lim_{\substack{x\to0\\y\to0}}\sqrt{x^2+y^2}\sin\frac{1}{x^2+y^2}=0,$$

故函数 $f(x,y)$ 在点 $(0,0)$ 可微.

【3281】 证明：在某凸形区域 E 内有有界偏导数 $f'_x(x,y)$ 和 $f'_y(x,y)$ 的函数 $f(x,y)$ 在 E 内一致连续.

证 因 $f'_x(x,y)$ 及 $f'_y(x,y)$ 在 E 内有界，故 $\exists L>0$，当 $(x,y)\in E$ 时，有

$$|f'_x(x,y)|\leqslant\frac{L}{2}\text{ 及 }|f'_y(x,y)|\leqslant\frac{L}{2}.$$

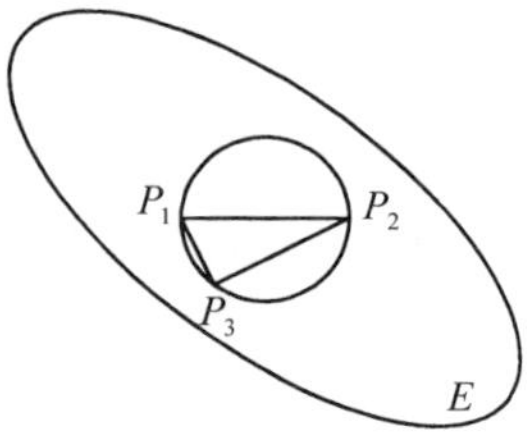

图 6.25

在 E 内任取两点 $P_1(x_1,y_1)$ 及 $P_2(x_2,y_2)$.

(1) 以 $|P_1P_2|$ 为直径的圆（包括圆周在内）都属于 E（图 6.25），且点 $P_3(x_1,y_2)$ 及线段 P_1P_3，P_2P_3 都在 E 内. 于是

$$\begin{aligned}|f(x_1,y_1)-f(x_2,y_2)|&\leqslant|f(x_1,y_1)-f(x_1,y_2)|+|f(x_1,y_2)-f(x_2,y_2)|\\&=|f'_y(x_1,\xi)|\cdot|y_1-y_2|+|f'_x(\eta,y_2)|\cdot|x_1-x_2|,\end{aligned}$$

其中 ξ 介于 y_1,y_2 之间，η 介于 x_1,x_2 之间.

由偏导数的有界性，即得

$$\begin{aligned}|f(x_1,y_1)-f(x_2,y_2)|&\leqslant\frac{L}{2}|y_1-y_2|+\frac{L}{2}|x_1-x_2|\\&\leqslant\frac{L}{2}\sqrt{(x_1-x_2)^2+(y_1-y_2)^2}+\frac{L}{2}\sqrt{(x_1-x_2)^2+(y_1-y_2)^2}\\&=L\sqrt{(x_1-x_2)^2+(y_1-y_2)^2},\end{aligned}$$

即 $|f(P_1)-f(P_2)|\leqslant L|P_2P_2|$.

(2) 如图 6.26 所示，$P_1\in E$，$P_2\in E$，但点 (x_1,y_2) 和 (x_2,y_1) 都不一定属于 E. 由于 P_1 和 P_2 均为 E 的内点，故 $\exists R>0$，使得分别以 P_1，P_2 为圆心，R 为半径的圆（包括圆周在内）都在 E 内. 作两圆的外公切线 Q_1Q_1 及 Q_2Q_3，则由切点均在 E 内知，矩形 $Q_1Q_2Q_3Q_4$ 整个落在 E 内.

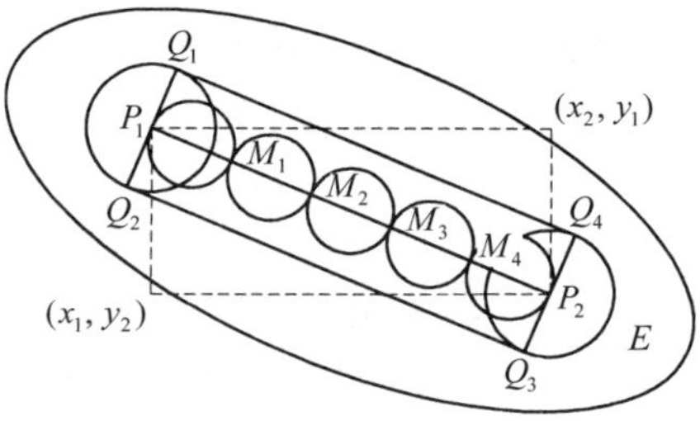

图 6.26

不难看出，在直线段 P_1P_2 上可取足够多的分点：$P_1=M_0$，M_1，M_2，…，$M_n=P_2$，使

$$|M_{k-1}M_k|<2R(k=1,2,\cdots,n),$$

则以 $|M_{k-1}M_k|$ 为直径的圆全落在矩形内，从而也在 E 内. 于是

$$|f(P_1)-f(P_2)|\leqslant\sum_{k=1}^{n}|f(M_k)-f(M_{k-1})|\leqslant\sum_{k=1}^{n}L|M_kM_{k-1}|=L\sum_{k=1}^{n}|M_kM_{k-1}|=L|P_1P_2|.$$

这就证明了对 E 中任意两点，函数 $f(P)$ 满足利普希茨条件.

对于 $\forall\varepsilon>0$，取 $\delta=\frac{\varepsilon}{L}$，则当 $P_1\in E$，$P_2\in E$，且 $|P_1P_2|<\delta$ 时，恒有

$$|f(P_1)-f(P_2)|\leqslant L|P_1P_2|<L\delta=\varepsilon,$$

即函数 $f(x,y)$ 在 E 中一致连续.

注 用 ∂E 表区域 E 的边界，$\overline{E}$ 表 E 加上 ∂E 所成的闭区域. 在本题的假定下，还可证明 $f(x,y)$ 可开拓为 E 上的一致连续函数. 事实上，对 $\forall P_0\in\partial E$，由柯西收敛准则知，当动点 P 从 E 内趋于 P_0 时，$f(P)$ 的极限 A 存在（根据 $f(P)$ 在 E 有一致连续性易知它满足柯西收敛准则）. 记 $f(P_0)=A$. 于是，$f(P)$ 在整个 $\overline{E}$ 上有定义. $\forall P_1,P_2\in E$ 有

$$|f(P_1)-f(P_2)|\leqslant L|P_1P_2|,$$

两端让 $P_1\to P_0(P_0\in\partial E)$ 取极限，得

$$|f(P_0)-f(P_2)|\leqslant L|P_0P_2|\ (P_0\in\partial E,P_2\in E),$$

再让 $P_2\to P'_0(P'_0\in\partial E)$ 取极限，得

$$|f(P_0)-f(P'_0)|\leqslant L|P_0P'_0|\ (P_0\in\partial E,P'_0\in\partial E).$$

由此可知，$f(P)$ 在 $\overline{E}$ 上满足利普希茨条件，从而 $f(P)$ 在 $\overline{E}$ 上一致连续.

【3282】 证明：若定义在区域 E 内的函数 $f(x,y)$ 对变量 x 是连续的（对每一个固定的值 y）且有对变量 y 的有界导数 $f'_y(x,y)$，则此函数对变量 x 和 y 的总体是连续的.

证 $\forall P_0(x_0,y_0)\in E$，取以 P_0 为中心的一个充分小的开球 G_0，使 G_0 完全含于 E 内. 设在 G_0 内，有 $|f'_y(x,y)|\leqslant L$. 于是，当 (x,y')，(x,y'') 属于 G_0 时，有

$$|f(x,y')-f(x,y'')|=|f'_y(x,\xi)|\cdot|y'-y''|\leqslant L|y'-y''|,$$

其中 ξ 为介于 y'，y'' 之间的一个数，故 $f(x,y)$ 在 G_0 中满足利普希茨条件. 故根据 3206 题的结果知 $f(x,y)$ 在 G_0 中连续，特别是在 P_0 点连续. 由 P_0 点的任意性，即知 $f(x,y)$ 在 E 内连续.

注 从证明过程中显然看出，本题只要假定 $f'_y(x,y)$ 在 E 中每一点的某邻域中有界即可.

知识点2 多元复合函数的偏导数与全微分

多元复合函数的偏导数 若 $w=f(x,y,z)$ 可微，其中 $x=\varphi(u,v)$，$y=\psi(u,v)$，$z=\chi(u,v)$，且函数 φ,ψ,χ 可微，则

$$\frac{\partial w}{\partial u}=\frac{\partial w}{\partial x}\frac{\partial x}{\partial u}+\frac{\partial w}{\partial y}\frac{\partial y}{\partial u}+\frac{\partial w}{\partial z}\frac{\partial z}{\partial u},\frac{\partial w}{\partial v}=\frac{\partial w}{\partial x}\frac{\partial x}{\partial v}+\frac{\partial w}{\partial y}\frac{\partial y}{\partial v}+\frac{\partial w}{\partial z}\frac{\partial z}{\partial v}.$$

上述公式也称为链式法则.

计算函数 w 的二阶偏导数时采用下列符号公式：

$$\frac{\partial^2 w}{\partial u^2}=\left(P_1\frac{\partial}{\partial x}+Q_1\frac{\partial}{\partial y}+R_1\frac{\partial}{\partial z}\right)^2 w+\frac{\partial P_1}{\partial u}\frac{\partial w}{\partial x}+\frac{\partial Q_1}{\partial u}\frac{\partial w}{\partial y}+\frac{\partial R_1}{\partial u}\frac{\partial w}{\partial z},$$

$$\frac{\partial^2 w}{\partial u\partial v}=\left(P_1\frac{\partial}{\partial x}+Q_1\frac{\partial}{\partial y}+R_1\frac{\partial}{\partial z}\right)\left(P_2\frac{\partial}{\partial x}+Q_2\frac{\partial}{\partial y}+R_2\frac{\partial}{\partial z}\right)w+$$
$$\frac{\partial P_1}{\partial v}\frac{\partial w}{\partial x}+\frac{\partial Q_1}{\partial v}\frac{\partial w}{\partial y}+\frac{\partial R_1}{\partial v}\frac{\partial w}{\partial z},$$

其中 $P_1=\frac{\partial x}{\partial u}$，$Q_1=\frac{\partial y}{\partial u}$，$R_1=\frac{\partial z}{\partial u}$，$R_2=\frac{\partial x}{\partial v}$，$Q_2=\frac{\partial y}{\partial v}$，$R_2=\frac{\partial z}{\partial v}$.

习题 3283—3287 多元复合函数的偏导数

【求下列复合函数的一阶和二阶偏导数(3283—3285)】

【3283】 $u=f(x^2+y^2+z^2)$.

解 $\frac{\partial u}{\partial x}=2xf'(x^2+y^2+z^2),\frac{\partial^2 u}{\partial x^2}=2f'(x^2+y^2+z^2)+4x^2f''(x^2+y^2+z^2)$,

$\frac{\partial^2 u}{\partial x\partial y}=4xyf''(x^2+y^2+z^2)$.

由对称性即知

$$\frac{\partial u}{\partial y}=2yf'(x^2+y^2+z^2),\frac{\partial u}{\partial z}=2zf'(x^2+y^2+z^2),$$

$$\frac{\partial^2 u}{\partial y^2}=2f'(x^2+y^2+z^2)+4y^2f''(x^2+y^2+z^2),$$

$$\frac{\partial^2 u}{\partial z^2}=2f'(x^2+y^2+z^2)+4z^2f''(x^2+y^2+z^2),$$

$$\frac{\partial^2 u}{\partial y\partial z}=4yzf''(x^2+y^2+z^2),\frac{\partial^2 u}{\partial z\partial x}=4xzf''(x^2+y^2+z^2).$$

【3284】 $u=f\left(x,\frac{x}{y}\right)$.

解 $\frac{\partial u}{\partial x}=f'_1\left(x,\frac{x}{y}\right)+\frac{1}{y}f'_2\left(x,\frac{x}{y}\right),\frac{\partial u}{\partial y}=-\frac{x}{y^2}f'_2\left(x,\frac{x}{y}\right)$,

$$\frac{\partial^2 u}{\partial x^2}=f''_{11}\left(x,\frac{x}{y}\right)+\frac{2}{y}f''_{12}+\frac{1}{y^2}f'''_{22}\left(x,\frac{x}{y}\right),$$

$$\frac{\partial^2 u}{\partial y^2}=\frac{2x}{y^3}f'_2\left(x,\frac{x}{y}\right)+\frac{x^2}{y^4}f''_{22}\left(x,\frac{x}{y}\right),$$

$$\frac{\partial^2 u}{\partial x\partial y}=-\frac{x}{y^2}f''_{12}\left(x,\frac{x}{y}\right)-\frac{1}{y^2}f'_2\left(x,\frac{x}{y}\right)-\frac{x}{y^3}f''_{22}\left(x,\frac{x}{y}\right).$$

注 $f'_1,f'_2,f''_{11},f''_{22}$是按其下标的次序分别对第一、第二个中间变量求导,以下各题均同,不再说明.

【3285】 $u=f(x,xy,xyz)$.

解 $\frac{\partial u}{\partial x}=f'_1(x,xy,xyz)+yf'_2(x,xy,xyz)+yzf'_3(x,xy,xyz)$.

将$f'_1(x,xy,xyz),f'_2(x,xy,xyz),f'_3(x,xy,xyz)$,简记为$f'_1,f'_2,f'_3$,以后不再说明.于是

$$\frac{\partial u}{\partial x}=f'_1+yf'_2+yzf'_3,\frac{\partial u}{\partial y}=xf'_2+xzf'_3,\frac{\partial u}{\partial z}=xyf'_3,$$

$$\frac{\partial^2 u}{\partial x^2}=f''_{11}+yf''_{12}+yzf''_{13}+y(f''_{21}+yf''_{22}+yzf''_{23})+yz(f''_{31}+yf''_{32}+yzf''_{33}).$$

由于$f''_{12}=f''_{21},f''_{13}=f''_{31},f''_{23}=f''_{32}$(以下各题均同),故

$$\frac{\partial^2 u}{\partial x^2}=f''_{11}+y^2f''_{22}+y^2z^2f''_{33}+2yf''_{12}+2yzf''_{13}+2y^2zf''_{23}.$$

同法可求得

$$\frac{\partial^2 u}{\partial y^2}=x^2f''_{22}+x^2zf''_{23}+x^2zf''_{32}+x^2z^2f''_{33}=x^2f''_{22}+2x^2zf''_{23}+x^2z^2f''_{33},$$

$$\frac{\partial^2 u}{\partial z^2}=x^2y^2f''_{33},$$

$$\frac{\partial^2 u}{\partial x\partial y}=xf''_{12}+xzf''_{13}+f'_2+xyf''_{22}+xyzf''_{23}+zf'_3+xyzf''_{32}+xyz^2f''_{33}$$

$$=xyf''_{22}+xyz^2f''_{33}+xf''_{12}+xzf''_{13}+2xyzf''_{23}+f'_2+zf'_3,$$

$$\frac{\partial^2 u}{\partial x\partial z}=xyf''_{13}+xy^2f''_{23}+xy^2zf''_{33}+yf'_3,\frac{\partial^2 u}{\partial y\partial z}=x^2yf''_{23}+x^2yzf''_{33}+xf'_3.$$

【3286】 设$u=f(x+y,xy)$,求$\frac{\partial^2 u}{\partial x\partial y}$.

解 $\frac{\partial u}{\partial x}=f'_1+yf'_2$.

$$\frac{\partial^2 u}{\partial x\partial y}=f''_{11}+xf''_{12}+yf''_{21}+xyf''_{22}+f'_2=f''_{11}+(x+y)f''_{12}+xyf''_{22}+f'_2.$$

【3287】 设 $u=f(x+y+z,x^2+y^2+z^2)$，求 $\Delta u=\frac{\partial^2 u}{\partial x^2}+\frac{\partial^2 u}{\partial y^2}+\frac{\partial^2 u}{\partial z^2}$.

解 $\frac{\partial u}{\partial x}=f'_1+2xf'_2$，

$$\frac{\partial^2 u}{\partial x^2}=f''_{11}+2xf''_{12}+2f'_2+2xf''_{21}+4x^2f''_{22}=f''_{11}+4xf''_{12}+4x^2f''_{22}+2f'_2.$$

由对称性即得 $\frac{\partial^2 u}{\partial y^2}=f''_{11}+4yf''_{12}+4y^2f''_{22}+2f'_2$，$\frac{\partial^2 u}{\partial z^2}=f''_{11}+4zf''_{12}+4z^2f''_{22}+2f'_2$. 于是

$$\Delta u=3f''_{11}+4(x+y+z)f''_{12}+4(x^2+y^2+z^2)f''_{22}+6f'_2.$$

习题 3288—3304 多元复合函数的全微分

【求下列复合函数的一阶和二阶全微分（x,y 及 z 为自变量）（3288—3301）】

【3288】 $u=f(t)$，其中 $t=x+y$.

解 $\mathrm{d}u=f'(t)(\mathrm{d}x+\mathrm{d}y)$，$\mathrm{d}^2u=f''(t)(\mathrm{d}x+\mathrm{d}y)^2$.

【3289】 $u=f(t)$，其中 $t=\frac{y}{x}$.

解 $\mathrm{d}u=f'(t)\frac{x\mathrm{d}y-y\mathrm{d}x}{x^2}$，$\mathrm{d}^2u=f''(t)\frac{(x\mathrm{d}y-y\mathrm{d}x)^2}{x^4}-2f'(t)\frac{\mathrm{d}x(x\mathrm{d}y-y\mathrm{d}x)}{x^3}$.

【3290】 $u=f(\sqrt{x^2+y^2})$.

解 $\mathrm{d}u=f'\frac{x\mathrm{d}x+y\mathrm{d}y}{\sqrt{x^2+y^2}}$，$\mathrm{d}^2u=f''\frac{(x\mathrm{d}x+y\mathrm{d}y)^2}{x^2+y^2}+f'\frac{(y\mathrm{d}x-x\mathrm{d}y)^2}{(x^2+y^2)^{\frac{3}{2}}}$.

【3291】 $u=f(t)$，其中 $t=xyz$.

解 $\mathrm{d}u=f'(t)(yz\mathrm{d}x+xz\mathrm{d}y+xy\mathrm{d}z)$，

$\mathrm{d}^2u=f''(t)(yz\mathrm{d}x+xz\mathrm{d}y+xy\mathrm{d}z)^2+2f'(t)(z\mathrm{d}x\mathrm{d}y+y\mathrm{d}x\mathrm{d}z+x\mathrm{d}y\mathrm{d}z)$.

【3292】 $u=f(x^2+y^2+z^2)$.

解 $\mathrm{d}u=2f'\cdot(x\mathrm{d}x+y\mathrm{d}y+z\mathrm{d}z)$，

$\mathrm{d}^2u=4f''\cdot(x\mathrm{d}x+y\mathrm{d}y+z\mathrm{d}z)^2+2f'\cdot(\mathrm{d}x^2+\mathrm{d}y^2+\mathrm{d}z^2)$.

【3293】 $u=f(\xi,\eta)$，其中 $\xi=ax$，$\eta=by$.

解 $\mathrm{d}u=af'_1\mathrm{d}x+bf'_2\mathrm{d}y$，$\mathrm{d}^2u=a^2f''_{11}\mathrm{d}x^2+2abf''_{12}\mathrm{d}x\mathrm{d}y+b^2f''_{22}\mathrm{d}y^2$.

【3294】 $u=f(\xi,\eta)$，其中 $\xi=x+y$，$\eta=x-y$.

解 $\mathrm{d}u=f'_1\cdot(\mathrm{d}x+\mathrm{d}y)+f'_2\cdot(\mathrm{d}x-\mathrm{d}y)$，

$\mathrm{d}^2u=f''_{11}\cdot(\mathrm{d}x+\mathrm{d}y)^2+2f''_{12}\cdot(\mathrm{d}x^2-\mathrm{d}y^2)+f''_{22}\cdot(\mathrm{d}x-\mathrm{d}y)^2$.

【3295】 $u=f(\xi,\eta)$，其中 $\xi=xy$，$\eta=\frac{x}{y}$.

解 $\mathrm{d}u=f'_1\cdot(y\mathrm{d}x+x\mathrm{d}y)+f'_2\frac{y\mathrm{d}x-x\mathrm{d}y}{y^2}$，

$\mathrm{d}^2u=f''_{11}\cdot(y\mathrm{d}x+x\mathrm{d}y)^2+f''_{22}\frac{(y\mathrm{d}x-x\mathrm{d}y)^2}{y^4}+2f''_{12}\frac{y^2\mathrm{d}x^2-x^2\mathrm{d}y^2}{y^2}+2f'_1\mathrm{d}x\mathrm{d}y-$

$2f'_2\frac{(y\mathrm{d}x-x\mathrm{d}y)\mathrm{d}y}{y^3}$.

【3296】 $u=f(x+y,z)$.

解 $\mathrm{d}u=f'_1\cdot(\mathrm{d}x+\mathrm{d}y)+f'_2\mathrm{d}z$，

$$d^2u = f''_{11}\cdot(dx+dy)^2 + 2f''_{12}\cdot(dx+dy)dz + f''_{22}dz^2.$$

【3297】 $u = f(x+y+z, x^2+y^2+z^2)$.

解 $du = f'_1\cdot(dx+dy+dz) + 2f'_2\cdot(xdx+ydy+zdz)$,

$$d^2u = f''_{11}\cdot(dx+dy+dz)^2 + 4f''_{12}\cdot(dx+dy+dz)(xdx+ydy+zdz) + 4f''_{22}\cdot(xdx+ydy+zdz)^2 + 2f'_2\cdot(dx^2+dy^2+dz^2).$$

【3298】 $u = f\left(\dfrac{x}{y}, \dfrac{y}{z}\right)$.

解 $du = f'_1\dfrac{ydx-xdy}{y^2} + f'_2\dfrac{zdy-ydz}{z^2}$,

$$d^2u = f''_{11}\frac{(ydx-xdy)^2}{y^4} + f''_{22}\frac{(zdy-ydz)^2}{z^4} + 2f''_{12}\frac{(ydx-xdy)(zdy-ydz)}{y^2z^2} - 2f'_1\frac{(ydx-xdy)dy}{y^3} - 2f'_2\frac{(zdy-ydz)dz}{z^3}.$$

【3299】 $u = f(x,y,z)$，其中 $x=t, y=t^2, z=t^3$.

解 $du = (f'_1 + 2tf'_2 + 3t^2f'_3)dt$,

$$d^2u = (f''_{11} + 4t^2f''_{22} + 9t^4f''_{33} + 4tf''_{12} + 6t^2f''_{13} + 12t^3f''_{23} + 2f'_2 + 6tf'_3)dt^2.$$

【3300】 $u = f(\xi,\eta,\zeta)$，其中 $\xi = ax, \eta = by, \zeta = cz$.

解 $du = af'_1dx + bf'_2dy + cf'_3dz$,

$$d^2u = a^2f''_{11}dx^2 + b^2f''_{22}dy^2 + c^2f''_{33}dz^2 + 2abf''_{12}dxdy + 2acf''_{13}dxdz + 2bcf''_{23}dydz.$$

【3301】 $u = f(\xi,\eta,\zeta)$，其中 $\xi = x^2+y^2, \eta = x^2-y^2, \zeta = 2xy$.

解 $du = 2f'_1\cdot(xdx+ydy) + 2f'_2\cdot(xdx-ydy) + 2f'_3\cdot(ydx+xdy)$,

$$d^2u = 4f''_{11}\cdot(xdx+ydy)^2 + 4f''_{22}\cdot(xdx-ydy)^2 + 4f''_{33}\cdot(ydx+xdy)^2 + 8f''_{12}\cdot(x^2dx^2-y^2dy^2) + 8f''_{13}\cdot(xdx+ydy)(ydx+xdy) + 8f''_{23}\cdot(xdx-ydy)(ydx+xdy) + 2f'_1\cdot(dx^2+dy^2) + 2f'_2\cdot(dx^2-dy^2) + 4f'_3dxdy.$$

【求 d^nu(3302—3304)】

【3302】 $u = f(ax+by+cz)$.

解 $d^nu = f^{(n)}(ax+by+cz)(adx+bdy+cdz)^n$.

【3303】 $u = f(ax,by,cz)$.

解 $d^nu = \left(adx\dfrac{\partial}{\partial\xi} + bdy\dfrac{\partial}{\partial\eta} + cdz\dfrac{\partial}{\partial\zeta}\right)^n f(\xi,\eta,\zeta)$，其中 $\xi = ax, \eta = by, \zeta = cz$.

【3304】 $u = f(\xi,\eta,\zeta)$，其中

$$\xi = a_1x+b_1y+c_1z, \eta = a_2x+b_2y+c_2z, \zeta = a_3x+b_3y+c_3z.$$

解
$$\begin{aligned} d^nu &= \left[(a_1dx+b_1dy+c_1dz)\frac{\partial}{\partial\xi} + (a_2dx+b_2dy+c_2dz)\frac{\partial}{\partial\eta} + (a_3dx+b_3dy+c_3dz)\frac{\partial}{\partial\zeta}\right]^n f(\xi,\eta,\zeta) \\ &= \left[dx\left(a_1\frac{\partial}{\partial\xi} + a_2\frac{\partial}{\partial\eta} + a_3\frac{\partial}{\partial\zeta}\right) + dy\left(b_1\frac{\partial}{\partial\xi} + b_2\frac{\partial}{\partial\eta} + b_3\frac{\partial}{\partial\zeta}\right) + dz\left(c_1\frac{\partial}{\partial\xi} + c_2\frac{\partial}{\partial\eta} + c_3\frac{\partial}{\partial\zeta}\right)\right]^n f(\xi,\eta,\zeta). \end{aligned}$$

习题 3305—3340 化简与证明微分关系式

【3305】 设 $u = f(r)$，其中 $r = \sqrt{x^2+y^2+z^2}$，f 为二阶可微函数. 证明：$\Delta u = F(r)$，其中 $\Delta u = \dfrac{\partial^2 u}{\partial x^2} + \dfrac{\partial^2 u}{\partial y^2} + \dfrac{\partial^2 u}{\partial z^2}$，$\Delta$ 为拉普拉斯算子，并求函数 F.

解 $\frac{\partial u}{\partial x}=f'(r)\frac{x}{r},\frac{\partial^2 u}{\partial x^2}=f''(r)\frac{x^2}{r^2}+f'(r)\frac{r^2-x^2}{r^3}.$

由对称性即得

$$\frac{\partial^2 u}{\partial y^2}=f''(r)\frac{y^2}{r^2}+f'(r)\frac{r^2-y^2}{r^3},\frac{\partial^2 u}{\partial z^2}=f''(r)\frac{z^2}{r^2}+f'(r)\frac{r^2-z^2}{r^3}.$$

于是

$$\Delta u=\frac{\partial^2 u}{\partial x^2}+\frac{\partial^2 u}{\partial y^2}+\frac{\partial^2 u}{\partial z^2}=f''(r)+2f'(r)\frac{1}{r}=F(r).$$

【3306】 设 u 和 v 为二阶可微的函数，Δ 为拉普拉斯算子(参阅 3305 题). 证明：

$$\Delta(uv)=u\Delta v+v\Delta u+2\nabla u\cdot\nabla v,$$

其中$\nabla u\cdot\nabla v=\frac{\partial u}{\partial x}\frac{\partial v}{\partial x}+\frac{\partial u}{\partial y}\frac{\partial v}{\partial y}+\frac{\partial u}{\partial z}\frac{\partial v}{\partial z}$.

证

$$\begin{aligned}\Delta(uv)&=\frac{\partial^2(uv)}{\partial x^2}+\frac{\partial^2(uv)}{\partial y^2}+\frac{\partial^2(uv)}{\partial z^2}=\frac{\partial}{\partial x}\left(\frac{\partial(uv)}{\partial x}\right)+\frac{\partial}{\partial y}\left(\frac{\partial(uv)}{\partial y}\right)+\frac{\partial}{\partial z}\left(\frac{\partial(uv)}{\partial z}\right)\\&=\left(u\frac{\partial^2 v}{\partial x^2}+v\frac{\partial^2 u}{\partial x^2}+2\frac{\partial u}{\partial x}\frac{\partial v}{\partial x}\right)+\left(u\frac{\partial^2 v}{\partial y^2}+v\frac{\partial^2 u}{\partial y^2}+2\frac{\partial u}{\partial y}\frac{\partial v}{\partial y}\right)+\\&\quad\left(u\frac{\partial^2 v}{\partial z^2}+v\frac{\partial^2 u}{\partial z^2}+2\frac{\partial u}{\partial z}\frac{\partial v}{\partial z}\right)\\&=u\Delta v+v\Delta u+2\nabla u\cdot\nabla v.\end{aligned}$$

【3307】 证明：函数 $u=\ln\sqrt{(x-a)^2+(y-b)^2}$($a$ 和 b 为常数)满足拉普拉斯方程

$$\frac{\partial^2 u}{\partial x^2}+\frac{\partial^2 u}{\partial y^2}=0.$$

证 $\frac{\partial u}{\partial x}=\frac{x-a}{(x-a)^2+(y-b)^2},\frac{\partial^2 u}{\partial x^2}=\frac{(y-b)^2-(x-a)^2}{[(x-a)^2+(y-b)^2]^2}.$

由对称性即得$\frac{\partial^2 u}{\partial y^2}=\frac{(x-a)^2-(y-b)^2}{[(x-a)^2+(y-b)^2]^2}$. 于是

$$\frac{\partial^2 u}{\partial x^2}+\frac{\partial^2 u}{\partial y^2}=0.$$

【3308】 证明：若函数 $u=u(x,y)$ 满足拉普拉斯方程(参阅 3307 题)，则函数 $v=u\left(\frac{x}{x^2+y^2},\frac{y}{x^2+y^2}\right)$也满足此方程.

证 设 $\xi=\frac{x}{x^2+y^2},\eta=\frac{y}{x^2+y^2}$，则 $v(x,y)=u(\xi,\eta)$. 从而

$$v''_{xx}=u''_{\xi\xi}\cdot(\xi'_x)^2+u''_{\eta\eta}\cdot(\eta'_x)^2+2u''_{\xi\eta}\xi'_x\eta'_x+u'_\xi\xi''_{xx}+u'_\eta\eta''_{xx},$$
$$v''_{yy}=u''_{\xi\xi}\cdot(\xi'_y)^2+u''_{\eta\eta}\cdot(\eta'_y)^2+2u''_{\xi\eta}\xi'_y\eta'_y+u'_\xi\xi''_{yy}+u'_\eta\eta''_{yy},$$

由于

$$\xi'_x=\frac{y^2-x^2}{(x^2+y^2)^2}=-\eta'_y,\xi'_y=-\frac{2xy}{(x^2+y^2)^2}=\eta'_x,$$
$$\xi''_{yy}=(\xi'_y)'_y=(\eta'_x)'_y=(\eta'_y)'_x=-\xi''_{xx},$$
$$\eta''_{yy}=(\eta'_y)'_y=(-\xi'_x)'_y=-(\xi'_y)'_x=-\eta''_{xx},$$
$$u''_{\xi\xi}(\xi,\eta)+u''_{\eta\eta}(\xi,\eta)=0,$$

故

$$\begin{aligned}\Delta v&=v''_{xx}+v''_{yy}\\&=u''_{\xi\xi}\cdot(\xi'_x)^2+u''_{\eta\eta}\cdot(\eta'_x)^2+2u''_{\xi\eta}\xi'_x\eta'_x+u'_\xi\xi''_{xx}+u'_\eta\eta''_{xx}+u''_{\xi\xi}\cdot(\eta'_x)^2+u''_{\eta\eta}\cdot(-\xi'_x)^2+2u''_{\xi\eta}\eta'_x\cdot\\&\quad(-\xi'_x)^2+u'_\xi\cdot(-\xi''_{xx})+u'_\eta\cdot(-\eta''_{xx})\\&=(u''_{\xi\xi}+u''_{\eta\eta})[(\xi'_x)^2+(\eta'_x)^2]=0,\end{aligned}$$

即函数 v 也满足拉普拉斯方程.

【3309】 证明:函数 $u=\dfrac{1}{2a\sqrt{\pi t}}\mathrm{e}^{-\frac{(x-b)^2}{4a^2t}}$($a$ 和 b 为常数)满足热传导方程$\dfrac{\partial u}{\partial t}=a^2\dfrac{\partial^2 u}{\partial x^2}$.

证 $\dfrac{\partial u}{\partial t}=\dfrac{1}{8a^3t^2\sqrt{\pi t}}\mathrm{e}^{-\frac{(x-b)^2}{4a^2t}}[(x-b)^2-2a^2t]$,$\dfrac{\partial u}{\partial x}=-\dfrac{x-b}{4a^3t\sqrt{\pi t}}\mathrm{e}^{-\frac{(x-b)^2}{4a^2t}}$,

$\dfrac{\partial^2 u}{\partial x^2}=\dfrac{1}{8a^5t^2\sqrt{\pi t}}\mathrm{e}^{-\frac{(x-b)^2}{4a^2t}}[(x-b)^2-2a^2t]$.

将$\dfrac{\partial u}{\partial t}$与$\dfrac{\partial^2 u}{\partial x^2}$比较可得$\dfrac{\partial u}{\partial t}=a^2\dfrac{\partial^2 u}{\partial x^2}$,即函数 u 满足热传导方程.

【3310】 证明:若函数 $u=u(x,t)$ 满足热传导方程(参阅 3309 题),则函数

$$v=\frac{1}{a\sqrt{t}}\mathrm{e}^{-\frac{x^2}{4a^2t}}u\left(\frac{x}{a^2t},-\frac{1}{a^4t}\right)\quad(t>0)$$

也满足该方程.

证 设 $w=w(x,t)=\dfrac{1}{a\sqrt{t}}\mathrm{e}^{-\frac{x^2}{4a^2t}}$,此函数即 3309 题中的函数 u 乘以 $2\sqrt{\pi}$,并令 $b=0$ 后得到. 因此,它满足热传导方程$\dfrac{\partial w}{\partial t}=a^2\dfrac{\partial^2 w}{\partial x^2}$. 显然有$\dfrac{\partial w}{\partial x}=-\dfrac{2x}{4a^2t}w=-\dfrac{xw}{2a^2t}$.

令 $\xi=\xi(x,t)=\dfrac{x}{a^2t}$,$\eta=\eta(t)=-\dfrac{1}{a^4t}$,则$\xi'_x=\dfrac{1}{a^2t}$,$\xi''_{xx}=0$,$\xi'_t=-\dfrac{x^2}{a^2t^2}$,$\eta'_t=\dfrac{1}{a^4t^2}$.

由于 $v=w(x,t)u(\xi,\eta)$ 及$u'_\eta=a^2u''_{\xi\xi}$,故

$$v'_t=w'_tu+w\cdot(u'_\xi\xi'_t+u'_\eta\eta'_t)=a^2w''_{xx}u+w\cdot\left[u'_\xi\cdot\left(-\frac{x^2}{a^2t^2}\right)+a^2u''_{\xi\xi}\cdot\left(\frac{1}{a^4t^2}\right)\right],$$

$$v'_x=w'_xu+wu'_\xi\xi'_x,$$

$$v''_{xx}=w''_{xx}u+2w'_xu'_\xi\xi'_x+wu''_{\xi\xi}\cdot(\xi'_x)^2+wu'_\xi\xi''_{xx}=w''_{xx}u+2\left(-\frac{xw}{2a^2t}\right)u'_\xi\left(\frac{x}{a^2t}\right)+wu''_{\xi\xi}\left(\frac{1}{a^2t}\right)^2$$

$$=w''_{xx}u-\frac{x^2w}{a^4t^2}u'_\xi+\frac{w}{a^4t^2}u''_{\xi\xi}.$$

将v'_t与v''_{xx}比较可得$v'_t=a^2v''_{xx}$,即函数 v 也满足热传导方程.

【3311】 证明:函数 $u=\dfrac{1}{r}$(式中 $r=\sqrt{(x-a)^2+(y-b)^2+(z-c)^2}$)当 $r\neq0$ 时,满足拉普拉斯方程 $\Delta u\equiv\dfrac{\partial^2 u}{\partial x^2}+\dfrac{\partial^2 u}{\partial y^2}+\dfrac{\partial^2 u}{\partial z^2}=0$.

证 $\dfrac{\partial^2 u}{\partial x^2}=-\dfrac{1}{r^3}+\dfrac{3(x-a)^2}{r^5}$,$\dfrac{\partial^2 u}{\partial y^2}=-\dfrac{1}{r^3}+\dfrac{3(y-b)^2}{r^5}$,$\dfrac{\partial^2 u}{\partial z^2}=-\dfrac{1}{r^3}+\dfrac{3(z-c)^2}{r^5}$.

将上述三式相加,即证得 $\Delta\left(\dfrac{1}{r}\right)=0$.

【3312】 证明:若函数 $u=u(x,y,z)$ 满足拉普拉斯方程(参阅 3311 题),则函数 $v=\dfrac{1}{r}u\left(\dfrac{k^2x}{r^2},\dfrac{k^2y}{r^2},\dfrac{k^2z}{r^2}\right)$(其中 k 为常数及 $r=\sqrt{x^2+y^2+z^2}$)也满足该方程.

证 **方法一** 设 $S=S(x,y,z)=\dfrac{1}{r}$,则由 3249 题(2) 知

$$\Delta S=S''_{xx}+S''_{yy}+S''_{zz}=0,(S'_x)^2+(S'_y)^2+(S'_z)^2=\frac{1}{r^4}=S^4.$$

$$S'_x=-\frac{x}{r^3}=-S^3x,S'_y=-S^3y,S'_z=-S^3z.$$

记 $v=\dfrac{1}{r}u\left(\dfrac{k^2x}{r^2},\dfrac{k^2y}{r^2},\dfrac{k^2z}{r^2}\right)=Su(k^2S^2x,k^2S^2y,k^2S^2z)=Sw(x,y,z,S)=F(x,y,z,S)$. 于是

$$v'_x=F'_x+F'_sS'_x.$$

注意到F'_x和F'_s也是自变量 x,y,z 和中间变量 S 的函数,即得$v''_{xx}=F''_{xx}+2F''_{xs}S'_x+F''_{ss}\cdot(S'_x)^2+F'_sS''_{xx}$.

由对称性得$v''_{yy} = F''_{yy} + 2F''_{ys}S'_y + F''_{ss}\cdot(S'_y)^2 + F'_sS''_{yy}$，$v''_{zz} = F''_{zz} + 2F''_{zs}S'_z + F''_{ss}\cdot(S'_z)^2 + F'_sS''_{zz}$. 于是

$$\Delta v = (F''_{xx} + F''_{yy} + F''_{zz}) + F'_s\cdot(S''_{xx} + S''_{yy} + S''_{zz}) + \{2(F''_{xs}S'_x + F''_{ys}S'_y + F''_{zs}S'_z) + F''_{ss}\cdot[(S'_x)^2 + (S'_y)^2 + (S'_z)^2]\}.$$

显然第二个括弧为零，也不难验证第一个括弧为零. 事实上，

$$F''_{xx} + F''_{yy} + F''_{zz} = k^4S^5\cdot(u''_{11} + u''_{22} + u''_{33}) = 0.$$

再计算最后一个括号. 注意到 $Sw'_s = 2k^2S^2xu'_1 + 2k^2S^2yu'_2 + 2k^2S^2zu'_3 = 2xw'_x + 2yw'_y + 2zw'_z$，有

$$\begin{aligned}F''_{ss}\cdot[(S'_x)^2 + (S'_y)^2 + (S'_z)^2] &= (Sw)''_{ss}S^4 = (w + Sw'_s)'_sS^4 = (w + 2xw'_x + 2yw'_y + 2zw'_z)'_sS^4\\ &= S^4w'_x + 2xS^4w''_{ss} + 2yS^4w''_{ys} + 2zS^4w''_{zs}.\end{aligned} \qquad ①$$

而

$$\begin{aligned}2(F''_{xs}S'_x + F''_{ys}S'_y + F''_{zs}S'_z) &= 2(Sw)''_{xs}(-S^3x) + 2(Sw)''_{ys}(-S^3y) + 2(Sw)''_{zs}(-S^3z)\\ &= -2S^3x\cdot(Sw'_x)'_s - 2S^3y\cdot(Sw'_y)'_s - 2S^3z\cdot(Sw'_z)'_s\\ &= -2S^3x\cdot(w'_x + Sw''_{xs}) - 2S^3y\cdot(w'_y + Sw''_{ys}) - 2S^3z\cdot(w'_z + Sw''_{zs})\\ &= -S^3\cdot(2xw'_x + 2yw'_y + 2zw'_z) - 2xS^4w''_{xs} - 2yS^4w''_{ys} - 2zS^4w''_{zs}\\ &= -S^4w'_s - 2xS^4w''_{xs} - 2yS^4w''_{ys} - 2zS^4w''_{zs}.\end{aligned} \qquad ②$$

比较 ① 式和 ② 式即知第三个括号也为零. 于是，最后证得 $\Delta v = 0$.

方法二　利用 3306 题的结果，通过计算求出$\frac{\partial^2 v}{\partial x^2}$，$\frac{\partial^2 v}{\partial y^2}$，$\frac{\partial^2 v}{\partial z^2}$，进而证得 $\Delta v = 0$，事实上，设

$$\frac{k^2x}{r^2} = t_1,\ \frac{k^2y}{r^2} = t_2,\ \frac{k^2z}{r^2} = t_3,$$

即得

$$\Delta v = \frac{1}{r}\left[\frac{\partial^2(t_1,t_2,t_3)}{\partial x^2} + \frac{\partial^2u(t_1,t_2,t_3)}{\partial y^2} + \frac{\partial^2u(t_1,t_2,t_3)}{\partial z^2}\right] + u(t_1,t_2,t_3)\Delta\left(\frac{1}{r}\right) +$$
$$2\left[\frac{\partial u(t_1,t_2,t_3)}{\partial x}\frac{\partial\left(\frac{1}{r}\right)}{\partial x} + \frac{\partial u(t_1,t_2,t_3)}{\partial y}\frac{\partial\left(\frac{1}{r}\right)}{\partial y} + \frac{\partial u(t_1,t_2,t_3)}{\partial z}\frac{\partial\left(\frac{1}{r}\right)}{\partial z}\right]. \qquad ③$$

记 $u(t_1,t_2,t_3) = u$，分别求 u 及$\frac{1}{r}$ 对 x,y,z 的一阶偏导数，有

$$\frac{\partial u}{\partial x} = k^2\left[\frac{\partial u}{\partial t_1}\left(\frac{r^2 - 2x^2}{r^4}\right) + \frac{\partial u}{\partial t_2}\left(-\frac{2xy}{r^4}\right) + \frac{\partial u}{\partial t_3}\left(-\frac{2xz}{r^4}\right)\right],$$
$$\frac{\partial u}{\partial y} = k^2\left[\frac{\partial u}{\partial t_1}\left(-\frac{2xy}{r^4}\right) + \frac{\partial u}{\partial t_2}\left(\frac{r^2 - 2y^2}{r^4}\right) + \frac{\partial u}{\partial t_3}\left(-\frac{2yz}{r^4}\right)\right],$$
$$\frac{\partial u}{\partial z} = k^2\left[\frac{\partial u}{\partial t_1}\left(-\frac{2xz}{r^4}\right) + \frac{\partial u}{\partial t_2}\left(-\frac{2yz}{r^4}\right) + \frac{\partial u}{\partial t_3}\left(\frac{r^2 - 2z^2}{r^4}\right)\right];$$
$$\frac{\partial\left(\frac{1}{r}\right)}{\partial x} = -\frac{x}{r^3},\ \frac{\partial\left(\frac{1}{r}\right)}{\partial y^3} = -\frac{y}{r^3},\ \frac{\partial\left(\frac{1}{r}\right)}{\partial z} = -\frac{z}{r^3}.$$

从而得

$$\begin{aligned}\frac{\partial^2 u}{\partial x^2} = {}& k^4\left[\frac{\partial^2 u}{\partial t_1^2}\left(\frac{r^2 - 2x^2}{r^4}\right) + \frac{\partial^2 u}{\partial t_1\partial t_2}\left(-\frac{2xy}{r^4}\right) + \frac{\partial^2 u}{\partial t_1\partial t_3}\left(-\frac{2xz}{r^4}\right)\right]\left(\frac{r^2 - 2x^2}{r^4}\right) + k^2\frac{\partial u}{\partial t_1}\left[\frac{-2xr^4 - 4xr^2(r^2 - 2x^2)}{r^8}\right] +\\ & k^4\left[\frac{\partial^2 u}{\partial t_2\partial t_1}\left(\frac{r^2 - 2x^2}{r^4}\right) + \frac{\partial^2 u}{\partial t_2^2}\left(-\frac{2xy}{r^4}\right) + \frac{\partial^2 u}{\partial t_2\partial t_3}\left(-\frac{2xz}{r^4}\right)\right]\left(-\frac{2xy}{r^4}\right) + k^2\frac{\partial u}{\partial t_2}\left[\frac{-2yr^4 - 4xr^2(-2xy)}{r^8}\right] +\\ & k^4\left[\frac{\partial^2 u}{\partial t_3\partial t_1}\left(\frac{r^2 - 2x^2}{r^4}\right) + \frac{\partial^2 u}{\partial t_3\partial t_2}\left(\frac{-2xy}{r^4}\right) + \frac{\partial^2 u}{\partial t_3^2}\left(-\frac{2xz}{r^4}\right)\right]\left(-\frac{2xz}{r^4}\right) + k^2\frac{\partial u}{\partial t_3}\left[\frac{-2zr^4 - 4xr^2(-2xz)}{r^8}\right],\end{aligned}$$

$$\begin{aligned}\frac{\partial^2 u}{\partial y^2} = {}& k^4\left[\frac{\partial^2 u}{\partial t_1^2}\left(-\frac{2xy}{r^4}\right) + \frac{\partial^2 u}{\partial t_1\partial t_2}\left(\frac{r^2 - 2y^2}{r^4}\right) + \frac{\partial^2 u}{\partial t_1\partial t_3}\left(-\frac{2yz}{r^4}\right)\right]\left(-\frac{2xy}{r^4}\right) + k^2\frac{\partial u}{\partial t_1}\left[\frac{-2xr^4 - 4yr^2(-2xy)}{r^8}\right] +\\ & k^4\left[\frac{\partial^2 u}{\partial t_2\partial t_1}\left(-\frac{2xy}{r^4}\right) + \frac{\partial^2 u}{\partial t_2^2}\left(\frac{r^2 - 2y^2}{r^4}\right) + \frac{\partial^2 u}{\partial t_2\partial t_3}\left(-\frac{2yz}{r^4}\right)\right]\left(\frac{r^2 - 2y^2}{r^4}\right) + k^2\frac{\partial u}{\partial t_2}\left[\frac{-2yr^4 - 4yr^2(r^2 - 2y^2)}{r^8}\right] +\\ & k^4\left[\frac{\partial^2 u}{\partial t_3\partial t_1}\left(-\frac{2xy}{r^4}\right) + \frac{\partial^2 u}{\partial t_3\partial t_2}\left(\frac{r^2 - 2y^2}{r^4}\right) + \frac{\partial^2 u}{\partial t_3^2}\left(-\frac{2yz}{r^4}\right)\right]\left(-\frac{2yz}{r^4}\right) + k^2\frac{\partial u}{\partial t_3}\left[\frac{-2zr^4 - 4yr^2(-2yz)}{r^8}\right],\end{aligned}$$

$$\frac{\partial^2 u}{\partial z^2}=k^4\left[\frac{\partial^2 u}{\partial t_1^2}\left(-\frac{2xz}{r^4}\right)+\frac{\partial^2 u}{\partial t_1\partial t_2}\left(-\frac{2yz}{r^4}\right)+\frac{\partial^2 u}{\partial t_1\partial t_3}\left(\frac{r^2-2z^2}{r^4}\right)\right]\left(-\frac{2xz}{r^4}\right)+k^2\frac{\partial u}{\partial t_1}\left[\frac{-2xr^4-4zr^2(-2xz)}{r^8}\right]+$$
$$k^4\left[\frac{\partial^2 u}{\partial t_2\partial t_1}\left(-\frac{2xz}{r^4}\right)+\frac{\partial^2 u}{\partial t_2^2}\left(-\frac{2yz}{r^4}\right)+\frac{\partial^2 u}{\partial t_2\partial t_3}\left(\frac{r^2-2z^2}{r^4}\right)\right]\left(-\frac{2yz}{r^4}\right)+k^2\frac{\partial u}{\partial t_2}\left[\frac{-2yr^4-4zr^2(-2yz)}{r^8}\right]+$$
$$k^4\left[\frac{\partial^2 u}{\partial t_3\partial t_1}\left(-\frac{2xz}{r^4}\right)+\frac{\partial^2 u}{\partial t_3\partial t_2}\left(-\frac{2yz}{r^4}\right)+\frac{\partial^2 u}{\partial t_3^2}\left(\frac{r^2-2z^2}{r^4}\right)\right]\left(\frac{r^2-2z^2}{r^4}\right)+k^2\frac{\partial u}{\partial t_3}\left[\frac{-2zr^4-4zr^2(r^2-2z^2)}{r^3}\right].$$

将$\frac{\partial u}{\partial x},\frac{\partial u}{\partial y},\frac{\partial u}{\partial z},\frac{\partial\left(\frac{1}{r}\right)}{\partial x},\frac{\partial\left(\frac{1}{r}\right)}{\partial y},\frac{\partial\left(\frac{1}{r}\right)}{\partial z}$及$\frac{\partial^2 u}{\partial x^2},\frac{\partial^2 u}{\partial y^2},\frac{\partial^2 u}{\partial z^2}$代入③式，合并整理，并注意到

$$\Delta\left(\frac{1}{r}\right)=0\text{ 及}\frac{\partial^2 u}{\partial t_1^2}+\frac{\partial^2 u}{\partial t_2^2}+\frac{\partial^2 u}{\partial t_3^2}=0,$$

即得

$$\Delta v=\frac{1}{r}\left[\frac{k^4}{r^4}\left(\frac{\partial^2 u}{\partial t_1^2}+\frac{\partial^2 u}{\partial t_2^2}+\frac{\partial^2 u}{\partial t_3^2}\right)-\frac{2k^2}{r^4}\left(x\frac{\partial u}{\partial t_1}+y\frac{\partial u}{\partial t_2}+z\frac{\partial u}{\partial t_3}\right)+0\cdot\sum_{\substack{i,j=1\\(i\neq j)}}^{3}\frac{\partial^2 u}{\partial t_i\partial t_j}\right]+$$
$$u\cdot 0+\frac{2k^2}{r^5}\left(x\frac{\partial u}{\partial t_1}+y\frac{\partial u}{\partial t_2}+z\frac{\partial u}{\partial t_3}\right)=0.$$

上式说明函数 $v=v(x,y,z)$ 也满足拉普拉斯方程.

【3313】 证明：函数$u=\frac{C_1e^{-ar}+C_2e^{ar}}{r}$（其中$r=\sqrt{x^2+y^2+z^2}$，$C_1,C_2$为常数）满足亥姆霍兹方程

$$\frac{\partial^2 u}{\partial x^2}+\frac{\partial^2 u}{\partial y^2}+\frac{\partial^2 u}{\partial z^2}=a^2u.$$

证 设$v=\frac{1}{r}e^{-ar}$，$w=\frac{1}{r}e^{ar}$，则有

$$u=C_1v+C_2w.$$

$$v'_x=v'_rr'_x=e^{-ar}\left(-\frac{1}{r^2}-\frac{a}{r}\right)\frac{x}{r}=-xv\cdot\left(\frac{1}{r^2}+\frac{a}{r}\right),$$

$$\begin{aligned}v''_{xx}&=-v'_x\cdot\left(\frac{1}{r^2}+\frac{a}{r}\right)x-v\cdot\left(-\frac{2}{r^3}-\frac{a}{r^2}\right)\frac{x}{r}x-v\cdot\left(\frac{1}{r^2}+\frac{a}{r}\right)\\&=x^2v\cdot\left(\frac{1}{r^2}+\frac{a}{r}\right)^2+x^2v\frac{1}{r}\left(\frac{2}{r^3}+\frac{a}{r^2}\right)-v\cdot\left(\frac{1}{r^2}+\frac{a}{r}\right)\\&=v\cdot\left[\left(\frac{3}{r^4}+\frac{3a}{r^3}+\frac{a^2}{r^2}\right)x^2-\frac{1}{r^2}-\frac{a}{r}\right].\end{aligned}$$

利用对称性，即得$\Delta v=v\cdot\left[\left(\frac{3}{r^4}+\frac{3a}{r^3}+\frac{a^2}{r^2}\right)(x^2+y^2+z^2)-\frac{3}{r^2}-\frac{3a}{r}\right]=a^2v.$

记$b=-a$，则$w=\frac{1}{r}e^{-br}$. 仿上述证明，有$\Delta w=b^2w=a^2w$. 于是

$$\Delta u=\Delta(C_1v+C_2w)=C_1\Delta v+C_2\Delta w=C_1a^2v+C_2a^2w=a^2u,\text{即 }\Delta u=a^2u.$$

【3314】 设函数$u_1=u_1(x,y,z)$及$u_2=u_2(x,y,z)$满足拉普拉斯方程$\Delta u=0$. 证明：$v=u_1(x,y,z)+(x^2+y^2+z^2)u_2(x,y,z)$满足双调和方程$\Delta(\Delta v)=0$.

证 利用3306题的结果，即得

$$\begin{aligned}\Delta v&=\Delta u_1+(x^2+y^2+z^2)\Delta u_2+u_2\Delta(x^2+y^2+z^2)+2\left(2x\frac{\partial u_2}{\partial x}+2y\frac{\partial u_2}{\partial y}+2z\frac{\partial u_2}{\partial z}\right)\\&=6u_2+4\left(x\frac{\partial u_2}{\partial x}+y\frac{\partial u_2}{\partial y}+z\frac{\partial u_2}{\partial z}\right).\end{aligned}$$

重复应用同一结果于Δv，得

$$\Delta(\Delta v)=6\Delta u_2+4\left\{x\Delta\left(\frac{\partial u_2}{\partial x}\right)+y\Delta\left(\frac{\partial u_2}{\partial y}\right)+z\Delta\left(\frac{\partial u_2}{\partial z}\right)+\frac{\partial u_2}{\partial x}\Delta x+\frac{\partial u_2}{\partial y}\Delta y+\frac{\partial u_2}{\partial z}\Delta z+\right.$$

$$2\left(\frac{\partial^2 u_2}{\partial x^2}+\frac{\partial^2 u_2}{\partial y^2}+\frac{\partial^2 u_2}{\partial z^2}\right)\Big\}.$$

由于 $\Delta\left(\frac{\partial u_2}{\partial x}\right)=\frac{\partial^2}{\partial x^2}\left(\frac{\partial u_2}{\partial x}\right)+\frac{\partial^2}{\partial y^2}\left(\frac{\partial u_2}{\partial x}\right)+\frac{\partial^2}{\partial z^2}\left(\frac{\partial u_2}{\partial x}\right)=\frac{\partial}{\partial x}\left(\frac{\partial^2 u_2}{\partial x^2}+\frac{\partial^2 u_2}{\partial y^2}+\frac{\partial^2 u_2}{\partial z^2}\right)=\frac{\partial}{\partial x}(\Delta u_2)=0$,故

$$\Delta\left(\frac{\partial u_2}{\partial y}\right)=0,\Delta\left(\frac{\partial u_2}{\partial z}\right)=0,$$

故最后证得 $\Delta(\Delta v)=0$.

【3315】 设 $f(x,y,z)$ 是 m 阶可微的 n 次齐次函数. 证明：

$$\left(x\frac{\partial}{\partial x}+y\frac{\partial}{\partial y}+z\frac{\partial}{\partial z}\right)^m f(x,y,z)=n(n-1)\cdots(n-m+1)f(x,y,z).$$

证　方法一 根据齐次函数的定义知，函数 $f(x,y,z)$ 满足

$$f(tx,ty,tz)=t^n f(x,y,z). \quad ①$$

在 ① 式两端分别对 t 求 m 次导数. 首先考察 $\frac{\mathrm{d}^m f}{\mathrm{d}t^m}$. 由求全导数的公式知

$$\frac{\mathrm{d}f}{\mathrm{d}t}=x\frac{\partial f}{\partial(xt)}+y\frac{\partial f}{\partial(yt)}+z\frac{\partial f}{\partial(zt)}=t^{n-1}\left(x\frac{\partial}{\partial x}+y\frac{\partial}{\partial y}+z\frac{\partial}{\partial z}\right)f(x,y,z).$$

$$\begin{aligned}\frac{\mathrm{d}^2 f}{\mathrm{d}t^2}&=\frac{\mathrm{d}}{\mathrm{d}t}\left(\frac{\mathrm{d}f}{\mathrm{d}t}\right)\\&=x\left\{x\frac{\partial^2 f}{\partial(xt)^2}+y\frac{\partial^2 f}{\partial(xt)\partial(yt)}+z\frac{\partial^2 f}{\partial(xt)\partial(zt)}\right\}+y\left\{x\frac{\partial^2 f}{\partial(yt)\partial(xt)}+y\frac{\partial^2 f}{\partial(yt)^2}+z\frac{\partial^2 f}{\partial(yt)\partial(zt)}\right\}+\\&\quad z\left\{x\frac{\partial^2 f}{\partial(zt)\partial(xt)}+y\frac{\partial^2 f}{\partial(zt)\partial(yt)}+z\frac{\partial^2 f}{\partial(zt)^2}\right\}\\&=x^2\frac{\partial^2 f}{\partial(xt)^2}+y^2\frac{\partial^2 f}{\partial(yt)^2}+z^2\frac{\partial^2 f}{\partial(zt)^2}+2xy\frac{\partial^2 f}{\partial(xt)\partial(yt)}+2yz\frac{\partial^2 f}{\partial(yt)\partial(zt)}+2zx\frac{\partial^2 f}{\partial(zt)\partial(xt)}\\&=t^{n-2}\left(x\frac{\partial}{\partial x}+y\frac{\partial}{\partial y}+z\frac{\partial}{\partial z}\right)^2 f(x,y,z).\end{aligned}$$

一般地，由数学归纳法可得

$$\frac{\mathrm{d}^m f}{\mathrm{d}t^m}=\sum_{a_1+a_2+a_3=m}C_{a_1,a_2,a_3}\frac{\partial^m f}{\partial(xt)^{a_1}\partial(yt)^{a_2}\partial(zt)^{a_3}}x^{a_1}y^{a_2}z^{a_3}=t^{n-m}\left(x\frac{\partial}{\partial x}+y\frac{\partial}{\partial y}+z\frac{\partial}{\partial z}\right)^m f(x,y,z), \quad ②$$

其中总和是关于 $a_1+a_2+a_3=m$ 的非负整数 a_1,a_2,a_3 的一切可能组合而取的，且

$$C_{a_1,a_2,a_3}=\frac{m!}{a_1!a_2!a_3!}.$$

而 ① 式右端对 t 求 m 次导数，得

$$[t^n f(x,y,z)]^{(m)}=n(n-1)\cdots(n-m+1)t^{n-m}f(x,y,z). \quad ③$$

比较 ② 式和 ③ 式，令 $t=1$，即证得

$$\left(x\frac{\partial}{\partial x}+y\frac{\partial}{\partial y}+z\frac{\partial}{\partial z}\right)^m f(x,y,z)=n(n-1)\cdots(n-m+1)f(x,y,z).$$

方法二 当 $m=1$ 时，由 $f(tx,ty,tz)=t^n f(x,y,z)$ 两端对 t 求导，可得

$$x\frac{\partial f(tx,ty,tz)}{\partial(tx)}+y\frac{\partial f(tx,ty,tz)}{\partial(ty)}+z\frac{\partial f(tx,ty,tz)}{\partial(tz)}=nt^{n-1}f(x,y,z)(t>0).$$

令 $t=1$，即有 $\left(x\frac{\partial}{\partial x}+y\frac{\partial}{\partial y}+z\frac{\partial}{\partial z}\right)^1 f=nf$.

当 $m=2$ 时，由 3246 题的结果知 $\left(x\frac{\partial}{\partial x}+y\frac{\partial}{\partial y}+z\frac{\partial}{\partial z}\right)^2 f=n(n-1)f$.

在 3245 题中已证得 $f'_x(x,y,z),f'_y(x,y,z),f'_z(x,y,z)$ 为 $(n-1)$ 次的齐次函数.

今设 $m=k-1$ 时命题成立. 对 f'_x,f'_y,f'_z 用数学归纳法的假设，即

$$\left(x\frac{\partial}{\partial x}+y\frac{\partial}{\partial y}+z\frac{\partial}{\partial z}\right)^{k-1}f'_x=(n-1)(n-2)\cdots(n-k+1)f'_x, \quad ④$$

$$\left(x\frac{\partial}{\partial x}+y\frac{\partial}{\partial y}+z\frac{\partial}{\partial z}\right)^{k-1}f'_y=(n-1)(n-2)\cdots(n-k+1)f'_y,\qquad ⑤$$

$$\left(x\frac{\partial}{\partial x}+y\frac{\partial}{\partial y}+z\frac{\partial}{\partial z}\right)^{k-1}f'_z=(n-1)(n-2)\cdots(n-k+1)f'_z,\qquad ⑥$$

将④两端乘以 x，⑤式两端乘以 y，⑥式两端乘以 z，然后相加，即得

$$\begin{aligned}\left(x\frac{\partial}{\partial x}+y\frac{\partial}{\partial y}+z\frac{\partial}{\partial z}\right)^{k}f(x,y,z)&=(n-1)(n-2)\cdots(n-k+1)\left(x\frac{\partial}{\partial x}+y\frac{\partial}{\partial y}+z\frac{\partial}{\partial z}\right)f(x,y,z)\\&=n(n-1)(n-2)\cdots(n-k+1)f(x,y,z),\end{aligned}$$

即当 $m=k$ 时命题也成立.

于是，命题对于一切正整数 m 成立，即

$$\left(x\frac{\partial}{\partial x}+y\frac{\partial}{\partial y}+z\frac{\partial}{\partial z}\right)^{m}f=n(n-1)\cdots(n-m+1)f.$$

【3316】 若 $z=\sin y+f(\sin x-\sin y)$，其中 f 为可微函数. 试简化表达式

$$\sec x\frac{\partial z}{\partial x}+\sec y\frac{\partial z}{\partial y}.$$

解 $\sec x\dfrac{\partial z}{\partial x}+\sec y\dfrac{\partial z}{\partial y}=\sec x\cos xf'+\sec y(\cos y-\cos yf')=f'+1-f'=1$，即

$$\sec x\frac{\partial z}{\partial x}+\sec y\frac{\partial z}{\partial y}=1.$$

【3317】 证明：函数 $z=x^nf\left(\dfrac{y}{x^2}\right)$ 满足方程 $x\dfrac{\partial z}{\partial x}+2y\dfrac{\partial z}{\partial y}=nz$，其中 f 为任意的可微函数.

证 $x\dfrac{\partial z}{\partial x}+2y\dfrac{\partial z}{\partial y}=x\left\{nx^{n-1}f\left(\dfrac{y}{x^2}\right)-\dfrac{2x^ny}{x^3}f'\left(\dfrac{y}{x^2}\right)\right\}+2y\dfrac{x^n}{x^2}f'\left(\dfrac{y}{x^2}\right)=nx^nf\left(\dfrac{y}{x^2}\right)=nz$，即

$$x\frac{\partial z}{\partial x}+2y\frac{\partial z}{\partial y}=nz.$$

【3318】 证明：$z=yf(x^2-y^2)$ 满足方程 $y^2\dfrac{\partial z}{\partial x}+xy\dfrac{\partial z}{\partial y}=xz$，其中 f 为任意的可微函数.

证 $y^2\dfrac{\partial z}{\partial x}+xy\dfrac{\partial z}{\partial y}=y^22xyf'+xy(f-2y^2f')=xyf=xz$，即 $y^2\dfrac{\partial z}{\partial x}+xy\dfrac{\partial z}{\partial y}=xz$.

【3319】 若 $u=\dfrac{1}{12}x^4-\dfrac{1}{6}x^3(y+z)+\dfrac{1}{2}x^2yz+f(y-x,z-x)$，其中 f 为可微函数. 试简化表达式 $\dfrac{\partial u}{\partial x}+\dfrac{\partial u}{\partial y}+\dfrac{\partial u}{\partial z}$.

解 $\dfrac{\partial u}{\partial x}=\dfrac{1}{3}x^3-\dfrac{1}{2}x^2(y+z)+xyz-f'_1-f'_2$，$\dfrac{\partial u}{\partial y}=-\dfrac{1}{6}x^3+\dfrac{1}{2}x^2z+f'_1$，

$\dfrac{\partial u}{\partial z}=-\dfrac{1}{6}x^3+\dfrac{1}{2}x^2y+f'_2$.

将上述三式相加，即得 $\dfrac{\partial u}{\partial x}+\dfrac{\partial u}{\partial y}+\dfrac{\partial u}{\partial z}=xyz$.

【3320】 设 $x^2=vw$，$y^2=uw$，$z^2=uv$，$f(x,y,z)=F(u,v,w)$. 证明：

$$xf'_x+yf'_y+zf'_z=uF'_u+vF'_v+wF'_w.$$

证 把 u,v,w 当作自变量，故

$$uF'_u=uf'_xx'_u+uf'_yy'_u+uf'_zz'_u,$$
$$vF'_v=vf'_xx'_v+vf'_yy'_v+vf'_zz'_v,$$
$$wF'_w=wf'_xx'_w+wf'_yy'_w+wf'_zz'_w.$$

将上述三式相加，得

$$uF'_u+vF'_v+wF'_w=(ux'_u+vx'_v+wx'_w)f'_x+(uy'_u+vy'_v+wy'_w)f'_y+(uz'_u+vz'_v+wz'_w)f'_z. \quad ①$$

由题设得 $2x\dfrac{\partial x}{\partial u}=0$. 因为 x 不恒等于零,所以$\dfrac{\partial x}{\partial u}=0$. 同法可得$\dfrac{\partial y}{\partial v}=0,\dfrac{\partial z}{\partial w}=0$.

再由题设,得 $2x\dfrac{\partial x}{\partial w}=v,2x\dfrac{\partial x}{\partial v}=w,2y\dfrac{\partial y}{\partial u}=w,2y\dfrac{\partial y}{\partial w}=u,2z\dfrac{\partial z}{\partial u}=v,2z\dfrac{\partial z}{\partial v}=u.$

将上述结果代入 ① 式,得

$$uF'_u+vF'_v+wF'_w=\left(\frac{vw}{2x}+\frac{wv}{2x}\right)f'_x+\left(\frac{uw}{2y}+\frac{wu}{2y}\right)f'_y+\left(\frac{uv}{2z}+\frac{vu}{2z}\right)f'_z=xf'_x+yf'_y+zf'_z.$$

即 $uF'_u+vF'_v+wF'_w=xf'_x+yf'_y+zf'_z.$

注　如果把 x,y,z 当作自变量,也可以证明本题的结果.

【假定任意函数 φ,ψ 等为足够多次可微的函数,验证下列等式(3321—3330)】

【3321】 $y\dfrac{\partial z}{\partial x}-x\dfrac{\partial z}{\partial y}=0$,若 $z=\varphi(x^2+y^2)$.

证　由于 $y\dfrac{\partial z}{\partial x}=y\cdot 2x\varphi'(x^2+y^2),x\dfrac{\partial z}{\partial y}=x\cdot 2y\varphi'(x^2+y^2)$,所以 $y\dfrac{\partial z}{\partial x}-x\dfrac{\partial z}{\partial y}=0$.

【3322】 $x^2\dfrac{\partial z}{\partial x}-xy\dfrac{\partial z}{\partial y}+y^2=0$,若 $z=\dfrac{y^2}{3x}+\varphi(xy)$.

证　$x^2\dfrac{\partial z}{\partial x}-xy\dfrac{\partial z}{\partial y}+y^2=x^2\left[-\dfrac{y^2}{3x^2}+y\varphi'(x,y)\right]-xy\left[\dfrac{2y}{3x}+x\varphi'(xy)\right]+y^2=0.$

【3323】 $(x^2-y^2)\dfrac{\partial z}{\partial x}+xy\dfrac{\partial z}{\partial y}=xyz$,若 $z=e^y\varphi\left(ye^{\frac{x^2}{2y^2}}\right)$.

证

$$(x^2-y^2)\frac{\partial z}{\partial x}+xy\frac{\partial z}{\partial y}=(x^2-y^2)e^y\frac{x\varphi'}{y^2}ye^{\frac{x^2}{2y^2}}+xy\left[e^y\varphi+e^y\varphi'\left(e^{\frac{x^2}{2y^2}}-\frac{x^2}{y^3}ye^{\frac{x^2}{2y^2}}\right)\right]$$
$$=xye^y\varphi=xyz.$$

【3324】 $x\dfrac{\partial u}{\partial x}+\alpha y\dfrac{\partial u}{\partial y}+\beta z\dfrac{\partial u}{\partial z}=nu$,若 $u=x^n\varphi\left(\dfrac{y}{x^\alpha},\dfrac{z}{x^\beta}\right)$.

证

$$x\frac{\partial u}{\partial x}+\alpha y\frac{\partial u}{\partial y}+\beta z\frac{\partial u}{\partial z}=nx^n\varphi-\alpha x^{n-\alpha}y\varphi'_1-\beta x^{n-\beta}z\varphi'_2+\alpha yx^{n-\alpha}\varphi'_1+\beta zx^{n-\beta}\varphi'_2$$
$$=nx^n\varphi=nu.$$

【3325】 $x\dfrac{\partial u}{\partial x}+y\dfrac{\partial u}{\partial y}+z\dfrac{\partial u}{\partial z}=u+\dfrac{xy}{z}$,若 $u=\dfrac{xy}{z}\ln x+x\varphi\left(\dfrac{y}{x},\dfrac{z}{x}\right)$.

证　$x\dfrac{\partial u}{\partial x}=\dfrac{xy}{z}\ln x+\dfrac{xy}{z}+x\varphi-y\varphi'_1-z\varphi'_2,y\dfrac{\partial u}{\partial y}=\dfrac{xy}{z}\ln x+y\varphi'_1,z\dfrac{\partial u}{\partial z}=-\dfrac{xy}{z}\ln x+z\varphi'_2.$

将上述三式相加,即得 $x\dfrac{\partial u}{\partial x}+y\dfrac{\partial u}{\partial y}+z\dfrac{\partial u}{\partial z}=u+\dfrac{xy}{z}$.

【3326】 $\dfrac{\partial^2 u}{\partial t^2}=a^2\dfrac{\partial^2 u}{\partial x^2}$,若 $u=\varphi(x-at)+\psi(x+at)$.

证

$$\frac{\partial^2 u}{\partial t^2}=a^2\varphi''+a^2\psi'',\frac{\partial^2 u}{\partial x^2}=\varphi''+\psi''.$$

将上述二式比较,即得$\dfrac{\partial^2 u}{\partial t^2}=a^2\dfrac{\partial^2 u}{\partial x^2}$.

【3327】 $\dfrac{\partial^2 u}{\partial x^2}-2\dfrac{\partial^2 u}{\partial x\partial y}+\dfrac{\partial^2 u}{\partial y^2}=0$,若 $u=x\varphi(x+y)+y\psi(x+y)$.

证

$$\frac{\partial u}{\partial x}=\varphi+y\psi'+x\varphi',\frac{\partial u}{\partial y}=x\varphi'+\psi+y\psi',$$

$$\frac{\partial^2 u}{\partial x^2}=2\varphi'+y\psi''+x\varphi'', \quad ①$$

$$\frac{\partial^2 u}{\partial x\partial y}=\varphi'+\psi'+y\psi''+x\varphi'', \quad ②$$

$$\frac{\partial^2 u}{\partial y^2}=x\varphi''+2\psi'+y\psi''. \quad ③$$

①$-2\times$②$+$③,即得$\frac{\partial^2 u}{\partial x^2}-2\frac{\partial^2 u}{\partial x\partial y}+\frac{\partial^2 u}{\partial y^2}=0$.

【3328】 $x^2\frac{\partial^2 u}{\partial x^2}+2xy\frac{\partial^2 u}{\partial x\partial y}+y^2\frac{\partial^2 u}{\partial y^2}=0$,若 $u=\varphi\left(\frac{y}{x}\right)+x\psi\left(\frac{y}{x}\right)$.

证 $u_1=\varphi\left(\frac{y}{x}\right)$为零次齐次函数,$u_2=x\psi\left(\frac{y}{x}\right)$为一次齐次函数.由 3246 题的结果知

$$\left(x\frac{\partial}{\partial x}+y\frac{\partial}{\partial y}\right)^2u_1=0,\left(x\frac{\partial}{\partial x}+y\frac{\partial}{\partial y}\right)^2u_2=0.$$

于是

$$x^2\frac{\partial^2 u}{\partial x^2}+2xy\frac{\partial^2 u}{\partial x\partial y}+y^2\frac{\partial^2 u}{\partial y^2}=\left(x\frac{\partial}{\partial x}+y\frac{\partial}{\partial y}\right)^2(u_1+u_2)$$
$$=\left(x\frac{\partial}{\partial x}+y\frac{\partial}{\partial y}\right)^2u_1+\left(x\frac{\partial}{\partial x}+y\frac{\partial}{\partial y}\right)^2u_2=0.$$

注 也可不用 3246 题的结果,求出偏导数直接验证即可.

【3329】 $x^2\frac{\partial^2 u}{\partial x^2}+2xy\frac{\partial^2 u}{\partial x\partial y}+y^2\frac{\partial^2 u}{\partial y^2}=n(n-1)u$,若 $u=x^n\varphi\left(\frac{y}{x}\right)+x^{1-n}\psi\left(\frac{y}{x}\right)$.

证 $u_1=x^n\varphi\left(\frac{y}{x}\right)$为 n 次齐次函数,$u_2=x^{1-n}\psi\left(\frac{y}{x}\right)$为 $1-n$ 次齐次函数.由 3246 题的结果知

$$\left(x\frac{\partial}{\partial x}+y\frac{\partial}{\partial y}\right)^2u_1=n(n-1)u_1,\left(x\frac{\partial}{\partial x}+y\frac{\partial}{\partial y}\right)^2u_2=(1-n)(1-n-1)u_2=n(n-1)u_2.$$

于是 $x^2\frac{\partial^2 u}{\partial x^2}+2xy\frac{\partial^2 u}{\partial x\partial y}+y^2\frac{\partial^2 u}{\partial y^2}=\left(x\frac{\partial}{\partial x}+y\frac{\partial}{\partial y}\right)^2(u_1+u_2)=n(n-1)(u_1+u_2)=n(n-1)u$.

注 3328 题即为本题 $n=0$ 的特殊情形.

【3330】 $\frac{\partial u}{\partial x}\frac{\partial^2 u}{\partial x\partial y}=\frac{\partial u}{\partial y}\frac{\partial^2 u}{\partial x^2}$,若 $u=\varphi[x+\psi(y)]$.

证 $\frac{\partial u}{\partial x}=\varphi'$,$\frac{\partial^2 u}{\partial x\partial y}=\varphi''\psi'$,$\frac{\partial u}{\partial y}=\varphi'\psi'$,$\frac{\partial^2 u}{\partial x^2}=\varphi''$.于是$\frac{\partial u}{\partial x}\frac{\partial^2 u}{\partial x\partial y}=\frac{\partial u}{\partial y}\frac{\partial^2 u}{\partial x^2}$.

【用逐次微分的方法消去任意函数 φ 和 ψ(3331—3340)】

【3331】 $z=x+\varphi(xy)$.

解 $\frac{\partial z}{\partial x}=1+y\varphi'$,$\frac{\partial z}{\partial y}=x\varphi'$.于是 $x\frac{\partial z}{\partial x}-y\frac{\partial z}{\partial y}=x$.

【3332】 $z=x\varphi\left(\frac{x}{y^2}\right)$.

解 $\frac{\partial z}{\partial x}=\varphi+\frac{x}{y^2}\varphi'$,$\frac{\partial z}{\partial y}=-\frac{2x^2}{y^3}\varphi'$.

于是,$2x\frac{\partial z}{\partial x}+y\frac{\partial z}{\partial y}=2x\varphi+\frac{2x^2}{y^2}\varphi'-\frac{2x^2}{y^2}\varphi'=2x\varphi=2z$,即 $2x\frac{\partial z}{\partial x}+y\frac{\partial z}{\partial y}=2z$.

【3333】 $z=\varphi(\sqrt{x^2+y^2})$.

解 $\frac{\partial z}{\partial x}=\frac{x\varphi'}{\sqrt{x^2+y^2}},\frac{\partial z}{\partial y}=\frac{y\varphi'}{\sqrt{x^2+y^2}}$. 于是，$y\frac{\partial z}{\partial x}-x\frac{\partial z}{\partial y}=0$.

【3334】 $u=\varphi(x-y,y-z)$.

解 $\frac{\partial u}{\partial x}=\varphi'_1,\frac{\partial u}{\partial y}=-\varphi'_1+\varphi'_2,\frac{\partial u}{\partial z}=-\varphi'_2$. 于是，$\frac{\partial u}{\partial x}+\frac{\partial u}{\partial y}+\frac{\partial u}{\partial z}=0$.

【3335】 $u=\varphi\left(\frac{x}{y},\frac{y}{z}\right)$.

解 $\frac{\partial u}{\partial x}=\frac{1}{y}\varphi'_1,\frac{\partial u}{\partial y}=-\frac{x}{y^2}\varphi'_1+\frac{1}{z}\varphi'_2,\frac{\partial u}{\partial z}=-\frac{y}{z^2}\varphi'_2$. 于是，$x\frac{\partial u}{\partial x}+y\frac{\partial u}{\partial y}+z\frac{\partial u}{\partial z}=0$.

注 $\varphi\left(\frac{x}{y},\frac{y}{z}\right)$为零次齐次函数，本题即3315题 $n=0$ 的特殊情形.

【3336】 $z=\varphi(x)+\psi(y)$.

解 $\frac{\partial z}{\partial x}=\varphi'(x)$. 于是，$\frac{\partial^2 z}{\partial x\partial y}=0$.

【3337】 $z=\varphi(x)\psi(y)$.

解 $\frac{\partial z}{\partial x}=\varphi'\psi,\frac{\partial z}{\partial y}=\varphi\psi',\frac{\partial^2 z}{\partial x\partial y}=\varphi'\psi'$. 于是，$z\frac{\partial^2 z}{\partial x\partial y}=\frac{\partial z}{\partial x}\frac{\partial z}{\partial y}$.

【3338】 $z=\varphi(x+y)+\psi(x-y)$.

解 $\frac{\partial z}{\partial x}=\varphi'+\psi',\frac{\partial z}{\partial y}=\varphi'-\psi',\frac{\partial^2 z}{\partial x^2}=\varphi''+\psi'',\frac{\partial^2 z}{\partial y^2}=\varphi''+\psi''$. 于是，$\frac{\partial^2 z}{\partial x^2}=\frac{\partial^2 z}{\partial y^2}$.

【3339】 $z=x\varphi\left(\frac{x}{y}\right)+y\psi\left(\frac{x}{y}\right)$.

解 注意到函数 z 为一次齐次函数，由3315题知 $x\frac{\partial z}{\partial x}+y\frac{\partial z}{\partial y}=z$.

【3340】 $z=\varphi(xy)+\psi\left(\frac{x}{y}\right)$.

解 设 $z_1=\varphi(xy)$，则由3331题知 $x\frac{\partial z_1}{\partial x}-y\frac{\partial z_1}{\partial y}=0$.

又 $z_2=\psi\left(\frac{x}{y}\right)$为零次齐次函数，且函数 $x\frac{\partial z_2}{\partial x}-y\frac{\partial z_2}{\partial y}=\frac{2x}{y}\psi'$ 也为零次齐次函数. 从而，函数

$$u=x\frac{\partial z}{\partial x}-y\frac{\partial z}{\partial y}=\left(x\frac{\partial z_1}{\partial x}-y\frac{\partial z_1}{\partial y}\right)+\left(x\frac{\partial z_2}{\partial x}-y\frac{\partial z_2}{\partial y}\right)$$

是零次齐次函数. 于是，由3315题知 $x\frac{\partial u}{\partial x}+y\frac{\partial u}{\partial x}=0$. 但是

$$\begin{aligned}x\frac{\partial u}{\partial x}+y\frac{\partial u}{\partial y}&=x\frac{\partial}{\partial x}\left(x\frac{\partial z}{\partial x}-y\frac{\partial z}{\partial y}\right)+y\frac{\partial}{\partial y}\left(x\frac{\partial z}{\partial x}-y\frac{\partial z}{\partial y}\right)\\&=x^2\frac{\partial^2 z}{\partial x^2}+x\frac{\partial z}{\partial x}-xy\frac{\partial^2 z}{\partial x\partial y}+xy\frac{\partial^2 z}{\partial x\partial y}-y\frac{\partial z}{\partial y}-y^2\frac{\partial^2 z}{\partial y^2}\\&=x^2\frac{\partial^2 z}{\partial x^2}-y^2\frac{\partial^2 z}{\partial y^2}+x\frac{\partial z}{\partial x}-y\frac{\partial z}{\partial y},\end{aligned}$$

故得 $x^2\frac{\partial^2 z}{\partial x^2}-y^2\frac{\partial^2 z}{\partial y^2}+x\frac{\partial z}{\partial x}-y\frac{\partial z}{\partial y}=0$.

知识点 3 方向导数与梯度

1. 方向余弦 若用方向余弦($\cos\alpha,\cos\beta,\cos\gamma$)表示 $Oxyz$ 空间内的方向 $\boldsymbol{l}$,且函数 $u=f(x,y,z)$ 可微,则沿方向 $\boldsymbol{l}$ 的导数按下式来计算:

$$\frac{\partial u}{\partial \boldsymbol{l}}=\frac{\partial u}{\partial x}\cos\alpha+\frac{\partial u}{\partial y}\cos\beta+\frac{\partial u}{\partial z}\cos\gamma.$$

2. 梯度 函数在给定点的最大增长速度的大小与方向可用函数的梯度

$$\mathbf{grad}\ u=\frac{\partial u}{\partial x}\boldsymbol{i}+\frac{\partial u}{\partial y}\boldsymbol{j}+\frac{\partial u}{\partial z}\boldsymbol{k}$$

给出,它的大小为

$$|\mathbf{grad}\ u|=\sqrt{\left(\frac{\partial u}{\partial x}\right)^2+\left(\frac{\partial u}{\partial y}\right)^2+\left(\frac{\partial u}{\partial z}\right)^2}.$$

梯度方向为方向导数增加最快的方向,梯度的模为方向导数的最大值.

习题 3341—3351 方向导数与梯度

【3341】 求函数 $z=x^2-y^2$ 在点 $M(1,1)$ 沿与 Ox 轴的正向组成角 $\alpha=60°$ 的方向 $\boldsymbol{l}$ 的导数.

解 $\left.\frac{\partial z}{\partial x}\right|_{\substack{x=1\\y=1}}=2,\left.\frac{\partial z}{\partial y}\right|_{\substack{x=1\\y=1}}=-2.\ \cos\alpha=\cos 60°=\frac{1}{2},\cos\beta=\cos 30°=\frac{\sqrt{3}}{2}$. 于是

$$\left.\frac{\partial z}{\partial \boldsymbol{l}}\right|_{\substack{x=1\\y=1}}=2\,\frac{1}{2}+(-2)\frac{\sqrt{3}}{2}=1-\sqrt{3}.$$

【3342】 求函数 $z=x^2-xy+y^2$ 在点 $M(1,1)$ 沿与 Ox 轴的正向组成 α 角的方向 $\boldsymbol{l}$ 的导数. 在怎样的方向上此导数:(1) 有最大值;(2) 有最小值;(3) 等于 0.

解 $\left.\frac{\partial z}{\partial x}\right|_{\substack{x=1\\y=1}}=1,\left.\frac{\partial z}{\partial y}\right|_{\substack{x=1\\y=1}}=1$. 于是

$$\left.\frac{\partial z}{\partial \boldsymbol{l}}\right|_{\substack{x=1\\y=1}}=\cos\alpha+\cos(90°-\alpha)=\cos\alpha+\sin\alpha=\sqrt{2}\sin\left(\alpha+\frac{\pi}{4}\right).$$

(1) 当 $\sin\left(\alpha+\frac{\pi}{4}\right)=1$,即 $\alpha=\frac{\pi}{4}$ 时,$\frac{\partial z}{\partial \boldsymbol{l}}$ 最大;

(2) 当 $\sin\left(\alpha+\frac{\pi}{4}\right)=-1$,即 $\alpha=\frac{5\pi}{4}$ 时,$\frac{\partial z}{\partial \boldsymbol{l}}$ 最小;

(3) 当 $\sin\left(\alpha+\frac{\pi}{4}\right)=0$,即 $\alpha=\frac{3\pi}{4}$ 或 $\alpha=\frac{7\pi}{4}$ 时,$\frac{\partial z}{\partial \boldsymbol{l}}=0$.

【3343】 求 $z=\ln(x^2+y^2)$ 在点 $M_0(x_0,y_0)$ 沿与过此点的等值线垂直方向的导数.

解 与等值线垂直的方向即梯度的方向或与梯度相反的方向. 于是

$$\left.\frac{\partial z}{\partial \boldsymbol{l}}\right|_{\substack{x=x_0\\y=y_0}}=\pm|\mathbf{grad}\ z|\,\bigg|_{\substack{x=x_0\\y=y_0}}=\pm\sqrt{\left(\frac{\partial z}{\partial x}\right)^2+\left(\frac{\partial z}{\partial y}\right)^2}\,\Bigg|_{\substack{x=x_0\\y=y_0}}$$

$$=\pm\sqrt{\left(\frac{2x_0}{x_0^2+y_0^2}\right)^2+\left(\frac{2y_0}{x_0^2+y_0^2}\right)^2}=\pm\frac{2}{\sqrt{x_0^2+y_0^2}}.$$

【3344】 求函数 $z=1-\left(\frac{x^2}{a^2}+\frac{y^2}{b^2}\right)$ 在点 $M\left(\frac{a}{\sqrt{2}},\frac{b}{\sqrt{2}}\right)$ 沿曲线 $\frac{x^2}{a^2}+\frac{y^2}{b^2}=1$ 在此点的内

法线方向的导数.

解 曲线$\frac{x^2}{a^2}+\frac{y^2}{b^2}=1$是函数$z$的一条等值线. 随着$x,y$的绝对值增大，$z$是减少的，因此，曲线的内法线方向即梯度方向. 于是

$$\left.\frac{\partial z}{\partial l}\right|_{\substack{x=\frac{a}{\sqrt{2}}\\ y=\frac{b}{\sqrt{2}}}}=\left.|\mathbf{grad}\ z|\right|_{\substack{x=\frac{a}{\sqrt{2}}\\ y=\frac{b}{\sqrt{2}}}}=\left.\sqrt{\frac{4x^2}{a^4}+\frac{4y^2}{b^4}}\right|_{\substack{x=\frac{a}{\sqrt{2}}\\ y=\frac{b}{\sqrt{2}}}}=\frac{\sqrt{2(a^2+b^2)}}{ab}\quad(a>0,b>0).$$

【3345】 求函数$u=xyz$在点$M(1,1,1)$沿方向$\boldsymbol{l}=(\cos\alpha,\cos\beta,\cos\gamma)$的导数. 函数在该点的梯度的大小是多少?

解 $\left.\frac{\partial u}{\partial \boldsymbol{l}}\right|_{\substack{x=1\\y=1\\z=1}}=\cos\alpha+\cos\beta+\cos\gamma.\ \left.|\mathbf{grad}\ u|\right|_{\substack{x=1\\y=1\\z=1}}=\left.\sqrt{\left(\frac{\partial u}{\partial x}\right)^2+\left(\frac{\partial u}{\partial y}\right)^2+\left(\frac{\partial u}{\partial z}\right)^2}\right|_{\substack{x=1\\y=1\\z=1}}=\sqrt{3}.$

【3346】 求函数$u=\frac{1}{r}$(其中$r=\sqrt{x^2+y^2+z^2}$)在点$M_0(x_0,y_0,z_0)$处梯度的大小和方向.

解 $\frac{\partial u}{\partial x}=-\frac{x}{r^3},\frac{\partial u}{\partial y}=-\frac{y}{r^3},\frac{\partial u}{\partial z}=-\frac{z}{r^3}$. 于是

$$\mathbf{grad}\ u=-\frac{1}{r^3}(x\boldsymbol{i}+y\boldsymbol{j}+z\boldsymbol{k})\text{ 或 }\mathbf{grad}\ u=\left(-\frac{x}{r^3},-\frac{y}{r^3},-\frac{z}{r^3}\right).$$

在点M_0处的梯度为$\mathbf{grad}\ u=\left(-\frac{x_0}{r_0^3},-\frac{y_0}{r_0^3},-\frac{z_0}{r_0^3}\right)$，其中$r_0=\sqrt{x_0^2+y_0^2+z_0^2}$. 从而得

$$|\mathbf{grad}\ u|=\sqrt{\left(-\frac{x_0}{r_0^3}\right)^2+\left(-\frac{y_0}{r_0^3}\right)^2+\left(-\frac{z_0}{r_0^3}\right)^2}=\frac{1}{r_0^2},$$

$$\cos(\widehat{\mathbf{grad}\ u,x})=\frac{-\frac{x_0}{r_0^3}}{\frac{1}{r_0^2}}=-\frac{x_0}{r_0},\cos(\widehat{\mathbf{grad}\ u,x})=\frac{-\frac{y_0}{r_0^3}}{\frac{1}{r_0^2}}=-\frac{y_0}{r_0},\cos(\widehat{\mathbf{grad}\ u,x})=\frac{-\frac{z_0}{r_0^3}}{\frac{1}{r_0^2}}=-\frac{z_0}{r_0}.$$

【3347】 求函数$u=x^2+y^2-z^2$在点$A(\varepsilon,0,0)$及$B(0,\varepsilon,0)$二点的梯度之间的角度.

解 $\mathbf{grad}\ u=\left(\frac{\partial u}{\partial x},\frac{\partial u}{\partial y},\frac{\partial u}{\partial z}\right)=(2x,2y,-2z)$. 用$\mathbf{grad}\ u_A$及$\mathbf{grad}\ u_B$分别表示在$A$点及$B$点的梯度，则

$$\mathbf{grad}\ u_A=(2\varepsilon,0,0),\mathbf{grad}\ u_B=(0,2\varepsilon,0).$$

由于

$$\mathbf{grad}\ u_A\cdot\mathbf{grad}\ u_B=2\varepsilon\cdot 0+0\cdot 2\varepsilon+0\cdot 0=0,$$

故知$\mathbf{grad}\ u_A\perp\mathbf{grad}\ u_B$，即在点$A$及点$B$二点的梯度之间的夹角为$\frac{\pi}{2}$.

【3348】 在点$M(1,2,2)$处，函数

$$u=x+y+z\text{ 和 }v=x+y+z+0.001\sin\left(10^6\pi\sqrt{x^2+y^2+z^2}\right)$$

的梯度大小相差多少?

解 $\mathbf{grad}\ u=(1,1,1)$，$|\mathbf{grad}\ u|=\sqrt{3}$. 令$r=\sqrt{x^2+y^2+z^2}$，则

$$\frac{\partial v}{\partial x}=1-1\,000\pi\frac{x}{r}\cos(10^6\pi r),\frac{\partial v}{\partial y}=1-1\,000\pi\frac{y}{r}\cos(10^6\pi r),$$

$$\frac{\partial v}{\partial z}=1-1\,000\pi\frac{z}{r}\cos(10^6\pi r).$$

在点$M(1,2,2)$处，有

$$\frac{\partial v}{\partial x}=\frac{1\,000\pi}{3}+1\approx\frac{1\,000\pi}{3},\frac{\partial v}{\partial y}=\frac{2\,000\pi}{3}+1\approx\frac{2\,000\pi}{3},\frac{\partial v}{\partial z}=\frac{2\,000\pi}{3}+1\approx\frac{2\,000\pi}{3},$$

$$|\mathbf{grad}\ v| \approx 1\ 000\pi\sqrt{\left(\frac{1}{3}\right)^2+\left(\frac{2}{3}\right)^2+\left(\frac{2}{3}\right)^2}=1\ 000\pi.$$

于是,两梯度之大小相差为 $|\mathbf{grad}\ v|-|\mathbf{grad}\ u| \approx 1\ 000\pi-\sqrt{3}\approx 3\ 140$.

【3349】 证明:在点 $M_0(x_0,y_0,z_0)$ 处,函数

$$u=ax^2+by^2+cz^2 \text{ 和 } v=ax^2+by^2+cz^2+2mx+2ny+2pz$$

$(a,b,c,m,n,p$ 为常数且$a^2+b^2+c^2\neq 0)$ 二者的梯度间的角度当点 M_0 无限远移时趋于零.

证 本题的题设条件“点 $M_0(x_0,y_0,z_0)$ 无限远移”应该理解为“$x_0\to\infty,y_0\to\infty,z_0\to\infty$ 同时成立”(此时 $\sqrt{(ax_0)^2+(by_0)+(cz_0)^2}\to+\infty$). 否则,本题的结论不成立.

显见有 $\mathbf{grad}\ u=(2ax_0,2by_0,2cz_0)$, $\mathbf{grad}\ v=(2ax_0+2m,2by_0+2n,2cz_0+2p)$,令

$\alpha=ax_0,\beta=by_0,\gamma=cz_0;\alpha_1=ax_0+m=\alpha+m,\beta_1=by_0+n=\beta+n,\gamma_1=cz_0+p=\gamma+p.$

于是,$\mathbf{grad}\ u$ 与 $\mathbf{grad}\ v$ 的夹角 θ 满足

$$\cos\theta=\frac{\alpha\alpha_1+\beta\beta_1+\gamma\gamma_1}{\sqrt{\alpha^2+\beta^2+\gamma^2}\sqrt{\alpha_1^2+\beta_1^2+\gamma_1^2}},$$

或

$$\sin^2\theta=1-\cos^2\theta=\frac{(\alpha^2+\beta^2+\gamma^2)(\alpha_1^2+\beta_1^2+\gamma_1^2)-(\alpha\alpha_1+\beta\beta_1+\gamma\gamma_1)^2}{(\alpha^2+\beta^2+\gamma^2)(\alpha_1^2+\beta_1^2+\gamma_1^2)}$$

$$=\frac{(\alpha\beta_1-\alpha_1\beta)^2+(\alpha\gamma_1-\alpha_1\gamma)^2+(\beta\gamma_1-\beta_1\gamma)^2}{(\alpha^2+\beta^2+\gamma^2)(\alpha_1^2+\beta_1^2+\gamma_1^2)}=\frac{(n\alpha-m\beta)^2+(p\alpha-m\gamma)^2+(p\beta-n\gamma)^2}{(\alpha^2+\beta^2+\gamma^2)(\alpha_1^2+\beta_1^2+\gamma_1^2)}.$$

令 $\delta=\max(|ax_0|,|by_0|,|cz_0|)=\max(|\alpha|,|\beta|,|\gamma|)$,则 $\delta\leqslant\sqrt{\alpha^2+\beta^2+\gamma^2}\leqslant\sqrt{3}\delta$.

故当 $\sqrt{\alpha^2+\beta^2+\gamma^2}\to+\infty$ 时,$\delta\to+\infty$.

再令 $q=\max(|m|,|n|,|p|)$,则下述不等式显然成立:

$$0\leqslant\sin^2\theta=\frac{(n\alpha-m\beta)^2+(p\alpha-m\gamma)^2+(p\beta-n\gamma)^2}{(\alpha^2+\beta^2+\gamma^2)(\alpha_1^2+\beta_1^2+\gamma_1^2)}$$

$$\leqslant\frac{(2q\delta)^2+(2q\delta)^2+(2q\delta)^2}{\delta^2(\delta^2-6\delta q-3q^2)}=\frac{12q^2}{\delta^2-6\delta q-3q^2}\to 0\quad(\delta\to+\infty).$$

于是,当 $\sqrt{\alpha^2+\beta^2+\gamma^2}\to+\infty$ 时,$\sin^2\theta\to 0$,即当 $\sqrt{\alpha^2+\beta^2+\gamma^2}\to+\infty,\theta\to 0$.

【3350】 设 $u=f(x,y,z)$ 为二阶可微的函数. 若 $\cos\alpha,\cos\beta,\cos\gamma$ 为方向 $\boldsymbol{l}$ 的方向余弦,求

$$\frac{\partial^2 u}{\partial \boldsymbol{l}^2}=\frac{\partial}{\partial \boldsymbol{l}}\left(\frac{\partial u}{\partial \boldsymbol{l}}\right).$$

解 $\dfrac{\partial u}{\partial \boldsymbol{l}}=\dfrac{\partial u}{\partial x}\cos\alpha+\dfrac{\partial u}{\partial y}\cos\beta+\dfrac{\partial u}{\partial z}\cos\gamma,$

$$\frac{\partial^2 u}{\partial \boldsymbol{l}^2}=\left(\frac{\partial^2 u}{\partial x^2}\cos\alpha+\frac{\partial^2 u}{\partial y\partial x}\cos\beta+\frac{\partial^2 u}{\partial z\partial x}\cos\gamma\right)\cos\alpha+\left(\frac{\partial^2 u}{\partial x\partial y}\cos\alpha+\frac{\partial^2 u}{\partial y^2}\cos\beta+\frac{\partial^2 u}{\partial z\partial y}\cos\gamma\right)\cos\beta+$$

$$\left(\frac{\partial^2 u}{\partial x\partial z}\cos\alpha+\frac{\partial^2 u}{\partial y\partial z}\cos\beta+\frac{\partial^2 u}{\partial z^2}\cos\gamma\right)\cos\gamma$$

$$=\frac{\partial^2 u}{\partial x^2}\cos^2\alpha+\frac{\partial^2 u}{\partial y^2}\cos^2\beta+\frac{\partial^2 u}{\partial z^2}\cos^2\gamma+2\frac{\partial^2 u}{\partial x\partial y}\cos\alpha\cos\beta+2\frac{\partial^2 u}{\partial y\partial z}\cos\beta\cos\gamma+2\frac{\partial^2 u}{\partial z\partial x}\cos\gamma\cos\alpha.$$

【3351】 设 $u=f(x,y,z)$ 为二阶可微的函数及

$\boldsymbol{l}_1=(\cos\alpha_1,\cos\beta_1,\cos\gamma_1)$, $\boldsymbol{l}_2=(\cos\alpha_2,\cos\beta_2,\cos\gamma_2)$, $\boldsymbol{l}_3=(\cos\alpha_3,\cos\beta_3,\cos\gamma_3)$ 为三个互相垂直的方向. 证明:

(1) $\left(\dfrac{\partial u}{\partial \boldsymbol{l}_1}\right)^2+\left(\dfrac{\partial u}{\partial \boldsymbol{l}_2}\right)^2+\left(\dfrac{\partial u}{\partial \boldsymbol{l}_3}\right)^2=\left(\dfrac{\partial u}{\partial x}\right)^2+\left(\dfrac{\partial u}{\partial y}\right)^2+\left(\dfrac{\partial u}{\partial z}\right)^2$;

(2) $\frac{\partial^2 u}{\partial \boldsymbol{l}_1^2}+\frac{\partial^2 u}{\partial \boldsymbol{l}_2^2}+\frac{\partial^2 u}{\partial \boldsymbol{l}_3^2}=\frac{\partial^2 u}{\partial x^2}+\frac{\partial^2 u}{\partial y^2}+\frac{\partial^2 u}{\partial z^2}$.

证 (1)
$$\left(\frac{\partial u}{\partial \boldsymbol{l}_1}\right)^2+\left(\frac{\partial u}{\partial \boldsymbol{l}_2}\right)^2+\left(\frac{\partial u}{\partial \boldsymbol{l}_3}\right)^2=\sum_{i=1}^{3}\left(\frac{\partial u}{\partial x}\cos\alpha_i+\frac{\partial u}{\partial y}\cos\beta_i+\frac{\partial u}{\partial z}\cos\gamma_i\right)^2$$
$$=\left(\frac{\partial u}{\partial x}\right)^2\sum_{i=1}^{3}\cos^2\alpha_i+\left(\frac{\partial u}{\partial y}\right)^2\sum_{i=1}^{3}\cos^2\beta_i+\left(\frac{\partial u}{\partial z}\right)^2\sum_{i=1}^{3}\cos^2\gamma_i+$$
$$2\frac{\partial u}{\partial x}\frac{\partial u}{\partial y}\sum_{i=1}^{3}\cos\alpha_i\cos\beta_i+2\frac{\partial u}{\partial y}\frac{\partial u}{\partial z}\sum_{i=1}^{3}\cos\beta_i\cos\gamma_i+$$
$$2\frac{\partial u}{\partial z}\frac{\partial u}{\partial x}\sum_{i=1}^{3}\cos\gamma_i\cos\alpha_i. \quad ①$$

由于 $\boldsymbol{l}_1,\boldsymbol{l}_2,\boldsymbol{l}_3$ 是互相垂直的三个单位向量，故
$$\sum_{i=1}^{3}\cos\alpha_i\cos\beta_i=0,\sum_{i=1}^{3}\cos\beta_i\cos\gamma_i=0,\sum_{i=1}^{3}\cos\gamma_i\cos\alpha_i=0,$$
$$\sum_{i=1}^{3}\cos^2\alpha_i=1,\sum_{i=1}^{3}\cos^2\beta_i=1,\sum_{i=1}^{3}\cos^2\gamma_i=1. \quad ②$$

将上述诸等式 ② 代入 ① 式，即得
$$\left(\frac{\partial u}{\partial \boldsymbol{l}_1}\right)^2+\left(\frac{\partial u}{\partial \boldsymbol{l}_2}\right)^2+\left(\frac{\partial u}{\partial \boldsymbol{l}_3}\right)^2=\left(\frac{\partial u}{\partial x}\right)^2+\left(\frac{\partial u}{\partial y}\right)^2+\left(\frac{\partial u}{\partial z}\right)^2.$$

(2) 利用 3350 题的结果，得
$$\sum_{i=1}^{3}\frac{\partial^2 u}{\partial \boldsymbol{l}_i^2}=\frac{\partial^2 u}{\partial x^2}\sum_{i=1}^{3}\cos^2\alpha_i+\frac{\partial^2 u}{\partial y^2}\sum_{i=1}^{3}\cos^2\beta_i+\frac{\partial^2 u}{\partial z^2}\sum_{i=1}^{3}\cos^2\gamma_i+2\frac{\partial u}{\partial x}\frac{\partial u}{\partial y}\sum_{i=1}^{3}\cos\alpha_i\cos\beta_i+$$
$$2\frac{\partial u}{\partial y}\frac{\partial u}{\partial z}\sum_{i=1}^{3}\cos\beta_i\cos\gamma_i+2\frac{\partial u}{\partial z}\frac{\partial u}{\partial x}\sum_{i=1}^{3}\cos\gamma_i\cos\alpha_i. \quad ③$$

将诸等式 ② 代入 ③ 式，即得 $\frac{\partial^2 u}{\partial \boldsymbol{l}_1^2}+\frac{\partial^2 u}{\partial \boldsymbol{l}_2^2}+\frac{\partial^2 u}{\partial \boldsymbol{l}_3^2}=\frac{\partial^2 u}{\partial x^2}+\frac{\partial^2 u}{\partial y^2}+\frac{\partial^2 u}{\partial z^2}$.

知识点 4 简单的偏微分方程问题

偏积分法是在解偏微分方程时常用的方法，是对变量 x 进行积分时，将除变量 x 外的其余变量均视作常数，即在进行对 x 的积分后，计算结果中加上一个除变量 x 外的关于其他变量的一个待定函数，再通过其他条件确定这个待定函数的方法.

习题 3352—3360 简单的偏微分方程问题

【3352】 设 $u=u(x,y)$ 为可微的函数且当 $y=x^2$ 时有 $u(x,y)=1$ 及 $\frac{\partial u}{\partial x}=x$. 求当 $y=x^2$ 时的 $\frac{\partial u}{\partial y}$.

解 $\frac{\mathrm{d}}{\mathrm{d}x}u(x,x^2)=\frac{\partial u}{\partial x}+\frac{\partial u}{\partial y}\frac{\mathrm{d}y}{\mathrm{d}x}$.

当 $y=x^2$, $u(x,y)=u(x,x^2)=1$，故 $\frac{\mathrm{d}u(x,x^2)}{\mathrm{d}x}=0$，且有 $\frac{\partial u}{\partial x}=x$, $\frac{\mathrm{d}y}{\mathrm{d}x}=2x$. 将这些结果代入上式，得
$$x+2x\frac{\partial u}{\partial y}=0.$$

于是 $\frac{\partial u}{\partial y}=-\frac{1}{2}\quad(x\neq 0)$.

【3353】 设函数 $u=u(x,y)$ 满足方程 $\frac{\partial^2 u}{\partial x^2}-\frac{\partial^2 u}{\partial y^2}=0$ 以及下列条件：

$$u(x,2x)=x, u'_x(x,2x)=x^2.$$

求：$u''_{xx}(x,2x), u''_{xy}(x,2x), u''_{yy}(x,2x)$.

解 由于 $u(x,2x)=x$，故

$$u'_x(x,2x)+2u'_y(x,2x)=1. \qquad ①$$

又因 $u'_x(x,2x)=x^2$，故由①式即得

$$u'_y(x,2x)=\frac{1-x^2}{2}. \qquad ②$$

将②式两端对求 x 导数，有

$$u''_{yx}(x,2x)+2u''_{yy}(x,2x)=-x; \qquad ③$$

由 $u'_x(x,2x)=x^2$ 两端对 x 求导数，有

$$u''_{xx}(x,2x)+2u''_{xy}(x,2x)=2x. \qquad ④$$

联立③式和④式并利用题设条件 $u''_{xx}=u''_{yy}$，解得

$$u''_{xx}(x,2x)=u''_{yy}(x,2x)=-\frac{4}{3}x, u''_{xy}(x,2x)=\frac{5}{3}x.$$

【假设 $z=z(x,y)$，解下列方程(3354—3356)】

【3354】 $\frac{\partial^2 z}{\partial x^2}=0$.

解 $\frac{\partial z}{\partial x}=\varphi(y), z=x\varphi(y)+\psi(y)$.

【3355】 $\frac{\partial^2 z}{\partial x\partial y}=0$.

解 $\frac{\partial z}{\partial x}=\varphi_1(x), z=\int_0^x \varphi_1(t)\mathrm{d}t+\psi(y)=\varphi(x)+\psi(y)$.

【3356】 $\frac{\partial^n z}{\partial y^n}=0$.

解 $\frac{\partial^{n-1} z}{\partial y^{n-1}}=\bar{\varphi}_{n-1}(x), \frac{\partial^{n-2} z}{\partial y^{n-2}}=y\bar{\varphi}_{n-1}(x)+\bar{\varphi}_{n-2}(x)$，累次积分 n 次，最后得

$$z=y^{n-1}\varphi_{n-1}(x)+y^{n-2}\varphi_{n-2}(x)+\cdots+y\varphi_1(x)+\varphi_0(x).$$

【3357】 假设 $u=u(x,y,z)$，解方程 $\frac{\partial^3 u}{\partial x\partial y\partial z}=0$.

解 $\frac{\partial^2 u}{\partial x\partial y}=\varphi_1(x,y), \frac{\partial u}{\partial x}=\varphi_2(x,y)+\psi_1(x,z), u=\varphi(x,y)+\psi(x,z)+\chi(y,z)$.

【3358】 求方程 $\frac{\partial z}{\partial y}=x^2+2y$ 的解 $z=z(x,y)$，使它满足条件 $z(x,x^2)=1$.

解 由 $\frac{\partial z}{\partial y}=x^2+2y$，得

$$z=x^2y+y^2+\varphi(x).$$

又因 $z(x,x^2)=1$，故

$$1=x^4+x^4+\varphi(x), \text{即 } \varphi(x)=1-2x^4.$$

于是有

$$z=1+x^2y+y^2-2x^4.$$

【3359】 求方程 $\frac{\partial^2 z}{\partial y^2}=2$ 的解 $z=z(x,y)$，使它满足条件 $z(x,0)=1, z'_y(x,0)=x$.

解 由$\frac{\partial^2 z}{\partial y^2}=2$得$\frac{\partial z}{\partial y}=2y+\varphi(x)$. 又因$z'_y(x,0)=x$,故$x=0+\varphi(x)$或$x=\varphi(x)$. 从而有

$$\frac{\partial z}{\partial y}=2y+x.$$

由此得$z=y^2+xy+\varphi_1(x)$. 又因$z(x,0)=1$,故$1=0+0+\varphi_1(x)$或$1=\varphi_1(x)$. 于是有

$$z=1+xy+y^2.$$

【3360】 求方程$\frac{\partial^2 z}{\partial x\partial y}=x+y$的解$z=z(x,y)$,使它满足$z(x,0)=x$,$z(0,y)=y^2$.

解 由$\frac{\partial^2 z}{\partial x\partial y}=x+y$得

$$\frac{\partial z}{\partial x}=xy+\frac{1}{2}y^2+\varphi_1(x),z=\frac{1}{2}x^2y+\frac{1}{2}xy^2+\varphi(x)+\psi(y).$$

下面确定$\varphi(x)$及$\psi(y)$. 由于$z(x,0)=x$,$z(0,y)=y^2$,故有

$$x=\varphi(x)+\psi(0),y^2=\varphi(0)+\psi(y),$$

于是

$$z=x+y^2+\frac{1}{2}x^2y+\frac{1}{2}xy^2-[\varphi(0)+\psi(0)].$$

又因$z(0,0)=0$,故$\varphi(0)+\psi(0)=0$. 于是有$z=x+y^2+\frac{1}{2}xy(x+y)$.

第3节 隐函数的微分法（习题3361—3430）

知识点预览

序号	知识点	题目序号	所在页码
1	隐函数存在唯一性定理	3361—3370	P57
2	一元隐函数的导数	3371—3382	P62
3	多元隐函数的偏导数	3383—3399	P67
4	由方程组定义的隐函数的导数或偏导数	3400—3430	P73

知识点1 隐函数存在唯一性定理

定理 若函数$F(x,y)$满足下列条件：

（ⅰ）F在以$P_0(x_0,y_0)$为内点的某一区域$D\subset \mathbf{R}^2$上连续；

（ⅱ）$F(x_0,y_0)=0$（通常称为初始条件）；

（ⅲ）F在D上存在连续的偏导数$F'_x(x,y)$,$F'_y(x,y)$；

（ⅳ）$F'_y(x_0,y_0)\neq 0$.

则有以下结论：

(1) 存在点$P_0(x_0,y_0)$的某邻域$U(P_0)\subset D$,在$U(P_0)$上$F(x,y)=0$唯一地确定了一个定义在某区间$(x_0-\alpha,x_0+\alpha)$上的隐函数$y=f(x)$,当$x\in(x_0-\alpha,x_0+\alpha)$时,$(x,f(x))$

$\in U(P_0)$，且 $F(x,f(x))=0, f(x_0)=y_0$；

(2) $f(x)$ 在 $(x_0-\alpha, x_0+\alpha)$ 上有连续的导函数，且 $\dfrac{\mathrm{d}y}{\mathrm{d}x}=f'(x)=-\dfrac{F'_x(x,y)}{F'_y(x,y)}$.

习题 3361—3370　隐函数存在定理

【3361】 证明：在每一点都不连续的狄利克雷函数

$$y(x)=\begin{cases}1, & x\ 为有理数;\\ 0, & x\ 为无理数\end{cases}$$

满足方程 $y^2-y=0$.

证 当 x 为有理数时，$y^2-y=1-1=0$；当 x 为无理数时，$y^2-y=0-0=0$. 因此，不论 x 为任何实数 x，均有 $y^2-y=0$.

【3362】 设 $f(x)$ 定义在区间 (a,b) 内. 在何种情况下，方程 $f(x)y=0$ 在 $a<x<b$ 时有唯一连续的解 $y=0$?

解 函数 $f(x)$ 的非零点的集合在 (a,b) 内是处处稠密的，即 $f(x)$ 的零点的集合不能充满区间 (a,b) 的任意一个子区间 $(\alpha,\beta)\subset(a,b)$. 此时，方程 $f(x)y=0$ 有唯一连续的解 $y=0$. 事实上，设 $y=y(x)$ 为方程 $f(x)y=0$ 的一个连续解，$x_0\in(a,b)$，则

(1) 当 $f(x_0)\neq 0$ 时，显然有 $y(x_0)=0$；

(2) 当 $f(x_0)=0$ 时，由 $f(x)$ 的非零点的稠密性知：存在数列 $\{x_n\}\subset(a,b)$，满足 $\lim\limits_{n\to\infty}x_n=x_0$ 及 $f(x_n)\neq 0\quad(n=1,2,\cdots)$. 于是，$y(x_n)=0$. 由 $y(x)$ 的连续性即得

$$y(x_0)=y(\lim_{n\to\infty}x_n)=\lim_{n\to\infty}y(x_n)=0.$$

于是，当 $a<x<b$ 时，$y\equiv 0$.

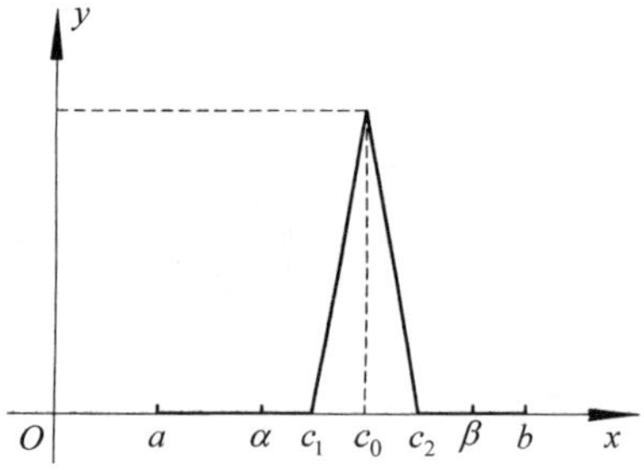

图 6.27

反之，若方程 $f(x)y=0$ 在 (a,b) 内只有唯一的连续解 $y=0$，则 $f(x)$ 的零点集必不能充满 (a,b) 的任何子区间. 事实上，设在 (a,b) 的某子区间 (α,β) 上 $f(x)\equiv 0$. 定义 (a,b) 上的函数 $y_0(x)$ 如下：

$$y_0(x)=\begin{cases}0, & a<x<\alpha+\dfrac{\beta-\alpha}{4},\\ \dfrac{4}{\beta-\alpha}\left(x-\alpha-\dfrac{\beta-\alpha}{4}\right), & \alpha+\dfrac{\beta-\alpha}{4}\leqslant x<\alpha+\dfrac{\beta-\alpha}{2},\\ -\dfrac{4}{\beta-\alpha}\left[x-\alpha-\dfrac{3(\beta-\alpha)}{4}\right], & \alpha+\dfrac{\beta-\alpha}{2}\leqslant x\leqslant\alpha+\dfrac{3}{4}(\beta-\alpha),\\ 0, & \alpha+\dfrac{3}{4}(\beta-\alpha)<x<b.\end{cases}$$

如图 6.27 所示，图中 $c_1=\alpha+\dfrac{\beta-\alpha}{4}, c_0=\alpha+\dfrac{\beta-\alpha}{2}, c_2=\alpha+\dfrac{3(\beta-\alpha)}{4}$.

显然，$y_0(x)\not\equiv 0$，但 $y=y_0(x)$ 是方程 $f(x)y=0$ 在 (a,b) 上的一个连续解.

【3363】 设函数 $f(x)$ 和 $g(x)$ 在区间 (a,b) 内有定义且连续. 在怎样的情况下，方程 $f(x)y=g(x)$ 在区间 (a,b) 内有唯一连续的解?

解 下面三个条件显然是必要的：

(1) $f(x)$ 的零点必须是 $g(x)$ 的零点，否则 y 无解；

(2) $f(x)$ 的非零点集合必须在 (a,b) 内稠密. 否则，存在 $(\alpha,\beta)\subset(a,b)$，当 $x\in(\alpha,\beta)$ 时，恒有 $f(x)=g(x)=0$. 从而当 $x\in(\alpha,\beta)$ 时，任意改变原方程一个连续解 $y(x)$ 的函数值(但保持连续性)就得出原方程

的另一个连续解(参看 3362 题的图),此与原方程连续解的唯一性矛盾.

(3) 如果 $f(x_0)=0$,则对任一数列 $\{x_n\}\subset(a,b)$,$\lim\limits_{n\to\infty}x_n=x_0$,$f(x_n)\neq 0\quad(n=1,2,\cdots)$ 均有

$$\lim_{n\to\infty}\frac{g(x_n)}{f(x_n)}=y_0(y_0\text{ 为有限数且只与 }x_0\text{ 有关}).$$

显然,如果上述极限不存在或对不同的数列取不同的值均导致 y 不连续.

反之,若上述三个条件满足,则原方程的连续解存在且唯一.事实上,令

$$y_0(x)=\begin{cases}\dfrac{g(x)}{f(x)}, & \text{在 } f(x)\neq 0 \text{ 的点},\\ \lim\limits_{n\to\infty}\dfrac{g(x_n)}{f(x_n)}, & \text{在 } f(x)=0 \text{ 的点},\end{cases}$$

这里任取 $\{x_n\}\subset(a,b)$,$\lim\limits_{n\to\infty}x_n=x_0$,$f(x_n)\neq 0\quad(n=1,2,\cdots)$.易知 $y_0(x)$ 是(a,b) 内的连续函数且满足原方程,即是原方程的一个连续解.现若原方程在(a,b) 内还有一连续解 $y=y_1(x)$,则

$$f(x)y_1(x)=g(x),f(x)y_0(x)=g(x)(a<x<b).$$

对任何 $x_0\in(a,b)$,若 $f(x_0)\neq 0$,则

$$y_1(x_0)=\frac{g(x_0)}{f(x_0)}=y_0(x_0);$$

若 $f(x_0)=0$,取 $\{x_n\}\subset(a,b)$,$\lim\limits_{n\to\infty}x_n=x_0$,$f(x_n)\neq 0(n=1,2,\cdots)$,则由 $y_1(x)$ 的连续性,得

$$y_1(x_0)=\lim_{n\to\infty}y_1(x_n)=\lim_{n\to\infty}\frac{g(x_n)}{f(x_n)}=y_0(x_0).$$

于是 $y_1(x)\equiv y_0(x)(a<x<b)$,唯一性获证.

【3364】 已知方程

$$x^2+y^2=1,\qquad ①$$

设

$$y=y(x)\quad(-1\leqslant x\leqslant 1)\qquad ②$$

为满足方程 ① 的单值函数.

(1) 有多少单值函数 ② 满足方程 ①?

(2) 有多少单值连续函数 ② 满足方程 ①?

(3) 设:(a)$y(0)=1$;(b)$y(1)=0$,则有多少单值连续函数 ② 满足方程 ①?

解 (1) 无限个.例如,令

$$y_n(x)=\begin{cases}\sqrt{1-x^2}, & -1\leqslant x\leqslant 1\text{ 且 }x\neq\dfrac{1}{n},\\ -\sqrt{1-x^2}, & x=\dfrac{1}{n}(n=1,2,3,\cdots),\end{cases}$$

则显然 $y=y_n(x)\quad(n=1,2,3,\cdots)$ 都是满足方程 ① 的单值函数.

(2) 两个:$y=-\sqrt{1-x^2}$ 及 $y=\sqrt{1-x^2}$.

(3)(a) 满足条件 $y(0)=1$ 的仅 $y=\sqrt{1-x^2}$ 这一个连续函数;

(b) 满足条件 $y(1)=0$ 的有 $y=-\sqrt{1-x^2}$ 及 $y=\sqrt{1-x^2}$ 这两个连续函数.

【3365】 已知方程

$$x^2=y^2,\qquad ①$$

设

$$y=y(x)(-\infty<x<+\infty)\qquad ②$$

是满足方程 ① 的单值函数.

(1) 有多少单值函数 ② 满足方程 ①?

(2) 有多少单值连续函数 ② 满足方程 ①?

(3) 有多少单值可微函数 ② 满足方程 ①?

(4) 设:(a) $y(1)=1$;(b) $y(0)=0$,则有多少单值连续函数 ② 满足方程 ①?

(5) 设 $y(1)=1$ 及 δ 为充分小的正数,则有多少单值连续函数 $y=y(x)\quad(1-\delta<x<1+\delta)$ 满足方程 ①?

解 (1) 无限个. 例如,

$$y_n(x)=\begin{cases}|x|, & x\neq\dfrac{1}{n},\\ -|x|, & x=\dfrac{1}{n},\end{cases}\quad(n=1,2,\cdots)$$

都是.

(2) 四个:$y=-x\cdot y=x, y=|x|$ 和 $y=-|x|$.

(3) 两个:$y=-x$ 和 $y=x$.

(4)(a) 两个:$y=x$ 和 $y=|x|$;(b) 四个:即(2) 中的四个.

(5) 一个:$y=x$.

【3366】 方程 $x^2+y^2=x^4+y^4$ 确定多值函数 $y(x)$. 函数在怎样的区域内:

(1) 单值,(2) 有两个值,(3) 有三个值,(4) 有四个值?

求此函数的分支点及它的单值连续的各分支.

解 由 $x^2+y^2=x^4+y^4$ 得 $y^4-y^2+(x^4-x^2)=0$. 解得 $y^2=\dfrac{1}{2}\pm\sqrt{\dfrac{1}{4}+x^2-x^4}$. 一共有单值连续的六支,其中当$\dfrac{1}{4}+x^2-x^4\geqslant 0$ 即 $|x|\leqslant\sqrt{\dfrac{1+\sqrt{2}}{2}}$ 时有二支:

$$y_1=\sqrt{\frac{1}{2}+\sqrt{\frac{1}{4}+x^2-x^4}},\ |x|\leqslant\sqrt{\frac{1+\sqrt{2}}{2}};$$

$$y_2=-\sqrt{\frac{1}{2}+\sqrt{\frac{1}{4}+x^2-x^4}},\ |x|\leqslant\sqrt{\frac{1+\sqrt{2}}{2}}.$$

而当 $0\leqslant\dfrac{1}{4}+x^2-x^4\leqslant\left(\dfrac{1}{2}\right)^2$ 即 $1\leqslant x^2\leqslant\dfrac{1+\sqrt{2}}{2}$ 时有四支:

$$y_3=\sqrt{\frac{1}{2}-\sqrt{\frac{1}{4}+x^2-x^4}},1\leqslant x\leqslant\sqrt{\frac{1+\sqrt{2}}{2}};$$

$$y_4=\sqrt{\frac{1}{2}-\sqrt{\frac{1}{4}+x^2-x^4}},-\sqrt{\frac{1+\sqrt{2}}{2}}\leqslant x\leqslant -1;$$

$$y_5=-\sqrt{\frac{1}{2}-\sqrt{\frac{1}{4}+x^2-x^4}},1\leqslant x\leqslant\sqrt{\frac{1+\sqrt{2}}{2}};$$

$$y_6=-\sqrt{\frac{1}{2}-\sqrt{\frac{1}{4}+x^2-x^4}},-\sqrt{\frac{1+\sqrt{2}}{2}}\leqslant x\leqslant -1.$$

此外还有一个孤立点(0,0)(参看 1542 题的图像). 考虑上述六支的公共定义域知:

(1) 没有单值区域.

(2) 双值区域为 $0<|x|<1$ 及 $x=\pm\sqrt{\dfrac{1+\sqrt{2}}{2}}$.

(3) 三值区域为 $x=0$ 及 $x=\pm 1$.

(4) 四值区域为 $1<|x|<\sqrt{\dfrac{1+\sqrt{2}}{2}}$,支点的必要条件为$[y^4-y^2+(x^4-x^2)]'_y=0$,即 $4y^3-2y=0$,

故 $y=0$ 及 $y=\pm\frac{1}{\sqrt{2}}$. 由 $y=0$ 解得 $x=0,x=\pm1$；由 $y=\pm\frac{1}{\sqrt{2}}$ 解得 $x=\pm\sqrt{\frac{1+\sqrt{2}}{2}}$. 经验证，得六个支点：

$$(-1,0),(1,0),\left(\sqrt{\frac{1+\sqrt{2}}{2}},\frac{1}{\sqrt{2}}\right),\left(\sqrt{\frac{1+\sqrt{2}}{2}},-\frac{1}{\sqrt{2}}\right),\left(-\sqrt{\frac{1+\sqrt{2}}{2}},\frac{1}{\sqrt{2}}\right),\left(-\sqrt{\frac{1+\sqrt{2}}{2}},-\frac{1}{\sqrt{2}}\right).$$

【3367】 求由方程 $(x^2+y^2)^2=x^2-y^2$ 所定义的多值函数 y 的分支点和单值连续的各分支

$$y=y(x)\quad(-1\leqslant x\leqslant 1).$$

解 由 $(x^2+y^2)^2=x^2-y^2$ 得 $y^2=\frac{-(1+2x^2)\pm\sqrt{8x^2+1}}{2}$.

因为当 $|x|\leqslant 1$ 时，$\sqrt{8x^2+1}\geqslant 1+2x^2$，故单值连续的各分支为(共有四分支)

$$y=\varepsilon(x)\sqrt{\frac{\sqrt{8x^2+1}-(1+2x^2)}{2}}\quad(-1\leqslant x\leqslant 1),$$

其中 $\varepsilon(x)$ 分别为 $1,-1,\operatorname{sgn}x,-\operatorname{sgn}x$.

下面再求分支点：

$$[(x^2+y^2)^2-x^2+y^2]'_y=2(x^2+y^2)2y+2y=0,$$

解得 $y=0$，从而得 $x=0$ 及 $x=\pm1$. 经验证得分支点为 $(0,0),(1,0)$ 及 $(-1,0)$.

【3368】 设函数 $f(x)$ 当 $a<x<b$ 时连续，函数 $\varphi(y)$ 当 $c<y<d$ 时单调增加而且连续. 在怎样的条件下，方程 $\varphi(y)=f(x)$ 能确定单值函数 $y=\varphi^{-1}[f(x)]$?

研究例子：(1) $\sin y+\operatorname{sh}y=x$；(2) $e^{-y}=-\sin^2 x$.

解 由 $\varphi(y)$ 严格增加以及 $\varphi(y),f(x)$ 连续可知，若存在 (x_0,y_0) 满足 $\varphi(y_0)=f(x_0)$，则在 x_0 近旁由方程 $\varphi(y)=f(x)$ 可唯一地确定 y 为 x 的单值连续函数，即

$$y=\varphi^{-1}[f(x)](\text{满足 } y_0=\varphi^{-1}[f(x_0)]);\qquad ①$$

若再设

$$\lim_{y\to c^+}\varphi(y)<f(x)<\lim_{y\to d^-}\varphi(x)(a<x<b),\qquad ②$$

则显然函数 ① 是整个 $a<x<b$ 上定义的连续函数.

(1) 设 $\varphi(y)=\sin y+\operatorname{sh}y\quad(-\infty<y<+\infty)$，$f(x)=x\quad(-\infty<x<+\infty)$. 由于

$$\varphi'(y)=\cos y+\operatorname{ch}y>0\quad(-\infty<y<+\infty),$$

故 $\varphi(y)$ 在 $(-\infty,+\infty)$ 上严格增加，又显然有

$$\lim_{y\to-\infty}\varphi(y)=-\infty,\ \lim_{y\to+\infty}\varphi(y)=+\infty,$$

故不等式 ② 满足. 于是，由方程 $\sin y+\operatorname{sh}y=x$ 在 $(-\infty,+\infty)$ 内唯一确定 y 为 x 的连续函数.

(2) $\varphi(y)=e^{-y}$ 及 $f(x)=-\sin^2 x$ 虽然也满足题设条件，但此方程是矛盾的 $(e^{-y}>0,-\sin^2 x\leqslant 0)$，即不存在点 (x_0,y_0)，使 $e^{-y_0}=-\sin x_0$. 因此，不能定义 y 为 x 的单值函数.

【3369】 设

$$x=y+\varphi(y),\qquad ①$$

其中 $\varphi(0)=0$，且当 $-a<y<a$ 时 $\varphi'(y)$ 连续并满足 $|\varphi'(y)|\leqslant k<1$.

证明：当 $-\varepsilon<x<\varepsilon$ 时存在唯一的可微函数 $y=y(x)$ 满足方程 ①，且 $y(0)=0$.

证 设 $F(x,y)=x-y-\varphi(y)$，则

(ⅰ) 由于 $\varphi(0)=0$，故 $F(0,0)=0$；

(ⅱ) 当 $-\infty<x<+\infty,-a<y<a$ 时，$F(x,y),F'_x(x,y)$ 及 $F'_y(x,y)=-1-\varphi'(y)$ 均连续；

(ⅲ) $F'_y(0,0)=-1-\varphi'(0)<0$，当然 $F'_y(0,0)\neq 0$.

于是，由隐函数的存在及可微性定理知：$\exists\,\varepsilon>0$，当 $-\varepsilon<x<\varepsilon$ 时，存在唯一的可微函数 $y=y(x)$ 满

足方程 $x=y+\varphi(y)$ 及 $y(0)=0$.

【3370】 设 $y=y(x)$ 为由方程 $x=ky+\varphi(y)$ 所定义的隐函数，其中常数 $k\neq 0$，且 $\varphi(y)$ 为以 ω 为周期的可微周期函数，且 $|\varphi'(y)|<|k|$. 证明：$y=\dfrac{x}{k}+\psi(x)$，其中 $\psi(x)$ 为以 $|k|\omega$ 为周期的周期函数.

证 因 $x=ky+\varphi(y)$，故 $\dfrac{dx}{dy}=k+\varphi'(y)$. 又因 $|\varphi'(y)|<|k|$，故 $\dfrac{dx}{dy}$ 与 k 同号，即 x 为 y 的严格单调函数，且连续. 因 $\varphi(y)$ 连续且以 ω 为周期的函数，故有界，从而当 $k>0$ 时，$\lim\limits_{y\to-\infty}x=-\infty$，$\lim\limits_{y\to+\infty}x=+\infty$；当 $k<0$ 时，$\lim\limits_{y\to-\infty}x=+\infty$，$\lim\limits_{y\to+\infty}x=-\infty$；

由此可知，其反函数 $y=y(x)$ 存在唯一，且是 $(-\infty,+\infty)$ 上有定义的严格单调可微函数. 令

$$y(x)-\frac{x}{k}=\psi(x)\quad(-\infty<x<+\infty),\qquad ①$$

则由 $x=ky(x)+\varphi[y(x)]$，$\varphi[y(x)+\omega]=\varphi[y(x)]$ 知

$$x+k\omega=ky(x)+\varphi[y(x)]+k\omega=k[y(x)+\omega]+\varphi[y(x)+\omega].$$

从而，根据反函数的唯一性，得

$$y(x+k\omega)=y(x)+\omega\quad(-\infty<x<+\infty).\qquad ②$$

由 ① 式与 ② 式，得

$$\psi(x+k\omega)=y(x+k\omega)-\frac{x+k\omega}{k}=y(x)-\frac{x}{k}=\psi(x)\quad(-\infty<x<+\infty).$$

同理可证 $\psi(x-k\omega)=\psi(x)(-\infty<x<+\infty)$，故 $\psi(x)$ 是以 $|k|\omega$ 为周期的周期函数. 由 ① 得

$$y=y(x)=\frac{1}{k}x+\psi(x).$$

知识点 2 一元隐函数的导数

习题 3371—3382 一元隐函数的导数

【对于由下列各方程定义的函数 y，求 y' 和 y''(3371—3375)】

【3371】 $x^2+2xy-y^2=a^2$.

解 方法一 求导法. 等式两端分别对 x 求导数，得 $2x+2y+2xy'-2yy'=0$，故有

$$y'=\frac{y+x}{y-x}.$$

再对上式关于 x 求导数，得

$$y''=\frac{(y-x)(y'+1)-(y+x)(y'-1)}{(y-x)^2}=\frac{2y-2xy'}{(y-x)^2}=\frac{2y(y-x)-2x(y+x)}{(y-x)^3}$$
$$=\frac{2(y^2-2xy-x^2)}{(y-x)^3}=-\frac{2a^2}{(y-x)^3}=\frac{2a^2}{(x-y)^3}.$$

方法二 微分法. 等式两端分别微分，得

$$2xdx+2xdy+2ydx-2ydy=0,\qquad ①$$

故有 $\dfrac{dy}{dx}=\dfrac{y+x}{y-x}$. 对 ① 式两端再微分一次，并注意 $d^2x=0$，得

$$dx^2+2dxdy-dy^2+(x-y)d^2y=0,$$

故有

$$\frac{d^2y}{dx^2}=\frac{1+2\frac{dy}{dx}-\left(\frac{dy}{dx}\right)^2}{y-x}=\frac{1+\frac{2(y+x)}{y-x}-\left(\frac{y+x}{y-x}\right)^2}{y-x}=\frac{2a^2}{(x-y)^3}.$$

【3372】 $\ln\sqrt{x^2+y^2}=\arctan\frac{y}{x}$.

解 **方法一** 等式两端对 x 求导数,得$\frac{x+yy'}{x^2+y^2}=\frac{xy'-y}{x^2+y^2}$.解得

$$y'=\frac{x+y}{x-y}.$$

将上式再对 x 求导,得

$$y''=\frac{(x-y)(1+y')-(x+y)(1-y')}{(x-y)^2}=\frac{2(xy'-y)}{(x-y)^2}$$

$$=\frac{2x(x+y)-2y(x-y)}{(x-y)^3}=\frac{2(x^2+y^2)}{(x-y)^3}.$$

方法二 等式两端分别微分,得$\frac{x\mathrm{d}x+y\mathrm{d}y}{x^2+y^2}=\frac{x\mathrm{d}y-y\mathrm{d}x}{x^2+y^2}$.解得

$$\frac{dy}{dx}=\frac{x+y}{x-y}.$$

对 $x\mathrm{d}x+y\mathrm{d}y=x\mathrm{d}y-y\mathrm{d}x$ 再微分一次,得 $\mathrm{d}x^2+\mathrm{d}y^2+y\mathrm{d}^2y=x\mathrm{d}y^2$,故有

$$\frac{d^2y}{dx^2}=\frac{1}{x-y}\left[1+\left(\frac{dy}{dx}\right)^2\right]=\frac{(x-y)^2+(x+y)^2}{(x-y)^3}=\frac{2(x^2+y^2)}{(x-y)^3}.$$

注 以下各题根据情况采用直接求导法或微分法.

【3373】 $y-\varepsilon\sin y=x(0<\varepsilon<1)$.

解 等式两端对 x 求导数,得 $y'-\varepsilon y'\cos y=1$,故有

$$y'=\frac{1}{1-\varepsilon\cos y}.$$

将上式再对 x 求导数,得

$$y''=-\frac{\varepsilon y'\sin y}{(1-\varepsilon\cos y)^2}=-\frac{\varepsilon\sin y}{(1-\varepsilon\cos y)^3}.$$

【3374】 $x^y=y^x(x\neq y)$.

解 取对数得 $y\ln x=x\ln y$ 或 $\frac{\ln x}{x}=\frac{\ln y}{y}$ $(x>0,y>0)$.两端对 x 求导数,得

$$\frac{1-\ln x}{x^2}=\frac{y'(1-\ln y)}{y^2},\text{即 } y'=\frac{y^2(1-\ln x)}{x^2(1-\ln y)}.$$

将上式再对 x 求导数,得

$$y''=\frac{1}{x^4(1-\ln y)^2}\left\{x^2(1-\ln y)\left[2yy'(1-\ln x)-\frac{y^2}{x}\right]-y^2(1-\ln x)\left[2x-2x\ln y-\frac{x^2y'}{y}\right]\right\}$$

$$=\frac{1}{x^4(1-\ln y)^3}\{y^2[y(1-\ln x)^2-2(x-y)(1-\ln x)(1-\ln y)-x(1-\ln y)^2]\}.$$

【3375】 $y=2x\arctan\frac{y}{x}$.

解 $\frac{y}{x}=2\arctan\frac{y}{x}$,显然$\frac{y}{x}\neq 1$.两端微分,得

$$\mathrm{d}\left(\frac{y}{x}\right)=\frac{2\mathrm{d}\left(\frac{y}{x}\right)}{1+\left(\frac{y}{x}\right)^2},$$

于是 $\mathrm{d}\left(\frac{y}{x}\right)=0$,即 $\frac{x\mathrm{d}y-y\mathrm{d}x}{x^2}=0$,故有 $\frac{\mathrm{d}y}{\mathrm{d}x}=\frac{y}{x}$.将此式对 x 求导数,即得

$$\frac{\mathrm{d}^2y}{\mathrm{d}x^2}=\frac{x\frac{\mathrm{d}y}{\mathrm{d}x}-y}{x^2}=0.$$

【3376】 证明:若 $1+xy=k(x-y)$,式中 k 为常数,则成立等式 $\frac{\mathrm{d}x}{1+x^2}=\frac{\mathrm{d}y}{1+y^2}$.

证 将等式 $1+xy=k(x-y)$ 两端微分,得 $x\mathrm{d}y+y\mathrm{d}x=k(\mathrm{d}x-\mathrm{d}y)$,故

$$(x-y)(x\mathrm{d}y+y\mathrm{d}x)=k(x-y)(\mathrm{d}x-\mathrm{d}y)=(1+xy)(\mathrm{d}x-\mathrm{d}y),$$

简化即得 $\frac{\mathrm{d}x}{1+x^2}=\frac{\mathrm{d}y}{1+y^2}$.

【3377】 证明:若 $x^2y^2+x^2+y^2-1=0$,则当 $xy>0$ 时成立等式

$$\frac{\mathrm{d}x}{\sqrt{1-x^4}}+\frac{\mathrm{d}y}{\sqrt{1-y^4}}=0.$$

证 将所给等式两端微分,得

$$2xy^2\mathrm{d}x+2x^2y\mathrm{d}y+2x\mathrm{d}x+2y\mathrm{d}y=0,\text{即 } x(y^2+1)\mathrm{d}x+y(x^2+1)\mathrm{d}y=0. \quad ①$$

由 $x^2y^2+x^2+y^2-1=0$ 可解得

$$x=\pm\sqrt{\frac{1-y^2}{1+y^2}},\ y=\pm\sqrt{\frac{1-x^2}{1+x^2}}. \quad ②$$

因为 $xy>0$,故知 x,y 应同取正号或同取负号.不论取什么符号,当用②式代入①式后,均可得

$$\frac{\mathrm{d}x}{\sqrt{1-x^4}}+\frac{\mathrm{d}y}{\sqrt{1-y^4}}=0.$$

【3378】 证明:方程 $(x^2+y^2)^2=a^2(x^2-y^2)(a\neq 0)$ 在点 $x=0,y=0$ 的邻域中确定两个可微函数:$y=y_1(x)$ 和 $y=y_2(x)$.求 $y_1'(0)$ 及 $y_2'(0)$.

证 $(x^2+y^2)^2=a^2(x^2-y^2)$ 为双纽线(图 6.28).

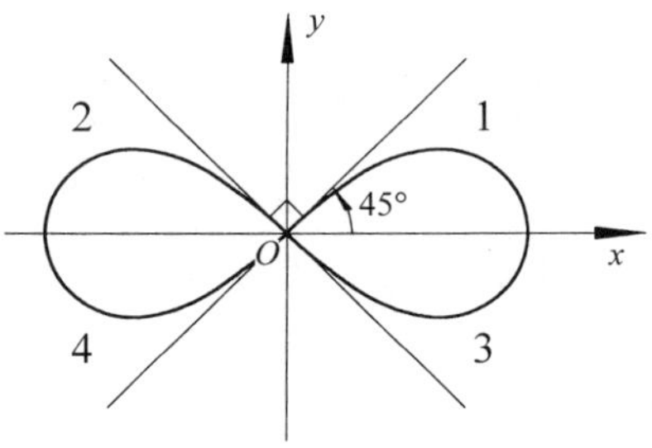

图 6.28

整理得 $y^4+(2x^2+a^2)y^2-(a^2x^2-x^4)=0$.解得

$$y^2=\frac{-(2x^2+a^2)+\sqrt{8a^2x^2+a^4}}{2}$$

(根号前取正号是由于 $y^2\geqslant 0$).记

$$y=\pm\sqrt{\frac{\sqrt{8a^2x^2+a^4}-2x^2-a^2}{2}}=\pm f(x^2).$$

不难看出(0,0)为分支点.从点(0,0)出发,有单值连续的四个分支:

$$y_1=f(x^2),0\leqslant x\leqslant\delta;y_2=f(x^2),-\delta\leqslant x\leqslant 0;$$

$$y_3=-f(x^2),0\leqslant x\leqslant\delta;y_4=-f(x^2),-\delta\leqslant x\leqslant 0.$$

这几个单值分支能否组成 $(-\delta,\delta)$ 上的可微函数,主要是看组成的函数在 $x=0$ 是否可微.为此,研究各分支在点 $x=0$ 处的单侧导数.

$$y'_{1+}(0)=\lim_{x\to 0^+}\frac{y_1(x)-y_1(0)}{x-0}=\lim_{x\to 0^+}\frac{f(x^2)}{x}=\lim_{x\to 0^+}\frac{1}{x}\sqrt{\frac{\sqrt{8a^2x^2+a^4}-2x^2-a^2}{2}}$$

$$=\lim_{x\to 0^+}\sqrt{\frac{\sqrt{8a^2x^2+a^4}-2x^2-a^2}{2x^2}}=\lim_{x\to 0^+}\sqrt{\frac{8a^2x^2+a^4-(2x^2+a^2)^2}{2x^2(\sqrt{8a^2x^2+a^4}+2x^2+a^2)}}$$

$$=\lim_{x\to 0^+}\sqrt{\frac{4a^2-4x^2}{2(\sqrt{8a^2x^2+a^4}+2x^2+a^2)}}=1.$$

同法可得

$$y'_{2-}(0)=\lim_{x\to 0^-}\frac{f(x^2)}{x}=-1,y'_{3+}(0)=\lim_{x\to 0^+}\frac{-f(x^2)}{2}=-1,y'_{4-}(0)=\lim_{x\to 0^-}\frac{-f(x^2)}{2}=1.$$

由上可以看出

$$y_1(x)=\begin{cases}f(x^2), & 0\leqslant x<\delta,\\ -f(x^2), & -\delta<x<0,\end{cases} \text{及 } y_2(x)=\begin{cases}-f(x^2), & 0\leqslant x<\delta,\\ f(x^2), & -\delta<x<0\end{cases}$$

是仅有的两个过点(0,0)的可微函数,且$y'_1(0)=1$及$y'_2(0)=-1$.

【3379】 设:$(x^2+y^2)^2=3x^2y-y^3$,求y'当$x=0$和$y=0$时的值.

解 本题讨论方法与3378题类似,但由于不能直接解出$y=f(x)$,故只能用隐函数表示.
由$(x^2+y^2)^2=3x^2y-y^3$,得$x^4+(2y^2-3y)x^2+y^4+y^3=0$.解得

$$x^2=\frac{(3y-2y^2)\pm\sqrt{9y^2-16y^3}}{2}.$$

令

$$g(y)=\frac{3y-2y^2+\sqrt{9y^2-16y^3}}{2},$$

$$h(y)=\frac{3y-2y^2-\sqrt{9y^2-16y^3}}{2},$$

则不难验证:在$y=0$的邻域内均有$g(y)\geqslant 0$;而仅当$y\geqslant 0$时才有$h(y)\geqslant 0$.于是,点(0,0)为支点,且从该点出发,有六个单值连续分支:

(1)$x_1=\sqrt{g(y)}$,$0\leqslant y<\varepsilon$;它在$0\leqslant x<\delta$上确定隐函数$y=f_1(x)$.

(2)$x_2=-\sqrt{g(y)}$,$0\leqslant y<\varepsilon$;它在$-\delta<x\leqslant 0$上确定隐函数$y=f_2(x)$.

(3)$x_3=\sqrt{g(y)}$,$-\varepsilon<y\leqslant 0$;它在$0\leqslant x<\delta$上确定隐函数$y=f_3(x)$.

(4)$x_4=-\sqrt{g(y)}$,$-\varepsilon<y\leqslant 0$;它在$-\delta<x\leqslant 0$上确定隐函数$y=f_4(x)$.

(5)$x_5=\sqrt{h(y)}$,$0\leqslant y<\varepsilon$;它在$0\leqslant x<\delta$上确定隐函数$y=f_5(x)$.

(6)$x_6=-\sqrt{h(y)}$,$0\leqslant y<\varepsilon$它在$-\delta<x\leqslant 0$上确定隐函数$y=f_6(x)$.

上述隐函数的存在性,易从对右端y的表达式求导数而导数不为零获证.因此,只要求上述六分支在原点的单侧导数.

$$f'_{1+}(0)=\lim_{x\to 0^+}\frac{f_1(x)-f_1(0)}{x-0}=\lim_{y\to 0^+}\frac{y}{\sqrt{g(y)}}$$

$$=\lim_{y\to 0^+}\sqrt{\frac{2y^2}{3y-2y^2+\sqrt{9y^2-16y^3}}}=\lim_{y\to 0^+}\sqrt{\frac{2y}{3-2y+\sqrt{9-16y}}}=0.$$

$$f'_{2-}(0)=\lim_{x\to 0^-}\frac{f_2(x)-f_2(0)}{x-0}=\lim_{y\to 0^+}\frac{y}{-\sqrt{g(y)}}=0.$$

$$f'_{3+}(0)=\lim_{x\to 0^+}\frac{f_3(x)-f_3(0)}{x-0}=\lim_{y\to 0^-}\frac{y}{g(y)}=\lim_{z\to 0^+}\frac{-z}{\sqrt{g(-z)}}$$

$$=-\lim_{z\to 0^+}\sqrt{\frac{2z^2}{\sqrt{9zx^2+16z^3}-3z-2z^2}}=-\lim_{z\to 0^+}\sqrt{\frac{2z^2(\sqrt{9z^2+16z^3}+3z+2z^2)}{(9z^2+16z^3)-(3z+2z^2)^2}}$$

$$=-\lim_{z\to 0^+}\sqrt{\frac{2(\sqrt{9+16z}+3+2z)}{4-4z}}=-\sqrt{3}.$$

$$f'_{4-}(0)=\lim_{x\to 0^-}\frac{f_4(x)}{x}=\lim_{y\to 0^-}\frac{y}{-\sqrt{g(y)}}=-(-\sqrt{3})=\sqrt{3}.$$

$$f'_{5+}(0)=\lim_{x\to 0^+}\frac{f_5(x)}{x}=\lim_{y\to 0^+}\frac{y}{\sqrt{h(y)}}$$

$$=\lim_{y\to 0^+}\sqrt{\frac{2y^2}{3y-2y^2-\sqrt{9y^2-16y^3}}}=\lim_{y\to 0^+}\sqrt{\frac{2y^2(3y-2y^2+\sqrt{9y^2-16y^3})}{(3y-2y^2)^2-(9y^2-16y^3)}}$$

$$= \lim_{y\to 0^+}\sqrt{\frac{2(3-2y+\sqrt{9y^2-16y^3})}{4+4y}} = \sqrt{3}.$$

$$f'_{6-}(0) = \lim_{x\to 0^-}\frac{f_6(x)}{x} = \lim_{y\to 0^+}\frac{y}{-\sqrt{h(y)}} = -\sqrt{3}.$$

于是,上述六个单值连续分支可组成三个$(-\delta,\delta)$上的可微函数 $y = y_i(x) \quad (i = 1,2,3)$:

$$y_1(x) = \begin{cases} f_1(x), & x \geqslant 0, \\ f_2(x), & x < 0, \end{cases} y'_1(0) = 0;\quad y_2(x) = \begin{cases} f_3(x), & x \geqslant 0, \\ f_6(x), & x < 0, \end{cases} y'_2(0) = -\sqrt{3};$$

$$y_3(x) = \begin{cases} f_5(x), & x \geqslant 0, \\ f_4(x), & x < 0, \end{cases} y'_3(0) = \sqrt{3}.$$

注 本题方程的图像为三叶玫瑰线(图 6.29),它的极坐标方程为 $r = a\sin 3\theta$. 以上作法及结论,由图很容易看出.

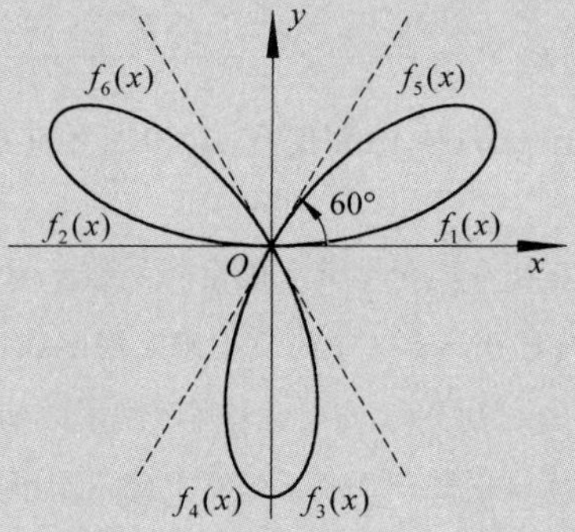

图 6.29

【3380】 设 $x^2 + xy + y^2 = 3$,求 y', y'' 及y'''.

解 等式两端对 x 求导数,得 $2x + y + xy' + 2yy' = 0$. 于是

$$y' = -\frac{2x+y}{x+2y}.$$

再对上式求导数,得

$$y'' = -\frac{1}{(x+2y)^2}[(2+y')(x+2y) - (1+2y')(2x+y)] = -\frac{18}{(x+2y)^3},$$

$$y''' = \frac{54}{(x+2y)^4}(1+2y') = -\frac{162x}{(x+2y)^5}.$$

【3381】 设 $x^2 - xy + 2y^2 + x - y - 1 = 0$,求 y', y'' 及y''' 当 $x = 0, y = 1$ 时的值.

解 等式两端对 x 求导数,得

$$2x - y - xy' + 4yy' + 1 - y' = 0. \quad ①$$

以 $x = 0, y = 1$ 代入 ① 式,得 $y'\Big|_{\substack{x=0\\y=1}} = 0$.

将 ① 式再对 x 求导数,得

$$2 - y' - y' - xy'' + 4y'^2 + 4yy'' - y'' = 0. \quad ②$$

以 $x = 0, y = 1, y' = 0$ 代入 ② 式,得$y''\Big|_{\substack{x=0\\y=1}} = -\frac{2}{3}$.

将 ② 式再对 x 求导数,得

$$-3y'' - xy''' + 12y'y'' + 4yy''' - y''' = 0. \quad ③$$

以 $x=0, y=1, y'=0, y''=-\frac{2}{3}$ 代入③式，得 $y'''\Big|_{\substack{x=0\\y=1}}=-\frac{2}{3}$.

【3382】 证明：对于二次曲线 $ax^2+2bxy+cy^2+2dx+2ey+f=0$，成立等式

$$\frac{\mathrm{d}^3}{\mathrm{d}x^3}\left[(y'')^{-\frac{2}{3}}\right]=0.$$

证 原题中的二次曲线应是非退化的，即

$$\Delta=\begin{vmatrix} a & b & d \\ b & c & e \\ d & e & f \end{vmatrix}\neq 0,$$

由 $\Delta\neq 0$ 保证 $y''\neq 0$.

等式两端对 x 求导数，得

$$2ax+2by+2bxy'+2cyy'+2d+2ey'=0. \qquad ①$$

于是

$$y'=-\frac{ax+by+d}{bx+cy+e}.$$

①式除以2后，等式两端再对 x 求导数，得

$$a+2by'+cy'^2+(bx+cy+e)y''=0.$$

于是

$$\begin{aligned} y''&=-\frac{a+2by'+cy'^2}{bx+cy+e}\\ &=-\frac{1}{(bx+cy+e)^3}\left[a(bx+cy+e)^2-2b(bx+cy+e)(ax+by+d)+c(ax+by+d)^2\right]\\ &=\frac{\Delta}{(bx+cy+e)^3}, \end{aligned}$$

$$\begin{aligned} (y'')^{-\frac{2}{3}}&=\Delta^{-\frac{2}{3}}(bx+cy+e)^2=\Delta^{-\frac{2}{3}}\left[b^2x^2+c(cy^2+2bxy+2ey)+e^2+2bex\right]\\ &=\Delta^{-\frac{2}{3}}\left[b^2x^2-c(ax^2+2dx+f)+2bex+e^2\right]\\ &=\Delta^{-\frac{2}{3}}\left[(b^2-ac)x^2+2(be-cd)x+e^2-cf\right], \end{aligned}$$

即 $(y'')^{-\frac{2}{3}}$ 是关于 x 的二次三项式，故 $\frac{\mathrm{d}^3}{\mathrm{d}x^3}\left[(y'')^{-\frac{2}{3}}\right]=0$.

知识点3 多元隐函数的偏导数

定理 若函数 $F(x,y,z)$ 满足下列条件：

（ⅰ）F 在以 $P_0(x_0,y_0,z_0)$ 为内点的某一区域上连续；

（ⅱ）$F(x_0,y_0,z_0)=0$（通常称为初始条件）；

（ⅲ）F 在 D 上存在连续的偏导数 $F'_x(x,y,z), F'_y(x,y,z), F'_z(x,y,z)$；

（ⅳ）$F'_z(x_0,y_0,z_0)\neq 0$.

则方程 $F(x,y,z)=0$ 在点 $P_0(x_0,y_0,z_0)$ 的某邻域内唯一确定一个具有连续偏导数的函数 $z=f(x,y)$，满足条件：$z_0=f(x_0,y_0)$，并有

$$\frac{\partial z}{\partial x}=-\frac{F'_x(x,y,z)}{F'_z(x,y,z)}, \frac{\partial z}{\partial y}=-\frac{F'_y(x,y,z)}{F'_z(x,y,z)}. \qquad ①$$

若 $F(x,y,z)$ 任意多次可微，则采用对方程①逐次求导的方法也可计算函数 z 的高阶导数.

习题 3383—3399 多元隐函数的偏导数

【求下列函数 $z=z(x,y)$ 的一阶和二阶偏导数(3383—3387)】

【3383】 $x^2+y^2+z^2=a^2$.

解 等式两端微分,得

$$x\mathrm{d}x+y\mathrm{d}y+z\mathrm{d}z=0. \qquad ①$$

注意 $\mathrm{d}^2x=\mathrm{d}^2y=0$,再对 ① 式两端微分,又可得

$$\mathrm{d}x^2+\mathrm{d}y^2+\mathrm{d}z^2+z\mathrm{d}^2z=0. \qquad ②$$

由 ① 得 $\mathrm{d}z=-\frac{x}{z}\mathrm{d}x-\frac{y}{z}\mathrm{d}y$,故有

$$\frac{\partial z}{\partial x}=-\frac{x}{z},\frac{\partial z}{\partial y}=-\frac{y}{z}.$$

由 ② 及 ① 得

$$\mathrm{d}^2z=-\frac{1}{z}(\mathrm{d}x^2+\mathrm{d}y^2+\mathrm{d}z^2)=-\frac{1}{z}\mathrm{d}x^2-\frac{1}{z}\mathrm{d}y^2-\frac{1}{z}\left(\frac{x}{z}\mathrm{d}x+\frac{y}{z}\mathrm{d}y\right)^2$$

$$=-\frac{1}{z}\left(1+\frac{x^2}{z^2}\right)\mathrm{d}x^2-\frac{2xy}{z^3}\mathrm{d}x\mathrm{d}y-\frac{1}{z}\left(1+\frac{y^2}{z^2}\right)\mathrm{d}y^2,$$

故有$\frac{\partial^2 z}{\partial x^2}=-\frac{1}{z}\left(1+\frac{x^2}{z^2}\right)=-\frac{z^2+x^2}{z^3},\frac{\partial^2 z}{\partial x\partial y}=-\frac{xy}{z^3},\frac{\partial^2 z}{\partial y^2}=-\frac{z^2+y^2}{z^3}$.

注 以下 3384 题、3387 题均可仿本题求解.

【3384】 $z^3-3xyz=a^3$.

解 等式两端对 x 求偏导数,得

$$3z^2\frac{\partial z}{\partial x}-3yz-3xy\frac{\partial z}{\partial x}=0, \qquad ①$$

于是,$\frac{\partial z}{\partial x}=\frac{yz}{z^2-xy}$. 同法可得 $\frac{\partial z}{\partial y}=\frac{xz}{z^2-xy}$.

① 式除以 3 后再分别对 x 及对 y 求偏导数,得

$$2z\left(\frac{\partial z}{\partial x}\right)^2+z^2\frac{\partial^2 z}{\partial x^2}-2y\frac{\partial z}{\partial x}-xy\frac{\partial^2 z}{\partial x^2}=0,\left(2z\frac{\partial z}{\partial y}-x\right)\frac{\partial z}{\partial x}+(z^2-xy)\frac{\partial^2 z}{\partial x\partial y}-z-y\frac{\partial z}{\partial y}=0.$$

将$\frac{\partial z}{\partial x}$及$\frac{\partial z}{\partial y}$代入上述两式,化简整理得

$$\frac{\partial^2 z}{\partial x^2}=-\frac{2xy^3z}{(z^2-xy)^3},\frac{\partial^2 z}{\partial x\partial y}=\frac{z(z^4-2xyz^2-x^2y^2)}{(z^2-xy)^3}.$$

同法可得$\frac{\partial^2 z}{\partial y^2}=-\frac{2x^3yz}{(z^2-xy)^3}$.

【3385】 $x+y+z=\mathrm{e}^z$.

解 等式两次微分,得

$$\mathrm{d}x+\mathrm{d}y+\mathrm{d}z=\mathrm{e}^z\mathrm{d}z, \qquad ①$$

故有

$$\mathrm{d}z=\frac{1}{\mathrm{e}^z-1}(\mathrm{d}x+\mathrm{d}y)=\frac{1}{x+y+z-1}(\mathrm{d}x+\mathrm{d}y).$$

于是,$\frac{\partial z}{\partial x}=\frac{\partial z}{\partial y}=\frac{1}{x+y+z-1}$. 再将 ① 式微分一次,得 $\mathrm{d}^2z=\mathrm{e}^z\mathrm{d}^2z+\mathrm{e}^z\mathrm{d}z^2$,故有

$$\mathrm{d}^2z=-\frac{\mathrm{e}^z}{\mathrm{e}^z-1}(\mathrm{d}z)^2=-\frac{\mathrm{e}^z}{(\mathrm{e}^z-1)^3}(\mathrm{d}x^2+2\mathrm{d}x\mathrm{d}y+\mathrm{d}y^2).$$

于是

$$\frac{\partial^2 z}{\partial x^2}=\frac{\partial^2 z}{\partial x\partial y}=\frac{\partial^2 z}{\partial y^2}=-\frac{e^z}{(e^z-1)^3}=-\frac{x+y+z}{(x+y+z-1)^3}.$$

【3386】 $z=\sqrt{x^2-y^2}\tan\dfrac{z}{\sqrt{x^2-y^2}}$.

解 设 $r=\sqrt{x^2-y^2}$，则 $\dfrac{z}{r}=\tan\dfrac{z}{r}$，$\mathrm{d}\left(\dfrac{z}{r}\right)=\dfrac{\mathrm{d}\left(\frac{z}{r}\right)}{1+\left(\frac{z}{r}\right)^2}$. 故 $\mathrm{d}\left(\dfrac{z}{r}\right)=0$，或 $r\mathrm{d}z-z\mathrm{d}r=0$，即

$$\mathrm{d}z=\frac{z}{r^2}(x\mathrm{d}x-y\mathrm{d}y). \quad ①$$

于是，$\dfrac{\partial z}{\partial x}=\dfrac{zx}{r^2}=\dfrac{xz}{x^2-y^2}$，$\dfrac{\partial z}{\partial y}=-\dfrac{yz}{r^2}=-\dfrac{yz}{x^2-y^2}$. 由 ① 得

$$(x^2-y^2)\mathrm{d}z=xz\mathrm{d}x-yz\mathrm{d}y. \quad ②$$

② 式再微分一次，得

$$\begin{aligned}(x^2-y^2)\mathrm{d}^2z&=-(2x\mathrm{d}x-2y\mathrm{d}y)\mathrm{d}z+x\mathrm{d}x\mathrm{d}z+z\mathrm{d}x^2-y\mathrm{d}y\mathrm{d}z-z\mathrm{d}y^2\\&=-(x\mathrm{d}x-y\mathrm{d}y)\left[\frac{z(x\mathrm{d}x-y\mathrm{d}y)}{x^2-y^2}\right]+z\mathrm{d}x^2-z\mathrm{d}y^2\\&=\frac{z}{x^2-y^2}[-x^2\mathrm{d}x^2+2xy\mathrm{d}x\mathrm{d}y-y^2\mathrm{d}y^2+(x^2-y^2)\mathrm{d}x^2-(x^2-y^2)\mathrm{d}y^2]\\&=\frac{z(-y^2\mathrm{d}x^2+2xy\mathrm{d}x\mathrm{d}y-x^2\mathrm{d}y^2)}{x^2-y^2}.\end{aligned}$$

于是

$$\frac{\partial^2 z}{\partial x^2}=-\frac{y^2z}{(x^2-y^2)^2},\ \frac{\partial^2 z}{\partial x\partial y}=\frac{xyz}{(x^2-y^2)^2},\ \frac{\partial^2 z}{\partial y^2}=-\frac{x^2z}{(x^2-y^2)^2}.$$

【3387】 $x+y+z=e^{-(x+y+z)}$.

解 等式两端对 x 求偏导数，得 $1+\dfrac{\partial z}{\partial x}=e^{-(x+y+z)}\left(-1-\dfrac{\partial z}{\partial x}\right)$. 故 $\dfrac{\partial z}{\partial x}=-1$. 利用对称性，得

$$\frac{\partial z}{\partial y}=-1,$$

显见

$$\frac{\partial^2 z}{\partial x^2}=\frac{\partial^2 z}{\partial x\partial y}=\frac{\partial^2 z}{\partial y^2}=0.$$

【3388】 设：

$$x^2+y^2+z^2-3xyz=0, \quad ①$$

$$f(x,y,z)=xy^2z^3.$$

求 $f'_x(1,1,1)$，若：(1) $z=z(x,y)$ 是由方程 ① 定义的隐函数，(2) $y=y(x,z)$ 是由方程 ① 定义的隐函数. 说明为什么这些导数相异.

解 (1) 记 $F(x,y,z)=x^2+y^2+z^2-3xyz=0$，则由方程 ① 所定义的隐函数 $z=z(x,y)$ 的偏导数 $z'_x(x,y)$ 在 $(1,1)$ 点的值为

$$z'_x(1,1)=-\frac{F'_x(1,1,1)}{F'_z(1,1,1)}=-\frac{\frac{\mathrm{d}}{\mathrm{d}x}F(x,1,1)\Big|_{x=1}}{\frac{\mathrm{d}}{\mathrm{d}z}F(1,1,z)\Big|_{z=1}}=-\frac{\frac{\mathrm{d}}{\mathrm{d}x}(x^2+2-3x)\Big|_{x=1}}{\frac{\mathrm{d}}{\mathrm{d}z}(2+z^2-3z)\Big|_{z=1}}=-1.$$

于是

$$\frac{\partial}{\partial x}[f(x,y,z(x,y))]\Big|_{(1,1,1)}=\frac{\mathrm{d}}{\mathrm{d}x}f(x,1,1)\Big|_{x=1}+\frac{\partial}{\partial z}f(1,1,z)\Big|_{z=1}z'_x(1,1)=1+3(-1)=-2.$$

(2) $y'_x(1,1) = -\dfrac{F'_x(1,1,1)}{F'_y(1,1,1)} = -\dfrac{\left.\dfrac{\mathrm{d}}{\mathrm{d}x}F(x,1,1)\right|_{x=1}}{\left.\dfrac{\mathrm{d}}{\mathrm{d}y}F(1,y,1)\right|_{y=1}} = -1$. 于是

$$\frac{\partial}{\partial x}[f(x,y(x,z)z)]\Big|_{(1,1,1)} = \frac{\mathrm{d}}{\mathrm{d}x}f(x,1,1)\Big|_{x=1} + \frac{\mathrm{d}}{\mathrm{d}y}f(1,y,1)\Big|_{y=1} y'_x(1,1) = 1+2(-1) = -1.$$

由(1) 与(2) 所求得的对 x 的偏导数在(1,1,1) 点的值不相等,可说明如下:

方程 $F(x,y,z)=0$ 代表一个空间曲面,而 $f(x,y,z)$ 表示定义在这个曲面上的一个函数. 函数 $G(x,y) = f(x,y,z(x,y))$ 表示把原曲面上的点投影到 Oxy 平面上后,原曲面上的函数看成在 Oxy 平面上定义的一个函数,$G'_x(x,y)$ 表示此函数在 Ox 轴方向的变化率,它不仅包含了原来函数在 Ox 轴方向的变化率,还包含了原来函数在 Oz 轴方向的变化率的一部分. 同样地,$H(x,z) = f(x,y(x,z),z)$ 表示把原曲面上的点投影到 Oxz 平面上后,原曲面上的函数看成在 Oxz 平面上定义的函数,$H'_x(x,z)$ 表示此函数在 Ox 轴方向的变化率,它不仅包含了原来函数在 Ox 轴方向的变化率,还包含了原来函数在 Oy 轴方向的变化率的一部分. 一般地,原来函数在 Oy 轴和 Oz 轴方向的变化率的那两部分是不相等的.

【3389】 设 $x^2+2y^2+3z^2+xy-z-9=0$,求 $\dfrac{\partial^2 z}{\partial x^2},\dfrac{\partial^2 z}{\partial x\partial y},\dfrac{\partial^2 z}{\partial y^2}$ 当 $x=1,y=-2,z=1$ 时的值.

解 等式两端微分一次,得 $2x\mathrm{d}x+4y\mathrm{d}y+6z\mathrm{d}z+x\mathrm{d}y+y\mathrm{d}x-\mathrm{d}z=0$,即

$$(1-6z)\mathrm{d}z = (2x+y)\mathrm{d}x+(4y+x)\mathrm{d}y. \qquad ①$$

再微分一次,得

$$(1-6z)\mathrm{d}^2 z = 6\mathrm{d}z^2+2\mathrm{d}x^2+2\mathrm{d}x\mathrm{d}y+4\mathrm{d}y^2. \qquad ②$$

以 $x=1,y=-2,z=1$ 代入 ① 式,得 $\mathrm{d}z=\dfrac{7}{5}\mathrm{d}y$. 再以 $z=1,\mathrm{d}z=\dfrac{7}{5}\mathrm{d}y$,代入 ② 式,得

$$\mathrm{d}^2 z = -\frac{2}{5}\mathrm{d}x^2-\frac{2}{5}\mathrm{d}x\mathrm{d}y-\frac{394}{125}\mathrm{d}y^2.$$

于是,当 $x=1,y=-2,z=1$ 时,$\dfrac{\partial^2 z}{\partial x^2}=-\dfrac{2}{5},\dfrac{\partial^2 z}{\partial x\partial y}=-\dfrac{1}{5},\dfrac{\partial^2 z}{\partial y^2}=-\dfrac{394}{125}$.

【根据以下题设,求 $\mathrm{d}z$ 和 $\mathrm{d}^2 z$(3390—3393)】

【3390】 $\dfrac{x^2}{a^2}+\dfrac{y^2}{b^2}+\dfrac{z^2}{c^2}=1$.

解 等式两端微分一次,得 $\dfrac{2x}{a^2}\mathrm{d}x+\dfrac{2y}{b^2}\mathrm{d}y+\dfrac{2z}{c^2}\mathrm{d}z=0$. 故

$$\mathrm{d}z = -\frac{c^2}{z}\left(\frac{x\mathrm{d}x}{a^2}+\frac{y\mathrm{d}y}{c^2}\right).$$

再将 $\mathrm{d}z$ 微分,得

$$\begin{aligned}\mathrm{d}^2 z &= -\frac{c^2}{z^2}\left[z\left(\frac{\mathrm{d}x^2}{a^2}+\frac{\mathrm{d}y^2}{b^2}\right)-\left(\frac{x\mathrm{d}x}{a^2}+\frac{y\mathrm{d}y}{b^2}\right)\mathrm{d}z\right]\\ &= -\frac{c^4}{z^3}\left[\left(\frac{x^2}{a^2}+\frac{z^2}{c^2}\right)\frac{\mathrm{d}x^2}{a^2}+\frac{2xy}{a^2b^2}\mathrm{d}x\mathrm{d}y+\left(\frac{y^2}{b^2}+\frac{z^2}{c^2}\right)\frac{\mathrm{d}y^2}{b^2}\right].\end{aligned}$$

【3391】 $xyz=x+y+z$.

解 等式两端微分一次,得

$$yz\mathrm{d}x+xz\mathrm{d}y+xy\mathrm{d}z = \mathrm{d}x+\mathrm{d}y+\mathrm{d}z. \qquad ①$$

于是

$$\mathrm{d}z = -\frac{(1-yz)\mathrm{d}x+(1-xz)\mathrm{d}y}{1-xy}. \qquad ②$$

对 ① 式再微分一次,得

$$2z\mathrm{d}x\mathrm{d}y+2x\mathrm{d}y\mathrm{d}z+2y\mathrm{d}x\mathrm{d}z+xy\mathrm{d}^2 z = \mathrm{d}^2 z. \qquad ③$$

以②式代入③式，化简整理得

$$d^2z=-\frac{2}{(1-xy)^2}\{y(1-yz)dx^2+[x+y-z(1+xy)dxdy+x(1-xz)dy^2\}$$
$$=-\{2y(1-yz)dx^2-2zdxdy+x(1-xz)dy^2\}(1-xy)^2.$$

【3392】 $\frac{x}{z}=\ln\frac{z}{y}+1.$

解 等式两端微分一次，得$\frac{zdx-xdz}{z^2}=\frac{dz}{z}-\frac{dy}{y}$. 于是

$$dz=\frac{z(ydx+zdy)}{y(x+z)}.$$

对$(x+z)dz=zdx+\frac{z^2}{y}dy$再微分一次，得

$$(x+z)d^2z=-(dx+dz)dz+dzdx+\frac{2z}{y}dzdy-\frac{z^2}{y^2}dy^2=-dz^2+\frac{2z}{y}dydz-\frac{z^2}{y^2}dy^2$$
$$=-\left(dz-\frac{z}{y}dy\right)^2=-\frac{z^2[(ydx+zdy)-(x+z)dy]^2}{y^2(x+z)^2}=-\frac{z^2(ydx-xdy)^2}{y^2(x+z)^2}.$$

于是 $d^2z=-\frac{z^2(ydx-xdy)^2}{y^2(x+z)^3}$.

【3393】 $z=x+\arctan\frac{y}{z-x}.$

解 等式两端微分一次，得 $dz=dx+\frac{1}{1+\frac{y^2}{(z-x)^2}}\cdot\frac{(z-x)dy-y(dz-dx)}{(z-x)^2}$. 化简整理，得

$$dz=dx+\frac{z-x}{(z-x)^2+y(y+1)}dy.$$

再对上式微分一次，得

$$d^2z=\frac{1}{[(z-x)^2+y(y+1)]^2}\{[(z-x)^2+y(y+1)]dy(dz-dx)-$$
$$(z-x)dy[2(z-x)(dz-dx)+2ydy+dy]\}.$$

将 dz 代入化简整理，即有

$$d^2z=\frac{2(x-z)(y+1)[(x-z)^2+y^2]}{[(x-z)^2+y(y+1)]^3}dy^2.$$

【3394】 设 $u^3-3(x+y)u^2+z^3=0$，求 du.

解 等式两端微分，得 $3u^2du-3u^2(dx+dy)-6u(x+y)du+3z^2dz=0$. 于是

$$du=\frac{u^2(dx+dy)-z^2dz}{u[u-2(x+y)]}.$$

【3395】 设 $F(x+y+z,x^2+y^2+z^2)=0$，求$\frac{\partial^2z}{\partial x\partial y}$.

解 等式两端对 x 求偏导数，得$F'_1\cdot\left(1+\frac{\partial z}{\partial x}\right)+F'_2\cdot\left(2x+2z\frac{\partial z}{\partial x}\right)=0$. 于是

$$\frac{\partial z}{\partial x}=-\frac{F'_1+2xF'_2}{F'_1+2zF'_2}. \qquad ①$$

同法可得$\frac{\partial z}{\partial y}=-\frac{F'_1+2yF'_2}{F'_1+2zF'_2}$.

①式两端对 y 求偏导数，得

$$\frac{\partial^2 z}{\partial x\partial y}$$
$$=-\frac{1}{(F'_1+2zF'_2)^2}\left\{(F'_1+2zF'_2)[(F'_1)'_y+2x(F'_2)'_y]-(F'_1+2xF'_2)[(F'_1)'_y+2z(F'_2)'_y+2z'_y\cdot F'_2]\right\}$$

$$=-\frac{1}{(F_1'+2zF_2')^2}\{2(x-z)F_1'\cdot(F_2')_y'+2(z-x)F_2'(F_1')_y'-2[F_1'F_2'+x(F_2')^2]z_y'\}$$

$$=-\frac{2(x-z)}{(F_1'+2zF_2')^2}\{F_1'(F_2')_y'-F_2'(F_1')_y'\}-\frac{2F_2'(F_1'+2xF_2')(F_1'+2yF_2')}{(F_1'+2zF_2')^3}.$$

现分别求$(F_1')_y'$及$(F_2')_y'$.

$$(F_1')_y'=F_{11}''\cdot(1+z_y')+F_{12}''\cdot(2y+2zz_y'),$$
$$(F_2')_y'=F_{21}''\cdot(1+z_y')+F_{22}''\cdot(2y+2zz_y').$$

注意到$1+z_y'=\dfrac{2(z-y)F_2'}{F_1'+2zF_2'}$，$2y+2zz_y'=\dfrac{2(y-z)F_1'}{F_1'+2zF_2'}$，即得

$$F_1'(F_2')_y'-F_2'(F_1')_y'$$
$$=F_1'F_{21}''\frac{2(z-y)F_2'}{F_1'+2zF_2'}+F_1'F_{22}''\frac{2(y-z)F_1'}{F_1'+2zF_2'}-F_2'F_{11}''\frac{2(z-y)F_2'}{F_1'+2zF_2'}-F_2'F_{12}''\frac{2(y-z)F_1'}{F_1'+2zF_2'}$$
$$=\frac{2(y-z)}{F_1'+2zF_2'}\{(F_1')^2F_{22}''-2F_1'F_2'F_{12}''+(F_2')^2F_{11}''\}.$$

于是

$$\frac{\partial^2 z}{\partial x\partial y}=-\frac{4(x-z)(y-z)}{(F_1'+2zF_2')^3}\{(F_1')^2F_{22}''-2F_1'F_2'F_{12}''+(F_2')^2F_{11}''\}-\frac{2F_2'(F_1'+2xF_2')(F_1'+2yF_2')}{(F_1'+2zF_2')^3}.$$

【3396】 设$F(x-y,y-z,z-x)=0$，求$\dfrac{\partial z}{\partial x}$和$\dfrac{\partial z}{\partial y}$.

解 等式两端对x求偏导数，得

$$F_1'+F_2'\cdot\left(-\frac{\partial z}{\partial x}\right)+F_3'\cdot\left(\frac{\partial z}{\partial x}-1\right)=0.$$

于是$\dfrac{\partial z}{\partial x}=\dfrac{F_1'-F_3'}{F_2'-F_3'}$. 同法可得$\dfrac{\partial z}{\partial y}=\dfrac{F_2'-F_1'}{F_2'-F_3'}$.

【3397】 设$F(x,x+y,x+y+z)=0$，求$\dfrac{\partial z}{\partial x}$，$\dfrac{\partial z}{\partial y}$和$\dfrac{\partial^2 z}{\partial x^2}$.

解 等式两端分别对x及对y求偏导数，得

$$F_1'+F_2'+F_3'\left(1+\frac{\partial z}{\partial x}\right)=0,F_2'+F_3'\left(1+\frac{\partial z}{\partial y}\right)=0.$$

于是

$$\frac{\partial z}{\partial x}=-\left(1+\frac{F_1'+F_2'}{F_3'}\right),\frac{\partial z}{\partial y}=-\left(1+\frac{F_2'}{F_3'}\right).$$

再将$\dfrac{\partial z}{\partial x}$对$x$求偏导数，得

$$\frac{\partial^2 z}{\partial x^2}=-\frac{1}{(F_3')^2}\left\{F_3'\left[F_{11}''+F_{12}''+F_{13}''\left(1+\frac{\partial z}{\partial x}\right)+F_{21}''+F_{22}''+F_{23}''\left(1+\frac{\partial z}{\partial x}\right)\right]-\right.$$
$$\left.(F_1'+F_2')\left[F_{31}''+F_{32}''+F_{33}''\left(1+\frac{\partial z}{\partial x}\right)\right]\right\}.$$

将$\dfrac{\partial z}{\partial x}$代入化简整理得

$$\frac{\partial^2 z}{\partial x^2}=-\frac{1}{(F_3')^3}\{(F_3')^2(F_{11}''+2F_{12}''+F_{22}'')-2(F_1'+F_2')F_3'(F_{13}''+F_{23}'')+(F_1'+F_2')^2F_{33}''\}.$$

【3398】 设$F(xz,yz)=0$，求$\dfrac{\partial^2 z}{\partial x^2}$.

解 等式两端对x求偏导数，得$F_1'\cdot\left(z+x\dfrac{\partial z}{\partial x}\right)+F_2'y\dfrac{\partial z}{\partial x}=0$. 于是

$$\frac{\partial z}{\partial x}=-\frac{zF_1'}{xF_1'+yF_2'}.$$

将$\dfrac{\partial z}{\partial x}$再对$x$求偏导数，得

$$\frac{\partial^2 z}{\partial x^2}=-\frac{1}{(xF'_1+xF'_2)^2}\left\{(xF'_1+yF'_2)\left[F'_1\frac{\partial z}{\partial x}+z\left(F''_{11}\cdot\left(z+x\frac{\partial z}{\partial x}\right)+F''_{12}y\frac{\partial z}{\partial x}\right)\right]-\right.$$
$$\left.\left[F'_1+x\left(F''_{11}\cdot\left(z+x\frac{\partial z}{\partial x}\right)+F''_{12}y\frac{\partial z}{\partial x}\right)+y\left(F''_{21}\cdot\left(z+x\frac{\partial z}{\partial x}\right)+F''_{22}y\frac{\partial z}{\partial x}\right)\right]zF'_1\right\}.$$

将$\dfrac{\partial z}{\partial x}$代入化简整理得

$$\frac{\partial^2 z}{\partial x^2}=-\frac{1}{(xF'_1+yF'_2)^3}\{y^2z^2[(F'_1)^2F''_{22}-2F'_1F'_2F''_{12}+(F'_2)^2F''_{11}]-2z(F'_1)^2(xF'_1+yF'_2)\}.$$

【3399】 设:(1)$F(x+z,y+z)=0$;(2)$F\left(\dfrac{x}{z},\dfrac{y}{z}\right)=0$,求 d^2z.

解 (1) 等式两端微分,得

$$F'_1\cdot(\mathrm{d}x+\mathrm{d}z)+F'_2\cdot(\mathrm{d}y+\mathrm{d}z)=0. \quad ①$$

于是,$\mathrm{d}z=-\dfrac{F'_1\mathrm{d}x+F'_2\mathrm{d}y}{F'_1+F'_2}$,$\mathrm{d}x+\mathrm{d}z=\dfrac{F'_2\cdot(\mathrm{d}x-\mathrm{d}y)}{F'_1+F'_2}$,$\mathrm{d}y+\mathrm{d}z=-\dfrac{F'_1\cdot(\mathrm{d}x-\mathrm{d}y)}{F'_1+F'_2}$.

对 ① 式再求一次微分,得

$$F''_{11}\cdot(\mathrm{d}x+\mathrm{d}z)^2+2F''_{12}\cdot(\mathrm{d}x+\mathrm{d}z)(\mathrm{d}y+\mathrm{d}z)+F''_{22}\cdot(\mathrm{d}y+\mathrm{d}z)^2+(F'_1+F'_2)\mathrm{d}^2z=0.$$

于是

$$\mathrm{d}^2z=-\frac{1}{F'_1+F'_2}[F''_{11}\cdot(\mathrm{d}x+\mathrm{d}z)^2+2F''_{12}\cdot(\mathrm{d}x+\mathrm{d}z)(\mathrm{d}y+\mathrm{d}z)+F''_{22}\cdot(\mathrm{d}y+\mathrm{d}z)^2]$$
$$=-\frac{1}{(F'_1+F'_2)^3}[F''_{11}(F'_2)^2-2F'_1F'_2F''_{12}+F''_{22}(F'_1)^2](\mathrm{d}x-\mathrm{d}y)^2.$$

(2) 等式两端微分,得

$$F'_1\frac{z\mathrm{d}x-x\mathrm{d}z}{z^2}+F'_2\frac{z\mathrm{d}y-y\mathrm{d}z}{z^2}=0. \quad ②$$

于是

$$\mathrm{d}z=\frac{z(F'_1\mathrm{d}x+F'_2\mathrm{d}y)}{xF'_1+yF'_2},z\mathrm{d}x-x\mathrm{d}z=\frac{zF'_2\cdot(y\mathrm{d}x-x\mathrm{d}y)}{xF'_1+yF'_2},z\mathrm{d}y-y\mathrm{d}z=-\frac{zF'_1\cdot(y\mathrm{d}x-x\mathrm{d}y)}{xF'_1+yF'_2}.$$

② 式乘以 z^2 后再微分一次,得

$$F''_{11}\frac{(z\mathrm{d}x-x\mathrm{d}z)^2}{z^2}+2F''_{12}\frac{(z\mathrm{d}x-x\mathrm{d}z)(z\mathrm{d}y-y\mathrm{d}z)}{z^2}+F''_{22}\frac{(z\mathrm{d}y-y\mathrm{d}z)^2}{z^2}-(xF'_1+yF'_2)\mathrm{d}^2z=0.$$

于是

$$\mathrm{d}^2z=\frac{1}{z^2(xF'_1+yF'_2)}[F''_{11}\cdot(z\mathrm{d}x-x\mathrm{d}z)^2+2F''_{12}\cdot(z\mathrm{d}x-x\mathrm{d}z)(z\mathrm{d}y-y\mathrm{d}z)+F''_{22}\cdot(z\mathrm{d}y-y\mathrm{d}z)^2]$$
$$=\frac{(y\mathrm{d}x-x\mathrm{d}y)^2}{(xF_1'+yF_2')^3}[F''_{11}(F'_2)^2-2F'_1F'_2F''_{12}+F''_{22}(F'_1)^2].$$

知识点4 由方程组定义的隐函数的导数或偏导数

定理1 若函数 $F(x,y,u,v)$ 与 $G(x,y,u,v)$ 满足下列条件:

(ⅰ)$F(x,y,u,v)$ 与 $G(x,y,u,v)$ 在以点 $P_0(x_0,y_0,u_0,v_0)$ 为内点的区域 $V\subset\mathbf{R}^4$ 上连续;

(ⅱ)$F(x_0,y_0,u_0,v_0)=0,G(x_0,y_0,u_0,v_0)=0$(初始条件);

(ⅲ)在 V 上 F,G 具有一阶连续偏导数;

(ⅳ)$J=\left.\dfrac{\partial(F,G)}{\partial(u,v)}\right|_{P_0}\neq 0$.

则有以下结论:

(1) 存在点 $P_0(x_0,y_0,u_0,v_0)$ 的某邻域 $U(P_0)\subset V$,在 $U(P_0)$ 上方程组

$$\begin{cases} F(x,y,u,v)=0, \\ G(x,y,u,v)=0 \end{cases}$$

唯一确定了定义在点 $Q_0(x_0,y_0)$ 的某一邻域 $U(Q_0)$ 上的两个二元隐函数

$$u=f(x,y),v=g(x,y),$$

使得 $u_0=f(x_0,y_0)$，$v_0=g(x_0,y_0)$，且当 $(x,y)\in U(Q_0)$ 时，

$$(x,y,f(x,y),g(x,y))\in U(P_0),$$
$$F(x,y,f(x,y),g(x,y))\equiv 0,$$
$$G(x,y,f(x,y),g(x,y))\equiv 0;$$

(2) $f(x,y)$，$g(x,y)$ 在 $U(Q_0)$ 内连续；

(3) $f(x,y)$，$g(x,y)$ 在 $U(Q_0)$ 内有一阶连续偏导数，且

$$\frac{\partial u}{\partial x}=-\frac{1}{J}\frac{\partial(F,G)}{\partial(x,v)},\frac{\partial v}{\partial x}=-\frac{1}{J}\frac{\partial(F,G)}{\partial(u,x)},\frac{\partial u}{\partial y}=-\frac{1}{J}\frac{\partial(F,G)}{\partial(y,v)},\frac{\partial v}{\partial y}=-\frac{1}{J}\frac{\partial(F,G)}{\partial(u,y)}.$$

定理 2 设函数 $F_i(x_1,\cdots,x_m;y_1,\cdots,y_n)$ $(i=1,2,\cdots,n)$ 满足下列条件：

(ⅰ) 在点 $P_0(x_{10},\cdots,x_{m0};y_{10},\cdots,y_{n0})$ 等于零；

(ⅱ) 在点 P_0 的邻域内可微；

(ⅲ) 在点 P_0 函数行列式 $\dfrac{\partial(F_1,\cdots,F_n)}{\partial(y_1,\cdots,y_n)}\neq 0$.

在这种情况下，方程组

$$F_i(x_1,\cdots,x_m;y_1,\cdots,y_n)=0\quad(i=1,2,\cdots,n) \qquad ①$$

在点 $P_0(x_{10},\cdots,x_{m0})$ 的某邻域内唯一地确定出一组单值可微函数

$$y_i=f_i(x_1,\cdots,x_m)\quad(i=1,2,\cdots,n).$$

它们满足方程 ① 及初始条件 $f_i(x_{10},\cdots,x_{m0})=y_{i0}\quad(i=1,2,\cdots,n)$.

这些隐函数的微分可由以下方程组求得：

$$\sum_{j=1}^{m}\frac{\partial F_i}{\partial x_j}\mathrm{d}x_j+\sum_{k=1}^{n}\frac{\partial F_i}{\partial y_k}\mathrm{d}y_k=0\quad(i=1,2,\cdots,n).$$

习题 3400—3430 由方程组所确定的隐函数的导数或偏导数问题

【3400】 设 $x=x(y,z)$，$y=y(x,z)$，$z=z(x,y)$ 由方程 $F(x,y,z)=0$ 确定. 证明：

$$\frac{\partial x}{\partial y}\cdot\frac{\partial y}{\partial z}\cdot\frac{\partial z}{\partial x}=-1.$$

证 根据隐函数求导法，有 $\dfrac{\partial x}{\partial y}=-\dfrac{\frac{\partial F}{\partial y}}{\frac{\partial F}{\partial x}}$，$\dfrac{\partial y}{\partial z}=-\dfrac{\frac{\partial F}{\partial z}}{\frac{\partial F}{\partial y}}$，$\dfrac{\partial z}{\partial x}=-\dfrac{\frac{\partial F}{\partial x}}{\frac{\partial F}{\partial z}}$. 三式相乘即得

$$\frac{\partial x}{\partial y}\cdot\frac{\partial y}{\partial z}\cdot\frac{\partial z}{\partial x}=-1.$$

【3401】 设 $x+y+z=0$，$x^2+y^2+z^2=1$，求 $\dfrac{\mathrm{d}x}{\mathrm{d}z}$ 和 $\dfrac{\mathrm{d}y}{\mathrm{d}z}$.

解 对 z 求导数，得

$$\begin{cases} \dfrac{\mathrm{d}x}{\mathrm{d}z}+\dfrac{\mathrm{d}y}{\mathrm{d}z}+1=0, \\ x\dfrac{\mathrm{d}x}{\mathrm{d}z}+y\dfrac{\mathrm{d}y}{\mathrm{d}z}+z=0. \end{cases}$$

联立求解，得$\frac{dx}{dz}=\frac{y-z}{x-y}$，$\frac{dy}{dz}=\frac{z-x}{x-y}$.

【3402】 设$x^2+y^2=\frac{1}{2}z^2$，$x+y+z=2$，求$\frac{dx}{dz}$，$\frac{dy}{dz}$，$\frac{d^2x}{dz^2}$和$\frac{d^2y}{dz^2}$，当$x=1$，$y=-1$，$z=2$时的值.

解 对z求导数，得

$$\begin{cases}2x\frac{dx}{dz}+2y\frac{dy}{dz}=z, & ①\\ \frac{dx}{dz}+\frac{dy}{dz}+1=0, & ②\end{cases}$$

$$\begin{cases}2\left(\frac{dx}{dz}\right)^2+2x\frac{d^2x}{dz^2}+2\left(\frac{dy}{dz}\right)^2+2y\frac{d^2y}{dz^2}=1, & ③\\ \frac{d^2x}{dz^2}+\frac{d^2y}{dz^2}=0. & ④\end{cases}$$

将$x=1$，$y=-1$，$z=2$代入①，②，解得$\frac{dx}{dz}=0$，$\frac{dy}{dz}=-1$.

将上述结果及x,y,z值联同由④式所决定的式子$\frac{d^2x}{dz^2}=-\frac{d^2y}{dz^2}$一起代入③式，即得

$$\frac{d^2x}{dz^2}=-\frac{1}{4},\quad \frac{d^2y}{dz^2}=\frac{1}{4}.$$

【3403】 设$xu-yv=0$，$yu+xv=1$，求$\frac{\partial u}{\partial x}$，$\frac{\partial u}{\partial y}$，$\frac{\partial v}{\partial x}$和$\frac{\partial v}{\partial y}$.

解 微分得$\begin{cases}xdu-ydv=vdy-udx,\\ ydu+xdv=-vdx-udy.\end{cases}$于是

$$du=\frac{1}{x^2+y^2}[-(xu+yv)dx+(xv-yu)dy],$$

$$\frac{\partial u}{\partial x}=-\frac{xu+yv}{x^2+y^2},\quad \frac{\partial u}{\partial y}=\frac{xv-yu}{x^2+y^2}.$$

同法可得$\frac{\partial v}{\partial x}=\frac{yu-xv}{x^2+y^2}$，$\frac{\partial v}{\partial y}=-\frac{xu+yv}{x^2+y^2}$　$(x^2+y^2>0)$.

【3404】 设$u+v=x+y$，$\frac{\sin u}{\sin v}=\frac{x}{y}$求，$du$，$dv$，$d^2u$和$d^2v$.

解 将原式改写为$\begin{cases}u+v=x+y,\\ y\sin u=x\sin v.\end{cases}$微分得

$$\begin{cases}du+dv=dx+dy, & ①\\ \sin u dy+y\cos u du=\sin v dx+x\cos v dv. & ②\end{cases}$$

联立求解，得

$$du=\frac{1}{x\cos v+y\cos u}[(\sin v+x\cos v)dx-(\sin u-x\cos v)dy],$$

$$dv=\frac{1}{x\cos v+y\cos u}[-(\sin v-y\cos u)dx+(\sin u+y\cos u)dy].$$

对①，②两式再微分一次，得

$$\begin{cases}d^2u+d^2v=0,\\ y\cos u d^2u+2\cos u dy du-y\sin u du^2=x\cos v d^2v+2\cos v dx dv-x\sin v dv^2.\end{cases}$$

联立求解，得$d^2u=-d^2v=\frac{1}{x\cos v+y\cos u}[(2\cos v dx-x\sin v dv)dv-(2\cos u dy-y\sin u du)du]$.

【3405】 设
$$e^{\frac{u}{x}}\cos\frac{v}{y}=\frac{x}{\sqrt{2}},e^{\frac{u}{x}}\sin\frac{v}{y}=\frac{y}{\sqrt{2}},$$
求 du,dv,d^2u 和 d^2v 当 $x=1,y=1,u=0,v=\frac{\pi}{4}$ 时的表达式.

解 将所给二式相除及平方相加，得
$$\begin{cases}\tan\frac{v}{y}=\frac{y}{x}, & ①\\ e^{\frac{2u}{x}}=\frac{x^2+y^2}{2}. & ②\end{cases}$$

微分①式得
$$\sec^2\frac{v}{y}\cdot\frac{ydv-vdy}{y^2}=\frac{xdy-ydx}{x^2}. \quad ③$$

以 $x=1,y=1,v=\frac{\pi}{4}$ 代入③式，得 $dv=\frac{\pi}{4}dy-\frac{1}{2}(dx-dy)$.

微分③式得
$$2\sec^2\frac{v}{y}\tan\frac{v}{y}\left(\frac{ydv-vdy}{y^2}\right)^2+\sec^2\frac{v}{y}\cdot\frac{y^2d^2v-2(ydv-vdy)dy}{y^3}=\frac{-2(xdy-ydx)dx}{x^3}. \quad ④$$

以 $x=1,y=1,v=\frac{\pi}{4}$ 及 dv 值代入④式，得 $d^2v=\frac{1}{2}(dx-dy)^2$.

微分②式得
$$2e^{\frac{2u}{x}}\frac{xdu-udx}{x^2}=xdx+ydy. \quad ⑤$$

以 $x=1,y=1,u=0$ 代入⑤式，得 $du=\frac{dx+dy}{2}$.

微分⑤式得
$$4e^{\frac{2u}{x}}\left(\frac{xdu-udx}{x^2}\right)^2+2e^{\frac{2u}{x}}\frac{x^2d^2u-2(xdu-udx)dx}{x^3}=dx^2+dy^2. \quad ⑥$$

以 $x=1,y=1,u=0$ 及 du 代入⑥式，得 $d^2u=dx^2$.

【3406】 设 $x=t+t^{-1},y=t^2+t^{-2},z=t^3+t^{-3}$. 求 $\frac{dy}{dx},\frac{dz}{dx},\frac{d^2y}{dx^2}$ 和 $\frac{d^2z}{dx^2}$.

解 $\frac{dy}{dx}=\frac{\frac{dy}{dt}}{\frac{dx}{dt}}=\frac{2t-\frac{2}{t^3}}{1-\frac{1}{t^2}}=2\left(t+\frac{1}{t}\right)$；$\frac{dz}{dx}=\frac{\frac{dz}{dt}}{\frac{dx}{dt}}=\frac{3t^2-\frac{3}{t^4}}{1-\frac{1}{t^2}}=3\left(t^2+\frac{1}{t^2}+1\right)$；

$$\frac{d^2y}{dx^2}=\frac{\frac{d}{dt}\left(\frac{dy}{dx}\right)}{1-\frac{1}{t^2}}=\frac{2\left(1-\frac{1}{t^2}\right)}{1-\frac{1}{t^2}}=2;\frac{d^2z}{dx^2}=\frac{\frac{d}{dt}\left(\frac{dz}{dx}\right)}{\frac{dx}{dt}}=\frac{3\left(2t-\frac{2}{t^3}\right)}{1-\frac{1}{t^2}}=6\left(t+\frac{1}{t}\right).$$

注 本题也可消去 t 以求 $\frac{dy}{dx},\frac{dz}{dx},\frac{d^2y}{dx^2}$ 和 $\frac{d^2z}{dx^2}$. 事实上，
$$y=\left(t+\frac{1}{t}\right)^2-2=x^2-2,z=\left(t+\frac{1}{t}\right)\left(t^2-1+\frac{1}{t^2}\right)=x(x^2-3)=x^3-3x.$$
于是 $\frac{dy}{dx}=2x,\frac{dz}{dx}=3x^2-3,\frac{d^2y}{dx^2}=2,\frac{d^2z}{dx^2}=6x$. 再将 $x=t+\frac{1}{t}$ 代入上述结果，即得
$$\frac{dy}{dx}=2\left(t+\frac{1}{t}\right),\frac{dz}{dx}=3\left(t^2+\frac{1}{t^2}+1\right),\frac{d^2y}{dx^2}=2,\frac{d^2z}{dx^2}=6\left(t+\frac{1}{t}\right).$$

【3407】 在 Oxy 平面上怎样的区域内方程组
$$x=u+v,y=u^2+v^2,z=u^3+v^3$$

（其中参数 u 和 v 取一切可能的实数值）定义 z 为变量 x 和 y 的函数？求偏导数$\frac{\partial z}{\partial x}$ 和$\frac{\partial z}{\partial y}$.

解　方法一　由 $u+v=x, u^2+v^2=y$ 解得

$$u=\frac{x\pm\sqrt{2y-x^2}}{2}, v=\frac{x\mp\sqrt{2y-x^2}}{4},$$

其中 $2y-x^2\geqslant 0$ 或 $y\geqslant\frac{x^2}{2}$，此即所求的区域.

再由 $x=u+v$ 及 $y=u^2+v^2$ 分别对 x 求偏导数，得

$$1=\frac{\partial u}{\partial x}+\frac{\partial v}{\partial x}, 0=2u\frac{\partial u}{\partial x}+2v\frac{\partial v}{\partial x}.$$

解得
$$\frac{\partial u}{\partial x}=\frac{v}{v-u}, \frac{\partial v}{\partial x}=-\frac{u}{v-u}\quad (u\neq v).$$

又由 $z=u^3+v^3$ 对 x 求偏导数，可得

$$\frac{\partial z}{\partial x}=3u^2\frac{\partial u}{\partial x}+3v^2\frac{\partial v}{\partial x}=3u^2\frac{v}{v-u}-3v^2\frac{u}{v-u}=-3uv.$$

同法求得$\frac{\partial z}{\partial y}=\frac{3}{2}(u+v)$.

方法二　消去 u,v 求$\frac{\partial z}{\partial x}$ 及$\frac{\partial z}{\partial y}$.

$$x^2-y=2uv,\quad z=(u+v)(u^2-uv+v^2)=x\left(\frac{3}{2}y-\frac{x^2}{2}\right)=\frac{x}{2}(3y-x^2).$$

于是$\frac{\partial z}{\partial x}=\frac{3}{2}y-\frac{3}{2}x^2=-3uv, \frac{\partial z}{\partial y}=\frac{3}{2}x=\frac{3}{2}(u+v)$.

注　一般说来，用参数表示的函数和消去参数后的函数，它们的定义域是不同的.

【3408】　设 $x=\cos\varphi\cos\psi, y=\cos\varphi\sin\psi, z=\sin\varphi$，求$\frac{\partial^2 z}{\partial x^2}$.

解　方法一　由 $x=\cos\varphi\cos\psi, y=\cos\varphi\sin\psi$ 对 x 求偏导数，得

$$\begin{cases}1=-\sin\varphi\cos\psi\dfrac{\partial\varphi}{\partial x}-\cos\varphi\sin\psi\dfrac{\partial\psi}{\partial x},\\ 0=-\sin\varphi\sin\psi\dfrac{\partial\varphi}{\partial x}+\cos\varphi\cos\psi\dfrac{\partial\psi}{\partial x}.\end{cases}$$

解得$\frac{\partial\varphi}{\partial x}=-\frac{\cos\psi}{\sin\varphi}, \frac{\partial\psi}{\partial x}=-\frac{\sin\psi}{\cos\varphi}$. 于是

$$\frac{\partial z}{\partial x}=\cos\varphi\frac{\partial\varphi}{\partial x}=-\cot\varphi\cos\psi,$$

$$\begin{aligned}\frac{\partial^2 z}{\partial x^2}&=\frac{\partial}{\partial\varphi}\left(\frac{\partial z}{\partial x}\right)\frac{\partial\varphi}{\partial x}+\frac{\partial}{\partial\psi}\left(\frac{\partial z}{\partial x}\right)\frac{\partial\psi}{\partial x}=\frac{\cos\psi}{\sin^2\varphi}\left(-\frac{\cos\psi}{\sin\varphi}\right)+\cot\varphi\sin\psi\left(-\frac{\sin\psi}{\cos\varphi}\right)\\&=-\frac{\cos^2\psi+\sin^2\psi\sin^2\varphi}{\sin^3\varphi}=-\frac{\sin^2\varphi+\cos^2\varphi\cos^2\psi}{\sin^3\varphi}.\end{aligned}$$

方法二　消去 φ,ψ 求$\frac{\partial^2 z}{\partial x^2}$.

$$x^2+y^2+z^2=\cos^2\varphi\cos^2\psi+\cos^2\varphi\sin^2\psi+\sin^2\varphi=\cos^2\varphi+\sin^2\varphi=1.$$

于是

$$2x+2z\frac{\partial z}{\partial x}=0, \frac{\partial z}{\partial x}=-\frac{x}{z},$$

$$\frac{\partial^2 z}{\partial x^2}=-\frac{z-x\frac{\partial z}{\partial x}}{z^2}=-\frac{z^2+x^2}{z^3}=-\frac{\sin^2\varphi+\cos^2\varphi\cos^2\psi}{\sin^3\varphi}.$$

【3409】 设 $x=u\cos v, y=u\sin v, z=v$,求

$$\frac{\partial^2 z}{\partial x^2}, \frac{\partial^2 z}{\partial x\partial y} \text{ 及 } \frac{\partial^2 z}{\partial y^2}.$$

解 通过求二阶微分,将所有的二阶偏导数一起求出.

$$\mathrm{d}x=\cos v\mathrm{d}u-u\sin v\mathrm{d}v, \mathrm{d}y=\sin v\mathrm{d}u+u\cos v\mathrm{d}v.$$

解得

$$\mathrm{d}u=\cos v\mathrm{d}x+\sin v\mathrm{d}y, \mathrm{d}v=\frac{1}{u}(-\sin v\mathrm{d}x+\cos v\mathrm{d}y), u\mathrm{d}v=-\sin v\mathrm{d}x+\cos v\mathrm{d}y.$$

再对上面最后一个式子微分一次,得

$$u\mathrm{d}^2v+\mathrm{d}u\mathrm{d}v=-\cos v\mathrm{d}v\mathrm{d}x-\sin v\mathrm{d}v\mathrm{d}y=-\mathrm{d}u\mathrm{d}v,$$

于是

$$\mathrm{d}^2z=\mathrm{d}^2v=-\frac{2}{u}\mathrm{d}u\mathrm{d}v=-\frac{2}{u^2}(\cos v\mathrm{d}x+\sin v\mathrm{d}y)(-\sin v\mathrm{d}x+\cos v\mathrm{d}y)$$

$$=\frac{2}{u^2}(\sin v\cos v\mathrm{d}x^2-\cos 2v\mathrm{d}x\mathrm{d}y-\sin v\cos v\mathrm{d}y^2),$$

从而有$\frac{\partial^2 z}{\partial x^2}=\frac{2\sin v\cos v}{u^2}=\frac{\sin 2v}{u^2}, \frac{\partial^2 z}{\partial x\partial y}=-\frac{\cos 2v}{u^2}, \frac{\partial^2 z}{\partial y^2}=-\frac{\sin 2v}{u^2}$.

注 本题也可消去 u, v,由 $z=v=\arctan\frac{y}{x}$ 获解.

【3410】 设函数 $z=z(x,y)$ 由方程组$\begin{cases}x=\mathrm{e}^{u+v},\\ y=\mathrm{e}^{u-v},\\ z=uv\end{cases}$($u$ 及 v 为参数)定义,求当 $u=0$ 及 $v=0$ 时的 $\mathrm{d}z$ 及 d^2z.

解 $\mathrm{d}x\Big|_{\substack{u=0\\v=0}}=\mathrm{e}^{u+v}(\mathrm{d}u+\mathrm{d}v)\Big|_{\substack{u=0\\v=0}}=\mathrm{d}u+\mathrm{d}v, \mathrm{d}y\Big|_{\substack{u=0\\v=0}}=\mathrm{e}^{u-v}(\mathrm{d}u-\mathrm{d}v)\Big|_{\substack{u=0\\v=0}}=\mathrm{d}u-\mathrm{d}v.$

于是,当 $u=0$ 及 $v=0$ 时,

$$\mathrm{d}u=\frac{1}{2}(\mathrm{d}x+\mathrm{d}y), \mathrm{d}v=\frac{1}{2}(\mathrm{d}x-\mathrm{d}y), \mathrm{d}z=u\mathrm{d}v+v\mathrm{d}u=0;$$

$$\mathrm{d}^2z=u\mathrm{d}^2v+2\mathrm{d}u\mathrm{d}v+v\mathrm{d}^2u=2\mathrm{d}u\mathrm{d}v=2\left(\frac{\mathrm{d}x+\mathrm{d}y}{2}\right)\left(\frac{\mathrm{d}x-\mathrm{d}y}{2}\right)=\frac{1}{2}(\mathrm{d}x^2-\mathrm{d}y^2).$$

【3411】 设 $z=x^2+y^2$,其中 $y=y(x)$ 为由方程 $x^2-xy+y^2=1$ 所定义的函数,求$\frac{\mathrm{d}z}{\mathrm{d}x}$及$\frac{\mathrm{d}^2z}{\mathrm{d}x^2}$.

解 先由 $x^2-xy+y^2=1$ 求$\frac{\mathrm{d}y}{\mathrm{d}x}$及$\frac{\mathrm{d}^2y}{\mathrm{d}x^2}$.

$$2x-y-xy'+2yy'=0, 2-2y'-xy''+2y'^2+2yy''=0.$$

于是 $y'=\frac{2x-y}{x-2y}, y''=\frac{6(x^2-xy+y^2)}{(x-2y)^3}=\frac{6}{(x-2y)^3}$. 下面求$\frac{\mathrm{d}z}{\mathrm{d}x}$及$\frac{\mathrm{d}^2z}{\mathrm{d}x^2}$.

$$\frac{\mathrm{d}z}{\mathrm{d}x}=2x+2yy'=2x+2y\frac{2x-y}{x-2y}=\frac{2(x^2-y^2)}{x-2y},$$

$$\frac{\mathrm{d}^2z}{\mathrm{d}x^2}=2+2y'^2+2y''y=2y'+xy''=\frac{2(2x-y)}{x-2y}+\frac{6x}{(x-2y)^3}.$$

【3412】 设 $u=\frac{x+z}{y+z}$,其中 z 为由方程式 $z\mathrm{e}^z=x\mathrm{e}^x+y\mathrm{e}^y$ 所定义的函数,求$\frac{\partial u}{\partial x}$及$\frac{\partial u}{\partial y}$.

提示 利用求微分的方法较好.

解 将 $ze^z = xe^x + ye^y$ 两端微分，得

$$e^z(1+z)dz = e^x(1+x)dx + e^y(1+y)dy.$$

又因

$$du = \frac{1}{(y+z)^2}[(y+z)dx + (y+z)dz - (x+z)dy - (x+z)dz]$$

$$= \frac{1}{(y+z)^2}[(y+z)dx - (x+z)dy + (y-x)dz]$$

$$= \frac{1}{(y+z)^2}\left[(y+z)dx - (x+z)dy + \frac{(y-x)e^x(1+x)}{e^z(1+z)}dx + \frac{(y-x)e^y(1+y)}{e^z(1+z)}dy\right],$$

故得 $\frac{\partial u}{\partial x} = \frac{1}{y+z} + \frac{(x+1)(y-x)}{(z+1)(y+z)^2}e^{x-z}$，$\frac{\partial u}{\partial y} = -\frac{x+z}{(y+z)^2} + \frac{(y+1)(y-x)}{(z+1)(y+z)^2}e^{y-z}$.

【3413】 设方程组 $x=\varphi(u,v)$，$y=\psi(u,v)$，$z=\chi(u,v)$ 确定 z 是 x 和 y 的函数. 求 $\frac{\partial z}{\partial x}$ 和 $\frac{\partial z}{\partial y}$.

解 对 x 求偏导数，得

$$1 = \frac{\partial \varphi}{\partial u}\frac{\partial u}{\partial x} + \frac{\partial \varphi}{\partial v}\frac{\partial v}{\partial x}, \quad ①$$

$$0 = \frac{\partial \psi}{\partial u}\frac{\partial u}{\partial x} + \frac{\partial \psi}{\partial v}\frac{\partial v}{\partial x}, \quad ②$$

$$\frac{\partial z}{\partial x} = \frac{\partial \chi}{\partial u}\frac{\partial u}{\partial x} + \frac{\partial \chi}{\partial v}\frac{\partial v}{\partial x}. \quad ③$$

由 ① 及 ② 解得

$$\frac{\partial u}{\partial x} = \frac{1}{I}\frac{\partial \psi}{\partial v}, \frac{\partial v}{\partial x} = -\frac{1}{I}\frac{\partial \psi}{\partial u}, \quad ④$$

其中

$$I = \begin{vmatrix} \frac{\partial \varphi}{\partial u} & \frac{\partial \varphi}{\partial v} \\ \frac{\partial \psi}{\partial u} & \frac{\partial \psi}{\partial v} \end{vmatrix} = \frac{\partial \varphi}{\partial u}\frac{\partial \psi}{\partial v} - \frac{\partial \psi}{\partial u}\frac{\partial \varphi}{\partial v}.$$

再将 ④ 的结果代入 ③，即得 $\frac{\partial z}{\partial x} = -\frac{1}{I}\left(\frac{\partial \psi}{\partial u}\frac{\partial \chi}{\partial v} - \frac{\partial \psi}{\partial v}\frac{\partial \chi}{\partial u}\right)$. 同法求得 $\frac{\partial z}{\partial y} = -\frac{1}{I}\left(\frac{\partial \varphi}{\partial v}\frac{\partial \chi}{\partial u} - \frac{\partial \varphi}{\partial u}\frac{\partial \chi}{\partial v}\right)$.

【3414】 设 $x=\varphi(u,v)$，$y=\psi(u,v)$. 求函数 $u=u(x,y)$ 和 $v=v(x,y)$ 的一阶和二阶偏导数.

提示 微分二次，先后求出 du，dv，d^2u 及 d^2v，可将所有的一阶及二阶偏导数一起求出.

解 微分二次，得

$$dx = \varphi'_1 du + \varphi'_2 dv, \quad ①$$

$$dy = \psi'_1 du + \psi'_2 dv, \quad ②$$

$$0 = \varphi''_{11}du^2 + 2\varphi''_{12}dudv + \varphi''_{22}dv^2 + \varphi'_1 d^2u + \varphi'_2 d^2v, \quad ③$$

$$0 = \psi''_{11}du^2 + 2\psi''_{12}dudv + \psi''_{22}dv^2 + \psi'_1 d^2u + \psi'_2 d^2v. \quad ④$$

其中右下角标号 1,2 分别代表对 u，v 的偏导数，其余类推.

令 $I = \varphi'_1\psi'_2 - \varphi'_2\psi'_1$，则由 ①，② 可解得

$$du = \frac{1}{I}(\psi'_1 dx - \varphi'_2 dy), \quad ⑤$$

$$dv = \frac{1}{I}(\varphi'_1 dy - \psi'_1 dx). \quad ⑥$$

于是 $\frac{\partial u}{\partial x} = \frac{1}{I}\psi'_2 = \frac{1}{I}\frac{\partial \psi}{\partial v}$，$\frac{\partial u}{\partial y} = -\frac{1}{I}\frac{\partial \varphi}{\partial v}$，$\frac{\partial v}{\partial x} = -\frac{1}{I}\frac{\partial \psi}{\partial u}$，$\frac{\partial v}{\partial y} = \frac{1}{I}\frac{\partial \varphi}{\partial u}$.

由 ③，④ 解出 d^2u，d^2v，并把 ⑤，⑥ 的结果代入，即得

$$d^2u = \frac{1}{I}[\varphi'_2(\psi''_{11}du^2 + 2\psi''_{12}dudv + \psi''_{22}dv^2) - \psi'_2(\varphi''_{11}du^2 + 2\varphi''_{12}dudv + \varphi''_{22}dv^2)]$$

$$=\frac{1}{I^3}[(\varphi_2'\psi_{11}''-\psi_2'\varphi_{11}'')(\psi_2'\mathrm{d}x-\varphi_2'\mathrm{d}y)^2+2(\varphi_2'\psi_{12}''-\psi_2'\varphi_{12}'')(\psi_2'\mathrm{d}x-\varphi_2'\mathrm{d}y)(\varphi_1'\mathrm{d}y-\psi_1'\mathrm{d}x)+$$

$$(\varphi_2'\psi_{22}''-\psi_2'\varphi_{22}'')(\varphi_1'\mathrm{d}y-\psi_1'\mathrm{d}x)^2]=\frac{\partial^2 u}{\partial x^2}\mathrm{d}x^2+2\frac{\partial^2 u}{\partial x\partial y}\mathrm{d}x\mathrm{d}y+\frac{\partial^2 u}{\partial y^2}\mathrm{d}y^2.$$

比较上式两端的系数,即得

$$\frac{\partial^2 u}{\partial x^2}=\frac{1}{I^3}\left[\left(\frac{\partial\varphi}{\partial v}\frac{\partial^2\psi}{\partial u^2}-\frac{\partial\psi}{\partial v}\frac{\partial^2\varphi}{\partial u^2}\right)\left(\frac{\partial\psi}{\partial v}\right)^2-2\left(\frac{\partial\varphi}{\partial v}\frac{\partial^2\psi}{\partial u\partial v}-\frac{\partial\psi}{\partial v}\frac{\partial^2\varphi}{\partial u\partial v}\right)\frac{\partial\psi}{\partial u}\frac{\partial\psi}{\partial v}+\left(\frac{\partial\varphi}{\partial v}\frac{\partial^2\psi}{\partial v^2}-\frac{\partial\psi}{\partial v}\frac{\partial^2\varphi}{\partial v^2}\right)\left(\frac{\partial\psi}{\partial u}\right)^2\right],$$

$$\frac{\partial^2 u}{\partial x\partial y}=\frac{1}{I^3}\left[\left(\frac{\partial\psi}{\partial v}\frac{\partial^2\varphi}{\partial u^2}-\frac{\partial\varphi}{\partial v}\frac{\partial^2\psi}{\partial u^2}\right)\frac{\partial\varphi}{\partial v}\frac{\partial\psi}{\partial v}-\left(\frac{\partial\psi}{\partial v}\frac{\partial^2\varphi}{\partial u\partial v}-\frac{\partial\varphi}{\partial v}\frac{\partial^2\psi}{\partial u\partial v}\right)\left(\frac{\partial\varphi}{\partial u}\frac{\partial\psi}{\partial v}+\frac{\partial\varphi}{\partial v}\frac{\partial\psi}{\partial u}\right)+\right.$$

$$\left.\left(\frac{\partial\psi}{\partial v}\frac{\partial^2\varphi}{\partial v^2}-\frac{\partial\varphi}{\partial v}\frac{\partial^2\psi}{\partial v^2}\right)\frac{\partial\varphi}{\partial u}\frac{\partial\psi}{\partial u}\right],$$

$$\frac{\partial^2 u}{\partial y^2}=\frac{1}{I^3}\left[\left(\frac{\partial\varphi}{\partial v}\frac{\partial^2\psi}{\partial u^2}-\frac{\partial\psi}{\partial v}\frac{\partial^2\varphi}{\partial u^2}\right)\left(\frac{\partial\varphi}{\partial v}\right)^2-2\left(\frac{\partial\varphi}{\partial v}\frac{\partial^2\psi}{\partial u\partial v}-\frac{\partial\psi}{\partial v}\frac{\partial^2\varphi}{\partial u\partial v}\right)\frac{\partial\varphi}{\partial u}\frac{\partial\varphi}{\partial v}+\left(\frac{\partial\varphi}{\partial v}\frac{\partial^2\psi}{\partial v^2}-\frac{\partial\psi}{\partial v}\frac{\partial^2\varphi}{\partial v^2}\right)\left(\frac{\partial\varphi}{\partial u}\right)^2\right].$$

同法可求得 $\mathrm{d}^2 v$ 和 $\frac{\partial^2 v}{\partial x^2},\frac{\partial^2 v}{\partial x\partial y},\frac{\partial^2 v}{\partial y^2}$.

【3415】 设(1)$x=u\cos\frac{v}{u},y=u\sin\frac{v}{u}$;(2)$x=\mathrm{e}^u+u\sin v,y=\mathrm{e}^u-u\cos v$,求 $\frac{\partial u}{\partial x},\frac{\partial u}{\partial y},\frac{\partial v}{\partial x},\frac{\partial v}{\partial y}$.

解 利用 3414 题的结果即得.

(1)$\varphi(u,v)=u\cos\frac{v}{u},\psi(u,v)=u\sin\frac{v}{u}$. 于是

$$\frac{\partial\varphi}{\partial u}=\cos\frac{v}{u}+\frac{v}{u}\sin\frac{v}{u},\frac{\partial\varphi}{\partial v}=-\sin\frac{v}{u},\frac{\partial\psi}{\partial u}=\sin\frac{v}{u}-\frac{v}{u}\cos\frac{v}{u},\frac{\partial\psi}{\partial v}=\cos\frac{v}{u},$$

$$I=\frac{\partial\varphi}{\partial u}\frac{\partial\psi}{\partial v}-\frac{\partial\varphi}{\partial v}\frac{\partial\psi}{\partial u}=\left(\cos\frac{v}{u}+\frac{v}{u}\sin\frac{v}{u}\right)\cos\frac{v}{u}-\left(-\sin\frac{v}{u}\right)\left(\sin\frac{v}{u}-\frac{v}{u}\cos\frac{v}{u}\right)=1.$$

$$\frac{\partial u}{\partial x}=\frac{1}{I}\frac{\partial\psi}{\partial v}=\cos\frac{v}{u},\frac{\partial u}{\partial y}=-\frac{1}{I}\frac{\partial\varphi}{\partial v}=\sin\frac{v}{u},$$

$$\frac{\partial v}{\partial x}=-\frac{1}{I}\frac{\partial\psi}{\partial u}=\frac{v}{u}\cos\frac{v}{u}-\sin\frac{v}{u},\frac{\partial v}{\partial y}=\frac{1}{I}\frac{\partial\varphi}{\partial u}=\frac{v}{u}\sin\frac{v}{u}+\cos\frac{v}{u}.$$

(2)$\varphi(u,v)=\mathrm{e}^u+u\sin v,\psi(u,v)=\mathrm{e}^u-u\cos v$. 于是

$$\frac{\partial\varphi}{\partial u}=\mathrm{e}^u+\sin v,\frac{\partial\varphi}{\partial v}=u\cos v,\frac{\partial\psi}{\partial u}=\mathrm{e}^u-\cos v,\frac{\partial\psi}{\partial v}=u\sin v,$$

$$I=(\mathrm{e}^u+\sin v)u\sin v-(\mathrm{e}^u-\cos v)u\cos v=u[\mathrm{e}^u(\sin v-\cos v)+1].$$

$$\frac{\partial u}{\partial x}=\frac{\sin v}{\mathrm{e}^u(\sin v-\cos v)+1},\frac{\partial u}{\partial y}=-\frac{\cos v}{\mathrm{e}^u(\sin v-\cos v)+1},$$

$$\frac{\partial v}{\partial x}=-\frac{\mathrm{e}^u-\cos v}{u[\mathrm{e}^u(\sin v-\cos v)+1]},\frac{\partial v}{\partial y}=\frac{\mathrm{e}^u+\sin v}{u[\mathrm{e}^u(\sin v-\cos v)+1]}.$$

【3416】 设方程组 $\begin{cases}u=f(x,y,z),\\g(x,y,z)=0,\\h(x,y,z)=0\end{cases}$ 确定函数 $u=u(x)$. 求 $\frac{\mathrm{d}u}{\mathrm{d}x}$ 和 $\frac{\mathrm{d}^2u}{\mathrm{d}x^2}$.

解 微分得

$$\mathrm{d}u=f_x'\mathrm{d}x+f_y'\mathrm{d}y+f_z'\mathrm{d}z=\left(\mathrm{d}x\frac{\partial}{\partial x}+\mathrm{d}y\frac{\partial}{\partial y}+\mathrm{d}z\frac{\partial}{\partial z}\right)f,\qquad ①$$

$$0=g_x'\mathrm{d}x+g_y'\mathrm{d}y+g_z'\mathrm{d}z=\left(\mathrm{d}x\frac{\partial}{\partial x}+\mathrm{d}y\frac{\partial}{\partial y}+\mathrm{d}z\frac{\partial}{\partial z}\right)g,\qquad ②$$

$$0=h_x'\mathrm{d}x+h_y'\mathrm{d}y+h_z'\mathrm{d}z=\left(\mathrm{d}x\frac{\partial}{\partial x}+\mathrm{d}y\frac{\partial}{\partial y}+\mathrm{d}z\frac{\partial}{\partial z}\right)h.\qquad ③$$

令$\frac{\partial(g,h)}{\partial(y,z)}=I_1,\frac{\partial(g,h)}{\partial(z,x)}=I_2,\frac{\partial(g,h)}{\partial(x,y)}=I_3$，则由②，③可解得$\mathrm{d}y=\frac{I_2}{I_1}\mathrm{d}x,\mathrm{d}z=\frac{I_3}{I_1}\mathrm{d}x$.
将 $\mathrm{d}y,\mathrm{d}z$ 代入①，得

$$\mathrm{d}u=f'_x\mathrm{d}x+f'_y\frac{I_2}{I_1}\mathrm{d}x+f'_z\frac{I_3}{I_1}\mathrm{d}x=\frac{1}{I_1}(I_1f'_x+I_2f'_y+I_3f'_z)\mathrm{d}x=\frac{I}{I_1}\mathrm{d}x,$$

其中$I=\frac{D(f,g,h)}{D(x,y,z)}$. 于是$\frac{\mathrm{d}u}{\mathrm{d}x}=\frac{I}{I_1}$.

对①，②，③再求一次微分，得

$$\mathrm{d}^2u=\left(\mathrm{d}x\frac{\partial}{\partial x}+\mathrm{d}y\frac{\partial}{\partial y}+\mathrm{d}z\frac{\partial}{\partial z}\right)^2f+f'_y\mathrm{d}^2y+f'_z\mathrm{d}^2z, \quad ④$$

$$0=\left(\mathrm{d}x\frac{\partial}{\partial x}+\mathrm{d}y\frac{\partial}{\partial y}+\mathrm{d}z\frac{\partial}{\partial z}\right)^2g+g'_y\mathrm{d}^2y+g'_z\mathrm{d}^2z, \quad ⑤$$

$$0=\left(\mathrm{d}x\frac{\partial}{\partial x}+\mathrm{d}y\frac{\partial}{\partial y}+\mathrm{d}z\frac{\partial}{\partial z}\right)^2h+h'_y\mathrm{d}^2y+h'_z\mathrm{d}^2z, \quad ⑥$$

于是，由⑤，⑥两式可得

$$\mathrm{d}^2y=\frac{1}{I_1}\left[g'_z\left(\mathrm{d}x\frac{\partial}{\partial x}+\mathrm{d}y\frac{\partial}{\partial y}+\mathrm{d}z\frac{\partial}{\partial z}\right)^2h-h'_z\left(\mathrm{d}x\frac{\partial}{\partial x}+\mathrm{d}y\frac{\partial}{\partial y}+\mathrm{d}z\frac{\partial}{\partial z}\right)^2g\right],$$

$$\mathrm{d}^2z=\frac{1}{I_1}\left[h'_y\left(\mathrm{d}x\frac{\partial}{\partial x}+\mathrm{d}y\frac{\partial}{\partial y}+\mathrm{d}z\frac{\partial}{\partial z}\right)^2g-g'_y\left(\mathrm{d}x\frac{\partial}{\partial x}+\mathrm{d}y\frac{\partial}{\partial y}+\mathrm{d}z\frac{\partial}{\partial z}\right)^2h\right].$$

令$\frac{\partial(h,f)}{\partial(y,z)}=I_4,\frac{\partial(f,g)}{\partial(y,z)}=I_5$，并将$\mathrm{d}^2y$及$\mathrm{d}^2z$代入④，即得

$$\mathrm{d}^2u=\frac{1}{I_1}\left[I_1\left(\mathrm{d}x\frac{\partial}{\partial x}+\mathrm{d}y\frac{\partial}{\partial y}+\mathrm{d}z\frac{\partial}{\partial z}\right)^2f+I_4\left(\mathrm{d}x\frac{\partial}{\partial x}+\mathrm{d}y\frac{\partial}{\partial y}+\mathrm{d}z\frac{\partial}{\partial z}\right)^2g+\right.$$
$$\left.I_5\left(\mathrm{d}x\frac{\partial}{\partial x}+\mathrm{d}y\frac{\partial}{\partial y}+\mathrm{d}z\frac{\partial}{\partial a}\right)^2h\right],$$

再以$\mathrm{d}y=\frac{I_2}{I_1}\mathrm{d}x$及$\mathrm{d}z=\frac{I_3}{I_1}\mathrm{d}x$代入上式，即得

$$\frac{\mathrm{d}^2u}{\mathrm{d}x^2}=\frac{1}{I_1^3}\left[I_1\left(I_1\frac{\partial}{\partial x}+I_2\frac{\partial}{\partial y}+I_3\frac{\partial}{\partial z}\right)^2f+I_4\left(I_1\frac{\partial}{\partial x}+I_2\frac{\partial}{\partial y}+I_3\frac{\partial}{\partial a}\right)^2g+\right.$$
$$\left.I_5\left(I_1\frac{\partial}{\partial x}+I_2\frac{\partial}{\partial y}+I_3\frac{\partial}{\partial a}\right)^2h\right]$$

【3417】 设方程组$\begin{cases}u=f(x,y,z,t),\\g(y,z,t)=0,\\h(z,t)=0\end{cases}$确定函数$u=u(x,y)$. 求$\frac{\partial u}{\partial x}$和$\frac{\partial u}{\partial y}$.

解 微分得

$$\mathrm{d}u=f'_x\mathrm{d}x+f'_y\mathrm{d}y+f'_z\mathrm{d}z+f'_t\mathrm{d}t, \quad ①$$
$$0=g'_y\mathrm{d}y+g'_z\mathrm{d}z+g'_t\mathrm{d}t, \quad ②$$
$$0=h'_z\mathrm{d}z+h'_t\mathrm{d}t. \quad ③$$

令$I_1=\frac{\partial(g,h)}{\partial(z,t)}$，则由②，③可解得$\mathrm{d}z=\frac{1}{I_1}(-g'_yh'_x)\mathrm{d}y,\mathrm{d}t=\frac{1}{I_1}(g'_yh'_z)\mathrm{d}y$,

将$\mathrm{d}z$及$\mathrm{d}t$代入①式，得$\mathrm{d}u=f_x{}'\mathrm{d}x+f_y{}'\mathrm{d}y-\frac{g_y{}'}{I_1}(f_z{}'h_x{}'-f_t{}'h_z{}')\mathrm{d}y$.

于是$\frac{\partial u}{\partial x}=f'_x,\frac{\partial u}{\partial y}=f'_y+g'_y\frac{I_2}{I_1}$，其中$I_2=\frac{\partial(h,f)}{\partial(z,t)}$.

【3418】 设$x=f(u,v,w),y=g(u,v,w),z=h(u,v,w)$，求$\frac{\partial u}{\partial x},\frac{\partial u}{\partial y}$和$\frac{\partial u}{\partial z}$.

解 微分得$\mathrm{d}x=f'_u\mathrm{d}u+f'_v\mathrm{d}v+f'_w\mathrm{d}w,\mathrm{d}y=g'_u\mathrm{d}u+g'_v\mathrm{d}v+g'_w\mathrm{d}w,\mathrm{d}z=h'_u\mathrm{d}u+h'_v\mathrm{d}v+h'_w\mathrm{d}w$.

令 $I=\dfrac{D(f,g,h)}{D(u,v,w)}$,则有

$$\mathrm{d}u=\frac{1}{I}\begin{vmatrix}\mathrm{d}x & f'_v & f'_w\\ \mathrm{d}y & g'_v & g'_w\\ \mathrm{d}z & h'_v & h'_w\end{vmatrix}=\frac{I_1}{I}\mathrm{d}x+\frac{I_2}{I}\mathrm{d}y+\frac{I_3}{I}\mathrm{d}z,$$

其中 $I_1=\dfrac{\partial(g,h)}{\partial(v,w)}$,$I_2=\dfrac{\partial(h,f)}{\partial(v,w)}$,$I_3=\dfrac{\partial(f,g)}{\partial(v,w)}$. 于是

$$\frac{\partial u}{\partial x}=\frac{I_1}{I},\frac{\partial u}{\partial y}=\frac{I_2}{I},\frac{\partial u}{\partial z}=\frac{I_3}{I}.$$

【3419】 设函数 $z=z(x,y)$ 满足方程组 $\begin{cases}f(x,y,z,t)=0,\\ g(x,y,z,t)=0,\end{cases}$ 其中 t 为参变量. 求 $\mathrm{d}z$.

解 微分得

$$f'_x\mathrm{d}x+f'_y\mathrm{d}y+f'_z\mathrm{d}z+f'_t\mathrm{d}t=0,g'_x\mathrm{d}x+g'_y\mathrm{d}y+g'_z\mathrm{d}z+g'_t\mathrm{d}t=0.$$

把 $\mathrm{d}z$,$\mathrm{d}t$ 看作未知量,其他为系数,解得

$$\begin{aligned}\mathrm{d}z&=\frac{1}{I_3}[f'_t(g'_x\mathrm{d}x+g'_y\mathrm{d}y)-g'_t(f'_x\mathrm{d}x+f'_y\mathrm{d}y)]\\&=\frac{1}{I_3}[(f'_tg'_x-g'_tf'_x)\mathrm{d}x+(f'_tg'_y-g'_xf'_y)\mathrm{d}y]\\&=-\frac{I_1\mathrm{d}x+I_2\mathrm{d}y}{I_3},\end{aligned}$$

其中 $I_1=\dfrac{\partial(f,g)}{\partial(x,t)}$,$I_2=\dfrac{\partial(f,g)}{\partial(y,t)}$,$I_3=\dfrac{\partial(f,g)}{\partial(z,t)}$.

【3420】 设 $u=f(z)$,其中 z 为由 $z=x+y\varphi(z)$ 确定的隐函数. 证明拉格朗日公式:

$$\frac{\partial^n u}{\partial y^n}=\frac{\partial^{n-1}}{\partial x^{n-1}}\left\{[\varphi(z)]^n\frac{\partial u}{\partial x}\right\}.$$

提示 对 $n=1$ 证明公式并运用数学归纳法.

证 $\mathrm{d}z=\mathrm{d}x+\varphi(z)\mathrm{d}y+y\varphi'(z)\mathrm{d}z$,于是

$$\frac{\partial z}{\partial x}=\frac{1}{1-y\varphi'(z)},\frac{\partial z}{\partial y}=\frac{\varphi(z)}{1-y\varphi'(z)}=\varphi(z)\frac{\partial z}{\partial x}.$$

从而得

$$\frac{\partial u}{\partial y}=f'(z)\frac{\partial z}{\partial y}=f'(z)\frac{\partial z}{\partial x}=\varphi(z)\frac{\partial u}{\partial x},$$

即当 $n=1$ 时,拉格朗日公式成立.

对于任意可微函数 $g(z)$,有

$$\begin{aligned}\frac{\partial}{\partial y}\left[g(z)\frac{\partial u}{\partial x}\right]&=g'(z)\frac{\partial z}{\partial y}\frac{\partial u}{\partial x}+g(z)\frac{\partial^2 u}{\partial x\partial y}=\varphi(z)g'(z)\frac{\partial z}{\partial x}\frac{\partial u}{\partial x}+g(z)\frac{\partial}{\partial x}\left(\frac{\partial u}{\partial y}\right)\\&=\varphi(z)g'(z)\frac{\partial z}{\partial x}\frac{\partial u}{\partial x}+g(z)\frac{\partial}{\partial x}\left[\varphi(x)\frac{\partial u}{\partial x}\right]\\&=\varphi(z)g'(z)\frac{\partial z}{\partial x}\frac{\partial u}{\partial x}+\varphi'(z)g(z)\frac{\partial z}{\partial x}\frac{\partial u}{\partial x}+\varphi(z)g(z)\frac{\partial^2 u}{\partial x^2}=\frac{\partial}{\partial x}\left[\varphi(z)g(z)\frac{\partial u}{\partial x}\right].\end{aligned}$$

令 $g(z)=\varphi(z)$,得

$$\frac{\partial^2 u}{\partial y^2}=\frac{\partial}{\partial y}\left(\frac{\partial u}{\partial y}\right)=\frac{\partial}{\partial y}\left[\varphi(z)\frac{\partial u}{\partial x}\right]=\frac{\partial}{\partial x}\left[\varphi^2(z)\frac{\partial u}{\partial x}\right],$$

即当 $n=2$ 时,拉格朗日公式也成立.

设当 $n=k$ 时,公式成立,即有 $\dfrac{\partial^k u}{\partial y^k}=\dfrac{\partial^{k-1}}{\partial x^{k-1}}\left[\varphi^k(z)\dfrac{\partial u}{\partial x}\right]$. 于是

$$\frac{\partial^{k+1}u}{\partial y^{k+1}}=\frac{\partial}{\partial y}\left\{\frac{\partial^{k-1}}{\partial x^{k-1}}\left[\varphi^k(z)\frac{\partial u}{\partial x}\right]\right\}=\frac{\partial^{k-1}}{\partial x^{k-1}}\left\{\frac{\partial}{\partial y}\left[\varphi^k(z)\frac{\partial u}{\partial x}\right]\right\}$$
$$=\frac{\partial^{k-1}}{\partial x^{k-1}}\left\{\frac{\partial}{\partial x}\left[\varphi^{k+1}(z)\frac{\partial u}{\partial x}\right]\right\}=\frac{\partial^k}{\partial x^k}\left[\varphi^{k+1}(z)\frac{\partial u}{\partial x}\right],$$

即当 $n=k+1$ 时,拉格朗日公式也成立.

于是,对于一切正整数 n,均有$\frac{\partial^n u}{\partial y^n}=\frac{\partial^{n-1}}{\partial x^{n-1}}\left[\varphi^n(z)\frac{\partial u}{\partial x}\right]$.

【3421】 证明:由方程

$$\Phi(x-az,y-bz)=0 \qquad ①$$

(其中 $\Phi(u,v)$ 是变量 u,v 的任意可微函数,a 和 b 为常数)确定的函数 $z=z(x,y)$ 为方程 $a\frac{\partial z}{\partial x}+b\frac{\partial z}{\partial y}=1$ 的解.说明曲面 ① 的几何性质.

证 由于 $\Phi_1'\cdot\left(1-a\frac{\partial z}{\partial x}\right)-b\Phi_2'\frac{\partial z}{\partial x}=0,-\Phi_1'a\frac{\partial z}{\partial y}+\Phi_2'\cdot\left(1-b\frac{\partial z}{\partial y}\right)=0$,故有

$$\frac{\partial z}{\partial x}=\frac{\Phi_1'}{a\Phi_1'+b\Phi_2'},\frac{\partial z}{\partial y}=\frac{\Phi_2'}{a\Phi_1'+b\Phi_2'}.$$

将上面二个等式依次乘以 a,b,然后相加,即得

$$a\frac{\partial z}{\partial x}+b\frac{\partial z}{\partial y}=1,$$

这就说明 $z=z(x,y)$ 为方程 $a\frac{\partial z}{\partial x}+b\frac{\partial z}{\partial y}=1$ 的解.

等式 $a\frac{\partial z}{\partial x}+b\frac{\partial z}{\partial y}-1=0$ 表示曲面 ① 上任一点 $P_1(x_1,y_1,z_1)$ 的法向量 $\boldsymbol{n}_1=\left(\frac{\partial z}{\partial x}\bigg|_{P_1},\frac{\partial z}{\partial y}\bigg|_{P_1},-1\right)$ 皆与向量 $\boldsymbol{r}_1=(a,b,1)$ 垂直.过点 P_1 作平行于 $\boldsymbol{r}_1$ 的直线 l_1:

$$\frac{x-x_1}{a}=\frac{y-y_1}{b}=\frac{z-z_1}{1}.$$

易知 l_1 上的点皆在曲面 ① 上.于是,曲面 ① 是母线平行于 $\boldsymbol{r}_1$ 的柱面.

【3422】 证明:由方程

$$\Phi\left(\frac{x-x_0}{z-z_0},\frac{y-y_0}{z-z_0}\right)=0 \qquad ②$$

(其中 $\Phi(u,v)$ 是变量 u 和 v 的任意可微函数)确定的函数 $z=z(x,y)$ 满足方程

$$(x-x_0)\frac{\partial z}{\partial x}+(y-y_0)\frac{\partial z}{\partial y}=z-z_0.$$

说明曲面 ② 的几何性质.

证 由于

$$\Phi_1'\frac{z-z_0-(x-x_0)\frac{\partial z}{\partial x}}{(z-z_0)^2}-\Phi_2'\frac{(y-y_0)\frac{\partial z}{\partial x}}{(z-z_0)^2}=0,$$
$$-\Phi_1'\frac{(x-x_0)\frac{\partial z}{\partial y}}{(z-z_0)^2}+\Phi_2'\frac{z-z_0-(y-y_0)\frac{\partial z}{\partial y}}{(z-z_0)^2}=0,$$

故有

$$\frac{\partial z}{\partial x}=\frac{(z-z_0)\Phi_1'}{(x-x_0)\Phi_1'+(y-y_0)\Phi_2'},\frac{\partial z}{\partial y}=\frac{(z-z_0)\Phi_2'}{(x-x_0)\Phi_1'+(y-y_0)\Phi_2'}.$$

将上面二个等式依次乘以 $x-x_0$ 及 $y-y_0$,然后相加,即得$(x-x_0)\frac{\partial z}{\partial x}+(y-y_0)\frac{\partial z}{\partial y}=z-z_0$.

等式$(x-x_0)\dfrac{\partial z}{\partial x}+(y-y_0)\dfrac{\partial z}{\partial y}-(z-z_0)=0$表示曲面②在其上任一点$P_2(x_2,y_2,z_2)$处的法向量$\boldsymbol{n}_2=\left(\dfrac{\partial z}{\partial x}\bigg|_{P_2},\dfrac{\partial z}{\partial y}\bigg|_{P_2},-1\right)$与向量$\boldsymbol{r}_2=(x_2-x_0,y_2-y_0,z_2-z_0)$垂直. 作过$P_0(x_0,y_0,z_0)$,$P_2(x_2,y_2,z_2)$的直线$l_2$:

$$\frac{x-x_0}{x_2-x_0}=\frac{y-y_0}{y_2-y_0}=\frac{z-z_0}{z_2-z_0}.$$

易知l_2上的任一点皆在曲面②上. 于是,曲面②是顶点在P_0的锥面.

【3423】 证明:由方程

$$ax+by+cz=\Phi(x^2+y^2+z^2) \qquad ③$$

[其中$\Phi(u)$是变量u的任意可微函数,a,b和c为常数]定义的函数$z=z(x,y)$满足方程$(cy-bz)\dfrac{\partial z}{\partial x}+(az-cx)\dfrac{\partial z}{\partial y}=bx-ay$. 说明曲面③的几何性质.

解 由于$a+c\dfrac{\partial z}{\partial x}=\Phi'\cdot\left(2x+2z\dfrac{\partial z}{\partial x}\right)$,$b+c\dfrac{\partial z}{\partial y}=\Phi'\cdot\left(2y+2z\dfrac{\partial z}{\partial y}\right)$,故有

$$\frac{\partial z}{\partial x}=\frac{2x\Phi'-a}{c-2z\Phi'},\frac{\partial z}{\partial y}=\frac{2y\Phi'-b}{c-2z\Phi'}.$$

将上面二个等式依次乘以$(cy-bz)$及$(az-cx)$,然后相加,即得

$$\begin{aligned}(cy-bz)\frac{\partial z}{\partial x}+(az-cx)\frac{\partial z}{\partial y}&=\frac{(2x\Phi'-a)(cy-bz)+(2y\Phi'-b)(az-cx)}{c-2z\Phi'}\\&=\frac{(c-2z\Phi')(bx-ay)}{c-2z\Phi'}=bx-ay,\end{aligned}$$

本题获证.

设点$P_3(x_1,y_3,z_3)$是曲面③上任意一点,并记$\boldsymbol{r}_3=(a,b,c)$. 由于曲面③在点P_3处的法向量为$\boldsymbol{n}_3=\left(\dfrac{\partial z}{\partial x}\bigg|_{P_3},\dfrac{\partial z}{\partial y}\bigg|_{P_3},-1\right)$,故由方程

$$(cy-bz)\frac{\partial z}{\partial x}+(az-cx)\frac{\partial z}{\partial y}-(bx-ay)=0$$

知$\boldsymbol{n}_3\perp(\boldsymbol{P}_3\times\boldsymbol{r}_3)$,其中$\boldsymbol{P}_3=(x_3,y_3,z_3)$.

设由原点到P_3的距离为d,即$x_3^2+y_3^2+z_3^2=\mathrm{d}^2$. 考虑平面$\Pi$:$ax+by+cz=d$和过点$P_3$的球面$S$:$x^2+y^2+z^2=d^2$,并设平面$\Pi$与球面$S$的交线为$C$,则

(1) 由点P_3在曲面③上可知

$$ax_3+by_3+cz_3=\Phi(x_3^2+y_3^2+z_3^2),$$

即$d=\Phi(d^2)$,这表明曲线C上的点的坐标皆满足方程③,即曲线C位于曲面③上.

(2) 由Π为平面,S为球面知交线C为一圆周曲线.

(3) 圆C的圆心Q即为由原点到平面Π的垂足,故点Q位于过原点且与平面Π垂直的直线l上.

综上所述,可见曲面③是以直线l:$\dfrac{x}{a}=\dfrac{y}{b}=\dfrac{z}{c}$为旋转轴的旋转曲面.

【3424】 函数$z=z(x,y)$由方程$x^2+y^2+z^2=yf\left(\dfrac{z}{y}\right)$给出. 证明:

$$(x^2-y^2-z^2)\frac{\partial z}{\partial x}+2xy\frac{\partial z}{\partial y}=2xz.$$

证 由于$2x+2z\dfrac{\partial z}{\partial x}=f'\left(\dfrac{z}{y}\right)\dfrac{\partial z}{\partial x}$,故有$\dfrac{\partial z}{\partial x}=\dfrac{2x}{f'\left(\dfrac{z}{y}\right)-2z}$.

同法可求得$\frac{\partial z}{\partial y}=\frac{x^2-y^2+z^2-zf'\left(\frac{z}{y}\right)}{2yz-yf'\left(\frac{z}{y}\right)}$. 于是

$$(x^2-y^2-z^2)\frac{\partial z}{\partial x}+2xy\frac{\partial z}{\partial y}=\frac{2xy(y^2+z^2-x^2)+2xy(x^2-y^2+z^2-zf')}{y(2z-f')}$$

$$=\frac{2xyz(2z-f')}{y(2z-f')}=2xz.$$

【3425】 函数 $z=z(x,y)$ 由方程 $F(x+zy^{-1},y+zx^{-1})=0$ 给出. 证明：

$$x\frac{\partial z}{\partial x}+y\frac{\partial z}{\partial y}=z-xy.$$

证 因 $F'_1\cdot\left(1+\frac{1}{y}\frac{\partial z}{\partial x}\right)+F'_2\cdot\left(\frac{x\frac{\partial z}{\partial x}-z}{x^2}\right)=0, F'_1\cdot\left(\frac{y\frac{\partial z}{\partial y}-z}{y^2}\right)+F'_2\cdot\left(1+\frac{1}{x}\frac{\partial z}{\partial y}\right)=0$,故

$$\frac{\partial z}{\partial x}=\frac{yzF'_2-x^2yF'_1}{x(xF'_1+yF'_2)},\frac{\partial z}{\partial y}=\frac{xzF'_1-xy^2F'_2}{y(xF'_1+yF'_2)}.$$

于是 $x\frac{\partial z}{\partial x}+y\frac{\partial z}{\partial y}=\frac{yzF'_2-x^2yF'_1+xzF'_1-xy^2F'_2}{xF'_1+yF'_2}=\frac{(z-xy)(xF'_1+yF'_2)}{xF'_1+yF'_2}=z-xy.$

【3426】 证明：由方程组

$$\begin{cases}x\cos\alpha+y\sin\alpha+\ln z=f(\alpha),\\-x\sin\alpha+y\cos\alpha=f'(\alpha)\end{cases}$$

（其中 $\alpha=\alpha(x,y)$ 为参变量，$f(\alpha)$ 为任意可微函数）定义的函数 $z=z(x,y)$ 满足方程

$$\left(\frac{\partial z}{\partial x}\right)^2+\left(\frac{\partial z}{\partial y}\right)^2=z^2.$$

证 由 $x\cos\alpha+y\sin\alpha+\ln z=f(\alpha)$ 两端对 x 求偏导数，得

$$\cos\alpha-x\sin\alpha\frac{\partial\alpha}{\partial x}+y\cos\alpha\frac{\partial\alpha}{\partial x}+\frac{1}{z}\frac{\partial z}{\partial x}=f'(\alpha)\frac{\partial\alpha}{\partial x}.$$

由于 $-x\sin\alpha+y\cos\alpha=f'(\alpha)$，代入上式，即得

$$\cos\alpha+\frac{1}{z}\frac{\partial z}{\partial x}=0 \text{ 或 } \frac{\partial z}{\partial x}=-z\cos\alpha. \quad ①$$

同法可求得

$$\frac{\partial z}{\partial y}=-z\sin\alpha. \quad ②$$

将①，②两式依次平方，然后相加，即得$\left(\frac{\partial z}{\partial x}\right)^2+\left(\frac{\partial z}{\partial y}\right)^2=z^2$.

【3427】 证明：由$\begin{cases}z=\alpha x+\frac{y}{\alpha}+f(\alpha),\\0=x-\frac{y}{\alpha^2}+f'(\alpha)\end{cases}$ 给出的函数 $z=z(x,y)$ 满足 $\frac{\partial z}{\partial x}\frac{\partial z}{\partial y}=1$.

证 由于 $dz=\alpha dx+\frac{1}{\alpha}dy+\left[x-\frac{y}{\alpha^2}+f'(\alpha)\right]d\alpha=\alpha dx+\frac{1}{\alpha}dy$，故有 $\frac{\partial z}{\partial x}=\alpha,\frac{\partial z}{\partial y}=\frac{1}{\alpha}$. 于是

$$\frac{\partial z}{\partial x}\frac{\partial z}{\partial y}=\alpha\cdot\frac{1}{\alpha}=1.$$

【3428】 证明：由方程组

$$\begin{cases}[z-f(\alpha)]^2=x^2(y^2-\alpha^2),\\{}[z-f(\alpha)]f'(\alpha)=\alpha x^2\end{cases}$$

确定的函数 $z=z(x,y)$ 满足方程$\frac{\partial z}{\partial x}\frac{\partial z}{\partial y}=xy$.

证 $2[z-f(\alpha)][\mathrm{d}z-f'(\alpha)\mathrm{d}\alpha]=(y^2-\alpha^2)2x\mathrm{d}x+x^2(2y\mathrm{d}y-2\alpha\mathrm{d}\alpha)$. 于是

$$\begin{aligned}[z-f(\alpha)]\mathrm{d}z&=x(y^2-\alpha^2)\mathrm{d}x+x^2y\mathrm{d}y-\{\alpha x^2-[z-f(\alpha)]f'(\alpha)\}\mathrm{d}\alpha\\&=x(y^2-\alpha^2)\mathrm{d}x+x^2y\mathrm{d}y,\end{aligned}$$

$$\frac{\partial z}{\partial x}=\frac{x(y^2-\alpha^2)}{z-f(\alpha)},\frac{\partial z}{\partial y}=\frac{x^2y}{z-f(\alpha)}.$$

从而得$\dfrac{\partial z}{\partial x}\dfrac{\partial z}{\partial y}=\dfrac{x^3y(y^2-\alpha^2)}{[z-f(\alpha)]^2}=xy\dfrac{x^2(y^2-\alpha^2)}{[z-f(\alpha)]^2}=xy.$

【3429】 证明：由方程组$\begin{cases}z=\alpha x+y\varphi(\alpha)+\psi(\alpha)\\0=x+y\varphi'(\alpha)+\psi'(\alpha)\end{cases}$确定的函数 $z=z(x,y)$ 满足

$$\frac{\partial^2 z}{\partial x^2}\frac{\partial^2 z}{\partial y^2}-\left(\frac{\partial^2 z}{\partial x\partial y}\right)^2=0.$$

证 $\dfrac{\partial z}{\partial x}=\alpha+x\dfrac{\partial\alpha}{\partial x}+y\varphi'(\alpha)\dfrac{\partial\alpha}{\partial x}+\psi'(\alpha)\dfrac{\partial\alpha}{\partial x}=\alpha+[x+y\varphi'(\alpha)+\psi'(\alpha)]\dfrac{\partial\alpha}{\partial x}=\alpha,$

$\dfrac{\partial^2 z}{\partial x^2}=\dfrac{\partial\alpha}{\partial x},\dfrac{\partial^2 z}{\partial x\partial y}=\dfrac{\partial\alpha}{\partial y},\dfrac{\partial z}{\partial y}=x\dfrac{\partial\alpha}{\partial y}+\varphi(\alpha)+y\varphi'(\alpha)\dfrac{\partial\alpha}{\partial y}+\varphi'(\alpha)\dfrac{\partial\alpha}{\partial y}=\varphi(\alpha),$

$\dfrac{\partial^2 z}{\partial y^2}=\varphi'(\alpha)\dfrac{\partial\alpha}{\partial y},\dfrac{\partial^2 z}{\partial y\partial x}=\varphi'(\alpha)\dfrac{\partial\alpha}{\partial x}.$

而

$$\frac{\partial^2 z}{\partial x^2}\frac{\partial^2 z}{\partial y^2}-\left(\frac{\partial^2 z}{\partial x\partial y}\right)^2=\frac{\partial\alpha}{\partial x}\frac{\partial\alpha}{\partial y}\varphi'(\alpha)-\left(\frac{\partial\alpha}{\partial y}\right)^2=\frac{\partial\alpha}{\partial y}\left[\varphi'(\alpha)\frac{\partial\alpha}{\partial x}-\frac{\partial\alpha}{\partial y}\right],$$

由于$\dfrac{\partial^2 z}{\partial x\partial y}=\dfrac{\partial^2 z}{\partial y\partial x}$,故$\dfrac{\partial\alpha}{\partial y}=\varphi'(\alpha)\dfrac{\partial\alpha}{\partial x}$. 于是$\dfrac{\partial^2 z}{\partial x^2}\dfrac{\partial^2 z}{\partial y^2}-\left(\dfrac{\partial^2 z}{\partial x\partial y}\right)^2=0.$

注 本题也可由原方程组第二式两端分别对 x 和 y 求偏导数而获得.

【3430】 证明：由方程 $y=x\varphi(z)+\psi(z)$ 定义的隐函数 $z=z(x,y)$ 满足方程

$$\left(\frac{\partial z}{\partial y}\right)^2\frac{\partial^2 z}{\partial x^2}-2\frac{\partial z}{\partial x}\frac{\partial z}{\partial y}\frac{\partial^2 z}{\partial x\partial y}+\left(\frac{\partial z}{\partial x}\right)^2\frac{\partial^2 z}{\partial y^2}=0.$$

证 记$\dfrac{\partial z}{\partial x}=p,\dfrac{\partial z}{\partial y}=q,\dfrac{\partial^2 z}{\partial x^2}=r,\dfrac{\partial^2 z}{\partial x\partial y}=s,\dfrac{\partial^2 z}{\partial y^2}=t.$

将所给方程两端分别对 x 和对 y 逐次求偏导数，得

$$\varphi(z)+[x\varphi'(z)+\psi'(z)]p=0,[x\varphi'(z)+\psi'(z)]q=1;$$

$$2\varphi'(z)p+[x\varphi''(z)+\psi''(z)]p^2+[x\varphi'(z)+\psi'(z)]r=0, \qquad ①$$

$$\varphi'(z)q+[x\varphi''(z)+\psi''(z)]pq+[x\varphi'(z)+\psi'(z)]s=0, \qquad ②$$

$$[x\varphi''(z)+\psi''(z)]q^2+[x\varphi'(z)+\psi'(z)]t=0. \qquad ③$$

将①,②,③三式依次乘以 q^2,$(-2pq)$ 及 p^2，然后相加，并注意到 $x\varphi'(z)+\psi'(z)\neq 0$(因为$[x\varphi'(z)+\psi'(z)]q=1$)，即得

$$rq^2-2pqs+tp^2=0.$$

第4节 变量代换（习题3431—3527）

知识点预览

序号	知识点	题目序号	所在页码
1	含有导数的表达式中的变量代换	3431—3457	P87
2	含有偏导数的表达式中的变量代换	3458—3498	P94
3	含有偏导数的表达式中自变量和函数的代换	3499—3527	P107

知识点1 含有导数的表达式中的变量代换

设在微分表达式$A=\Phi(x,y,y'_x,y''_{xx},\cdots)$中需要把$x,y$换为新的变量$t$(自变量)及$u$(函数)，这些变量与旧变量$x,y$之间的关系由方程

$$x=f(t,u),y=g(t,u) \qquad ①$$

给出.

把方程式①微分，便有

$$y'_x=\frac{\dfrac{\partial g}{\partial t}+\dfrac{\partial g}{\partial u}u'_t}{\dfrac{\partial f}{\partial t}+\dfrac{\partial f}{\partial u}u'_t}.$$

类似地可表示出高阶导数$y''_{xx},\cdots$，结果得$A=\Phi_1(t,u,u'_t,u''_{tt},\cdots)$.

习题3431—3457 含有导数的表达式中的变量代换

【3431】 把y看作新的自变量，变换方程$y'y'''-3y''^2=x$.

解 函数$y=y(x)$的各阶导数$y',y'',y''',\cdots$与其反函数$x=x(y)$的各阶导函数$x',x'',x''',\cdots$之间有下述关系：

$$y'=\frac{1}{x'}, \qquad \text{公式 1}$$

$$y''=(y')'=\left(\frac{1}{x'}\right)'_y\cdot y'_x=-\frac{x''}{x'^2}\frac{1}{x'}=-\frac{x''}{(x')^3}, \qquad \text{公式 2}$$

$$y'''=(y'')'=-\left[\frac{x''}{(x')^3}\right]'_y y'_x=\frac{3(x'')^2-x'x'''}{(x')^5}. \qquad \text{公式 3}$$

把公式1,2,3代入方程$y'y'''-3y''^2=x$中，化简整理即得$x'''+x(x')^5=0$.

【3432】 用同样的方法变换方程

$$(y')^2y^{(4)}-10y'y''y'''+15(y'')^3=0.$$

解 **方法一** 由公式3可得

$$y^{(4)}=(y''')'=\left[\frac{3(x'')^2-x'x'''}{(x')^5}\right]'_y y'_x=\frac{6x'x''x'''-(x')^2x^{(4)}-x'x''x'''-5[(3x'')^2-x'x''']x''}{(x')^6}\frac{1}{x'}$$

$$=\frac{10x'x''x'''-(x')^2x^{(4)}-15(x'')^3}{(x')^7}. \qquad \text{公式 4}$$

把公式1,2,3,4代入所给方程，化简整理得$x^{(4)}=0$.

方法二 由 $x=x(y)$ 和 $y=y(x)$ 互为反函数，公式 1,2,3,4 是关于 x,y 对称的，于是有

$$x^{(4)}=\frac{10y'y''y'''-(y')^2y^{(4)}-15(y'')^3}{(y')^7}.$$

因此，所给方程可改写为 $-x^{(4)}(y')^7=0$. 由于 $y'\neq 0$，故得 $x^{(4)}=0$.

【3433】 把 x 看作函数，把 $t=xy$ 看作自变量，变换方程 $y''+\dfrac{2}{x}y'+y=0$.

解 将 $t=t(x)$ 看作 x 的函数. 对 $t=xy$ 两端分别求 x 的一阶、二阶导数，得

$$\frac{dt}{dx}=y+xy', \qquad ①$$

$$\frac{d^2t}{dx^2}=2y'+xy''. \qquad ②$$

由于 $\dfrac{dx}{dt}=\dfrac{1}{\dfrac{dt}{dx}}$，故由 ① 式得

$$y'=\frac{1-y\dfrac{dx}{dt}}{x\dfrac{dx}{dt}}. \qquad ③$$

对 t,x 应用公式 2 有 $\dfrac{d^2t}{dx^2}=-\dfrac{\dfrac{d^2x}{dt^2}}{\left(\dfrac{dx}{dt}\right)^3}$. 代入 ② 式整理可得

$$y''=-\frac{\dfrac{d^2x}{dt^2}}{x\left(\dfrac{dx}{dt}\right)^3}-\frac{2y'}{x}. \qquad ④$$

将 ③,④ 式代入所给方程，得 $-\dfrac{d^2x}{dt^2}+xy\left(\dfrac{dx}{dt}\right)^3=0$ 或 $\dfrac{d^2x}{dt^2}-t\left(\dfrac{dx}{dt}\right)^3=0$.

【3434】 在勒让德变换中曲线 $y=y(x)$ 的每一点 (x,y) 对应于点 (X,Y)，其中 $X=y'$，$Y=xy'-y$. 求 Y'，Y'' 及 Y'''.

解 $Y'=\dfrac{dY}{dX}=\dfrac{dY}{dx}\dfrac{dx}{dX}=\dfrac{xy''}{\dfrac{dX}{dx}}=\dfrac{xy''}{y''}=x$，$Y''=\dfrac{\dfrac{dY'}{dx}}{\dfrac{dX}{dx}}=\dfrac{1}{y''}$，$Y'''=\dfrac{\dfrac{dY''}{dx}}{\dfrac{dX}{dx}}=\dfrac{-\dfrac{y'''}{y''^2}}{y''}=-\dfrac{y'''}{y''^2}$.

【引入新变量，变换下列常微分方程(3435—3444)】

【3435】 $x^2y''+xy'+y=0$，若 $x=e^t$.

解 当函数 y 不变，只作自变量的代换 $x=x(t)$ 时，注意到对 $\dfrac{dt}{dx}$，$\dfrac{d^2t}{dx^2}$ 运用公式 1 及 2，即得

$$y'=\frac{dy}{dt}\frac{dt}{dx}=\frac{\dfrac{dy}{dt}}{\dfrac{dx}{dt}}, \qquad \text{公式 5}$$

$$y''=\frac{d}{dx}\left(\frac{dy}{dt}\frac{dt}{dx}\right)=\frac{d^2y}{dt^2}\left(\frac{dt}{dx}\right)^2+\frac{dy}{dt}\frac{d^2t}{dx^2}=\frac{\dfrac{d^2y}{dt^2}\dfrac{dx}{dt}-\dfrac{dy}{dt}\dfrac{d^2x}{dt^2}}{\left(\dfrac{dx}{dt}\right)^3}. \qquad \text{公式 6}$$

在本题中，$x=e^t$，有 $\dfrac{dx}{dt}=e^t=x$，$\dfrac{d^2x}{dt^2}=e^t=x$，从而有 $y'=\dfrac{\dfrac{dy}{dt}}{x}$，$y''=\dfrac{x\dfrac{d^2y}{dt^2}-x\dfrac{dy}{dt}}{x^3}=\dfrac{1}{x^2}\left(\dfrac{d^2y}{dt^2}-\dfrac{dy}{dt}\right)$.

将 y' 及 y'' 代入所给方程，即得 $\dfrac{d^2y}{dt^2}+y=0$.

【3436】 $y'''=\frac{6y}{x^3}$，若 $t=\ln|x|$.

解　应用复合函数求导公式，有

$$y'=\frac{dy}{dt}\frac{dt}{dx}=\frac{1}{x}\frac{dy}{dt},$$

$$y''=\frac{d}{dx}\left(\frac{1}{x}\frac{dy}{dt}\right)=\frac{1}{x^2}\left(x\frac{d^2y}{dt^2}\frac{dt}{dx}-\frac{dy}{dt}\right)=\frac{\frac{d^2y}{dt^2}-\frac{dy}{dt}}{x^2},$$

$$y'''=\frac{1}{x^4}\left[x^2\left(\frac{d^3y}{dt^3}-\frac{d^2y}{dt^2}\right)\frac{dt}{dx}-2x\left(\frac{d^2y}{dt^2}-\frac{dy}{dt}\right)\right]=\frac{1}{x^3}\left(\frac{d^3y}{dt^3}-3\frac{d^2y}{dt^2}+2\frac{dy}{dt}\right).$$

将 y''' 代入所给方程，即得 $\frac{d^3y}{dt^3}-3\frac{d^2y}{dt^2}+2\frac{dy}{dt}-6y=0$.

【3437】 $(1-x^2)y''-xy'+n^2y=0$，若 $x=\cos t$.

解　注意到 $\frac{dx}{dt}=-\sin t$，$\frac{d^2x}{dt^2}=-\cos t$，运用 3435 题关于 y' 及 y'' 的公式 5 及 6，就有

$$y'=-\frac{\frac{dy}{dt}}{\sin t},\quad y''=\frac{-\sin t\frac{d^2y}{dt^2}+\cos t\frac{dy}{dt}}{-\sin^3 t}.$$

将 y'，y'' 及 x 代入所给方程，即得 $\frac{d^2y}{dt^2}+n^2y=0$.

【3438】 $y''+y'\operatorname{th}x+\frac{m^2}{\operatorname{ch}^2x}y=0$，若 $x=\ln\tan\frac{t}{2}$.

解　仍用公式 5 及 6，注意到 $\frac{dx}{dt}=\frac{1}{\sin t}$，$\frac{d^2x}{dt^2}=-\frac{\cos t}{\sin^2 t}$，$\operatorname{ch}x=\frac{1}{\sin t}$，$\operatorname{th}x=-\cos t$，就有

$$y'=\sin t\frac{dy}{dt},\quad y''=\sin^2 t\frac{d^2y}{dt^2}+\sin t\cos t\frac{dy}{dt}.$$

将 y'，y''，$\operatorname{ch}x$ 及 $\operatorname{th}x$ 代入所给方程，即得 $\frac{d^2y}{dt^2}+m^2y=0$.

【3439】 $y''+p(x)y'+q(x)y=0$，令 $y=ue^{-\frac{1}{2}\int_{x_0}^{x}p(\xi)d\xi}$.

提示　注意 $u=u(x)$，故知 $y=y(x)$，将所求 y' 及 y'' 代入所给方程，即可获解.

解　$y'=\frac{du}{dx}e^{-\frac{1}{2}\int_{x_0}^{x}p(\xi)d\xi}-\frac{1}{2}u(x)p(x)e^{-\frac{1}{2}\int_{x_0}^{x}p(\xi)d\xi}$,

$$y''=\frac{d^2u}{dx^2}e^{-\frac{1}{2}\int_{x_0}^{x}p(\xi)d\xi}-p(x)\frac{du}{dx}e^{-\frac{1}{2}\int_{x_0}^{x}p(\xi)d\xi}+\frac{1}{4}u(x)p^2(x)e^{-\frac{1}{2}\int_{x_0}^{x}p(\xi)d\xi}-\frac{1}{2}u(x)p'(x)e^{-\frac{1}{2}\int_{x_0}^{x}p(\xi)d\xi}.$$

将 y'，y'' 代入所给方程，化简整理即得

$$\frac{d^2u}{dx^2}+\left[q(x)-\frac{1}{4}p^2(x)-\frac{1}{2}p'(x)\right]u=0.$$

【3440】 $x^4y''+xyy'-2y^2=0$，若 $x=e^t$，$y=ue^{2t}$，其中 $u=u(t)$.

解　$y'=\frac{\frac{dy}{dt}}{\frac{dx}{dt}}=\frac{e^{2t}(2u+u')}{e^t}=e^t(2u+u')$，$y''=\frac{\frac{dy'}{dt}}{\frac{dx}{dt}}=\frac{e^t(u''+3u'+2u)}{e^t}=u''+3u'+2u$,

其中 u' 及 u'' 表示 u 对 t 的一阶及二阶导数，以下各题类似，不再说明.

将 y'，y'' 及 x，y 代入所给方程，化简整理即得 $u''+(u+3)u'+2u=0$.

注　以下 3441—3444 题均可仿本题求解.

【3441】 $(1+x^2)^2y''=y$，若 $x=\tan t$，$y=\frac{u}{\cos t}$，其中 $u=u(t)$.

解 $y'=\dfrac{\dfrac{u'\cos t+u\sin t}{\cos^2 t}}{\dfrac{1}{\cos^2 t}}=u'\cos t+u\sin t, y''=\dfrac{u''\cos t+u\cos t}{\dfrac{1}{\cos^2 t}}=(u''+u)\cos^3 t.$

将 y',y'' 及 x,y 代入所给方程，化简整理即得 $u''=0$.

【3442】 $(1-x^2)^2 y''=-y$，若 $x=\operatorname{th} t, y=\dfrac{u}{\operatorname{ch} t}$，其中 $u=u(t)$.

解 $y'=\dfrac{\dfrac{u'\operatorname{ch} t-u\operatorname{sh} t}{\operatorname{ch}^2 t}}{\dfrac{1}{\operatorname{ch}^2 t}}=u'\operatorname{ch} t-u\operatorname{sh} t, y''=\dfrac{u''\operatorname{ch} t-u\operatorname{ch} t}{\dfrac{1}{\operatorname{ch}^2 t}}=(u''-u)\operatorname{ch}^3 t.$

将y'' 及 x,y 代入所给方程，化简整理即得 $u''=0$.

【3443】 $y''+(x+y)(1+y')^3=0$，若 $x=u+t, y=u-t$，其中 $u=u(t)$.

解 $y'=\dfrac{u'-1}{u'+1}, y''=\dfrac{\dfrac{u''(u'+1)-u''(u'-1)}{(u'+1)^2}}{u'+1}=\dfrac{2u''}{(u'+1)^3}.$

将 y',y'' 及 x,y 代入所给方程，化简整理即得 $u''+8u(u')^3=0$.

【3444】 $y'''-x^3y''+xy'-y=0$，若 $x=\dfrac{1}{t}, y=\dfrac{u}{t}$，其中 $u=u(t)$.

解 $y'=\dfrac{\dfrac{u't-u}{t^2}}{-\dfrac{1}{t^2}}=u-tu', y''=\dfrac{-tu''}{-\dfrac{1}{t^2}}=t^3u'', y'''=\dfrac{3t^2u''+t^3u'''}{-\dfrac{1}{t^2}}=-t^4(3u''+tu''').$

将 y',y'',y''' 及 x,y 代入所给方程，化简整理即得 $t^5u'''+(3t^4+1)u''+u'=0$.

【3445】 令 $u=\dfrac{y}{x-b}, t=\ln\left|\dfrac{x-a}{x-b}\right|$，并把 u 看作变量 t 的函数，变换斯托克斯方程

$$y''=\frac{Ay}{(x-a)^2(x-b)^2}.$$

解 由于 $t=\ln|x-a|-\ln|x-b|$，故有

$$\frac{dt}{dx}=\frac{1}{x-a}-\frac{1}{x-b}=\frac{a-b}{(x-a)(x-b)} \text{ 或 } \frac{dx}{dt}=\frac{(x-a)(x-b)}{a-b}.$$

又因 $u=\dfrac{y}{x-b}$，故 $y=u(x-b)$，

$$y'=(x-b)\frac{du}{dx}+u=\frac{\frac{du}{dt}}{\frac{dx}{dt}}(x-b)+u=\frac{(a-b)u'}{x-a}+u,$$

$$y''=\frac{\frac{dy'}{dt}}{\frac{dx}{dt}}=\left[\frac{(a-b)u''}{x-a}+u'-\frac{(a-b)u'}{(x-a)^2}\frac{dx}{dt}\right]\cdot\frac{a-b}{(x-a)(x-b)}=\frac{(a-b)^2(u''-u')}{(x-a)^2(x-b)}. \quad ①$$

将 ① 式代入所给方程，即得 $u''-u'=\dfrac{Au}{(a-b)^2}\quad(a\neq b)$.

【3446】 证明：若方程$\dfrac{d^2y}{dx^2}+p(x)\dfrac{dy}{dx}+q(x)y=0$，由代换 $x=\varphi(\xi)$ 变换为方程

$$\frac{d^2y}{d\xi^2}+P(\xi)\frac{dy}{d\xi}+Q(\xi)y=0,$$

则有$[2P(\xi)Q(\xi)+Q'(\xi)][Q(\xi)]^{-\frac{3}{2}}=[2p(x)q(x)+q'(x)][q(x)]^{-\frac{3}{2}}$.

证 $\dfrac{dx}{d\xi}=\varphi'(\xi), \dfrac{d^2x}{d\xi^2}=\varphi''(\xi)$. 由公式 5 及 6，得

$$\frac{dy}{dx}=\frac{\frac{dy}{d\xi}}{\varphi'(\xi)},\frac{d^2y}{dx^2}=\frac{1}{[\varphi'(\xi)]^2}\frac{d^2y}{d\xi^2}-\frac{\varphi''(\xi)}{[\varphi'(\xi)]^3}\frac{dy}{d\xi}.$$

代入原方程，两端同乘$[\varphi'(\xi)]^2$，即得

$$\frac{d^2y}{d\xi^2}+\left\{p[\varphi(\xi)]\varphi'(\xi)-\frac{\varphi''(\xi)}{\varphi'(\xi)}\right\}\frac{dy}{d\xi}+q[\varphi(\xi)][\varphi'(\xi)]^2y=0.$$

于是 $P(\xi)=p\varphi'-\frac{\varphi''}{\varphi'}$，$Q(\xi)=q\cdot(\varphi')^2$；$Q'(\xi)=q'\cdot(\varphi')^3+2q\varphi'\varphi''$. 从而得知

$$\begin{aligned}[2P(\xi)Q(\xi)+Q'(\xi)][Q(\xi)]^{-\frac{3}{2}}&=2\left(p\varphi'-\frac{\varphi''}{\varphi'}\right)q\cdot(\varphi')^2+q'\cdot(\varphi')^3+2q\varphi'\varphi''[q\cdot(\varphi')^2]^{-\frac{3}{2}}\\&=\{2pq\cdot(\varphi')^3+q'\cdot(\varphi')^3\}q^{-\frac{3}{2}}\cdot(\varphi')^{-3}\\&=[2p(x)q(x)+q'(x)][q(x)]^{-\frac{3}{2}}.\end{aligned}$$

【3447】 令 $y=e^{\int_{x_0}^{x}u\,dx}$，变换方程 $\Phi(y,y',y'')=0$，其中 Φ 为变量 y,y',y'' 的齐次函数.

解 $$y'=ue^{\int_{x_0}^{x}u\,dx},y''=(u'+u^2)e^{\int_{x_0}^{x}u\,dx}.$$

代入方程 $\Phi(y,y',y'')=0$，由于 Φ 关于 y,y',y'' 是齐次的，因此，各项含有的因式 $e^{\int_{x_0}^{x}u\,dx}$ 均可约去，最后得

$$\Phi(1,u,u'+u^2)=0.$$

【3448】 令 $u=x\frac{y'}{y}$，变换方程 $F(x^2y'',xy',y)=0$，其中 F 为其自变量的齐次函数.

解 $$y'=\frac{yu}{x},y''=\frac{x(u'y+y'u)-yu}{x^2}=\frac{y[xu'+(u^2-u)]}{x^2}.$$

$$xy'=uy,x^2y''=y[xu'+(u^2-u)].$$

由于 F 为其自变量的齐次函数，因此，各项含有的因子 y 均可约去，最后得 $F(xu'+u^2-u,u,1)=0$.

【3449】 证明：方程 $y'''(1+y'^2)-3y'y''^2=0$ 的形式在射影变换

$$x=\frac{a_1\xi+b_1\eta+c_1}{a\xi+b\eta+c},y=\frac{a_2\xi+b_2\eta+c_2}{a\xi+b\eta+c},$$

下保持不变.

提示 该变换由下列最简单的变换构成：

$$x=\alpha X+\beta Y+\gamma,y=Y;X=\frac{1}{X_1},Y=\frac{Y_1}{X_1};X_1=a\xi+b\eta+c,Y_1=a_2\xi+b_2\eta+c_2.$$

证 本题有误. 事实上，作压缩变换 $x=\xi,y=a\eta\quad(a\neq0)$（它是射影变换的特例），则原方程变为 $a\eta'''(1+a\eta'^2)-3a^3\eta'\eta''^2=0$，显然形式已改变.

注 所给方程可改为：$9y''^2y^{(5)}-45y''y'''y^{(4)}-40y'''^3=0$.

【3450】 证明：施瓦茨导数 $S[x(t)]=\frac{x'''(t)}{x'(t)}-\frac{3}{2}\left[\frac{x''(t)}{x'(t)}\right]^2$ 的值在分式线性变换

$$y=\frac{ax(t)+b}{cx+d}\quad(ad-bc\neq0)$$

下保持不变.

证 已知的变换 $y=\frac{ax+b}{cx+d}=\frac{a\left(x+\frac{d}{c}\right)+\left(b-\frac{ad}{c}\right)}{cx+d}=\frac{a}{c}+\frac{bc-ad}{c(cx+d)}$ 可由下述变换所构成

$$y=\alpha+\beta y_2,y_2=\frac{1}{y_1},y_1=cx+d.$$

只要证明在上述各种变换下 S 的值不变即可.

(1) 令 $y_1=cx+d$,则 $y_1'(t)=cx'(t)$, $y_1''(t)=cx''(t)$, $y'''_1(t)=cx'''(t)$. 于是

$$S[y_1(t)]=\frac{y'''_1(t)}{y_1'(t)}-\frac{3}{2}\left[\frac{y_1''(t)}{y_1'(t)}\right]^2=\frac{x'''(t)}{x'(t)}-\frac{3}{2}\left[\frac{x''(t)}{x'(t)}\right]^2=S[x(t)];$$

(2) 令 $y_2=\frac{1}{y_1}$,则 $y_2'(t)=-\frac{y_1'}{y_1^2}$, $y_2''(t)=-\frac{y_1y_1''-2y_1'^2}{y_1^3}$, $y'''_2(t)=-\frac{y'''_1y_1^2-6y_1''y_1'y_1+6y_1'^3}{y_1^4}$,

$$S[y_2(t)]=\frac{y'''_2(t)}{y_2'(t)}-\frac{3}{2}\left[\frac{y_2''(t)}{y_2'(t)}\right]^2=\frac{\frac{y'''_1y_1^2-6y_1''y_1'y_1+6y_1'^3}{y_1^4}}{\frac{y_1'}{y_1^2}}-\frac{3}{2}\left(\frac{\frac{y_1y_1''-2y_1'^2}{y_1^3}}{\frac{y_1'}{y_1^2}}\right)^2$$

$$=\frac{y'''_1}{y_1'}-\frac{6y_1''}{y_1}+\frac{6y_1'^2}{y_1^2}-\frac{3}{2}\left(\frac{y_1''}{y_1'}-\frac{2y_1'}{y_1}\right)^2=\frac{y'''_1}{y_1'}-\frac{3}{2}\left(\frac{y_1''}{y_1'}\right)^2=S[y_1(t)]=S[x(t)];$$

(3) 由(1) 及(2) 即知

$$S[y(t)]=S[\alpha+\beta y_2]=\frac{(\alpha+\beta y_2)'}{(\alpha+\beta y_2)'}-\frac{3}{2}\left\{\frac{(\alpha+\beta y_2)'}{(\alpha+\beta y_2)^2}\right\}^2=\frac{y'''_2}{y_2'}-\frac{3}{2}\left(\frac{y_2''}{y_2'}\right)^2$$

$$=S[y_2(t)]=S[x(t)].$$

【令 $x=r\cos\varphi$, $y=r\sin\varphi$,写出下列方程在极坐标 r,θ 下的形式(3451—3453)】

【3451】 $\frac{\mathrm{d}y}{\mathrm{d}x}=\frac{x+y}{x-y}$.

解 当 $x=r\cos\theta$, $y=r\sin\theta$ 时,

$$\frac{\mathrm{d}x}{\mathrm{d}\theta}=\cos\theta\frac{\mathrm{d}r}{\mathrm{d}\theta}-r\sin\theta,\ \frac{\mathrm{d}y}{\mathrm{d}\theta}=\sin\theta\frac{\mathrm{d}r}{\mathrm{d}\theta}+r\cos\theta,$$

$$\frac{\mathrm{d}^2x}{\mathrm{d}\theta^2}=\cos\theta\frac{\mathrm{d}^2r}{\mathrm{d}\theta^2}-2\sin\theta\frac{\mathrm{d}r}{\mathrm{d}\theta}-r\cos\theta,\ \frac{\mathrm{d}^2y}{\mathrm{d}\theta^2}=\sin\theta\frac{\mathrm{d}^2r}{\mathrm{d}\theta^2}+2\cos\theta\frac{\mathrm{d}r}{\mathrm{d}\theta}-r\sin\theta.$$

由公式 5 及 6,即得

$$\frac{\mathrm{d}y}{\mathrm{d}x}=\frac{\frac{\mathrm{d}y}{\mathrm{d}\theta}}{\frac{\mathrm{d}x}{\mathrm{d}\theta}}=\frac{\sin\theta\frac{\mathrm{d}r}{\mathrm{d}\theta}+r\cos\theta}{\cos\theta\frac{\mathrm{d}x}{\mathrm{d}\theta}-r\sin\theta},\qquad\text{公式 7}$$

$$\frac{\mathrm{d}^2y}{\mathrm{d}x^2}=\frac{\frac{\mathrm{d}^2y}{\mathrm{d}\theta^2}\frac{\mathrm{d}x}{\mathrm{d}\theta}-\frac{\mathrm{d}y}{\mathrm{d}\theta}\frac{\mathrm{d}^2x}{\mathrm{d}\theta^2}}{\left(\frac{\mathrm{d}x}{\mathrm{d}\theta}\right)^3}=\frac{r^2+2\left(\frac{\mathrm{d}r}{\mathrm{d}\theta}\right)^2-r\frac{\mathrm{d}^2r}{\mathrm{d}\theta^2}}{\left(\cos\theta\frac{\mathrm{d}r}{\mathrm{d}\theta}-r\sin\theta\right)^3}.\qquad\text{公式 8}$$

将公式 7 及 x,y 代入所给方程,化简整理即得 $\frac{\mathrm{d}r}{\mathrm{d}\theta}=r$ 或 $r'=r$.

注 以下各题,$\frac{\mathrm{d}r}{\mathrm{d}\theta}$ 及 $\frac{\mathrm{d}^2r}{\mathrm{d}\theta^2}$ 均简记为 r' 及 r''.

【3452】 $(xy'-y)^2=2xy(1+y'^2)$.

解 $xy'-y=r\cos\theta\frac{r'\sin\theta+r\cos\theta}{r'\cos\theta-r\sin\theta}-r\sin\theta$

$$=\frac{r(r'\sin\theta\cos\theta+r\cos^2\theta-r'\sin\theta\cos\theta+r\sin^2\theta)}{r'\cos\theta-r\sin\theta}=\frac{r^2}{r'\cos\theta-r\sin\theta},$$

$$1+y'^2=1+\left(\frac{r'\sin\theta+r\cos\theta}{r'\cos\theta-r\sin\theta}\right)^2=\frac{r'^2+r^2}{(r'\cos\theta-r\sin\theta)^2}.$$

将 $xy'-y$, $1+y'^2$ 及 x,y 代入所给方程,化简整理即得 $r'^2=\frac{1-\sin2\theta}{\sin2\theta}r^2$.

【3453】 $(x^2+y^2)^2y''=(x+yy')^3$.

解 $x+yy'=r\cos\theta+r\sin\theta\frac{r'\sin\theta+r\cos\theta}{r'\cos\theta-r\sin\theta}$

$$=\frac{rr'\cos^2\theta-r^2\sin\theta\cos\theta+rr'\sin^2\theta+r^2\sin\theta\cos\theta}{r'\cos\theta-r\sin\theta}=\frac{rr'}{r'\cos\theta-r\sin\theta}.$$

将公式 8，$x+yy'$ 及 x,y 代入所给方程，化简整理即得 $r(r^2+2r'^2-rr'')=r'^3$.

【3454】 写出表达式$\dfrac{x+yy'}{xy'-y}$在极坐标下的形式.

解 将 3452 题中 $xy'-y$ 的结果及 3453 题中 $x+yy'$ 的结果代入所给表达式，即得

$$\frac{x+yy'}{xy'-y}=\frac{r'}{r}.$$

【3455】 用极坐标 r 和 θ 表示平面曲线的曲率 $K=\dfrac{|y''_{xx}|}{(1+y'^2_x)^{\frac{3}{2}}}$.

解 将 3452 题中 $1+y'^2$ 的结果及公式 8 代入，化简整理即得

$$K=\frac{|r^2+2r'^2-rr''|}{(r^2+r'^2)^{\frac{3}{2}}}.$$

【3456】 写出方程组$\begin{cases}\dfrac{\mathrm{d}x}{\mathrm{d}t}=y+kx(x^2+y^2),\\ \dfrac{\mathrm{d}y}{\mathrm{d}t}=-x+ky(x^2+y^2)\end{cases}$在极坐标下的形式.

解 由原方程组得

$$\cos\theta\frac{\mathrm{d}r}{\mathrm{d}t}-r\sin\theta\frac{\mathrm{d}\theta}{\mathrm{d}t}=r\sin\theta+kr^3\cos\theta,$$

$$\sin\theta\frac{\mathrm{d}r}{\mathrm{d}t}+r\cos\theta\frac{\mathrm{d}\theta}{\mathrm{d}t}=-r\cos\theta+kr^3\sin\theta.$$

解得

$$\frac{\mathrm{d}r}{\mathrm{d}t}=\frac{1}{r}[r\cos\theta(r\sin\theta+kr^3\cos\theta)-(-r\sin\theta)(-r\cos\theta+kr^3\sin\theta)]=kr^3,$$

$$\frac{\mathrm{d}\theta}{\mathrm{d}t}=\frac{1}{r}[\cos\theta(-r\cos\theta+kr^3\sin\theta)-\sin\theta(r\sin\theta+kr^3\cos\theta)]=-1,$$

即原方程组转化为

$$\begin{cases}\dfrac{\mathrm{d}r}{\mathrm{d}t}=kr^3,\\ \dfrac{\mathrm{d}\theta}{\mathrm{d}t}=-1.\end{cases}$$

【3457】 引用新函数 $r=\sqrt{x^2+y^2}$，$\theta=\arctan\dfrac{y}{x}$，变换表达式 $W=x\dfrac{\mathrm{d}^2y}{\mathrm{d}t^2}-y\dfrac{\mathrm{d}^2x}{\mathrm{d}t^2}$.

解 由 $r=\sqrt{x^2+y^2}$ 两端微分，得 $\mathrm{d}r=\dfrac{x\mathrm{d}x+y\mathrm{d}y}{\sqrt{x^2+y^2}}=\dfrac{x}{r}\mathrm{d}x+\dfrac{y}{r}\mathrm{d}y$，即

$$r\mathrm{d}r=x\mathrm{d}x+y\mathrm{d}y. \quad ①$$

由 $\theta=\arctan\dfrac{y}{x}$ 两端微分，得 $\mathrm{d}\theta=\dfrac{x\mathrm{d}y-y\mathrm{d}x}{x^2+y^2}=\dfrac{x}{r^2}\mathrm{d}y-\dfrac{y}{r^2}\mathrm{d}x$，即

$$r^2\mathrm{d}\theta=x\mathrm{d}y-y\mathrm{d}x. \quad ②$$

于是，由 ① 及 ② 可得

$$xr\mathrm{d}r-yr^2\mathrm{d}\theta=(x^2\mathrm{d}x+xy\mathrm{d}y)-(xy\mathrm{d}y-y^2\mathrm{d}x)=(x^2+y^2)\mathrm{d}x=r^2\mathrm{d}x,$$

$$\mathrm{d}x=\frac{x}{r}\mathrm{d}r-y\mathrm{d}\theta. \quad ③$$

同理可得

$$\mathrm{d}y=\frac{y}{r}\mathrm{d}r+x\mathrm{d}\theta. \quad ④$$

从而由 ③ 及 ④，得

$$x\mathrm{d}^2y-y\mathrm{d}^2x=x\left(\frac{y}{r}\mathrm{d}^2r-\frac{y}{r^2}\mathrm{d}r^2+\frac{1}{r}\mathrm{d}r\mathrm{d}y+\mathrm{d}x\mathrm{d}\theta+x\mathrm{d}^2\theta\right)-y\left(\frac{x}{r}\mathrm{d}^2r-\frac{x}{r^2}\mathrm{d}r^2+\frac{1}{r}\mathrm{d}x\mathrm{d}r-\mathrm{d}y\mathrm{d}\theta-y\mathrm{d}^2\theta\right)$$

$$= \frac{dr}{r}(xdy - ydx) + (xdx + ydy)d\theta + (x^2 + y^2)d^2\theta = \frac{dr}{r}(r^2 d\theta) + (rdr)d\theta + r^2 d^2\theta$$

$$= 2rdrd\theta + r^2 d^2\theta.$$

于是

$$W = x\frac{d^2 y}{dt^2} - y\frac{d^2 x}{dt^2} = 2r\frac{dr}{dt}\frac{d\theta}{dt} + r^2\frac{d^2\theta}{dt^2} = \frac{d}{dt}\left(r^2\frac{d\theta}{dt}\right).$$

知识点 2 含有偏导数的表达式中的变量代换

若在表达式 $B = F\left(x,y,z,\frac{\partial z}{\partial x},\frac{\partial z}{\partial y},\frac{\partial^2 z}{\partial x^2},\frac{\partial^2 z}{\partial x\partial y},\frac{\partial^2 z}{\partial y^2},\cdots\right)$中令

$$x = f(u,v), y = g(u,v),$$

其中 u 和 v 为新的自变量,则偏导数$\frac{\partial z}{\partial x},\frac{\partial z}{\partial y},\cdots$,由下列方程确定:

$$\frac{\partial z}{\partial u} = \frac{\partial z}{\partial x}\frac{\partial f}{\partial u} + \frac{\partial z}{\partial y}\frac{\partial g}{\partial u}, \frac{\partial z}{\partial v} = \frac{\partial z}{\partial x}\frac{\partial f}{\partial v} + \frac{\partial z}{\partial y}\frac{\partial g}{\partial v},\cdots.$$

在某些情况下,使用全微分法进行变量代换是方便的.

习题 3458—3462 引入新变量解方程

【引入新变量 ξ 及 η,解下列方程(3458—3462)】

【3458】 $\frac{\partial z}{\partial x} = \frac{\partial z}{\partial y}, \xi = x + y, \eta = x - y.$

提示 将 ξ,η 看作中间变量,应用复合函数求偏导数的公式求出$\frac{\partial z}{\partial x}$ 及$\frac{\partial z}{\partial y}$,即易获解.

解 当仅作自变量代换,引入新自变量 $\xi = \xi(x,y), \eta = \eta(x,y)$ 这个最简单的情形时,只要把 ξ,η 看作中间变量,用复合函数求偏导数的公式,即可求出

$$\frac{\partial z}{\partial x} = \frac{\partial z}{\partial \xi}\frac{\partial \xi}{\partial x} + \frac{\partial z}{\partial \eta}\frac{\partial \eta}{\partial x}, \frac{\partial z}{\partial y} = \frac{\partial z}{\partial \xi}\frac{\partial \xi}{\partial y} + \frac{\partial z}{\partial \eta}\frac{\partial \eta}{\partial y}.$$

代入原方程,即得变换后的方程.本题中,有

$$\frac{\partial \xi}{\partial x} = \frac{\partial \xi}{\partial y} = \frac{\partial \eta}{\partial x} = 1, \frac{\partial \eta}{\partial y} = -1.$$

于是$\frac{\partial z}{\partial x} = \frac{\partial z}{\partial \xi} + \frac{\partial z}{\partial \eta}, \frac{\partial z}{\partial y} = \frac{\partial z}{\partial \xi} - \frac{\partial z}{\partial \eta}$,代入原方程,得

$$\frac{\partial z}{\partial \xi} + \frac{\partial z}{\partial \eta} = \frac{\partial z}{\partial \xi} - \frac{\partial z}{\partial \eta} \text{ 即 } \frac{\partial z}{\partial \eta} = 0,$$

故 $z = \varphi(\xi) = \varphi(x + y)$,其中 φ 为任意的函数.

【3459】 $y\frac{\partial z}{\partial x} - x\frac{\partial z}{\partial y} = 0, \xi = x, \eta = x^2 + y^2.$

解 $\frac{\partial \xi}{\partial x} = 1, \frac{\partial \xi}{\partial y} = 0, \frac{\partial \eta}{\partial x} = 2x, \frac{\partial \eta}{\partial y} = 2y.$ 于是

$$\frac{\partial z}{\partial x} = \frac{\partial z}{\partial \xi} + 2x\frac{\partial z}{\partial \eta}, \frac{\partial z}{\partial y} = 2y\frac{\partial z}{\partial \eta}.$$

代入原方程,得

$$y\left(\frac{\partial z}{\partial \xi} + 2x\frac{\partial z}{\partial \eta}\right) - 2xy\frac{\partial z}{\partial \eta} = 0 \text{ 或 } y\frac{\partial z}{\partial \xi} = 0.$$

由于 $y\neq 0$，故$\frac{\partial z}{\partial \xi}=0$，即 $z=\varphi(\eta)=\varphi(x^2+y^2)$，其中 φ 为任意的函数.

【3460】 $a\frac{\partial z}{\partial x}+b\frac{\partial z}{\partial y}=1(a\neq 0)$，$\xi=x$，$\eta=y-bz$.

解 当变量间的变换关系比较复杂时，优选全微分法.

首先，根据新旧变元之间的关系，求出微分之间的关系

$$d\xi=dx,\ d\eta=dy-bdz.$$

其次，将所求得的微分式代入表示新变元关系的全微分式，并按旧变元关系重新整理.

$$dz=\frac{\partial z}{\partial \xi}d\xi+\frac{\partial z}{\partial \eta}d\eta=\frac{\partial z}{\partial \xi}dx+\frac{\partial z}{\partial \eta}(dy-bdz),\ \left(1+b\frac{\partial z}{\partial \eta}\right)dz=\frac{\partial z}{\partial \xi}dx+\frac{\partial z}{\partial \eta}dy,$$

$$dz=\frac{\frac{\partial z}{\partial \xi}}{1+b\frac{\partial z}{\partial \eta}}dx+\frac{\frac{\partial z}{\partial \eta}}{1+b\frac{\partial z}{\partial \eta}}dy.$$

把整理后的式子与表示旧变元的全微分式 $dz=\frac{\partial z}{\partial x}dx+\frac{\partial z}{\partial y}dy$ 比较，即得

$$\frac{\partial z}{\partial x}=\frac{\frac{\partial z}{\partial \xi}}{1+b\frac{\partial z}{\partial \eta}},\ \frac{\partial z}{\partial y}=\frac{\frac{\partial z}{\partial \eta}}{1+b\frac{\partial z}{\partial \eta}}.$$

代入原方程，得 $a\frac{\partial z}{\partial \xi}+b\frac{\partial z}{\partial \eta}=1+b\frac{\partial z}{\partial \eta}$ 或 $\frac{\partial z}{\partial \xi}=\frac{1}{a}$. 于是，

$$z=\frac{\xi}{a}+\varphi(\eta)=\frac{x}{a}+\varphi(y-bz).$$

【3461】 $x\frac{\partial z}{\partial x}+y\frac{\partial z}{\partial y}=z$，$\xi=x$ 及 $\eta=\frac{y}{x}$.

解 $\frac{\partial \xi}{\partial x}=1$，$\frac{\partial \xi}{\partial y}=0$，$\frac{\partial \eta}{\partial x}=-\frac{y}{x^2}$，$\frac{\partial \eta}{\partial y}=\frac{1}{x}$. $\frac{\partial z}{\partial x}=\frac{\partial z}{\partial \xi}-\frac{y}{x^2}\frac{\partial z}{\partial \eta}$，$\frac{\partial z}{\partial y}=\frac{1}{x}\frac{\partial z}{\partial \eta}$. 代入原方程，得

$$x\left(\frac{\partial z}{\partial \xi}-\frac{y}{x^2}\frac{\partial z}{\partial \eta}\right)+\frac{y}{x}\frac{\partial z}{\partial \eta}=z,\text{即 } x\frac{\partial z}{\partial \xi}=z\text{ 或 }\xi\frac{\partial z}{\partial \xi}=z.$$

解得 $z=\xi\varphi(\eta)=x\varphi\left(\frac{y}{x}\right)$，其中 φ 为任意的函数.

【3462】 $\frac{\partial^2 u}{\partial t^2}=a^2\frac{\partial^2 u}{\partial x^2}$，$\xi=x-at$，$\eta=x+at$

解

$$\frac{\partial u}{\partial t}=\frac{\partial u}{\partial \xi}\frac{\partial \xi}{\partial t}+\frac{\partial u}{\partial \eta}\frac{\partial \eta}{\partial t}=-a\frac{\partial u}{\partial \xi}+a\frac{\partial u}{\partial \eta},$$

$$\frac{\partial u}{\partial x}=\frac{\partial u}{\partial \xi}\frac{\partial \xi}{\partial x}+\frac{\partial u}{\partial \eta}\frac{\partial \eta}{\partial x}=\frac{\partial u}{\partial \xi}+\frac{\partial u}{\partial \eta},$$

$$\frac{\partial^2 u}{\partial t^2}=\frac{\partial}{\partial t}\left(-a\frac{\partial u}{\partial \xi}+a\frac{\partial u}{\partial \eta}\right)=a^2\frac{\partial^2 u}{\partial \xi^2}-2a^2\frac{\partial^2 u}{\partial \xi\partial \eta}+a^2\frac{\partial^2 u}{\partial \eta^2},$$

$$\frac{\partial^2 u}{\partial x^2}=\frac{\partial}{\partial x}\left(\frac{\partial u}{\partial \xi}+\frac{\partial u}{\partial \eta}\right)=\frac{\partial^2 u}{\partial \xi^2}+2\frac{\partial^2 u}{\partial \xi\partial \eta}+\frac{\partial^2 u}{\partial \eta^2}.$$

于是，由$\frac{\partial^2 u}{\partial t^2}=a^2\frac{\partial^2 u}{\partial x^2}$ 得$\frac{\partial^2 u}{\partial \xi\partial \eta}=0$. 解得$\frac{\partial u}{\partial \xi}=f(\xi)$，从而

$$u=\varphi(\xi)+\psi(\eta)=\varphi(x-at)+\psi(x+at),$$

其中 φ 及 ψ 为任意的函数.

习题 3463—3486 引入新变量变换方程

【把 u 与 v 看作新的自变量，变换下列方程(3463—3479)】

【3463】 $x\frac{\partial z}{\partial x}+\sqrt{1+y^2}\frac{\partial z}{\partial y}=xy, u=\ln x, v=\ln(y+\sqrt{1+y^2})$.

解 $\frac{\partial u}{\partial x}=\frac{1}{x},\frac{\partial u}{\partial y}=0,\frac{\partial v}{\partial x}=0,\frac{\partial v}{\partial y}=\frac{1}{\sqrt{1+y^2}}\cdot\frac{\partial z}{\partial x}=\frac{1}{x}\frac{\partial z}{\partial u},\frac{\partial z}{\partial y}=\frac{1}{\sqrt{1+y^2}}\frac{\partial z}{\partial v}$.

注意到 $x=e^u$ 及 $y=\text{sh } v$，代入原方程，即得 $\frac{\partial z}{\partial u}+\frac{\partial z}{\partial v}=e^u\text{sh } v$.

【3464】 $(x+y)\frac{\partial z}{\partial x}-(x-y)\frac{\partial z}{\partial y}=0, u=\ln\sqrt{x^2+y^2}, v=\arctan\frac{y}{x}$.

解

$$\frac{\partial u}{\partial x}=\frac{x}{x^2+y^2},\frac{\partial u}{\partial y}=\frac{y}{x^2+y^2},\frac{\partial v}{\partial x}=-\frac{y}{x^2+y^2},\frac{\partial v}{\partial y}=\frac{x}{x^2+y^2}.$$

$$\frac{\partial z}{\partial x}=\frac{x}{x^2+y^2}\frac{\partial z}{\partial u}-\frac{y}{x^2+y^2}\frac{\partial z}{\partial v},\frac{\partial z}{\partial y}=\frac{y}{x^2+y^2}\frac{\partial z}{\partial u}+\frac{x}{x^2+y^2}\frac{\partial z}{\partial v}.$$

代入原方程，得

$$\frac{x+y}{x^2+y^2}\left(x\frac{\partial z}{\partial u}-y\frac{\partial z}{\partial v}\right)-\frac{x-y}{x^2+y^2}\left(y\frac{\partial z}{\partial u}+x\frac{\partial z}{\partial v}\right)=0,$$

$$\frac{\partial z}{\partial u}-\frac{\partial z}{\partial v}=0 \text{ 或 } \frac{\partial z}{\partial u}=\frac{\partial z}{\partial v}.$$

【3465】 $x\frac{\partial z}{\partial x}+y\frac{\partial z}{\partial y}=z+\sqrt{x^2+y^2+z^2}, u=\frac{y}{x}, v=z+\sqrt{x^2+y^2+z^2}$.

解 本题利用微分法.

$$du=\frac{xdy-ydx}{x^2},$$

$$dv=dz+\frac{xdx+ydy+zdz}{\sqrt{x^2+y^2+z^2}}=dz+\frac{xdx+ydy+zdz}{r}\left(r=\sqrt{x^2+y^2+z^2}\right).$$

$$dz=\frac{\partial z}{\partial u}du+\frac{\partial z}{\partial v}dv=\frac{\partial z}{\partial u}\left(\frac{dy}{x}-\frac{ydx}{x^2}\right)+\frac{\partial z}{\partial v}\left(dz+\frac{x}{r}dx+\frac{y}{r}dy+\frac{z}{r}dz\right).$$

于是

$$\left(1-\frac{\partial z}{\partial v}-\frac{z}{r}\frac{\partial z}{\partial v}\right)dz=\left(-\frac{y}{x^2}\frac{\partial z}{\partial u}+\frac{x}{r}\frac{\partial z}{\partial v}\right)dx+\left(\frac{1}{x}\frac{\partial z}{\partial u}+\frac{y}{r}\frac{\partial z}{\partial v}\right)dy,$$

$$\frac{\partial z}{\partial x}=\left(-\frac{y}{x^2}\frac{\partial z}{\partial u}+\frac{x}{r}\frac{\partial z}{\partial v}\right)\left(1-\frac{\partial z}{\partial v}-\frac{z}{r}\frac{\partial z}{\partial v}\right)^{-1},\frac{\partial z}{\partial y}=\left(\frac{1}{x}\frac{\partial z}{\partial u}+\frac{y}{r}\frac{\partial z}{\partial v}\right)\left(1-\frac{\partial z}{\partial v}-\frac{z}{r}\frac{\partial z}{\partial v}\right)^{-1}.$$

代入原方程，得 $x\left(-\frac{y}{x^2}\frac{\partial z}{\partial u}+\frac{x}{r}\frac{\partial z}{\partial v}\right)+y\left(\frac{1}{x}\frac{\partial z}{\partial u}+\frac{y}{r}\frac{\partial z}{\partial v}\right)=(z+r)\left(1-\frac{\partial z}{\partial v}-\frac{z}{r}\frac{\partial z}{\partial v}\right)$，整理得

$$2(z+r)\frac{\partial z}{\partial v}=z+r.$$

若 $z+r=0$，则 $x^2+y^2=0$，由于 $x\neq 0$，故 x^2+y^2 不可能为零. 于是 $z+r\neq 0$. 从而 $\frac{\partial z}{\partial v}=\frac{1}{2}$.

【3466】 $x\frac{\partial z}{\partial x}+y\frac{\partial z}{\partial y}=\frac{x}{z}, u=2x-z^2, v=\frac{y}{z}$.

解

$$du=2dx-2zdz, dv=\frac{dy}{z}-\frac{y}{z^2}dz.$$

$$dz=\frac{\partial z}{\partial u}du+\frac{\partial z}{\partial v}dv=\frac{\partial z}{\partial u}(2dx-2zdz)+\frac{\partial z}{\partial v}\left(\frac{1}{z}dy-\frac{y}{z^2}dz\right).$$

于是

$$\left(1+2z\frac{\partial z}{\partial u}+\frac{y}{z^2}\frac{\partial z}{\partial v}\right)dz=2\frac{\partial z}{\partial u}dx+\frac{1}{z}\frac{\partial z}{\partial v}dy,$$

$$\frac{\partial z}{\partial x}=2\frac{\partial z}{\partial u}\left(1+2z\frac{\partial z}{\partial u}+\frac{y}{z^2}\frac{\partial z}{\partial v}\right)^{-1},\frac{\partial z}{\partial y}=\frac{1}{z}\frac{\partial z}{\partial v}\left(1+2z\frac{\partial z}{\partial u}+\frac{y}{z^2}\frac{\partial z}{\partial v}\right)^{-1}.$$

代入原方程,得 $2x\frac{\partial z}{\partial u}+y\frac{1}{z}\frac{\partial z}{\partial v}=\frac{x}{z}\left(1+2z\frac{\partial z}{\partial u}+\frac{y}{z^2}\frac{\partial z}{\partial v}\right),\left(\frac{y}{z}-\frac{xy}{z^3}\right)\frac{\partial z}{\partial v}=\frac{x}{z}.$

再以 $y=zv,x=\frac{1}{2}(u+z^2)$ 代入上式得$\frac{\partial z}{\partial v}=\frac{z}{v}\frac{z^2+u}{z^2-u}.$

【3467】 $(x+z)\frac{\partial z}{\partial x}+(y+z)\frac{\partial z}{\partial y}=x+y+z,u=x+z,v=y+z.$

解 $\mathrm{d}z=\frac{\partial z}{\partial u}\mathrm{d}u+\frac{\partial z}{\partial v}\mathrm{d}v=\frac{\partial z}{\partial u}(\mathrm{d}x+\mathrm{d}z)+\frac{\partial z}{\partial v}(\mathrm{d}y+\mathrm{d}z).$

于是$\left(1-\frac{\partial z}{\partial u}-\frac{\partial z}{\partial v}\right)\mathrm{d}z=\frac{\partial z}{\partial u}\mathrm{d}x+\frac{\partial z}{\partial v}\mathrm{d}y,\frac{\partial z}{\partial x}=\frac{\partial z}{\partial u}\left(1-\frac{\partial z}{\partial u}-\frac{\partial z}{\partial v}\right)^{-1},\frac{\partial z}{\partial y}=\frac{\partial z}{\partial v}\left(1-\frac{\partial z}{\partial u}-\frac{\partial z}{\partial v}\right)^{-1}.$

将$\frac{\partial z}{\partial x}$及$\frac{\partial z}{\partial y}$代入原方程,并注意到 $x+y+z=u+v-z$,即得

$$u\frac{\partial z}{\partial u}+v\frac{\partial z}{\partial u}=(u+v-z)\left(1-\frac{\partial z}{\partial u}-\frac{\partial z}{\partial v}\right),$$

$$\text{即}(2u+v-z)\frac{\partial z}{\partial u}+(2v+u-z)\frac{\partial z}{\partial v}=u+v-z.$$

【3468】 $2\frac{\partial^2 z}{\partial x^2}+\frac{\partial^2 z}{\partial x\partial y}-\frac{\partial^2 z}{\partial y^2}+\frac{\partial z}{\partial x}+\frac{\partial z}{\partial y}=0,u=x+2y+2,v=x-y-1.$

解 $\frac{\partial z}{\partial x}=\frac{\partial z}{\partial u}\frac{\partial u}{\partial x}+\frac{\partial z}{\partial v}\frac{\partial v}{\partial x}=\frac{\partial z}{\partial u}+\frac{\partial z}{\partial v},\frac{\partial z}{\partial y}=2\frac{\partial z}{\partial u}-\frac{\partial z}{\partial v},$

$\frac{\partial^2 z}{\partial x^2}=\frac{\partial^2 z}{\partial u^2}+2\frac{\partial^2 z}{\partial u\partial v}+\frac{\partial^2 z}{\partial v^2},\frac{\partial^2 z}{\partial x\partial y}=\frac{\partial}{\partial y}\left(\frac{\partial z}{\partial x}\right)=2\frac{\partial^2 z}{\partial u^2}+\frac{\partial^2 z}{\partial u\partial v}-\frac{\partial^2 z}{\partial v^2},$

$\frac{\partial^2 z}{\partial y^2}=4\frac{\partial^2 z}{\partial u^2}-4\frac{\partial^2 z}{\partial u\partial v}+\frac{\partial^2 z}{\partial v^2}.$

代入原方程,化简整理即得 $3\frac{\partial^2 z}{\partial u\partial v}+\frac{\partial z}{\partial u}=0.$

【3469】 $(1+x^2)\frac{\partial^2 z}{\partial x^2}+(1+y^2)\frac{\partial^2 z}{\partial y^2}+x\frac{\partial z}{\partial x}+y\frac{\partial z}{\partial y}=0,u=\ln(x+\sqrt{1+x^2}),$
$v=\ln(y+\sqrt{1+y^2}).$

解 $\frac{\partial z}{\partial x}=\frac{\partial z}{\partial u}\frac{\partial u}{\partial x}=\frac{1}{\sqrt{1+x^2}}\frac{\partial z}{\partial u},\frac{\partial z}{\partial y}=\frac{1}{\sqrt{1+y^2}}\frac{\partial z}{\partial v}.$

$\frac{\partial^2 z}{\partial x^2}=\frac{\partial}{\partial x}\left(\frac{1}{\sqrt{1+x^2}}\frac{\partial z}{\partial u}\right)=-\frac{x}{(1+x^2)^{\frac{3}{2}}}\frac{\partial z}{\partial u}+\frac{1}{1+x^2}\frac{\partial^2 z}{\partial u^2},$

$\frac{\partial^2 z}{\partial y^2}=-\frac{y}{(1+y^2)^{\frac{3}{2}}}\frac{\partial z}{\partial v}+\frac{1}{1+y^2}\frac{\partial^2 z}{\partial v^2}.$

代入原方程,化简整理即得$\frac{\partial^2 z}{\partial u^2}+\frac{\partial^2 z}{\partial v^2}=0.$

【3470】 $ax^2\frac{\partial^2 z}{\partial x^2}+2bxy\frac{\partial^2 z}{\partial x\partial y}+cy^2\frac{\partial^2 z}{\partial y^2}=0$($a,b,c$ 为常数),$u=\ln x,v=\ln y.$

解 $\frac{\partial z}{\partial x}=\frac{1}{x}\frac{\partial z}{\partial u},\frac{\partial z}{\partial y}=\frac{1}{y}\frac{\partial z}{\partial v},\frac{\partial^2 z}{\partial x\partial y}=\frac{1}{xy}\frac{\partial^2 z}{\partial u\partial v},$

$\frac{\partial^2 z}{\partial x^2}=-\frac{1}{x^2}\frac{\partial z}{\partial u}+\frac{1}{x^2}\frac{\partial^2 z}{\partial u^2},\frac{\partial^2 z}{\partial y^2}=-\frac{1}{y^2}\frac{\partial z}{\partial v}+\frac{1}{y^2}\frac{\partial^2 z}{\partial v^2}.$

代入原方程,化简整理得 $a\left(\frac{\partial^2 z}{\partial u^2}-\frac{\partial z}{\partial u}\right)+2b\frac{\partial^2 z}{\partial u\partial v}+c\left(\frac{\partial^2 z}{\partial v^2}-\frac{\partial z}{\partial v}\right)=0.$

【3471】 $\frac{\partial^2 z}{\partial x^2}+\frac{\partial^2 z}{\partial y^2}=0,u=\frac{x}{x^2+y^2},v=-\frac{y}{x^2+y^2}.$

解
$$\frac{\partial z}{\partial x}=\frac{\partial z}{\partial u}\frac{\partial u}{\partial x}+\frac{\partial z}{\partial v}\frac{\partial v}{\partial x},\frac{\partial z}{\partial y}=\frac{\partial z}{\partial u}\frac{\partial u}{\partial y}+\frac{\partial z}{\partial v}\frac{\partial v}{\partial y},$$

$$\begin{cases}\dfrac{\partial^2 z}{\partial x^2}=\dfrac{\partial^2 z}{\partial u^2}\left(\dfrac{\partial u}{\partial x}\right)^2+2\dfrac{\partial^2 z}{\partial u\partial v}\dfrac{\partial u}{\partial x}\dfrac{\partial v}{\partial x}+\dfrac{\partial^2 z}{\partial v^2}\left(\dfrac{\partial v}{\partial x}\right)^2+\dfrac{\partial z}{\partial u}\dfrac{\partial^2 u}{\partial x^2}+\dfrac{\partial z}{\partial v}\dfrac{\partial^2 v}{\partial x^2},\\ \dfrac{\partial^2 z}{\partial y^2}=\dfrac{\partial^2 z}{\partial u^2}\left(\dfrac{\partial u}{\partial y}\right)^2+2\dfrac{\partial^2 z}{\partial u\partial v}\dfrac{\partial u}{\partial y}\dfrac{\partial v}{\partial y}+\dfrac{\partial^2 z}{\partial v^2}\left(\dfrac{\partial v}{\partial y}\right)^2+\dfrac{\partial z}{\partial u}\dfrac{\partial^2 u}{\partial y^2}+\dfrac{\partial z}{\partial v}\dfrac{\partial^2 v}{\partial y^2},\end{cases}$$ 公式 9

本题中

$$\frac{\partial u}{\partial x}=\frac{y^2-x^2}{(x^2+y^2)^2},\frac{\partial v}{\partial x}=\frac{2xy}{(x^2+y^2)^2},$$

$$\frac{\partial u}{\partial y}=-\frac{2xy}{(x^2+y^2)^2}=-\frac{\partial v}{\partial x},\frac{\partial v}{\partial y}=\frac{y^2-x^2}{(x^2+y^2)^2}=\frac{\partial u}{\partial x},$$

$$\frac{\partial^2 u}{\partial x^2}=\frac{\partial}{\partial x}\left(\frac{\partial v}{\partial y}\right)=\frac{\partial}{\partial y}\left(\frac{\partial v}{\partial x}\right)=\frac{\partial}{\partial y}\left(-\frac{\partial u}{\partial y}\right)=-\frac{\partial^2 u}{\partial y^2},$$

同法可得$\frac{\partial^2 u}{\partial x\partial y}=-\frac{\partial^2 v}{\partial x^2}=\frac{\partial^2 v}{\partial y^2}$. 注意到

$$\left(\frac{\partial u}{\partial x}\right)^2+\left(\frac{\partial u}{\partial y}\right)^2=\left(\frac{\partial v}{\partial x}\right)^2+\left(\frac{\partial v}{\partial y}\right)^2,\frac{\partial u}{\partial x}\frac{\partial v}{\partial x}=-\frac{\partial u}{\partial y}\frac{\partial v}{\partial y},\frac{\partial^2 u}{\partial x^2}+\frac{\partial^2 u}{\partial y^2}=\frac{\partial^2 v}{\partial x^2}+\frac{\partial^2 v}{\partial y^2}=0,$$

则由公式 9，即得$\frac{\partial^2 z}{\partial x^2}+\frac{\partial^2 z}{\partial y^2}=\left[\left(\frac{\partial u}{\partial x}\right)^2+\left(\frac{\partial u}{\partial y}\right)^2\right]\left(\frac{\partial^2 z}{\partial u^2}+\frac{\partial^2 z}{\partial v^2}\right)=0.$

由于$\left(\frac{\partial u}{\partial x}\right)^2+\left(\frac{\partial u}{\partial y}\right)^2\neq 0$，故变换后的方程为$\frac{\partial^2 z}{\partial u^2}+\frac{\partial^2 z}{\partial v^2}=0.$

【3472】 $\frac{\partial^2 z}{\partial x^2}+\frac{\partial^2 z}{\partial y^2}+m^2 z=0,x=\mathrm{e}^u\cos v,y=\mathrm{e}^u\sin v.$

解 由于$x=\mathrm{e}^u\cos v,y=\mathrm{e}^u\sin v$，故有

$$x^2+y^2=\mathrm{e}^{2u},u=\ln\sqrt{x^2+y^2},\tan v=\frac{y}{x},v=\operatorname{Arctan}\frac{y}{x},$$

v的多值性不影响求导所得的结果. 于是

$$\frac{\partial u}{\partial x}=\frac{x}{x^2+y^2}=\frac{\partial v}{\partial y},\frac{\partial u}{\partial y}=\frac{y}{x^2+y^2}=-\frac{\partial v}{\partial x},$$

由 3471 题得

$$\begin{aligned}\frac{\partial^2 z}{\partial x^2}+\frac{\partial^2 z}{\partial y^2}+m^2 z&=\left[\left(\frac{\partial u}{\partial x}\right)^2+\left(\frac{\partial u}{\partial y}\right)^2\right]\left(\frac{\partial^2 z}{\partial u^2}+\frac{\partial^2 z}{\partial v^2}\right)+m^2 z\\&=\left[\frac{x^2}{(x^2+y^2)^2}+\frac{y^2}{(x^2+y^2)^2}\right]\left(\frac{\partial^2 z}{\partial u^2}+\frac{\partial^2 z}{\partial v^2}\right)+m^2 z\\&=\mathrm{e}^{-2\omega}\left(\frac{\partial^2 z}{\partial u^2}+\frac{\partial^2 z}{\partial v^2}\right)+m^2 z=0,\end{aligned}$$

即
$$\frac{\partial^2 z}{\partial u^2}+\frac{\partial^2 z}{\partial v^2}+m^2\mathrm{e}^{2u}z=0.$$

【3473】 $\frac{\partial^2 z}{\partial x^2}-y\frac{\partial^2 z}{\partial y^2}=\frac{1}{2}\frac{\partial z}{\partial y}(y>0),u=x-2\sqrt{y},v=x+2\sqrt{y}.$

解 $\frac{\partial u}{\partial x}=1,\frac{\partial v}{\partial x}=1,\frac{\partial u}{\partial y}=-\frac{1}{\sqrt{y}},\frac{\partial v}{\partial y}=\frac{1}{\sqrt{y}},\frac{\partial^2 u}{\partial x^2}=\frac{\partial^2 v}{\partial x^2}=0,\frac{\partial^2 u}{\partial y^2}=\frac{1}{2y^{\frac{3}{2}}},\frac{\partial^2 v}{\partial y^2}=-\frac{1}{2y^{\frac{3}{2}}}.$

由公式 9 得

$$\frac{\partial^2 z}{\partial x^2}=\frac{\partial^2 z}{\partial u^2}+2\frac{\partial^2 z}{\partial u\partial v}+\frac{\partial^2 z}{\partial v^2},\frac{\partial^2 z}{\partial y^2}=\frac{1}{2y^{\frac{3}{2}}}\frac{\partial z}{\partial u}-\frac{1}{2y^{\frac{3}{2}}}\frac{\partial z}{\partial v}+\frac{1}{y}\frac{\partial^2 z}{\partial u^2}-\frac{2}{y}\frac{\partial^2 z}{\partial u\partial v}+\frac{1}{y}\frac{\partial^2 z}{\partial v^2},$$

$$\frac{\partial z}{\partial y}=-\frac{1}{\sqrt{y}}\frac{\partial z}{\partial u}+\frac{1}{\sqrt{y}}\frac{\partial z}{\partial v}.$$

代入原方程，化简整理得$\frac{\partial^2 z}{\partial u\partial v}=0.$

【3474】 $x^2\frac{\partial^2 z}{\partial x^2}-y^2\frac{\partial^2 z}{\partial y^2}=0, u=xy, v=\frac{x}{y}$.

解 $\frac{\partial u}{\partial x}=y,\frac{\partial v}{\partial x}=\frac{1}{y},\frac{\partial u}{\partial y}=x,\frac{\partial v}{\partial y}=-\frac{x}{y^2},\frac{\partial^2 u}{\partial x^2}=0,\frac{\partial^2 v}{\partial x^2}=0,\frac{\partial^2 u}{\partial y^2}=0,\frac{\partial^2 v}{\partial y^2}=\frac{2x}{y^3}$.

由公式9得 $\frac{\partial^2 z}{\partial x^2}=y^2\frac{\partial^2 z}{\partial u^2}+2\frac{\partial^2 z}{\partial u\partial v}+\frac{1}{y^2}\frac{\partial^2 z}{\partial v^2},\frac{\partial^2 z}{\partial y^2}=x^2\frac{\partial^2 z}{\partial u^2}-\frac{2x^2}{y^2}\frac{\partial^2 z}{\partial u\partial v}+\frac{x^2}{y^4}\frac{\partial^2 z}{\partial v^2}+\frac{2x}{y^3}\frac{\partial z}{\partial v}$.

代入原方程，化简整理得$\frac{\partial^2 z}{\partial u\partial v}=\frac{1}{2u}\frac{\partial z}{\partial v}$.

【3475】 $x^2\frac{\partial^2 z}{\partial x^2}-(x^2+y^2)\frac{\partial^2 z}{\partial x\partial y}+y^2\frac{\partial^2 z}{\partial y^2}=0, u=x+y, v=\frac{1}{x}+\frac{1}{y}$.

解 $\frac{\partial z}{\partial x}=\frac{\partial z}{\partial u}-\frac{1}{x^2}\frac{\partial z}{\partial v},\frac{\partial z}{\partial y}=\frac{\partial z}{\partial u}-\frac{1}{y^2}\frac{\partial z}{\partial v},\frac{\partial^2 z}{\partial x^2}=\frac{\partial^2 z}{\partial u^2}-\frac{2}{x^2}\frac{\partial^2 z}{\partial u\partial v}+\frac{1}{x^4}\frac{\partial^2 z}{\partial v^2}+\frac{2}{x^3}\frac{\partial z}{\partial v}$,

$\frac{\partial^2 z}{\partial y^2}=\frac{\partial^2 z}{\partial u^2}-\frac{2}{y^2}\frac{\partial^2 z}{\partial u\partial v}+\frac{1}{y^4}\frac{\partial^2 z}{\partial v^2}+\frac{2}{y^3}\frac{\partial z}{\partial v},\frac{\partial^2 z}{\partial x\partial y}=\frac{\partial^2 z}{\partial u^2}-\left(\frac{1}{x^2}+\frac{1}{y^2}\right)\frac{\partial^2 z}{\partial u\partial v}+\frac{1}{x^2y^2}\frac{\partial^2 z}{\partial v^2}$.

代入原方程，得

$$\frac{(x^2-y^2)^2}{x^2y^2}\frac{\partial^2 z}{\partial u\partial v}+2\left(\frac{1}{x}+\frac{1}{y}\right)\frac{\partial z}{\partial v}=0.$$

注意到 $v=\frac{1}{x}+\frac{1}{y}=\frac{x+y}{xy}=\frac{u}{xy}$，即 $xy=\frac{u}{v}$，于是

$$\frac{(x^2-y^2)^2}{x^2y^2}=\frac{(x+y)^2}{x^2y^2}(x-y)^2=\left(\frac{1}{x}+\frac{1}{y}\right)^2[(x+y)^2-4xy]=v^2\left(u^2-4\frac{u}{v}\right)=uv(uv-4).$$

从而得变换后的方程$\frac{\partial^2 z}{\partial u\partial v}=\frac{2}{u(4-uv)}\frac{\partial z}{\partial v}$.

【3476】 $xy\frac{\partial^2 z}{\partial x^2}-(x^2+y^2)\frac{\partial^2 z}{\partial x\partial y}+xy\frac{\partial^2 z}{\partial y^2}+y\frac{\partial z}{\partial x}+x\frac{\partial z}{\partial y}=0, u=\frac{1}{2}(x^2+y^2)$, $v=xy$.

解 $\frac{\partial z}{\partial x}=x\frac{\partial z}{\partial u}+y\frac{\partial z}{\partial v},\frac{\partial z}{\partial y}=y\frac{\partial z}{\partial u}+x\frac{\partial z}{\partial v},\frac{\partial^2 z}{\partial x^2}=x^2\frac{\partial^2 z}{\partial u^2}+2xy\frac{\partial^2 z}{\partial u\partial v}+y^2\frac{\partial^2 z}{\partial v^2}+\frac{\partial z}{\partial u}$,

$\frac{\partial^2 z}{\partial y^2}=y^2\frac{\partial^2 z}{\partial u^2}+2xy\frac{\partial^2 z}{\partial u\partial v}+x^2\frac{\partial^2 z}{\partial v^2}+\frac{\partial z}{\partial u},\frac{\partial^2 z}{\partial x\partial y}=xy\left(\frac{\partial^2 z}{\partial u^2}+\frac{\partial^2 z}{\partial v^2}\right)+(x^2+y^2)\frac{\partial^2 z}{\partial u\partial v}+\frac{\partial z}{\partial v}$.

代入原方程，得

$$[(x^2+y^2)^2-4x^2y^2]\frac{\partial^2 z}{\partial u\partial v}=4xy\frac{\partial z}{\partial u},$$

即

$$(u^2-v^2)\frac{\partial^2 z}{\partial u\partial v}=v\frac{\partial z}{\partial u}.$$

【3477】 $x^2\frac{\partial^2 z}{\partial x^2}-2x\sin y\frac{\partial^2 z}{\partial x\partial y}+\sin^2 y\frac{\partial^2 z}{\partial y^2}=0, u=x\tan\frac{y}{2}, v=x$.

解 $\frac{\partial z}{\partial x}=\tan\frac{y}{2}\frac{\partial z}{\partial u}+\frac{\partial z}{\partial v},\frac{\partial z}{\partial y}=\frac{x}{2}\sec^2\frac{y}{2}\frac{\partial z}{\partial u},\frac{\partial^2 z}{\partial x^2}=\tan^2\frac{y}{2}\frac{\partial^2 z}{\partial u^2}+2\tan\frac{y}{2}\frac{\partial^2 z}{\partial u\partial v}+\frac{\partial^2 z}{\partial v^2}$,

$\frac{\partial^2 z}{\partial y^2}=\frac{x}{2}\sec^2\frac{y}{2}\tan\frac{y}{2}\frac{\partial z}{\partial u}+\frac{x^2}{4}\sec^4\frac{y}{2}\frac{\partial^2 z}{\partial u^2}$,

$\frac{\partial^2 z}{\partial x\partial y}=\frac{1}{2}\sec^2\frac{y}{2}\frac{\partial z}{\partial u}+\frac{x}{2}\sec^2\frac{y}{2}\tan\frac{y}{2}\frac{\partial^2 z}{\partial u^2}+\frac{x}{2}\sec^2\frac{y}{2}\frac{\partial^2 z}{\partial u\partial v}$.

代入原方程，得

$$x^2\frac{\partial^2 z}{\partial v^2}=\left(x\sin y\sec^2\frac{y}{2}-\frac{x}{2}\sin^2 y\sec^2\frac{y}{2}\tan\frac{y}{2}\right)\frac{\partial z}{\partial u}=\left(2x\tan\frac{y}{2}-2x\tan\frac{y}{2}\sin^2\frac{y}{2}\right)\frac{\partial z}{\partial u}$$

$$=2x\tan\frac{y}{2}\cos^2\frac{y}{2}\frac{\partial z}{\partial u}=\frac{2x\tan\frac{y}{2}}{1+\tan^2\frac{y}{2}}\frac{\partial z}{\partial u},$$

即 $\frac{\partial^2 z}{\partial v^2}=\frac{2u}{u^2+v^2}\frac{\partial z}{\partial u}$.

【3478】 $x\frac{\partial^2 z}{\partial x^2}-y\frac{\partial^2 z}{\partial y^2}=0(x>0,y>0),x=(u+v)^2,y=(u-v)^2$.

解 由 $x=(u+v)^2$ 及 $y=(u-v)^2$ 分别对 x 及对 y 求偏导数,得

$$\begin{cases}1=2(u+v)(\frac{\partial u}{\partial x}+\frac{\partial v}{\partial x}),\\ 0=2(u-v)(\frac{\partial u}{\partial x}-\frac{\partial v}{\partial x});\end{cases}\qquad \begin{cases}0=2(u+v)\left(\frac{\partial u}{\partial y}+\frac{\partial v}{\partial y}\right),\\ 1=2(u-v)\left(\frac{\partial u}{\partial y}-\frac{\partial v}{\partial y}\right).\end{cases}$$

解得

$$\frac{\partial u}{\partial x}=\frac{\partial v}{\partial x}=\frac{1}{4(u+v)},\frac{\partial u}{\partial y}=-\frac{\partial v}{\partial y}=\frac{1}{4(u-v)}.$$

于是

$$\frac{\partial z}{\partial x}=\frac{\partial z}{\partial u}\frac{\partial u}{\partial x}+\frac{\partial z}{\partial v}\frac{\partial v}{\partial x}=\frac{1}{4(u+v)}\left(\frac{\partial z}{\partial u}+\frac{\partial z}{\partial v}\right),$$

$$\frac{\partial z}{\partial y}=\frac{1}{4(u-v)}\left(\frac{\partial z}{\partial u}-\frac{\partial z}{\partial v}\right),$$

$$\begin{aligned}\frac{\partial^2 z}{\partial x^2}&=-\frac{1}{4(u+v)^2}\left(\frac{\partial u}{\partial x}+\frac{\partial v}{\partial x}\right)\left(\frac{\partial z}{\partial u}+\frac{\partial z}{\partial v}\right)+\frac{1}{4(u+v)}\left(\frac{\partial^2 z}{\partial u^2}\frac{\partial u}{\partial x}+\frac{\partial^2 z}{\partial u\partial v}\frac{\partial v}{\partial x}+\frac{\partial^2 z}{\partial u\partial v}\frac{\partial u}{\partial x}+\frac{\partial^2 z}{\partial v^2}\frac{\partial v}{\partial x}\right)\\&=-\frac{1}{8(u+v)^3}\left(\frac{\partial z}{\partial u}+\frac{\partial z}{\partial v}\right)+\frac{1}{16(u+v)^2}\left(\frac{\partial^2 z}{\partial u^2}+2\frac{\partial^2 z}{\partial u\partial v}+\frac{\partial^2 z}{\partial v^2}\right).\end{aligned}$$

同法可求得

$$\frac{\partial^2 z}{\partial y^2}=-\frac{1}{8(u-v)^3}\left(\frac{\partial z}{\partial u}-\frac{\partial z}{\partial v}\right)+\frac{1}{16(u-v)^2}\left(\frac{\partial^2 z}{\partial u^2}-2\frac{\partial^2 z}{\partial u\partial v}+\frac{\partial^2 z}{\partial v^2}\right).$$

代入原方程,得

$$\begin{aligned}x\frac{\partial^2 z}{\partial x^2}-y\frac{\partial^2 z}{\partial y^2}=&-\frac{1}{8(u+v)}\left(\frac{\partial z}{\partial u}+\frac{\partial z}{\partial v}\right)+\frac{1}{16}\left(\frac{\partial^2 z}{\partial u^2}+2\frac{\partial^2 z}{\partial u\partial v}+\frac{\partial^2 z}{\partial v^2}\right)+\frac{1}{8(u-v)}\left(\frac{\partial z}{\partial u}-\frac{\partial z}{\partial v}\right)-\\&\frac{1}{16}\left(\frac{\partial^2 z}{\partial u^2}-2\frac{\partial^2 z}{\partial u\partial v}+\frac{\partial^2 z}{\partial v^2}\right)=\frac{1}{16}\left(\frac{4v}{u^2-v^2}\frac{\partial z}{\partial u}-\frac{4u}{u^2-v^2}\frac{\partial z}{\partial v}+4\frac{\partial^2 z}{\partial u\partial v}\right)=0,\end{aligned}$$

即 $\frac{\partial^2 z}{\partial u\partial v}+\frac{1}{u^2-v^2}\left(v\frac{\partial z}{\partial u}-u\frac{\partial z}{\partial v}\right)=0$.

【3479】 $\frac{\partial^2 z}{\partial x\partial y}=\left(1+\frac{\partial z}{\partial y}\right)^a,u=x,v=y+z$.

解 由 $u=x,v=y+z$ 得

$$du=dx,dv=dy+dz,dz=\frac{\partial z}{\partial u}du+\frac{\partial z}{\partial v}dv=\frac{\partial z}{\partial u}dx+\frac{\partial z}{\partial v}(dy+dz).$$

于是

$$\left(1-\frac{\partial z}{\partial v}\right)dz=\frac{\partial z}{\partial u}dx+\frac{\partial z}{\partial v}dy,\frac{\partial z}{\partial x}=\frac{\frac{\partial z}{\partial u}}{1-\frac{\partial z}{\partial v}},\frac{\partial z}{\partial y}=\frac{\frac{\partial z}{\partial v}}{1-\frac{\partial z}{\partial v}}.$$

$$1+\frac{\partial z}{\partial y}=1+\frac{\frac{\partial z}{\partial v}}{1-\frac{\partial z}{\partial v}}=\frac{1}{1-\frac{\partial z}{\partial v}}. \qquad ①$$

又 $$\begin{aligned}\frac{\partial^2 z}{\partial x\partial y}&=\frac{\partial}{\partial x}\left(1+\frac{\partial z}{\partial y}\right)=\frac{\partial}{\partial x}\left[\frac{1}{1-\frac{\partial z}{\partial v}}\right]=\frac{1}{\left(1-\frac{\partial z}{\partial v}\right)^2}\frac{\partial}{\partial x}\left(\frac{\partial z}{\partial v}\right)=\frac{1}{\left(1-\frac{\partial z}{\partial v}\right)^2}\left(\frac{\partial^2 z}{\partial u\partial v}\frac{\partial u}{\partial x}+\frac{\partial^2 z}{\partial v^2}\frac{\partial v}{\partial x}\right)\\&=\frac{1}{\left(1-\frac{\partial z}{\partial v}\right)^2}\left(\frac{\partial^2 z}{\partial u\partial v}+\frac{\partial^2 z}{\partial v^2}\frac{\partial z}{\partial x}\right)=\frac{1}{\left(1-\frac{\partial z}{\partial v}\right)^3}\left[\frac{\partial^2 z}{\partial u\partial v}\left(1-\frac{\partial z}{\partial v}\right)+\frac{\partial^2 z}{\partial v^2}\frac{\partial z}{\partial u}\right].\end{aligned} \qquad ②$$

将 ① 式和 ② 式代入原方程，去分母即得

$$\left(1-\frac{\partial z}{\partial v}\right)\frac{\partial^2 z}{\partial u\partial v}+\frac{\partial z}{\partial u}\frac{\partial^2 z}{\partial v^2}=1.$$

【3480】 利用线性变换 $\xi=x+\lambda_1 y,\eta=x+\lambda_2 y$，把方程

$$A\frac{\partial^2 u}{\partial x^2}+2B\frac{\partial^2 u}{\partial x\partial y}+C\frac{\partial^2 u}{\partial y^2}=0, \qquad ①$$

（其中 A,B 和 C 为常数且 $C\neq 0,AC-B^2<0$）变换为形式 $\frac{\partial^2 u}{\partial\xi\partial\eta}=0$，求满足方程 ① 的函数的一般形式.

解 $\frac{\partial u}{\partial x}=\frac{\partial u}{\partial\xi}+\frac{\partial u}{\partial\eta},\frac{\partial u}{\partial y}=\lambda_1\frac{\partial u}{\partial\xi}+\lambda_2\frac{\partial u}{\partial\eta}$，　$\frac{\partial^2 u}{\partial x^2}=\frac{\partial^2 u}{\partial\xi^2}+2\frac{\partial^2 u}{\partial\xi\partial\eta}+\frac{\partial^2 u}{\partial\eta^2}$，

$\frac{\partial^2 u}{\partial x\partial y}=\lambda_1\frac{\partial^2 u}{\partial\xi^2}+(\lambda_1+\lambda_2)\frac{\partial^2 u}{\partial\xi\partial\eta}+\lambda_2\frac{\partial^2 u}{\partial\eta^2}$，　$\frac{\partial^2 u}{\partial y^2}=\lambda_1^2\frac{\partial^2 u}{\partial\xi^2}+2\lambda_1\lambda_2\frac{\partial^2 u}{\partial\xi\partial\eta}+\lambda_2^2\frac{\partial^2 u}{\partial\eta^2}$.

将上述结果代入原方程，得

$$(A+2B\lambda_1+C\lambda_1^2)\frac{\partial^2 u}{\partial\xi^2}+2[A+B(\lambda_1+\lambda_2)+C\lambda_1\lambda_2]\frac{\partial^2 u}{\partial\xi\partial\eta}+(A+2B\lambda_2+C\lambda_2^2)\frac{\partial^2 u}{\partial\eta^2}=0.$$

当 $A+2B\lambda_1+C\lambda_1^2=0$ 及 $A+2B\lambda_2+C\lambda_2^2=0$，即 λ_1 与 λ_2 为方程 $A+2B\lambda+C\lambda^2=0$ 的根时（注意，由假定 $C\neq 0,AC-B^2<0$，故此方程恰有两个相异的实根），原方程变换为

$$[A+B(\lambda_1+\lambda_2)+C\lambda_1\lambda_2]\frac{\partial^2 u}{\partial\xi\partial\eta}=0.$$

由根与系数的关系得 $\lambda_1+\lambda_2=-\frac{2B}{C},\lambda_1\lambda_2=\frac{A}{C}$. 于是

$$A+B(\lambda_1+\lambda_2)+C\lambda_1\lambda_2=\frac{2(AC-B^2)}{C}\neq 0.$$

从而，必有 $\frac{\partial^2 u}{\partial\xi\partial\eta}=0$. 此时，$\frac{\partial^2 u}{\partial\xi\partial\eta}=\frac{\partial}{\partial\eta}\left(\frac{\partial u}{\partial\xi}\right)=0$，故 $\frac{\partial u}{\partial\xi}=f(\xi)$ 且

$$u=\int f(\xi)\mathrm{d}\xi+\psi(\eta)=\varphi(\xi)+\psi(\eta)=\varphi(x+\lambda_1 y)+\psi(x+\lambda_2 y).$$

【3481】 令 $e^\xi=x-u,e^\eta=y-u,e^\zeta=z-u$，变换方程

$$(y+z+u)\frac{\partial u}{\partial x}+(x+z+u)\frac{\partial u}{\partial y}+(x+y+u)\frac{\partial u}{\partial z}=x+y+z.$$

解 $\mathrm{d}u=\frac{\partial u}{\partial\xi}\mathrm{d}\xi+\frac{\partial u}{\partial\eta}\mathrm{d}\eta+\frac{\partial u}{\partial\zeta}\mathrm{d}\zeta=\frac{\partial u}{\partial\xi}e^{-\xi}(\mathrm{d}x-\mathrm{d}u)+\frac{\partial u}{\partial\eta}e^{-\eta}(\mathrm{d}y-\mathrm{d}u)+\frac{\partial u}{\partial\zeta}e^{-\zeta}(\mathrm{d}z-\mathrm{d}u)$. 于是

$$\left(1+e^{-\xi}\frac{\partial u}{\partial\xi}+e^{-\eta}\frac{\partial u}{\partial\eta}+e^{-\zeta}\frac{\partial u}{\partial\zeta}\right)\mathrm{d}u=e^{-\xi}\frac{\partial u}{\partial\xi}\mathrm{d}x+e^{-\eta}\frac{\partial u}{\partial\eta}\mathrm{d}y+e^{-\zeta}\frac{\partial u}{\partial\zeta}\mathrm{d}z.$$

将由上式确定的 $\frac{\partial u}{\partial x},\frac{\partial u}{\partial y}$ 及 $\frac{\partial u}{\partial z}$ 代入原方程，即得

$$(y+z+u)e^{-\xi}\frac{\partial u}{\partial\xi}+(x+z+u)e^{-\eta}\frac{\partial u}{\partial\eta}+(x+y+u)e^{-\zeta}\frac{\partial u}{\partial\zeta}$$
$$=(x+y+z)\left(1+e^{-\xi}\frac{\partial u}{\partial\xi}+e^{-\eta}\frac{\partial u}{\partial\eta}+e^{-\zeta}\frac{\partial u}{\partial\zeta}\right).$$

消去同类项，得

$$(x-u)e^{-\xi}\frac{\partial u}{\partial\xi}+(y-u)e^{-\eta}\frac{\partial u}{\partial\eta}+(z-u)e^{-\zeta}\frac{\partial u}{\partial\zeta}+(x+y+z)=0,$$

即

$$\frac{\partial u}{\partial\xi}+\frac{\partial u}{\partial\eta}+\frac{\partial u}{\partial\zeta}+3u+e^\xi+e^\eta+e^\zeta=0.$$

【3482】 令 $y_1=x_2+x_3-x_1,y_2=x_1+x_3-x_2,y_3=x_1+x_2-x_3$，变换方程

$$\frac{\partial^2 z}{\partial x_1^2}+\frac{\partial^2 z}{\partial x_2^2}+\frac{\partial^2 z}{\partial x_3^2}+\frac{\partial^2 z}{\partial x_1\partial x_2}+\frac{\partial^2 z}{\partial x_1\partial x_3}+\frac{\partial^2 z}{\partial x_2\partial x_3}=0.$$

解 不难看出

$$\frac{\partial z}{\partial x_1}=\left(-\frac{\partial}{\partial y_1}+\frac{\partial}{\partial y_2}+\frac{\partial}{\partial y_3}\right)z,\frac{\partial z}{\partial x_2}=\left(\frac{\partial}{\partial y_1}-\frac{\partial}{\partial y_2}+\frac{\partial}{\partial y_3}\right)z,\frac{\partial z}{\partial x_3}=\left(\frac{\partial}{\partial y_1}+\frac{\partial}{\partial y_2}-\frac{\partial}{\partial y_3}\right)z.$$

把上述结果代入所给方程的左端，即得

$$\begin{aligned}&\frac{\partial^2 z}{\partial x_1^2}+\frac{\partial^2 z}{\partial x_2^2}+\frac{\partial^2 z}{\partial x_3^2}+\frac{\partial^2 z}{\partial x_1\partial x_2}+\frac{\partial^2 z}{\partial x_1\partial x_3}+\frac{\partial^2 z}{\partial x_2\partial x_3}\\&=\frac{\partial}{\partial x_1}\left(\frac{\partial z}{\partial x_1}+\frac{\partial z}{\partial x_2}\right)+\frac{\partial}{\partial x_2}\left(\frac{\partial z}{\partial x_2}+\frac{\partial z}{\partial x_3}\right)+\frac{\partial}{\partial x_3}\left(\frac{\partial z}{\partial x_3}+\frac{\partial z}{\partial x_1}\right)\\&=\frac{\partial}{\partial x_1}\left(2\frac{\partial z}{\partial y_3}\right)+\frac{\partial}{\partial x_2}\left(2\frac{\partial z}{\partial y_1}\right)+\frac{\partial}{\partial x_3}\left(2\frac{\partial z}{\partial y_2}\right)\\&=2\left[\left(-\frac{\partial}{\partial y_1}+\frac{\partial}{\partial y_2}+\frac{\partial}{\partial y_3}\right)\frac{\partial z}{\partial y_3}+\left(\frac{\partial}{\partial y_1}-\frac{\partial}{\partial y_2}+\frac{\partial}{\partial y_3}\right)\frac{\partial z}{\partial y_1}+\left(\frac{\partial}{\partial y_1}+\frac{\partial}{\partial y_2}-\frac{\partial}{\partial y_3}\right)\frac{\partial}{\partial y_2}\right]\\&=2\left(\frac{\partial^2 z}{\partial y_1^2}+\frac{\partial^2 z}{\partial y_2^2}+\frac{\partial^2 z}{\partial y_3^2}\right).\end{aligned}$$

从而，原方程变换为$\frac{\partial^2 z}{\partial y_1^2}+\frac{\partial^2 z}{\partial y_2^2}+\frac{\partial^2 z}{\partial y_3^2}=0$.

【3483】 令 $\xi=\frac{y}{x},\eta=\frac{z}{x},\zeta=y-z$，变换方程

$$x^2\frac{\partial^2 u}{\partial x^2}+y^2\frac{\partial^2 u}{\partial y^2}+z^2\frac{\partial^2 u}{\partial z^2}+2xy\frac{\partial^2 u}{\partial x\partial y}+2xz\frac{\partial^2 u}{\partial x\partial z}+2yz\frac{\partial^2 u}{\partial y\partial z}=0.$$

解 定义算子 A：$Au=\left(x\frac{\partial}{\partial x}+y\frac{\partial}{\partial y}+z\frac{\partial}{\partial z}\right)u$，则有

$$\begin{aligned}A^2u=A(Au)&=x\frac{\partial}{\partial x}(Au)+y\frac{\partial}{\partial y}(Au)+z\frac{\partial}{\partial z}(Au)=x\left(x\frac{\partial^2}{\partial x^2}+y\frac{\partial^2}{\partial x\partial y}+z\frac{\partial^2}{\partial x\partial z}+\frac{\partial}{\partial x}\right)u+\\&\quad y\left(x\frac{\partial^2}{\partial x\partial y}+y\frac{\partial^2}{\partial y^2}+z\frac{\partial^2}{\partial y\partial z}+\frac{\partial}{\partial y}\right)u+z\left(x\frac{\partial^2}{\partial x\partial z}+y\frac{\partial^2}{\partial y\partial z}+z\frac{\partial^2}{\partial z^2}+\frac{\partial}{\partial z}\right)u\\&=\left(x\frac{\partial}{\partial x}+y\frac{\partial}{\partial y}+z\frac{\partial}{\partial z}\right)^2u+Au.\end{aligned}$$

于是，原方程可改写成$\left(x\frac{\partial}{\partial x}+y\frac{\partial}{\partial y}+z\frac{\partial}{\partial z}\right)^2u=0$ 或 $A^2u-Au=0$.

但是

$$\begin{aligned}Au&=x\frac{\partial u}{\partial x}+y\frac{\partial u}{\partial y}+z\frac{\partial u}{\partial z}=x\left(-\frac{y}{x^2}\frac{\partial u}{\partial \xi}-\frac{z}{x^2}\frac{\partial u}{\partial \eta}\right)+y\left(\frac{1}{x}\frac{\partial u}{\partial \xi}+\frac{\partial u}{\partial \zeta}\right)+z\left(\frac{1}{x}\frac{\partial u}{\partial \eta}-\frac{\partial u}{\partial \zeta}\right)\\&=(y-z)\frac{\partial u}{\partial \zeta}=\zeta\frac{\partial u}{\partial \zeta},\end{aligned}$$

$$A^2u=A(Au)=\left(\zeta\frac{\partial}{\partial \zeta}\right)Au=\zeta\frac{\partial}{\partial \zeta}\left(\zeta\frac{\partial u}{\partial \zeta}\right)=\zeta^2\frac{\partial^2 u}{\partial \zeta^2}+\zeta\frac{\partial u}{\partial \zeta},$$

从而，$A^2u-Au=\zeta^2\frac{\partial^2 u}{\partial \zeta^2}$. 由于 $\zeta\neq 0$，故原方程变换为$\frac{\partial^2 u}{\partial \zeta^2}=0$.

【3484】 证明：拉普拉斯方程 $\Delta z=\frac{\partial^2 z}{\partial x^2}+\frac{\partial^2 z}{\partial y^2}=0$ 的形式在满足$\frac{\partial \varphi}{\partial u}=\frac{\partial \psi}{\partial v},\frac{\partial \varphi}{\partial v}=-\frac{\partial \psi}{\partial u}$ 的任何非退化变换 $x=\varphi(u,v)$，$y=\psi(u,v)$ 下保持不变.

证 $\mathrm{d}x=\frac{\partial \varphi}{\partial u}\mathrm{d}u+\frac{\partial \varphi}{\partial v}\mathrm{d}v,\mathrm{d}y=\frac{\partial \psi}{\partial u}\mathrm{d}u+\frac{\partial \psi}{\partial v}\mathrm{d}v=-\frac{\partial \varphi}{\partial v}\mathrm{d}u+\frac{\partial \varphi}{\partial u}\mathrm{d}v.$

令 $I=\left(\frac{\partial \varphi}{\partial u}\right)^2+\left(\frac{\partial \varphi}{\partial v}\right)^2$. 由于变换是非退化的，故知

$$\frac{D(x,y)}{D(u,v)}=\begin{vmatrix}\frac{\partial \varphi}{\partial u} & \frac{\partial \varphi}{\partial v}\\ \frac{\partial \psi}{\partial u} & \frac{\partial \psi}{\partial v}\end{vmatrix}=\left(\frac{\partial \varphi}{\partial u}\right)^2+\left(\frac{\partial \varphi}{\partial v}\right)^2=I\neq 0.$$

由上述方程组解得 $du=\frac{1}{I}\left(\frac{\partial\varphi}{\partial u}dx-\frac{\partial\varphi}{\partial v}dy\right),dv=\frac{1}{I}\left(\frac{\partial\varphi}{\partial v}dx+\frac{\partial\varphi}{\partial u}dy\right)$. 于是

$$\frac{\partial u}{\partial x}=\frac{1}{I}\frac{\partial\varphi}{\partial u}=\frac{\partial v}{\partial y},\frac{\partial u}{\partial y}=-\frac{1}{I}\frac{\partial\varphi}{\partial v}=-\frac{\partial v}{\partial x}.$$

由 3471 题的证明及公式 9,并考虑到

$$\left(\frac{\partial u}{\partial x}\right)^2+\left(\frac{\partial u}{\partial y}\right)^2=\frac{1}{I^2}\left[\left(\frac{\partial\varphi}{\partial u}\right)^2+\left(\frac{\partial\varphi}{\partial v}\right)^2\right]=\frac{1}{I},$$

即得
$$\Delta z\equiv\frac{\partial^2 z}{\partial x^2}+\frac{\partial^2 z}{\partial y^2}=\left[\left(\frac{\partial u}{\partial x}\right)^2+\left(\frac{\partial u}{\partial y}\right)^2\right]\left(\frac{\partial^2 z}{\partial u^2}+\frac{\partial^2 z}{\partial v^2}\right)=\frac{1}{I}\left(\frac{\partial^2 z}{\partial u^2}+\frac{\partial^2 z}{\partial v^2}\right)=0,$$

或
$$\frac{\partial^2 z}{\partial u^2}+\frac{\partial^2 z}{\partial v^2}=0,$$

即形式是不变的.

【3485】 证明:方程$\frac{\partial^2 z}{\partial x^2}+2xy^2\frac{\partial z}{\partial x}+2(y-y^3)\frac{\partial z}{\partial y}+x^2y^2z^2=0$的形式在变换 $x=uv$ 及 $y=\frac{1}{v}$ 下保持不变.

证 $v=\frac{1}{y},u=\frac{x}{v}=xy$. 于是

$$\frac{\partial z}{\partial x}=\frac{\partial z}{\partial u}\frac{\partial u}{\partial x}+\frac{\partial z}{\partial v}\frac{\partial v}{\partial x}=y\frac{\partial z}{\partial u},\frac{\partial z}{\partial y}=\frac{\partial z}{\partial u}\frac{\partial u}{\partial y}+\frac{\partial z}{\partial v}\frac{\partial v}{\partial y}=x\frac{\partial z}{\partial u}-\frac{1}{y^2}\frac{\partial z}{\partial v},$$

$$\frac{\partial^2 z}{\partial x^2}=\frac{\partial}{\partial x}\left(\frac{\partial z}{\partial x}\right)=\frac{\partial}{\partial x}\left(y\frac{\partial z}{\partial u}\right)=y^2\frac{\partial^2 z}{\partial u^2}.$$

代入原方程,得

$$y^2\frac{\partial^2 z}{\partial u^2}+2xy^3\frac{\partial z}{\partial u}+2x(y-y^3)\frac{\partial z}{\partial u}-2(y-y^3)\frac{1}{y^2}\frac{\partial z}{\partial v}+x^2y^2z^2=0.$$

即
$$\frac{\partial^2 z}{\partial u^2}+2uv^2\frac{\partial z}{\partial u}+2(v-v^3)\frac{\partial z}{\partial v}+u^2v^2z^2=0,$$

故其形式保持不变.

【3486】 证明:方程$\frac{\partial^2 z}{\partial x^2}+2\frac{\partial^2 z}{\partial x\partial y}+\frac{\partial^2 z}{\partial y^2}=0$的形式在变换 $u=x+z$ 及 $v=y+z$ 下保持不变.

证 将 u,v 作为中间变量,x,y 作为自变量,微分得

$$du=dx+dz,dv=dy+dz,d^2u=d^2v=d^2z,$$

$$dz=\frac{\partial z}{\partial u}du+\frac{\partial z}{\partial v}dv=\left(\frac{\partial z}{\partial u}+\frac{\partial z}{\partial v}\right)dz+\frac{\partial z}{\partial u}dx+\frac{\partial z}{\partial v}dy.$$

令 $A=1-\frac{\partial z}{\partial u}-\frac{\partial z}{\partial v}$,则有 $dz=\frac{1}{A}\frac{\partial z}{\partial u}dx+\frac{1}{A}\frac{\partial z}{\partial v}dy$,且$\frac{\partial z}{\partial x}=\frac{1}{A}\frac{\partial z}{\partial u},\frac{\partial z}{\partial y}=\frac{1}{A}\frac{\partial z}{\partial v}$. 从而有

$$du=dx+dz=\frac{1-\frac{\partial z}{\partial v}}{A}dx+\frac{\frac{\partial z}{\partial v}}{A}dy,dv=dy+dz=\frac{\frac{\partial z}{\partial u}}{A}dx+\frac{1-\frac{\partial z}{\partial u}}{A}dy,$$

$$d^2z=\frac{\partial^2 z}{\partial u^2}du^2+2\frac{\partial^2 z}{\partial u\partial v}dudv+\frac{\partial^2 z}{\partial v^2}dv^2+\frac{\partial z}{\partial u}d^2u+\frac{\partial z}{\partial v}d^2v.$$

上面最后一个等式即

$$Ad^2z=\frac{1}{A^2}\left\{\frac{\partial^2 z}{\partial u^2}\left[\left(1-\frac{\partial z}{\partial v}\right)dx+\frac{\partial z}{\partial v}dy\right]^2+2\frac{\partial^2 z}{\partial u\partial v}\left[\left(1-\frac{\partial z}{\partial v}\right)dx+\frac{\partial z}{\partial v}dy\right]\left[\frac{\partial z}{\partial u}dx+\left(1-\frac{\partial z}{\partial u}\right)dy\right]+\right.$$
$$\left.\frac{\partial^2 z}{\partial v^2}\left[\frac{\partial z}{\partial u}dx+\left(1-\frac{\partial z}{\partial u}\right)dy\right]^2\right\}.$$

于是

$$\frac{\partial^2 z}{\partial x^2}=\frac{1}{A^3}\left[\left(1-\frac{\partial z}{\partial v}\right)^2\frac{\partial^2 z}{\partial u^2}+2\left(1-\frac{\partial z}{\partial v}\right)\frac{\partial z}{\partial u}\frac{\partial^2 z}{\partial u\partial v}+\left(\frac{\partial z}{\partial u}\right)^2\frac{\partial^2 z}{\partial u^2}\right],$$

$$\frac{\partial^2 z}{\partial x\partial y}=\frac{1}{A^3}\left[\frac{\partial z}{\partial v}\left(1-\frac{\partial z}{\partial v}\right)\frac{\partial^2 z}{\partial u^2}+\frac{\partial z}{\partial u}\frac{\partial z}{\partial v}\frac{\partial^2 z}{\partial u\partial v}+\left(1-\frac{\partial z}{\partial u}\right)\left(1-\frac{\partial z}{\partial v}\right)\frac{\partial^2 z}{\partial u\partial v}+\frac{\partial z}{\partial u}\left(1-\frac{\partial z}{\partial u}\right)\frac{\partial^2 z}{\partial v^2}\right],$$

$$\frac{\partial^2 z}{\partial y^2}=\frac{1}{A^3}\left[\left(\frac{\partial z}{\partial v}\right)^2\frac{\partial^2 z}{\partial u^2}+2\frac{\partial z}{\partial v}\left(1-\frac{\partial z}{\partial u}\right)\frac{\partial^2 z}{\partial u\partial v}+\left(1-\frac{\partial z}{\partial u}\right)^2\frac{\partial^2 z}{\partial v^2}\right].$$

代入原方程,化简整理即得$\frac{\partial^2 z}{\partial u^2}+2\frac{\partial^2 z}{\partial u\partial v}+\frac{\partial^2 z}{\partial v^2}=0$,故其形式保持不变.

习题 3487—3498 引入新的自变量变换表达式

【3487】 取 $\xi=y+ze^{-x}$,$\eta=x+ze^{-y}$ 作为新的自变量,变换表达式

$$(z+e^x)\frac{\partial z}{\partial x}+(z+e^y)\frac{\partial z}{\partial y}-(z^2-e^{x+y}).$$

解 $dz=\frac{\partial z}{\partial \xi}d\xi+\frac{\partial z}{\partial \eta}d\eta=\frac{\partial z}{\partial \xi}(dy+e^{-x}dz-ze^{-x}dx)+\frac{\partial z}{\partial \eta}(dx+e^{-y}dz-ze^{-y}dy)$. 于是

$$\left(1-e^{-x}\frac{\partial z}{\partial \xi}-e^{-y}\frac{\partial z}{\partial \eta}\right)dz=\left(\frac{\partial z}{\partial \eta}-ze^{-x}\frac{\partial z}{\partial \xi}\right)dx+\left(\frac{\partial z}{\partial \xi}-ze^{-y}\frac{\partial z}{\partial \eta}\right)dy,$$

$$\frac{\partial z}{\partial x}=\left(\frac{\partial z}{\partial \eta}-ze^{-x}\frac{\partial z}{\partial \xi}\right)\left(1-e^{-x}\frac{\partial z}{\partial \xi}-e^{-y}\frac{\partial z}{\partial \eta}\right)^{-1},\frac{\partial z}{\partial y}=\left(\frac{\partial z}{\partial \xi}-ze^{-y}\frac{\partial z}{\partial \eta}\right)\left(1-e^{-x}\frac{\partial z}{\partial \xi}-e^{-y}\frac{\partial z}{\partial \eta}\right)^{-1}.$$

代入原式,化简整理即得

$$(z+e^x)\frac{\partial z}{\partial x}+(z+e^y)\frac{\partial z}{\partial y}-(z^2-e^{x+y})=\frac{e^{x+y}-z^2}{1-e^{-x}\frac{\partial z}{\partial \xi}-e^{-y}\frac{\partial z}{\partial \eta}}.$$

【3488】 令 $x=uv$,$y=\frac{1}{2}(u^2-v^2)$,变换表达式 $\left(\frac{\partial z}{\partial x}\right)^2+\left(\frac{\partial z}{\partial y}\right)^2$.

解 $dx=vdu+udv$,$dy=udu-vdv$,解之,得

$$du=\frac{vdx+udy}{u^2+v^2},dv=\frac{udx-vdy}{u^2+v^2}.$$

于是

$$dz=\frac{\partial z}{\partial u}du+\frac{\partial z}{\partial v}dv=\frac{1}{u^2+v^2}\left[\frac{\partial z}{\partial u}(vdx+udy)+\frac{\partial z}{\partial v}(udx-vdy)\right]$$

$$=\frac{1}{u^2+v^2}\left[\left(v\frac{\partial z}{\partial u}+u\frac{\partial z}{\partial v}\right)dx+\left(u\frac{\partial z}{\partial u}-v\frac{\partial z}{\partial v}\right)dy\right],$$

$$\left(\frac{\partial z}{\partial x}\right)^2+\left(\frac{\partial z}{\partial y}\right)^2=\frac{1}{(u^2+v^2)^2}\left[\left(v\frac{\partial z}{\partial u}+u\frac{\partial z}{\partial v}\right)^2+\left(u\frac{\partial z}{\partial u}-v\frac{\partial z}{\partial v}\right)^2\right]=\frac{1}{u^2+v^2}\left[\left(\frac{\partial z}{\partial u}\right)^2+\left(\frac{\partial z}{\partial v}\right)^2\right].$$

【3489】 令 $\xi=x$,$\eta=y-x$,$\zeta=z-x$,变换方程 $\frac{\partial u}{\partial x}+\frac{\partial u}{\partial y}+\frac{\partial u}{\partial z}=0$.

解 将 ξ,η,ζ 看作中间变量,仿 3458 题,有

$$\frac{\partial u}{\partial x}=\frac{\partial u}{\partial \xi}\frac{\partial \xi}{\partial x}+\frac{\partial u}{\partial \eta}\frac{\partial \eta}{\partial x}+\frac{\partial u}{\partial \zeta}\frac{\partial \zeta}{\partial x}=\frac{\partial u}{\partial \xi}-\frac{\partial u}{\partial \eta}-\frac{\partial u}{\partial \zeta},\frac{\partial u}{\partial y}=\frac{\partial u}{\partial \eta},\frac{\partial u}{\partial z}=\frac{\partial u}{\partial \zeta}.$$

三式相加即得$\frac{\partial u}{\partial \xi}=0$.

【令 $x=r\cos\theta$,$y=r\sin\theta$,写出下列各式在极坐标 r 和 θ 下的形式(3490—3495)】

【3490】 $w=x\frac{\partial u}{\partial y}-y\frac{\partial u}{\partial x}$.

解 $dx=\cos\theta dr-r\sin\theta d\varphi$,$dy=\sin\theta dr+r\cos\theta d\theta$. 联立解之,得

$$dr=\frac{x}{r}dx+\frac{y}{r}dy,d\theta=\frac{x}{r^2}dy-\frac{y}{r^2}dx.$$

于是

$$\mathrm{d}u=\frac{\partial u}{\partial r}\mathrm{d}r+\frac{\partial u}{\partial \theta}\mathrm{d}\theta=\left(\frac{x}{r}\frac{\partial u}{\partial r}-\frac{y}{r^2}\frac{\partial u}{\partial \theta}\right)\mathrm{d}x+\left(\frac{y}{r}\frac{\partial u}{\partial r}+\frac{x}{r^2}\frac{\partial u}{\partial \theta}\right)\mathrm{d}y,$$

$$\begin{cases}\dfrac{\partial u}{\partial x}=\dfrac{x}{r}\dfrac{\partial u}{\partial r}-\dfrac{y}{r^2}\dfrac{\partial u}{\partial \theta},\\[2mm] \dfrac{\partial u}{\partial y}=\dfrac{y}{r}\dfrac{\partial u}{\partial r}+\dfrac{x}{r^2}\dfrac{\partial u}{\partial \theta}.\end{cases}\qquad \text{公式 10}$$

将公式 10 代入原式，即得

$$w=x\left(\frac{y}{r}\frac{\partial u}{\partial r}+\frac{x}{r^2}\frac{\partial u}{\partial \theta}\right)-y\left(\frac{x}{r}\frac{\partial u}{\partial r}-\frac{y}{r^2}\frac{\partial u}{\partial \theta}\right)=\frac{\partial u}{\partial \theta}.$$

【3491】 $w=x\dfrac{\partial u}{\partial x}+y\dfrac{\partial u}{\partial y}$.

解 将公式 10 代入，即得 $w=x\left(\dfrac{x}{r}\dfrac{\partial u}{\partial r}-\dfrac{y}{r^2}\dfrac{\partial u}{\partial \theta}\right)+y\left(\dfrac{y}{r}\dfrac{\partial u}{\partial r}+\dfrac{x}{r^2}\dfrac{\partial u}{\partial \theta}\right)=r\dfrac{\partial u}{\partial r}$.

【3492】 $w=\left(\dfrac{\partial u}{\partial x}\right)^2+\left(\dfrac{\partial u}{\partial y}\right)^2$.

解 $w=\left(\dfrac{x}{r}\dfrac{\partial u}{\partial r}-\dfrac{y}{r^2}\dfrac{\partial u}{\partial \theta}\right)^2+\left(\dfrac{y}{r}\dfrac{\partial u}{\partial r}+\dfrac{x}{r^2}\dfrac{\partial u}{\partial \theta}\right)^2=\left(\dfrac{\partial u}{\partial r}\right)^2+\dfrac{1}{r^2}\left(\dfrac{\partial u}{\partial \theta}\right)^2$.

【3493】 $w=\dfrac{\partial^2 u}{\partial x^2}+\dfrac{\partial^2 u}{\partial y^2}$.

解 先导出极坐标变换的所有二阶偏导数的变换式，将 r,θ 看作中间变量，x,y 看作自变量. 由于

$$\begin{aligned}\mathrm{d}^2 r&=\mathrm{d}(\mathrm{d}r)=\mathrm{d}\left(\frac{x}{r}\mathrm{d}x+\frac{y}{r}\mathrm{d}y\right)\\&=\frac{1}{r}(\mathrm{d}x^2+\mathrm{d}y^2)-\frac{x\mathrm{d}x+y\mathrm{d}y}{r^2}\mathrm{d}r=\frac{1}{r}(\mathrm{d}x^2+\mathrm{d}y^2)-\frac{1}{r^3}(x\mathrm{d}x+y\mathrm{d}y)^2=\frac{1}{r^3}(y\mathrm{d}x-x\mathrm{d}y)^2,\end{aligned}$$

$$\mathrm{d}^2\theta=\mathrm{d}(\mathrm{d}\theta)=\mathrm{d}\left(\frac{x}{r^2}\mathrm{d}y-\frac{y}{r^2}\mathrm{d}x\right)=-\frac{2(x\mathrm{d}y-y\mathrm{d}x)}{r^3}\mathrm{d}r=-\frac{2}{r^4}(x\mathrm{d}y-y\mathrm{d}x)(x\mathrm{d}x+y\mathrm{d}y),$$

故有

$$\begin{aligned}\mathrm{d}^2 u&=\frac{\partial^2 u}{\partial r^2}\mathrm{d}r^2+2\frac{\partial^2 u}{\partial r\partial\theta}\mathrm{d}r\mathrm{d}\theta+\frac{\partial^2 u}{\partial \theta^2}\mathrm{d}\theta^2+\frac{\partial u}{\partial r}\mathrm{d}^2 r+\frac{\partial u}{\partial \theta}\mathrm{d}^2\theta\\&=\frac{\partial^2 u}{\partial r^2}\left(\frac{x\mathrm{d}x+y\mathrm{d}y}{r}\right)^2+2\frac{\partial^2 u}{\partial r\partial\theta}\left(\frac{x\mathrm{d}x+y\mathrm{d}y}{r}\right)\left(\frac{x\mathrm{d}y-y\mathrm{d}x}{r^2}\right)+\frac{\partial^2 u}{\partial \theta^2}\left(\frac{x\mathrm{d}y-y\mathrm{d}x}{r^2}\right)^2+\\&\quad\frac{\partial u}{\partial r}\frac{(y\mathrm{d}x-x\mathrm{d}y)^2}{r^3}+\frac{\partial u}{\partial \theta}\left(-\frac{2}{r^4}\right)(x\mathrm{d}y-y\mathrm{d}x)(x\mathrm{d}x+y\mathrm{d}y).\end{aligned}$$

将上式右端按 $\mathrm{d}x^2,\mathrm{d}x\mathrm{d}y,\mathrm{d}y^2$ 合并同类项，并与全微分式 $\mathrm{d}^2 u=\dfrac{\partial^2 u}{\partial x^2}\mathrm{d}x^2+2\dfrac{\partial^2 u}{\partial x\partial y}\mathrm{d}x\mathrm{d}y+\dfrac{\partial^2 u}{\partial y^2}\mathrm{d}y^2$ 比较，即得

$$\begin{cases}\dfrac{\partial^2 u}{\partial x^2}=\dfrac{x^2}{r^2}\dfrac{\partial^2 u}{\partial r^2}-\dfrac{2xy}{r^3}\dfrac{\partial^2 u}{\partial r\partial\theta}+\dfrac{y^2}{r^4}\dfrac{\partial^2 u}{\partial \theta^2}+\dfrac{y^2}{r^3}\dfrac{\partial u}{\partial r}+\dfrac{2xy}{r^4}\dfrac{\partial u}{\partial \theta},\\[2mm]\dfrac{\partial^2 u}{\partial y^2}=\dfrac{y^2}{r^2}\dfrac{\partial^2 u}{\partial r^2}+\dfrac{2xy}{r^3}\dfrac{\partial^2 u}{\partial r\partial\theta}+\dfrac{x^2}{r^4}\dfrac{\partial^2 u}{\partial \theta^2}+\dfrac{x^2}{r^3}\dfrac{\partial u}{\partial r}-\dfrac{2xy}{r^4}\dfrac{\partial u}{\partial \theta},\\[2mm]\dfrac{\partial^2 u}{\partial x\partial y}=\dfrac{xy}{r^2}\dfrac{\partial^2 u}{\partial r^2}+\dfrac{x^2-y^2}{r^3}\dfrac{\partial^2 u}{\partial r\partial\theta}-\dfrac{xy}{r^4}\dfrac{\partial^2 u}{\partial \theta^2}-\dfrac{xy}{r^3}\dfrac{\partial u}{\partial r}-\dfrac{x^2-y^2}{r^4}\dfrac{\partial u}{\partial \theta}.\end{cases}\qquad\text{公式 11}$$

将公式 11 代入原式，即得 $w=\dfrac{\partial^2 u}{\partial r^2}+\dfrac{1}{r^2}\dfrac{\partial^2 u}{\partial \theta^2}+\dfrac{1}{r}\dfrac{\partial u}{\partial r}$.

【3494】 $w=x^2\dfrac{\partial^2 u}{\partial x^2}+2xy\dfrac{\partial^2 u}{\partial x\partial y}+y^2\dfrac{\partial^2 u}{\partial y^2}$.

解 将公式 11 代入原式，化简整理得 $w=r^2\dfrac{\partial^2 u}{\partial r^2}$.

【3495】 $w=y^2\dfrac{\partial^2 z}{\partial x^2}-2xy\dfrac{\partial^2 z}{\partial x\partial y}+x^2\dfrac{\partial^2 z}{\partial y^2}-\left(x\dfrac{\partial z}{\partial x}+y\dfrac{\partial z}{\partial y}\right)$.

解 将公式 11 中的 u 换成 z，然后代入原式，化简整理得 $w=\frac{\partial^2 z}{\partial\theta^2}$.

【3496】 令 $x=r\cos\theta, y=r\sin\theta$，变换表达式 $I=\frac{\partial u}{\partial x}\frac{\partial v}{\partial y}-\frac{\partial u}{\partial y}\frac{\partial v}{\partial x}$.

解 对函数 u 及 v 分别用公式 10，即得

$$I=\left(\frac{x}{r}\frac{\partial u}{\partial r}-\frac{y}{r^2}\frac{\partial u}{\partial\theta}\right)\left(\frac{y}{r}\frac{\partial v}{\partial r}+\frac{x}{r^2}\frac{\partial v}{\partial\theta}\right)-\left(\frac{y}{r}\frac{\partial u}{\partial r}+\frac{x}{r^2}\frac{\partial u}{\partial\theta}\right)\left(\frac{x}{r}\frac{\partial v}{\partial r}-\frac{y}{r^2}\frac{\partial v}{\partial\theta}\right)$$
$$=\frac{1}{r}\left(\frac{\partial u}{\partial r}\frac{\partial v}{\partial\theta}-\frac{\partial u}{\partial\theta}\frac{\partial v}{\partial r}\right).$$

【3497】 令 $x+y=X, y=XY$，变换表达式 $A=x\frac{\partial^2 u}{\partial x^2}+y\frac{\partial^2 u}{\partial x\partial y}+\frac{\partial u}{\partial x}$.

解 $X=x+y, Y=\frac{y}{X}=\frac{y}{x+y}=1-\frac{x}{x+y}$. 于是

$$\frac{\partial X}{\partial x}=1,\frac{\partial X}{\partial y}=1,\frac{\partial Y}{\partial x}=-\frac{y}{(x+y)^2},\frac{\partial Y}{\partial y}=\frac{x}{(x+y)^2},\frac{\partial u}{\partial x}=\frac{\partial u}{\partial X}-\frac{y}{(x+y)^2}\frac{\partial u}{\partial Y},$$
$$\frac{\partial^2 u}{\partial x^2}=\frac{\partial^2 u}{\partial X^2}-\frac{2y}{(x+y)^2}\frac{\partial^2 u}{\partial X\partial Y}+\frac{y^2}{(x+y)^4}\frac{\partial^2 u}{\partial Y^2}+\frac{2y}{(x+y)^3}\frac{\partial u}{\partial Y},$$
$$\frac{\partial^2 u}{\partial x\partial y}=\frac{\partial^2 u}{\partial X^2}+\frac{x-y}{(x+y)^2}\frac{\partial^2 u}{\partial X\partial Y}-\frac{xy}{(x+y)^4}\frac{\partial^2 u}{\partial Y^2}-\frac{x-y}{(x+y)^3}\frac{\partial u}{\partial Y}.$$

代入所给表达式，得 $A=X\frac{\partial^2 u}{\partial X^2}-Y\frac{\partial^2 u}{\partial X\partial Y}+\frac{\partial u}{\partial X}$.

【3498】 令 $x=r\sin\theta\cos\varphi, y=r\sin\theta\sin\varphi, z=r\cos\theta$，把表达式

$$\Delta_1 u=\left(\frac{\partial u}{\partial x}\right)^2+\left(\frac{\partial u}{\partial y}\right)^2+\left(\frac{\partial u}{\partial z}\right)^2 \text{ 及 } \Delta_2 u=\frac{\partial^2 u}{\partial x^2}+\frac{\partial^2 u}{\partial y^2}+\frac{\partial^2 u}{\partial z^2}$$

变换为球坐标下的形式.

提示 所给变换由下面两个特殊的变换构成：

$$x=R\cos\varphi, y=R\sin\varphi, z=z; R=r\sin\theta, \varphi=\varphi, z=r\cos\theta,$$

并分别利用 3492 题及 3493 题的结果.

解 先作变换 $x=R\cos\varphi, y=R\sin\varphi, z=z$，它相当于对 x,y 坐标作一次极坐标变换. 利用 3492 题及 3493 题的结果，对新变元 R,φ,z 有

$$\Delta_1 u=\left(\frac{\partial u}{\partial x}\right)^2+\left(\frac{\partial u}{\partial y}\right)^2+\left(\frac{\partial u}{\partial z}\right)^2=\left(\frac{\partial u}{\partial R}\right)^2+\frac{1}{R^2}\left(\frac{\partial u}{\partial\varphi}\right)^2+\left(\frac{\partial u}{\partial z}\right)^2,$$
$$\Delta_2 u=\frac{\partial^2 u}{\partial x^2}+\frac{\partial^2 u}{\partial y^2}+\frac{\partial^2 u}{\partial z^2}=\frac{\partial^2 u}{\partial R^2}+\frac{1}{R^2}\frac{\partial^2 u}{\partial\varphi^2}+\frac{1}{R}\frac{\partial u}{\partial R}+\frac{\partial^2 u}{\partial z^2}.$$

再作变换 $R=r\sin\theta, \varphi=\varphi, z=r\cos\theta$. 它相当于对 R,z 坐标又作一次极坐标变换，其中 R 相当于公式 10 中的 y，θ 相当于公式 10 中的 φ. 于是

$$\frac{\partial u}{\partial R}=\frac{R}{r}\frac{\partial u}{\partial r}+\frac{z}{r^2}\frac{\partial u}{\partial\varphi}=\sin\theta\frac{\partial u}{\partial r}+\frac{\cos\theta}{r}\frac{\partial u}{\partial\theta}.$$

再利用 3492 题及 3493 题的结果，得

$$\Delta_1 u=\left(\frac{\partial u}{\partial R}\right)^2+\frac{1}{R^2}\left(\frac{\partial u}{\partial\varphi}\right)^2+\left(\frac{\partial u}{\partial z}\right)^2=\left(\frac{\partial u}{\partial r}\right)^2+\frac{1}{r^2}\left(\frac{\partial u}{\partial\theta}\right)^2+\frac{1}{r^2\sin^2\theta}\left(\frac{\partial u}{\partial\varphi}\right)^2,$$
$$\Delta_2 u=\frac{\partial^2 u}{\partial R^2}+\frac{1}{R^2}\frac{\partial^2 u}{\partial\varphi^2}+\frac{1}{R}\frac{\partial u}{\partial R}+\frac{\partial^2 u}{\partial z^2}$$
$$=\frac{\partial^2 u}{\partial r^2}+\frac{1}{r^2}\frac{\partial^2 u}{\partial\theta^2}+\frac{1}{r}\frac{\partial u}{\partial r}+\frac{1}{r^2\sin^2\theta}\frac{\partial^2 u}{\partial\varphi^2}+\frac{1}{r\sin\theta}\left(\sin\theta\frac{\partial u}{\partial r}+\frac{\cos\theta}{r}\frac{\partial u}{\partial\theta}\right)$$
$$=\frac{\partial^2 u}{\partial r^2}+\frac{1}{r^2}\frac{\partial^2 u}{\partial\theta^2}+\frac{2}{r}\frac{\partial u}{\partial r}+\frac{1}{r^2\sin^2\theta}\frac{\partial^2 u}{\partial\varphi^2}+\frac{1}{r^2\tan\theta}\frac{\partial u}{\partial\theta}$$

$$=\frac{1}{r^2}\left[\frac{\partial}{\partial r}\left(r^2\frac{\partial u}{\partial r}\right)+\frac{1}{\sin\theta}\frac{\partial}{\partial\theta}\left(\sin\theta\frac{\partial u}{\partial\theta}\right)+\frac{1}{\sin^2\theta}\frac{\partial^2 u}{\partial\varphi^2}\right].$$

注意到两次变换的乘积就是所给的变换，因此，最后得到 $\Delta_1 u$ 及 $\Delta_2 u$ 的结果即为所求.

知识点3 含有偏导数的表达式中自变量和函数的代换

在更一般的情况下，设有方程

$$x=f(u,v,w),y=g(u,v,w),z=h(u,v,w),$$

其中 u,v 为新的自变量，$w=w(u,v)$ 为新的函数，则对于偏导数$\frac{\partial z}{\partial x},\frac{\partial z}{\partial y},\cdots$，得到这样的方程：

$$\frac{\partial z}{\partial x}\left(\frac{\partial f}{\partial t}+\frac{\partial f}{\partial w}\frac{\partial w}{\partial u}\right)+\frac{\partial z}{\partial y}\left(\frac{\partial g}{\partial u}+\frac{\partial g}{\partial w}\frac{\partial w}{\partial u}\right)=\frac{\partial h}{\partial u}+\frac{\partial h}{\partial w}\frac{\partial w}{\partial u},$$

$$\frac{\partial z}{\partial x}\left(\frac{\partial f}{\partial v}+\frac{\partial f}{\partial w}\frac{\partial w}{\partial v}\right)+\frac{\partial z}{\partial y}\left(\frac{\partial g}{\partial v}+\frac{\partial g}{\partial w}\frac{\partial w}{\partial v}\right)=\frac{\partial h}{\partial v}+\frac{\partial h}{\partial w}\frac{\partial w}{\partial v},\cdots.$$

习题 3499—3527 含有偏导数的表达式中自变量和函数的代换

【取 u,v 为新的变量，$w=w(u,v)$ 为新函数，变换下列方程和表达式(3499—3512)】

【3499】 $y\frac{\partial z}{\partial x}-x\frac{\partial z}{\partial y}=(y-x)z$，令 $u=x^2+y^2,v=\frac{1}{x}+\frac{1}{y},w=\ln z-(x+y)$.

解 $du=2xdx+2ydy,dv=-\frac{1}{x^2}dx-\frac{1}{y^2}dy,dw=\frac{1}{z}dz-dx-dy$.

另一方面，$dw=\frac{\partial w}{\partial u}du+\frac{\partial w}{\partial v}dv$，故有

$$\frac{1}{z}dz-dx-dy=\frac{\partial w}{\partial u}(2xdx+2ydy)+\frac{\partial w}{\partial v}\left(-\frac{1}{x^2}dx-\frac{1}{y^2}dy\right),$$

整理得

$$dz=\left(2xz\frac{\partial w}{\partial u}-\frac{z}{x^2}\frac{\partial w}{\partial v}+z\right)dx+\left(2yz\frac{\partial w}{\partial u}-\frac{z}{y^2}\frac{\partial w}{\partial v}+z\right)dy.$$

将由上式确定的$\frac{\partial z}{\partial x}$及$\frac{\partial z}{\partial y}$代入原方程，得

$$yz\left(2x\frac{\partial w}{\partial u}-\frac{1}{x^2}\frac{\partial w}{\partial v}+1\right)-xz\left(2y\frac{\partial w}{\partial u}-\frac{1}{y^2}\frac{\partial w}{\partial v}+1\right)=(y-x)z,$$

即

$$\frac{\partial w}{\partial v}=0.$$

【3500】 $x^2\frac{\partial z}{\partial x}+y^2\frac{\partial z}{\partial y}=z^2$，令 $u=x,v=\frac{1}{y}-\frac{1}{x},w=\frac{1}{z}-\frac{1}{x}$.

解 $du=dx,dv=\frac{1}{x^2}dx-\frac{1}{y^2}dy,dw=\frac{1}{x^2}dx-\frac{1}{z^2}dz$. 于是

$\frac{1}{x^2}dx-\frac{1}{z^2}dz=\frac{\partial w}{\partial u}dx+\frac{\partial w}{\partial v}\left(\frac{1}{x^2}dx-\frac{1}{y^2}dy\right),dz=z^2\left(\frac{1}{x^2}-\frac{\partial w}{\partial u}-\frac{1}{x^2}\frac{\partial w}{\partial v}\right)dx+\frac{z^2}{y^2}\frac{\partial w}{\partial v}dy,$

$\frac{\partial z}{\partial x}=z^2\left(\frac{1}{x^2}-\frac{\partial w}{\partial u}-\frac{1}{x^2}\frac{\partial w}{\partial v}\right),\frac{\partial z}{\partial y}=\frac{z^2}{y^2}\frac{\partial w}{\partial v}.$

代入原方程，得 $z^2\left(1-x^2\frac{\partial w}{\partial u}-\frac{\partial w}{\partial v}\right)+z^2\frac{\partial w}{\partial v}=z^2$ 或 $x^2z^2\frac{\partial w}{\partial u}=0$. 由于 $z\neq 0,x\neq 0$. 故得

$$\frac{\partial w}{\partial u}=0.$$

【3501】 $(xy+z)\dfrac{\partial z}{\partial x}+(1-y^2)\dfrac{\partial z}{\partial y}=x+yz$，令 $u=yz-x,v=xz-y,w=xy-z$.

解 $\mathrm{d}w=y\mathrm{d}x+x\mathrm{d}y-\mathrm{d}z=\dfrac{\partial w}{\partial u}(z\mathrm{d}y+y\mathrm{d}z-\mathrm{d}x)+\dfrac{\partial w}{\partial v}(z\mathrm{d}x+x\mathrm{d}z-\mathrm{d}y)$. 整理得

$$\left(1+x\frac{\partial w}{\partial v}+y\frac{\partial w}{\partial u}\right)\mathrm{d}z=\left(y+\frac{\partial w}{\partial u}-z\frac{\partial w}{\partial v}\right)\mathrm{d}x+\left(x+\frac{\partial w}{\partial v}-z\frac{\partial w}{\partial u}\right)\mathrm{d}y.$$

于是，$\dfrac{\partial z}{\partial x}=\left(y+\dfrac{\partial w}{\partial u}-z\dfrac{\partial w}{\partial v}\right)\left(1+x\dfrac{\partial w}{\partial v}+y\dfrac{\partial w}{\partial u}\right)^{-1}$，$\dfrac{\partial z}{\partial y}=\left(x+\dfrac{\partial w}{\partial v}-z\dfrac{\partial w}{\partial u}\right)\left(1+x\dfrac{\partial w}{\partial v}+y\dfrac{\partial w}{\partial u}\right)^{-1}$.

代入方程，得 $(xy+z)\left(y+\dfrac{\partial w}{\partial u}-z\dfrac{\partial w}{\partial v}\right)+(1-y^2)\left(x+\dfrac{\partial w}{\partial v}-z\dfrac{\partial w}{\partial u}\right)=(x+yz)\left(1+x\dfrac{\partial w}{\partial v}+y\dfrac{\partial w}{\partial u}\right)$，

即
$$(1-x^2-y^2-z^2-2xyz)\frac{\partial w}{\partial v}=0.$$

不难验证，由方程 $1-x^2-y^2-z^2-2xyz=0$ 确定的隐函数不是原方程的解（略）. 于是，$\dfrac{\partial w}{\partial v}=0$.

【3502】 $\left(x\dfrac{\partial z}{\partial x}\right)^2+\left(y\dfrac{\partial z}{\partial y}\right)^2=z^2\dfrac{\partial z}{\partial x}\dfrac{\partial z}{\partial y}$，令 $x=u\mathrm{e}^w,y=v\mathrm{e}^w,z=w\mathrm{e}^w$.

解 $\mathrm{d}x=\mathrm{e}^w\mathrm{d}u+u\mathrm{e}^w\mathrm{d}w,\mathrm{d}y=\mathrm{e}^w\mathrm{d}v+v\mathrm{e}^w\mathrm{d}w,\mathrm{d}z=\mathrm{e}^w(1+w)\mathrm{d}w$. 于是，有

$$\mathrm{e}^w\mathrm{d}w=\frac{1}{1+w}\mathrm{d}z,\mathrm{e}^w\mathrm{d}u=\mathrm{d}x-u\mathrm{e}^w\mathrm{d}w=\mathrm{d}x-\frac{u}{1+w}\mathrm{d}z,\mathrm{e}^w\mathrm{d}v=\mathrm{d}y-v\mathrm{e}^w\mathrm{d}w=\mathrm{d}y-\frac{v}{1+w}\mathrm{d}z.$$

在全微分式 $\mathrm{d}w=\dfrac{\partial w}{\partial u}\mathrm{d}u+\dfrac{\partial w}{\partial v}\mathrm{d}v$ 的两端都乘以 e^w，并将上述结果代入，得

$$\frac{\mathrm{d}z}{1+w}=\frac{\partial w}{\partial u}\left(\mathrm{d}x-\frac{u}{1+w}\mathrm{d}z\right)+\frac{\partial w}{\partial v}\left(\mathrm{d}y-\frac{v}{1+w}\mathrm{d}z\right)$$

或
$$\left(1+u\frac{\partial w}{\partial u}+v\frac{\partial w}{\partial v}\right)\mathrm{d}z=(1+w)\frac{\partial w}{\partial u}\mathrm{d}x+(1+w)\frac{\partial w}{\partial v}\mathrm{d}y.$$

将由上式确定的 $\dfrac{\partial z}{\partial x}$ 及 $\dfrac{\partial z}{\partial y}$ 代入原方程，得

$$\left[u\mathrm{e}^w(1+w)\frac{\partial w}{\partial u}\right]^2+\left[v\mathrm{e}^w(1+w)\frac{\partial w}{\partial v}\right]^2=(w\mathrm{e}^w)^2(1+w)^2\frac{\partial w}{\partial u}\frac{\partial w}{\partial v}.$$

消去 $[\mathrm{e}^w(1+w)]^2$，即得 $u^2\left(\dfrac{\partial w}{\partial u}\right)^2+v^2\left(\dfrac{\partial w}{\partial v}\right)^2=w^2\dfrac{\partial w}{\partial u}\dfrac{\partial w}{\partial v}$.

【3503】 $\dfrac{x-y}{\dfrac{\partial z}{\partial x}-\dfrac{\partial z}{\partial y}}$，令 $u=\ln\sqrt{x^2+y^2},v=\arctan z,w=x+y+z$.

解 $\mathrm{d}w=\mathrm{d}x+\mathrm{d}y+\mathrm{d}z=\dfrac{\partial w}{\partial u}\mathrm{d}u+\dfrac{\partial w}{\partial v}\mathrm{d}v=\dfrac{\partial w}{\partial u}\left(\dfrac{x\mathrm{d}x+y\mathrm{d}y}{x^2+y^2}\right)+\dfrac{\partial w}{\partial v}\left(\dfrac{\mathrm{d}z}{1+z^2}\right)$. 于是

$$\left(1-\frac{1}{1+z^2}\frac{\partial w}{\partial v}\right)\mathrm{d}z=\left(\frac{x}{x^2+y^2}\frac{\partial w}{\partial u}-1\right)\mathrm{d}x+\left(\frac{y}{x^2+y^2}\frac{\partial w}{\partial u}-1\right)\mathrm{d}y.$$

将由上式确定的 $\dfrac{\partial z}{\partial x}$ 及 $\dfrac{\partial z}{\partial y}$ 代入所给表达式，即得

$$\frac{x-y}{\dfrac{\partial z}{\partial x}-\dfrac{\partial z}{\partial y}}=\frac{(x-y)\left(1-\dfrac{1}{1+z^2}\dfrac{\partial w}{\partial v}\right)}{\dfrac{x-y}{x^2+y^2}\dfrac{\partial w}{\partial u}}=\frac{\left(1-\cos^2 v\dfrac{\partial w}{\partial v}\right)\mathrm{e}^{2u}}{\dfrac{\partial w}{\partial u}}.$$

【3504】 $A=\dfrac{\dfrac{\partial z}{\partial x}}{\dfrac{\partial z}{\partial y}}$，令 $u=x\mathrm{e}^z,v=y\mathrm{e}^z,w=z\mathrm{e}^z$.

解 $\mathrm{d}w=\mathrm{e}^z(1+z)\mathrm{d}z=\dfrac{\partial w}{\partial u}\mathrm{d}u+\dfrac{\partial w}{\partial v}\mathrm{d}v=\dfrac{\partial w}{\partial u}(\mathrm{e}^z\mathrm{d}x+x\mathrm{e}^z\mathrm{d}z)+\dfrac{\partial w}{\partial v}(\mathrm{e}^z\mathrm{d}y+y\mathrm{e}^z\mathrm{d}z)$. 于是

$$\left(1+z-x\frac{\partial w}{\partial u}-y\frac{\partial w}{\partial v}\right)\mathrm{d}z=\frac{\partial w}{\partial u}\mathrm{d}x+\frac{\partial w}{\partial v}\mathrm{d}y,\frac{\partial z}{\partial x}=\frac{\dfrac{\partial w}{\partial u}}{1+z-x\dfrac{\partial w}{\partial u}-y\dfrac{\partial w}{\partial v}},$$

$$\frac{\partial z}{\partial y}=\frac{\dfrac{\partial w}{\partial v}}{1+z-x\dfrac{\partial w}{\partial u}-y\dfrac{\partial w}{\partial v}},A=\frac{\dfrac{\partial z}{\partial x}}{\dfrac{\partial z}{\partial y}}=\frac{\dfrac{\partial w}{\partial u}}{\dfrac{\partial w}{\partial v}}.$$

【3505】 $y\dfrac{\partial^2 z}{\partial y^2}+2\dfrac{\partial z}{\partial y}=\dfrac{2}{x}$，设 $u=\dfrac{x}{y},v=x,w=xz-y$.

解 从3505题到3512题均属作变换 $u=u(x,y),v=v(x,y),w=w(x,y,z)$ 的类型. 这里先导出一般公式，顺便指出一般方法.

将 u,v 看作中间变量，x,y 看作自变量，则有

$$\mathrm{d}u=\frac{\partial u}{\partial x}\mathrm{d}x+\frac{\partial u}{\partial y}\mathrm{d}y,\mathrm{d}v=\frac{\partial v}{\partial x}\mathrm{d}x+\frac{\partial v}{\partial y}\mathrm{d}y,\mathrm{d}w=\frac{\partial w}{\partial x}\mathrm{d}x+\frac{\partial w}{\partial y}\mathrm{d}y+\frac{\partial w}{\partial z}\mathrm{d}z.$$

$$\mathrm{d}^2u=\frac{\partial^2 u}{\partial x^2}\mathrm{d}x^2+2\frac{\partial^2 u}{\partial x\partial y}\mathrm{d}x\mathrm{d}y+\frac{\partial^2 u}{\partial y^2}\mathrm{d}y^2,\mathrm{d}^2v=\frac{\partial^2 v}{\partial x^2}\mathrm{d}x^2+2\frac{\partial^2 v}{\partial x\partial y}\mathrm{d}x\mathrm{d}y+\frac{\partial^2 v}{\partial y^2}\mathrm{d}y^2.$$

$$\mathrm{d}^2w=\frac{\partial^2 w}{\partial x^2}\mathrm{d}x^2+\frac{\partial^2 w}{\partial y^2}\mathrm{d}y^2+\frac{\partial^2 w}{\partial z^2}\mathrm{d}z^2+2\frac{\partial^2 w}{\partial x\partial y}\mathrm{d}x\mathrm{d}y+2\frac{\partial^2 w}{\partial y\partial z}\mathrm{d}y\mathrm{d}z+2\frac{\partial^2 w}{\partial z\partial x}\mathrm{d}z\mathrm{d}x+\frac{\partial w}{\partial z}\mathrm{d}^2z.$$

将 $\mathrm{d}w,\mathrm{d}u$ 及 $\mathrm{d}v$ 代入全微分式 $\mathrm{d}w=\dfrac{\partial w}{\partial u}\mathrm{d}u+\dfrac{\partial w}{\partial v}\mathrm{d}v$，化简整理得

$$\frac{\partial w}{\partial z}\mathrm{d}z=\left(\frac{\partial w}{\partial u}\frac{\partial u}{\partial x}+\frac{\partial w}{\partial v}\frac{\partial v}{\partial x}-\frac{\partial w}{\partial x}\right)\mathrm{d}x+\left(\frac{\partial w}{\partial u}\frac{\partial u}{\partial y}+\frac{\partial w}{\partial v}\frac{\partial v}{\partial y}-\frac{\partial w}{\partial y}\right)\mathrm{d}y.$$

于是

$$\begin{cases}\dfrac{\partial z}{\partial x}=\left(\dfrac{\partial w}{\partial z}\right)^{-1}\left(\dfrac{\partial w}{\partial u}\dfrac{\partial u}{\partial x}+\dfrac{\partial w}{\partial v}\dfrac{\partial v}{\partial x}-\dfrac{\partial w}{\partial x}\right),\\[2ex]\dfrac{\partial z}{\partial y}=\left(\dfrac{\partial w}{\partial z}\right)^{-1}\left(\dfrac{\partial w}{\partial u}\dfrac{\partial u}{\partial y}+\dfrac{\partial w}{\partial v}\dfrac{\partial v}{\partial y}-\dfrac{\partial w}{\partial y}\right),\end{cases}\qquad\text{公式 12}$$

其中$\dfrac{\partial z}{\partial x}$及$\dfrac{\partial z}{\partial y}$是原方程中旧变元间的偏导数，而$\dfrac{\partial w}{\partial u}$及$\dfrac{\partial w}{\partial v}$是变换后新变元间的偏导数，其他均为由已给变换导出的已知关系式.

把上面求得的 $\mathrm{d}^2w,\mathrm{d}u,\mathrm{d}v,\mathrm{d}^2u,\mathrm{d}^2v$ 代入表示新变元关系的二阶全微分式

$$\mathrm{d}^2w=\frac{\partial^2 w}{\partial u^2}\mathrm{d}u^2+2\frac{\partial^2 w}{\partial u\partial v}\mathrm{d}u\mathrm{d}v+\frac{\partial^2 w}{\partial v^2}\mathrm{d}v^2+\frac{\partial w}{\partial u}\mathrm{d}^2u+\frac{\partial w}{\partial v}\mathrm{d}^2v,$$

再把式中的 $\mathrm{d}z$ 表成已求得的$\dfrac{\partial z}{\partial x}\mathrm{d}x+\dfrac{\partial z}{\partial y}\mathrm{d}y$，按 $\mathrm{d}x^2,\mathrm{d}x\mathrm{d}y$ 及 $\mathrm{d}y^2$ 合并同类项，最后把所得的结果与表示旧变元关系的全微分式 $\mathrm{d}^2z=\dfrac{\partial^2 z}{\partial x^2}\mathrm{d}x^2+2\dfrac{\partial^2 z}{\partial x\partial y}\mathrm{d}x\mathrm{d}y+\dfrac{\partial^2 z}{\partial y^2}\mathrm{d}y^2$ 相比较，即得

$$\begin{cases}\dfrac{\partial^2 z}{\partial x^2}=\left(\dfrac{\partial w}{\partial z}\right)^{-1}\left[\dfrac{\partial^2 w}{\partial u^2}\left(\dfrac{\partial u}{\partial x}\right)^2+2\dfrac{\partial^2 w}{\partial u\partial v}\dfrac{\partial u}{\partial x}\dfrac{\partial v}{\partial x}+\dfrac{\partial^2 w}{\partial v^2}\left(\dfrac{\partial v}{\partial x}\right)^2+\dfrac{\partial w}{\partial u}\dfrac{\partial^2 u}{\partial x^2}+\dfrac{\partial w}{\partial v}\dfrac{\partial^2 v}{\partial x^2}-\right.\\\qquad\left.\dfrac{\partial^2 w}{\partial x^2}-\dfrac{\partial^2 w}{\partial z^2}\left(\dfrac{\partial z}{\partial x}\right)^2-2\dfrac{\partial^2 w}{\partial x\partial z}-\dfrac{\partial z}{\partial x}\right],\\[2ex]\dfrac{\partial^2 z}{\partial x\partial y}=\left(\dfrac{\partial w}{\partial z}\right)^{-1}\left[\dfrac{\partial^2 w}{\partial u^2}\dfrac{\partial u}{\partial x}\dfrac{\partial u}{\partial y}+\dfrac{\partial^2 w}{\partial u\partial v}\left(\dfrac{\partial u}{\partial x}\dfrac{\partial v}{\partial y}+\dfrac{\partial u}{\partial y}\dfrac{\partial v}{\partial x}\right)+\dfrac{\partial^2 w}{\partial v^2}\dfrac{\partial v}{\partial x}\dfrac{\partial v}{\partial y}+\dfrac{\partial w}{\partial u}\dfrac{\partial^2 u}{\partial x\partial y}+\right.\\\qquad\left.\dfrac{\partial w}{\partial v}\dfrac{\partial^2 v}{\partial x\partial y}-\dfrac{\partial^2 w}{\partial x\partial y}-\dfrac{\partial^2 w}{\partial z^2}\dfrac{\partial z}{\partial x}\dfrac{\partial z}{\partial y}-\dfrac{\partial^2 z}{\partial x\partial z}\dfrac{\partial z}{\partial y}-\dfrac{\partial^2 z}{\partial y\partial z}\dfrac{\partial z}{\partial x}\right],\\[2ex]\dfrac{\partial^2 z}{\partial y^2}=\left(\dfrac{\partial w}{\partial z}\right)^{-1}\left[\dfrac{\partial^2 w}{\partial u^2}\left(\dfrac{\partial u}{\partial y}\right)^2+2\dfrac{\partial^2 w}{\partial u\partial v}\dfrac{\partial u}{\partial y}\dfrac{\partial v}{\partial y}+\dfrac{\partial^2 w}{\partial v^2}\left(\dfrac{\partial v}{\partial y}\right)^2+\dfrac{\partial w}{\partial u}\dfrac{\partial^2 u}{\partial y^2}+\dfrac{\partial w}{\partial v}\dfrac{\partial^2 v}{\partial y^2}-\right.\\\qquad\left.\dfrac{\partial^2 w}{\partial y^2}-\dfrac{\partial^2 w}{\partial z^2}\left(\dfrac{\partial z}{\partial y}\right)^2-2\dfrac{\partial^2 w}{\partial y\partial z}\dfrac{\partial z}{\partial y}\right].\end{cases}\qquad\text{公式 13}$$

公式13太复杂，一般不直接应用. 本题用求偏导数法较方便. 由于

$$\frac{\partial w}{\partial y}=x\frac{\partial z}{\partial y}-1\text{ 及}\frac{\partial w}{\partial y}=\frac{\partial w}{\partial u}\frac{\partial u}{\partial y}+\frac{\partial w}{\partial v}\frac{\partial v}{\partial y}=-\frac{x}{y^2}\frac{\partial w}{\partial u},$$

故得$\frac{\partial z}{\partial y}=\frac{1}{x}-\frac{1}{y^2}\frac{\partial w}{\partial u}$. 于是

$$\begin{aligned}y\frac{\partial^2 z}{\partial y^2}+2\frac{\partial z}{\partial y}&=\frac{1}{y}\left(y^2\frac{\partial^2 z}{\partial y^2}+2y\frac{\partial z}{\partial y}\right)=y^{-1}\frac{\partial}{\partial y}\left(y^2\frac{\partial z}{\partial y}\right)=y^{-1}\frac{\partial}{\partial y}\left[y^2\left(\frac{1}{x}-\frac{1}{y^2}\frac{\partial w}{\partial u}\right)\right]\\&=y^{-1}\frac{\partial}{\partial y}\left(\frac{y^2}{x}\right)-y^{-1}\frac{\partial}{\partial y}\left(\frac{\partial w}{\partial u}\right)=\frac{2}{x}-y^{-1}\left[\frac{\partial}{\partial u}\left(\frac{\partial w}{\partial u}\right)\frac{\partial u}{\partial y}+\frac{\partial}{\partial v}\left(\frac{\partial w}{\partial u}\right)\frac{\partial v}{\partial y}\right]\\&=\frac{2}{x}+\frac{x}{y^3}\frac{\partial^2 w}{\partial u^2}=\frac{2}{x}.\end{aligned}$$

从而$\frac{x}{y^3}\frac{\partial^2 w}{\partial u^2}=0$. 由于$\frac{x}{y^3}\neq 0$,故原方程变换为$\frac{\partial^2 w}{\partial u^2}=0$.

【3506】 $\frac{\partial^2 z}{\partial x^2}-2\frac{\partial^2 z}{\partial x\partial y}+\frac{\partial^2 z}{\partial y^2}=0$,设 $u=x+y,v=\frac{y}{x},w=\frac{z}{x}$.

解 $\frac{\partial u}{\partial x}=\frac{\partial u}{\partial y}=1,\frac{\partial v}{\partial x}=-\frac{y}{x^2},\frac{\partial v}{\partial y}=\frac{1}{x},\frac{\partial w}{\partial x}=-\frac{z}{x^2},\frac{\partial w}{\partial y}=0,\frac{\partial w}{\partial z}=\frac{1}{x}$. 代入公式 12,得

$$\frac{\partial z}{\partial x}=x\left(\frac{\partial w}{\partial u}-\frac{y}{x^2}\frac{\partial w}{\partial v}+\frac{z}{x^2}\right)=x\frac{\partial w}{\partial u}-\frac{y}{x}\frac{\partial w}{\partial v}+\frac{z}{x},\frac{\partial z}{\partial y}=x\left(\frac{\partial w}{\partial u}+\frac{1}{x}\frac{\partial w}{\partial v}\right)=x\frac{\partial w}{\partial u}+\frac{\partial w}{\partial v}.$$

令 $R=\frac{\partial z}{\partial x}-\frac{\partial z}{\partial y}=-\frac{y}{x}\frac{\partial w}{\partial v}+\frac{z}{x}-\frac{\partial w}{\partial v}=w-(1+v)\frac{\partial w}{\partial v}$,于是

$$\begin{aligned}\frac{\partial^2 z}{\partial x^2}-2\frac{\partial^2 z}{\partial x\partial y}+\frac{\partial^2 z}{\partial y^2}&=\left(\frac{\partial^2 z}{\partial x^2}-\frac{\partial^2 z}{\partial x\partial y}\right)-\left(\frac{\partial^2 z}{\partial x\partial y}-\frac{\partial^2 z}{\partial y^2}\right)=\frac{\partial}{\partial x}\left(\frac{\partial z}{\partial x}-\frac{\partial z}{\partial y}\right)-\frac{\partial}{\partial y}\left(\frac{\partial z}{\partial x}-\frac{\partial z}{\partial y}\right)=\frac{\partial R}{\partial x}-\frac{\partial R}{\partial y}\\&=\frac{\partial R}{\partial u}\frac{\partial u}{\partial x}+\frac{\partial R}{\partial v}\frac{\partial v}{\partial x}-\frac{\partial R}{\partial u}\frac{\partial u}{\partial y}-\frac{\partial R}{\partial v}\frac{\partial v}{\partial y}=\frac{\partial}{\partial v}\left[w-(1+v)\frac{\partial w}{\partial v}\right]\left(-\frac{y}{x^2}-\frac{1}{x}\right)\\&=\left[\frac{\partial w}{\partial v}-\frac{\partial w}{\partial v}-(1+v)\frac{\partial^2 w}{\partial v^2}\right]\left[-\frac{1}{x}(1+v)\right]=\frac{1}{x}(1+v)^2\frac{\partial^2 w}{\partial v^2}=0,\end{aligned}$$

由于 $x\neq 0,1+v\neq 0$,故原方程变为$\frac{\partial^2 w}{\partial v^2}=0$.

【3507】 $\frac{\partial^2 z}{\partial x^2}+2\frac{\partial^2 z}{\partial x\partial y}+\frac{\partial^2 z}{\partial y^2}=0$,设 $u=x+y,v=x-y,w=xy-z$.

解 $\frac{\partial u}{\partial x}=\frac{\partial u}{\partial y}=\frac{\partial v}{\partial x}=1,\frac{\partial v}{\partial y}=-1,\frac{\partial w}{\partial x}=y,\frac{\partial w}{\partial y}=x,\frac{\partial w}{\partial z}=-1$. 代入公式 12,得

$$\frac{\partial z}{\partial x}=y-\frac{\partial w}{\partial u}-\frac{\partial w}{\partial v},\frac{\partial z}{\partial y}=x-\frac{\partial w}{\partial u}+\frac{\partial w}{\partial v}.$$

令 $R=\frac{\partial z}{\partial x}+\frac{\partial z}{\partial y}=x+y-2\frac{\partial w}{\partial u}=u-2\frac{\partial w}{\partial u}$. 于是

$$\begin{aligned}\frac{\partial^2 z}{\partial x^2}+2\frac{\partial^2 z}{\partial x\partial y}+\frac{\partial^2 z}{\partial y^2}&=\frac{\partial}{\partial x}\left(\frac{\partial z}{\partial x}+\frac{\partial z}{\partial y}\right)+\frac{\partial}{\partial y}\left(\frac{\partial z}{\partial x}+\frac{\partial z}{\partial y}\right)=\frac{\partial R}{\partial x}+\frac{\partial R}{\partial y}=\frac{\partial R}{\partial u}\left(\frac{\partial u}{\partial x}+\frac{\partial u}{\partial y}\right)+\frac{\partial R}{\partial v}\left(\frac{\partial v}{\partial x}+\frac{\partial v}{\partial y}\right)\\&=2\frac{\partial}{\partial u}\left(u-2\frac{\partial w}{\partial u}\right)=2-4\frac{\partial^2 w}{\partial u^2}=0,\end{aligned}$$

原方程变换为$\frac{\partial^2 w}{\partial u^2}=\frac{1}{2}$.

【3508】 $\frac{\partial^2 z}{\partial x^2}+\frac{\partial^2 z}{\partial x\partial y}+\frac{\partial z}{\partial x}=z$,设 $u=\frac{x+y}{2},v=\frac{x-y}{2},w=ze^y$.

解 $\frac{\partial u}{\partial x}=\frac{\partial u}{\partial y}=\frac{\partial v}{\partial x}=\frac{1}{2}=-\frac{\partial v}{\partial y},\frac{\partial w}{\partial x}=0,\frac{\partial w}{\partial y}=ze^y,\frac{\partial w}{\partial z}=e^y$. 代入公式 12,得

$$\frac{\partial z}{\partial x}=\frac{1}{2}e^{-y}\left(\frac{\partial w}{\partial u}+\frac{\partial w}{\partial v}\right),\frac{\partial z}{\partial y}=\frac{1}{2}e^{-y}\left(\frac{\partial w}{\partial u}-\frac{\partial w}{\partial v}\right)-z.$$

于是,$\frac{\partial^2 z}{\partial x^2}+\frac{\partial^2 z}{\partial x\partial y}+\frac{\partial z}{\partial x}=\frac{\partial}{\partial x}\left(\frac{\partial z}{\partial x}+\frac{\partial z}{\partial y}+z\right)=\frac{\partial}{\partial x}\left(e^{-y}\frac{\partial w}{\partial u}\right)=e^{-y}\frac{\partial}{\partial x}\left(\frac{\partial w}{\partial u}\right)=e^{-y}\left(\frac{\partial^2 w}{\partial u^2}\frac{\partial u}{\partial x}+\frac{\partial^2 w}{\partial u\partial v}\frac{\partial v}{\partial x}\right)$

$$=\frac{1}{2}e^{-y}\left(\frac{\partial^2 w}{\partial u^2}+\frac{\partial^2 w}{\partial u\partial v}\right)=z.$$

原方程变换为$\frac{\partial^2 w}{\partial u^2}+\frac{\partial^2 w}{\partial u\partial v}=2ze^y=2w.$

【3509】 $\frac{\partial^2 z}{\partial x^2}-2\frac{\partial^2 z}{\partial x\partial y}+\left(1+\frac{y}{x}\right)\frac{\partial^2 z}{\partial y^2}=0$，设 $u=x,v=x+y,w=x+y+z.$

解 由公式 12 不难求出$\frac{\partial z}{\partial x}=\frac{\partial w}{\partial u}+\frac{\partial w}{\partial v}-1,\frac{\partial z}{\partial y}=\frac{\partial w}{\partial v}-1.$ 于是

$$\frac{\partial z}{\partial x}-\frac{\partial z}{\partial y}=\frac{\partial w}{\partial u}.$$

同 3506 题的方法可求得

$$\frac{\partial^2 z}{\partial x^2}-2\frac{\partial^2 z}{\partial x\partial y}+\frac{\partial^2 z}{\partial y^2}=\left(\frac{\partial}{\partial x}-\frac{\partial}{\partial y}\right)\left(\frac{\partial z}{\partial x}-\frac{\partial z}{\partial y}\right)=\frac{\partial}{\partial u}\left(\frac{\partial w}{\partial u}\right)\left(\frac{\partial u}{\partial x}-\frac{\partial u}{\partial y}\right)+\frac{\partial}{\partial v}\left(\frac{\partial w}{\partial u}\right)\left(\frac{\partial v}{\partial x}-\frac{\partial v}{\partial y}\right)=\frac{\partial^2 w}{\partial u^2},$$

$$\frac{y}{x}\frac{\partial^2 z}{\partial y^2}=\left(\frac{v}{u}-1\right)\frac{\partial}{\partial y}\left(\frac{\partial w}{\partial v}-1\right)=\left(\frac{v}{u}-1\right)\left[\frac{\partial}{\partial u}\left(\frac{\partial w}{\partial v}\right)\frac{\partial u}{\partial y}+\frac{\partial}{\partial v}\left(\frac{\partial w}{\partial v}\right)\frac{\partial v}{\partial y}\right]=\left(\frac{v}{u}-1\right)\frac{\partial^2 w}{\partial v^2}.$$

将结果代入原方程，即得$\frac{\partial^2 w}{\partial u^2}+\left(\frac{v}{u}-1\right)\frac{\partial^2 w}{\partial v^2}=0.$

【3510】 $(1-x^2)\frac{\partial^2 z}{\partial x^2}+(1-y^2)\frac{\partial^2 z}{\partial y^2}=x\frac{\partial z}{\partial x}+y\frac{\partial z}{\partial y}$，设 $x=\sin u,y=\sin v,z=e^w.$

解 $\frac{\partial z}{\partial x}=\frac{\partial z}{\partial w}\frac{\partial w}{\partial u}\frac{\partial u}{\partial x}=\frac{e^w}{\cos u}\frac{\partial w}{\partial u},\frac{\partial z}{\partial y}=\frac{e^w}{\cos v}\frac{\partial w}{\partial v},$

$$\frac{\partial^2 z}{\partial x^2}=\frac{\partial}{\partial x}\left(\frac{e^w}{\cos u}\frac{\partial w}{\partial u}\right)=\frac{\partial}{\partial u}\left(\frac{e^w}{\cos u}\frac{\partial w}{\partial u}\right)\frac{du}{dx}=\frac{1}{\cos u}\left[\frac{e^w}{\cos u}\left(\frac{\partial w}{\partial u}\right)^2+\frac{e^w}{\cos u}\frac{\partial^2 w}{\partial u^2}+\frac{e^w\sin u}{\cos^2 u}\frac{\partial w}{\partial u}\right]$$

$$=\frac{e^w}{\cos^2 u}\left[\left(\frac{\partial w}{\partial u}\right)^2+\frac{\partial^2 w}{\partial u^2}+\tan u\frac{\partial w}{\partial u}\right],$$

$$\frac{\partial^2 z}{\partial y^2}=\frac{e^w}{\cos^2 v}\left[\left(\frac{\partial w}{\partial v}\right)^2+\frac{\partial^2 w}{\partial v^2}+\tan v\frac{\partial w}{\partial v}\right].$$

将上述结果代入原方程，并注意到 $1-x^2=\cos^2 u,1-y^2=\cos^2 v$，化简整理即得

$$\frac{\partial^2 w}{\partial u^2}+\frac{\partial^2 w}{\partial v^2}+\left(\frac{\partial w}{\partial u}\right)^2+\left(\frac{\partial w}{\partial v}\right)^2=0.$$

【3511】 $(1-x^2)\frac{\partial^2 z}{\partial x^2}-\frac{\partial^2 z}{\partial y^2}-2x\frac{\partial z}{\partial x}-\frac{1}{4}z=0(|x|<1)$，设

$$u=\frac{1}{2}(y+\arccos x),v=\frac{1}{2}(y-\arccos x),w=z\sqrt[4]{1-x^2}.$$

解 由公式 12 不难求出

$$\frac{\partial z}{\partial x}=\frac{1}{2(1-x^2)^{\frac{3}{4}}}\left(\frac{\partial w}{\partial v}-\frac{\partial w}{\partial u}\right)+\frac{xz}{2(1-x^2)},$$

$$\frac{\partial z}{\partial y}=\frac{1}{2(1-x^2)^{\frac{1}{4}}}\left(\frac{\partial w}{\partial u}+\frac{\partial w}{\partial v}\right).$$

于是，$(1-x^2)\frac{\partial^2 z}{\partial x^2}-2x\frac{\partial z}{\partial x}=\frac{\partial}{\partial x}\left[(1-x^2)\frac{\partial z}{\partial x}\right]=\frac{\partial}{\partial x}\left[\frac{(1-x^2)^{\frac{1}{4}}}{2}\left(\frac{\partial w}{\partial v}-\frac{\partial w}{\partial u}\right)+\frac{xz}{2}\right]$

$$=-\frac{x}{4(1-x^2)^{\frac{3}{4}}}\left(\frac{\partial w}{\partial v}-\frac{\partial w}{\partial u}\right)+\frac{z}{2}+\frac{x}{2}\frac{\partial z}{\partial x}+\frac{(1-x^2)^{\frac{1}{4}}}{2}\frac{\partial}{\partial x}\left(\frac{\partial w}{\partial v}-\frac{\partial w}{\partial u}\right)$$

$$=\frac{z}{2}+\frac{x^2 z}{4(1-x^2)}+\frac{(1-x^2)\frac{1}{4}}{2}\left[\frac{\partial}{\partial u}\left(\frac{\partial w}{\partial v}-\frac{\partial w}{\partial u}\right)\frac{\partial u}{\partial x}+\frac{\partial}{\partial v}\left(\frac{\partial w}{\partial v}-\frac{\partial w}{\partial u}\right)\frac{\partial v}{\partial x}\right]$$

$$=\frac{z}{4}+\frac{z}{4(1-x^2)}+\frac{1}{4(1-x^2)^{\frac{1}{4}}}\left(\frac{\partial^2 w}{\partial u^2}-2\frac{\partial^2 w}{\partial u\partial v}+\frac{\partial^2 w}{\partial v^2}\right),$$

$$\frac{\partial^2 z}{\partial y^2}=\frac{\partial}{\partial y}\left(\frac{\partial z}{\partial y}\right)=\frac{1}{2(1-x^2)^{\frac{1}{4}}}\left[\frac{\partial}{\partial u}\left(\frac{\partial w}{\partial u}+\frac{\partial w}{\partial v}\right)\frac{\partial u}{\partial y}+\frac{\partial}{\partial v}\left(\frac{\partial w}{\partial u}+\frac{\partial w}{\partial v}\right)\frac{\partial v}{\partial y}\right]$$

$$=\frac{1}{4(1-x^2)^{\frac{1}{4}}}\left(\frac{\partial^2 w}{\partial u^2}+2\frac{\partial^2 w}{\partial u\partial v}+\frac{\partial^2 w}{\partial v^2}\right).$$

将上述结果代入原方程,并注意到 $\arccos x=u-v, x=\cos(u-v), 1-x^2=\sin^2(u-v)$,化简得

$$\frac{\partial^2 w}{\partial u\partial v}=\frac{w}{4\sin^2(u-v)}.$$

【3512】 $\dfrac{\partial^2 z}{\partial x^2}+\dfrac{\partial^2 z}{\partial y^2}=2\dfrac{x\dfrac{\partial z}{\partial x}-y\dfrac{\partial z}{\partial y}}{x^2-y^2}-\dfrac{3(x^2+y^2)z}{(x^2-y^2)^2}$ $(|x|>|y|)$,设

$$u=x+y, v=x-y, w=\frac{z}{\sqrt{x^2-y^2}}.$$

解 原方程可改写为

$$\frac{1}{x^2-y^2}\frac{\partial^2 z}{\partial x^2}+\frac{1}{x^2-y^2}\frac{\partial^2 z}{\partial y^2}-\frac{2x}{(x^2-y^2)^2}\frac{\partial z}{\partial x}+\frac{2y}{(x^2-y^2)^2}\frac{\partial z}{\partial y}=-\frac{3(x^2+y^2)z}{(x^2-y^2)^3}$$

或

$$\frac{\partial}{\partial x}\left(\frac{1}{x^2-y^2}\frac{\partial z}{\partial x}\right)+\frac{\partial}{\partial y}\left(\frac{1}{x^2-y^2}\frac{\partial z}{\partial y}\right)=-\frac{3(x^2+y^2)z}{(x^2-y^2)^3}. \qquad ①$$

由公式 12 不难求出

$$\frac{\partial z}{\partial x}=\sqrt{x^2-y^2}\left(\frac{\partial w}{\partial u}+\frac{\partial w}{\partial v}\right)+\frac{xz}{x^2-y^2}, \frac{\partial z}{\partial y}=\sqrt{x^2-y^2}\left(\frac{\partial w}{\partial u}-\frac{\partial w}{\partial v}\right)-\frac{yz}{x^2-y^2}.$$

于是

$$\frac{\partial}{\partial x}\left(\frac{1}{x^2-y^2}\frac{\partial z}{\partial x}\right)=\frac{\partial}{\partial x}\left[\frac{1}{\sqrt{x^2-y^2}}\left(\frac{\partial w}{\partial u}+\frac{\partial w}{\partial v}\right)+\frac{xz}{(x^2-y^2)^2}\right]$$

$$=-\frac{x}{(x^2-y^2)^{\frac{3}{2}}}\left(\frac{\partial w}{\partial u}+\frac{\partial w}{\partial v}\right)+\frac{x}{(x^2-y^2)^2}\frac{\partial z}{\partial x}+\frac{z}{(x^2-y^2)^2}-\frac{4x^2 z}{(x^2-y^2)^3}+$$

$$\frac{1}{\sqrt{x^2-y^2}}\frac{\partial}{\partial x}\left(\frac{\partial w}{\partial u}+\frac{\partial w}{\partial v}\right)$$

$$=\frac{z}{(x^2-y^2)^2}-\frac{3x^2 z}{(x^2-y^2)^3}+\frac{1}{\sqrt{x^2-y^2}}\left[\frac{\partial}{\partial u}\left(\frac{\partial w}{\partial u}+\frac{\partial w}{\partial v}\right)\frac{\partial u}{\partial x}+\frac{\partial}{\partial v}\left(\frac{\partial w}{\partial u}+\frac{\partial w}{\partial v}\right)\frac{\partial v}{\partial x}\right]$$

$$=\frac{z}{(x^2-y^2)^2}-\frac{3x^2 z}{(x^2-y^2)^3}+\frac{1}{\sqrt{x^2-y^2}}\left(\frac{\partial^2 w}{\partial u^2}+2\frac{\partial^2 w}{\partial u\partial v}+\frac{\partial^2 w}{\partial v^2}\right).$$

同法可求得

$$\frac{\partial}{\partial y}\left(\frac{1}{x^2-y^2}\frac{\partial z}{\partial y}\right)=\frac{\partial}{\partial y}\left[\frac{1}{\sqrt{x^2-y^2}}\left(\frac{\partial w}{\partial u}-\frac{\partial w}{\partial v}\right)-\frac{yz}{(x^2-y^2)^2}\right]$$

$$=-\frac{z}{(x^2-y^2)^2}-\frac{3y^2 z}{(x^2-y^2)^3}+\frac{1}{\sqrt{x^2-y^2}}\left(\frac{\partial^2 w}{\partial u^2}-2\frac{\partial^2 w}{\partial u\partial v}+\frac{\partial^2 w}{\partial v^2}\right).$$

将上述结果代入方程 ①,化简整理即得 $\dfrac{\partial^2 w}{\partial u^2}+\dfrac{\partial^2 w}{\partial v^2}=0$.

【3513】 令 $u=x+z, v=y+z, w=x+y+z$,且认为 $w=w(u,v)$,变换方程

$$q(1+q)\frac{\partial^2 z}{\partial x^2}-(1+p+q+2pq)\frac{\partial^2 z}{\partial x\partial y}+p(1+p)\frac{\partial^2 z}{\partial y^2}=0,$$

其中 $p=\dfrac{\partial z}{\partial x}, q=\dfrac{\partial z}{\partial y}$.

解 本题用全微分法解较好. 由 $dz=pdx+qdy$ 及 $u=x+z, v=y+z, w=x+y+z$ 得

$\mathrm{d}u=\mathrm{d}x+\mathrm{d}z=(1+p)\mathrm{d}x+q\mathrm{d}y,\mathrm{d}v=\mathrm{d}y+\mathrm{d}z=p\mathrm{d}x+(1+q)\mathrm{d}y,\mathrm{d}^2u=\mathrm{d}^2v=\mathrm{d}^2w=\mathrm{d}^2z.$

把上述结果代入新变元的全微分式

$$\mathrm{d}^2w=\frac{\partial^2 w}{\partial u^2}\mathrm{d}u^2+2\frac{\partial^2 w}{\partial u\partial v}\mathrm{d}u\mathrm{d}v+\frac{\partial^2 w}{\partial v^2}\mathrm{d}v^2+\frac{\partial w}{\partial u}\mathrm{d}^2u+\frac{\partial w}{\partial v}\mathrm{d}^2v,$$

并记 $S=1-\frac{\partial w}{\partial u}-\frac{\partial w}{\partial v}$，即得

$$S\mathrm{d}^2z=\frac{\partial^2 w}{\partial u^2}[(p+1)\mathrm{d}x+q\mathrm{d}y]^2+2\frac{\partial^2 w}{\partial u\partial v}[(p+1)\mathrm{d}x+q\mathrm{d}y][p\mathrm{d}x+(q+1)\mathrm{d}y]+$$
$$\frac{\partial^2 w}{\partial v^2}[p\mathrm{d}x+(q+1)\mathrm{d}y]^2.$$

将上式与 $\mathrm{d}^2z=\frac{\partial^2 z}{\partial x^2}\mathrm{d}x^2+2\frac{\partial^2 z}{\partial x\partial y}\mathrm{d}x\mathrm{d}y+\frac{\partial^2 z}{\partial y^2}\mathrm{d}y^2$ 比较，可得

$$\frac{\partial^2 z}{\partial x^2}=\frac{1}{S}\left[(1+p)^2\frac{\partial^2 w}{\partial u^2}+2p(1+p)\frac{\partial^2 w}{\partial u\partial v}+p^2\frac{\partial^2 w}{\partial v^2}\right],$$
$$\frac{\partial^2 z}{\partial x\partial y}=\frac{1}{S}\left[q(p+1)\frac{\partial^2 w}{\partial u^2}+(1+p+q+2pq)\frac{\partial^2 w}{\partial u\partial v}+p(q+1)\frac{\partial^2 w}{\partial v^2}\right],$$
$$\frac{\partial^2 z}{\partial y^2}=\frac{1}{S}\left[q^2\frac{\partial^2 w}{\partial u^2}+2q(q+1)\frac{\partial^2 w}{\partial u\partial v}+(q+1)^2\frac{\partial^2 w}{\partial v^2}\right].$$

代入原方程，并注意到

$$q(1+q)(1+p)^2-(1+p+q+2pq)q(p+1)+p(1+p)q^2$$
$$=q(1+p)[(1+p)(1+q)-(1+p+q+2pq)+pq]=0,$$
$$p^2q(1+q)-(1+p+q+2pq)p(q+1)+p(1+p)(q+1)^2=0$$

及 $$2p(1+p)q(1+q)-(1+p+q+2pq)^2+2q(q+1)p(1+p)=-(1+p+q)^2,$$

原方程变换为

$$-\frac{(1+p+q)^2}{S}\frac{\partial^2 w}{\partial u\partial v}=0 \text{ 或 } \frac{\partial^2 w}{\partial u\partial v}=0.$$

【3514】 令 $x=\eta\zeta,y=\xi\zeta,z=\xi\eta$，变换方程 $xy\frac{\partial^2 u}{\partial x\partial y}+yz\frac{\partial^2 u}{\partial y\partial z}+xz\frac{\partial^2 u}{\partial x\partial z}=0$.

解 由于

$$\begin{cases}1=\zeta\frac{\partial \eta}{\partial x}+\eta\frac{\partial \zeta}{\partial x},\\ 0=\zeta\frac{\partial \xi}{\partial x}+\xi\frac{\partial \zeta}{\partial x},\\ 0=\eta\frac{\partial \xi}{\partial x}+\xi\frac{\partial \eta}{\partial x},\end{cases}$$

故有

$$\frac{\partial \xi}{\partial x}=-\frac{\xi}{2\eta\zeta},\frac{\partial \eta}{\partial x}=\frac{1}{2\zeta},\frac{\partial \zeta}{\partial x}=\frac{1}{2\eta}.$$

同法求得 $\frac{\partial \xi}{\partial y}=\frac{1}{2\zeta},\frac{\partial \eta}{\partial y}=-\frac{\eta}{2\xi\zeta},\frac{\partial \zeta}{\partial y}=\frac{1}{2\xi}$. 于是

$$\frac{\partial u}{\partial x}=\frac{\partial u}{\partial \xi}\frac{\partial \xi}{\partial x}+\frac{\partial u}{\partial \eta}\frac{\partial \eta}{\partial x}+\frac{\partial u}{\partial \zeta}\frac{\partial \zeta}{\partial x}=-\frac{\xi}{2\eta\zeta}\frac{\partial u}{\partial \xi}+\frac{1}{2\zeta}\frac{\partial u}{\partial \eta}+\frac{1}{2\eta}\frac{\partial u}{\partial \zeta},$$

$$\frac{\partial^2 u}{\partial x\partial y}=\frac{\partial}{\partial y}\left(\frac{\partial u}{\partial x}\right)$$
$$=-\frac{\partial}{\partial y}\left(\frac{\xi}{2\eta\zeta}\right)\frac{\partial u}{\partial \xi}-\frac{\xi}{2\eta\zeta}\frac{\partial}{\partial y}\left(\frac{\partial u}{\partial \xi}\right)+\frac{\partial}{\partial y}\left(\frac{1}{2\zeta}\right)\frac{\partial u}{\partial \eta}+\frac{1}{2\zeta}\frac{\partial}{\partial y}\left(\frac{\partial u}{\partial \eta}\right)+\frac{\partial}{\partial y}\left(\frac{1}{2\eta}\right)\frac{\partial u}{\partial \zeta}+\frac{1}{2\eta}\frac{\partial}{\partial y}\left(\frac{\partial u}{\partial \zeta}\right)$$
$$=-\frac{1}{4\eta\zeta^2}\frac{\partial u}{\partial \xi}-\frac{\xi}{4\eta\zeta^2}\frac{\partial^2 u}{\partial \xi^2}-\frac{1}{4\xi\zeta^2}\frac{\partial u}{\partial \eta}-\frac{\eta}{4\xi\zeta^2}\frac{\partial^2 u}{\partial \eta^2}+\frac{1}{4\xi\eta\zeta}\frac{\partial u}{\partial \zeta}+\frac{1}{4\xi\eta}\frac{\partial^2 u}{\partial \zeta^2}+\frac{1}{2\zeta^2}\frac{\partial^2 u}{\partial \xi\partial \eta}. \quad ①$$

同法可求得

$$\frac{\partial^2 u}{\partial y\partial z}=\frac{1}{4\xi\eta\zeta}\frac{\partial u}{\partial \xi}+\frac{1}{4\eta\zeta}\frac{\partial^2 u}{\partial \xi^2}-\frac{1}{4\xi^2\zeta}\frac{\partial u}{\partial \eta}-\frac{\eta}{4\xi^2\zeta}\frac{\partial^2 u}{\partial \eta^2}-\frac{1}{4\xi^2\eta}\frac{\partial u}{\partial \zeta}-\frac{\zeta}{4\xi^2\eta}\frac{\partial^2 u}{\partial \zeta^2}+\frac{1}{2\xi^2}\frac{\partial^2 u}{\partial \eta\partial \zeta}, \qquad ②$$

$$\frac{\partial^2 u}{\partial z\partial x}=-\frac{1}{4\eta^2\zeta}\frac{\partial u}{\partial \xi}-\frac{\xi}{4\eta^2\zeta}\frac{\partial^2 u}{\partial \xi^2}+\frac{1}{4\xi\eta\zeta}\frac{\partial u}{\partial \eta}+\frac{1}{4\xi\zeta}\frac{\partial^2 u}{\partial \eta^2}-\frac{1}{4\eta^2\xi}\frac{\partial u}{\partial \zeta}-\frac{\zeta}{4\eta^2\xi}\frac{\partial^2 u}{\partial \zeta^2}+\frac{1}{2\eta^2}\frac{\partial^2 u}{\partial \zeta\partial \xi}. \qquad ③$$

将 ①②③ 三式连同 x,y,z 一起代入原方程,化简整理得

$$\xi\frac{\partial u}{\partial \xi}+\eta\frac{\partial u}{\partial \eta}+\zeta\frac{\partial u}{\partial \zeta}+\xi^2\frac{\partial^2 u}{\partial \xi^2}+\eta^2\frac{\partial^2 u}{\partial \eta^2}+\zeta^2\frac{\partial^2 u}{\partial \zeta^2}=2\left(\xi\eta\frac{\partial^2 u}{\partial \xi\partial \eta}+\eta\zeta\frac{\partial u}{\partial \eta\partial \zeta}+\zeta\xi\frac{\partial^2 u}{\partial \zeta\partial \xi}\right),$$

即

$$\xi\frac{\partial}{\partial \xi}\left(\xi\frac{\partial u}{\partial \xi}\right)+\eta\frac{\partial}{\partial \eta}\left(\eta\frac{\partial u}{\partial \eta}\right)+\zeta\frac{\partial}{\partial \zeta}\left(\zeta\frac{\partial u}{\partial \zeta}\right)=2\left(\xi\eta\frac{\partial^2 u}{\partial \xi\partial \eta}+\eta\zeta\frac{\partial^2 u}{\partial \eta\partial \zeta}+\zeta\xi\frac{\partial^2 u}{\partial \zeta\partial \xi}\right).$$

【3515】 证明:用代换

$$z=ue^{\alpha x+\beta y}(\alpha 与 \beta 为常数,u=u(x,y))$$

可以把任何方程 $\frac{\partial^2 z}{\partial x\partial y}+a\frac{\partial z}{\partial x}+b\frac{\partial z}{\partial y}+cz=0$($a,b,c$ 为常数)化为下面的形式:

$$\frac{\partial^2 u}{\partial x\partial y}+c_1u=0(c_1 为常数).$$

证

$$\frac{\partial z}{\partial x}=e^{\alpha x+\beta y}\left(\alpha u+\frac{\partial u}{\partial x}\right),\frac{\partial z}{\partial y}=e^{\alpha x+\beta y}\left(\beta u+\frac{\partial u}{\partial y}\right),$$

$$\frac{\partial^2 z}{\partial x\partial y}=e^{\alpha x+\beta y}\left(\alpha\beta u+\beta\frac{\partial u}{\partial x}+\alpha\frac{\partial u}{\partial y}+\frac{\partial^2 u}{\partial x\partial y}\right).$$

将上述结果代入所给方程,得

$$\frac{\partial^2 u}{\partial x\partial y}+(\beta+a)\frac{\partial u}{\partial x}+(\alpha+b)\frac{\partial u}{\partial y}+(\alpha\beta+\alpha a+b\beta+c)u=0.$$

按题意,需 $\beta+a=0$ 及 $\alpha+b=0$,即 $\beta=-a,\alpha=-b$,这是可能的.事实上,只需取代换 $z=ue^{-(bx+ay)}$,原方程即变换为

$$\frac{\partial^2 u}{\partial x\partial y}+c_1u=0(c_1 为常数).$$

【3516】 证明:方程 $\frac{\partial^2 u}{\partial x^2}=\frac{\partial u}{\partial y}$ 在变换 $x'=\frac{x}{y},y'=-\frac{1}{y},u=\frac{u'}{\sqrt{y}}e^{-\frac{x^2}{4y}}$ 下形式保持不变,其中 u' 为变量 x',y' 的函数.

证 $dx'=\frac{dx}{y}-\frac{x}{y^2}dy,dy'=\frac{1}{y^2}dy,\ln u'=\ln u+\frac{1}{2}\ln y+\frac{x^2}{4y},du'=\frac{u'}{u}du+\frac{u'}{2y}dy+\frac{xu'}{2y}dx-\frac{x^2u'}{4y^2}dy.$

把上面三个微分式代入 $du'=\frac{\partial u'}{\partial x'}dx'+\frac{\partial u'}{\partial y'}dy'$,得

$$\frac{u'}{u}du+\frac{u'}{2y}dy+\frac{xu'}{2y}dx-\frac{x^2u'}{4y^2}dy=\frac{\partial u'}{\partial x'}\left(\frac{1}{y}dx-\frac{x}{y^2}dy\right)+\frac{\partial u'}{\partial y'}\frac{dy}{y^2},$$

整理得

$$du=\left(\frac{u}{yu}\frac{\partial u'}{\partial x}-\frac{xu}{2y}\right)dx+\left(\frac{u}{y^2u'}\frac{\partial u'}{\partial y'}-\frac{xu}{y^2u'}\frac{\partial u'}{\partial x'}+\frac{x^2u}{4y^2}-\frac{u}{2y}\right)dy.$$

于是

$$\frac{\partial u}{\partial x}=\frac{u}{yu}\frac{\partial u'}{\partial x'}-\frac{xu}{2y},\frac{\partial u}{\partial y}=\frac{u}{y^2u'}\frac{\partial u'}{\partial y'}-\frac{xu}{y^2u'}\frac{\partial u'}{\partial x'}+\frac{x^2u}{4y^2}-\frac{u}{2y}, \qquad ①$$

$$\frac{\partial^2 u}{\partial x^2}=\frac{\partial}{\partial x}\left(\frac{u}{yu}\frac{\partial u'}{\partial x'}-\frac{xu}{2y}\right)=\frac{u}{yu}\frac{\partial^2 u'}{\partial x'^2}\frac{\partial x'}{\partial x}+\frac{1}{yu}\frac{\partial u'}{\partial x}\frac{\partial u}{\partial x}-\frac{u}{yu'^2}\left(\frac{\partial u'}{\partial x'}\right)^2\frac{\partial x'}{\partial x}-\frac{u}{2y}-\frac{x}{2y}\frac{\partial u}{\partial x}$$

$$=\frac{u}{y^2u}\frac{\partial^2 u'}{\partial x'^2}+\left(\frac{1}{yu}\frac{\partial u'}{\partial x'}-\frac{x}{2y}\right)\left(\frac{u}{yu}\frac{\partial u'}{\partial x'}-\frac{xu}{2y}\right)-\frac{u}{y^2u'^2}\left(\frac{\partial u'}{\partial x'}\right)^2-\frac{u}{2y}$$

$$=\frac{u}{y^2u}\frac{\partial^2 u'}{\partial x'^2}-\frac{xu}{y^2u}\frac{\partial u'}{\partial x'}+\frac{x^2u}{4y^2}-\frac{u}{2y}. \qquad ②$$

将 ① 式和 ② 式代入原方程，得$\frac{\partial^2 u'}{\partial x'^2}=\frac{\partial u'}{\partial y}$. 即方程的形式不变.

【3517】 令 $x=e^{\xi}, y=e^{\eta}, z=e^{\zeta}, u=e^{w}$，其中 $w=w(\xi,\eta,\zeta)$，变换方程

$$x^2\frac{\partial^2 u}{\partial x^2}+y^2\frac{\partial^2 u}{\partial y^2}+z^2\frac{\partial^2 u}{\partial z^2}=\left(x\frac{\partial u}{\partial x}\right)^2+\left(y\frac{\partial u}{\partial y}\right)^2+\left(z\frac{\partial u}{\partial z}\right)^2.$$

解
$$\frac{\partial u}{\partial x}=\frac{du}{dw}\frac{\partial w}{\partial \xi}\frac{d\xi}{dx}=\frac{e^w}{x}\frac{\partial w}{\partial \xi},$$

$$x\frac{\partial u}{\partial x}=e^w\frac{\partial w}{\partial \xi}, y\frac{\partial u}{\partial y}=e^w\frac{\partial w}{\partial \eta}, z\frac{\partial u}{\partial z}=e^w\frac{\partial w}{\partial \zeta}. \qquad ①$$

① 式两端对 x 求偏导数，得 $x\frac{\partial^2 u}{\partial x^2}+\frac{\partial u}{\partial x}=e^w\left(\frac{\partial w}{\partial \xi}\right)^2\frac{d\xi}{dx}+e^w\frac{\partial^2 w}{\partial \xi^2}\frac{d\xi}{dx}$. 两端同乘 x，整理得

$$x^2\frac{\partial^2 u}{\partial x^2}=e^w\left(\frac{\partial w}{\partial \xi}\right)^2+e^w\frac{\partial^2 w}{\partial \xi^2}-e^w\frac{\partial w}{\partial \xi}. \qquad ②$$

同法可得

$$y^2\frac{\partial^2 u}{\partial y^2}=e^w\left(\frac{\partial w}{\partial \eta}\right)^2+e^w\frac{\partial^2 w}{\partial \eta^2}-e^w\frac{\partial w}{\partial \eta}, \qquad ③$$

$$z^2\frac{\partial^2 u}{\partial z^2}=e^w\left(\frac{\partial w}{\partial \zeta}\right)^2+e^w\frac{\partial^2 w}{\partial \zeta^2}-e^w\frac{\partial w}{\partial \zeta}. \qquad ④$$

将 ②，③，④ 三式代入原方程，化简整理即得

$$\frac{\partial^2 w}{\partial \xi^2}+\frac{\partial^2 w}{\partial \eta^2}+\frac{\partial^2 w}{\partial \zeta^2}=(e^w-1)\left[\left(\frac{\partial w}{\partial \xi}\right)^2+\left(\frac{\partial w}{\partial \eta}\right)^2+\left(\frac{\partial w}{\partial \zeta}\right)^2\right]+\frac{\partial w}{\partial \xi}+\frac{\partial w}{\partial \eta}+\frac{\partial w}{\partial \zeta}.$$

【3518】 利用勒让德变换 $X=\frac{\partial z}{\partial x}, Y=\frac{\partial z}{\partial y}, Z=x\frac{\partial z}{\partial x}+y\frac{\partial z}{\partial y}-z$，其中 $Z=Z(X,Y)$，变换方程

$$A\left(\frac{\partial z}{\partial x},\frac{\partial z}{\partial y}\right)\frac{\partial^2 z}{\partial x^2}+2B\left(\frac{\partial z}{\partial x},\frac{\partial z}{\partial y}\right)\frac{\partial^2 z}{\partial x\partial y}+C\left(\frac{\partial z}{\partial x},\frac{\partial z}{\partial y}\right)\frac{\partial^2 z}{\partial y^2}=0.$$

解 $dZ=d\left(x\frac{\partial z}{\partial x}+y\frac{\partial z}{\partial y}-z\right)=\frac{\partial z}{\partial x}dx+\frac{\partial z}{\partial y}dy-dz+xdX+ydY=xdX+ydY$. 于是

$$\frac{\partial Z}{\partial X}=x, \frac{\partial Z}{\partial Y}=y.$$

微分上式，得

$$\begin{cases} dx=\frac{\partial^2 Z}{\partial X^2}dX+\frac{\partial^2 Z}{\partial X\partial Y}dY, \\ dy=\frac{\partial^2 Z}{\partial X\partial Y}dX+\frac{\partial^2 Z}{\partial Y^2}dY. \end{cases} \qquad ①$$

又由 $X=\frac{\partial z}{\partial x}, Y=\frac{\partial z}{\partial y}$，微分得

$$\begin{cases} dX=\frac{\partial^2 z}{\partial x^2}dx+\frac{\partial^2 z}{\partial x\partial y}dy, \\ dY=\frac{\partial^2 z}{\partial x\partial y}dx+\frac{\partial^2 z}{\partial y^2}dy. \end{cases} \qquad ②$$

由 ① 式与 ② 式，得

$$\begin{pmatrix} dx \\ dy \end{pmatrix}=\begin{pmatrix} \frac{\partial^2 Z}{\partial X^2} & \frac{\partial^2 Z}{\partial X\partial Y} \\ \frac{\partial^2 Z}{\partial X\partial Y} & \frac{\partial^2 Z}{\partial Y^2} \end{pmatrix}\begin{pmatrix} dX \\ dY \end{pmatrix}=\begin{pmatrix} \frac{\partial^2 Z}{\partial X^2} & \frac{\partial^2 Z}{\partial X\partial Y} \\ \frac{\partial^2 Z}{\partial X\partial Y} & \frac{\partial^2 Z}{\partial Y^2} \end{pmatrix}\begin{pmatrix} \frac{\partial^2 z}{\partial x^2} & \frac{\partial^2 z}{\partial x\partial y} \\ \frac{\partial^2 z}{\partial x\partial y} & \frac{\partial^2 z}{\partial y^2} \end{pmatrix}\begin{pmatrix} dx \\ dy \end{pmatrix}$$

由此可知

$$\begin{pmatrix} \dfrac{\partial^2 Z}{\partial X^2} & \dfrac{\partial^2 Z}{\partial X\partial Y} \\ \dfrac{\partial^2 Z}{\partial X\partial Y} & \dfrac{\partial^2 Z}{\partial Y^2} \end{pmatrix}\begin{pmatrix} \dfrac{\partial^2 z}{\partial x^2} & \dfrac{\partial^2 z}{\partial x\partial y} \\ \dfrac{\partial^2 z}{\partial x\partial y} & \dfrac{\partial^2 z}{\partial y^2} \end{pmatrix} = \begin{pmatrix} 1 & 0 \\ 0 & 1 \end{pmatrix},$$

从而

$$\begin{vmatrix} \dfrac{\partial^2 Z}{\partial X^2} & \dfrac{\partial^2 Z}{\partial X\partial Y} \\ \dfrac{\partial^2 Z}{\partial X\partial Y} & \dfrac{\partial^2 Z}{\partial Y^2} \end{vmatrix}\begin{vmatrix} \dfrac{\partial^2 z}{\partial x^2} & \dfrac{\partial^2 z}{\partial x\partial y} \\ \dfrac{\partial^2 z}{\partial x\partial y} & \dfrac{\partial^2 z}{\partial y^2} \end{vmatrix} = 1,$$

因此

$$I = \begin{vmatrix} \dfrac{\partial^2 Z}{\partial X^2} & \dfrac{\partial^2 Z}{\partial X\partial Y} \\ \dfrac{\partial^2 Z}{\partial X\partial Y} & \dfrac{\partial^2 Z}{\partial Y^2} \end{vmatrix} \neq 0.$$

于是，由 ① 式解之，得

$$\begin{cases} \mathrm{d}X = I^{-1}\left(\dfrac{\partial^2 Z}{\partial Y^2}\mathrm{d}x - \dfrac{\partial^2 Z}{\partial X\partial Y}\mathrm{d}y\right), \\ \mathrm{d}Y = I^{-1}\left(-\dfrac{\partial^2 Z}{\partial X\partial Y}\mathrm{d}x + \dfrac{\partial^2 Z}{\partial X^2}\mathrm{d}y\right). \end{cases} \qquad ③$$

比较 ① 式与 ② 式，得$\dfrac{\partial^2 z}{\partial x^2} = I^{-1}\dfrac{\partial^2 Z}{\partial Y^2}$，$\dfrac{\partial^2 z}{\partial x\partial y} = -I^{-1}\dfrac{\partial^2 Z}{\partial X\partial Y}$，$\dfrac{\partial^2 z}{\partial y^2} = I^{-1}\dfrac{\partial^2 Z}{\partial X^2}$. 代入原方程，即得

$$A(X,Y)\frac{\partial^2 Z}{\partial Y^2} - 2B(X,Y)\frac{\partial^2 Z}{\partial X\partial Y} + C(X,Y)\frac{\partial^2 Z}{\partial X^2} = 0.$$

【3519】 令 $\xi = \dfrac{x}{z}$，$\eta = \dfrac{y}{z}$，$\zeta = z$，$w = \dfrac{u}{z}$，其中 $w = w(\xi,\eta,\zeta)$，变换方程

$$x\frac{\partial u}{\partial x} + y\frac{\partial u}{\partial y} + z\frac{\partial u}{\partial z} = u + \frac{xy}{z}.$$

解 $\mathrm{d}w = \dfrac{z\mathrm{d}u - u\mathrm{d}z}{z^2} = \dfrac{\partial w}{\partial \xi}\mathrm{d}\xi + \dfrac{\partial w}{\partial \eta}\mathrm{d}\eta + \dfrac{\partial w}{\partial \zeta}\mathrm{d}\zeta = \dfrac{\partial w}{\partial \xi}\left(\dfrac{z\mathrm{d}x - x\mathrm{d}z}{z^2}\right) + \dfrac{\partial w}{\partial \eta}\left(\dfrac{z\mathrm{d}y - y\mathrm{d}z}{z^2}\right) + \dfrac{\partial w}{\partial \zeta}\mathrm{d}z.$

两端同乘 z^2，整理得

$$z\mathrm{d}u = z\frac{\partial w}{\partial \xi}\mathrm{d}x + z\frac{\partial w}{\partial \eta}\mathrm{d}y + \left(u - x\frac{\partial w}{\partial \xi} - y\frac{\partial w}{\partial \eta} + z^2\frac{\partial w}{\partial \zeta}\right)\mathrm{d}z.$$

将由上式确定的$\dfrac{\partial u}{\partial x}$，$\dfrac{\partial u}{\partial y}$ 及$\dfrac{\partial u}{\partial z}$ 代入原方程，得

$$x\frac{\partial w}{\partial \xi} + y\frac{\partial w}{\partial \eta} + \left(u - x\frac{\partial w}{\partial \xi} - y\frac{\partial w}{\partial \eta} + z^2\frac{\partial w}{\partial \zeta}\right) = u + \frac{xy}{z},$$

即

$$\frac{\partial w}{\partial \zeta} = \frac{xy}{z^3} = \frac{\xi\eta}{\zeta}.$$

【3520】 取 x 作为函数，而 y 和 z 作为自变量，变换方程$(x-z)\dfrac{\partial z}{\partial x} + y\dfrac{\partial z}{\partial y} = 0$.

解 $\mathrm{d}x = \dfrac{\partial x}{\partial y}\mathrm{d}y + \dfrac{\partial x}{\partial z}\mathrm{d}z$，$\mathrm{d}z = \dfrac{1}{\frac{\partial x}{\partial z}}\mathrm{d}x - \dfrac{\frac{\partial x}{\partial y}}{\frac{\partial x}{\partial z}}\mathrm{d}y$. 于是

$$\frac{\partial z}{\partial x} = \frac{1}{\frac{\partial x}{\partial z}}, \frac{\partial z}{\partial y} = -\frac{\frac{\partial x}{\partial y}}{\frac{\partial x}{\partial z}}.$$

代入原方程，得

$$(x-z)\frac{1}{\frac{\partial x}{\partial z}}-y\frac{\frac{\partial x}{\partial y}}{\frac{\partial x}{\partial z}}=0,$$

即

$$\frac{\partial x}{\partial y}=\frac{x-z}{y}\quad(y\neq 0).$$

【3521】 取 x 作为函数，而 $u=y-z, v=y+z$ 作为自变量，变换方程

$$(y-z)\frac{\partial z}{\partial x}+(y+z)\frac{\partial z}{\partial y}=0.$$

解

$$du=dy-dz, dv=dy+dz.$$

$$dx=\frac{\partial x}{\partial u}du+\frac{\partial x}{\partial v}dv=\frac{\partial x}{\partial u}(dy-dz)+\frac{\partial x}{\partial v}(dy+dz).$$

于是

$$\left(\frac{\partial x}{\partial u}-\frac{\partial x}{\partial v}\right)dz=-dx+\left(\frac{\partial x}{\partial u}+\frac{\partial x}{\partial v}\right)dy,\frac{\partial z}{\partial x}=-\frac{1}{\frac{\partial x}{\partial u}-\frac{\partial x}{\partial v}},\frac{\partial z}{\partial y}=\frac{\frac{\partial x}{\partial u}+\frac{\partial x}{\partial v}}{\frac{\partial x}{\partial u}-\frac{\partial x}{\partial v}}.$$

代入原方程，去分母，即得 $\frac{\partial x}{\partial u}+\frac{\partial x}{\partial v}=\frac{u}{v}\quad(v\neq 0).$

【3522】 取 x 作为函数及 $u=xz, v=yz$ 作为自变量，变换表达式

$$A=\left(\frac{\partial z}{\partial x}\right)^2+\left(\frac{\partial z}{\partial y}\right)^2.$$

解 $du=xdz+zdx, dv=ydz+zdy.$

$$dx=\frac{\partial x}{\partial u}du+\frac{\partial x}{\partial v}dv=\frac{\partial x}{\partial u}(xdz+zdx)+\frac{\partial x}{\partial v}(ydz+zdy).$$

于是

$$\left(x\frac{\partial x}{\partial u}+y\frac{\partial x}{\partial v}\right)dz=\left(1-z\frac{\partial x}{\partial u}\right)dx-z\frac{\partial x}{\partial v}dy,\frac{\partial z}{\partial x}=\frac{1-z\frac{\partial x}{\partial u}}{x\frac{\partial x}{\partial u}+y\frac{\partial x}{\partial v}},\frac{\partial z}{\partial y}=-\frac{z\frac{\partial x}{\partial v}}{x\frac{\partial x}{\partial u}+y\frac{\partial x}{\partial v}}.$$

代入原式，即得

$$A=\frac{\left(1-z\frac{\partial x}{\partial u}\right)^2+z^2\left(\frac{\partial x}{\partial v}\right)^2}{\left(x\frac{\partial x}{\partial u}+y\frac{\partial x}{\partial v}\right)^2}=\frac{1-2z\frac{\partial x}{\partial u}+z^2\left[\left(\frac{\partial x}{\partial u}\right)^2+\left(\frac{\partial x}{\partial v}\right)^2\right]}{\left(x\frac{\partial x}{\partial u}+y\frac{\partial x}{\partial v}\right)^2}$$

$$=\frac{1-2\frac{u}{x}\frac{\partial x}{\partial u}+\left(\frac{u}{x}\right)^2\left[\left(\frac{\partial x}{\partial u}\right)^2+\left(\frac{\partial x}{\partial v}\right)^2\right]}{x^2\left(\frac{\partial x}{\partial u}+\frac{v}{u}\frac{\partial x}{\partial v}\right)^2}=\frac{u^2\left\{x^2-2xu\frac{\partial x}{\partial u}+u^2\left[\left(\frac{\partial x}{\partial u}\right)^2+\left(\frac{\partial x}{\partial v}\right)^2\right]\right\}}{x^4\left(u\frac{\partial x}{\partial u}+v\frac{\partial x}{\partial v}\right)^2}.$$

【3523】 令 $u=f(r)$，其中 $r=\sqrt{x^2+y^2}$，变换方程：

(1) $\Delta u\equiv\frac{\partial^2 u}{\partial x^2}+\frac{\partial^2 u}{\partial y^2}=0$； (2) $\Delta(\Delta u)=0.$

解 (1) $\frac{\partial u}{\partial x}=f'(r)\frac{\partial r}{\partial x}=f'(r)\frac{x}{r},\frac{\partial u}{\partial y}=f'(r)\frac{\partial y}{\partial r}$. 于是

$$\frac{\partial^2 u}{\partial x^2}=\frac{\partial}{\partial x}\left[f'(r)\frac{x}{r}\right]=\frac{f'(r)}{r}+\frac{x^2}{r^2}f''(r)+xf'(r)\left(-\frac{x}{r^3}\right)=\frac{x^2}{r^2}f''(r)+\frac{y^2}{r^3}f'(r).$$

同法可得 $\frac{\partial^2 u}{\partial y^2}=\frac{y^2}{r^2}f''(r)+\frac{x^2}{r^3}f'(r)$. 于是

$$\Delta u=f''(r)+\frac{1}{r}f'(r)=\frac{d^2 u}{dr^2}+\frac{1}{r}\frac{du}{dr}=0,$$

也可写成
$$\Delta u=\frac{1}{r}\frac{\mathrm{d}}{\mathrm{d}r}\left(r\frac{\mathrm{d}u}{\mathrm{d}r}\right)=0.$$

(2)$\Delta(\Delta u)=\frac{1}{r}\frac{\mathrm{d}}{\mathrm{d}r}\left[r\frac{\mathrm{d}}{\mathrm{d}r}(\Delta u)\right]=\frac{1}{r}\frac{\mathrm{d}}{\mathrm{d}r}\left[r\frac{\mathrm{d}}{\mathrm{d}r}\left(\frac{\mathrm{d}^2u}{\mathrm{d}r^2}+\frac{1}{r}\frac{\mathrm{d}u}{\mathrm{d}r}\right)\right]=\frac{1}{r}\frac{\mathrm{d}}{\mathrm{d}r}\left[r\frac{\mathrm{d}^3u}{\mathrm{d}r^3}+\frac{\mathrm{d}^2u}{\mathrm{d}r^2}-\frac{1}{r}\frac{\mathrm{d}u}{\mathrm{d}r}\right]$
$$=\frac{\mathrm{d}^4u}{\mathrm{d}r^4}+\frac{2}{r}\frac{\mathrm{d}^3u}{\mathrm{d}r^3}-\frac{1}{r^2}\frac{\mathrm{d}^2u}{\mathrm{d}r^2}+\frac{1}{r^3}\frac{\mathrm{d}u}{\mathrm{d}r}=0.$$

【3524】 若令 $w=f(u)$，其中 $u=(x-x_0)(y-y_0)$，则方程$\frac{\partial^2 w}{\partial x\partial y}+cw=0$ 化为何种形式?

解
$$\frac{\partial w}{\partial x}=(y-y_0)\frac{\mathrm{d}w}{\mathrm{d}u},\frac{\partial^2 w}{\partial x\partial y}=\frac{\mathrm{d}w}{\mathrm{d}u}+u\frac{\mathrm{d}^2w}{\mathrm{d}u^2},$$

于是，方程$\frac{\partial^2 w}{\partial x\partial y}+cw=0$ 变换成 $u\frac{\mathrm{d}^2w}{\mathrm{d}u^2}+\frac{\mathrm{d}w}{\mathrm{d}u}+cw=0.$

【3525】 引入新函数 w，令 $w=z^2$，变换方程 $z\left(\frac{\partial^2 z}{\partial x^2}+\frac{\partial^2 z}{\partial y^2}\right)=\left(\frac{\partial z}{\partial x}\right)^2+\left(\frac{\partial z}{\partial y}\right)^2.$

解 $\frac{\partial z}{\partial x}=\frac{\mathrm{d}z}{\mathrm{d}w}\frac{\partial w}{\partial x}=\frac{1}{2z}\frac{\partial w}{\partial x},\ \frac{\partial z}{\partial y}=\frac{1}{2z}\frac{\partial w}{\partial y},$

$\frac{\partial^2 z}{\partial x^2}=\frac{\partial}{\partial x}\left(\frac{\partial z}{\partial x}\right)=\frac{\partial}{\partial x}\left(\frac{1}{2z}\frac{\partial w}{\partial x}\right)=\frac{1}{2z}\frac{\partial^2 w}{\partial x^2}-\frac{1}{2z^2}\frac{\partial z}{\partial x}\frac{\partial w}{\partial x}=\frac{1}{2z}\frac{\partial^2 w}{\partial x^2}-\frac{1}{4z^3}\left(\frac{\partial w}{\partial x}\right)^2,$

$\frac{\partial^2 z}{\partial y^2}=\frac{1}{2z}\frac{\partial^2 w}{\partial y^2}-\frac{1}{4z^3}\left(\frac{\partial w}{\partial y}\right)^2.$

代入原方程，化简整理即得 $w\left(\frac{\partial^2 w}{\partial x^2}+\frac{\partial^2 w}{\partial y^2}\right)=\left(\frac{\partial w}{\partial x}\right)^2+\left(\frac{\partial w}{\partial y}\right)^2$，即形式是不变的.

【3526】 证明：方程$\frac{\partial^2 z}{\partial x^2}\frac{\partial^2 z}{\partial y^2}-\left(\frac{\partial^2 z}{\partial x\partial y}\right)^2=0$ 的形式与变量 x,y 和 z 所分别担任的角色无关.

证 令 $p=\frac{\partial z}{\partial x},q=\frac{\partial z}{\partial y}$，则 $\mathrm{d}z=p\mathrm{d}x+q\mathrm{d}y$. 若以 x 作为新函数，则有
$$\mathrm{d}^2x=\frac{\partial^2 x}{\partial y^2}\mathrm{d}y^2+2\frac{\partial^2 x}{\partial y\partial z}\mathrm{d}y\mathrm{d}z+\frac{\partial^2 x}{\partial z^2}\mathrm{d}z^2+\frac{\partial x}{\partial y}\mathrm{d}^2y+\frac{\partial x}{\partial z}\mathrm{d}^2z.$$
今以作为旧变元的关系：$\mathrm{d}^2x=0,\mathrm{d}^2y=0,\mathrm{d}z=p\mathrm{d}x+q\mathrm{d}y$.

代入上式，可得 $\mathrm{d}^2z=-\frac{1}{\frac{\partial x}{\partial z}}\left[\frac{\partial^2 x}{\partial y^2}\mathrm{d}y^2+2\frac{\partial^2 x}{\partial y\partial z}\mathrm{d}y(p\mathrm{d}x+q\mathrm{d}y)+\frac{\partial^2 x}{\partial z^2}(p\mathrm{d}x+q\mathrm{d}y)^2\right]$. 于是
$$\frac{\partial^2 z}{\partial x^2}=-p\left(p^2\frac{\partial^2 x}{\partial z^2}\right),\qquad ①$$
$$\frac{\partial^2 z}{\partial x\partial y}=-p\left(p\frac{\partial^2 x}{\partial y\partial z}+pq\frac{\partial^2 x}{\partial z^2}\right),\qquad ②$$
$$\frac{\partial^2 z}{\partial y^2}=-p\left(\frac{\partial^2 x}{\partial y^2}+2q\frac{\partial^2 x}{\partial y\partial z}+q^2\frac{\partial^2 x}{\partial z^2}\right).\qquad ③$$
将①,②,③三式代入原方程，得
$$\frac{\partial^2 z}{\partial x^2}\frac{\partial^2 z}{\partial y^2}-\left(\frac{\partial^2 z}{\partial x\partial y}\right)^2=p^2\left(p^2\frac{\partial^2 x}{\partial z^2}\right)\left(\frac{\partial^2 x}{\partial y^2}+2q\frac{\partial^2 x}{\partial y\partial z}+q^2\frac{\partial^2 x}{\partial z^2}\right)-p^2\left(p\frac{\partial^2 x}{\partial y\partial z}+pq\frac{\partial^2 x}{\partial z^2}\right)^2$$
$$=p^4\left[\frac{\partial^2 x}{\partial y^2}\frac{\partial^2 x}{\partial z^2}-\left(\frac{\partial^2 x}{\partial y\partial z}\right)^2\right]=0,$$
即
$$\frac{\partial^2 x}{\partial y^2}\frac{\partial^2 x}{\partial z^2}-\left(\frac{\partial^2 x}{\partial y\partial z}\right)^2=0.$$
类似地，若以 y 作为函数，则也有
$$\frac{\partial^2 y}{\partial x^2}\frac{\partial^2 y}{\partial z^2}-\left(\frac{\partial^2 y}{\partial x\partial z}\right)^2=0,$$

即方程的形式与变量 x,y 和 z 所分别担任的角色无关.

【3527】 取 x 作为变量 y 和 z 的函数,解方程

$$\left(\frac{\partial z}{\partial y}\right)^2\frac{\partial^2 z}{\partial x^2}-2\frac{\partial z}{\partial x}\frac{\partial z}{\partial y}\frac{\partial^2 z}{\partial x\partial y}+\left(\frac{\partial z}{\partial x}\right)^2\frac{\partial^2 z}{\partial y^2}=0.$$

解 将3526题中的①,②,③三式及 $p=\frac{\partial z}{\partial x}$,$q=\frac{\partial z}{\partial y}$ 代入,得

$$q^2\left(-p^3\frac{\partial^2 x}{\partial z^2}\right)+2pq\left(p^2\frac{\partial^2 x}{\partial y\partial z}+p^2q\frac{\partial^2 x}{\partial z^2}\right)-p^2\left(p\frac{\partial^2 x}{\partial y^2}+2pq\frac{\partial^2 x}{\partial y\partial z}+pq^2\frac{\partial^2 x}{\partial z^2}\right)=-p^3\frac{\partial^2 x}{\partial y^2}=0,$$

即

$$\frac{\partial^2 x}{\partial y^2}=0 \text{ 或 } p=0.$$

由 $\frac{\partial^2 x}{\partial y^2}=0$ 得原方程的解为 $x=\varphi(z)y+\psi(z)$,其中 φ,ψ 为任意函数;

由 $p=0$,解得 $z=f(y)$(f 为任意函数),它也是原方程的解.

比较②式与②式,得 $\frac{\partial^2 z}{\partial x^2}=I^{-1}\frac{\partial^2 Z}{\partial Y^2}$,$\frac{\partial^2 z}{\partial x\partial y}=-I^{-1}\frac{\partial^2 Z}{\partial X\partial Y}$,$\frac{\partial^2 z}{\partial y^2}=I^{-1}\frac{\partial^2 Z}{\partial X^2}$.

代入原方程,即得

$$A(X,Y)\frac{\partial^2 Z}{\partial Y^2}-2B(X,Y)\frac{\partial^2 Z}{\partial X\partial Y}+C(X,Y)\frac{\partial^2 Z}{\partial X^2}=0.$$

第5节 多元函数的几何应用（习题3528—3580）

知识点预览

序号	知识点	题目序号	所在页码
1	空间曲线的切线和法平面	3528—3538	P119
2	空间曲面的切平面和法线	3539—3562	P123
3	三元函数的方向导数	3563—3565	P131
4	平面曲线族的包络线	3566—3574	P132
5	曲面族的包络面	3575—3580	P135

知识点1 空间曲线的切线和法平面

曲线 $x=\varphi(t)$,$y=\psi(t)$,$z=\chi(t)$ 在其上一点 $M(x,y,z)$ 的切线方程为

$$\frac{X-x}{\frac{\mathrm{d}x}{\mathrm{d}t}}=\frac{Y-y}{\frac{\mathrm{d}y}{\mathrm{d}t}}=\frac{Z-z}{\frac{\mathrm{d}z}{\mathrm{d}t}}.$$

法平面方程为

$$\frac{\mathrm{d}x}{\mathrm{d}t}(X-x)+\frac{\mathrm{d}y}{\mathrm{d}t}(Y-y)+\frac{\mathrm{d}z}{\mathrm{d}t}(Z-z)=0.$$

习题 3528—3538 空间曲线的切线与法平面

【写出下列曲线在已知点的切线和法平面方程(3528—3532)】

【3528】 $x=a\cos\alpha\cos t, y=a\sin\alpha\cos t, z=a\sin t$ 在点 $t=t_0$ 处.

解 曲线 $x=x(t), y=y(t), z=z(t)$ 在点 $t=t_0$ 的切向量为 $\boldsymbol{v}(t_0)=(x'(t_0), y'(t_0), z'(t_0))$. 本题中,当 $t=t_0$ 时曲线上点的坐标及曲线在该点的切向量分别为

$$x_0=x(t_0)=a\cos\alpha\cos t_0, y_0=y(t_0)=a\sin\alpha\cos t_0, z_0=z(t_0)=a\sin t_0;$$

$$\boldsymbol{v}(t_0)=(-a\cos\alpha\sin t_0, -a\sin\alpha\sin t_0, a\cos t_0).$$

于是,切线方程为

$$\frac{x-x_0}{-a\cos\alpha\sin t_0}=\frac{y-y_0}{-a\sin\alpha\sin t_0}=\frac{z-z_0}{a\cos t_0},$$

即

$$\frac{x-x_0}{-\cos\alpha\sin t_0}=\frac{y-y_0}{-\sin\alpha\sin t_0}=\frac{z-z_0}{\cos t_0};$$

法平面方程为 $(-a\cos\alpha\sin t_0)(x-x_0)+(-a\sin\alpha\sin t_0)(y-y_0)+(a\cos t_0)(z-z_0)=0$. 以 x_0, y_0, z_0 的值代入上式,化简整理得

$$x\cos\alpha\sin t_0+y\sin\alpha\sin t_0-z\cos t_0=0,$$

即法平面过原点.

【3529】 $x=a\sin^2 t, y=b\sin t\cos t, z=c\cos^2 t$ 在点 $t=\frac{\pi}{4}$ 处.

解 $x_0=a\sin^2\frac{\pi}{4}=\frac{a}{2}, y_0=\frac{b}{2}, z_0=\frac{c}{2}; v\left(\frac{\pi}{4}\right)=(a,0,-c)$. 于是,切线方程为

$$\begin{cases}\dfrac{x-\frac{a}{2}}{a}=\dfrac{z-\frac{c}{2}}{-c},\\ y=\dfrac{b}{2}\end{cases}\text{或}\begin{cases}\dfrac{x}{a}+\dfrac{z}{c}=1,\\ y=\dfrac{b}{2};\end{cases}$$

法平面方程为 $a\left(x-\frac{a}{2}\right)+(-c)\left(z-\frac{c}{2}\right)=0$, 即 $ax-cz=\frac{1}{2}(a^2-c^2)$.

【3530】 $y=x, z=x^2$; 在点 $M(1,1,1)$.

解 设 $x=t$, 则 $y=t, z=t^2$. 于是, $\boldsymbol{v}(1)=(1,1,2)$, 切线方程为

$$\frac{x-1}{1}=\frac{y-1}{1}=\frac{z-1}{2};$$

法平面方程为 $(x-1)+(y-1)+2(z-1)=0$, 即 $x+y+2z=4$.

【3531】 $x^2+z^2=10, y^2+z^2=10$; 在点 $M(1,1,3)$.

提示 曲线在该点的切向量为 $\boldsymbol{v}=(1,0,3)\times(0,1,3)$.

解 当曲线以两个曲面方程 $F_1(x,y,z)=0, F_2(x,y,z)=0$ 交线形式给出时,可先求出两曲面在交点处的法向量:

$$\boldsymbol{n}_1=(F'_{1x}, F'_{1y}, F'_{1z}), \boldsymbol{n}_2=(F'_{2x}, F'_{2y}, F'_{2z}),$$

则曲线在该点的切向量为

$$\boldsymbol{v}=\boldsymbol{n}_1\times\boldsymbol{n}_2=\left(\begin{vmatrix}F'_{1y} & F'_{1z}\\ F'_{2y} & F'_{2z}\end{vmatrix}, \begin{vmatrix}F'_{1z} & F'_{1x}\\ F'_{2z} & F'_{2x}\end{vmatrix}, \begin{vmatrix}F'_{1x} & F'_{1y}\\ F'_{2x} & F'_{2y}\end{vmatrix}\right).$$

本题中,

$$\boldsymbol{n}_1=(2,0,6), \boldsymbol{n}_2=(0,2,6), \boldsymbol{v}=(1,0,3)\times(0,1,3)=(-3,-3,1).$$

于是,切线方程为 $\frac{x-1}{-3}=\frac{y-1}{-3}=\frac{z-3}{1}$ 或 $\frac{x-1}{3}=\frac{y-1}{3}=\frac{z-3}{-1}$;

法平面方程为 $-3(x-1)-3(y-1)+(z-3)=0$. 即 $3x+3y-z=3$.

【3532】 $x^2+y^2+z^2=6, x+y+z=0$；在点 $M(1,-2,1)$.

提示 曲线在该点的切向量为 $\boldsymbol{v}=(1,-2,1)\times(1,1,1)$.

解 $F_1=x^2+y^2+z^2-6=0, F_2=x+y+z=0$.

$\boldsymbol{n}_1=2(1,-2,1), \boldsymbol{n}_2=(1,1,1), \boldsymbol{v}=(1,-2,1)\times(1,1,1)=-3(1,0,-1)$.

于是，切线方程为

$$\begin{cases}\dfrac{x-1}{1}=\dfrac{z-1}{-1},\\ y=-2\end{cases} \text{或} \begin{cases}x+z=2,\\ y+2=0;\end{cases}$$

法平面方程为 $(x-1)-(z-1)=0$ 或 $x-z=0$.

【3533】 在曲线 $x=t, y=t^2, z=t^3$ 上求一点，使其切线平行于平面 $x+2y+z=4$.

解 $\boldsymbol{v}=(1,2t,3t^2)$，平面法向量 $\boldsymbol{n}=(1,2,1)$，按题设，应有

$$\boldsymbol{v}\cdot\boldsymbol{n}=1+4t+3t^2=0.$$

解之，得 $t=-1$ 或 $t=-\dfrac{1}{3}$. 于是，所求的点为 $M_1(-1,1,-1), M_2\left(-\dfrac{1}{3},\dfrac{1}{9},-\dfrac{1}{27}\right)$.

【3534】 证明：螺旋线 $x=a\cos t, y=a\sin t, z=bt$ 的切线与 Oz 轴交角为定值.

证 $\dfrac{\mathrm{d}x}{\mathrm{d}t}=-a\sin t, \dfrac{\mathrm{d}y}{\mathrm{d}t}=a\cos t, \dfrac{\mathrm{d}z}{\mathrm{d}t}=b$. 于是，切线与 Oz 轴的夹角 γ 的余弦为

$$\cos\gamma=\frac{\dfrac{\mathrm{d}z}{\mathrm{d}t}}{\sqrt{\left(\dfrac{\mathrm{d}x}{\mathrm{d}t}\right)^2+\left(\dfrac{\mathrm{d}y}{\mathrm{d}t}\right)^2+\left(\dfrac{\mathrm{d}z}{\mathrm{d}t}\right)^2}}=\frac{b}{\sqrt{a^2+b^2}}.$$

由于 $\cos\gamma$ 为常数，故知切线与 Oz 轴的夹角为定值.

【3535】 证明：曲线 $x=ae^t\cos t, y=ae^t\sin t, z=ae^t$ 与锥面 $x^2+y^2=z^2$ 的各母线相交的角度相同.

提示 注意锥面母线的方向向量为 $\boldsymbol{v}_1=(x,y,z)$，曲线在任一点的切向量为

$$\boldsymbol{v}_2=(x-y,x+y,z).$$

只要证明 $\cos(\widehat{\boldsymbol{v}_1,\boldsymbol{v}_2})$ 为一常数.

证 锥面 $x^2+y^2=z^2$ 的顶点在原点，过锥面上任一点 $P(x,y,z)$ 的母线也过原点. 因此，母线的方向向量为 $\boldsymbol{v}_1=(x,y,z)$.

曲线在点 P 的切向量为

$$\boldsymbol{v}_2=(x',y',z')=(ae^t(\cos t-\sin t),ae^t(\sin t+\cos t),ae^t)=(x-y,x+y,z).$$

注意到 $x^2+y^2=z^2$，即得

$$\cos(\widehat{\boldsymbol{v}_1,\boldsymbol{v}_2})=\frac{\boldsymbol{v}_1\cdot\boldsymbol{v}_2}{|\boldsymbol{v}_1||\boldsymbol{v}_2|}=\frac{x(x-y)+y(x+y)+z^2}{\sqrt{x^2+y^2+z^2}\sqrt{(x-y)^2+(x+y)^2+z^2}}=\frac{2z^2}{\sqrt{2z^2}\sqrt{3z^2}}=\frac{2}{\sqrt{6}},$$

于是，夹角相同.

【3536】 证明：斜驶线 $\tan\left(\dfrac{\pi}{2}+\dfrac{\psi}{2}\right)=e^{k\varphi}$（$k$ 为常数）（其中 φ 为地球上点的经度，ψ 为地球上点的纬度）与地球的一切子午线相交成定角.

证 取直角坐标系如下：赤道平面为 Oxy 面，球心为坐标原点，Ox 轴正向过 $0°$ 子午线，Oz 轴正向过北极，并取 $Oxyz$ 坐标系为右手系.

先确定斜驶线和子午线在直角坐标系中的方程. 为此，假定讨论地球上的点的经度为 $\varphi(0\leqslant\varphi\leqslant 2\pi)$，纬度为 $\psi\left(-\dfrac{\pi}{2}\leqslant\psi\leqslant\dfrac{\pi}{2}\right)$，则它在上述坐标系下的坐标为

$$\begin{cases} x = R\cos\psi\cos\varphi, \\ y = R\cos\psi\sin\varphi, \\ z = R\sin\psi, \end{cases}$$

其中 R 为地球半径.

对 $\tan\left(\frac{\pi}{4}+\frac{\psi}{2}\right)=e^{k\varphi}$ 的两端微分,得

$$\frac{d\psi}{2\cos^2\left(\frac{\pi}{4}+\frac{\psi}{2}\right)} = ke^{k\varphi}d\varphi = k\tan\left(\frac{\pi}{4}+\frac{\psi}{2}\right)d\varphi.$$

于是$\frac{d\varphi}{d\psi}=\left[2\cos^2\left(\frac{\pi}{4}+\frac{\psi}{2}\right)k\tan\left(\frac{\pi}{4}+\frac{\psi}{2}\right)\right]^{-1}=\left[k\sin\left(\frac{\pi}{2}+\psi\right)\right]^{-1}=\frac{1}{k\cos\psi}$.

将斜驶线方程看作决定 φ 为 ψ 的隐函数. 因此,对斜驶线来说,在(φ_0,ψ_0)点,有

$$\frac{dx}{d\psi}=-R\sin\psi_1\cos\varphi_0-R\cos\psi_{10}\sin\varphi_0\frac{d\varphi}{d\psi}=-R\left(\sin\psi_0\cos\varphi_0+\frac{\sin\varphi_0}{k}\right),$$

$$\frac{dy}{d\psi}=-R\sin\psi_0\sin\varphi_0+R\cos\psi_0\cos\varphi_0\frac{d\varphi_0}{d\psi}=-R\left(\sin\psi_0\sin\varphi_0-\frac{\cos\varphi_0}{k}\right),$$

$$\frac{dz}{d\psi}=R\cos\psi_0.$$

于是,取斜驶线切向量

$$\boldsymbol{v}_1=\left(\sin\psi_0\cos\varphi_0+\frac{\sin\varphi_0}{k},\sin\psi_0\sin\varphi_0-\frac{\cos\varphi_0}{k},-\cos\psi_0\right).$$

当 φ 为常数时即得子午线,故其参数方程为

$$\begin{cases} x = R\cos\psi\cos\varphi_0, \\ y = R\cos\psi\sin\varphi_0, \\ z = R\sin\psi. \end{cases}$$

于是,子午线在点(φ_0,ψ_0)的切向量为

$$\boldsymbol{v}_2=(\sin\psi_0\cos\varphi_0,\sin\psi_0\sin\varphi_0,-\cos\psi_0).$$

从而得

$$\cos(\widehat{\boldsymbol{v}_1,\boldsymbol{v}_2})=\frac{\boldsymbol{v}_1\cdot\boldsymbol{v}_2}{|\boldsymbol{v}_1||\boldsymbol{v}_2|}=\frac{1}{\sqrt{1+\frac{1}{k_2}}}=\text{常数}.$$

即斜驶线与子午线相交成定角.

【3537】 求曲线 $z=f(x,y),\frac{x-x_0}{\cos\alpha}=\frac{y-y_0}{\sin\alpha}$(其中 f 为可微函数)在点 $M_0(x_0,y_0)$ 的切线与 Oxy 面所成角的正切.

提示 将曲线看作由参数方程

$$x=x,y=\varphi(x)=y_0+(x-x_0)\tan\alpha,z=\psi(x)=f[x,\varphi(x)]$$

给出,则曲线上 M_0 点的切线与 Oxy 面所成角 φ 的正切为 $\tan\varphi=\frac{\psi'(x_0)}{\sqrt{1+\varphi'^2(x_0)}}$.

解 **方法一** 将曲线看作由参数方程 $x=x,y=\varphi(x)=y_0+(x-x_0)\tan\alpha,z=\psi(x)=f[x,\varphi(x)]$ 给出,则切向量为

$$\begin{aligned}\boldsymbol{v}&=(1,\varphi'(x_0),\psi'(x_0))=(1,\tan\alpha,f'_x[x_0,\varphi(x_0)]+f'_y[x_0,\varphi(x_0)]\varphi'(x_0))\\&=(1,\tan\alpha,f'_x(x_0,y_0)+\tan\alpha f'_y(x_0,y_0)).\end{aligned}$$

于是,曲线上点 M_0 的切线与 Oxy 平面所成角 φ 的正切为

$$\begin{aligned}\tan\varphi&=\frac{\psi'(x_0)}{\sqrt{1+\varphi'^2(x_0)}}=\frac{f'_x(x_0,y_0)+\tan\alpha f'_y(x_0,y_0)}{\sqrt{1+\tan^2\alpha}}\\&=f'_x(x_0,y_0)\cos\alpha+f'_y(x_0,y_0)\sin\alpha.\end{aligned}$$

方法二 将曲线看作两条曲线的交线，则所给曲线在点 M_0 的切线方程为

$$\frac{x-x_0}{\begin{vmatrix} f'_y(x_0,y_0) & -1 \\ -\frac{1}{\sin\alpha} & 0 \end{vmatrix}}=\frac{y-y_0}{\begin{vmatrix} -1 & f'_x(x_0,y_0) \\ 0 & \frac{1}{\cos\alpha} \end{vmatrix}}=\frac{z-z_0}{\begin{vmatrix} f'_x(x_0,y_0) & f'_y(x_0,y_0) \\ \frac{1}{\cos\alpha} & -\frac{1}{\sin\alpha} \end{vmatrix}},$$

即
$$\frac{x-x_0}{\cos\alpha}=\frac{y-y_0}{\sin\alpha}=\frac{z-z_0}{f'_x(x_0,y_0)\cos\alpha+f'_y(x_0,y_0)\sin\alpha},$$

因此，切线与 Oxy 平面所成角 φ 的正切为

$$\tan\varphi=\frac{f'_x(x_0,y_0)\cos\alpha+f'_y(x_0,y_0)\sin\alpha}{\sqrt{\cos^2\alpha+\sin^2\alpha}}=f'_x(x_0,y_0)\cos\alpha+f'_y(x_0,y_0)\sin\alpha.$$

【3538】 求函数 $u=\dfrac{x}{\sqrt{x^2+y^2+z^2}}$ 在点 $M(1,2,-2)$ 处，沿曲线 $x=t,y=2t^2,z=-2t^4$ 在此点的切线方向的方向导数.

解 $\dfrac{\partial u}{\partial x}=\dfrac{y^2+z^2}{(x^2+y^2+z^2)^{\frac{3}{2}}},\dfrac{\partial u}{\partial y}=-\dfrac{xy}{(x^2+y^2+z^2)^{\frac{3}{2}}},\dfrac{\partial u}{\partial z}=-\dfrac{xz}{(x^2+y^2+z^2)^{\frac{3}{2}}}.$

在点 $M(1,2,-2)$ 它们的值分别为 $\frac{8}{27},-\frac{2}{27},\frac{2}{27}$.

又曲线在该点的切线的方向余弦为 $\frac{1}{9},\frac{4}{9},-\frac{8}{9}$. 于是，所求的方向导数为

$$\left.\frac{\partial u}{\partial \boldsymbol{l}}\right|_M=\frac{8}{27}\,\frac{1}{9}+\left(-\frac{2}{27}\right)\frac{4}{9}+\frac{2}{27}\left(-\frac{8}{9}\right)=-\frac{16}{243}.$$

知识点2 空间曲面的切平面和法线

曲面 $z=f(x,y)$ 在其上一点 $M(x,y,z)$ 的切平面方程为

$$Z-z=\frac{\partial z}{\partial x}(X-x)+\frac{\partial z}{\partial y}(Y-y).$$

在点 M 处的法线方程为

$$\frac{X-x}{\frac{\partial z}{\partial x}}=\frac{Y-y}{\frac{\partial z}{\partial y}}=\frac{Z-z}{-1}.$$

若曲面方程以隐函数的形式 $F(x,y,z)=0$ 给出，则切平面方程为

$$\frac{\partial F}{\partial x}(X-x)+\frac{\partial F}{\partial y}(Y-y)+\frac{\partial F}{\partial z}(Z-z)=0,$$

法线方程为

$$\frac{X-x}{\frac{\partial F}{\partial x}}=\frac{Y-y}{\frac{\partial F}{\partial y}}=\frac{Z-z}{\frac{\partial F}{\partial z}}.$$

习题3539—3562 空间曲面的切平面与法线

【写出下列曲面上点 M_0 的切平面和法线方程(3539—3547)】

【3539】 $z=x^2+y^2$；在点 $M_0(1,2,5)$.

解 当曲面由方程 $F(x,y,z)=0$ 给出时，其法向量为 $\boldsymbol{n}=\left(\frac{\partial F}{\partial x},\frac{\partial F}{\partial y},\frac{\partial F}{\partial z}\right)$，特别是曲面由显式方程 $z=f(x,y)$ 给出时，其法向量为 $\boldsymbol{n}=(f'_x,f'_y,-1)$. 本题中，$\boldsymbol{n}=(2x,2y,-1)_{M_0}=(2,4,-1)$.

于是，切平面方程为 $2(x-1)+4(y-2)-(z-5)=0$，或 $2x+4y-z=5$.

法线方程为 $\frac{x-1}{2}=\frac{y-2}{4}=\frac{z-5}{-1}$.

【3540】 $x^2+y^2+z^2=169$；在点 $M_0(3,4,12)$.

解 设 $F(x,y,z)=x^2+y^2+z^2-169=0$，则在点 M_0 处

$$\boldsymbol{n}=(2x,2y,2z)_{M_0}=(6,8,24)=2(3,4,12).$$

于是，切平面方程为 $3(x-3)+4(y-4)+12(z-12)=0$，或 $3x+4y+12z=169$.

法线方程为 $\frac{x-3}{3}=\frac{y-4}{4}=\frac{z-12}{12}$ 或 $\frac{x}{3}=\frac{y}{4}=\frac{z}{12}$.

【3541】 $z=\arctan\frac{y}{x}$，在点 $M_0\left(1,1,\frac{\pi}{4}\right)$.

解 $\boldsymbol{n}=\left(\frac{-y}{x^2+y^2},\frac{x}{x^2+y^2},-1\right)_{M_0}=\left(-\frac{1}{2},\frac{1}{2},-1\right)$.

于是，切平面方程为 $z-\frac{\pi}{4}=-\frac{1}{2}(x-1)+\frac{1}{2}(y-1)$ 或 $z=\frac{\pi}{4}-\frac{1}{2}(x-y)$；

法线方程为 $\frac{x-1}{1}=\frac{y-1}{-1}=\frac{z-\frac{\pi}{4}}{2}$.

【3542】 $ax^2+by^2+cz^2=1$；在点 $M_0(x_0,y_0,z_0)$.

解 $\boldsymbol{n}=2(ax_0,by_0,cz_0)$.

于是，切平面方程为 $ax_0(x-x_0)+by_0(y-y_0)+cz_0(z-z_0)=0$.

注意到 $ax_0^2+by_0^2+cz_0^2=1$，上述方程即化为 $ax_0x+by_0y+cz_0z=1$.

法线方程为 $\frac{x-x_0}{ax_0}=\frac{y-y_0}{by_0}=\frac{z-z_0}{cz_0}$.

【3543】 $z=y+\ln\frac{x}{z}$；在点 $M_0(1,1,1)$.

解 $F(x,y,z)=y+\ln x-\ln z-z=0$.

$$\boldsymbol{n}=\left(\frac{1}{x},1,-\frac{1}{z}-1\right)_{M_0}=(1,1,-2).$$

于是，切平面方程为 $(x-1)+(y-1)-2(z-1)=0$ 或 $x+y-2z=0$；

法线方程为 $\frac{x-1}{1}=\frac{y-1}{1}=\frac{z-1}{-2}$.

【3544】 $2^{\frac{x}{z}}+2^{\frac{y}{z}}=8$；在点 $M_0(2,2,1)$.

解 $F(x,y,z)=2^{\frac{x}{z}}+2^{\frac{y}{z}}-8$，

$$\boldsymbol{n}=\left(\frac{1}{z}2^{\frac{x}{z}}\ln 2,\frac{1}{z}2^{\frac{y}{z}}\ln 2,(x2^{\frac{x}{z}}+y2^{\frac{y}{z}})\left(-\frac{1}{z^2}\ln 2\right)\right)_{M_0}=4\ln 2(1,1,-4).$$

于是，切平面方程为 $(x-2)+(y-2)-4(z-1)=0$ 或 $x+y-4z=0$；

法线方程为 $\frac{x-2}{1}=\frac{y-2}{1}=\frac{z-1}{-4}$.

【3545】 $x=a\cos\psi\cos\varphi,y=b\cos\psi\sin\varphi,z=c\sin\psi$；在点 $M_0(\varphi_0,\psi_0)$.

解 当曲面由参数方程

$$x=x(u,v),y=y(u,v),z=z(u,v)$$

给出时，曲面上分别令 $u=u_0,v=v_0$ 得到的两条曲线的切向量分别为

$$\boldsymbol{v}_1=\left(\frac{\partial x}{\partial u},\frac{\partial y}{\partial u},\frac{\partial z}{\partial u}\right),\boldsymbol{v}_2=\left(\frac{\partial x}{\partial v},\frac{\partial y}{\partial v},\frac{\partial z}{\partial v}\right),$$

则切平面的法向量为

$$\boldsymbol{n}=\boldsymbol{v}_1\times\boldsymbol{v}_2=\left(\begin{vmatrix}\frac{\partial y}{\partial u} & \frac{\partial z}{\partial u}\\ \frac{\partial y}{\partial v} & \frac{\partial z}{\partial v}\end{vmatrix},\begin{vmatrix}\frac{\partial z}{\partial u} & \frac{\partial x}{\partial u}\\ \frac{\partial z}{\partial v} & \frac{\partial x}{\partial v}\end{vmatrix},\begin{vmatrix}\frac{\partial x}{\partial u} & \frac{\partial y}{\partial u}\\ \frac{\partial x}{\partial v} & \frac{\partial y}{\partial v}\end{vmatrix}\right).$$

本题中，

$$\boldsymbol{v}_1=\left(\frac{\partial x}{\partial\varphi},\frac{\partial y}{\partial\varphi},\frac{\partial z}{\partial\varphi}\right)_{M_0}=(-a\cos\psi_0\sin\varphi_0,b\cos\psi_0\cos\varphi_0,0)=\cos\psi_0(-a\sin\varphi_0,b\cos\varphi_0,0),$$

$$\boldsymbol{v}_2=\left(\frac{\partial x}{\partial\psi},\frac{\partial y}{\partial\psi},\frac{\partial z}{\partial\psi}\right)_{M_0}=(-a\sin\psi_0\cos\varphi_0,-b\sin\psi_0\sin\varphi_0,c\cos\psi_0),$$

$$\boldsymbol{n}=\boldsymbol{v}_1\times\boldsymbol{v}_2=abc\left(\frac{\cos\psi_0\cos\varphi_0}{a},\frac{\cos\psi_0\sin\varphi_0}{b},\frac{\sin\psi_0}{c}\right).$$

于是，切平面方程为

$$\frac{\cos\psi_0\cos\varphi_0}{a}(x-a\cos\psi_0\cos\varphi_0)+\frac{\cos\psi_0\sin\varphi_0}{b}(y-b\cos\psi_0\sin\varphi_0)+\frac{\sin\psi_0}{c}(z-c\sin\psi_0)=0,$$

即

$$\frac{x}{a}\cos\psi_0\cos\varphi_0+\frac{y}{b}\cos\psi_0\sin\varphi_0+\frac{z}{c}\sin\psi_0=1;$$

法线方程为

$$\frac{x-a\cos\psi_0\cos\varphi_0}{\frac{\cos\psi_0\cos\varphi_0}{a}}=\frac{y-b\cos\psi_0\sin\varphi_0}{\frac{\cos\psi_0\sin\varphi_0}{b}}=\frac{z-c\sin\psi_0}{\frac{\sin\psi_0}{c}},$$

即

$$\frac{x\sec\psi_0\sec\varphi_0-a}{bc}=\frac{y\sec\psi_0\csc\varphi_0-b}{ac}=\frac{z\csc\psi_0-c}{ab}.$$

注 下面的3546题，3547题均可按此思路先求出 $\boldsymbol{n}$，问题即易获解.

【3546】 $x=r\cos\varphi,y=r\sin\varphi,z=r\cot\alpha$；在点 $M_0(\varphi_0,r_0)$.

解

$$\boldsymbol{v}_1=\left(\frac{\partial x}{\partial\varphi},\frac{\partial y}{\partial\varphi},\frac{\partial z}{\partial\varphi}\right)_{M_0}=r_0(-\sin\varphi_0,\cos\varphi_0,0),$$

$$\boldsymbol{v}_2=\left(\frac{\partial x}{\partial r},\frac{\partial y}{\partial r},\frac{\partial z}{\partial r}\right)_{M_0}=(\cos\varphi_0,\sin\varphi_0,\cot\alpha),$$

$$\boldsymbol{n}=\boldsymbol{v}_1\times\boldsymbol{v}_2=r_0\{\cos\varphi_0\cot\alpha,\sin\varphi_0\cot\alpha,-1\}.$$

于是，切平面方程为

$$\cos\varphi_0\cot\alpha(x-r_0\cos\varphi_0)+\sin\varphi_0\cot\alpha(y-r_0\sin\varphi_0)-(z-r_0\cot\alpha)=0.$$

即

$$x\cos\varphi_0+y\sin\varphi_0-z\tan\alpha=0;$$

法线方程为

$$\frac{x-r_0\cos\varphi_0}{\cos\varphi_0\cot\alpha}=\frac{y-r_0\sin\varphi_0}{\sin\varphi_0\cot\alpha}=\frac{z-r_0\cot\alpha}{-1},$$

即

$$\frac{x-r_0\cos\varphi_0}{\cos\varphi_0}=\frac{y-r_0\sin\varphi_0}{\sin\varphi_0}=\frac{z-r_0\cot\alpha}{-\tan\alpha}.$$

【3547】 $x=u\cos v,y=u\sin v,z=av$；在点 $M_0(u_0,v_0)$.

解

$$\boldsymbol{v}_1=\left(\frac{\partial x}{\partial u},\frac{\partial y}{\partial u},\frac{\partial z}{\partial u}\right)_{M_0}=(\cos v_0,\sin v_0,0),$$

$$\boldsymbol{v}_2=\left(\frac{\partial x}{\partial v},\frac{\partial y}{\partial v},\frac{\partial z}{\partial v}\right)_{M_0}=(-u_0\sin v_0,u_0\cos v_0,a),$$

$$\boldsymbol{n}=\boldsymbol{v}_1\times\boldsymbol{v}_2=(a\sin v_0,-a\cos v_0,u_0).$$

于是，切平面方程为

$$a\sin v_0(x-u_0\cos v_0)-a\cos v_0(y-u_0\sin v_0)+u_0(z-av_0)=0,$$

即

$$ax\sin v_0-ay\cos v_0+u_0z=au_0v_0;$$

法线方程为

$$\frac{x-u_0\cos v_0}{a\sin v_0}=\frac{y-u_0\sin v_0}{-a\cos v_0}=\frac{z-av_0}{u_0}.$$

【3548】 求曲面 $x=u+v,y=u^2+v^2,z=u^3+v^3$ 的切平面当切点 $M(u,v)(u\neq v)$

无限接近于曲面的边界线 $u=v$ 上的点 $M_0(u_0,v_0)$ 时的极限位置.

解 $\boldsymbol{n}(u,v)=(1,2u,3u^2)\times(1,2v,3v^2)=(v-u)(6uv,-3(u+v),2)$. 则 $\boldsymbol{n}$ 方向上的单位向量为

$$\boldsymbol{n}^\circ(u,v)=\left(\frac{6uv}{l},-\frac{3(u+v)}{l},\frac{2}{l}\right),$$

其中 $l=\sqrt{36u^2v^2+9(u+v)^2+4}$，于是

$$\lim_{\substack{u\to u_0\\ v\to v_0}}\boldsymbol{n}^\circ=\left(\frac{6u_0^2}{l_0},-\frac{6u_0}{l_0},\frac{2}{l_0}\right),$$

其中 $l_0=\sqrt{36u_0^4+36u_0^2+4}$. 而 $M_0(u_0,v_0)=(2u_0,2u_0^2,2u_0^3)$，故知切平面在 M_0 点的极限位置为

$$3u_0^2x-3u_0y+z=3u_0^2(2u_0)-3u_0(2u_0^2)+2u_0^3=2u_0^3,$$

或

$$\frac{3x}{u_0}-\frac{3y}{u_0^2}+\frac{z}{u_0^3}=2.$$

【3549】 在曲面 $x^2+2y^2+3z^2+2xy+2xz+4yz=8$ 上，求出切平面平行于坐标平面的诸切点.

解 $\boldsymbol{n}=(2(x+y+z),2(x+2y+2z),2(x+2y+3z))$. 当

$$\begin{cases}x+y+z=0,\\ x+2y+2z=0,\\ x+2y+3z=\lambda.\end{cases}$$

时，$\boldsymbol{n}$ 与 $\boldsymbol{k}=(0,0,1)$ 平行，即切平面平行于 Oxy 面. 解得 $x=0,y=-\lambda,z=\lambda$. 将求得的 x,y,z 值代入所给的曲面方程，得 $\lambda=\pm2\sqrt{2}$. 于是，切平面平行于 Oxy 面的切点为$(0,\pm2\sqrt{2},\mp2\sqrt{2})$. 同法可得切平面平行于 Oyz 面及 Oxz 面的诸切点分别为$(\pm4,\mp2,0)$ 及$(\pm2,\mp4,\pm2)$.

【3550】 在椭球面$\dfrac{x^2}{a^2}+\dfrac{y^2}{b^2}+\dfrac{z^2}{c^2}=1$ 上哪些点能使椭球面的法线与坐标轴成等角？

解 $\boldsymbol{n}=2\left(\dfrac{x}{a^2},\dfrac{y}{b^2},\dfrac{z}{c^2}\right)$. 按题设，应有

$$\frac{\frac{x}{a^2}}{l}=\frac{y}{l}=\frac{\frac{z}{c^2}}{l}\left(l=\sqrt{\frac{x^2}{a^4}+\frac{y^2}{b^4}+\frac{z^2}{c^4}}\right),\text{即}\frac{x}{a^2}=\frac{y}{b^2}=\frac{z}{c^2}=\lambda.$$

将上式代入椭球面方程，得 $\lambda=\pm\dfrac{1}{\sqrt{a^2+b^2+c^2}}$.

于是，所求的点为 $x=\pm\dfrac{a^2}{d},y=\pm\dfrac{b^2}{d},x=\pm\dfrac{c^2}{d}$，其中 $d=\sqrt{a^2+b^2+c^2}$.

【3551】 求曲面 $x^2+2y^2+3z^2=21$ 的平行于平面 $x+4y+6z=0$ 的各切平面.

解 $\boldsymbol{n}=2(x,2y,3z)$. 按题设，应有 $x=\lambda,2y=4\lambda,3z=6\lambda$，解得 $x=\lambda,y=2\lambda,z=2\lambda$. 代入方程 $x^2+2y^2+3z^2=21$，得 $\lambda=\pm1$，故切点为$(\pm1,\pm2,\pm2)$. 于是，所求的切平面方程为

$$(x\mp1)+4(y\mp2)+6(z\mp2)=0,\text{即 } x+4y+6z=\pm21.$$

【3552】 证明：曲面 $xyz=a^3(a>0)$ 的切平面与坐标面形成体积一定的四面体.

证 在曲面上任取一点 $P_0(x_0,y_0,z_0)$，则曲面在该点的切平面方程为

$$y_0z_0(x-x_0)+x_0z_0(y-y_0)+x_0y_0(z-z_0)=0,$$

它与各坐标面的交点为 $A(3x_0,0,0),B(0,3y_0,0),C(0,0,3z_0)$，注意到各坐标轴的垂直关系，即知以 A,B,C,O 诸点为顶点的四面体的体积为

$$V_{ABCD}=\frac{1}{3}OC\left(\frac{1}{2}OA\cdot OB\right)=\frac{1}{6}3z_03x_03y_0=\frac{9}{2}x_0y_nz_0=\frac{9}{2}a^3,$$

它为一个常数，本题获证.

【3553】 证明：曲面$\sqrt{x}+\sqrt{y}+\sqrt{z}=\sqrt{a}(a>0)$的切平面在坐标轴上割下的诸线段，其和为常量.

证 在曲面上任取一点$P_0(x_0,y_0,z_0)$，则曲面在该点的切平面方程为

$$\frac{1}{2\sqrt{x_0}}(x-x_0)+\frac{1}{2\sqrt{y_0}}(y-y_0)+\frac{1}{2\sqrt{z_0}}(z-z_0)=0,$$

即
$$\sqrt{y_0z_0}(x-x_0)+\sqrt{x_{10}z_0}(y-y_0)+\sqrt{x_0y_0}(z-z_0)=0.$$

此切面在坐标轴上所割下的诸线段分别为$\sqrt{ax_0}$，$\sqrt{ay_{11}}$，$\sqrt{az_0}$，其和为

$$\sqrt{a}(\sqrt{x_0}+\sqrt{y_0}+\sqrt{z_0})=\sqrt{a}\sqrt{a}=a,$$

它是常数.

【3554】 证明：锥面$z=xf\left(\frac{y}{x}\right)$的切平面经过其顶点.

证 $\frac{\partial z}{\partial x}=f\left(\frac{y}{x}\right)-\frac{y}{x}f'\left(\frac{y}{x}\right)$，$\frac{\partial z}{\partial y}=f'\left(\frac{y}{x}\right)$. 于是，锥面在任一点$P_0(x_0,y_0,z_0)$的切平面方程为

$$z-z_0=\left[f\left(\frac{y_0}{x_0}\right)-\frac{y_0}{x_0}f'\left(\frac{y_0}{x_0}\right)\right](x-x_0)+f'\left(\frac{y_0}{x_0}\right)(y-y_0),$$

化简整理得$z=\left[f\left(\frac{y_0}{x_0}\right)-\frac{y_0}{x_0}f'\left(\frac{y_0}{x_0}\right)\right]x+f'\left(\frac{y_0}{x_0}\right)y$，它显然通过锥面$z=xf\left(\frac{y}{x}\right)$的顶点$(0,0,0)$.

【3555】 证明：旋转面$z=f(\sqrt{x^2+y^2})(f'\neq 0)$的法线与旋转轴相交.

证 在旋转面上任取一点$P_0(x_0,y_0,z_0)$，其中$z_0=f(\sqrt{x_0^2+y_0^2})(x_0^2+y_0^2\neq 0)$，则曲面在该点的法向量为

$$\boldsymbol{n}=\left(\frac{\partial f}{\partial x},\frac{\partial f}{\partial y},-1\right)_{P_0}=\frac{1}{\sqrt{x_0^2+y_0^2}}(x_0f',y_0f',-\sqrt{x_0^2+y_0^2}).$$

于是，法线方程为

$$\frac{x-x_0}{x_0f'}=\frac{y-y_0}{y_0f'}=\frac{z-z_0}{-\sqrt{x_0^2+y_0^2}},$$

显然，法线通过Oz轴上的点$\left(0,0,f(\sqrt{x_0^2+y_0^2})+\frac{\sqrt{x_0^2+y_0^2}}{f'(\sqrt{x_0^2+y_0^2})}\right)$，即法线和$Oz$轴相交.

【3556】 求椭球面$x^2+y^2+z^2-xy=1$在各坐标面上的投影.

解 先考虑椭球面$x^2+y^2+z^2-xy=1$在Oxy面上的投影. 该投影即通过所给曲面上的每一点向Oxy面作垂线所得到的垂足的全体，它是Oxy面上的一个区域，这个区域的边界由曲面上这样的点的投影构成：这一点向Oxy面所作的垂线在它的切平面内（这里用到了椭球面的凸性），即该点的法线与Oxy面平行. 注意到该点的法向量为$(2x-y,2y-x,2z)$. 因此，该点的坐标满足

$$\begin{cases}2z=0,\\x^2+y^2+z^2-xy=1.\end{cases}$$

这些点的投影为$\begin{cases}z=0,\\x^2+y^2-xy=1,\end{cases}$它即椭球面在$Oxy$面上投影的边界.

同法可考虑切平面与Oxz面垂直，则有$2y-x=0$，因此，对Oxz面投影为边界点的椭球面上的点应满足方程

$$\begin{cases}2y-x=0,\\x^2+y^2+z^2-xy=1.\end{cases}$$

这是椭球面与平面的交线，将它改写为柱面与平面的交线

$$\begin{cases} 2y-x=0, \\ \dfrac{3x^2}{4}+z^2=1. \end{cases}$$

于是，椭球面在 Oxz 面上投影的边界由方程$\begin{cases} y=0, \\ \dfrac{3x^2}{4}+z^2=1 \end{cases}$确定.

同法可确定椭球面在 Oyz 面上投影的边界由方程$\begin{cases} x=0, \\ \dfrac{3y^2}{4}+z^2=1 \end{cases}$确定.

于是，椭球面 $x^2+y^2+z^2-xy=1$ 的投影情况为：

在 Oxy 面上的投影为圆 $x^2+y^2-xy\leqslant 1, z=0$；

在 Oyz 面上的投影为椭圆$\dfrac{3y^2}{4}+z^2\leqslant 1, x=0$；

在 Oxz 面上的投影为椭圆$\dfrac{3}{4}x^2+z^2\leqslant 1, y=0$.

【3557】 分正方形$\{0\leqslant x\leqslant 1, 0\leqslant y\leqslant 1\}$为直径不大于 δ 的有限个部分 σ. 若曲面 $z=1-x^2-y^2$ 在属于同一部分 σ 的任何两点 $P(x,y)$ 及 $P_1(x_1,y_1)$ 的法线方向相差小于 1°，求数 δ 的上界.

解 记曲面在点 $P(x,y)$ 及 $P_1(x_1,y_1)$ 的法向量为 $\boldsymbol{n}$ 及 $\boldsymbol{n}_1$，则 $\boldsymbol{n}=(2x,2y,1)$，$|\boldsymbol{n}|\geqslant 1$，$\boldsymbol{n}_1=(2x_1, 2y_1,1)$，$|\boldsymbol{n}_1|\geqslant 1$，且有

$$\boldsymbol{n}\times\boldsymbol{n}_1=(2(y-y_1),2(x_1-x),4(xy_1-x_1y)),$$

$$\sin(\widehat{\boldsymbol{n},\boldsymbol{n}_1})=\frac{\boldsymbol{n}\times\boldsymbol{n}_1}{|\boldsymbol{n}||\boldsymbol{n}_1|}\leqslant|\boldsymbol{n}\times\boldsymbol{n}_1|=2\sqrt{(y-y_1)^2+(x-x_1)^2+4(xy_1-x_1y)^2}.$$

注意到

$$\begin{aligned}(xy_1-x_1y)^2&=[x(y_1-y)+y(x-x_1)]^2\leqslant 2[x^2(y_1-y)^2+y^2(x-x_1)^2]\\&\leqslant 2[(y-y_1)^2+(x-x_1)^2],\end{aligned}$$

并记 $\rho=\sqrt{(y-y_1)^2+(x-x_1)^2}$，即有$(\widehat{\boldsymbol{n},\boldsymbol{n}_1})\leqslant 2\sqrt{\rho^2+4\cdot 2\rho^2}=6\rho$.

当 $\varphi=(\widehat{\boldsymbol{n},\boldsymbol{n}_1})<1^\circ$ 时，$\varphi\approx\sin(\widehat{\boldsymbol{n},\boldsymbol{n}_1})$.

于是，要 $\varphi<\dfrac{\pi}{180}$，只要 $6\rho<\dfrac{\pi}{180}$，即 $\rho<\dfrac{\pi}{1\,080}\approx 0.003$ 即可. 从而得 $\delta<0.003$.

【3558】 设有曲面

$$z=f(x,y)\text{，其中}(x,y)\in D, \qquad ①$$

$\varphi(P_1,P)$ 为曲面 ① 在点 $P(x,y)\in D$ 及 $P_1(x_1,y_1)\in D$ 二点的法线之间的夹角.

证明：若 D 为有界闭区域，$f(x,y)$ 在 D 内具有有界的二阶导数，则李雅普诺夫不等式

$$\varphi(P_1,P)<C\rho(P_1,P) \qquad ②$$

成立. 其中 C 为常数，$\rho(P_1,P)$ 为点 P 与 P_1 之间的距离

证 本题应加区域是凸的这个条件，否则结论就不成立. 例如，

$$z=\begin{cases} 0, & y\leqslant 0, x^2+y^2\leqslant 1, \\ y^3, & y>0, x\geqslant y^4, x^2+y^2\leqslant 1, \\ -y^3, & y>0, x\leqslant -y^4, x^2+y^2\leqslant 1, \end{cases}$$

如图 6.30 所示，函数 z 在单位圆内缺一个角的闭区域内定义，且有连续的二阶偏导数，取 $P_n\left(\dfrac{1}{n^3},\dfrac{1}{n}\right)$ 与 $P'_n\left(-\dfrac{1}{n^3},\dfrac{1}{n}\right)$，则

$$\boldsymbol{n}=\boldsymbol{n}(P_n)=(0,3y^2,-1)_{P_n}=\left(0,\frac{3}{n^2},-1\right),$$

$$\boldsymbol{n}'=\boldsymbol{n}(P'_n)=(0,-3y^2,-1)_{P_n'}=\left(0,-\frac{3}{n^2},-1\right),$$

$$\boldsymbol{n}\times\boldsymbol{n}'=\left(-\frac{6}{n^2},0,0\right),$$

$$\sin\varphi_n=\frac{|\boldsymbol{n}\times\boldsymbol{n}'|}{|\boldsymbol{n}||\boldsymbol{n}'|}=\frac{\frac{6}{n^2}}{1+\frac{9}{n^4}}\to 0(n\to\infty).$$

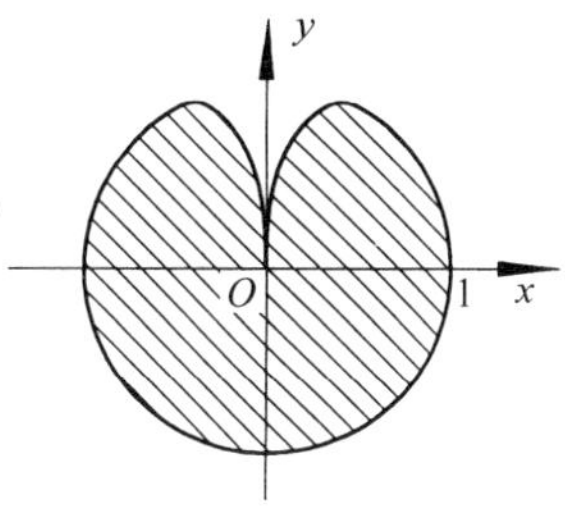

图 6.30

又因 $\rho_n(P_n,P'_n)=\frac{2}{n^3}$，$\lim\limits_{n\to\infty}\frac{\varphi_n}{\rho_n}=\lim\limits_{n\to\infty}\left(\frac{\sin\varphi_n}{\rho_n}\frac{\varphi_n}{\sin\varphi_n}\right)=\lim\limits_{n\to\infty}\frac{\frac{6}{n^2}}{\rho_n}=\lim\limits_{n\to\infty}\frac{\frac{9}{n^4}}{\frac{2}{n^3}}=+\infty$，

故不存在常数 C，使 $\varphi_n<C\rho_n$.

下面证明：当 D 为凸的有界闭区域时，不等式 ② 成立.

由 3282 题知：当 $f(x,y)$ 在 D 内有二阶连续的偏导数时，$\frac{\partial f}{\partial x}$ 及 $\frac{\partial f}{\partial y}$ 在 D 内是二元连续的. 又因 D 是有界闭区域，故 $\frac{\partial f}{\partial x}$ 及 $\frac{\partial f}{\partial y}$ 在 D 上有界，记

$$\left|\frac{\partial f}{\partial x}\right|<M,\left|\frac{\partial f}{\partial y}\right|<M.$$

又由 3281 题的证明过程可知：当 D 是凸域，$f(x,y)$ 有有界二阶偏导数时，对 D 中任意两点 P 及 P_1，$\frac{\partial f}{\partial x}$ 及 $\frac{\partial f}{\partial y}$ 满足利普希茨条件，即存在常数 L，使有

$$\left|\frac{\partial f(P)}{\partial x}-\frac{\partial f(P_1)}{\partial x}\right|<L\rho(P_1,P),$$

$$\left|\frac{\partial f(P)}{\partial y}-\frac{\partial f(P_1)}{\partial y}\right|<L\rho(P_1,P).$$

由

$$\boldsymbol{n}(P_1)=\left(\frac{\partial f(P_1)}{\partial x},\frac{\partial f(P_1)}{\partial y},-1\right)\text{及 }\boldsymbol{n}(P)=\left(\frac{\partial f(P)}{\partial x},\frac{\partial f(P)}{\partial y},-1\right)$$

知，对于 $\varphi=\varphi(P_1,P)$ 有下列不等式

$$\begin{aligned}\sin^2\varphi&=\frac{|\boldsymbol{n}(P_1)\times\boldsymbol{n}(P)|^2}{|\boldsymbol{n}(P_1)|^2|\boldsymbol{n}(P)|^2}\leqslant|\boldsymbol{n}(P_1)\times\boldsymbol{n}(P)|^2\\&=\left[\frac{\partial f(P)}{\partial y}-\frac{\partial f(P_1)}{\partial y}\right]^2+\left[\frac{\partial f(P)}{\partial x}-\frac{\partial f(P_1)}{\partial x}\right]^2+\left[\frac{\partial f(P_1)}{\partial x}\frac{\partial f(P)}{\partial y}-\frac{\partial f(P_1)}{\partial y}\frac{\partial f(P)}{\partial x}\right]^2\\&<L^2\rho^2+L^2\rho^2+2\left[\frac{\partial f(P_1)}{\partial x}\right]^2\left[\frac{\partial f(P)}{\partial y}-\frac{\partial f(P_1)}{\partial y}\right]^2+2\left[\frac{\partial f(P_1)}{\partial y}\right]^2\left[\frac{\partial f(P_1)}{\partial x}-\frac{\partial f(P)}{\partial x}\right]^2\\&<2L^2\rho^2+2M^2L^2\rho^2+2M^2L^2\rho^2=2L^2\rho^2(1+2M^2).\end{aligned}$$

于是，$\sin\varphi<C_1\rho(P_1,P)$，其中 $C_1^2=2L^2(1+2M^2)$，从而有

$$\varphi(P_1,P)<\frac{\pi}{2}\sin\varphi^{*)}<\frac{\pi}{2}C_1\rho(P_1,P)=C\rho(P_1,P),$$

其中 $C=\frac{\pi}{2}C_1$ 为常数，本题获证.

注 *）用到：$0<x<\frac{\pi}{2}$ 时，$\frac{2}{\pi}<\sin x<x$.

【3559】 圆柱面 $x^2+y^2=a^2$ 与曲面 $bz=xy$ 在公共点 $M_0(x_0,y_0,z_0)$ 相交成怎样的角?

解 二曲面在 M_0 点的法向量为

$$\boldsymbol{n}_1=(y_0,x_0,-b) \text{ 及 } \boldsymbol{n}_2=(2x_0,2y_0,0).$$

于是,交角 φ 满足

$$\cos\varphi=\frac{\boldsymbol{n}_1\cdot\boldsymbol{n}_2}{|\boldsymbol{n}_1||\boldsymbol{n}_2|}=\frac{2x_0y_0+2x_0y_0+0}{\sqrt{x_0^2+y_0^2+b^2}\sqrt{4x_0^2+4y_0^2}}=\frac{4bz_0}{\sqrt{a^2+b^2}\,2a}=\frac{2bz_0}{a\sqrt{a^2+b^2}}.$$

【3560】 证明:球坐标的坐标曲面 $x^2+y^2+z^2=r^2$, $y=x\tan\varphi$, $x^2+y^2=z^2\tan^2\theta$ 两两正交.

证 各曲面在其交点 $P(x,y,z)$ 处的法向量分别为

$$\boldsymbol{n}_1=(2x,2y,2z),\boldsymbol{n}_2=(\tan\varphi,-1,0),\boldsymbol{n}_3=(2x,2y,-2z\tan^2\theta).$$

由于

$$\boldsymbol{n}_1\cdot\boldsymbol{n}_2=2x\tan\varphi-2y=2y-2y=0,$$
$$\boldsymbol{n}_1\cdot\boldsymbol{n}_3=4x^2+4y^2-4z^2\tan^2\theta=4z^2\tan^2\theta-4z^2\tan^2\theta=0,$$
$$\boldsymbol{n}_2\cdot\boldsymbol{n}_3=2x\tan\varphi-2y=0,$$

故知这些曲面在其交点处分别两两正交.

【3561】 证明:球面 $x^2+y^2+z^2=2ax$, $x^2+y^2+z^2=2by$, $x^2+y^2+z^2=2cz$, 形成三重正交坐标系.

证 设球 $x^2+y^2+z^2=2ax$ 与球 $x^2+y^2+z^2=2by$ 交于 $P_0(x_0,y_0,z_0)$ 点,则在 P_0 点的法向量为

$$\boldsymbol{n}_1=(2(x_0-a),2y_0,2z_0),\boldsymbol{n}_2=(2x_0,2(y_0-b),2z_0).$$

由于

$$\begin{aligned}\boldsymbol{n}_1\cdot\boldsymbol{n}_2&=4[x_0(x_0-a)+y_0(y_0-b)+z_0^2]=2[2x_0^2+2y_0^2+2z_0^2-2ax_0-2by_0]\\&=2[(x_0^2+y_0^2+z_0^2-2ax_0)+(x_0^2+y_0^2+z_0^2-2by_0)]=0,\end{aligned}$$

故知这二球面在其交点处正交,同法可证其他球面的两两正交性.

【3562】 当 $\lambda=\lambda_1,\lambda=\lambda_2,\lambda=\lambda_1$ 时,经过每一点 $M(x,y,z)$ 有三个二次曲面:

$$\frac{x^2}{a^2-\lambda^2}+\frac{y^2}{b^2-\lambda^2}+\frac{z^2}{c^2-\lambda^2}=-1\quad(a>b>c>0).$$

证明:这些曲面是正交的.

证 先证 $\lambda_i(i=1,2,3)$ 的存在性. 考虑 λ^2 的多项式

$$\begin{aligned}F(\lambda^2)=&x^2(b^2-\lambda^2)(c^2-\lambda^2)+y^2(a^2-\lambda^2)(c^2-\lambda^2)+z^2(a^2-\lambda^2)(b^2-\lambda^2)\\&+(a^2-\lambda^2)(b^2-\lambda^2)(c^2-\lambda^2).\end{aligned}$$

显然有

$$F(a^2)=x^2(b^2-a^2)(c^2-a^2)>0,F(b^2)=y^2(a^2-b^2)(c^2-b^2)<0,$$
$$F(c^2)=z^2(a^2-c^2)(b^2-c^2)>0,\lim_{\lambda\to\infty}F(\lambda^2)=-\infty.$$

因此,$F(\lambda^2)=0$ 在 $(a^2,+\infty)$,(b^2,a^2) 及 (c^2,b^2) 内各有一根,记为 $\lambda_1^2,\lambda_2^2,\lambda_3^2$. 但 $F(\lambda^2)$ 是关于 λ^2 的三次多项式,因此,也仅有三个实根 $\lambda_i^2(i=1,2,3)$,且知 $\lambda_i\neq\lambda_j(i\neq j;i,j=1,2,3)$. 由 $F(\lambda_i^2)=0$ 不难推得

$$\frac{x^2}{a^2-\lambda_i^2}+\frac{y^2}{b^2-\lambda_i^2}+\frac{z^2}{c^2-\lambda_i^2}=-1(i=1,2,3).$$

下面再证明这三个二次曲面是两两正交的. 由于

$$\boldsymbol{n}_i=\left(\frac{2x}{a^2-\lambda_i^2},\frac{2y}{b^2-\lambda_i^2},\frac{2z}{c^2-\lambda_i^2}\right)(i=1,2,3),$$

及当 $i\neq j$ 时,

$$\boldsymbol{n}_i \cdot \boldsymbol{n}_j = \frac{4x^2}{(a^2-\lambda_i^2)(a^2-\lambda_j^2)} + \frac{4y^2}{(b^2-\lambda_i^2)(b^2-\lambda_j^2)} + \frac{4z^2}{(c^2-\lambda_i^2)(c^2-\lambda_j^2)}$$
$$= \frac{4}{\lambda_i^2-\lambda_j^2}\left[\left(\frac{x^2}{a^2-\lambda_i^2}+\frac{y^2}{b^2-\lambda_i^2}+\frac{z^2}{c^2-\lambda_i^2}\right)-\left(\frac{x^2}{a^2-\lambda_j^2}+\frac{y^2}{b^2-\lambda_j^2}+\frac{z^2}{c^2-\lambda_j^2}\right)\right]$$
$$= \frac{4}{\lambda_i^2-\lambda_j^2}[(-1)-(-1)] = 0,$$

故本题获证.

知识点3 三元函数的方向导数

$u=f(x,y,z)$ 在点(x_0,y_0,z_0)处沿 $\boldsymbol{l}=(x_1,y_1,z_1)$ 方向的方向导数的求法(三部曲):

第一步:求梯度 $\mathbf{grad}\, u\,|_{(x_0,y_0,z_0)} = (f'_x, f'_y, f'_z)\,|_{(x_0,y_0,z_0)}$;

第二步:单位化方向向量 $\dfrac{\boldsymbol{l}}{|\boldsymbol{l}|} = \left(\dfrac{x_1}{|\boldsymbol{l}|}, \dfrac{y_1}{|\boldsymbol{l}|}, \dfrac{z_1}{|\boldsymbol{l}|}\right) = (\cos\alpha, \cos\beta, \cos\gamma)$;

第三步:函数 $f(x,y,z)$ 在点(x_0,y_0,z_0)处沿 $\boldsymbol{l}$ 方向的方向导数为

$$\left.\frac{\partial f}{\partial \boldsymbol{l}}\right|_{(x_0,y_0,z_0)} = (f'_x, f'_y, f'_z)\,|_{(x_0,y_0,z_0)} \cdot (\cos\alpha, \cos\beta, \cos\gamma)$$
$$= f'_x\cos\alpha + f'_y\cos\beta + f'_z\cos\gamma.$$

习题3563—3565 三元函数的方向导数

【3563】 求函数 $u=x+y+z$ 沿球面 $x^2+y^2+z^2=1$ 在点 $M_0(x_0,y_0,z_0)$ 的外法线方向的导数. 在球面上哪些点处,u 的上述法向导数有:(1) 最大值,(2) 最小值,(3) 等于零?

解 $r_0=\sqrt{x_0^2+y_0^2+z_0^2}=1$,则在点 M_0 处球面的外法线单位向量为

$$\left(\frac{x_0}{r_0}, \frac{y_0}{r_0}, \frac{z_0}{r_0}\right) = (x_0, y_0, z_0).$$

于是

$$\frac{\partial u}{\partial \boldsymbol{n}} = \left(\frac{\partial u}{\partial x}, \frac{\partial u}{\partial y}, \frac{\partial u}{\partial z}\right)\cdot(x_0,y_0,z_0) = (1,1,1)\cdot(x_0,y_0,z_0) = x_0+y_0+z_0.$$

(1) $x_0+y_0+z_0 = 1\cdot x_0 + 1\cdot y_0 + 1\cdot z_0 \leqslant \sqrt{3}\sqrt{x_0^2+y_0^2+z_0^2}\,{}^{*)} = \sqrt{3}$.

当 $x_0=y_0=z_0=\dfrac{1}{\sqrt{3}}$ 时,上述等式成立,此点恰在球面上. 因此在点 $\left(\dfrac{1}{\sqrt{3}}, \dfrac{1}{\sqrt{3}}, \dfrac{1}{\sqrt{3}}\right)$ 处 $\dfrac{\partial u}{\partial \boldsymbol{n}}$ 取最大值.

(2) 同法可得 $-(x_0+y_0+z_0) = (-1)x_0+(-1)y_0+(-1)z_0 \leqslant \sqrt{3}$,或 $x_0+y_0+z_0 \geqslant -\sqrt{3}$. 故在点 $\left(-\dfrac{1}{\sqrt{3}}, -\dfrac{1}{\sqrt{3}}, -\dfrac{1}{\sqrt{3}}\right)$ 处 $\dfrac{\partial u}{\partial \boldsymbol{n}}$ 取最小值.

(3) 当 $x+y+z=0$ 及 $x^2+y^2+z^2=1$ 时 $\dfrac{\partial u}{\partial \boldsymbol{n}}=0$. 因此,所求的点为由方程

$$\begin{cases} x+y+z=0, \\ x^2+y^2+z^2=1 \end{cases}$$

确定的解(x,y,z),它为单位球面与过圆心的平面 $x+y+z=0$ 的交线.

注 *)式用到:$\dfrac{1}{n}\displaystyle\sum_{k=1}^{n} x_k \leqslant \sqrt{\dfrac{1}{n}\sum_{k=1}^{n} x_k^2}$.

【3564】 求函数 $u=x^2+y^2+z^2$ 沿椭球面 $\dfrac{x^2}{a^2}+\dfrac{y^2}{b^2}+\dfrac{z^2}{c^2}=1$ 在点 $M_0(x_0,y_0,z_0)$ 的

外法线方向的导数.

解 $\boldsymbol{n}=\left(\frac{2x_0}{a^2},\frac{2y_0}{b^2},\frac{2z_0}{c^2}\right)$,其单位向量为 $\boldsymbol{n}^\circ=\left(\frac{x_0}{a^2\Delta},\frac{y_0}{b^2\Delta},\frac{z_0}{c^2\Delta}\right)$,其中 $\Delta=\sqrt{\frac{x_0^2}{a^4}+\frac{y_0^2}{b^4}+\frac{z_0^2}{c^4}}$. 于是

$$\left.\frac{\partial u}{\partial \boldsymbol{n}}\right|_{M_0}=\frac{x_0}{a^2\Delta}2x_0+\frac{y_0}{b^2\Delta}2y_0+\frac{z_0}{c^2\Delta}2z_0=\frac{2}{\Delta}\left(\frac{x_0^2}{a^2}+\frac{y_0^2}{b^2}+\frac{z_0^2}{c^2}\right)=\frac{2}{\Delta}=\frac{2}{\sqrt{\frac{x_0^2}{a^4}+\frac{y_0^2}{b^4}+\frac{z_0^2}{c^4}}}.$$

【3565】 设 $\frac{\partial u}{\partial \boldsymbol{n}}$ 和 $\frac{\partial v}{\partial \boldsymbol{n}}$ 为函数 u 和 v 在曲面 $F(x,y,z)=0$ 上的点的法向导数,证明:

$$\frac{\partial}{\partial \boldsymbol{n}}(uv)=u\frac{\partial v}{\partial \boldsymbol{n}}+v\frac{\partial u}{\partial \boldsymbol{n}}.$$

提示 由方向导数的计算公式命题易获证.

证
$$\begin{aligned}\frac{\partial}{\partial \boldsymbol{n}}(uv)&=\frac{\partial}{\partial x}(uv)\cos\alpha+\frac{\partial}{\partial y}(uv)\cos\beta+\frac{\partial}{\partial z}(uv)\cos\gamma\\&=u\left(\frac{\partial v}{\partial x}\cos\alpha+\frac{\partial v}{\partial y}\cos\beta+\frac{\partial v}{\partial z}\cos\gamma\right)+v\left(\frac{\partial u}{\partial x}\cos\alpha+\frac{\partial u}{\partial y}\cos\beta+\frac{\partial u}{\partial z}\cos\gamma\right)\\&=u\frac{\partial v}{\partial \boldsymbol{n}}+v\frac{\partial u}{\partial \boldsymbol{n}}.\end{aligned}$$

知识点 4 平面曲线族的包络线

含一个参数的曲线族 $f(x,y,\alpha)=0$(α 为参数)的包络线满足方程组:

$$f(x,y,\alpha)=0,f'_\alpha(x,y,\alpha)=0.$$

习题 3566—3574 平面曲线族的包络线

【求含一个参变量的平面曲线族的包络线(3566—3569)】

【3566】 $x\cos\alpha+y\sin\alpha=p$($p$ 为常数).

解 令 $f(x,y,\alpha)=x\cos\alpha+y\sin\alpha-p$,则由

$$\begin{cases}f(x,y,\alpha)=x\cos\alpha+y\sin\alpha-p=0,\\f'_\alpha(x,y,\alpha)=-x\sin\alpha+y\cos\alpha=0.\end{cases}$$

消去 α,得

$$x^2+y^2=p^2. \qquad ①$$

由于原曲线没有奇点,且 ① 也不是原曲线族中的某一支,故方程 ① 为原曲线族的包络线方程.

注 以下各题(3567—3580)所得方程为所求的包络线(或包络面)方程的理由均与 3566 题相同.

【3567】 $(x-a)^2+y^2=\frac{a^2}{2}$.

解 $\begin{cases}(x-a)^2+y^2-\frac{a^2}{2}=0,\\2(x-a)+a=0.\end{cases}$ 消去 a,得 $y=\pm x$,同 3566 题的理由可知,它是包络线方程.

【3568】 $y=kx+\frac{a}{k}$(a 为常数).

解 $\begin{cases}kx-y+\frac{a}{k}=0,\\x-\frac{a}{k^2}=0.\end{cases}$ 消去 k,得 $y^2=4ax$,同 3566 题的理由可知,它是包络线方程.

【3569】 $y^2=2px+p^2$.

解 $\begin{cases}2px-y^2+p^2=0,\\x+p=0.\end{cases}$ 消去 p，得 $x^2+y^2=0$，它仅为一点$(0,0)$. 于是，原曲线族无包络线.

【3570】 设有长为 l 的线段，其两端点沿坐标轴滑动，求如此产生的线段族的包络线.

解 如图6.31所示，直线方程为$\dfrac{x}{a}+\dfrac{y}{b}=1$. $a=l\sin\theta$，$b=l\cos\theta$，所以

$$\frac{x}{\sin\theta}+\frac{y}{\cos\theta}=l. \quad ①$$

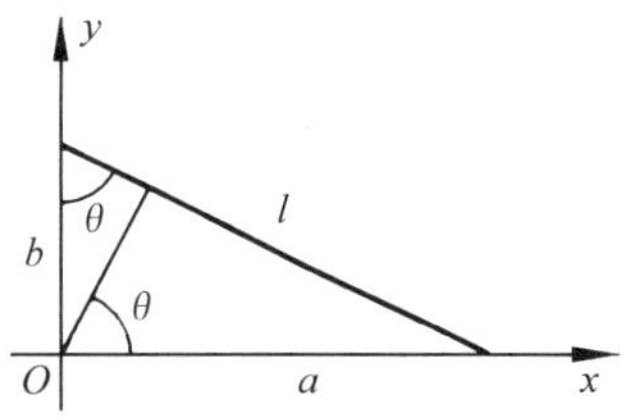

图6.31

对 θ 求导数，得 $-\dfrac{x}{\sin^2\theta}\cos\theta+\dfrac{y}{\cos^2\theta}\sin\theta=0$ 或$\dfrac{x}{\sin^3\theta}=\dfrac{y}{\cos^3\theta}$. ②

由①，② 消去θ，得 $x^{\frac{2}{3}}+y^{\frac{2}{3}}=l^{\frac{2}{3}}$，同3566题的理由可知，它是包络线方程.

【3571】 求面积 S 为常数的椭圆族$\dfrac{x^2}{a^2}+\dfrac{y^2}{b^2}=1$ 的包络线.

解 由题设 $\pi ab=S$，得 $a=\dfrac{S}{\pi b}$，且

$$\frac{\pi^2b^2x^2}{S^2}+\frac{y^2}{b^2}=1. \quad ①$$

对 b 求导数，得

$$\frac{2\pi^2bx^2}{S^2}-\frac{2y^2}{b^3}=0. \quad ②$$

由②式 $b^4=\dfrac{y^2S^2}{\pi^2x^2}$ 或 $b^2=\pm\dfrac{yS}{\pi x}$，再代入①，得 $\pm\dfrac{\pi xy}{S}\pm\dfrac{\pi xy}{S}=1$，即 $|xy|=\dfrac{S}{2\pi}$.

同3566题的理由可知，它是包络线方程.

【3572】 炮弹在真空中以初速度 v_0 射出，当投射角 α 在竖直平面中变化时，求炮弹轨道的包络线.

解 炮弹轨道方程为

$$y=x\tan\alpha-\frac{gx^2}{2v_0^2\cos^2\alpha}. \quad ①$$

对 α 求导数，得

$$0=\frac{x}{\cos^2\alpha}-\frac{gx^2\sin\alpha}{v_0^2\cos^3\alpha}. \quad ②$$

由②式得 $\tan\alpha=\dfrac{v_0^2}{xg}$. 代入①式，得

$$y=x\tan\alpha-\frac{gx^2}{2v_0^2\cos^2\alpha}=x\frac{v_0^2}{xg}-\frac{gx^2}{2v_0^2}\left(1+\frac{v_0^2}{x^2g^2}\right)=\frac{v_0^2}{2g}-\frac{gx^2}{2v_0^2}.$$

同3566题的理由可知，它是包络线方程.

【3573】 证明：平面曲线的法线的包络线是此曲线的渐屈线.

证 这里仅就由显式 $y=f(x)$ 所给出的平面曲线情形加以证明.

曲线 $y=f(x)$ 在点 $P(x,y)$ 的法线方程为

$$(X-x)+y'(Y-y)=0. \quad ①$$

对 x 求导数，得

$$-1+y''(Y-y)-y'^2=0 \text{ 或 } y''(Y-y)=1+y'^2. \quad ②$$

由①，②解得

$$\begin{cases}X=x-\dfrac{y'(1+y'^2)}{y''},\\[2mm] Y=y+\dfrac{1+y'^2}{y''},\end{cases}$$

此即 $y=f(x)$ 的渐屈线方程. 同 3566 题的理由可知，它是所求的包络线方程.

【3574】 研究下列曲线族的判别曲线的性质(c 是参变量)：

(1) 立方抛物线 $y=(x-c)^3$；(2) 半立方抛物线 $y^2=(x-c)^3$；

(3) 尼尔抛物线 $y^3=(x-c)^2$；(4) 环索线 $(y-c)^2=x^2\dfrac{a-x}{a+x}$.

解 (1) $\begin{cases} f(x,y,c)=y-(x-c)^3=0, \\ f'(x,y,c)=3(x-c)^2=0. \end{cases}$ 消去 c，得 $y=0$，它为判别曲线的方程.

原曲线无奇点，且 $y=0$ 也不是原曲线族的某一支，因此，它是包络线. 此包络线与原曲线族在 $(c,0)$ 点相切，且 $(c,0)$ 点是曲线的拐点，即它又是原曲线族拐点的轨迹. 如图 6.32(a) 所示.

(2) $\begin{cases} y^2-(x-c)^3=0, \\ 3(x-c)^2=0. \end{cases}$ 消去 c，得判别曲线 $y=0$.

原曲线的奇点为 $(c,0)$，因此它是奇点的轨迹. 要看是否为包络线，还要看在奇点的两支是否与判别曲线相切. 事实上，两支分别为 $y_1=(x-c)^{\frac{3}{2}}$，$y_2=-(x-c)^{\frac{3}{2}}$，均有 $y_1'(c)=0$，$y_2'(c)=0$. 因此，$y=0$ 为原曲线族的包络线. 如图 6.32(b) 所示.

(3) $\begin{cases} y^3-(x-c)^2=0, \\ 2(x-c)=0. \end{cases}$ 消去 c，得判别曲线 $y=0$.

原曲线的奇点为 $(c,0)$. 由于 $y=(x-c)^{\frac{2}{3}}$ 在 $x=c$ 处的导数为无穷，因此，它与 $y=0$ 不相切，从而，它无包络线. 奇点 $(c,0)$ 为尖点. 如图 6.32(c) 所示.

(4) $\begin{cases} (y-c)^2-x^2\dfrac{a-x}{a+x}=0, \\ -2(y-c)=0. \end{cases}$ 消去 c，得 $x^2(a-x)=0$，即判别曲线为直线 $x=0$ 及 $x=a$.

显然 $x=0$ 为原曲线族奇点的轨迹，用第 6 节的方法可判别出它是二重点的轨迹. 事实上，

$$A=f''_{xx}(0,c)=2, B=f''_{xy}(0,c)=0, C=f''_{yy}(0,c)=-2, AC-B^2=-4<0.$$

从而知 $x=0$ 不是包络线.

但是，在 $x=a$ 处 $f'_x(a,y)\neq 0$ $(a\neq 0)$. 因此 $x=a$ 不是原曲线族奇点的轨迹，同时它又不是原曲线族的某一支. 因此，$x=a$ 是原曲线族的包络线，如图 6.32(d) 所示.

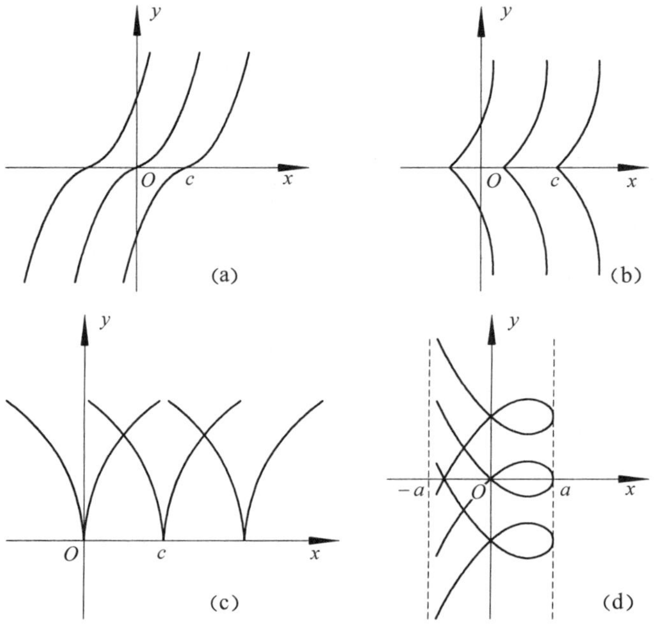

图 6.32

知识点5 曲面族的包络面

含一个参数的曲面族 $F(x,y,z,\alpha)=0$ 的包络面满足方程组：

$$F(x,y,z,\alpha)=0, F'_\alpha(x,y,z,\alpha)=0.$$

含两个参数的曲面族 $\Phi(x,y,z,\alpha,\beta)=0$ 的包络面满足方程组：

$$\Phi(x,y,z,\alpha,\beta)=0, \Phi'_\alpha(x,y,z,\alpha,\beta)=0, \Phi'_\beta(x,y,z,\alpha,\beta)=0.$$

习题 3575—3580 曲面族的包络面

【3575】 求半径为 r，中心在圆周 $x=R\cos t, y=R\sin t, z=0$（$t$ 是参数，$R>r$）上的球族的包络面.

解

$$\begin{cases}(X-R\cos t)^2+(Y-R\sin t)^2+Z^2=r^2, & ①\\ 2R\sin t(X-R\cos t)-2R\cos t(Y-R\sin t)=0. & ②\end{cases}$$

② 式化简得 $X\sin t-Y\cos t=0$. 于是

$$\tan t=\frac{Y}{X}, \cos t=\pm\frac{X}{\sqrt{X^2+Y^2}}, \sin t=\pm\frac{Y}{\sqrt{X^2+Y^2}}, \qquad ③$$

将 ③ 式代入 ① 式，得

$$(X^2+Y^2)\left(1\pm\frac{R}{\sqrt{X^2+Y^2}}\right)^2+Z^2=r^2.$$

当取"+"号时，由于 $R^2>r^2$，故它不代表任何点（不是虚的）的轨迹.

当取"−"号时，由于原曲面族无奇点，且 $(\sqrt{X^2+Y^2}-R)^2+Z^2=r^2$ 不是原曲面族的某一个，因此，它是原曲面族的包络面（圆环）.

【3576】 求球族

$(x-t\cos\alpha)^2+(y-t\cos\beta)^2+(z-t\cos\gamma)^2=1$（$\cos^2\alpha+\cos^2\beta+\cos^2\gamma=1$，$t$ 是参变数）的包络面.

解

$$\begin{cases}(x-t\cos\alpha)^2+(y-t\cos\beta)^2+(z-t\cos\gamma)^2-1=0, & ①\\ -2\cos\alpha(x-t\cos\alpha)-2\cos\beta(y-t\cos\beta)-2\cos\gamma(z-t\cos\gamma)=0. & ②\end{cases}$$

由 ② 得

$$t=x\cos\alpha+y\cos\beta+z\cos\gamma, \qquad ③$$

将 ③ 式代入 ① 式，化简整理得

$$x^2+y^2+z^2-(x\cos\alpha+y\cos\beta+z\cos\gamma)^2=1. \qquad ④$$

由于原曲面族的奇点均不在此方程所表示的曲面上，并且曲面 ④ 也不是原曲面族中的某一个，因此，曲面 ④ 为原曲面族的包络面.

【3577】 求相应体积 V 是常数的椭球面族 $\frac{x^2}{a^2}+\frac{y^2}{b^2}+\frac{z^2}{c^2}=1$ 的包络面.

解 引入辅助函数

$$F(x,y,z,a,b,c)=\frac{x^2}{a^2}+\frac{y^2}{b^2}+\frac{z^2}{c^2}+\lambda\left(abc-\frac{3V}{4\pi}\right),$$

则包络面的方程由下列方程组确定：

$$\begin{cases}\dfrac{x^2}{a^2}+\dfrac{y^2}{b^2}+\dfrac{z^2}{c^2}=1, & ①\\ abc=\dfrac{3V}{4\pi}, & ②\\ F'_a=-\dfrac{2x^2}{a^3}+\lambda bc=0, & ③\\ F'_b=-\dfrac{2y^2}{b^3}+\lambda ac=0, & ④\\ F'_c=-\dfrac{2z^2}{c^3}+\lambda ab=0. & ⑤\end{cases}$$

由 ③④⑤ 可解得

$$\frac{x^2}{a^2}=\frac{y^2}{b^2}=\frac{z^2}{c^2}=\frac{\lambda abc}{2}=\mu. \qquad ⑥$$

将 ⑥ 式代入 ① 式,得$\dfrac{x^2}{a^2}=\dfrac{y^2}{b^2}=\dfrac{z^2}{c^2}=\mu=\dfrac{1}{3}$. 于是

$$a=\sqrt{3}\mid x\mid,b=\sqrt{3}\mid y\mid,c=\sqrt{3}\mid z\mid. \qquad ⑦$$

将 ⑦ 式代入 ② 式,得

$$\mid xyz\mid=\frac{V}{4\pi\sqrt{3}}. \qquad ⑧$$

由于原曲面族无奇点,且曲面 ⑧ 也不是原曲面族中的某一个,故知曲面 ⑧ 为原曲面族的包络面.

【3578】 求半径为 ρ,中心在圆锥面 $x^2+y^2=z^2$ 上的球族的包络面.

解 设球心为(a,b,c),则球的方程为$(x-a)^2+(y-b)^2+(z-c)^2=\rho^2$,其中 $a^2+b^2=c^2$.

引入辅助函数 $F(x,y,z,a,b,c)=(x-a)^2+(y-b)^2+(z-c)^2+\lambda(a^2+b^2-c^2)$,则包络面方程由下列方程组确定:

$$\begin{cases}(x-a)^2+(y-b)^2+(z-c)^2=\rho^2, & ①\\ a^2+b^2=c^2, & ②\\ F'_a=-2(x-a)+2\lambda a=0, & ③\\ F'_b=-2(y-b)+2\lambda b=0, & ④\\ F'_c=-2(z-c)+2\lambda c=0. & ⑤\end{cases}$$

由 ③④⑤ 可得$\dfrac{x}{a}-1=\dfrac{y}{b}-1=-\dfrac{z}{c}+1=\lambda$. 引入记号$\dfrac{1}{\mu}=\dfrac{x}{a}=\dfrac{y}{b}=2-\dfrac{z}{c}$,则有

$$a=\mu x,b=\mu y,c=\frac{\mu z}{2\mu-1}. \qquad ⑥$$

将 ⑥ 式代入 ①,② 两式,得

$$\begin{cases}x^2+y^2+\dfrac{z^2}{(2\mu_\mu-1)^2}=\dfrac{\rho^2}{(\mu-1)^2}, & ⑦\\ x^2+y^2-\dfrac{z^2}{(2\mu-1)^2}=0. & ⑧\end{cases}$$

⑦+⑧ 得

$$2(x^2+y^2)=\frac{\rho^2}{(\mu-1)^2}\text{ 或}\sqrt{2}\rho=\sqrt{x^2+y^2}\mid 2\mu-2\mid. \qquad ⑨$$

由 ⑧ 得 $$2\mu-1=\pm\frac{z}{\sqrt{x^2+y^2}}. \qquad ⑩$$

将 ⑩ 代入 ⑨,整理得 $$\sqrt{2}\rho=\left|\sqrt{x^2+y^2}\pm z\right|. \qquad ⑪$$

由于原曲面族无奇点,且曲面 ⑪ 也不是原曲面族的某一个. 因此,曲面 ⑪ 为原曲面族的包络面.

【3579】 有一发光点位于坐标原点. 若 $x_0^2+y_0^2+z_0^2>R^2$,求由球

$$(x-x_0)^2+(y-y_0)^2+(z-z_0)^2\leqslant R^2$$

投影所生成的阴影圆锥.

解 方法一 所求的阴影圆锥的表面,可看作是一个过原点的平面族的包络面,此平面族的方程为 $ax+bx+cz=0$,其中 a,b,c 满足约束条件 $\begin{cases}ax_0+by_0+cz_0=\pm R,\\ a^2+b^2+c^2=1.\end{cases}$ 引入辅助函数

$$F(x,y,z,a,b,c)=ax+by+cz+\lambda(ax_0+by_0+cz_0\mp R)+\mu(a^2+b^2+c^2-1),$$

则包络面方程由下列方程组确定:

$$\begin{cases}ax+by+cz=0, & ①\\ a^2+b^2+c^2=1, & ②\\ ax_0+by_0+cz_0=\pm R, & ③\\ F'_a=x+\lambda x_0+2\mu a=0, & ④\\ F'_b=y+\lambda y_0+2\mu b=0, & ⑤\\ F'_c=z+\lambda z_0+2\mu c=0. & ⑥\end{cases}$$

方程 ④,⑤,⑥ 要能解出 λ,μ,其中 a,b,c 必须满足关系式

$$\begin{vmatrix}x & x_0 & a\\ y & y_0 & b\\ z & z_0 & c\end{vmatrix}=0. \qquad ⑦$$

记 $r_1=\begin{vmatrix}y & y_0\\ z & z_0\end{vmatrix}$,$r_2=\begin{vmatrix}z & z_0\\ x & x_0\end{vmatrix}$,$r_3=\begin{vmatrix}x & x_0\\ y & y_0\end{vmatrix}$,则上述关系式可记为

$$ar_1+br_2+cr_3=0. \qquad ⑧$$

由 ①,③,⑧ 可解得

$$a=\frac{\begin{vmatrix}0 & y & z\\ \pm R & y_0 & z_0\\ 0 & r_2 & r_3\end{vmatrix}}{\begin{vmatrix}x & y & z\\ x_0 & y_0 & z_0\\ r_1 & r_2 & r_3\end{vmatrix}}=\frac{\pm R(zr_2-yr_3)}{(r_1^2+r_2^2+r_3^2)}$$

或
$$a^2=\frac{R^2(zr_2-yr_3)^2}{(r_1^2+r_2^2+r_3^2)^2},b^2=\frac{R^2(xr_3-zr_1)^2}{(r_1^2+r_2^2+r_3^2)^2},c^2=\frac{R^2(xr_2-yr_1)^2}{(r_1^2+r_2^2+r_3^2)^2}. \qquad ⑨$$

将 ⑨ 式代入 ② 式,即得

$$\begin{aligned}(r_1^2+r_2^2+r_3^2)^2&=R^2[(yr_3-zr_2)^2+(xr_3-zr_1)^2+(xr_2-yr_1)^2]\\ &=R^2[(r_1^2+r_2^2+r_3^2)(x^2+y^2+z^2)-(xr_1+yr_2+zr_3)^2]\\ &=R^2(r_1^2+r_2^2+r_3^2)(x^2+y^2+z^2),\end{aligned}$$

其中利用了 $xr_1+yr_2+zr_3=0$,这是不难验证的. 于是有

$$r_1^2+r_2^2+r_3^2=R^2(x^2+y^2+z^2). \qquad ⑩$$

由于原平面族无奇点,且曲面 ⑩ 不是平面族的某一个,因此,曲面 ⑩ 即为包络面. 所求的阴影圆锥为此锥面的内部,即满足不等式 $r_1^2+r_2^2+r_3^2\leqslant R^2(x^2+y^2+z^2)$ 的空间区域(严格说来,还要除去球前部的区域).

方法二 显然,阴影圆锥是由通过坐标原点的球面 $(x-x_0)^2+(y-y_0)^2+(z-z_0)^2=R^2$ 的全体切线构成的. 由解析几何知,如果点 $P_1(x_1,y_1,z_1)$ 不在二次曲面

$$\begin{aligned}F(x,y,z)&=ax^2+by^2+cz^2+2fyz+2gxz+2hxy+2px+2qy+2rz+\mathrm{d}\\ &=\varphi(x,y,z)+2px+2qy+2rz+\mathrm{d}=0\end{aligned} \qquad ⑪$$

上,则通过点 P_1 而和二次曲面 ⑪ 相切的全体切线所构成的锥面方程为

$$[(x-x_1)F'_x(x_1,y_1,z_1)+(y-y_1)F'_y(x_1,y_1,z_1)+(z-z_1)F'_z(x_1,y_1,z_1)]^2-4\varphi(x-x_1,y-y_1,z-z_1)\cdot F(x_1,y_1,z_1)=0. \qquad ⑫$$

今有

$$F(x,y,z)=(x-x_0)^2+(y-y_0)^2+(z-z_0)^2-R^2$$
$$=x^2+y^2+z^2-2(x_0x+y_0y+z_0z)+(x_0^2+x_0^2+x_0^2-R^2).$$

由于

$$F'_x(0,0,0)=-2x_0, F'_y(0,0,0)=-2y_0, F'_z(0,0,0)=-2z_0,$$

故由 ⑫ 即得阴影圆锥面的方程为

$$(-2x_0x-2y_0y-2z_0z)^2-4(x^2+y^2+z^2)(x_0^2+y_0^2+z_0^2-R^2)=0$$

或

$$(y_0^2+z_0^2)x^2+(x_0^2+z_0^2)y^2+(x_0^2+y_0^2)z^2-2x_0y_0xy-2y_0z_0yz-2z_0x_0zx-R^2(x^2+y^2+z^2)=0.$$

由于

$$(y_0^2+z_0^2)x_0^2+(x_0^2+z_0^2)y_0^2+(x_0^2+y_0^2)z_0^2-2x_0^2y_0^2-2y_0^2z_0^2-2z_0^2x_0^2-R^2(x_0^2+y_0^2+z_0^2)$$
$$=-R^2(x_0^2+y_0^2+z_0^2)<0,$$

故所求的阴影圆锥为此锥面的内部，即满足不等式

$$(y_0^2+z_0^2)x^2+(z_0^2+x_0^2)y^2+(x_0^2+y_0^2)z^2-2x_0y_0xy-2y_0z_0yz-2z_0x_0zx-R^2(x^2+y^2+z^2)\leqslant 0$$

或
$$\begin{vmatrix} x & y \\ x_0 & y_0 \end{vmatrix}^2+\begin{vmatrix} y & z \\ y_0 & z_0 \end{vmatrix}^2+\begin{vmatrix} z & x \\ z_0 & x_0 \end{vmatrix}^2\leqslant R^2(x^2+y^2+z^2)$$

的空间区域(严格说来，还要除去球前部的区域).

方法三　如图 6.33 所示，由三角形的面积公式 $\frac{1}{2}|\boldsymbol{r}||\boldsymbol{l}_0|\sin\alpha$ 得

$$|\boldsymbol{r}\times\boldsymbol{l}_0|=|\boldsymbol{r}||\boldsymbol{l}_0|\frac{R}{|l_0|},$$

其中 $\boldsymbol{l}_0=(x_0,y_0,z_0)$，$\boldsymbol{r}=(x,y,z)$，而 $P(x,y,z)$ 为锥面上的任意一点. 平方即得圆锥曲面的方程为 $|\boldsymbol{r}\times\boldsymbol{l}_0|^2=R^2|\boldsymbol{r}|^2$.
于是，所求的阴影圆锥为适合不等式 $|\boldsymbol{r}\times\boldsymbol{l}_0|^2\leqslant R^2|r|^2$，即

$$\begin{vmatrix} x & y \\ x_0 & y_0 \end{vmatrix}^2+\begin{vmatrix} y & z \\ y_0 & z_0 \end{vmatrix}^2+\begin{vmatrix} z & x \\ z_0 & x_0 \end{vmatrix}^2\leqslant R^2(x^2+y^2+z^2)$$

的空间区域(严格说来，还要除去球前部的区域).

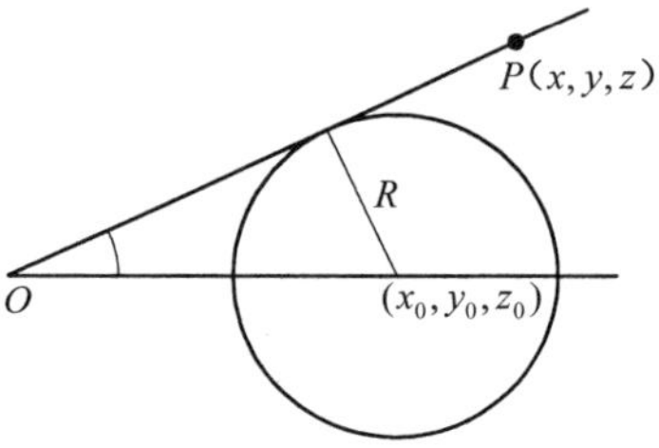

图 6.33

【3580】　若参变量 p 和 q 满足 $p^2+q^2=1$，求平面族 $z-z_0=p(x-x_0)+q(y-y_0)$ 的包络面.

提示　仿 3577 题参变量为 p 和 q，包络面方程为 $(z-z_0)^2=(x-x_0)^2+(y-y_0)^2$.

解　**方法一**　引入辅助函数 $F(x,y,z,p,q)=z-z_0-p(x-x_0)-q(y-y_0)+\lambda(p^2+q^2-1)$，则包络面方程由下列方程组确定：

$$\begin{cases} z-z_0=p(x-x_0)+q(y-y_0), & ① \\ p^2+q^2=1, & ② \\ F_p{}'=-(x-x_0)+2\lambda p=0, & ③ \\ F_i{}'=-(y-y_0)+2\lambda q=0. & ④ \end{cases}$$

③ $\times p+$ ④ $\times q$，得 $2\lambda=z-z_0$. 于是，由 ③，④ 得

$$p=\frac{x-x_0}{z-z_0}, q=\frac{y-y_0}{z-z_0}. \qquad ⑤$$

将 ⑤ 式代入 ① 式，得 $(z-z_0)^2=(x-x_0)^2+(y-y_0)^2$.
由于原平面族无奇点，且显见上述曲面不是平面，故上述曲面即为包络面.

方法二　引入新参数 θ，令 $p=\sin\theta$，$q=\cos\theta$. 则

$$\begin{cases} z-z_0=\cos\theta\cdot(x-x_0)+\sin\theta\cdot(y-y_0), & ⑥ \\ \sin\theta\cdot(x-x_0)=\cos\theta\cdot(y-y_0). & ⑦ \end{cases}$$

于是

$$\sin\theta=\frac{\pm(y-y_0)}{\sqrt{(x-x_0)^2+(y-y_0)^2}},\cos\theta=\frac{\pm(x-x_0)}{\sqrt{(x-x_0)^2+(y-y_0)^2}}.$$

代入 ⑥ 式，得 $(z-z_0)^2=(x-x_0)^2+(y-y_0)^2$.

由于原平面族无奇点，且上述曲面不是平面，故上述曲面即为包络面.

第6节　多元函数的泰勒公式（习题3581—3620）

知识点预览

序号	知识点	题目序号	所在页码
1	多元函数的泰勒展开	3581—3604	P139
2	平面曲线的奇点	3605—3620	P145

知识点1　多元函数的泰勒展开

1. 泰勒公式　若函数 $f(x,y)$ 在点 (a,b) 的某邻域内有直到 $n+1$ 阶（包括 $n+1$ 阶）的连续偏导数，则在此邻域内有

$$f(x,y)=f(a,b)+\sum_{i=1}^{n}\frac{1}{i!}\left[(x-a)\frac{\partial}{\partial x}+(y-b)\frac{\partial}{\partial y}\right]^i f(a,b)+R_n(x,y),\qquad ①$$

其中 $R_n(x,y)=\dfrac{1}{(n+1)!}\left[(x-a)\dfrac{\partial}{\partial x}+(y-b)\dfrac{\partial}{\partial y}\right]^{n+1}f[a+\theta_n(x-a),b+\theta_n(y-b)]$

$(0<\theta_n<1)$.

2. 泰勒级数　若函数 $f(x,y)$ 无穷次可微且 $\lim\limits_{n\to\infty}R_n(x,y)=0$，则此函数可表成幂级数的形式：

$$f(x,y)=f(a,b)+\sum_{i+j\geqslant 1}^{\infty}\frac{1}{i!j!}f^{(i+j)}_{x^iy^j}(a,b)(x-a)^i(y-b)^j.\qquad ②$$

在 $a=b=0$ 的特殊情形下，公式 ① 和 ② 分别称为麦克劳林公式和麦克劳林级数.

对于多于两个变量的函数有类似的公式.

习题 3581—3604　多元函数的泰勒展开

【3581】　在点 $A(1,-2)$ 的邻域内根据泰勒公式展开函数

$$f(x,y)=2x^2-xy-y^2-6x-3y+5.$$

解　$\dfrac{\partial f}{\partial x}=4x-y-6,\dfrac{\partial f}{\partial y}=-x-2y-3;\dfrac{\partial^2 f}{\partial x^2}=4,\dfrac{\partial^2 f}{\partial x\partial y}=-1,\dfrac{\partial^2 f}{\partial y^2}=-2$. 所有三阶偏导数均为零，因此有 $R_2(x,y)=0$. 在点 $A(1,-2)$ 处，

$$f(1,-2)=5,\frac{\partial f}{\partial x}=0,\frac{\partial f}{\partial y}=0,\frac{\partial^2 f}{\partial x^2}=4,\frac{\partial^2 f}{\partial x\partial y}=-1,\frac{\partial^2 f}{\partial y^2}=-2.$$

于是

$$f(x,y)=5+2(x-1)^2-(x-1)(y+2)-(y+2)^2.$$

【3582】 在点 $A(1,1,1)$ 的邻域内根据泰勒公式展开 $f(x,y,z)=x^3+y^3+z^3-3xyz$.

解 $\frac{\partial f}{\partial x}=3x^2-3yz,\frac{\partial f}{\partial y}=3y^2-3xz,\frac{\partial f}{\partial z}=3z^2-3xy$;

$\frac{\partial^2 f}{\partial x^2}=6x,\frac{\partial^2 f}{\partial y^2}=6y,\frac{\partial^2 f}{\partial z^2}=6z;\frac{\partial^2 f}{\partial x\partial y}=-3z,\frac{\partial^2 f}{\partial y\partial z}=-3x,$

$\frac{\partial^2 f}{\partial x\partial z}=-3y;\frac{\partial^3 f}{\partial x^3}=\frac{\partial^3 f}{\partial y^3}=\frac{\partial^3 f}{\partial z^3}=6,\frac{\partial^3 f}{\partial x\partial y\partial z}=-3,$

其余的三阶混合偏导数均为零;所有的四阶偏导数均为零,因此 $R_3(x,y,z)=0$.

在点 $A(1,1,1)$ 处,

$$f(1,1,1)=0,\frac{\partial f}{\partial x}=\frac{\partial f}{\partial y}=\frac{\partial f}{\partial z}=0,\frac{\partial^2 f}{\partial x^2}=\frac{\partial^2 f}{\partial y^2}=\frac{\partial^2 f}{\partial z^2}=6,\frac{\partial^2 f}{\partial x\partial y}=\frac{\partial^2 f}{\partial y\partial z}=\frac{\partial^2 f}{\partial x\partial z}=-3,$$

$$\frac{\partial^3 f}{\partial x^3}=\frac{\partial^3 f}{\partial y^3}=\frac{\partial^3 f}{\partial z^3}=6,\frac{\partial^3 f}{\partial x\partial y\partial z}=-3,\frac{\partial^3 f}{\partial x^2\partial y}=\cdots=\frac{\partial^3 f}{\partial z^2\partial x}=0,$$

于是,$f(x,y,z)=f(1,1,1)+\sum_{i=1}^{3}\frac{1}{i!}\left[(x-1)\frac{\partial}{\partial x}+(y-1)\frac{\partial}{\partial y}+(z-1)\frac{\partial}{\partial z}\right]^i f(1,1,1)$

$=3[(x-1)^2+(y-1)^2+(z-1)^2-(x-1)(y-1)-(x-1)(z-1)-(y-1)(z-1)]+(x-1)^3+(y-1)^3+(z-1)^3-3(x-1)(y-1)(z-1).$

【3583】 当自变量的值从 $x=1,y=-1$ 变到 $x_1=1+h,y_1=-1+k$ 时,求函数 $f(x,y)=x^2y+xy^2-2xy$ 的增量.

解 记 $A(1,-1)$ 及 $P(1+h,-1+k)$,则

$\left.\frac{\partial f}{\partial x}\right|_A=(2xy+y^2-2y)\mid_A=1,\left.\frac{\partial f}{\partial y}\right|_A=(x^2+2xy-2x)\mid_A=-3;$

$\left.\frac{\partial^2 f}{\partial x^2}\right|_A=2y\mid_A=-2,\left.\frac{\partial^2 f}{\partial y^2}\right|_A=2x\mid_A=2,\left.\frac{\partial^2 f}{\partial x\partial y}\right|_A=(2x+2y-2)\mid_A=-2;$

$\left.\frac{\partial^3 f}{\partial x^3}\right|_A=\left.\frac{\partial^3 f}{\partial y^3}\right|_A=0,\left.\frac{\partial^3 f}{\partial x^2\partial y}\right|_A=\left.\frac{\partial^3 f}{\partial x\partial y^2}\right|_A=2;$

所有四阶偏导数均为零,因此 $R_3(x,y)=0$. 于是,按泰勒公式可得

$$\Delta f=f(P)-f(A)=\sum_{i=1}^{3}\frac{1}{i!}\left(h\frac{\partial}{\partial x}+k\frac{\partial}{\partial y}\right)^i f(A)=(h-3k)+(-h^2-2hk+k^2)+hk(h+k).$$

【3584】 设 $f(x,y,z)=Ax^2+By^2+Cz^2+2Dxy+2Exz+2Fyz$,按数 h,k 和 l 的正整数次幂展开 $f(x+h,y+k,z+l)$.

解 $\frac{\partial f}{\partial x}=2(Ax+Dy+Ez),\frac{\partial^2 f}{\partial x^2}=2A,\frac{\partial^2 f}{\partial x\partial y}=2D,\frac{\partial f}{\partial y}=2(By+Dx+Fz),\frac{\partial^2 f}{\partial y^2}=2B,$

$\frac{\partial^2 f}{\partial y\partial z}=2F,\frac{\partial f}{\partial z}=2(Cz+Ex+Fy),\frac{\partial^2 f}{\partial z^2}=2C,\frac{\partial^2 f}{\partial z\partial x}=2E.$

所有三阶偏导数均为零,因此 $R_2(x,y)=0$. 于是,按泰勒公式可得

$$f(x+h,y+k,z+l)=f(x,y,z)+\sum_{i=1}^{2}\frac{1}{i!}\left(h\frac{\partial}{\partial x}+k\frac{\partial}{\partial y}+l\frac{\partial}{\partial z}\right)^i f(x,y,z)$$

$=f(x,y,z)+2[h(Ax+Dy+Ez)+k(By+Dx+Fz)+l(Cz+Ex+Fy)]+(Ah^2+Bk^2+Cl^2+2Dhk+2Ehl+2Fkl)$

$=f(x,y,z)+2[h(Ax+Dy+Ez)+k(Dx+By+Fz)+l(Ex+Fy+Cz)]+f(h,k,l).$

【3585】 写出 $f(x,y)=x^y$ 在点 $A(1,1)$ 的邻域内的泰勒展开式,到二次项为止.

解 $\frac{\partial f}{\partial x}=yx^{y-1},\frac{\partial f}{\partial y}=x^y\ln x,$

$\frac{\partial^2 f}{\partial x^2}=y(y-1)x^{y-2},\frac{\partial^2 f}{\partial x\partial y}=x^{y-1}+yx^{y-1}\ln x,\frac{\partial^2 f}{\partial y^2}=x^y\ln^2 x,\frac{\partial^3 f}{\partial x^3}=y(y-1)(y-2)x^{y-3},$

$$\frac{\partial^3 f}{\partial y^3}=x^y\ln^3 x,\frac{\partial^3 f}{\partial x^2\partial y}=(2y-1)x^{y-2}+y(y-1)x^{y-2}\ln x,\frac{\partial^3 f}{\partial x\partial y^2}=yx^{y-1}\ln^2 x+2x^{y-1}\ln x.$$

于是，按泰勒公式在点(1,1)附近展开到二次项，得

$$x^y=1+(x-1)+(x-1)(y-1)+R_2[1+\theta(x-1),1+\theta(y-1)]\quad 0<\theta<1,$$

其中余项

$$\begin{aligned}R_2(x,y)&=\frac{1}{3!}\{y(y-1)(y-2)x^{y-3}\mathrm{d}x^3+3[(2y-1)x^{y-2}+y(y-1)x^{y-2}\ln x]\mathrm{d}x^2\mathrm{d}y+\\&\quad 3(yx^{y-1}\ln^2 x+2x^{y-1}\ln x)\mathrm{d}x\mathrm{d}y^2+x^y\ln^3 x\mathrm{d}y^3\}\\&=\frac{1}{6}x^y\left[\left(\frac{y}{x}\mathrm{d}x+\ln x\mathrm{d}y\right)^3+3\left(\frac{y}{x}\mathrm{d}x+\ln x\mathrm{d}y\right)\left(-\frac{y}{x^2}\mathrm{d}x^2+\frac{2}{x}\mathrm{d}x\mathrm{d}y\right)+\right.\\&\quad\left.\left(\frac{2y}{x^3}\mathrm{d}x^3-\frac{3}{x^2}\mathrm{d}x^2\mathrm{d}y\right)\right],\end{aligned}$$

$$\mathrm{d}x=x-1,\mathrm{d}y=y-1.$$

【3586】 根据麦克劳林公式展开函数 $f(x,y)=\sqrt{1-x^2-y^2}$，到四次项为止.

解 由于

$$\begin{aligned}(1+x)^{\frac{1}{2}}&=1+\frac{1}{2}x+\frac{\left(\frac{1}{2}\right)\left(\frac{1}{2}-1\right)}{2!}x^2+\frac{\left(\frac{1}{2}\right)\left(\frac{1}{2}-1\right)\left(\frac{1}{2}-2\right)}{3!}x^3+\cdots\\&\approx 1+\frac{1}{2}x-\frac{1}{8}x^2+\frac{1}{16}x^3,\end{aligned}$$

故得 $f(x,y)=\sqrt{1-x^2-y^2}=[1+(-x^2-y^2)]^{\frac{1}{2}}\approx 1-\frac{1}{2}(x^2+y^2)-\frac{1}{8}(x^2+y^2)^2$.

【3587】 若 $|x|$ 和 $|y|$ 同 1 比较为很小的量，对于下列表达式推出精确到二次项的近似公式：

(1) $\frac{\cos x}{\cos y}$； (2) $\arctan\frac{1+x+y}{1-x+y}$.

解 (1) $\frac{\cos x}{\cos y}=\cos x(1-\sin^2 y)^{-\frac{1}{2}}=\left(1-\frac{x^2}{2}+\cdots\right)\left(1+\frac{1}{2}\sin^2 y+\cdots\right)$

$$\approx\left(1-\frac{x^2}{2}\right)\left(1+\frac{1}{2}\sin^2 y\right)\approx\left(1-\frac{x^2}{2}\right)\left(1+\frac{1}{2}y^2\right)\approx 1-\frac{1}{2}(x^2-y^2).$$

(2) $$\arctan\frac{1+x+y}{1-x+y}=\arctan\frac{1+\frac{x}{1+y}}{1-\frac{x}{1+y}}=\frac{\pi}{4}+\arctan\frac{x}{1+y}=\frac{\pi}{4}+\left(\frac{x}{1+y}\right)-\frac{1}{3}\left(\frac{x}{1+y}\right)^3+\cdots$$

$$\approx\frac{\pi}{4}+x(1-y+y^2)\approx\frac{\pi}{4}+x-xy.$$

【3588】 假定 $|x|,|y|,|z|$ 是很小的量，简化表达式

$$\cos(x+y+z)-\cos x\cos y\cos z.$$

解 简化上式到二次项，有

$$\begin{aligned}\cos(x+y+z)-\cos x\cos y\cos z&\approx 1-\frac{1}{2}(x+y+z)^2-\left(1-\frac{1}{2}x^2\right)\left(1-\frac{1}{2}y^2\right)\left(1-\frac{1}{2}z^2\right)\\&\approx 1-\frac{1}{2}(x^2+y^2+z^2)-(xy+yz+zx)-\\&\quad\left(1-\frac{1}{2}x^2-\frac{1}{2}y^2-\frac{1}{2}z^2\right)\\&=-(xy+yz+zx).\end{aligned}$$

【3589】 按 h 的幂次展开函数

$$F(x,y)=\frac{1}{4}[f(x+h,y)+f(x,y+h)+f(x-h,y)+f(x,y-h)]-f(x,y),$$

精确到 h^4.

解 记 $\frac{\partial f(x,y)}{\partial x}=\frac{\partial f}{\partial x}$ 及 $\frac{\partial f(x,y)}{\partial y}=\frac{\partial f}{\partial y}$,…,其余类似,即得

$$F(x,y)=\frac{1}{4}\{[f(x+h,y)-f(x,y)+[f(x,y+h)-f(x,y)]+[f(x-h,y)-f(x,y)]+[f(x,y-h)-f(x,y)]\}$$

$$\approx\frac{1}{4}\left[\left(h\frac{\partial f}{\partial x}+\frac{1}{2}h^2\frac{\partial^2 f}{\partial x^2}+\frac{1}{6}h^3\frac{\partial^3 f}{\partial x^3}+\frac{1}{24}h^4\frac{\partial^4 f}{\partial x^4}\right)+\left(h\frac{\partial f}{\partial y}+\frac{1}{2}h^2\frac{\partial^2 f}{\partial y^2}+\frac{1}{6}h^3\frac{\partial^3 f}{\partial y^3}+\frac{1}{24}h^4\frac{\partial^4 f}{\partial y^4}\right)+\left(-h\frac{\partial f}{\partial x}+\frac{1}{2}h^2\frac{\partial^2 f}{\partial x^2}-\frac{1}{6}h^3\frac{\partial^3 f}{\partial x^3}+\frac{1}{24}h^4\frac{\partial^4 f}{\partial x^4}\right)+\left(-h\frac{\partial f}{\partial y}+\frac{1}{2}h^2\frac{\partial^2 f}{\partial y^2}-\frac{1}{6}h^3\frac{\partial^3 f}{\partial y^3}+\frac{1}{24}h^4\frac{\partial^4 f}{\partial y^4}\right)\right]$$

$$=\frac{h^2}{4}\left(\frac{\partial^2 f}{\partial x^2}+\frac{\partial^2 f}{\partial y^2}\right)+\frac{h^4}{48}\left(\frac{\partial^4 f}{\partial x^4}+\frac{\partial^4 f}{\partial y^4}\right).$$

【3590】 已知中心在点 $P(x,y)$、半径为 ρ 的圆周,设 $f(P)=f(x,y)$ 及 $P_i(x_i,y_i)$ $(i=1,2,3)$ 为已知圆周的内接正三角形的顶点,并且 $x_1=x+\rho,y_1=y$. 按 ρ 的正整数次幂展开 $F(\rho)=\frac{1}{3}[f(P_1)+f(P_2)+f(P_3)]$,精确到 ρ^2.

解 如图 6.34 所示. $\Delta P_1P_2P_3$ 的三个顶点分别为

$$P_1(x+\rho,y),P_2\left(x-\frac{\rho}{2},y+\frac{\sqrt{3}}{2}\rho\right),P_3\left(x-\frac{\rho}{2},y-\frac{\sqrt{3}}{2}\rho\right).$$

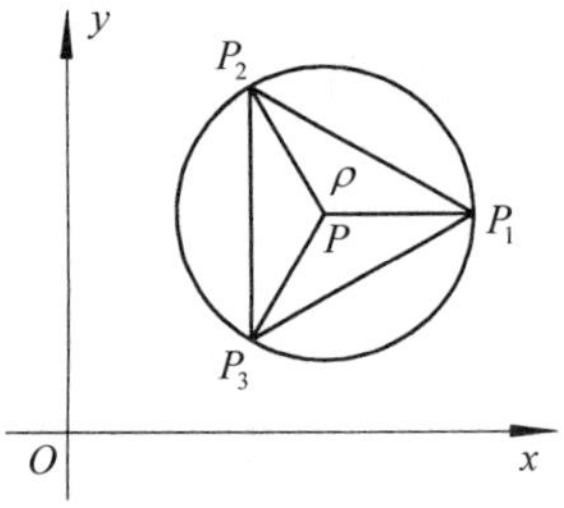

图 6.34

于是

$$F(\rho)=\frac{1}{3}[f(P_1)+f(P_2)+f(P_3)]$$

$$\approx\frac{1}{3}\left\{\left[f(P)+\rho\frac{\partial f}{\partial x}+\frac{\rho^2}{2}\frac{\partial^2 f}{\partial x^2}\right]+\left[f(P)+\left(-\frac{\rho}{2}\right)\frac{\partial f}{\partial x}+\frac{\sqrt{3}}{2}\rho\frac{\partial f}{\partial y}+\frac{\rho^2}{8}\frac{\partial^2 f}{\partial x^2}+\frac{3\rho^2}{8}\frac{\partial^2 f}{\partial y^2}-\frac{\sqrt{3}\rho^2}{4}\frac{\partial^2 f}{\partial x\partial y}\right]+\left[f(P)+\left(-\frac{\rho}{2}\right)\frac{\partial f}{\partial x}+\left(-\frac{\sqrt{3}}{2}\right)\rho\frac{\partial f}{\partial y}+\frac{\rho^2}{8}\frac{\partial^2 f}{\partial x^2}+\frac{3\rho^2}{8}\frac{\partial^2 f}{\partial y^2}+\frac{\sqrt{3}\rho^2}{4}\frac{\partial^2 f}{\partial x\partial y}\right]\right\}$$

$$=f(P)+\frac{\rho^2}{4}\left(\frac{\partial^2 f}{\partial x^2}+\frac{\partial^2 f}{\partial y^2}\right).$$

【3591】 按 h 与 k 的幂次展开函数

$$\Delta_{xy}f(x,y)=f(x+h,y+k)-f(x+h,y)-f(x,y+k)+f(x,y).$$

解 $$\Delta_{xy}f(x,y)=\left[f(x,y)+h\frac{\partial f}{\partial x}+k\frac{\partial f}{\partial y}+\sum_{n=2}^{\infty}\sum_{m=0}^{n}\frac{h^mk^{n-m}}{m!(n-m)!}\frac{\partial^n f}{\partial x^m\partial y^{n-m}}\right]-\left[f(x,y)+\sum_{n=1}^{\infty}\frac{h^n}{n!}\frac{\partial^n f}{\partial x^n}\right]-\left[f(x,y)+\sum_{n=1}^{\infty}\frac{k^n}{n!}\frac{\partial^n f}{\partial y^n}\right]+f(x,y)$$

$$=\sum_{n=2}^{\infty}\sum_{m=1}^{n-1}\frac{h^mk^{n-m}}{m!(n-m)!}\frac{\partial^n f}{\partial x^{m}\partial y^{n-m}}=hk\left[\frac{\partial^2 f}{\partial x\partial y}+\sum_{n=3}^{\infty}\sum_{m=1}^{n-1}\frac{h^{m-1}k^{n-m-1}}{m!(n-m)!}\frac{\partial^n f}{\partial x^n\partial y^{n-m}}\right].$$

【3592】 按 ρ 的幂次展开函数 $F(\rho)=\dfrac{1}{2\pi}\int_0^{2\pi}f(x+\rho\cos\varphi,y+\rho\sin\varphi)\mathrm{d}\varphi$.

解 $F(\rho)=\dfrac{1}{2\pi}\int_0^{2\pi}\left[f(x,y)+\sum_{n=1}^{\infty}\sum_{m=0}^{n}\dfrac{\rho^n\cos^m\varphi\sin^{n-m}\varphi}{m!(n-m)!}\dfrac{\partial^n f(x,y)}{\partial x^m\partial y^{n-m}}\right]\mathrm{d}\varphi$

$$=f(x,y)+\sum_{n=1}^{\infty}\sum_{n=0}^{n}\frac{\rho^n}{m!(n-m)!}\frac{\partial^n f(x,y)}{\partial x^n\partial y^{n-m}}\cdot\frac{1}{2\pi}\int_0^{2\pi}\cos^m\varphi\sin^{n-m}\varphi\mathrm{d}\varphi.$$

下面计算上式中的积分.

$$\frac{1}{2\pi}\int_0^{2\pi}\cos^m\varphi\sin^{n-m}\varphi\mathrm{d}\varphi=\frac{1}{2\pi}\int_0^{\frac{\pi}{2}}\cos^m\varphi\sin^{n-m}\varphi\mathrm{d}\varphi+\frac{1}{2\pi}\int_0^{\frac{\pi}{2}}\cos^m(\pi-\varphi)\sin^{n-m}(\pi-\varphi)\mathrm{d}\varphi+$$

$$\frac{1}{2\pi}\int_0^{\frac{\pi}{2}}\cos^m(\pi+\varphi)\sin^{n-m}(\pi+\varphi)\mathrm{d}\varphi+\frac{1}{2\pi}\int_0^{\frac{\pi}{2}}\cos^m(2\pi-\varphi)\sin^{n-m}(2\pi-\varphi)\mathrm{d}\varphi$$

$$=\frac{1}{2\pi}[1+(-1)^m+(-1)^n+(-1)^{n-m}]\int_0^{\frac{\pi}{2}}\cos^m\varphi\sin^{n-m}\varphi\mathrm{d}\varphi.$$

当 m,n 中至少有一个为奇数时，显见上述积分为零.

当 m,n 均为偶数时，由 2290 题的结果知

$$\frac{1}{2\pi}\int_0^{2\pi}\cos^{2m}\varphi\sin^{2n-2m}\varphi\mathrm{d}\varphi=\frac{4}{2\pi}\int_0^{\frac{\pi}{2}}\cos^{2m}\varphi\sin^{2n-2m}\varphi\mathrm{d}\varphi$$

$$=\frac{2}{\pi}\frac{\pi(2m)!(2n-2m)!}{2^{2n+1}m!n!(n-m)!}=\frac{(2m)!(2n-2m)!}{2^{2n}m!n!(n-m)!}.$$

代入原式，并注意到其中的 m,n 只能为偶数，适当改变一下指标的编号，即得

$$F(\rho)=f(x,y)+\sum_{n=1}^{\infty}\sum_{m=0}^{n}\frac{\rho^{2n}}{(2m)!(2n-2m)!}\frac{\partial^{2n}f(x,y)}{\partial x^{2n}\partial y^{2n}-2m}\cdot\frac{(2m)!(2n-2m)}{2^{2n}m!n!(n-m)!}$$

$$=f(x,y)\sum_{n=1}^{\infty}\frac{1}{(n!)^2}\left(\frac{\rho}{2}\right)^{2n}\sum_{m-0}^{n}\frac{n!}{m!(n-m)!}\frac{\partial^{2n}f(x,y)}{\partial x^{2m}\partial y^{2n-2m}}$$

$$=f(x,y)+\sum_{n=1}^{\infty}\frac{1}{(n!)^2}\left(\frac{\rho}{2}\right)^{2n}\left(\frac{\partial^2}{\partial x^2}+\frac{\partial^2}{\partial y^2}\right)^n f(x,y).$$

【3593】 按二项式 $x-1$ 和 $y+1$ 的正整数次幂将函数 e^{x+y} 展开成幂级数.

解 $\mathrm{e}^{x+y}=\mathrm{e}^{(x-1)+(y+1)}=\mathrm{e}^{x-1}\mathrm{e}^{y+1}=\sum_{m=0}^{\infty}\sum_{n=0}^{\infty}\dfrac{(x-1)^m(y+1)^n}{m!n!}$ $(|x|<+\infty,|y|<+\infty)$.

【3594】 写出函数 $f(x,y)=\dfrac{x}{y}$ 在点 $M(1,1)$ 的邻域内的泰勒级数展开式.

解 令 $x=1+h,y=1+k$，则得

$$\frac{x}{y}=\frac{1+h}{1+k}=(1+h)\sum_{n=0}^{\infty}(-1)^nk^n=\sum_{n=0}^{\infty}(-1)^n[1+(x-1)](y-1)^n\quad(|x|<+\infty,0<y<2).$$

【3595】 设 z 为由方程 $z^3-2xz+y=0$ 定义的 x 和 y 的隐函数，且当 $x=1$ 和 $y=1$ 时 $z=1$. 写出函数 z 按二项式 $x-1$ 和 $y-1$ 的升幂排列的展开式中的若干项.

解 对原方程微分一次，得

$$3z^2\mathrm{d}z-2x\mathrm{d}z-2z\mathrm{d}x+\mathrm{d}y=0. \quad ①$$

再微分一次，得

$$(3z^2-2x)\mathrm{d}^2z+6z\mathrm{d}z^2-4\mathrm{d}x\mathrm{d}z=0. \quad ②$$

以 $x=1,y=1,z=1$ 代入 ①，② 两式，得

$\mathrm{d}z=2\mathrm{d}x-\mathrm{d}y$，

$\mathrm{d}^2z=(4\mathrm{d}x-6\mathrm{d}z)\mathrm{d}z=(4\mathrm{d}x-12\mathrm{d}x+6\mathrm{d}y)(2\mathrm{d}x-\mathrm{d}y)=-16\mathrm{d}x^2+20\mathrm{d}x\mathrm{d}y-6\mathrm{d}y^2$，

$\vdots$

于是，可求得在 $x=1,y=1$ 处，

$$\frac{\partial z}{\partial x}=2,\frac{\partial z}{\partial y}=-1;\frac{\partial^2 z}{\partial x^2}=-16,\frac{\partial^2 z}{\partial x\partial y}=10,\frac{\partial^2 z}{\partial y^2}=-6;$$

$$\vdots$$

从而，有 $z=1+2(x-1)-(y-1)-[8(x-1)^2-10(x-1)(y-1)+3(y-1)^2]+\cdots$.

【将下列函数展开成麦克劳林级数(3596—3603)】

【3596】 $f(x,y)=(1+x)^m(1+y)^n$.

解 $f(x,y)=(1+x)^m(1+y)^n=\left[1+mx+\frac{m(m-1)}{2!}x^2+\cdots\right]\left[1+ny+\frac{n(n-1)}{2!}y^2+\cdots\right]$

$$=1+(mx+ny)+\frac{1}{2!}[m(m-1)x^2+2mnxy+n(n-1)y^2]+\cdots(|x|<1,|y|<1).$$

【3597】 $f(x,y)=\ln(1+x+y)$.

解 $f(x,y)=\ln[1+(x+y)]=\sum_{k=1}^{\infty}\frac{(-1)^{k-1}}{k}(x+y)^k=\sum_{k=1}^{\infty}\left[\sum_{m=0}^{k}\frac{(-1)^{k-1}}{k}\frac{k!}{m!(k-m)!}x^my^{k-m}\right]$

$$=\sum_{k=1}^{\infty}\sum_{m=0}^{k}\frac{(-1)^{k-1}(k-1)!}{m!(k-m)!}x^my^{k-m} \quad ①$$

$$=\sum_{m=0}^{\infty}\sum_{n=0}^{\infty}\frac{(-1)^{n+m-1}(m+n-1)!}{m!n!}x^my^n. \quad ②$$

当 $m=0,n=0$ 时，分子出现 $(-1)!$，规定该项为零. 下面讨论收敛区间. ① 式成立，只要求 $|x+y|<1$ 即可. 但从 ① 式到 ② 式，必须要求 ① 式绝对收敛，才能将各项重新排列. 不难看出 ① 式级数各项取绝对值后即函数 $-\ln[1-(|x|+|y|)]$ 的展开式，其收敛要求 $|x|+|y|<1$. 这就是 $f(x,y)$ 的展开式的收敛域.

【3598】 $f(x,y)=e^x\sin y$.

解 $f(x,y)=\left[\sum_{m=0}^{\infty}\frac{x^m}{m!}\right]\left[\sum_{n=0}^{\infty}(-1)^n\frac{y^{2n+1}}{(2n+1)!}\right]$

$$=\sum_{m=0}^{\infty}\sum_{n=0}^{\infty}(-1)^n\frac{x^my^{2n+1}}{m!(2n+1)!}(|x|<+\infty,|y|<+\infty).$$

【3599】 $f(x,y)=e^x\cos y$.

解 $f(x,y)=\left[\sum_{m=0}^{\infty}\frac{x^m}{m!}\right]\left[\sum_{n=0}^{\infty}(-1)^n\frac{y^{2n}}{(2n)!}\right]=\sum_{m=0}^{\infty}\sum_{n=0}^{\infty}(-1)^n\frac{x^my^{2n}}{m!(2n)!}(|x|<+\infty,|y|<+\infty)$.

【3600】 $f(x,y)=\sin x\operatorname{sh} y$.

解 $\operatorname{sh} y=\frac{e^y-e^{-y}}{2}=\frac{1}{2}\left[\sum_{n=0}^{\infty}\frac{y^n}{n!}-\sum_{n=0}^{\infty}(-1)^n\frac{y^n}{n!}\right]=\sum_{n=0}^{\infty}\frac{y^{2n+1}}{(2n+1)!}\quad(|y|<+\infty)$.

于是，$f(x,y)=\left[\sum_{m=0}^{\infty}(-1)^m\frac{x^{2m+1}}{(2m+1)!}\right]\left[\sum_{n=0}^{\infty}\frac{y^{2n+1}}{(2n+1)!}\right]=\sum_{m=0}^{\infty}\sum_{n=0}^{\infty}(-1)^m\frac{x^{2m+1}y^{2n+1}}{(2m+1)!(2n+1)!}$

$(|x|<+\infty,|y|<+\infty)$.

【3601】 $f(x,y)=\cos x\operatorname{ch} y$.

解 $\operatorname{ch} y=\frac{e^y+e^{-y}}{2}=\sum_{n=0}^{\infty}\frac{y^{2n}}{(2n)!}\quad(|y|<+\infty)$. 于是

$$f(x,y)=\left[\sum_{m=0}^{\infty}(-1)^m\frac{x^{2m}}{(2m)!}\right]\left[\sum_{n=0}^{\infty}\frac{y^{2n}}{(2n)!}\right]=\sum_{m=0}^{\infty}\sum_{n=0}^{\infty}(-1)^m\frac{x^{2m}y^{2n}}{(2m)!(2n)!}(|x|<+\infty,|y|<+\infty).$$

【3602】 $f(x,y)=\sin(x^2+y^2)$.

解 $f(x,y)=\sum_{n=0}^{\infty}(-1)^n\frac{(x^2+y^2)^{2n+1}}{(2n+1)!}=\sum_{n=0}^{\infty}\sum_{k=0}^{2n+1}(-1)^n\frac{x^{2k}y^{2(2n+1-k)}}{k!(2n+1-k)!}$

$$=\sum_{m,n=0}^{\infty}\left(\sin\frac{n+m}{2}\pi\right)\frac{x^{2n}y^{2m}}{m!n!}\quad(x^2+y^2<+\infty).$$

【3603】 $f(x,y)=\ln(1+x)\ln(1+y)$.

解 $f(x,y)=\left[\sum_{m=1}^{\infty}(-1)^{m-1}\frac{x^n}{m}\right]\left[\sum_{n=1}^{\infty}(-1)^{n-1}\frac{y^n}{n}\right]=\sum_{m=1}^{\infty}\sum_{n=1}^{\infty}(-1)^{m+n}\frac{x^m y^n}{mn}(|x|<1,|y|<1).$

【3604】 写出函数 $f(x,y)=\int_0^1(1+x)^{t^2 y}\mathrm{d}t$ 的麦克劳林级数前面不为零的三项.

解 $(1+x)^{t^2 y}=\mathrm{e}^{t^2 y\ln(1+x)}\approx 1+t^2 y\ln(1+x)+\frac{1}{2!}[t^2 y\ln(1+x)]^2\approx 1+t^2 y\left(x-\frac{x^2}{2}\right)$

$$=1+t^2 xy-\frac{t^2}{2}x^2 y.$$

于是，$f(x,y)\approx\int_0^1\left(1+t^2 xy-\frac{t^2}{2}x^2 y\right)\mathrm{d}t=1+\frac{1}{3}y\left(x-\frac{x^2}{2}\right).$

知识点2 平面曲线的奇点

1. 奇点的定义 若可微曲线 $F(x,y)=0$ 上的点 $M_0(x_0,y_0)$ 满足下列条件：

$$F(x_0,y_0)=0,F'_x(x_0,y_0)=0,F'_y(x_0,y_0)=0,$$

则称此点为奇点.

2. 奇点的种类 设 $M_0(x_0,y_0)$ 是属于光滑曲线类 $\mathbf{C}^2$ 的曲线的奇点，且数

$$A=F''_{xx}(x_0,y_0),B=F''_{xy}(x_0,y_0),C=F''_{yy}(x_0,y_0)$$

不全为零. 于是，若

(1) $AC-B^2>0$，则 M_0 是孤立点；

(2) $AC-B^2<0$，则 M_0 是二重点（节点）；

(3) $AC-B^2=0$，则 M_0 是尖点或孤立点.

在 $A=B=C=0$ 的情形，奇点的种类可能更复杂.

至于不属于光滑曲线类 $\mathbf{C}^2$ 的曲线，奇点还可能有更复杂的本质：中断点，角点等等.

习题3605—3620 平面曲线的奇点

【研究下列曲线奇点的种类并大略地画出这些曲线(3605—3611)】

【3605】 $y^2=ax^2+x^3$.

提示 点(0,0)为奇点，分别就 $a>0,a<0$ 及 $a=0$ 三种情况加以讨论.

解 解方程组

$$\begin{cases}F(x,y)=ax^2+x^3-y^2=0,\\F'_x(x,y)=2ax+3x^2=0,\\F'_y(x,y)=-2y=0\end{cases}$$

得 $x=0,y=0$，故点(0,0)为奇点.

其次，由于 $A=F''_{xx}(0,0)=2a,B=F''_{xy}(0,0)=0,C=F''_{yy}(0,0)=-2,AC-B^2=-4a,$

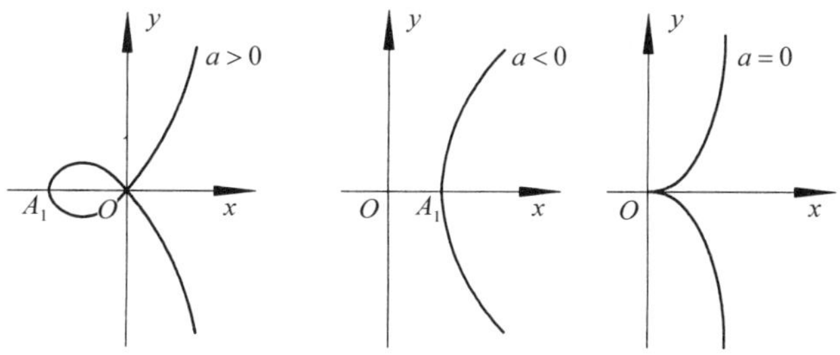

图 6.35

故当 $a>0$ 时，点$(0,0)$ 为二重点；当 $a<0$ 时，点$(0,0)$ 为孤立点；当 $a=0$ 时，原方程化为 $y^2=x^3$，由 3574 题(2) 的讨论知，点$(0,0)$ 为尖点. 如图 6.35 所示，点 A_1 为$(-a,0)$

【3606】 $x^3+y^3-3xy=0$.

解 解方程组

$$\begin{cases}F(x,y)=x^3+y^3-3xy=0,\\F'_x(x,y)=3x^2-3y=0,\\F'_y(x,y)=3y^2-3x=0\end{cases}$$

得 $x=0,y=0$，故点$(0,0)$ 为奇点.

又因 $A=F''_{xx}(0,0)=0,B=F''_{xy}(0,0)=-3,C=F''_{yy}(0,0)=0$，且 $AC-B^2=-9<0$，故点$(0,0)$ 为二重点. 图像参看 378 题(2).

【3607】 $x^2+y^2=x^4+y^4$.

解 解方程组

$$\begin{cases}F(x,y)=x^2+y^2-x^4-y^4=0,\\F'_x(x,y)=2x-4x^3=0,\\F'_y(x,y)=2y-4y^3=0\end{cases}$$

得 $x=0,y=0$，故点$(0,0)$ 为奇点.

又因 $A=F''_{xx}(0,0)=2,B=F''_{xy}(0,0)=0,C=F''_{yy}(0,0)=2$，且 $AC-B^2=4>0$，故点$(0,0)$ 为孤立点. 图像参看 1542 题.

【3608】 $x^2+y^4=x^6$.

解 解方程组

$$\begin{cases}F(x,y)=x^2+y^4-x^6=0,\\F'_x(x,y)=2x-6x^5=0,\\F'_y(x,y)=4y^3=0\end{cases}$$

得 $x=0,y=0$，故点$(0,0)$ 为奇点.

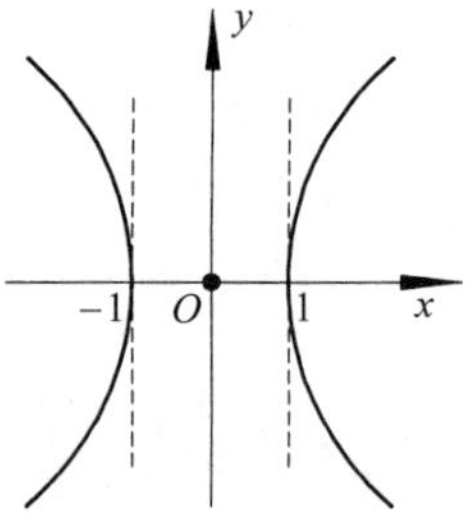

图 6.36

又因 $A=F''_{xx}(0,0)=2,B=F''_{xy}(0,0)=0,C=F''_{yy}(0,0)=0$，且 $AC-B^2=0$，故点$(0,0)$ 为上升点或孤立点. 本题中，点$(0,0)$ 为孤立点(图 6.36). 事实上，将原方程改写为 $y^4=x^6-x^2$，对$(0,0)$ 点的很小的邻域内的点($|x|<1$，$|y|<1$)，左端 $y^4\geqslant 0$，右端 $x^6-x^2=x^2(x^4-1)\leqslant 0$，除点$(0,0)$ 外没有适合方程的点，故点$(0,0)$ 为孤立点.

【3609】 $(x^2+y^2)^2=a^2(x^2-y^2)$.

解 解方程组

$$\begin{cases}F(x,y)=(x^2+y^2)^2-a^2(x^2-y^2)=0,\\F'_x(x,y)=4x(x^2+y^2)-2a^2x=0,\\F'_y(x,y)=4y(x^2+y^2)+2a^2y=0\end{cases}$$

得 $x=0,y=0$，故点$(0,0)$ 为奇点.

又因 $A=F''_{xx}(0,0)=-2a^2,B=F''_{xy}(0,0)=0,C=F''_{yy}(0,0)=2a^2$，且 $AC-B^2=-4a^4<0(a\neq 0)$，故点$(0,0)$ 为二重点. 图像参看 3378 题，讨论参考 3367 题，只需将该题中的 1 换成 a.

【3610】 $(y-x^2)^2=x^5$.

解 解方程组

$$\begin{cases}F(x,y)=(y-x^2)^2-x^5=0,\\F'_x(x,y)=-4x(y-x^2)-5x^4=0,\\F'_y(x,y)=2(y-x^2)=0\end{cases}$$

得 $x=0, y=0$，故点 $(0,0)$ 为奇点.

又 $A=F''_{xx}(0,0)=0, B=F''_{xy}(0,0)=0, C=F''_{yy}(0,0)=2$，且 $AC-B^2=0$，故对点 $(0,0)$ 还需要再讨论一下. 由原方程可解出 $y=x^2\pm x^{\frac{5}{2}}$，右边只允许 $x\geqslant 0$，当 $0<x<1$ 时不论取“+”号还是“−”号均有 $y>0$，且均有 $\lim\limits_{x\to+0}\dfrac{\mathrm{d}y}{\mathrm{d}x}=0$，故点 $(0,0)$ 为尖点. 如图 6.37 所示.

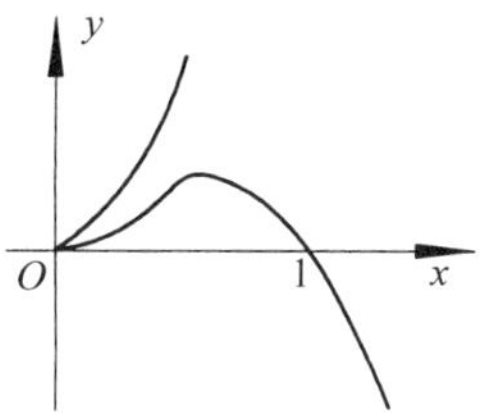

图 6.37

【3611】 $(a+x)y^2=(a-x)x^2$.

解　解方程组

$$\begin{cases}F(x,y)=(a+x)y^2-(a-x)x^2=0, & ①\\ F'_x(x,y)=y^2-2ax+3ax^2=0, & ②\\ F'_y(x,y)=2(a+x)y=0, & ③\end{cases}$$

由方程 ③ 得 $x=-a$ 或 $y=0$.

将 $y=0$ 代入方程 ①,②，得 $x=0$.

将 $x=-a$ 代入方程 ① 式，得 $(a-x)x^2=0$. 若 $a\neq 0$，则得出矛盾的结果. 若 $a=0$，则也得到 $x=0$，$y=0$，故点 $(0,0)$ 为奇点.

又因 $A=F''_{xx}(0,0)=-2a, B=F''_{xy}(0,0)=0, C=F''_{yy}(0,0)=2a$，且 $AC-B^2=-4a^2$，故当 $a\neq 0$ 时，点 $(0,0)$ 为二重点；当 $a=0$ 时，方程转化为 $xy^2=-x^3$，从而，曲线为 $x=0$，点 $(0,0)$ 为尖点.

如图 6.38 所示，图中点 A_1 为 $(a,0)$.

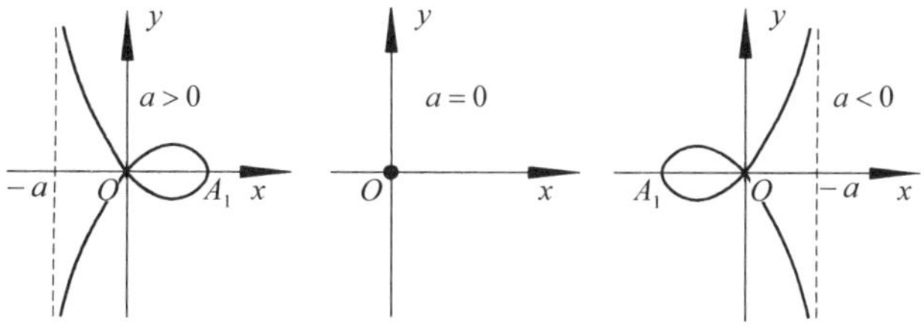

图 6.38

【3612】　研究参变量 $a,b,c\,(a\leqslant b\leqslant c)$ 的值与曲线 $y^2=(x-a)(x-b)(x-c)$ 的形状的关系.

解　解方程组

$$\begin{cases}F(x,y)=y^2-(x-a)(x-b)(x-c)=0, & ①\\ F'_x(x,y)=-(x-a)(x-b)-(x-a)(x-c)-(x-b)(x-c)=0, & ②\\ F'_y(x,y)=2y=0. & ③\end{cases}$$

由方程 ③ 得 $y=0$，代入方程 ①，联立方程 ①,② 求解.

当 $a<b<c$ 时，方程 ①,② 无解. 因此无奇点，此时曲线如图 6.39(1) 所示；

当 $a=b<c$ 时，显然方程 ①② 有解 $x=a, y=0$，因 $A=F''_{xx}(a,0)=-2(a-c), B=F''_{xy}(a,0)=0$，$C=F''_{yy}(a,0)=2$，且 $AC-B^2=-4(a-c)>0$，故点 $A_1(a,0)$ 为孤立点，如图 6.39(2) 所示；

当 $a<b=c$ 时，显然方程 ①② 有解 $x=b, y=0$，因 $A=F''_{xx}(b,0)=-2(c-a), B=F''_{xy}(b,0)=0, C=F''_{yy}(b,0)=2$，且 $AC-B^2=-4(c-a)<0$，故点 $A_2(b,0)$ 为二重点，如图 6.39(3) 所示；

当 $a=b=c$ 时，显然有解 $x=a, y=0$. 因 $AC-B^2=0$，此时原方程为 $y^2=(x-a)^3$，且由 3574 题(2) 的结果知，点 $A_1(a,0)$ 为尖点，如图 6.39(4) 所示.

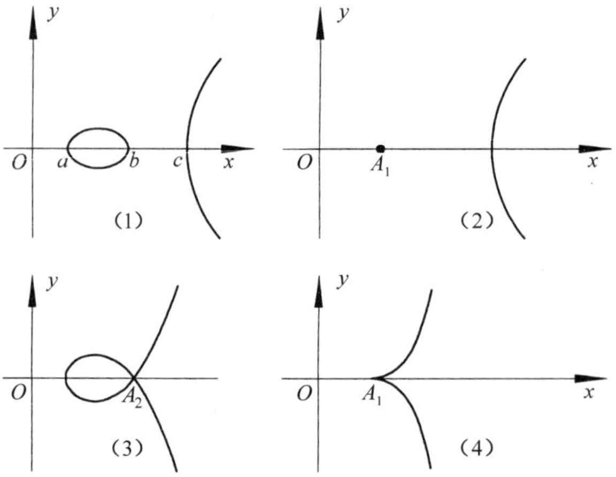

图 6.39

【研究下列超越曲线的奇点(3613—3620)】

【3613】 $y^2=1-e^{-x^2}$.

解 解方程组

$$\begin{cases}F(x,y)=y^2-1+e^{-x^2}=0,\\ F'_x(x,y)=-2xe^{-x^2}=0,\\ F'_y(x,y)=2y=0\end{cases}$$

得 $x=0,y=0$,故点$(0,0)$为奇点.

$A=F''_{xx}(0,0)=-2,B=F''_{xy}(0,0)=0,C=F''_{yy}(0,0)=2,AC-B^2=-4<0$,故点$(0,0)$为二重点.

【3614】 $y^2=1-e^{-x^3}$.

解 解方程组

$$\begin{cases}F(x,y)=y^2-1+e^{-x^3}=0,\\ F'_x(x,y)=-3x^2e^{-x^3}=0,\\ F'_y(x,y)=2y=0\end{cases}$$

得 $x=0,y=0$,故点$(0,0)$为奇点.

又 $A=F''_{xx}(0,0)=0,B=F''_{xy}(0,0)=0,C=F''_{yy}(0,0)=2$,且 $AC-B^2=0$,故对点$(0,0)$还需再讨论一下.原式可解为 $x=-\sqrt[3]{\ln(1-y^2)}>0$,在$(0,0)$附近,第一及第四象限各有原曲线的一支,因此,点$(0,0)$为尖点.

【3615】 $y=x\ln x$.

解 $F(x,y)=x\ln x-y,F'_x(x,y)=1+\ln x,F_y{}'(x,y)=-1\neq 0$,故无奇点.如图 6.40 所示.

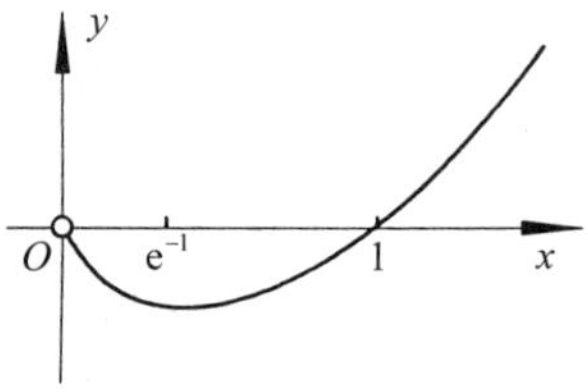

图 6.40

【3616】 $y=\dfrac{x}{1+e^{\frac{1}{x}}}$.

提示　注意点(0,0)为角点.

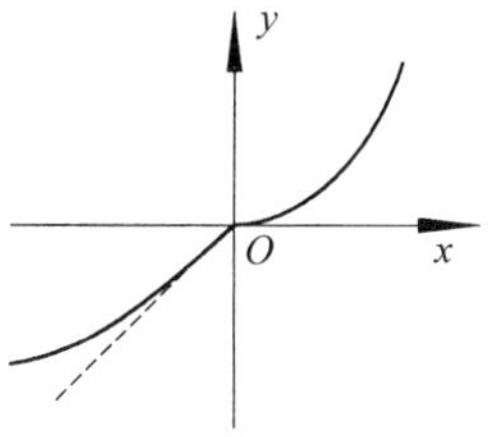

图 6.41

解　在 $x=0$ 处,由于 $\lim\limits_{x\to0^+}y=\lim\limits_{x\to0^-}y=0$,故 $x=0$ 为可去间断点,补充函数在该点的值为零后,即得知函数

$$y=\begin{cases}\dfrac{x}{1+e^{\frac{1}{x}}}, & x\neq0,\\ 0, & x=0,\end{cases}$$

其在点 $x=0$ 连续.由于 $F'_y(x,y)=1\neq0$,故无奇点.当 $x\neq0$ 时,由于

$$y'=\frac{(1+\frac{1}{x})e^{\frac{1}{x}}+1}{(1+e^{\frac{1}{x}})^2},$$

$$\lim_{x\to0^+}y'=\lim_{z\to+\infty}\frac{(1+z)e^z+1}{(1+e^z)^2}=\lim_{z\to+\infty}\frac{e^z(z+2)}{2e^z(1+e^z)}=\lim_{z\to+\infty}\frac{z+2}{2(1+e^z)}=0,$$

$$\lim_{x\to0^-}y'=\lim_{z\to+\infty}\frac{(1-z)e^{-z}+1}{(1+e^{-z})^2}=1,$$

故点(0,0)为角点.如图 6.41 所示.

【3617】　$y=\arctan\left(\dfrac{1}{\sin x}\right)$.

解　$x=k\pi(k=0,\pm1,\pm2,\cdots)$ 点为不连续点.由于 $\lim\limits_{y\to(k\pi)^+}y=(-1)^k\dfrac{\pi}{2}$,$\lim\limits_{y\to(k\pi)^-}y=(-1)^{k+1}\dfrac{\pi}{2}$,故点 $x=k\pi$ 为函数的第一类间断点.

【3618】　$y^2=\sin\dfrac{\pi}{x}$.

解　$y=\pm\sqrt{\sin\dfrac{\pi}{x}}$,它在 $\left(\dfrac{1}{2k},\dfrac{1}{2k-1}\right)(k=\pm1,\pm2,\cdots)$ 内无定义.在边界点 $x=\dfrac{1}{2k}$ 及 $x=\dfrac{1}{2k-1}$,$y=0$.函数图像有上下两支.设 $F(x,y)=y^2-\sin\dfrac{\pi}{x}$,则在边界点,由于 $F'_x\neq0$,$F'_y=0$,故也无奇点.在点(0,0)的任何邻域内,有无穷多个曲线的封闭分支,这些分支没有一个过(0,0)点,它不属于任何一种类型,但它是函数的第二类间断点.

【3619】　$y^2=\sin x^2$.

解　解方程组 $\begin{cases}F(x,y)=y^2-\sin x^2=0,\\ F'_x(x,y)=-2x\cos x^2=0,\\ F'_y(x,y)=2y=0,\end{cases}$ 得 $x=0$,$y=0$,故点(0,0)为奇点.又因

$$A=F''_{xx}(0,0)=-2,B=F''_{xy}(0,0)=0,C=F''_{yy}(0,0)=2,\text{且}AC-B^2=-4<0,$$

故点(0,0)为二重点.

【3620】　$y^2=\sin^3x$.

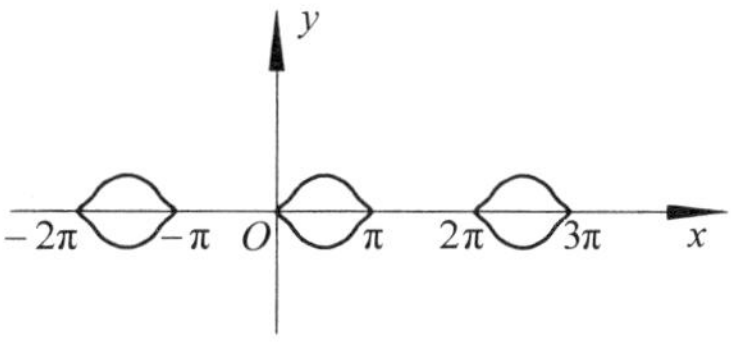

图 6.42

解　显见,函数 y 的周期为 2π,在 $(2k\pi,(2k+1)\pi)$ 内有定义,而在 $((2k-1)\pi,2k\pi)(k=0,\pm1,\pm2,\cdots)$ 内无定义.解方程组

$$\begin{cases}F(x,y)=y^2-\sin^3x=0,\\ F'_x(x,y)=-3\sin^2x\cos x=0,\\ F'_y(x,y)=2y=0,\end{cases}$$

得 $x=0$,$y=0$,故点(0,0)为奇点.

在点(0,0)的左侧(指充分小的范围,下同,不再说明)无曲线的点,而在右侧的第一、第四象限分别有曲线的两支,因此,点(0,0)为尖点,如图 6.42 所示.

由周期性可知,点 $(k\pi,0)(k\pm1,\pm2,\cdots)$ 也为尖点.只是当 k 是偶数时,右侧才有曲线的两支;当 k 是奇数时,左侧才有曲线的两支.

第7节 多元函数的极值(习题3621—3710)

知识点预览

序号	知识点	题目序号	所在页码
1	多元函数的极值	3621—3653	P150
2	条件极值	3654—3671	P162
3	条件极值的应用	3672—3710	P171

知识点1 多元函数的极值

1. 极值的定义 若函数 $f(P)=f(x_1,\cdots,x_n)$ 在点 P_0 的邻域内有定义,并且当 $0<\rho(P_0,P)<\delta$ 时,$f(P_0)>f(P)$ 或 $f(P_0)<f(P)$,则函数 $f(P)$ 在点 P_0 有极值(相应地为极大值或极小值).

注 若将 $f(P_0)>f(P)$[或 $f(P_0)<f(P)$] 换为 $f(P_0)\geqslant f(P)$[或 $f(P_0)\leqslant f(P)$],则称在点 P_0 处有弱极大值(或弱极小值).

2. 极值的必要条件 可微函数 $f(P)$ 仅在临界点(驻点)P_0,即 $\mathrm{d}f(P)=0$ 的点能达到极值. 所以,函数 $f(P)$ 的极值点应当满足方程组 $f'_{x_i}(x_1,\cdots,x_n)=0(i=1,\cdots,n)$.

3. 极值的充分条件 函数 $f(P)$ 在点 P_0 有:

(1) 极大值,若 $\mathrm{d}f(P_0)=0$,且当 $\sum\limits_{i=1}^{n}|\mathrm{d}x|\neq 0$ 时 $\mathrm{d}^2f(P_0)<0$;

(2) 极小值,若 $\mathrm{d}f(P_0)=0$,且当 $\sum\limits_{i=1}^{n}|\mathrm{d}x|\neq 0$ 时 $\mathrm{d}^2f(P_0)>0$.

研究二阶微分 $\mathrm{d}^2f(P_0)$ 的符号,可用化相应的二次型为标准型的方法.

例如,对于二元函数 $f(x,y)$,若在临界点 $P_0(x_0,y_0)[\mathrm{d}f(x_0,y_0)=0]$ 成立条件 $AC-B^2\neq 0$,其中 $A=f''_{xx}(x_0,y_0)$,$B=f''_{xy}(x_0,y_0)$,$C=f''_{yy}(x_0,y_0)$,则在 P_0 处有:

(1) 极小值,若 $AC-B^2>0$,$A>0$; (2) 极大值,若 $AC-B^2>0$,$A<0$;

(3) 极值不存在,若 $AC-B^2<0$; (4) 不确定,$AC-B^2=0$.

习题3621—3653 多元函数的极值

【研究下列多元显函数的极值(3621—3649)】

【3621】 $z=x^2+(y-1)^2$.

解 解方程组

$$\begin{cases}\dfrac{\partial z}{\partial x}=2x=0,\\ \dfrac{\partial z}{\partial y}=2(y-1)=0,\end{cases}$$

得临界点 $P_0(0,1)$. 显然 $z(0,1)=0$,且当 $(x,y)\neq(0,1)$ 时 $z>0$,故函数 z 在点 P_0 取极小值 $z(P_0)=0$.

【3622】 $z=x^2-(y-1)^2$.

解 解方程组 $\begin{cases}\dfrac{\partial z}{\partial x}=2x=0,\\ \dfrac{\partial z}{\partial y}=-2(y-1)=0,\end{cases}$ 得临界点 $P_0(0,1)$. 由于

$$A=z''_{xx}(0,1)=2,B=z''_{xy}(0,1)=0,C=z''_{yy}(0,1)=-2\text{ 且 }AC-B^2=-4<0,$$

故极值不存在(或用该点附近的 z 值可正可负说明).

【3623】 $z=(x-y+1)^2$.

解 解方程组 $\begin{cases}\dfrac{\partial z}{\partial x}=2(x-y+1)=0,\\ \dfrac{\partial z}{\partial y}=-2(x-y+1)=0,\end{cases}$ 得临界点分布在直线 $x-y+1=0$ 上.

对于此直线上的点均有 $z=0$,又 $z\geqslant 0$ 恒成立,故函数 z 在直线 $x-y+1=0$ 上的各点取极小值 $z=0$.

【3624】 $z=x^2-xy+y^2-2x+y$.

解 解方程组 $\begin{cases}\dfrac{\partial z}{\partial x}=2x-y-2=0,\\ \dfrac{\partial z}{\partial y}=-x+2y+1=0,\end{cases}$ 得临界点 $P_0(1,0)$. 由于

$$A=z''_{xx}(1,0)=2,B=z''_{xy}(1,0)=-1,C=z''_{yy}(1,0)=2\text{ 且 }AC-B^2=3>0,$$

故函数 z 在点 P_0 取极小值 $z(P_0)=-1$.

【3625】 $z=x^2y^3(6-x-y)$.

解 解方程组

$$\begin{cases}\dfrac{\partial z}{\partial x}=xy^3(12-3x-2y)=0,\\ \dfrac{\partial z}{\partial y}=x^2y^2(18-3x-4y)=0,\end{cases}$$

得临界点 $P_0(2,3)$. 并且直线 $x=0$ 及直线 $y=0$ 上的点都是临界点.

在点 P_0 处,$A=-162,B=-108,C=-144,AC-B^2>0$,故函数 z 在点 P_0 取极大值 $z(P_0)=108$.

在直线 $x=0$ 及 $y=0$ 上的各点均有 $z=0$.

先分析直线 $y=0$ 的情况. 在该直线上 $x\neq 0$ 及 $x\neq 6$ 处,$x^2(6-x-y)\neq 0$,在确定点的足够小邻域内也不变号,但是 y^3 可正可负,因此,函数 z 变号,即在这种情况下没有极值. 当 $x=0$ 及 $x=6$ 类似地可判断也无极值.

其次,分析直线 $x=0$ 的情况. 在该直线上 $y=0$ 及 $y=6$ 的点的情况类似地可判断无极值,但当 $0<y<6$ 时,$y^3(6-x-y)>0$,且在所讨论点的足够小的邻域内保持正号. 因此,在足够小的邻域内,$z=x^2y^3(6-x-y)\geqslant 0$ 也成立,但邻域内任意近处总有 $z=0$ 的点. 于是,对于 $x=0,0<y<6$ 的点函数 z 取得弱极小值 $z=0$. 同法可判定,对于直线 $x=0$ 上 $y<0$ 及 $y>6$ 的各点处,函数 z 取得弱极大值 $z=0$.

【3626】 $z=x^3+y^3-3xy$.

解 解方程组 $\begin{cases}\dfrac{\partial z}{\partial x}=3x^2-3y=0,\\ \dfrac{\partial z}{\partial y}=3y^2-3x=0,\end{cases}$ 得临界点 $P_0(0,0)$ 及 $P_1(1,1)$.

在点 P_0 有 $A=0,B=-3,C=0$ 及 $AC-B^2=-9<0$,故无极值;

在点 P_1 有 $A=6,B=-3,C=6$ 及 $AC-B^2=27>0$,故函数 z 在该点取极小值 $z(P_1)=-1$.

【3627】 $z=x^4+y^4-x^2-2xy-y^2$.

解 解方程组$\begin{cases}\dfrac{\partial z}{\partial x}=4x^3-2x-2y=0,\\ \dfrac{\partial z}{\partial y}=4y^3-2x-2y=0,\end{cases}$得临界点 $P_0(0,0)$，$P_1(1,1)$ 及 $P_2(-1,-1)$.

在点 P_0 附近，当 $x=y$ 且足够小时，有 $z=2x^4-4x^2<0$；当 $x=-y$ 时，$z=2x^4>0$，故在点 P_0 无极值.

在点 P_1，P_2 均有 $A=10$，$B=-2$，$C=10$ 及 $AC-B^2=96>0$，故函数 z 在点 P_1 及 P_2 取极小值 -2.

【3628】 $z=xy+\dfrac{50}{x}+\dfrac{20}{y}(x>0,y>0)$.

解 解方程组$\begin{cases}\dfrac{\partial z}{\partial x}=y-\dfrac{50}{x^2}=0,\\ \dfrac{\partial z}{\partial y}=x-\dfrac{20}{y^2}=0,\end{cases}$得临界点 $P_0(5,2)$.

在该点有 $A=\dfrac{4}{5}$，$B=1$，$C=5$ 及 $AC-B^2=3>0$，故函数 z 在该点取极小值 $z(P_0)=30$.

【3629】 $z=xy\sqrt{1-\dfrac{x^2}{a^2}-\dfrac{y^2}{b^2}}\quad(a>0,b>0)$.

解 考虑函数 $u=z^2=x^2y^2\left(1-\dfrac{x^2}{a^2}-\dfrac{y^2}{b^2}\right)$，$\dfrac{x^2}{a^2}+\dfrac{y^2}{b^2}\leqslant 1$. 显然 z 的极值均为 u 的极值；且 u 在点 (x,y) 取得的极值不为零时，z 也在点 (x,y) 取得极值；u 在点 (x,y) 取得的极值为零时，对 z 情况复杂一些.

解方程组

$$\begin{cases}\dfrac{\partial u}{\partial x}=2xy^2\left(1-\dfrac{x^2}{a^2}-\dfrac{y^2}{b^2}\right)-\dfrac{2}{a^2}x^3y^2=0,\\ \dfrac{\partial u}{\partial y}=2x^2y\left(1-\dfrac{x^2}{a^2}-\dfrac{y^2}{b^2}\right)-\dfrac{2}{b^2}x^2y^3=0,\end{cases}$$

得临界点 $P_0(0,0)$，$P_1\left(\dfrac{a}{\sqrt3},\dfrac{b}{\sqrt3}\right)$，$P_2\left(-\dfrac{a}{\sqrt3},-\dfrac{b}{\sqrt3}\right)$，$P_3\left(\dfrac{a}{\sqrt3},-\dfrac{b}{\sqrt3}\right)$ 及 $P_4\left(-\dfrac{a}{\sqrt3},\dfrac{b}{\sqrt3}\right)$.

由于 z 在点 P_0 附近变号，所以，$z(P_0)$ 不是极值.

$$\frac{\partial^2 u}{\partial x^2}=2y^2\left(1-\frac{6x^2}{a^2}-\frac{y^2}{b^2}\right),\frac{\partial^2 u}{\partial y^2}=2x^2\left(1-\frac{x^2}{a^2}-\frac{6y^2}{b^2}\right),\frac{\partial^2 u}{\partial x\partial y}=4xy\left(1-\frac{2x^2}{a^2}-\frac{2y^2}{b^2}\right).$$

在 P_1，P_2，P_3，P_4 各点，得 $A=-\dfrac{8}{9}b^2$，$B=\pm\dfrac{4}{9}ab$，$C=-\dfrac{8}{9}a^2$，$AC-B^2=\left(\dfrac{64}{81}-\dfrac{16}{81}\right)a^2b^2>0$，

故函数 u 取极大值. 相应地函数 z 在点 P_1 及 P_2 取极大值 $z(P_1)=z(P_2)=\dfrac{ab}{3\sqrt3}$；而在点 P_3 及 P_4 取极小值 $z(P_3)=z(P_4)=-\dfrac{ab}{3\sqrt3}$.

【3630】 $z=\dfrac{ax+by+c}{\sqrt{x^2+y^2+1}}(a^2+b^2+c^2\neq 0)$.

解 令 $x=r\cos\theta$，$y=r\sin\theta$，则

$$z(x,y)=z(r\cos\theta,r\sin\theta)=\frac{ar\cos\theta+br\sin\theta+c}{\sqrt{r^2+1}}.$$

解方程组

$$\begin{cases}\dfrac{\partial z}{\partial r}=\dfrac{a\cos\theta+b\sin\theta-cr}{(1+r^2)^{\frac32}}=0, & ①\\ \dfrac{\partial z}{\partial \varphi}=\dfrac{-ar\sin\theta+br\cos\theta}{(1+r^2)^{\frac12}}=0. & ②\end{cases}$$

先设 a,b 不同时为零. 由②考虑到 $r=0$ 不是解($r=0,\theta$ 为任意值不满足①式),故有 $a\sin\theta=b\cos\theta$,

$$\cos\theta=\frac{\pm a}{\sqrt{a^2+b^2}},\sin\theta=\frac{\pm b}{\sqrt{a^2+b^2}}. \qquad ③$$

显见 $c=0$ 时无解(因由①有 $a\cos\theta+b\sin\theta=0$,由③得 $a=b=0$,与 a,b 不同时为零矛盾). 当 $c\neq0$ 时,

$$r=\frac{a\cos\theta+b\sin\theta}{c}=\pm\frac{\sqrt{a^2+b^2}}{c}.$$

为保证 $r>0$,在 $\cos\theta$ 及 $\sin\theta$ 前取与 c 一致的符号. 此时,有 $x=\frac{a}{c},y=\frac{b}{c}$. 由于这时

$$z''_{rr}=-\frac{c(1+3r^2)}{(1+r^2)^{\frac{5}{2}}},z''_{\theta\theta}=-\frac{cr^2}{(1+r^2)^{\frac{1}{2}}},z''_{r\theta}=0 \text{ 及 } z''_{rr}z''_{\theta\theta}-(z''_{r\theta})^2>0.$$

故当 $c>0$ 时 $z''_{rr}<0$,函数 z 在点 $\left(\frac{a}{c},\frac{b}{c}\right)$ 取极大值 $z=\sqrt{a^2+b^2+c^2}$;当 $c<0$ 时 $z''_{rr}>0$,函数 z 在点 $\left(\frac{a}{c},\frac{b}{c}\right)$ 取极小值 $z=-\sqrt{a^2+b^2+c^2}$.

下设 $a=b=0$. 由假定 $a^2+b^2+c^2\neq0$ 知 $c\neq0$. 此时解方程组①,②得 $r=0,\theta$ 任意;即 $x=0,y=0$. 由于这时 $z=\frac{c}{\sqrt{x^2+y^2+1}}$,显然:当 $c>0$ 时,z 在点 $(0,0)$ 取极大值 $z=c$;当 $c<0$ 时,z 在点 $(0,0)$ 取极小值 $z=c$.

综合上述结果,得结论:

若 $c>0$,则 z 在点 $\left(\frac{a}{c},\frac{b}{c}\right)$ 取极大值 $z_{极大}=\sqrt{a^2+b^2+c^2}$;

若 $c<0$,则 z 在点 $\left(\frac{a}{c},\frac{b}{c}\right)$ 取极小值 $z_{极小}=-\sqrt{a^2+b^2+c^2}$;

若 $c=0$(由假定,这时 $a^2+b^2\neq0$),则 z 无极值.

注 此题也可不作极坐标代换 $x=r\cos\theta,y=r\sin\theta$,而直接在直角坐标 x,y 下进行讨论,即解方程组 $\frac{\partial z}{\partial x}=0,\frac{\partial z}{\partial y}=0$ 并计算 $\frac{\partial^2 z}{\partial x^2},\frac{\partial^2 z}{\partial x\partial y},\frac{\partial^2 z}{\partial y^2}$ 的值,但此法计算较繁,没有用极坐标简单.

【3631】 $z=1-\sqrt{x^2+y^2}$.

解 $$\frac{\partial z}{\partial x}=-\frac{x}{\sqrt{x^2+y^2}},\frac{\partial z}{\partial y}=-\frac{y}{\sqrt{x^2+y^2}}.$$

点 $(0,0)$ 为偏导数无意义的点. 当 $(x,y)\neq(0,0)$ 时,$z<1$,故 $z(0,0)=1$ 为极大值.

【3632】 $z=e^{2x+3y}(8x^2-6xy+3y^2)$.

解 解方程组 $\begin{cases}\frac{\partial z}{\partial x}=2e^{2x+3y}(8x^2-6xy+3y^2+8x-3y)=0,\\ \frac{\partial z}{\partial y}=3e^{2x+3y}(8x^2-6xy+3y^2-2x+2y)=0,\end{cases}$ 得临界点 $P_0(0,0)$ 及 $P_1\left(-\frac{1}{4},-\frac{1}{2}\right)$.

$$\frac{\partial^2 z}{\partial x^2}=4e^{2x+3y}(8x^2-6xy+3y^2+16x-6y+4),\frac{\partial^2 z}{\partial y^2}=9e^{2x+3y}\left(8x^2-6xy+3y^2-4x+4y+\frac{2}{3}\right),$$

$$\frac{\partial^2 z}{\partial x\partial y}=6e^{2x+3y}(8x^2-6xy+3y^2+6x-y-1).$$

在点 P_0,$A=16,B=-6,C=6$ 及 $AC-B^2=60>0$,故函数 z 取极小值 $z(P_0)=0$;

在点 P_1,$A=14e^{-2},B=-9e^{-2},C=\frac{3}{2}e^{-2}$ 及 $AC-B=-60e^{-4}<0$,故无极值.

【3633】 $z=e^{x^2-y}(5-2x+y)$.

解 解方程组$\begin{cases}\dfrac{\partial z}{\partial x}=2e^{x^2-y}(5x-2x^2+xy-1)=0,\\ \dfrac{\partial z}{\partial y}=e^{x^2-y}(2x-y-4)=0,\end{cases}$ 得临界点 $P_0(1,-2)$.

$$\frac{\partial^2 z}{\partial x^2}=2e^{x^2-y}(10x^2-4x^3+2x^2y-6x+y+5),$$

$$\frac{\partial^2 z}{\partial y^2}=e^{x^2-y}(3-2x+y),\frac{\partial^2 z}{\partial x\partial y}=2e^{x^2-y}(2x^2-xy-4x+1).$$

在点 P_0,$A=-2e^3$,$B=2e^3$,$C=-e^3$ 及 $AC-B^2=-2e^6<0$,故无极值.

【3634】 $z=(5x+7y-25)e^{-(x^2+xy+y^2)}$.

解 解方程组

$$\begin{cases}\dfrac{\partial z}{\partial x}=5e^{-(x^2+xy+y^2)}-(5x+7y-25)(2x+y)e^{-(x^2+xy+y^2)}=0, & ①\\ \dfrac{\partial z}{\partial y}=7e^{-(x^2+xy+y^2)}-(5x+7y-25)(x+2y)e^{-(x^2+xy+y^2)}=0. & ②\end{cases}$$

①×7－②×5,消去因子 $e^{-(x^2+xy+y^2)}$,得

$$3(5x+7y-25)(3x-y)=0.$$

以 $5x+7y-25=0$ 代入 ①,②,显然矛盾,故必有 $5x+7y-25\neq 0$,从而 $y=3x$. 代入 ①,得

$$26x^2-25x-1=0,$$

解得临界点 $P_0(1,3)$ 及 $P_1\left(-\dfrac{1}{26},-\dfrac{3}{26}\right)$. 在点 P_0 处,有

$$\begin{aligned}A&=z''_{xx}(P_0)=[z'_x(x,3)]'_x\big|_{x=1}=\{e^{-(x^2+3x+9)}[5-(5x-4)(2x+3)]\}'_x\big|_{x=1}\\&=[e^{-(x^2+3x+9)}]'\big|_{x=1}\cdot[5-(5x-4)(2x+3)]\big|_{x=1}+[e^{-(x^2+3x+9)}]\big|_{x=1}\cdot[5-(5x-4)(2x+3)]'\big|_{x=1}\\&=-27e^{-13}.\end{aligned}$$

同法可求得

$$B=z''_{xy}(P_0)=-36e^{-13},\ C=z''_{yy}(P_0)=-51e^{-13}.$$

于是,$AC-B^2=81e^{-26}>0$,故函数 z 在点 P_0 取极大值 $z(P_0)=e^{-18}$.

同法可得函数 z 在点 P_1 取极小值 $z(P_1)=-26e^{\frac{1}{52}}$.

【3635】 $z=x^2+xy+y^2-4\ln x-10\ln y$.

解 解方程组$\begin{cases}\dfrac{\partial z}{\partial x}=2x+y-\dfrac{4}{x}=0,\\ \dfrac{\partial z}{\partial y}=x+2y-\dfrac{10}{y}=0\end{cases}$ $(x>0,y>0)$得临界点 $P_0(1,2)$. 在点 P_0,

$$A=6,B=1,C=\frac{9}{2},AC-B^2=26>0,$$

故函数 z 在点 P_0 取极小值 $z(P_0)=7-10\ln 2$.

【3636】 $z=\sin x+\cos y+\cos(x-y)\quad\left(0\leqslant x\leqslant\dfrac{\pi}{2},0\leqslant y\leqslant\dfrac{\pi}{2}\right)$.

解 解方程组

$$\begin{cases}\dfrac{\partial z}{\partial x}=\cos x-\sin(x-y)=0, & ①\\ \dfrac{\partial z}{\partial y}=-\sin y+\sin(x-y)=0. & ②\end{cases}$$

①＋②,$\cos x=\sin y$. 由于 x,y 均为锐角,故有 $y=\dfrac{\pi}{2}-x$,代入 ①,得

$$\cos x-\sin\left(2x-\frac{\pi}{2}\right)=\cos x+\cos 2x=2\cos\frac{x}{2}\cos\frac{3x}{2}=0.$$

但是 $\cos\frac{x}{2}\neq 0$,故 $\cos\frac{3x}{2}=0$. 从而得临界点 $P_0\left(\frac{\pi}{3},\frac{\pi}{6}\right)$. 由于

$$\frac{\partial^2 z}{\partial x^2}=-\sin x-\cos(x-y),\frac{\partial^2 z}{\partial y^2}=-\cos y-\cos(x-y),\frac{\partial^2 z}{\partial x\partial y}=\cos(x-y),$$

故在点 P_0,有 $A=-\sqrt{3},B=\frac{\sqrt{3}}{2},C=-\sqrt{3},AC-B^2=\frac{9}{4}>0$. 故函数 z 在点 P_0 取极大值 $z(P_0)=\frac{3}{2}\sqrt{3}$.

【3637】 $z=\sin x\sin y\sin(x+y)\quad(0\leqslant x\leqslant\pi,0\leqslant y\leqslant\pi)$.

解 解方程组

$$\begin{cases}\frac{\partial z}{\partial x}=\sin y\sin(2x+y)=0, & ①\\ \frac{\partial z}{\partial y}=\sin x\sin(x+2y)=0. & ②\end{cases}$$

由 ① 及 ② 可得下列四个方程组:

$$\text{I}:\begin{cases}\sin x=0,\\ \sin y=0.\end{cases}\ \text{II}:\begin{cases}\sin x=0,\\ \sin(2x+y)=0.\end{cases}\ \text{III}:\begin{cases}\sin y=0,\\ \sin(x+2y)=0.\end{cases}\ \text{IV}:\begin{cases}\sin(2x+y)=0,\\ \sin(x+2y)=0.\end{cases}$$

考虑到 $0\leqslant x\leqslant\pi,0\leqslant y\leqslant\pi$,于是得原方程组 ① 与 ② 的六个解

$$P_1(0,0),P_2(0,\pi),P_3(\pi,0),P_4(\pi,\pi),P_5\left(\frac{\pi}{3},\frac{\pi}{3}\right),P_6\left(\frac{2\pi}{3},\frac{2\pi}{3}\right).$$

由于所考虑的区域是闭正方形 $0\leqslant x\leqslant\pi,0\leqslant y\leqslant\pi$,故点 P_1,P_2,P_3,P_4 都是此区域的边界点. 因此,P_1,P_2,P_3,P_4 不是函数 z 达极值的点(根据极值的定义,首先要求函数在所考虑的点的某邻域中有定义). 由于

$$z''_{xx}=2\sin y\cos(2x+y),z''_{xy}=\sin 2(x+y),z''_{yy}=2\sin x\cos(x+2y).$$

在点 P_5 有 $A=-\sqrt{3}<0$, $AC-B^2=(-\sqrt{3})(-\sqrt{3})-\left(-\frac{\sqrt{3}}{2}\right)^2>0$,故 z 在 P_5 取极大值 $z(P_5)=\frac{3\sqrt{3}}{8}$;

在点 P_6 有 $A=\sqrt{3}>0,AC-B^2=(\sqrt{3})(\sqrt{3})-\left(\frac{\sqrt{3}}{2}\right)^2>0$,故 z 在点 P_6 取极小值 $z(P_6)=-\frac{3\sqrt{3}}{8}$.

【3638】 $z=x-2y+\ln\sqrt{x^2+y^2}+3\arctan\frac{y}{x}$.

解 解方程组$\begin{cases}\frac{\partial z}{\partial x}=1+\frac{x}{x^2+y^2}-\frac{3y}{x^2+y^2}=0,\\ \frac{\partial z}{\partial y}=-2+\frac{y}{x^2+y^2}+\frac{3x}{x^2+y^2}=0\end{cases}$ 得临界点 $P_0(1,1)$.

$$\frac{\partial^2 z}{\partial x^2}=\frac{-x^2+6xy+y^2}{(x^2+y^2)^2},\frac{\partial^2 z}{\partial y^2}=\frac{x^2-6xy-y^2}{(x^2+y^2)^2},\frac{\partial^2 z}{\partial x\partial y}=\frac{-3x^2-2xy+3y^2}{(x^2+y^2)^2}.$$

在点 P_0 有 $A=\frac{3}{2},B=-\frac{1}{2},C=-\frac{3}{2}$ 及 $AC-B^2=-\frac{5}{2}<0$,故无极值.

【3639】 $z=xy\ln(x^2+y^2)$.

解 解方程组

$$\begin{cases}\frac{\partial z}{\partial x}=y\ln(x^2+y^2)+\frac{2x^2y}{x^2+y^2}=0, & ①\\ \frac{\partial z}{\partial y}=x\ln(x^2+y^2)+\frac{2xy^2}{x^2+y^2}=0. & ②\end{cases}$$

将 ① 式乘以 x 减去 ② 式乘以 y,得$\frac{2xy}{x^2+y^2}(x^2-y^2)=0$.

于是,$x=0,y=0,x=y,x=-y$ 为四组解,对应的临界点

$$P_1(0,1),P_2(0,-1),P_3(1,0),P_4(-1,0),$$

$$P_5\left(\frac{1}{\sqrt{2e}},\frac{1}{\sqrt{2e}}\right),P_6\left(-\frac{1}{\sqrt{2e}},-\frac{1}{\sqrt{2e}}\right),P_7\left(\frac{1}{\sqrt{2e}},-\frac{1}{\sqrt{2e}}\right),P_8\left(-\frac{1}{\sqrt{2e}},\frac{1}{\sqrt{2e}}\right).$$

代入原式，不难看出，函数 z 在点 P_1,P_2,P_3 及 P_4 均无极值(邻域内函数值可正可负).

$$\frac{\partial^2 z}{\partial x^2}=\frac{2xy(x^2+3y^2)}{(x^2+y^2)^2},\frac{\partial^2 z}{\partial y^2}=\frac{2xy(3x^2+y^2)}{(x^2+y^2)^2},\frac{\partial^2 z}{\partial x\partial y}=\ln(x^2+y^2)+\frac{2(x^4+y^4)}{(x^2+y^2)^2}.$$

在点 P_5 及 P_6，

$$A=2,B=0,C=2\text{ 及 }AC-B^2=4>0,$$

故函数 z 在点 P_5 及 P_6 取极小值 $z(P_5)=z(P_6)=-\frac{1}{2e}$.

在点 P_7 及 P_8，

$$A=-2,B=0,C=-2\text{ 及 }AC-B^2=4>0,$$

故函数 z 在点 P_7 及 P_8 取极大值 $z(P_7)=z(P_8)=\frac{1}{2e}$.

【3640】 $z=x+y+4\sin x\sin y$.

解 解方程组

$$\begin{cases}\frac{\partial z}{\partial x}=1+4\cos x\sin y=0, & ①\\ \frac{\partial z}{\partial y}=1+4\sin x\cos y=0. & ②\end{cases}$$

② − ① 得 $\sin(x-y)=0$，故 $x-y=n\pi$；

② + ① 得 $\sin(x+y)=-\frac{1}{2}$，故 $x+y=m\pi-(-1)^m\frac{\pi}{6}$.

于是，得临界点 $P_0(x_0,y_0)$，其中

$$\begin{cases}x_0=(-1)^{m+1}\frac{\pi}{12}+(m+n)\frac{\pi}{2},\\ y_0=(-1)^{m+1}\frac{\pi}{12}+(m-n)\frac{\pi}{2}\end{cases}(m,n\in\mathbf{Z}).$$

在点 P_0，有

$$\begin{aligned}AC-B^2&=(-4\sin x_0\sin y_0)(-4\sin x_0\sin y_0)-(4\cos x_0\cos y_0)^2\\&=16(\sin x_0\sin y_0-\cos x_0\cos y_0)(\sin x_0\sin y_0+\cos x_0\cos y_0)\\&=-16\cos(x_0+y_0)\cos(x_0-y_0)=-16\cos\left[m\pi-(-1)^m\frac{\pi}{6}\right]\cos n\pi\\&=-16(-1)^{m+n}\cos\frac{\pi}{6}.\end{aligned}$$

当 m,n 有相同的奇偶性时，$m+n$ 为偶数，$AC-B^2<0$ 故无极值；当 m,n 有不同的奇偶性时，$m+n$ 为奇数，$AC-B^2>0$，故有极值，看 A 的符号决定取极大值还是极小值. 由于

$$A=-4\sin x_0\sin y_0=2[\cos(x_0+y_0)-\cos(x_0-y_0)]=2\left[(-1)^m\cos\frac{\pi}{6}-(-1)^n\right],$$

故当 m 为奇数及 n 为偶数时，$A<0$，取极大值；当 m 为偶数及 n 为奇数时，$A>0$，取极小值. 极值为

$$z(x_0,y_0)=m\pi+\left(\frac{\pi}{6}+\sqrt{3}\right)(-1)^{m+1}+2(-1)^n.$$

【3641】 $z=(x^2+y^2)e^{-(x^2+y^2)}$.

解 解方程组

$$\begin{cases}\frac{\partial z}{\partial x}=2xe^{-(x^2+y^2)}(1-x^2-y^2)=0,\\ \frac{\partial z}{\partial y}=2ye^{-(x^2+y^2)}(1-x^2-y^2)=0,\end{cases}$$

得临界点 $P_0(0,0)$ 及 $P(x_0,y_0)$，其中 $x_0^2+y_0^2=1$.

在点 P_0 有 $z=0$，而当 $(x,y)\neq(0,0)$ 时 $z>0$，故函数 z 在点 P_0 取极小值 $z=0$.

由 1446 题知,在满足 $x_0^2+y_0^2=1$ 的点 (x_0,y_0) 的邻域内,不论是 $x^2+y^2>1$ 还是 $x^2+y^2<1$,均有

$$z(x,y)=(x^2+y^2)e^{-(x^2+y^2)}<e^{-1}.$$

但是点 (x_0,y_0) 的邻域内总有 $x^2+y^2=1$ 的点 (x,y),因此,函数 z 在点 (x_0,y_0) 取得弱极大值 $z=e^{-1}$.

【3642】 $u=x^2+y^2+z^2+2x+4y-6z$.

解 $du=2(x+1)dx+2(y+2)dy+2(z-3)dz$. 令

$$\frac{\partial u}{\partial x}=2(x+1)=0,\frac{\partial u}{\partial y}=2(y+2)=0,\frac{\partial u}{\partial z}=2(z-3)=0,$$

得临界点 $P_0(-1,-2,3)$. 在该点因 $d^2u=2(dx^2+dy^2+dz^2)>0$(当 $dx^2+dy^2+dz^2\neq 0$ 时),故函数 u 在点 P_0 取极小值 $u(P_0)=-14$.

【3643】 $u=x^3+y^2+z^2+12xy+2z$.

解 $du=(3x^2+12y)dx+(2y+12x)dy+(2z+2)dz$. 令

$$\frac{\partial u}{\partial x}=3x^2+12y=0,\frac{\partial u}{\partial y}=2y+12x=0,\frac{\partial u}{\partial z}=2z+2=0,$$

得临界点 $P_0(0,0,-1)$ 及 $P_1(24,-144,-1)$.

$$d^2u=6xdx^2+2dy^2+2dz^2+24dxdy.$$

在点 P_0,有

$$d^2u=2dy^2+2dz^2+24dxdy=2dz^2+2dy(dy+12dx),$$

当 $dz=0,dy>0$ 及 $dy+12dx<0$ 时,$d^2u<0$;而当 dx,dy 及 dz 均大于零时,$d^2u>0$. 因此,d^2u 的符号不定,故无极值.

在点 P_1,当 $dx^2+dy^2+dz^2\neq 0$ 时,有

$$d^2u=144dx^2+2dy^2+2dz^2+24dxdy=(12dx+dy)^2+dy^2+2dz^2>0,$$

故函数 u 在点 P_1 取极小值 $u(P_1)=-6\,913$.

【3644】 $u=x+\frac{y^2}{4x}+\frac{z^2}{y}+\frac{2}{z}(x>0,y>0,z>0)$.

解 $du=\left(1-\frac{y^2}{4x^2}\right)dx+\left(\frac{y}{2x}-\frac{z^2}{y^2}\right)dy+\left(\frac{2z}{y}-\frac{2}{z^2}\right)dz$. 令 $\frac{\partial u}{\partial x}=\frac{\partial u}{\partial y}=\frac{\partial u}{\partial z}=0$,得方程组

$$\begin{cases}1-\frac{y^2}{4x^2}=0,\\ \frac{y}{2x}-\frac{z^2}{y^2}=0,\\ \frac{2z}{y}-\frac{2}{z^2}=0,\end{cases}$$

解得临界点 $P_0\left(\frac{1}{2},1,1\right)$.

$$d^2u=\frac{y^2}{2x^3}dx^2-\frac{y}{x^2}dxdy+\left(\frac{1}{2x}+\frac{2z^2}{y^3}\right)dy^2-\frac{4z}{y^2}dydz+\left(\frac{2}{y}+\frac{4}{z^3}\right)dz^2.$$

在点 P_0,当 $dx^2+dy^2+dz^2\neq 0$ 时,有

$$\begin{aligned}d^2u&=4dx^2-4dxdy+3dy^2-4dydz+6dz^2\\&=(2dx-dy)^2+dy^2+(dy-2dz)^2+2dz^2>0,\end{aligned}$$

故函数 u 在点 P_0 取极小值 $u(P_0)=4$.

【3645】 $u=xy^2z^3(a-x-2y-3z)\quad(a>0)$.

解 $du=y^2z^3(a-2x-2y-3z)dx+2xyz^3(a-x-3y-3z)dy+3xy^2z^2(a-x-2y-4z)dz$.

令 $\frac{\partial u}{\partial x}=\frac{\partial u}{\partial y}=\frac{\partial u}{\partial z}=0$,得方程组

$$\begin{cases} y^2z^3(a-2x-2y-3z)=0, \\ 2xyz^3(a-x-3y-3z)=0, \\ 3xy^2z^2(a-x-2y-4z)=0, \end{cases}$$

解得临界点 $P_0\left(\frac{a}{7},\frac{a}{7},\frac{a}{7}\right)$；直线 $x=0,2y+3z=a$；平面 $y=0$；平面 $z=0$.

同 3625 题的方法，不难确定：直线 $x=0,2y+3z=a$ 及平面 $z=0$ 上的点不取得极值. $y=0$ 时，当 $xz^3(a-x-3z)>0$ 取弱极小值 $u=0$；当 $xz^3(a-x-3z)<0$ 取弱极大值 $u=0$；当 $xz^3(a-x-3z)=0$ 不取得极值.

在点 P_0，当 $dx^2+dy^2+dz^2\neq 0$ 时，有

$$\begin{aligned} d^2u &= -\frac{2a^5}{7^5}(dx^2+3dy^2+6dz^2+2dxdy+6dydz+3dxdz) \\ &= -\frac{a^5}{7^5}[(dx+2dy+3dz)^2+dx^2+2dy^2+3dz^2]<0, \end{aligned}$$

故函数 u 在点 P_0 取极大值 $u(P_0)=\frac{a^7}{7^7}$.

【3646】 $u=\frac{a^2}{x}+\frac{x^2}{y}+\frac{y^2}{z}+\frac{z^2}{b}(x>0,y>0,z>0,a>0,b>0)$.

解 $du=\left(\frac{2x}{y}-\frac{a^2}{x^2}\right)dx+\left(\frac{2y}{z}-\frac{x^2}{y^2}\right)dy+\left(\frac{2z}{b}-\frac{y^2}{z^2}\right)dz$. 令 $\frac{\partial u}{\partial x}=\frac{\partial u}{\partial y}=\frac{\partial u}{\partial z}=0$，得方程组

$$\begin{cases} \frac{2x}{y}-\frac{a^2}{x^2}=0, \\ \frac{2y}{z}-\frac{x^2}{y^2}=0, \\ \frac{2z}{b}-\frac{y^2}{z^2}=0, \end{cases}$$

解得临界点 $P_0\left(\frac{1}{2}\sqrt[15]{16a^{14}b},\frac{1}{4}\sqrt[5]{16a^4b},\frac{1}{2}\sqrt[15]{\frac{1}{4}a^8b^7}\right)$.

$$\begin{aligned} d^2u &= \frac{2a^2}{x^3}dx^2+\frac{2}{y}dx^2-\frac{4x}{y^2}dxdy+\frac{2}{z}dy^2+\frac{2x^2}{y^3}dy^2-\frac{4y}{z^2}dydz+\frac{2}{b}dz^2+\frac{2y^2}{z^3}dz^2 \\ &= \frac{2a^2}{x^3}dx^2+\frac{2}{y}\left(dx-\frac{x}{y}dy\right)^2+\frac{2}{z}\left(dy-\frac{y}{z}dz\right)^2+\frac{2}{b}dz^2. \end{aligned}$$

在点 P_0，$x>0,y>0,z>0,d^2u>0(dx^2+dy^2+dz^2\neq 0)$，故 u 在点 P_0 取极小值 $u(P_0)=\frac{15a}{4}\sqrt[15]{\frac{a}{16b}}$.

【3647】 $u=\sin x+\sin y+\sin z-\sin(x+y+z)\quad(0\leqslant x,y,z\leqslant\pi)$.

解 $du=[\cos x-\cos(x+y+z)]dx+[\cos y-\cos(x+y+z)]dy+[\cos z-\cos(x+y+z)]dz$，令 $\frac{\partial u}{\partial x}=\frac{\partial u}{\partial y}=\frac{\partial u}{\partial z}=0$，得方程组

$$\begin{cases} \cos x-\cos(x+y+z)=0, \\ \cos y-\cos(x+y+z)=0, \\ \cos z-\cos(x+y+z)=0, \end{cases}$$

注意到 $0\leqslant x\leqslant\pi,0\leqslant y\leqslant\pi,0\leqslant z\leqslant\pi$，解得临界点 $P_0(0,0,0)$，$P_1\left(\frac{\pi}{2},\frac{\pi}{2},\frac{\pi}{2}\right)$ 及 $P_2(\pi,\pi,\pi)$.

在点 P_1，有

$$\begin{aligned} d^2u &= -\sin x dx^2-\sin y dy^2-\sin z dz^2+\sin(x+y+z)[d(x+y+z)]^2 \\ &= -dx^2-dy^2-dz^2-(dx+dy+dz)^2<0, \end{aligned}$$

故函数 u 在点 P_1 取极大值 $u(P_1)=4$.

由于 P_0 与 P_2 是所考虑区域 $D=\{(x,y,z)\mid 0\leqslant x\leqslant \pi,0\leqslant y\leqslant \pi,0\leqslant z\leqslant \pi\}$ 的边界点，故函数在点 P_0 与 P_2 不达极值(根据极值定义，极值点一定是内点).

注 如果放宽要求，对于区域 D 边界点 P，将其函数值与区域 $U(P)\cap D$ 点的函数值相比较，则在边界点也可引入极值和弱极值的概念. 对 $\forall (x,y,z)\in U(P_0)\cap D$，显然有

$$\sin x\geqslant 0,\sin y\geqslant 0,\sin z\geqslant 0.$$

又 $\sin(x+y+z)=\sin x\cos y\cos z-\sin x\sin y\sin z+\cos x\sin y\cos z+\cos x\cos y\sin z$

$$\leqslant \sin x+\sin y+\sin z-\sin x\sin y\sin z,$$

故 $u\geqslant 0$. 而当 $x=y=0$ 时或 $x=y=\pi$ 时都恒有 $u=0$. 故函数 u 在点 P_0 达到弱极小值 $u(P_0)=0$. 同理函数 u 在点 P_2 达到弱极小值 $u(P_2)=0$.

【3648】 $u=x_1x_2^2\cdots x_n^n(1-x_1-2x_2-\cdots-nx_n)\quad(x_1>0,x_2>0,\cdots,x_n>0)$.

解 先考虑满足 $1-x_1-2x_1-\cdots-nx_n=0,x_1>0,x_2>0,\cdots,x_n>0$ 的点 $(x_1,x_2,\cdots,x_n)$. 显然函数 u 在这种点不达到极值(因为，若保持 $x_2,x_3,\cdots,x_n$ 不变，而将 x_1 增大任意小的值，就有 $u<0$，但将 x_1 减小任意小的值，则有 $u>0$)，故下面只需考察满足

$$1-\sum_{k=1}^{n}kx_k\neq 0,x_1>0,\cdots,x_n>0$$

的点 $(x_1,x_2,\cdots,x_n)$. 在原式两边微分得

$$\mathrm{d}u=u\sum_{k=1}^{n}\frac{k}{x_k}\mathrm{d}x_k-\frac{u}{1-\sum\limits_{k=1}^{n}kx_k}\sum_{k=1}^{n}k\mathrm{d}x_k=u\left[\sum_{k=1}^{n}\left(\frac{k}{x_k}-\frac{k}{1-\sum\limits_{k=1}^{n}kx_k}\right)\mathrm{d}x_k\right],$$

考虑到 $x_k>0$ 及 $1-\sum\limits_{k=1}^{n}kx_k\neq 0$，故有 $u\neq 0$. 解方程组 $\dfrac{k}{x_k}-\dfrac{k}{1-\sum\limits_{k=1}^{n}kx_k}=0(k=1,2,\cdots,n)$，得临界点

$P_0(x_1,x_2,\cdots,x_n)$，其中 $x_1=x_2=\cdots=x_n=\dfrac{2}{n^2+n+2}=x_0$.

$$\mathrm{d}^2u=\left[\sum_{k=1}^{n}\left(\frac{k}{x_k}-\frac{k}{1-\sum\limits_{k=1}^{n}kx_k}\right)\mathrm{d}x_k\right]\mathrm{d}u+u\left[\sum_{k=1}^{n}\left(-\frac{k}{x_k^2}\right)\mathrm{d}x_k^2+\frac{1}{\left(1-\sum\limits_{k=1}^{n}k\mathrm{d}x_k\right)^2}\left(\sum_{k=1}^{n}k\mathrm{d}x_k\right)\left(-\sum_{k=1}^{n}k\mathrm{d}x_k\right)\right],$$

在点 P_0，当 $\sum\limits_{k=1}^{n}\mathrm{d}x_x^2\neq 0$ 时，有

$$\mathrm{d}^2u=-\frac{u}{x_0^2}\left[\sum_{k=1}^{n}k\mathrm{d}x_k^2+\left(\sum_{k=1}^{n}k\mathrm{d}x_k\right)^2\right]=-x_0\ \frac{n(n+1)}{2}-1\left[\sum_{k=1}^{n}k\mathrm{d}x_k^2+\left(\sum_{k=1}^{n}k\mathrm{d}x_k\right)^2\right]<0,$$

故函数 u 在点 P_0 取极大值 $u(P_0)=\left(\dfrac{2}{n^2+n+2}\right)^{\frac{n^2+n+2}{2}}$.

【3649】 $u=x_1+\dfrac{x_2}{x_1}+\dfrac{x_3}{x_2}+\cdots+\dfrac{x_n}{x_{n-1}}+\dfrac{2}{x_n}\quad(x_i>0,i=1,2,\cdots,n)$.

解 设 $y_1=x_1,y_2=\dfrac{x_2}{x_1},\cdots,y_k=\dfrac{x_k}{x_{k-1}},\cdots,y_n=\dfrac{x_n}{x_{n-1}}$，则

$$x_n=y_1y_2\cdots y_n>0,y_k>0(k=1,2,\cdots,n),u=y_1+y_2+y_3+\cdots+y_n+\frac{2}{y_1y_2\cdots y_n}.$$

记 $A=y_1y_2\cdots y_n$，则可得

$$\mathrm{d}u=\sum_{k=1}^{n}\left(1-\frac{2}{Ay_k}\right)\mathrm{d}y_k.$$

令$\dfrac{\partial u}{\partial y_k}=0$得方程组$1-\dfrac{2}{Ay_k}=0(k=1,2,\cdots,n)$. 解得临界点$P_0(y_1,y_2,\cdots,y_n)$,其中

$$y_1=y_2=\cdots=y_n=\sqrt[n+1]{2}=y_0.$$

在点P_0,当$\sum_{k=1}^{n}\mathrm{d}y_k^2\neq 0$时,有

$$\mathrm{d}^2u\,|_{P=P_0}=\frac{2}{A}\sum_{k=1}^{n}\frac{1}{y_k^2}\mathrm{d}y_k^2+\frac{2}{A}\left(\sum_{k=1}^{n}\frac{1}{y_k}\mathrm{d}y_k\right)^2\bigg|_{P=P_0}=\frac{1}{y_0}\left[\sum_{k=1}^{n}\mathrm{d}y_k^2+\left(\sum_{k=1}^{n}\mathrm{d}y_k\right)^2\right]>0,$$

故函数u在P_0点取得极小值,也即在$x_1=y_1=\sqrt[n+1]{2},x_2=y_2x_1=2^{\frac{2}{n+1}},\cdots,x_k=y_kx_{k-1}=2^{\frac{k}{n+1}},\cdots,$ $x_n=y_n\cdot x_{n-1}=2^{\frac{n}{n+1}}$处,函数$u$取极小值$u=(n+1)2^{\frac{1}{n+1}}$.

【3650】 惠更斯问题:在a和b二正数间插入n个数$x_1,x_2,\cdots,x_n$,使分数

$$u=\frac{x_1x_2\cdots x_n}{(a+x_1)(x_1+x_2)\cdots(x_n+b)}$$

的值最大.

提示 令$w=\dfrac{1}{u}$,问题转化为求函数w的极小值. 同上题用微分法可得结论.

解 记$w=\dfrac{1}{u}=(a+x_1)\left(1+\dfrac{x_2}{x_1}\right)\left(1+\dfrac{x_3}{x_2}\right)\cdots\left(1+\dfrac{b}{x_n}\right)$. 设$y_1=\dfrac{x_2}{x_1},y_2=\dfrac{x_3}{x_2},\cdots,y_n=\dfrac{b}{x_n}$,并记$A=y_1y_2\cdots y_n$,则有

$$x_1=\frac{b}{y_1y_2\cdots y_n}=\frac{b}{A},w=\left(a+\frac{b}{A}\right)(1+y_1)(1+y_2)\cdots(1+y_n).$$

又记$m=a+\dfrac{b}{A}$,则有$\mathrm{d}w=\sum_{k=1}^{n}\dfrac{w}{1+y_k}\mathrm{d}y_k-\dfrac{wb}{mA}\sum_{k=1}^{n}\dfrac{\mathrm{d}y_k}{y_k}=w\sum_{k=1}^{n}\left(\dfrac{y_k}{1+y_k}-\dfrac{b}{mA}\right)\dfrac{\mathrm{d}y_k}{y_k}$.

令$\dfrac{\partial w}{\partial y_k}=0$得方程组$\dfrac{y_k}{1+y_k}=\dfrac{b}{mA}(k=1,2,\cdots,n)$. 解得临界点$P_0(y_1,y_2,\cdots,y_n)$,其中

$$y_1=y_2=\cdots=y_n=\left(\frac{b}{a}\right)^{\frac{1}{n+1}}=y_0.$$

在点P_0,当$\sum_{k=1}^{n}\mathrm{d}y_k^2\neq 0$时,有

$$\begin{aligned}\mathrm{d}^2w\,|_{P_0}&=w\sum_{k=1}^{n}\mathrm{d}\left(\frac{y_k}{1+y_k}-\frac{b}{mA}\right)\frac{\mathrm{d}y_k}{y_k}\bigg|_{P_0}\\&=w\sum_{k=1}^{n}\mathrm{d}\left(\frac{y_k}{1+y_k}\right)\left(\frac{\mathrm{d}y_k}{y_0}\right)\bigg|_{P_0}-w\sum_{k=1}^{n}\frac{\mathrm{d}y_k}{y_0}\left[\mathrm{d}\left(\frac{1}{1+\frac{a}{b}A}\right)\right]\bigg|_{P_0}\\&=\frac{w(P_0)}{y_0(1+y_0)^2}\sum_{k=1}^{n}\mathrm{d}y_k^2+\frac{w(P_0)}{y_0\left(1+\frac{a}{b}A\right)^2\Big|_{P_0}}\sum_{k=1}^{n}\left[\mathrm{d}y_k\cdot\left(\sum_{k=1}^{n}\frac{aA}{by_k}\mathrm{d}y_k\right)\right]_{P_0}\\&=\frac{w(P_0)}{y_0(1+y_0)^2}\left[\sum_{k-1}^{n}\mathrm{d}y_k^2+\left(\sum_{k-1}^{n}\mathrm{d}y_k\right)^2\right]>0,\end{aligned}$$

故函数w在点P_0取极小值. 从而,函数u在

$$\begin{cases}x_1=\dfrac{b}{A}=\dfrac{b}{y_0^n}=\dfrac{b}{a}ay_0^{-n}=ay_0^{n+1}y_0^{-n}=ay_0,\\x_2=x_1y_1=ay_0^2,\\x_3=x_2y_2=ay_0^3,\\\vdots\\x_n=\dfrac{b}{y_n}=\dfrac{b}{a}ay_0^{-1}=ay_0^{n+1}y_0^{-1}=ay_0^n,\end{cases}$$

即数 $a,x_1,x_2,\cdots,x_n,b$ 构成公比为 $y_0=\left(\frac{b}{a}\right)^{\frac{1}{n+1}}$ 的等比数列时，其值最大，并且 u 的最大值为

$$u=\frac{1}{a(1+y_0)^{n+1}}=(a^{\frac{1}{n+1}}+b^{\frac{1}{n+1}})^{-(n+1)}.$$

【求变量 x 和 y 的隐函数 z 的极值(3651—3653)】

【3651】 $x^2+y^2+z^2-2x+2y-4z-10=0$.

提示 一般地，求隐函数 $z=z(x,y)$ 的极值用微分法较好，如本题、3652 题、3653 题.

解 解微分得

$$(x-1)\mathrm{d}x+(y+1)\mathrm{d}y+(z-2)\mathrm{d}z=0.$$

显然，当 $x=1,y=-1$，时，$\mathrm{d}z=0$. 代入原方程可解得 $z=6$ 及 $z=-2$. 又 $z=2$ 时为不可微的.

求二阶微分，得

$$\mathrm{d}x^2+\mathrm{d}y^2+(z-2)\mathrm{d}^2z+\mathrm{d}z^2=0.$$

以 $x=1,y=-1,z=6$，代入，并考虑 $\mathrm{d}z=0$，得

$$\mathrm{d}^2z=-\frac{1}{4}(\mathrm{d}x^2+\mathrm{d}y^2)<0\quad(\mathrm{d}x^2+\mathrm{d}y^2\neq 0),$$

故当 $x=1,y=-1$ 时，隐函数 z 取极大值 $z=6$.

同法可得：当 $x=1,y=-1$ 时，隐函数 z 取极小值，且其值为 $z=-2$.

不难看出，$z=2$ 是球的切平面平行于 Oz 轴的地方，因此，函数 z 不取得极值.

【3652】 $x^2+y^2+z^2-xz-yz+2x+2y+2z-2=0$.

解 微分一次，得 $(2x-z+2)\mathrm{d}x+(2y-z+2)\mathrm{d}y+(2z-x-y+2)\mathrm{d}z=0$. 解

$$\begin{cases}2x-z+2=0,\\2y-z+2=0,\\x^2+y^2+z^2-xz-yz+2x+2y+2z-2=0,\end{cases}$$

得 $x_1=y_1=-(3+\sqrt{6}),z_1=-(4+2\sqrt{6})$；$x_2=y_2=-(3-\sqrt{6}),z_2=2\sqrt{6}-4$.

再微分一次，并注意到 $\mathrm{d}z=0$，即得 $2\mathrm{d}x^2+2\mathrm{d}y^2+(2z-x-y+2)\mathrm{d}^2z=0$.

在点 (x_1,y_1,z_1)，$\mathrm{d}^2z=\frac{1}{\sqrt{6}}(\mathrm{d}x^2+\mathrm{d}z^2)>0$，故当 $x=y=-(3+\sqrt{6})$ 时，取极小值 $z=-(4+2\sqrt{6})$.

同法可知，当 $x=y=-(3-\sqrt{6})$ 时，取极大值 $z=2\sqrt{6}-4$.

对于 $\mathrm{d}z$ 的系数 $2z-x-y+2=0$ 时的情况，与上题类似也不取极值.

【3653】 $(x^2+y^2+z^2)^2=a^2(x^2+y^2-z^2)$.

解 微分一次，得 $2(x^2+y^2+z^2)(x\mathrm{d}x+y\mathrm{d}y+z\mathrm{d}z)=a^2(x\mathrm{d}x+y\mathrm{d}y-z\mathrm{d}z)$.

令 $\mathrm{d}z=0$，得方程

$$[2(x^2+y^2+z^2)-a^2](x\mathrm{d}x+y\mathrm{d}y)=0,$$

解得 $x=y=0$ 及 $x^2+y^2+z^2=\frac{a^2}{2}$.

以 $x=y=0$ 代入原方程，解得 $z=0$. 这是隐函数的一个奇点. 把原式看作 z^2 的方程，舍去增根，可得

$$z^2=-(a^2+x^2+y^2)+\sqrt{a^4+3a^2(x^2+y^2)},$$

显然 z 有正负两支在 $(0,0,0)$ 点相交. 因此，z 在 $(0,0,0)$ 点不取极值.

以 $x^2+y^2+z^2=\frac{a^2}{2}$ 代入原方程，解得

$$x^2+y^2=\frac{3}{8}a^2,z^2=\frac{a^2}{8}.$$

将一次微分式改写为

$$[2(x^2+y^2+z^2)-a^2](x\mathrm{d}x+y\mathrm{d}y)+[2(x^2+y^2+z^2)+a^2]z\mathrm{d}z=0.$$

将上式再微分一次，注意到 $\mathrm{d}z=0$ 及 $x^2+y^2+z^2=\frac{a^2}{2}$，即得

$$a^2z\mathrm{d}^2z=-2(x\mathrm{d}x+y\mathrm{d}y)^2,$$

故当 $x^2+y^2=\frac{3}{8}a^2$，$z=\frac{a}{2\sqrt{2}}$，时，$\mathrm{d}^2z\leqslant 0$，函数 z 取得弱极大值 $z=\frac{a}{2\sqrt{2}}$；

当 $x^2+y^2=\frac{3}{8}a^2$，$z=-\frac{a}{2\sqrt{2}}$ 时，$\mathrm{d}^2z\geqslant 0$，函数 z 取得弱极小值 $z=-\frac{a}{2\sqrt{2}}$.

知识点 2 条件极值

在关系式 $\varphi_i(P)=0(i=1,\cdots,m;m<n)$ 存在的条件下，求函数 $f(P_0)=f(x_1,x_2,\cdots,x_n)$ 的极值的问题，可归结为求拉格朗日函数 $L(P)=f(P)+\sum_{i=1}^{m}\lambda_i\varphi_i(P)$（其中 $\lambda_i(i=1,\cdots,m)$ 为常数因子）的普通极值的问题. 关于条件极值的存在和性质的问题，在最简单的情况下，可根据对函数 $L(P)$ 在临界点 P_0 的二阶微分 $\mathrm{d}^2L(P_0)$ 的符号的研究来解决，此时变量 $\mathrm{d}x_1$，$\mathrm{d}x_2$，$\cdots$，$\mathrm{d}x_n$ 满足以下限制条件：

$$\sum_{j=1}^{n}\frac{\partial\varphi_i}{\partial x_j}\mathrm{d}x_j=0(i=1,\cdots,m).$$

习题 3654—3671 条件极值

【求下列函数的条件极值点(3654—3670)】

【3654】 $z=xy$，$x+y=1$.

提示 如将 $z=xy$ 改写为 $z=x(1-x)$，则转化为普通的极值问题.

解 设 $F(x,y)=xy+\lambda(x+y-1)$. 解方程组

$$\begin{cases}\frac{\partial F}{\partial x}=y+\lambda=0,\\ \frac{\partial F}{\partial y}=x+\lambda=0,\\ x+y=1,\end{cases}$$

得 $x=y=-\lambda=\frac{1}{2}$，$z=\frac{1}{4}$. 由于当 $x\to\pm\infty$ 时，$y\to\mp\infty$，故 $z=xy\to-\infty$. 因此点 $x=\frac{1}{2}$，$y=\frac{1}{2}$ 为条件极值点，且 $z_{\max}=\frac{1}{4}$ 为极大值.

如将 $z=xy$ 改写为 $z=x(1-x)$，则成为普通极值. 易知极大值点为 $x=\frac{1}{2}$，从而 $y=\frac{1}{2}$，$z=\frac{1}{4}$.

【3655】 $z=\frac{x}{a}+\frac{y}{b}$，$x^2+y^2=1$.

解 设 $F(x,y)=\frac{x}{a}+\frac{y}{b}+\lambda(x^2+y^2-1)$. 解方程组

$$\begin{cases}\frac{\partial F}{\partial x}=\frac{1}{a}+2\lambda x=0,\\ \frac{\partial F}{\partial y}=\frac{1}{b}+2\lambda y=0,\\ x^2+y^2=1,\end{cases}$$

可得

$$\lambda=\pm\frac{\sqrt{a^2+b^2}}{2|ab|},x=\mp\frac{b\varepsilon}{\sqrt{a^2+b^2}},y=\mp\frac{a\varepsilon}{\sqrt{a^2+b^2}},$$

其中 $\varepsilon=\operatorname{sgn}ab\neq 0$. 相应地，$z=\mp\dfrac{\sqrt{a^2+b^2}}{|ab|}$.

因函数 z 在闭圆周 $x^2+y^2=1$ 上连续且不为常数，故必有最大值和最小值，且最大值与最小值不相等. 这里可疑点仅两个.

因此，当 $x=-\dfrac{b\varepsilon}{\sqrt{a^2+b^2}},y=-\dfrac{a\varepsilon}{\sqrt{a^2+b^2}}$ 时，函数值 $z_{\min}=-\dfrac{\sqrt{a^2+b^2}}{|ab|}$ 必为最小值，从而是极小值；当 $x=\dfrac{b\varepsilon}{\sqrt{a^2+b^2}},y=\dfrac{a\varepsilon}{\sqrt{a^2+b^2}}$ 时，$z_{\max}=\dfrac{\sqrt{a^2+b^2}}{|ab|}$ 为最大值，从而是极大值.

【3656】 $z=x^2+y^2,\dfrac{x}{a}+\dfrac{y}{b}=1$.

解 设 $F(x,y)=x^2+y^2+\lambda\left(\dfrac{x}{a}+\dfrac{y}{b}-1\right)$. 解方程组

$$\begin{cases}\dfrac{\partial F}{\partial x}=2x+\dfrac{1}{a}\lambda=0,\\[2mm]\dfrac{\partial F}{\partial y}=2y+\dfrac{1}{b}\lambda=0,\\[2mm]\dfrac{x}{a}+\dfrac{y}{b}=1,\end{cases}$$

可得 $\lambda=-\dfrac{2a^2b^2}{a^2+b^2},x=\dfrac{ab^2}{a^2+b^2},y=\dfrac{a^2b}{a^2+b^2}$.

由于当 $x\to\infty,y\to\infty$ 时，$z\to+\infty$，故函数 z 必在有限处取最小值. 这里可疑点只有一个. 因此，当 $x=\dfrac{ab^2}{a^2+b^2},y=\dfrac{a^2b}{a^2+b^2}$ 时，函数 z 取极小值 $z_{\min}=\dfrac{a^2b^2}{a^2+b^2}$.

注 如果用二阶微分判别，则易从 $\mathrm{d}^2z=2(\mathrm{d}x^2+\mathrm{d}y^2)>0$（不论 $\mathrm{d}x,\mathrm{d}y$ 之间有何约束条件，此式恒成立）可知，函数 z 取极小值 $z_{\min}=\dfrac{a^2b^2}{a^2+b^2}$.

【3657】 $z=Ax^2+2Bxy+Cy^2,x^2+y^2=1$.

解 设 $F(x,y)=Ax^2+2Bxy+Cy^2-\lambda(x^2+y^2-1)$. 解方程组

$$\begin{cases}\dfrac{\partial F}{\partial x}=2[(A-\lambda)x+By]=0, & ①\\[2mm]\dfrac{\partial F}{\partial y}=2[Bx+(C-\lambda)y]=0, & ②\\[2mm]x^2+y^2=1. & ③\end{cases}$$

由 $x^2+y^2=1$ 知 x,y 不全为零，故 λ 必须满足方程

$$\begin{vmatrix}A-\lambda & B\\ B & C-\lambda\end{vmatrix}=\lambda^2-(A+C)\lambda+(AC-B^2)=0. \qquad ④$$

当 $(A-C)^2+4B^2=0$ 时，所研究的函数为常数零；当 $(A-C)^2+4B^2\neq 0$ 时，方程 ④ 有两个不等的实根，记为 λ_1 和 $\lambda_2(\lambda_1>\lambda_2)$. 由方程组 ①,②,③ 可解出

$$x_{1,2}=\frac{\pm(\lambda_1-C)}{\sqrt{B^2+(\lambda_1-C)^2}},y_{1,2}=\frac{\pm(\lambda_1-A)}{\sqrt{B^2+(\lambda_1-A)^2}},$$

$$x_{3,4}=\frac{\pm(\lambda_2-C)}{\sqrt{B^2+(\lambda_2-C)^2}},y_{3,4}=\frac{\pm(\lambda_2-A)}{\sqrt{B^2+(\lambda_2-A)^2}}.$$

相应地，有 $z(x_1,y_1)=Ax_1^2+2Bx_1y_1+Cy_1^2=(Ax_1+By_1)x_1+(Bx_1+Cy_1)y_1$.
由 ①，② 可解得 $Ax_1+By_1=\lambda_1x_1, Bx_1+Cy_1=\lambda_1y_1$，故得

$$z(x_1,y_1)=\lambda_1x_1^2+\lambda_1y_1^2=\lambda_1(x_1^2+y_1^2)=\lambda_1.$$

同理可得 $z(x_2,y_2)=\lambda_1, z(x_3,y_3)=z(x_4,y_4)=\lambda_2$.

由于函数 z 在单位球面上连续且不为常数，故必有最大值和最小值，且最大值和最小值不相等．这里可疑点仅四个，$(x_i,y_i)(i=1,2,3,4)$，且 $z(x_1,y_1)=z(x_2,y_2)=\lambda_1, z(x_3,y_3)=z(x_1,y_4)=\lambda_2$. 故当 $x=x_{1,2}$，$y=y_{1,2}$ 时，函数 z 取最大值 $z_{\max}=\lambda_1$，因而也是极大值；当 $x=x_{3,4}, y=y_{3,4}$ 时，函数 z 取最小值 $z_{\min}=\lambda_2$，因而也是极小值.

【3658】 $z=\cos^2x+\cos^2y, x-y=\dfrac{\pi}{4}$.

解 设 $F(x,y)=\cos^2x+\cos^2y+\lambda\left(x-y-\dfrac{\pi}{4}\right)$. 解方程组

$$\begin{cases}\dfrac{\partial F}{\partial x}=-\sin 2x+\lambda=0,\\ \dfrac{\partial F}{\partial y}=-\sin 2y-\lambda=0,\\ x-y=\dfrac{\pi}{4},\end{cases}$$

可得 $x_k=\dfrac{\pi}{8}+\dfrac{k\pi}{2}, y_k=-\dfrac{\pi}{8}+\dfrac{k\pi}{2}\quad(k=0,\pm1,\pm2,\cdots)$.

相应地，当 k 为偶数时，$z=1+\dfrac{1}{\sqrt{2}}$；当 k 为奇数时，$z=1-\dfrac{1}{\sqrt{2}}$.

由于所给连续函数 z 必在任意有界闭区域内取最大值和最小值，而且 z 又是关于 x,y 的周期(周期为 π) 函数，故当 k 为偶数时，函数 z 在点 (x_k,y_k) 取最大值 $z_{\max}=1+\dfrac{1}{\sqrt{2}}$，从而是极大值；当 k 为奇数时，函数 z 在点 (x_k,y_k) 取最小值 $z_{\min}=1-\dfrac{1}{\sqrt{2}}$，从而是极小值.

【3659】 $u=x-2y+2z, x^2+y^2+z^2=1$.

解 设 $F(x,y,z)=x-2y+2z+\lambda(x^2+y^2+z^2-1)$. 解方程组

$$\begin{cases}\dfrac{\partial F}{\partial x}=1+2\lambda x=0,\\ \dfrac{\partial F}{\partial y}=-2+2\lambda y=0,\\ \dfrac{\partial F}{\partial z}=2+2\lambda z=0,\\ x^2+y^2+z^2=1,\end{cases}$$

可得 $x=\pm\dfrac{1}{3}, y=\mp\dfrac{2}{3}, z=\pm\dfrac{2}{3}$. 相应地，$u=\pm3$.

由于所给函数在闭球面上连续且不为常数，故必有最大值及最小值，且最大值与最小值不相等．这里可疑点仅两个，故当 $x=\dfrac{1}{3}, y=-\dfrac{2}{3}, z=\dfrac{2}{3}$ 时，函数 u 取最大值 $u_{\max}=3$，因而也是极大值；当 $x=-\dfrac{1}{3}$，$y=\dfrac{2}{3}, z=-\dfrac{2}{3}$ 时，函数 u 取最小值 $u_{\min}=-3$，因而也是极小值.

【3660】 $u=x^my^nz^p, x+y+z=a\quad(m>0,n>0,p>0,x>0,y>0,z>0)$.

解 设 $w=\ln u=m\ln x+n\ln y+p\ln z$, $F(x,y,z)=w-\dfrac{1}{\lambda}(x+y+z-a)$. 解方程组

$$\begin{cases}\dfrac{\partial F}{\partial x}=\dfrac{m}{x}-\dfrac{1}{\lambda}=0,\\ \dfrac{\partial F}{\partial y}=\dfrac{n}{y}-\dfrac{1}{\lambda}=0,\\ \dfrac{\partial F}{\partial z}=\dfrac{p}{z}-\dfrac{1}{\lambda}=0,\\ x+y+z=a,\end{cases}$$

可得 $x=\dfrac{am}{m+n+p},y=\dfrac{an}{m+n+p},z=\dfrac{ap}{m+n+p}$. 相应地，$u=\dfrac{a^{(m+n+p)}m^m n^n p^p}{(m+n+p)^{m+n+p}}$.

连续函数 w 定义在平面 $x+y+z=a$ 在第一卦限内的部分，边界由三条直线

$$\begin{cases}x+y=a,\\ z=0,\end{cases}\begin{cases}y+z=a,\\ x=0,\end{cases}\begin{cases}z+x=a,\\ y=0\end{cases}$$

组成. 当点 P 趋于边界上的点时，显然有 $w\to-\infty$. 故函数 w 在区域内取最大值. 因可疑点仅一个，故当

$$x=\frac{am}{m+n+p},y=\frac{an}{m+n+p},z=\frac{ap}{m+n+p}$$

时，函数 u 取最大值 $u_{\max}=\dfrac{a^{m+n+p}m^m n^n p^p}{(m+n+p)^{m+n+p}}$，因而也是极大值.

注 同 3647 题的注可知，函数在边界点取得弱极小值.

【3661】 $u=x^2+y^2+z^2,\dfrac{x^2}{a^2}+\dfrac{y^2}{b^2}+\dfrac{z^2}{c^2}=1(a>b>c>0)$.

解 设 $F(x,y,z)=x^2+y^2+z^2+\lambda\left(\dfrac{x^2}{a^2}+\dfrac{y^2}{b^2}+\dfrac{z^2}{c^2}-1\right)$. 解方程组

$$\begin{cases}\dfrac{\partial F}{\partial x}=2x\left(1+\dfrac{\lambda}{a^2}\right)=0,\\ \dfrac{\partial F}{\partial y}=2y\left(1+\dfrac{\lambda}{b^2}\right)=0,\\ \dfrac{\partial F}{\partial z}=2z\left(1+\dfrac{\lambda}{c^2}\right)=0,\\ \dfrac{x^2}{a^2}+\dfrac{y^2}{b^2}+\dfrac{z^2}{c^2}=1,\end{cases}$$

可得 $x=\pm a,y=z=0$；$x=z=0,y=\pm b$；$x=y=0,z=\pm c$. 相应地，有

$$u(\pm a,0,0)=a^2,u(0,\pm b,0)=b^2,u(0,0,\pm c)=c^2.$$

由于 $a>b>c>0$，故连续函数 u 在点 $(\pm a,0,0)$ 取最大值 a^2，因而也是极大值；在点 $(0,0,\pm c)=c^2$ 取最小值 c^2，因而也是极小值.

在点 $(0,\pm b,0)$ 处，对应的 $\lambda=-b^2$，且

$$\mathrm{d}^2F=2\left(1+\frac{\lambda}{a^2}\right)\mathrm{d}x^2+2\left(1+\frac{\lambda}{b^2}\right)\mathrm{d}y^2+2\left(1+\frac{\lambda}{c^2}\right)\mathrm{d}z^2=2\left(1-\frac{b^2}{a^2}\right)\mathrm{d}x^2+2\left(1-\frac{b^2}{c^2}\right)\mathrm{d}z^2.$$

把 x,z 当作自变量，y 看成由条件 $\dfrac{x^2}{a^2}+\dfrac{y^2}{b^2}+\dfrac{z^2}{c^2}=1$ 确定的 x 和 z 的函数. 在点 $(0,\pm b,0)$，有 $\mathrm{d}^2u=\mathrm{d}^2F$，

而 $1-\dfrac{b^2}{a^2}>0,1-\dfrac{b^2}{c^2}<0$. 因此，$\mathrm{d}^2u$ 的符号不定，从而，函数 u 在点 $(0,\pm b,0)$ 不取极值.

【3662】 $u=xy^2z^3,x+2y+3z=\dfrac{a}{6}(x>0,y>0,z>0,a>0)$.

解 设 $w=\ln u=\ln x+2\ln y+3\ln z$，$F(x,y,z)=w-\dfrac{1}{\lambda}(x+2y+3z-a)$. 解方程组

$$\begin{cases}\dfrac{\partial F}{\partial x}=\dfrac{1}{x}-\dfrac{1}{\lambda}=0,\\ \dfrac{\partial F}{\partial y}=\dfrac{2}{y}-\dfrac{2}{\lambda}=0,\\ \dfrac{\partial F}{\partial z}=\dfrac{3}{z}-\dfrac{3}{\lambda}=0,\\ x+2y+3z=a,\end{cases}$$

可得 $x=y=z=\dfrac{a}{6}$.

类似 3660 题的讨论可知,函数 u 当 $x=y=z=\dfrac{a}{6}$ 时取极大值 $u_{\max}=\left(\dfrac{a}{6}\right)^6$.

【3663】 $u=xyz, x^2+y^2+z^2=1, x+y+z=0$.

解 设 $F(x,y,z)=xyz+\lambda(x^2+y^2+z^2-1)+\mu(x+y+z)$. 解方程组

$$\begin{cases}\dfrac{\partial F}{\partial x}=yz+2\lambda x+\mu=0, & ①\\ \dfrac{\partial F}{\partial y}=xz+2\lambda y+\mu=0, & ②\\ \dfrac{\partial F}{\partial z}=xy+2\lambda z+\mu=0, & ③\\ x^2+y^2+z^2=1, & ④\\ x+y+z=0. & ⑤\end{cases}$$

①-②,②-③,得

$$\begin{cases}(x-y)(2\lambda-z)=0, & ⑥\\ (y-z)(2\lambda-x)=0. & ⑦\end{cases}$$

由 ⑥,若 $x-y=0$,代入 ⑤ 得 $z=-2x$. 再代入 ④,解得临界点

$$P_1\left(\frac{1}{\sqrt{6}},\frac{1}{\sqrt{6}},-\frac{2}{\sqrt{6}}\right), P_2\left(-\frac{1}{\sqrt{6}},-\frac{1}{\sqrt{6}},\frac{2}{\sqrt{6}}\right).$$

如果 $x-y\neq 0$,则 $z=2\lambda$. 由 ⑦,若 $y-z=0$,类似上面解法可解得临界点

$$P_3\left(-\frac{2}{\sqrt{6}},\frac{1}{\sqrt{6}},\frac{1}{\sqrt{6}}\right), P_4\left(\frac{2}{\sqrt{6}},-\frac{1}{\sqrt{6}},-\frac{1}{\sqrt{6}}\right).$$

若 $y-z\neq 0$,则 $x=2\lambda$,故 $x=z$,类似上面解法又可得临界点

$$P_5\left(\frac{1}{\sqrt{6}},-\frac{2}{\sqrt{6}},\frac{1}{\sqrt{6}}\right), P_6\left(-\frac{1}{\sqrt{6}},\frac{2}{\sqrt{6}},-\frac{1}{\sqrt{6}}\right).$$

相应地,有

$$u(P_1)=u(P_3)=u(P_5)=-\frac{1}{3\sqrt{6}}, u(P_2)=u(P_4)=u(P_6)=\frac{1}{3\sqrt{6}}.$$

类似前面各题可知,u 在点 P_1,P_3 及 P_5 取极小值 $u_{\min}=-\dfrac{1}{3\sqrt{6}}$;在点 P_2,P_4 及 P_6 取极大值 $u_{\max}=\dfrac{1}{3\sqrt{6}}$.

【3664】 $u=\sin x\sin y\sin z$,若 $x+y+z=\dfrac{\pi}{2}$ $(x>0,y>0,z>0)$.

解 由 $x+y+z=\dfrac{\pi}{2}$ 及 $x>0,y>0,z>0$ 不难得出 $0<x<\dfrac{\pi}{2}, 0<y<\dfrac{\pi}{2}, 0<z<\dfrac{\pi}{2}$.

设 $w=\ln u=\ln\sin x+\ln\sin y+\ln\sin z$, $F(x,y,z)=w+\lambda\left(x+y+z-\dfrac{\pi}{2}\right)$. 解方程组

$$\begin{cases}\dfrac{\partial F}{\partial x}=\cot x+\lambda=0,\\ \dfrac{\partial F}{\partial y}=\cot y+\lambda=0,\\ \dfrac{\partial F}{\partial z}=\cot z+\lambda=0,\\ x+y+z=\dfrac{\pi}{2},\end{cases}$$

并注意到点 $P(x,y,z)$ 在第一卦限，即得临界点 $P_0\left(\dfrac{\pi}{6},\dfrac{\pi}{6},\dfrac{\pi}{6}\right)$.

类似 3660 题的讨论，当点 (x,y,z) 趋于平面 $x+y+z=\dfrac{\pi}{2}$ 在第一卦限部分的边界时，$u\to 0$；而在边界内部 $u>0$. 因此，函数 u 在边界内部取最大值，故在点 P_0 取极大值 $u(P_0)=\dfrac{1}{8}$.

【3665】 $u=\dfrac{x^2}{a^2}+\dfrac{y^2}{b^2}+\dfrac{z^2}{c^2}$，$x^2+y^2+z^2=1$，$x\cos\alpha+y\cos\beta+z\cos\gamma=0(a>b>c>0,\cos^2\alpha+\cos^2\beta+\cos^2\gamma=1)$.

解 设 $F(x,y,z)=\dfrac{x^2}{a^2}+\dfrac{y^2}{b^2}+\dfrac{z^2}{c^2}-\lambda(x^2+y^2+z^2-1)+\mu(x\cos\alpha+y\cos\beta+z\cos\gamma)$.

解方程组

$$\begin{cases}\dfrac{\partial F}{\partial x}=2\left(\dfrac{1}{a^2}-\lambda\right)x+\mu\cos\alpha=0, & ①\\ \dfrac{\partial F}{\partial y}=2\left(\dfrac{1}{b^2}-\lambda\right)y+\mu\cos\beta=0, & ②\\ \dfrac{\partial F}{\partial z}=2\left(\dfrac{1}{c^2}-\lambda\right)z+\mu\cos\lambda=0, & ③\\ x^2+y^2+z^2=1, & ④\\ x\cos\alpha+y\cos\beta+z\cos\gamma=0, & ⑤\\ \cos^2\alpha+\cos^2\beta+\cos^2\gamma=1, & ⑥\end{cases}$$

将 ①②③ 三式分别乘以 x,y,z 然后相加，并注意到 ④⑤ 两式，即得

$$\lambda=\frac{x^2}{a^2}+\frac{y^2}{b^2}+\frac{z^2}{c^2}=u(x,y,z). \qquad ⑦$$

再将 ①②③ 三式分别乘以 $\cos\alpha,\cos\beta,\ \cos\gamma$，然后相加，并注意到 ⑤⑥ 两式，即得

$$\mu=-2\left(\frac{x\cos\alpha}{a^2}+\frac{y\cos\beta}{b^2}+\frac{z\cos\gamma}{c^2}\right). \qquad ⑧$$

将 ⑧ 式代入 ①②③ 得

$$\begin{cases}\left(\dfrac{\sin^2\alpha}{a^2}-\lambda\right)x-\dfrac{\cos\alpha\cos\beta}{b^2}y-\dfrac{\cos\alpha\cos\gamma}{c^2}z=0,\\ -\dfrac{\cos\alpha\cos\beta}{a^2}x+\left(\dfrac{\sin^2\beta}{b^2}-\lambda\right)y-\dfrac{\cos\beta\cos\gamma}{c^2}z=0,\\ -\dfrac{\cos\alpha\cos\gamma}{a^2}x-\dfrac{\cos\beta\cos\gamma}{b^2}y+\left(\dfrac{\sin^2\gamma}{c^2}-\lambda\right)z=0.\end{cases} \qquad ⑨$$

要使 $\dfrac{x}{a^2},\dfrac{y}{b^2},\dfrac{z}{c^2}$ 为方程组 ⑨ 的非零解，必须有

$$\begin{vmatrix}\sin^2\alpha-a^2\lambda & -\cos\alpha\cos\beta & -\cos\alpha\cos\gamma\\ -\cos\alpha\cos\beta & \sin^2\beta-b^2\lambda & -\cos\beta\cos\gamma\\ -\cos\alpha\cos\gamma & -\cos\beta\cos\gamma & \sin^2\gamma-c^2\lambda\end{vmatrix}=0.$$

展开计算得

$$\lambda\left[\lambda^2-\left(\frac{\sin^2\alpha}{a^2}+\frac{\sin^2\beta}{b^2}+\frac{\sin^2\gamma}{c^2}\right)\lambda+\left(\frac{\cos^2\alpha}{b^2c^2}+\frac{\cos^2\beta}{c^2a^2}+\frac{\cos^2\gamma}{a^2b^2}\right)\right]=0. \quad ⑩$$

由 ⑦ 知 $\lambda\neq 0$,且不难验证 ⑩ 式在消去 λ 后得到的二次方程有两个不等的实根 $\lambda_1<\lambda_2$.

固定 $\lambda=\lambda_1$,代入 ⑨,可得到关于 (x,y,z) 有一个自由度的一个解系,代入方程 ④,可得对应于 $\lambda=\lambda_1$ 的两个临界点 $P_1(x_1,y_1,z_1)$ 和 $P_2(x_2,y_2,z_2)$. 由 ⑦ 知,对应的 $u(P_1)=u(P_2)=\lambda_1$. 同理可求得对应于 $\lambda=\lambda_2$ 的两个临界点 $P_3(x_3,y_3,z_3)$ 和 $P_4(x_4,y_4,z_4)$,且有 $u(P_3)=u(P_4)=\lambda_2$.

P_1,P_2,P_3,P_4 为满足方程组 ①⑤ 的一切解所对应的点. 类似前面各题的讨论可知,函数 u 在点 P_1 及 P_2 取极小值 λ_1,而在点 P_3 及 P_4 取极大值 λ_2.

【3666】 $u=(x-\xi)^2+(y-\eta)^2+(z-\zeta)^2$,满足

$$Ax+By+Cz=0,\ x^2+y^2+z^2=R^2,\ \frac{\xi}{\cos\alpha}=\frac{\eta}{\cos\beta}=\frac{\zeta}{\cos\gamma},$$

其中 $\cos^2\alpha+\cos^2\beta+\cos^2\gamma=1$.

解 这里认为(ξ,η,ζ) 为定点.

设 $F(x,y,z)=(x-\xi)^2+(y-\eta)^2+(z-\zeta)^2+\lambda(Ax+By+Cz)+\mu(x^2+y^2+z^2-R^2)$.

记 $\xi=\rho\cos\alpha,\eta=\rho\cos\beta,\zeta=\rho\cos\gamma,\rho=\sqrt{\xi^2+\eta^2+\zeta^2}$. 解方程组

$$\begin{cases}\dfrac{\partial F}{\partial x}=2(x-\rho\cos\alpha)+\lambda A+2\mu x=0, & ①\\ \dfrac{\partial F}{\partial y}=2(y-\rho\cos\beta)+\lambda B+2\mu y=0, & ②\\ \dfrac{\partial F}{\partial z}=2(z-\rho\cos\gamma)+\lambda C+2\mu z=0, & ③\\ x^2+y^2+z^2=R^2, & ④\\ Ax+By+Cz=0, & ⑤\\ \cos^2\alpha+\cos^2\beta+\cos^2\gamma=1. & ⑥\end{cases}$$

将 ①,②,③ 三式分别乘以 A,B,C,然后相加,并注意到 ⑤ 式,即得

$$\begin{cases}-2\rho(A\cos\alpha+B\cos\beta+C\cos\gamma)+\lambda(A^2+B^2+C^2)=0,\\ \lambda=\dfrac{2\rho(A\cos\alpha+B\cos\beta+C\cos\gamma)}{A^2+B^2+C^2}.\end{cases} \quad ⑦$$

再将 ①,②,③ 三式分别乘以 x,y,z,然后相加,并注意到 ④ 式和 ⑤ 式,即得

$$2(1+\mu)R^2=2\rho(x\cos\alpha+y\cos\beta+z\cos\gamma). \quad ⑧$$

又将 ①,②,③ 三式分别乘以 $\cos\alpha,\cos\beta,\cos\gamma$,然后相加,并注意到 ⑥ 式,即得

$$\begin{aligned}2(1+\mu)(x\cos\alpha+y\cos\beta+z\cos\gamma)&=2\rho-\lambda(A\cos\alpha+B\cos\beta+C\cos\gamma)\\&=2\rho\left[1-\frac{(A\cos\alpha+B\cos\beta+C\cos\gamma)^2}{A^2+B^2+C^2}\right].\end{aligned} \quad ⑨$$

由 ⑧,⑨ 可得

$$(1+\mu)^2R^2=(1+\mu)\rho(x\cos\alpha+y\cos\beta+z\cos\gamma)=\rho^2\left[1-\frac{(A\cos\alpha+B\cos\beta+C\cos\gamma)^2}{A^2+B^2+C^2}\right],$$

即

$$1+\mu=\pm\frac{\rho}{R}\sqrt{1-\frac{(A\cos\alpha+B\cos\beta+C\cos\gamma)^2}{A^2+B^2+C^2}}. \quad ⑩$$

由 ①,②,③ 可得

$$x=\frac{2\rho\cos\alpha-\lambda A}{2(1+\mu)},y=\frac{2\rho\cos\beta-\lambda B}{2(1+\mu)},z=\frac{2\rho\cos\gamma-\lambda C}{2(1+\mu)}.$$

把 ⑦ 式和 ⑩ 式代入上式,即可得 $P_1(x_1,y_1,z_1)$ 和 $P_2(x_2,y_2,z_2)$,其中 P_1 对应于 ⑩ 式取正号,而 P_2 对应于 ⑩ 式取负号. 下面求 $u(P_1)$ 和 $u(P_2)$. 由 ⑨,⑩ 可得

$$x\cos\alpha+y\cos\beta+z\cos\gamma=\pm R\sqrt{1-\frac{(A\cos\alpha+B\cos\beta+C\cos\gamma)^2}{A^2+B^2+C^2}}.$$

于是

$$\begin{aligned}u(P_1)&=(x_1-\rho\cos\alpha)^2+(y_1-\rho\cos\beta)^2+(z_1-\rho\cos\gamma)^2\\&=(x_1^2+y_1^2+z_1^2)-2\rho(x_1\cos\alpha+y_1\cos\beta+z_1\cos\gamma)+\rho^2\\&=R^2+\rho^2-2\rho R\sqrt{1-\frac{(A\cos\alpha+B\cos\beta+C\cos\gamma)^2}{A^2+B^2+C^2}}.\end{aligned}$$

同理可得 $u(P_2)=R^2+\rho^2+2\rho R\sqrt{1-\dfrac{(A\cos\alpha+B\cos\beta+C\cos\gamma)^2}{A^2+B^2+C^2}}$.

类似以前各题的讨论可知 $u(P_2)$ 为最大值，$u(P_1)$ 为最小值.

【3667】 $u=x_1^2+x_2^2+\cdots+x_n^2,\dfrac{x_1}{a_1}+\dfrac{x_2}{a_2}+\cdots+\dfrac{x_n}{a_n}=1\quad(a_i>0;i=1,2,\cdots,n).$

解 设 $F(x_1,x_2,\cdots,x_n)=x_1^2+x_2^2+\cdots+x_n^2+\lambda\left(\dfrac{x_1}{a_1}+\dfrac{x_2}{a_2}+\cdots+\dfrac{x_n}{a_n}-1\right)$. 解方程组

$$\begin{cases}\dfrac{\partial F}{\partial x_i}=2x_i+\dfrac{\lambda}{a_i}=0(i=1,2,\cdots,n),\\ \displaystyle\sum_{i=1}^n\frac{x_i}{a_i}=1,\end{cases}$$

可得临界点 $P_0(x_1,x_2,\cdots,x_n)$，其中 $x_i=\dfrac{1}{a_i}\left(\displaystyle\sum_{j=1}^n\frac{1}{a_j^2}\right)^{-1}\quad(i=1,2,\cdots,n)$.

由于 $d^2u=d^2F=2\displaystyle\sum_{i=1}^n dx_i^2>0$（它不受约束条件的限制），故当 $x_i=\dfrac{1}{a_i}\left(\displaystyle\sum_{j=1}^n\frac{1}{a_j^2}\right)^{-1}$ 时，函数 u 取极小值

$$u_{\min}=\sum_{i=1}^n\left[\frac{1}{a_i}\left(\sum_{j=1}^n\frac{1}{a_j^2}\right)^{-1}\right]^2=\left(\sum_{j=1}^n\frac{1}{a_j^2}\right)^{-1}.$$

【3668】 $u=x_1^p+x_2^p+\cdots+x_n^p\quad(p>1),x_1+x_2+\cdots+x_n=a\quad(x_i>0).$

解 设 $F(x_1,x_2,\cdots,x_n)=x_1^p+x_2^p+\cdots+x_n^p+\lambda(x_1+x_2+\cdots+x_n-a)$. 解方程组

$$\begin{cases}\dfrac{\partial F}{\partial x_i}=px_i^{p-1}+\lambda=0(i=1,2,\cdots,n),\\ \displaystyle\sum_{i=1}^n x_i=a,\end{cases}$$

得 $x_i=\dfrac{a}{n}(i=1,2,\cdots,n)$. 由于

$$\frac{\partial^2F}{\partial x_i\partial x_j}=\begin{cases}p(p-1)x_i^{p-2}, & i=j,\\0, & i\neq j,\end{cases}$$

故当 $x_i=\dfrac{a}{n}(i=1,2,\cdots,n)$ 时，

$$d^2F=p(p-1)\sum_{i=1}^n\left(\frac{a}{n}\right)^{p-2}dx_i^2>0\left(\sum_{i=1}^n dx_i^2\neq0\right),$$

它不受约束条件的限制，故函数 u 取极小值 $u_{\min}=\dfrac{a^p}{n^{p-1}}$.

【3669】 $u=\dfrac{\alpha_1}{x_1}+\dfrac{\alpha_2}{x_2}+\cdots+\dfrac{\alpha_n}{x_n},\beta_1x_1+\beta_2x_2+\cdots+\beta_nx_n=1(\alpha_i>0,\beta_i>0,x_i>0;$
$i=1,2,\cdots,n).$

解 设 $F(x_1,x_2,\cdots,x_n)=\dfrac{\alpha_1}{x_1}+\dfrac{\alpha_2}{x_2}+\cdots+\dfrac{\alpha_n}{x_n}+\lambda(\beta_1x_1+\beta_2x_2+\cdots+\beta_nx_n-1)$. 解方程组

$$\begin{cases}\dfrac{\partial F}{\partial x_i}=-\dfrac{\alpha_i}{x_i^2}+\lambda\beta_i=0(i=1,2,\cdots,n),\\ \sum\limits_{i=1}^{n}\beta_i x_i=1,\end{cases}$$

得 $x_i=\sqrt{\dfrac{\alpha_i}{\beta_i}}\left(\sum\limits_{j=1}^{n}\sqrt{\alpha_j\beta_j}\right)^{-1}(i=1,2,\cdots,n)$. 由于

$$\mathrm{d}^2F=2\sum_{i=1}^{n}\frac{\alpha_i}{x_i^3}\mathrm{d}x_i^2>0\left(\sum_{i=1}^{n}\mathrm{d}x_i^2\neq 0\right),$$

故当 $x_i=\sqrt{\dfrac{\alpha_i}{\beta_i}}\left(\sum\limits_{j=1}^{n}\sqrt{\alpha_j\beta_j}\right)^{-1}$ 时,函数 u 取极小值 $u_{\min}=\left(\sum\limits_{j=1}^{n}\sqrt{\alpha_j\beta_j}\right)^2$.

【3670】 $u=x_1^{\alpha_1}x_2^{\alpha_2}\cdots x_n^{\alpha_n},x_1+x_2+\cdots+x_n=a(a>0,\alpha_i>1,i=1,2,\cdots,n)$.

解 设 $w=\ln u=\sum\limits_{i=1}^{n}\alpha_i\ln x_i,F(x_1,x_2,\cdots,x_n)=w-\dfrac{1}{\lambda}\left(\sum\limits_{i=1}^{n}x_i-a\right)=\sum\limits_{i=1}^{n}\left(\alpha_i\ln x_i-\dfrac{x_i}{\lambda}\right)+\dfrac{a}{\lambda}$. 解方程组

$$\begin{cases}\dfrac{\partial F}{\partial x_i}=\dfrac{\alpha_i}{x_i}-\dfrac{1}{\lambda}=0(i=1,2,\cdots,n),\\ \sum\limits_{i=1}^{n}x_i=a\end{cases}$$

得 $x_i=\dfrac{a\alpha_i}{\alpha_1+\alpha_2+\cdots+\alpha_n}(i=1,2,\cdots,n)$.

由于 $\mathrm{d}^2w=-\sum\limits_{i=1}^{n}\dfrac{\alpha_i}{x_i}\mathrm{d}x_i^2<0\quad\left(\sum\limits_{i=1}^{n}\mathrm{d}x_i^2\neq 0\right)$ 恒成立,故函数 w 当 $x_i=\dfrac{a\alpha_i}{\alpha_1+\alpha_2+\cdots+\alpha_n}(i=1,2,\cdots,n)$ 时取极大值,即函数 u 当 $x_i=\dfrac{a\alpha_i}{\alpha_1+\alpha_2+\cdots+\alpha_n}$ 时取极大值

$$u_{\max}=\left(\frac{a}{\alpha_1+\alpha_2+\cdots+\alpha_n}\right)^{\alpha_1+\alpha_2+\cdots+\alpha_n}\alpha_1^{\alpha_1}\alpha_2^{\alpha_2}\cdots\alpha_n^{\alpha_n}.$$

【3671】 若 $\sum\limits_{i=1}^{n}x_i^2=1$,求二次型 $u=\sum\limits_{i,j=1}^{n}a_{ij}x_ix_j$ 的极值,其中 $a_{ij}=a_{ji}$.

解 设 $F(x_1,x_2,\cdots,x_n)=u-\lambda(x_1^2+x_2^2+\cdots+x_n^2-1)$. 解方程组

$$\begin{cases}\dfrac{1}{2}\dfrac{\partial F}{\partial x_1}=(a_{11}-\lambda)x_1+a_{12}x_2+\cdots+a_{1n}x_n=0,\\ \dfrac{1}{2}\dfrac{\partial F}{\partial x_2}=a_{21}x_1+(a_{22}-\lambda)x_2+\cdots+a_{2n}x_n=0,\\ \vdots\\ \dfrac{1}{2}\dfrac{\partial F}{\partial x_n}=a_{n1}x_1+a_{n2}x_2+\cdots+(a_{nn}-\lambda)x_n=0,\\ x_1^2+x_2^2+\cdots+x_n^2=1.\end{cases}$$

前 n 个方程要有非零解,必须矩阵 (a_{ij}) 的特征方程 $|A-\lambda E|=0$ 有解,其中 A 为以 a_{ij} 为元素的实对称矩阵,E 为单位矩阵. 由线性代数中关于欧氏空间的理论知,此特征方程必有 n 个实根,即有 $\lambda_1\geqslant\lambda_2\geqslant\cdots\geqslant\lambda_n$ 满足 $|A-\lambda E|=0$. 对于任一根 λ_k,代入前 n 个方程,可求得 $(x_1,x_2,\cdots,x_n)$ 的一个解空间,解空间的维数,等于 λ_k 的重数. 解空间中的单位元素即上述方程组的根. 当 λ_k 是单重根时,解空间是一维的,单位元素只有两个. 当 λ_k 是多重根时,对应 λ_k 的单位元素有无穷多个.

对于 λ_k 的解 $(x_1,x_2,\cdots,x_n)$,显然满足上述方程组 因此,有 $\sum\limits_{j=1}^{n}a_{ij}x_j=\lambda_kx_i(i=1,2,\cdots,n)$,从而得

$$u(x_1,x_2,\cdots,x_n)=\sum_{i,j=1}^{n}a_{ij}x_ix_j=\sum_{i=1}^{n}x_i\left(\sum_{j=1}^{n}a_{ij}x_j\right)=\sum_{i=1}^{n}\lambda_kx_i^2=\lambda_k\sum_{i=1}^{n}x_i^2=\lambda_k.$$

由于函数 u 在 n 维球面 $x_1^2+x_2^2+\cdots+x_n^2=1$ 上连续，故必取最大值和最小值. 于是，对应于 λ_1 和 λ_n 的解，分别使函数 u 取最大值 λ_1 和最小值 λ_n，因而也是 u 的极大值和极小值，或是 u 的弱极大值和弱极小值，视 λ_1 和 λ_n 的重数而定(多重时为弱极值). 由线性代数中把 d^2F 化标准型的方法，可证：对于不等于 λ_1 和 λ_n 的 λ_k，二次型不取极值.

知识点3 条件极值的应用

绝对极值(最值)

(1) 在有界闭区域内的可微函数 $f(P)$ 在此区域内或临界点或区域的边界点达到自己的最大值和最小值.

(2) 在开区域内的可微函数 $f(P)$ 在此区域内或临界点或区域的边界点达到自己的上确界 sup 或下确界 inf.

(3) 在许多实际应用中，通过确定函数取绝对极值使问题得以解决. 这时通过条件极值得到的唯一极值点就是所求最值点.

习题 3672—3710 条件极值的应用

【3672】 若 $n\geqslant 1$ 及 $x\geqslant 0, y\geqslant 0$，证明不等式：$\dfrac{x^n+y^n}{2}\geqslant\left(\dfrac{x+y}{2}\right)^n$.

提示 在 $x+y=a(a>0)$ 的条件下，求函数 $z=\dfrac{x^n+y^n}{2}(x\geqslant 0, y\geqslant 0)$ 的最小值.

证 考虑函数 $z=\dfrac{x^n+y^n}{2}$ 在条件 $x+y=a(a\geqslant 0, x\geqslant 0, y\geqslant 0)$ 下的极值问题. 设

$$F(x,y)=\frac{1}{2}(x^n+y^n)+\lambda(x+y-a).$$

解方程组

$$\begin{cases}\dfrac{\partial F}{\partial x}=\dfrac{n}{2}x^{n-1}+\lambda=0,\\[2mm] \dfrac{\partial F}{\partial y}=\dfrac{n}{2}y^{n-1}+\lambda=0,\\[2mm] x+y=a,\end{cases}$$

可得 $x=y=\dfrac{a}{2}$.

将点 $\left(\dfrac{a}{2},\dfrac{a}{2}\right)$ 与边界点 $(0,a)$，$(a,0)$ 的函数值进行比较(注意到 $n\geqslant 1$)，有

$$z(0,a)=z(a,0)=\frac{a^n}{2}\geqslant\left(\frac{a}{2}\right)^n=z\left(\frac{a}{2},\frac{a}{2}\right)(n>1),$$

即知函数 z 当 $x+y=a$ 时的最小值为 $\left(\dfrac{a}{2}\right)^n$. 从而当 $x+y=a, x\geqslant 0, y\geqslant 0$ 时，有

$$\frac{x^n+y^n}{2}\geqslant\left(\frac{a}{2}\right)^n.\text{即}\frac{x^n+y^n}{2}\geqslant\left(\frac{x+y}{2}\right)^n.$$

【3673】 证明赫尔德不等式：

$$\sum_{i=1}^n a_ix_i\leqslant\left(\sum_{i=1}^n a_i^k\right)^{\frac{1}{k}}\left(\sum_{i=1}^n x_i^{k'}\right)^{\frac{1}{k'}}\left(a_i\geqslant 0, x_i\geqslant 0; i=1,2,\cdots,n; k>1,\frac{1}{k}+\frac{1}{k'}=1\right).$$

提示 在 $\sum\limits_{i=1}^n a_ix_i=A(A>0)$ 的条件下，求函数 $u=\left(\sum\limits_{i=1}^n a_i^k\right)^{\frac{1}{k}}\left(\sum\limits_{i=1}^n x_i^{k'}\right)^{\frac{1}{k'}}$ 的最小值.

证 只须证明函数 $u=(\sum\limits_{i=1}^{n}a_i^k)^{\frac{1}{k}}(\sum\limits_{i=1}^{n}x_i^{k'})^{\frac{1}{k'}}$ 在条件 $\sum\limits_{i=1}^{n}a_ix_i=A(a_i\geqslant 0,x_i\geqslant 0)$ 下的最小值是 A. 对 n 用数学归纳法.

当 $n=1$ 时，显然有 $(a_1^k)^{\frac{1}{k}}(x_1^{k'})^{\frac{1}{k'}}=a_1x_1=A$.

设当 $n=m$ 时，命题成立. 即对任意 m 个数 $a_1,a_2,\cdots,a_m(a_i\geqslant 0)$，当 $\sum\limits_{i=1}^{m}a_ix_i=A(x_1\geqslant 0,\cdots,x_m\geqslant 0)$ 时，必有

$$A\leqslant(\sum_{i=1}^{m}a_i^k)^{\frac{1}{k}}(\sum_{i=1}^{m}x_i^{k'})^{\frac{1}{k'}}.$$

下证当 $n=m+1$ 时命题也成立. 设 $\sum\limits_{i=1}^{m+1}a_ix_i=A,u=\alpha^{\frac{1}{k}}(\sum\limits_{i=1}^{m+1}x_i^{k'})^{\frac{1}{k'}}$，其中 $\alpha=\sum\limits_{i=1}^{m+1}a_i^k$，求 u 的最小值. 令 $F(x_1,x_2,\cdots,x_{m+1})=u(x_1,x_2,\cdots,x_{m+1})-\lambda(\sum\limits_{i=1}^{m+1}a_ix_i-A)$. 解方程组

$$\begin{cases}\dfrac{\partial F}{\partial x_i}=\dfrac{\alpha^{\frac{1}{k}}}{k'}(\sum\limits_{i=1}^{m+1}x_i^{k'})^{\frac{1}{k'}-1}(k'x_i^{k'-1})-\lambda a_i=0,i=1,2,\cdots,m+1,\\ \sum\limits_{i=1}^{m+1}a_ix_i=A\end{cases}$$

可得 $\dfrac{x_i^{k'-1}}{a_i}=\lambda\alpha^{-\frac{1}{k}}(\sum\limits_{i=1}^{m+1}x_i^{k'})^{\frac{1}{k'}}=\mu^{k'-1}\quad(i=1,2,\cdots,m+1)$. 这里引入了记号 μ，即 $x_i=(a_i\mu^{k'-1})^{\frac{1}{k'-1}}=a_i^{\frac{1}{k'-1}}\mu=\mu a_i^{k-1}$，从而有

$$\mu\sum_{i=1}^{m+1}a_ia_i^{k-1}=\mu\sum_{i=1}^{m+1}a_i^k=\mu\alpha=A,\mu=\frac{A}{\alpha}.$$

于是，解得满足极值必要条件的唯一解 $x_i^0=\dfrac{A}{\alpha}a_i^{k-1}\quad(i=1,2,\cdots,m+1)$. 对应的函数值为

$$\begin{aligned}u_0&=u(x_1^0,x_2^0,\cdots,x_{m+1}^0)=\alpha^{\frac{1}{k}}\left[\sum_{i=1}^{m+1}\left(\frac{A}{\alpha}a_i^{k-1}\right)^{k'}\right]^{\frac{1}{k'}}=\alpha^{\frac{1}{k}}\frac{A}{\alpha}\left[\sum_{i=1}^{m+1}a_i^{(k-1)k'}\right]^{\frac{1}{k'}}\\&=\alpha^{\frac{1}{k}-1}A(\sum_{i=1}^{n+1}a_i^k)^{\frac{1}{k'}}=A\alpha^{\frac{1}{k}-1}\alpha^{\frac{1}{k'}}=A.\end{aligned}$$

所研究的区域 $\sum\limits_{i=1}^{m+1}a_ix_i=A,x_i\geqslant 0(i=1,2,\cdots,m+1)$ 是 $m+1$ 维空间中一个 m 维平面在第一卦限的部分，其边界由 $m+1$ 个 $m-1$ 维平面(之一部分)所组成：$x_i=0,\sum\limits_{j=1}^{m+1}a_jx_j=A(a_j\geqslant 0,x_j\geqslant 0;i=1,2,\cdots,m+1)$ 在这些边界面上，求

$$u(x_1,x_2,\cdots,x_{m+1})=u(x_1,x_2,\cdots,x_{i-1},0,x_{i+1},\cdots,x_{m+1})=\alpha^{\frac{1}{k}}(\sum_{j=1}^{i-1}x_j^{k'}+\sum_{j=i+1}^{m+1}x_j^{k'})^{\frac{1}{k'}}$$

的最小值变为求 m 个变量的最小值. 以估计 $x_{m+1}=0,\sum\limits_{i=1}^{m}a_ix_i=A$ 的最小值为例. 根据数学归纳法假设，注意到 $\alpha=\sum\limits_{i=1}^{m+1}a_i^k\geqslant\sum\limits_{i=1}^{m}a_i^k$，即有

$$u(x_1,x_2,\cdots,x_m,0)=\alpha^{\frac{1}{k}}(\sum_{i=1}^{m}x_i^{k'})^{\frac{1}{k'}}\geqslant(\sum_{i=1}^{m}a_i^k)^{\frac{1}{k}}(\sum_{i=1}^{m}x_i^{k'})^{\frac{1}{k'}}\geqslant\sum_{i=1}^{m}a_ix_i=A.$$

因此，u 在边界面上的最小值不小于 A. 由此可知，u 在区域上的最小值为

$$u(x_1^0,x_2^0,\cdots,x_{m+1}^0)=A,$$

故命题当 $n=m+1$ 时成立.

于是，由数学归纳法可知，当 $\sum\limits_{i=1}^{n}a_ix_i=A,x_i\geqslant 0\quad(i=1,2,\cdots,n)$ 时，有

$$(\sum_{i=1}^{n}a_i^k)^{\frac{1}{k}}(\sum_{i=1}^{n}x_i^{k'})^{\frac{1}{k'}}\geqslant A,$$

即

$$\sum_{i=1}^{n}a_ix_i\leqslant(\sum_{i=1}^{n}a_i^k)^{\frac{1}{k}}(\sum_{i=1}^{n}x_i^{k'})^{\frac{1}{k'}}(a_i\geqslant 0,x_i\geqslant 0).$$

注 赫尔德(Holder)不等式是一个重要而常用的不等式,而且还可推广到一般的形式,证明方法也很多.例如,可参看 G. H. Hardy, J. E. Littlewood, G. Pólya 合著的名著"Inequalities"(Second Edition, 1952), ChapterII, 2.7 ~ 2.8.

【3674】 对于 n 阶行列式 $|\boldsymbol{A}|=|a_{ij}|$,证明阿达马不等式:$|\boldsymbol{A}|^2\leqslant\prod_{i=1}^{n}(\sum_{j=1}^{n}a_{ij}^2)$.

提示 在关系式 $\sum_{j=1}^{n}a_{ij}^2=S_i\quad(i=12,\cdots n)$ 存在的条件下,研究 $|\boldsymbol{A}|=|a_{ij}|$ 的极值.

证 **方法一** $\boldsymbol{A}$ 为矩阵(a_{ij}),$|\boldsymbol{A}|$ 表示行列式 $|a_{ij}|$. 考虑函数 $u=|\boldsymbol{A}|=|a_{ij}|$ 在条件 $\sum_{j=1}^{n}a_{ij}^2=S_i(i=1,2,\cdots,n)$ 下的极值问题,其中 $S_i\geqslant 0(i=1,2,\cdots,n)$.

由于上述 n 个条件限制下的 n^2 元点集是有界闭集,故连续函数 u 必在其上取最大值和最小值. 下面求函数 u 满足条件极值的必要条件. 设

$$F=u-\sum_{i=1}^{n}\lambda_i(\sum_{j=1}^{n}a_{ij}^2-S_i).$$

由于函数 u 是多项式,当按第 i 行展开时,有 $u=|\boldsymbol{A}|=\sum_{j=1}^{n}a_{ij}A_{ij}$,其中 A_{ij} 是 a_{ij} 的代数余子式.

解方程组

$$\frac{\partial F}{\partial a_{ij}}=A_{ij}-2\lambda_ia_{ij}=0(i,j=1,2,\cdots,n)$$

得 $a_{ij}=\dfrac{A_{ij}}{2\lambda_i}$,当 $i\neq k$ 时,有

$$\sum_{j=1}^{n}a_{ij}a_{kj}=\sum_{j=1}^{n}\frac{A_{ij}a_{kj}}{2\lambda_i}=\frac{1}{2\lambda_i}\sum_{j=1}^{n}A_{ij}a_{kj}=0,$$

故当函数 u 满足极值的必要条件时,行列式不同的两行所对应的向量必正交. 若以 $\boldsymbol{A}'$ 表示 $\boldsymbol{A}$ 的转置矩阵,则由行列式的乘法得

$$u^2=|\boldsymbol{A}'|\cdot|\boldsymbol{A}|=\begin{vmatrix}S_1&0&\cdots&0\\0&S_2&\cdots&0\\\vdots&\vdots&&\vdots\\0&0&\cdots&S_n\end{vmatrix}=\prod_{i=1}^{n}S_i.$$

因此,函数 u 满足极值的必要条件时,必有 $u=\pm\sqrt{\prod_{i=1}^{n}S_i}$.

由于函数 u 在条件 $\sum_{j=1}^{n}a_{ij}^2=S_i(i=1,2,\cdots,n)$ 下不恒为常数,故

$$u_{\max}=\sqrt{\prod_{i=1}^{n}S_i},u_{\min}=-\sqrt{\prod_{i=1}^{n}S_i}.$$

从而当 $\sum_{j=1}^{n}a_{ij}^2=S_i(i=1,2,\cdots,n)$ 时,$|\boldsymbol{A}|^2\leqslant\prod_{i=1}^{n}S_i$,即 $|\boldsymbol{A}|^2\leqslant\prod_{i=1}^{n}(\sum_{j=1}^{n}a_{ij}^2)$

方法二 将原题归一化,也可获证. 设$\bar{a}_{ij}=\dfrac{a_{ij}}{\left(\sum\limits_{j=1}^{n}a_{ij}^2\right)^{\frac{1}{2}}}(i,j=1,2,\cdots,n)$,则有

$$\sum_{j=1}^{n}\bar{a}_{ij}^2=1(i=1,2,\cdots,n).$$

从而,原命题可转化为证明不等式 $|\boldsymbol{A}|\leqslant 1$,其中$\sum\limits_{j=1}^{n}a_{ij}^2=1(i=1,2,\cdots,n)$,$\boldsymbol{A}=(a_{ij})$,$|\boldsymbol{A}|=|a_{ij}|$.

设 $F=|\boldsymbol{A}|+\sum\limits_{i=1}^{n}\lambda_i\left(\sum\limits_{j=1}^{n}a_{ij}^2-1\right)$. 解方程组

$$\frac{\partial F}{\partial a_{ij}}=A_{ij}+2\lambda_i a_{ij}=0,$$

其中 A_{ij} 为 a_{ij} 的代数余子式$(i,j=1,2,\cdots,n)$. 将上式两端乘以 a_{ij},并对 $j=1,2,\cdots,n$ 求和,得 $|\boldsymbol{A}|+2\lambda_i=0$ $(i=1,2,\cdots,n)$. 从而有 $\lambda_i=-\dfrac{|\boldsymbol{A}|}{2}(i=1,2,\cdots,n)$,也即 $A_{ij}=a_{ij}|\boldsymbol{A}|(i,j=1,2,\cdots,n)$,故得

$$\begin{vmatrix}A_{11}&\cdots&A_{n1}\\ \vdots&&\vdots\\ A_{1n}&\cdots&A_{nn}\end{vmatrix}=\begin{vmatrix}a_{11}|\boldsymbol{A}|&\cdots&a_{n1}|\boldsymbol{A}|\\ \vdots&&\vdots\\ a_{1n}|\boldsymbol{A}|&\cdots&a_{nn}|\boldsymbol{A}|\end{vmatrix},\tag{①}$$

上式左端的行列式为 $|\boldsymbol{A}|$ 的伴随矩阵的行列式,记为 $|\boldsymbol{A}^*|$. 由线性代数知识可知,当 $|\boldsymbol{A}|=0$ 时,$|\boldsymbol{A}^*|=0$,当 $|\boldsymbol{A}|\neq 0$ 时,

$$|\boldsymbol{A}|\cdot|\boldsymbol{A}^*|=\begin{vmatrix}|\boldsymbol{A}|&0&\cdots&0\\0&|\boldsymbol{A}|&\cdots&0\\ \vdots&\vdots&&\vdots\\0&0&\cdots&|\boldsymbol{A}|\end{vmatrix}=|\boldsymbol{A}|^n,$$

故有 $|\boldsymbol{A}^*|=|\boldsymbol{A}|^{n-1}$. 于是由 ① 式得,$|\boldsymbol{A}|^{n-1}=|\boldsymbol{A}|^{n+1}$.

由于 $|\boldsymbol{A}|$ 的极值必须满足上式,故不难推知 $|\boldsymbol{A}|_{\max}=1$,$|\boldsymbol{A}|_{\min}=-1$. 从而得知当$\sum\limits_{j=1}^{n}a_{ij}^2=1(i=1,2,\cdots,n)$,时,恒有

$$|\boldsymbol{A}|^2\leqslant 1 \text{ 或 } |\boldsymbol{A}|\leqslant 1.$$

【求下列函数在指定区域内的上确界(sup)和下确界(inf)(3675—3680)】

解题思路 先求函数 z 在区域内部的临界点,再求函数 z 在区域边界的临界点(若无临界点,求最值点),然后比较所求得的各点的函数值即可获解.

【3675】 $z=x-2y-3,0\leqslant x\leqslant 1,0\leqslant y\leqslant 1,0\leqslant x+y\leqslant 1.$

解 用 D 表示区域 $0\leqslant x\leqslant 1,0\leqslant y\leqslant 1,0\leqslant x+y\leqslant 1$,它是一个有界闭区域(为一闭三角形),故连续函数 z 在其上必有最大值和最小值. 由于 z 是 x,y 的线性函数,故不存在临界点,因此,最大值与最小值都在 D 的边界上达到. D 的边界为三条直线段:

$$y=0(0\leqslant x\leqslant 1),x=0(0\leqslant y\leqslant 1),x+y=1(0\leqslant x\leqslant 1);$$

在其上 z 分别变成一元函数:

$$z=x-3(0\leqslant x\leqslant 1),z=-2y-3(0\leqslant y\leqslant 1),z=3x-5(0\leqslant x\leqslant 1).$$

由于这些函数都是一元线性函数,故也无临界点,其最大值与最小值必在此三线段的端点(即点(0,0),点(1,0),点(0,1))达到. 由此可知,z 在 D 上的最大值与最小值必在此三点(0,0),(1,0),(0,1) 中达到.

由于 $z(0,0)=-3,z(1,0)=-2,z(0,1)=-5$,故 $\sup z=-2,\inf z=-5$.

【3676】 $z=x^2+y^2-12x+16y,x^2+y^2\leqslant 25.$

解 考虑函数 z 在区域 $x^2+y^2<25$ 内的临界点:

$$\begin{cases} \dfrac{\partial z}{\partial x} = 2x - 12 = 0, \\ \dfrac{\partial z}{\partial y} = 2y + 16 = 0 \end{cases}$$

在区域内无解，故连续函数 z 的最大值与最小值必在边界 $x^2 + y^2 = 25$ 上达到.

考虑函数 z 在边界 $x^2 + y^2 = 25$ 上的条件极值. 设 $F(x,y) = z - \lambda(x^2 + y^2 - 25)$. 解方程组

$$\begin{cases} \dfrac{\partial F}{\partial x} = 2x - 12 - 2\lambda x = 0, \\ \dfrac{\partial F}{\partial y} = 2y + 16 - 2\lambda y = 0, \\ x^2 + y^2 = 25, \end{cases}$$

可得临界点 $P_1(3,-4)$ 及 $P_2(-3,4)$. 由于 $z(3,-4) = -75$，$z(-3,4) = 125$，故得

$$\sup z = 125, \inf z = -75.$$

【3677】 $z = x^2 - xy + y^2$，$|x| + |y| \leqslant 1$.

解 先求函数 z 在区域 $|x| + |y| < 1$ 内的临界点：

$$\begin{cases} \dfrac{\partial z}{\partial x} = 2x - y = 0, \\ \dfrac{\partial z}{\partial y} = 2y - x = 0, \end{cases}$$

解得临界点 $P_0(0,0)$. 相应地，$z(P_0) = 0$.

再在边界：$x \geqslant 0, y \geqslant 0, x + y = 1$ 上求临界点. 设 $F_1 = x^2 - xy + y^2 - \lambda(x + y - 1)$，解方程组

$$\begin{cases} \dfrac{\partial F_1}{\partial x} = 2x - y - \lambda = 0, \\ \dfrac{\partial F_1}{\partial y} = 2y - x - \lambda = 0, \\ x + y = 1, \end{cases}$$

得临界点 $P_1\left(\dfrac{1}{2}, \dfrac{1}{2}\right)$. 相应地，$z(P_1) = \dfrac{1}{4}$.

同法可在另外三条边界线：$x \geqslant 0, y \leqslant 0, x - y = 1$；$x \leqslant 0, y \geqslant 0, x - y = -1$；$x \leqslant 0, y \leqslant 0, x + y = -1$ 上分别求得临界点 $P_2\left(\dfrac{1}{2}, -\dfrac{1}{2}\right)$，$P_3\left(-\dfrac{1}{2}, \dfrac{1}{2}\right)$ 及 $P_4\left(-\dfrac{1}{2}, -\dfrac{1}{2}\right)$. 相应地，

$$z(P_2) = z(P_3) = \frac{3}{4}, z(P_4) = \frac{1}{4}.$$

最后，在上述四条边界线的端点 $P_5(1,0)$，$P_6(0,1)$，$P_7(-1,0)$ 及 $P_8(0,-1)$ 上求得函数值：

$$z(P_5) = z(P_6) = z(P_7) = z(P_8) = 1.$$

比较 $z(P_i)(i = 0,1,2,\cdots,8)$，即得 $\sup z = 1$，$\inf z = 0$.

【3678】 $u = x^2 + 2y^2 + 3z^2$，$x^2 + y^2 + z^2 \leqslant 100$.

解 易求得函数 u 在区域 $x^2 + y^2 + z^2 < 100$ 内的临界点为 $P_0(0,0,0)$，而在边界 $x^2 + y^2 + z^2 = 100$ 上的临界点为 $P_1(10,0,0)$，$P_2(-10,0,0)$，$P_3(0,10,0)$，$P_4(0,-10,0)$，$P_5(0,0,10)$ 及 $P_6(0,0,-10)$. 相应地 $u(P_0) = 0$，$u(P_1) = u(P_2) = 100$，$u(P_3) = u(P_4) = 200$，$u(P_5) = u(P_6) = 300$. 于是

$$\sup u = 300, \inf u = 0.$$

【3679】 $u = x + y + z$，$x^2 + y^2 \leqslant z \leqslant 1$.

解 所讨论的立体区域由曲面 $x^2 + y^2 = z(0 \leqslant z \leqslant 1)$ 和平面 $z = 1$，$x^2 + y^2 \leqslant 1$ 所围成，两个曲面的交线为 $x^2 + y^2 = z = 1$.

显见在立体区域内部无临界点. 在边界面 $z = 1$，$x^2 + y^2 \leqslant 1$ 的内部，$u(x,y,1) = x + y + 1$ 也无临界点. 在边界面 $x^2 + y^2 = z(0 \leqslant z \leqslant 1)$ 上，有 $u = x + y + x^2 + y^2(x^2 + y^2 \leqslant 1)$. 解方程组

$$\begin{cases}\dfrac{\partial u}{\partial x}=1+2x=0,\\ \dfrac{\partial u}{\partial y}=1+2y=0,\end{cases}$$

得临界点 $P_1\left(-\dfrac{1}{2},-\dfrac{1}{2},\dfrac{1}{2}\right)$. 相应地,$u(P_1)=-\dfrac{1}{2}$.

在边界线 $x^2+y^2=z=1$ 上,设 $F(x,y)=x+y+1+\lambda(x^2+y^2-1)$. 解方程组

$$\begin{cases}\dfrac{\partial F}{\partial x}=1+2\lambda x=0,\\ \dfrac{\partial F}{\partial y}=1+2\lambda y=0,\\ x^2+y^2=1,\end{cases}$$

得临界点 $P_2\left(\dfrac{1}{\sqrt{2}},\dfrac{1}{\sqrt{2}},1\right)$ 及 $P_3\left(-\dfrac{1}{\sqrt{2}},-\dfrac{1}{\sqrt{2}},1\right)$. 相应地,$u(P_2)=1+\sqrt{2}$,$u(P_3)=1-\sqrt{2}$. 于是

$$\sup u=1+\sqrt{2},\inf u=-\frac{1}{2}.$$

【3680】 $u=(x+y+z)e^{-(x+2y+3z)},x>0,y>0,z>0$.

解 函数 u 在区域 $x\geqslant0,y\geqslant0,z\geqslant0$ 上是连续函数,因此,把题设中区域扩大包括边界时,上、下确界不变,下面就扩大后的区域加以讨论.

显然当 $x\geqslant0,y\geqslant0,z\geqslant0$ 时 $u\geqslant0$,且 $u(0,0,0)=0$,故 $\inf u=0$.

在区域内部,由于

$$\frac{\partial u}{\partial x}=e^{-(x+2y+3z)}[1-(x+y+z)],\frac{\partial u}{\partial y}=e^{-(x+2y+3z)}[1-2(x+y+z)],$$

$$\frac{\partial u}{\partial z}=e^{-(x+2y+3z)}[1-3(x+y+z)],$$

而 $e^{-(x+2y+3z)}\neq0$,故函数 u 在区域内部无临界点.

又因

$$u=(x+y+z)e^{-(x+2y+3z)}=(x+y+z)e^{-(x+y+z)}e^{-(y+2z)}$$
$$\leqslant(x+y+z)e^{-(x+y+z)}\to0[(x+y+z)\to+\infty].$$

故函数 u 的最大值必在有限的边界上达到. 考虑界面:

$$x=0;u(0,y,z)=(y+z)e^{-(2y+3z)},y\geqslant0,z\geqslant0.$$
$$y=0;u(x,0,z)=(x+z)e^{-(x+3z)},x\geqslant0,z\geqslant0.$$
$$z=0;u(x,y,0)=(x+y)e^{-(x+2y)},x\geqslant0,y\geqslant0.$$

同样可证明,这些界面内部无临界点.

最后考虑边界线:$x=0,y=0,z\geqslant0,u(0,0,z)=ze^{-3z}$,可解得临界点 $P_1\left(0,0,\dfrac{1}{3}\right)$,$u(P_1)=\dfrac{1}{3}e^{-1}$.

同法在边界线:$x=0,z=0,y\geqslant0$ 上可解得临界点 $P_2\left(0,\dfrac{1}{2},0\right)$. 相应地,$u(P_2)=\dfrac{1}{2}e^{-1}$;

在边界线:$y=0,z=0,x\geqslant0$ 上可解得临界点 $P_3(1,0,0)$. 相应地,$u(P_3)=e^{-1}$.

至于边界线的一端为原点,另一端伸向无穷远,均已讨论过.

于是,$\sup u=e^{-1}$.

【3681】 证明:函数 $z=(1+e^y)\cos x-ye^y$ 有无穷多个极大值而无一极小值.

证 解方程组

$$\begin{cases}\dfrac{\partial z}{\partial x}=-(1+e^y)\sin x=0,\\ \dfrac{\partial z}{\partial y}=e^y(\cos x-1-y)=0\end{cases}$$

得 $x=k\pi, y=(-1)^k-1(k=0,\pm1,\pm2,\cdots)$. 由于

$$\frac{\partial^2 z}{\partial x^2}=-(1+e^y)\cos x,\frac{\partial^2 z}{\partial x\partial y}=-e^y\sin x,\frac{\partial^2 z}{\partial y^2}=e^y(\cos x-2-y),$$

故在点$(2m\pi,0)(m=0,\pm1,\cdots)$, $A=-2,B=0,C=-1$ 及 $AC-B^2=2>0$,此时函数 z 取极大值;而在点$((2m+1)\pi,-2)(m=0,\pm1,\cdots)$, $A=1+e^{-2},B=0,C=-e^{-2}$ 及 $AC-B^2=-e^{-2}-e^{-4}<0$,此时函数 z 无极值.

【3682】 函数 $f(x,y)$ 在点 $M_0(x_0,y_0)$ 有极小值的充分条件是否为此函数在通过点 M_0 的每一条直线上有极小值? 研究例子 $f(x,y)=(x-y^2)(2x-y^2)$.

解 不是. 研究函数 $f(x,y)=(x-y^2)(2x-y^2)$.
对于每一条通过原点的直线:$y=kx(-\infty<x<+\infty)$ 均有

$$f(x,kx)=(x-k^2x^2)(2x-k^2x^2)=x^2(1-k^2x)(2-k^2x),$$

当 $0<|x|<\frac{1}{k^2}(k\neq0)$ 时,$f(x,kx)>0$. 但是 $f(0,0)=0$,因此,函数 $f(x,y)$ 在直线 $y=kx$ 上在原点取极小值零.

对于通过原点的另一条直线:$x=0$,有 $f(0,y)=y^4$,故在原点也取极小值零.

因此,函数 $f(x,y)$ 在一切通过原点的直线上均有极小值. 但是

$$f(a,\sqrt{1.5a})=-0.25a^2<0\quad(a>0),$$

因此,函数 $f(x,y)$ 在$(0,0)$点不取极小值.

此例说明:尽管 $f(x,y)$ 在通过点 M_0 的每一条直线上在 M_0 均有极小值,但却不能保证 $f(x,y)$ 作为二元函数在点 M_0 一定有极小值.

【3683】 分解给定正数 a 为 n 个正数之积,使得它们的倒数的和为最小.

解 按题设,应求函数 $u=\sum\limits_{i=1}^{n}\frac{1}{x_i}$ 在条件 $a=\prod\limits_{i=1}^{n}x_i$ 或 $\ln a=\sum\limits_{i=1}^{n}\ln x_i(a>0,x_i>0)$ 下的极值.

设 $F(x_1,x_2,\cdots,x_n)=u+\lambda\left(\sum\limits_{i=1}^{n}\ln x_i-\ln a\right)$. 解方程组

$$\begin{cases}\dfrac{\partial F}{\partial x_i}=-\dfrac{1}{x_i^2}+\dfrac{\lambda}{x_i}=0\quad(i=1,2,\cdots,n),\\ a=\prod\limits_{i=1}^{n}x_i,\end{cases}$$

可得 $x_i=\frac{1}{\lambda}(i=1,2,\cdots,n)$. 从而解得

$$x_1^0=x_2^0=\cdots=x_n^0=a^{\frac{1}{n}},u(x_1^2,x_2^0,\cdots,x_n^0)=na^{-\frac{1}{n}}.$$

当点 $P(x_1,x_2,\cdots,x_n)$ 趋于边界时,至少有一个 $x_i\to0$,即$\frac{1}{x_i}\to+\infty$,而 $u>\frac{1}{x_i}$,故 $u\to+\infty$. 因此,函数 u 必在区域内部取最小值. 于是,将正数 a 分为 n 个相等的正的因数 $a^{\frac{1}{n}}$ 时,其倒数和 $na^{-\frac{1}{n}}$ 最小.

【3684】 分解给定正数 a 为 n 个数之和,使得它们的平方和为最小.

解 由题意,应求函数 $u=\sum\limits_{i=1}^{n}x_i^2$ 在条件 $a=\sum\limits_{i=1}^{n}x_i(a>0)$ 下的极值.

设 $F(x_1,x_2,\cdots,x_n)=u+\lambda\left(\sum\limits_{i=1}^{n}x_i-a\right)$. 解方程组

$$\begin{cases}\dfrac{\partial F}{\partial x_i}=2x_i+\lambda=0(i=1,2,\cdots,n),\\ \prod\limits_{i=1}^{n}x_i=a,\end{cases}$$

得 $x_1^0=x_2^0=\cdots=x_n^0=\dfrac{a}{n},u(x_1^0,x_2^0,\cdots,x_n^0)=\dfrac{a^2}{n}$.

当 n 个相加数中有若干个相加数 $\to\pm\infty$ 时,平方和 $\to+\infty$. 因此,函数 u 必在有限区域内取最小值. 于是,将正数 a 分解为 n 个相等的相加数 $\dfrac{a}{n}$ 时,其平方和 $\dfrac{a^2}{n}$ 最小.

【3685】 分解给定的正数 a 为 n 个正数之积,使其给定正数次幂的和为最小.

解 由题设条件,要求函数 $u=\sum\limits_{i=1}^{n}x_i^{\alpha_i}\ (\alpha_i>0)$ 在条件 $\ln a=\sum\limits_{i=1}^{n}\ln x_i\ (a>0,x_i>0)$ 下的极值.

设 $F=u-\lambda(\sum\limits_{j=1}^{n}\ln x_i-\ln a)$. 解方程组

$$\begin{cases}\dfrac{\partial F}{\partial x_i}=\alpha_i x_i^{\alpha_i-1}-\dfrac{\lambda}{x_i}=0(i=1,2,\cdots,n), & ①\\ \sum\limits_{i=1}^{n}\ln x_i=\ln a. & ②\end{cases}$$

由 ① 得 $x_i=\left(\dfrac{\lambda}{\alpha_i}\right)^{\frac{1}{\alpha_i}}$. 代入 ②,得 $\ln a+\sum\limits_{i=1}^{n}\dfrac{\ln\alpha_i}{\alpha_i}=\left(\sum\limits_{i=1}^{n}\dfrac{1}{\alpha_i}\right)\ln\lambda$. 令 $\beta=\sum\limits_{i=1}^{n}\dfrac{1}{\alpha_i}$,则有

$$\lambda=\left(a\prod_{i=1}^{n}\alpha_i^{\frac{1}{\alpha_i}}\right)^{\frac{1}{\beta}},\ x_i=\frac{\left(a\prod\limits_{i=1}^{n}\alpha_i^{\frac{1}{\alpha_i}}\right)^{\frac{1}{\beta\alpha_i}}}{\alpha_i^{\frac{1}{\alpha_i}}}\quad(i=1,2,\cdots,n),$$

$$u_{\min}=\sum_{i=1}^{n}\frac{\lambda}{\alpha_i}=\beta\lambda=\left(\sum_{i=1}^{n}\frac{1}{\alpha_i}\right)\left(a\prod_{i=1}^{n}\alpha_i^{\frac{1}{\alpha_i}}\right)^{\left(\sum\limits_{i=1}^{n}\frac{1}{\alpha_i}\right)^{-1}}.$$

显然,函数 u 在区域内部达到最小值,于是所求得的 u 即为最小值.

【3686】 在平面上给定 n 个质点 $P_1(x_1,y_1),P_2(x_2,y_2),\cdots,P_n(x_n,y_n)$,其质量分别为 $m_1,m_2,\cdots m_n$. 点 $P(x,y)$ 位于何处时,该质点系对此点的转动惯量最小?

解 设 $f(x,y)=\sum\limits_{i=1}^{n}m_i[(x-x_i)^2-(y-y_i)^2]$. 解方程组

$$\begin{cases}\dfrac{\partial f}{\partial x}=2\sum\limits_{i=1}^{n}m_i(x-x_i)=0,\\ \dfrac{\partial f}{\partial y}=2\sum\limits_{i=1}^{n}m_i(y-y_i)=0,\end{cases}$$

得 $x_0=\dfrac{1}{M}\sum\limits_{i=1}^{n}m_ix_i,y_0=\dfrac{1}{M}\sum\limits_{i=1}^{n}m_iy_i$,其中 $M=\sum\limits_{i=1}^{n}m_i$.

当 $x\to\infty$ 或 $y\to\infty$ 时,显然 $f\to+\infty$. 因此,点 $P(x_0,y_0)$ 即为所求.

【3687】 已知容积为 V 的无盖长方体浴盆在何种尺寸下有最小的表面积?

解 设浴盆长、宽、高分别为 x,y,h,则由题意,应求函数 $S=2(x+y)h+xy$ 在条件 $V=xyh(x>0,y>0,h>0)$ 下的极值.

设 $F(x,y,h)=S-\lambda(xyh-V)$. 解方程组

$$\begin{cases}\dfrac{\partial F}{\partial x}=y+2h-\lambda yh=0, & ①\\ \dfrac{\partial F}{\partial y}=x+2h-\lambda xh=0, & ②\\ \dfrac{\partial F}{\partial h}=2(x+y)-\lambda xy=0, & ③\\ xyh=V.\end{cases}$$

①,②,③ 可改写为 $\dfrac{1}{h}+\dfrac{2}{y}=\lambda=\dfrac{1}{h}+\dfrac{2}{x}=\dfrac{2}{x}+\dfrac{2}{y}$,故有

$$x_0 = y_0 = 2h_0 = \sqrt[3]{2V}, h_0 = \frac{1}{2}\sqrt[3]{2V} = \sqrt[3]{\frac{V}{4}}.$$

从实际问题的常识可以断定，一定在某一处达到最小. 因此，当长宽均为 $\sqrt[3]{2V}$，高为$\sqrt[3]{\frac{V}{4}}$ 时，浴盆的表面积最小，且最小表面积为 $S = 3\sqrt[3]{4V^2}$.

从数学上来考虑，应讨论 x,y,h 趋于边界的情况. 当 x,y,h 中有任一个趋于零，例如，$h\to 0^+$ 时，则由 $V = xyh$ 即可断定 $xy\to+\infty$. 但是，$S > xy$，故 $S\to+\infty$. 当 x,y,h 中有任一个趋于 $+\infty$ 时，一定引起至少有另一个趋于零. 重复上面的讨论可知，$S\to+\infty$. 因此，连续函数 S 必在区域内部取最小值.

【3688】 横截面为半圆形的无盖柱形浴盆，其表面积等于 S，在何种尺寸下此浴盆有最大的容积？

解 设圆柱半径为 r，高为 h，则考虑函数 $V = \frac{1}{2}\pi r^2 h$ 在条件 $S = \pi(r^2 + rh)(r > 0, h > 0)$ 下的极值.

为简单起见，忽略系数 $\frac{1}{2}\pi$. 设 $F = r^2h - \lambda\left(r^2 + rh - \frac{S}{\pi}\right)$. 解方程组

$$\begin{cases} \dfrac{\partial F}{\partial r} = 2rh - \lambda(2r+h) = 0, \\ \dfrac{\partial F}{\partial h} = r^2 - \lambda r = 0, \\ r^2 + rh = \dfrac{S}{\pi}, \end{cases}$$

得 $r_0 = \sqrt{\frac{S}{3\pi}}, h_0 = 2\sqrt{\frac{S}{3\pi}}$，从而有 $V_0 = \frac{1}{2}\pi r_0^2 h_0 = \sqrt{\frac{S^3}{27\pi}}$.

由实际情况知，V 一定达到最大体积. 因此，当 $h_0 = 2r_0 = 2\sqrt{\frac{S}{3\pi}}$ 时，体积 $V_0 = \sqrt{\frac{S^3}{27\pi}}$ 最大.

从数学角度看，由 $r^2 + rh = \frac{S}{\pi}$ 知 r^2 和 rh 恒有界. 当 $r\to 0^+$ 或 $h\to 0^+$ 时必有 $V\to 0$. 当 $h\to+\infty$ 时，由 rh 有界可推出 $r\to 0^+$. 因而 $V\to 0$（显然不可能 $r\to+\infty$）. 于是，体积 V 必在区域内部达到最大值.

【3689】 在球面 $x^2 + y^2 + z^2 = 1$ 上求一点，使得这点到 n 个已知点 $M_i(x_i, y_i, z_i)(i\in 1,2,\cdots,n)$ 距离的平方和为最小.

解 考虑函数 $u = \sum_{i=1}^{n}[(x-x_i)^2 + (y-y_i)^2 + (z-z_i)^2]$ 在条件 $x^2 + y^2 + z^2 = 1$ 下的极值.

设 $F(x,y,z) = u - \lambda(x^2 + y^2 + z^2 - 1)$. 解方程组

$$\begin{cases} \dfrac{\partial F}{\partial x} = 2\Big[\sum_{i=1}^{n}(x-x_i) - \lambda x\Big] = 2\Big[(n-\lambda)x - \sum_{i=1}^{n}x_i\Big] = 0, & ① \\ \dfrac{\partial F}{\partial y} = 2\Big[(n-\lambda)y - \sum_{i=1}^{n}y_i\Big] = 0, & ② \\ \dfrac{\partial F}{\partial z} = 2\Big[(n-\lambda)z - \sum_{i=1}^{n}z_i\Big] = 0, & ③ \\ x^2 + y^2 + z^2 = 1, & ④ \end{cases}$$

由 ①，②，③ 得 $x = \frac{1}{n-\lambda}\sum_{i=1}^{n}x_i, y = \frac{1}{n-\lambda}\sum_{i=1}^{n}y_i, z = \frac{1}{n-\lambda}\sum_{i=1}^{n}z_i$，代入 ④，得

$$(n-\lambda)^2 = \Big(\sum_{i=1}^{n}x_i\Big)^2 + \Big(\sum_{i=1}^{n}y_i\Big)^2 + \Big(\sum_{i=1}^{n}z_i\Big)^2 = N^2(N > 0).$$

于是，得

$$x' = \frac{1}{N}\sum_{i=1}^{n}x_i, y' = \frac{1}{N}\sum_{i=1}^{n}y_i, z' = \frac{1}{N}\sum_{i=1}^{n}z_i,$$

$$x''=-\frac{1}{N}\sum_{i=1}^{n}x_i, y''=-\frac{1}{N}\sum_{i=1}^{n}y_i, z''=-\frac{1}{N}\sum_{i=1}^{n}z_i.$$

从而

$$\begin{aligned}u(x',y',z')&=\sum_{i=1}^{n}[(x'-x_i)^2+(y'-y_i)^2+(z'-z_i)^2]\\&=n(x'^2+y'^2+z'^2)-2x'\sum_{i=1}^{n}x_i-2y'\sum_{i=1}^{n}y_i-2z'\sum_{i=1}^{n}z_i+\sum_{i=1}^{n}(x_i^2+y_i^2+z_i^2)\\&=n-\frac{2}{N}\Big[\Big(\sum_{i=1}^{n}x_i\Big)^2+\Big(\sum_{i=1}^{n}y_i\Big)^2+\Big(\sum_{i=1}^{n}z_i\Big)^2\Big]+\sum_{i=1}^{n}(x_i^2+y_i^2+z_i^2)\\&=n-2N+\sum_{i=1}^{n}(x_i^2+y_i^2+z_i^2).\end{aligned}$$

同法可得 $u(x'',y'',z'')=n+2N+\sum_{i=1}^{n}(x_i^2+y_i^2+z_i^2)>u(x',y',z')$.

由于函数 u 在闭球面 $x^2+y^2+z^2=1$ 上连续，故必取最大值及最小值. 于是，当 $x=x',y=y',z=z'$ 时，u 最小(同时也证明了当 $x=x'',y=y'',z=z''$ 时，u 最大).

【3690】 底面相同的直圆柱体与直圆锥体拼接在一起构成一个物体，其总表面积 Q 取给定值. 为了使此物体的体积为最大，求相应尺寸.

解 设圆柱部分的底半径为 R，高为 h；圆锥部分的母线与底面的夹角为 α，则有

$$\pi R^2+2\pi Rh+\frac{\pi R^2}{\cos\alpha}=Q(\text{常数})\left(R>0,h>0,0\leqslant\alpha<\frac{\pi}{2}\right).$$

考虑函数 $V(\alpha,h,R)=\pi R^2h+\frac{1}{3}\pi R^3\tan\alpha$ 在上述条件下的极值.

设 $F(\alpha,h,R)=3R^2h+R^3\tan\alpha-\lambda\left(R^2+2Rh+\frac{R^2}{\cos\alpha}-\frac{Q}{\pi}\right)$. 解方程组

$$\begin{cases}\dfrac{\partial F}{\partial\alpha}=\dfrac{R^3}{\cos^2\alpha}-\dfrac{\lambda R^2\sin\alpha}{\cos^2\alpha}=0, & ①\\ \dfrac{\partial F}{\partial h}=3R^2-2R\lambda=0, & ②\\ \dfrac{\partial F}{\partial R}=6Rh+3R^2\tan\alpha-\left(2R+2h+\dfrac{2R}{\cos\alpha}\right)\lambda=0, & ③\\ R^2+2Rh+\dfrac{R^2}{\cos\alpha}=\dfrac{Q}{\pi}. & ④\end{cases}$$

由 ② 得 $\lambda=\frac{3}{2}R$. 代入 ①，得 $\sin\alpha=\frac{2}{3}$. 由于 $0\leqslant\alpha<\frac{\pi}{2}$，故由 $\sin\alpha=\frac{2}{3}$ 得

$$\cos\alpha=\frac{\sqrt{5}}{3}, \tan\alpha=\frac{2}{\sqrt{5}}.$$

代入 ③，得

$$6Rh+\frac{6}{\sqrt{5}}R^2=3R^2+3Rh+\frac{9}{\sqrt{5}}R^2, \text{即 } Rh=R^2+\frac{R^2}{\sqrt{5}} \text{ 或 } h=\left(1+\frac{1}{\sqrt{5}}\right)R.$$

代入 ④，得

$$R^2+\left(2+\frac{2}{\sqrt{5}}\right)R^2+\frac{3}{\sqrt{5}}R^2=\frac{Q}{\pi}.$$

于是 $R=\frac{\sqrt{2}(\sqrt{5}-1)}{4}\sqrt{\frac{Q}{\pi}}$. 相应地，有

$$V_0=\pi R^2h+\frac{1}{3}\pi R^3\tan\alpha=\left(1+\frac{1}{\sqrt{5}}+\frac{2}{3\sqrt{5}}\right)\pi R^3$$

$$=\left(1+\frac{5}{3\sqrt{5}}\right)\pi R^2R=\frac{3+\sqrt{5}}{3}\pi\frac{3-\sqrt{5}}{4}\frac{Q}{\pi}\frac{\sqrt{2}(\sqrt{5}-1)}{4}\sqrt{\frac{Q}{\pi}}=\frac{\sqrt{2}(\sqrt{5}-1)}{12}\sqrt{\frac{Q^3}{\pi}}.$$

现在讨论边界情况. 由 ④ 知，R^2，Rh 及 $\frac{R^2}{\cos\alpha}$ 均为正的有界量.

(1) 当 $R\to 0^+$ 时，由 Rh 及 $\frac{R^2}{\cos\alpha}$ 有界可知 $V=\pi(Rh)R+\frac{\pi}{3}\left(\frac{R^2}{\cos\alpha}\right)R\sin\alpha\to 0$.

(2) 当 $h\to 0^+$（所研究的体退化为圆锥）时，需要求当圆锥全表面积 $\pi R^2+\frac{\pi R^2}{\cos\alpha}=Q$（常数）时圆锥体积 $V=\frac{1}{3}\pi R^3\tan\alpha$ 的最大值. 用 l 表圆锥的斜高，即

$$l=\frac{R}{\cos\alpha},R\tan\alpha=\sqrt{\frac{R^2}{\cos^2\alpha}-R^2}=\sqrt{l^2-R^2}.$$

于是，$l=\frac{Q-\pi R^2}{\pi R}$，$V=\frac{1}{3}\pi R^2\sqrt{l^2-R^2}$，故

$$V^2=\frac{1}{9}QR^2(Q-2\pi R^2)\left(0<R<\sqrt{\frac{Q}{\pi}}\right).$$

由此易知 V^2（从而 V）当 $R^2=\frac{Q}{4\pi}$（即 $R=\frac{1}{2}\sqrt{\frac{Q}{\pi}}$）时达最大值，并且最大体积 $V_1=\frac{1}{6\sqrt{2}}\sqrt{\frac{Q^3}{\pi}}$. 不难验证 $V_1<V_0$.

(3) 当 $h\to+\infty$ 时，由 Rh 有界知 $R\to 0^+$. 由(1) 知 $V\to 0$.

(4) 当 $\alpha\to\left(\frac{\pi}{2}\right)^-$ 时，由 $\frac{R^2}{\cos\alpha}$ 有界可知 $R\to 0^+$，由(1) 知 $V\to 0$.

(5) 当 $\alpha\to 0^+$（所研究的体退化为圆柱）时，可知达到最大体积的尺寸为 $h=2R$ 及 $Q=\sqrt[3]{54\pi V_2^2}$（参看1563题），即 $V_2=\sqrt{\frac{Q^3}{54\pi}}=\frac{\sqrt{6}}{18}\sqrt{\frac{Q^3}{\pi}}$. 不难证明 $V_2<V_0$.

综上所述，当 $R=\frac{\sqrt{2}(\sqrt{5}-1)}{4}\sqrt{\frac{Q}{\pi}}$，$\alpha=\arcsin\frac{2}{3}$ 时，所研究的体积 V 达到最大值

$$V_0=\frac{\sqrt{2}(\sqrt{5}-1)}{12}\sqrt{\frac{Q^3}{\pi}}.$$

【3691】 一长方体的上下两底均为正方形，分别与具有同样正方形底面的两个相同的正四角锥体拼接在一起构成一个物体，其体积 V 取给定值. 当四角锥的侧面对它们的底成怎样的倾角时，该物体的总表面积为最小？

解 设长方体两底（正方形）边长为 a，高为 h，棱锥侧面与底面的夹角为 α，则 $V=a^2h+\frac{1}{3}a^3\tan\alpha$. 考虑函数 $S=4ah+\frac{2a^2}{\cos\alpha}$ 在上述条件下的极值.

设 $F=S-\lambda\left(a^2h+\frac{1}{3}a^3\tan\alpha-V\right)$. 解方程组

$$\begin{cases}\frac{\partial F}{\partial a}=4h+\frac{4a}{\cos\alpha}-2\lambda ah-\lambda a^2\tan\alpha=0, & ①\\ \frac{\partial F}{\partial h}=4a-\lambda a^2=0, & ②\\ \frac{\partial F}{\partial\alpha}=\frac{2a^2\sin\alpha}{\cos^2\alpha}-\frac{\lambda a^3}{3\cos^2\alpha}=0, & ③\\ a^2h+\frac{1}{3}a^3\tan\alpha=V. & ④\end{cases}$$

由 ②，③ 可得 $\alpha=\arcsin\frac{2}{3}$. 同3690题进一步可求出 a 和 h.

类似3687题的讨论，当 $\alpha\to 0^+$，$a\to+\infty$，$h\to+\infty$，$\alpha\to\frac{\pi}{2}-0$ 等情况均能证明 $S\to+\infty$.

对于边界为 $\alpha=0$ 及 $h=0$ 这两种退化情况，类似3690题，可证明此时的总表面积比 $\alpha=\arcsin\frac{2}{3}$ 时的总表面积大. 于是当 $\alpha=\arcsin\frac{2}{3}$ 时，物体的总表面积最小.

【3692】 将周长为 $2p$ 的矩形绕其一边旋转，矩形所扫过的区域构成一旋转体，求使该旋转体体积为最大的那个矩形.

解 设矩形的边长为 x 及 y，则考虑函数 $V=\pi y^2x$ 在条件 $x+y=p$ 下的极值.

设 $F=V-\lambda(x+y-p)$. 解方程组

$$\begin{cases}\dfrac{\partial F}{\partial x}=\pi y^2-\lambda=0,\\ \dfrac{\partial F}{\partial y}=2\pi xy-\lambda=0,\\ x+y=p,\end{cases}$$

得 $x=\frac{p}{3}$，$y=\frac{2p}{3}$.

因在边界上，一边为零，一边为 p，推出 $V=0$. 故当矩形的两边分别为 $\frac{p}{3}$ 及 $\frac{2p}{3}$ 时，旋转体的体积最大.

【3693】 将周长为 $2p$ 的三角形绕其一边旋转，三角形所扫过的区域构成一旋转体，求使该旋转体体积最大的那个三角形.

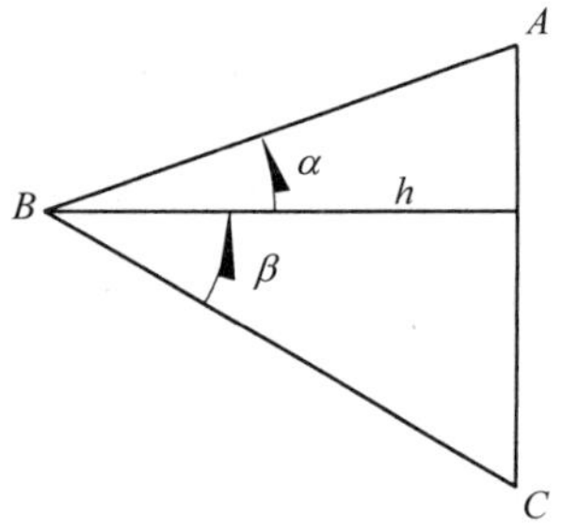

图 6.43

解 如图6.43所示，以 AC 为轴旋转，取参数：高 h 及二角 α，β. 考虑函数 $V=\frac{1}{3}\pi h^3(\tan\alpha+\tan\beta)$ 在条件 $\frac{h}{\cos\alpha}+\frac{h}{\cos\beta}+h(\tan\alpha+\tan\beta)=2p$ 下的极值. 为计算简单起见，略去常数 $\frac{1}{3}\pi$. 设

$$F=h^3(\tan\alpha+\tan\beta)-\lambda\left(\frac{h}{\cos\alpha}+\frac{h}{\cos\beta}+h\tan\alpha+h\tan\beta-2p\right).$$

解方程组

$$\begin{cases}\dfrac{\partial F}{\partial h}=3h^2(\tan\alpha+\tan\beta)-\lambda\left(\dfrac{1}{\cos\alpha}+\dfrac{1}{\cos\beta}+\tan\alpha+\tan\beta\right)=0, & ①\\ \dfrac{\partial F}{\partial\alpha}=\dfrac{h^3}{\cos^2\alpha}-\lambda h\left(\dfrac{\sin\alpha}{\cos^2\alpha}+\dfrac{1}{\cos^2\alpha}\right)=0, & ②\\ \dfrac{\partial F}{\partial\beta}=\dfrac{h^3}{\cos^2\beta}-\lambda h\left(\dfrac{\sin\beta}{\cos^2\beta}+\dfrac{1}{\cos^2\beta}\right)=0, & ③\\ h\left(\dfrac{1}{\cos\alpha}+\dfrac{1}{\cos\beta}+\tan\alpha+\tan\beta\right)=2p. & ④\end{cases}$$

由②及③得 $\alpha=\beta$ 及 $\lambda=\frac{h^2}{1+\sin\alpha}=\frac{h^2}{1+\sin\beta}$. 代入①式，得 $\sin\alpha=\sin\beta=\frac{1}{3}$. 于是，$h\tan\alpha=\frac{h}{3\cos\alpha}$，代入④式，得 $\frac{h}{\cos\alpha}=\frac{3}{4}p$. 从而，三边分别为

$$AB=BC=\frac{3}{4}p,AC=2h\tan\alpha=\frac{p}{2}.$$

讨论边界情况. 当 $h\to 0^+$ 或 $h\to p$ 时，显然有 $V\to 0$. 对于二角 α 及 β 必有大小限制：$0\leqslant\alpha<\frac{\pi}{2}$，$-\alpha\leqslant\beta\leqslant\alpha$（注意 α，β 的方向规定不同），当 $\alpha\to 0^+$ 或 $\alpha\to\frac{\pi}{2}-0$ 或 $\beta\to-\alpha$ 时，同样均有 $V\to 0$.

于是，当三角形的三边长分别为 $\frac{p}{2}$，$\frac{3p}{4}$ 及 $\frac{3p}{4}$，并绕长为 $\frac{p}{2}$ 的边旋转时，所得的体积最大.

【3694】 在半径为 R 的半球内作出具有最大体积的内接长方体.

解 不妨设此长方体的一个底面与半球所在的底面重合，另外四个顶点在半球球面上，且半球面在直角坐标系下的方程为 $x^2+y^2+z^2=R^2, z\geqslant 0$. 又设长方体的长、宽、高分别为 $2x, 2y$ 及 z（$x>0, y>0, z>0$）. 考虑函数 $V=4xyz$ 在上述条件下的极值.

设 $F=xyz-\lambda(x^2+y^2+z^2-R^2)$. 解方程组

$$\begin{cases}\dfrac{\partial F}{\partial x}=yz-2\lambda x=0,\\ \dfrac{\partial F}{\partial y}=xz-2\lambda y=0,\\ \dfrac{\partial F}{\partial z}=xy-2\lambda z=0,\\ x^2+y^2+z^2=R^2,\end{cases}$$

可得 $x=y=z=\dfrac{R}{\sqrt{3}}$.

由于在边界上（即 $x\to 0^+$ 或 $y\to 0^+$ 或 $z\to 0^+$ 时）显然 $V\to 0$，故当长方体的长、宽、高分别为 $\dfrac{2R}{\sqrt{3}}, \dfrac{2R}{\sqrt{3}}$ 及 $\dfrac{R}{\sqrt{3}}$ 时，其体积最大.

【3695】 在给定的直圆锥内作出具有最大体积的内接长方体.

解 不妨设直圆锥的底面半径为 R，高为 H，且长方体的一个面与直圆锥的底面重合，两个边长为 $2x$ 和 $2y$，四个顶点在直圆锥面上，高为 z，过直圆锥的高和长方体底面的对角线作一截面，如图 6.44 所示，则 $CD=H$，$EK=FG=z, AD=R, DE=\sqrt{x^2+y^2}$，$(H-z)R=H\sqrt{x^2+y^2}$（$R, H$ 为常数）.

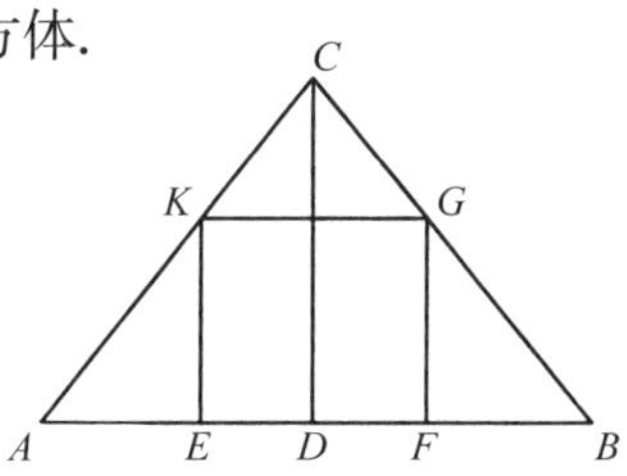

图 6.44

考虑函数 $V=4xyz$ 在上述条件下的极值（$x>0, y>0, z>0$）. 为计算简单计，略去常数 4.

设 $F=xyz-\lambda\left[H\sqrt{x^2+y^2}-(H-z)R\right]$. 解方程组

$$\begin{cases}\dfrac{\partial F}{\partial x}=yz-\dfrac{\lambda Hx}{\sqrt{x^2+y^2}}=0, & ①\\ \dfrac{\partial F}{\partial y}=xz-\dfrac{\lambda Hy}{\sqrt{x^2+y^2}}=0, & ②\\ \dfrac{\partial F}{\partial z}=xy-\lambda R=0, & ③\\ (H-z)R=H\sqrt{x^2+y^2}. & ④\end{cases}$$

由 ①，② 得 $x=y$，代入 ③，得 $x-y=\sqrt{\lambda R}$. 又由 ① 可得 $z=\dfrac{\lambda H}{\sqrt{2\lambda R}}$. 将 x, y, z 代入 ④ 得 $H-\dfrac{\lambda H}{\sqrt{2\lambda R}}=\dfrac{H}{R}\sqrt{2\lambda R}$，解得 $\lambda=\dfrac{2}{9}R$，从而有

$$x=y=\frac{\sqrt{2}}{3}R, z=\frac{1}{3}H, V=\frac{\sqrt{2}}{36}R^2H.$$

显然，在所论区域的边界上（即 $x\to 0^+$ 或 $y\to 0^+$ 或 $z\to 0^+$ 时），有 $V\to 0$，故当长方体的高等于圆锥高的 $\dfrac{1}{3}$ 时，其体积最大.

【3696】 在椭球 $\dfrac{x^2}{a^2}+\dfrac{y^2}{b^2}+\dfrac{z^2}{c^2}=1$ 内作出具有最大体积的内接长方体.

解　此长方体的对称中心为原点. 设其一个顶点为(x,y,z)，按题意，考虑函数$V=8xyz$在条件$\frac{x^2}{a^2}+\frac{y^2}{b^2}+\frac{z^2}{c^2}=1\quad(x>0,y>0,z>0)$下的极值. 为计算简单计，略去常数 8.

设$F=xyz-\lambda\left(\frac{x^2}{a^2}+\frac{y^2}{b^2}+\frac{z^2}{c^2}-1\right)$. 解方程组

$$\begin{cases}\dfrac{\partial F}{\partial x}=yz-2\lambda\,\dfrac{x}{a^2}=0,\\ \dfrac{\partial F}{\partial y}=xz-2\lambda\,\dfrac{y}{b^2}=0,\\ \dfrac{\partial F}{\partial z}=xy-2\lambda\,\dfrac{z}{c^2}=0,\\ \dfrac{x^2}{a^2}+\dfrac{y^2}{b^2}+\dfrac{z^2}{c^2}=1,\end{cases}$$

得$x=\frac{a}{\sqrt{3}},y=\frac{b}{\sqrt{3}},z=\frac{c}{\sqrt{3}}$，这时$V=\frac{8}{3\sqrt{3}}abc>0$.

现在讨论边界情况. 当$x\to a^-,y\to b^-,z\to c^-$中有任一个成立时，则另两个变量必皆趋于零；又若$x$，$y,z$中有一个趋于零时，则体积$V$趋于零. 总之，在边界上，恒有$V\to 0$.

于是，具有最大体积的长方体的长、宽、高分别为$\frac{2a}{\sqrt{3}},\frac{2b}{\sqrt{3}},\frac{2c}{\sqrt{3}}$.

【3697】　直圆锥的母线l与底平面成倾角α. 试在此直圆锥中作出具有最大全表面积的内接长方体.

解　设圆锥的底半径为R，高为H，则有$R=l\cos\alpha,H=l\sin\alpha,\frac{H}{R}=\tan\alpha$. 内接长方体的放置方法与 3695 题相同. 设底面的两边分别为$2d\cos\theta$和$2d\sin\theta$，高为h，则$0<d<R,0<h<H,0<\theta<\frac{\pi}{2}$，且$h,d$由条件$\frac{H-h}{H}=\frac{d}{R}$约束，此条件可改写为

$$d\tan\alpha+h=H=l\sin\alpha.$$

所求的全表面积为$S=4(d^2\sin 2\theta+dh\sin\theta+dh\cos\theta)$.

(1) 固定d和h，考虑$S=S(\theta)$的变化情况. 由一元函数极值求法，不难断定，仅有$S'\left(\frac{\pi}{2}\right)=0$，且$S(\theta)$在$\frac{\pi}{4}$处达到最大值$S=4(d^2+\sqrt{2}dh)$，即底面为正方形时，$S$才取最大值. 因此，原问题可化为在条件$d\tan\alpha+h=l\sin\alpha(d>0,h>0)$下，求函数$S=4(d^2+\sqrt{2}dh)$的极值.

(2) 此问题的边界值：当$d\to 0^+$（此时$h\to H^-$）时，显然$S\to 0$；当$h\to 0^+$（这时$d\to R^-$）时，$S\to 4R^2$. 在后一种情况下，全表面积退化为上、下两个正方形面积之和.

(3) 在区域内部，设$F=4(d^2+\sqrt{2}dh)-\lambda(d\tan\alpha+h-l\sin\alpha)$. 解方程组

$$\begin{cases}\dfrac{\partial F}{\partial d}=8d+4\sqrt{2}h-\lambda\tan\alpha=0, & ①\\ \dfrac{\partial F}{\partial h}=4\sqrt{2}d-\lambda=0, & ②\\ d\tan\alpha+h=l\sin\alpha. & ③\end{cases}$$

由 ② 得$\lambda=4\sqrt{2}d$，代入 ①，得

$$h=(\tan\alpha-\sqrt{2})d. \qquad ④$$

由$h>0$及$d>0$知，当$\tan\alpha\leqslant\sqrt{2}$时，方程组在所研究的区域内无解. 此时，$S$的最大值必在边界上达到，

即在 $h\to 0^+$ 时达到 $4R^2$. 当 $\tan\alpha>\sqrt{2}$ 时,将 ④ 式代入 ③ 式,可得

$$d=\frac{l\sin\alpha}{2\tan\alpha-\sqrt{2}},h=l\sin\alpha\frac{\tan\alpha-\sqrt{2}}{2\tan\alpha-\sqrt{2}}.$$

此时

$$S=4(d^2+\sqrt{2}dh)=\frac{2l^2\sin\alpha}{\sqrt{2}\tan\alpha-1}=\frac{2R^2\tan^2\alpha}{\sqrt{2}\tan\alpha-1}.$$

由于 $(\tan\alpha-\sqrt{2})^2=\tan^2\alpha-2(\sqrt{2}\tan\alpha-1)>0$,故 $\frac{\tan^2\alpha}{\sqrt{2}\tan\alpha-1}>2$. 从而 $S>4R^2$,即在该点的值大于边界上的值. 因此,它为最大值. 于是,当 $\tan\alpha>\sqrt{2}$,长方体底面为正方形,边长为 $2d\sin\frac{\pi}{4}=\frac{l\sin\alpha}{\sqrt{2}\tan\alpha-1}$,高 $h=l\sin\alpha\frac{\tan\alpha-\sqrt{2}}{2\tan\alpha-\sqrt{2}}$ 时,全表面积为最大.

【3698】 在椭圆抛物面 $\frac{z}{c}=\frac{x^2}{a^2}+\frac{y^2}{b^2}$ 和 $z=c$ 所围区域内作出具有最大体积的内接长方体.

解 设长方体的长、宽、高分别为 $2x,2y$ 及 $h=c-z$,考虑函数 $V=4xy=4xy(c-z)$ 在条件 $\frac{x^2}{a^2}+\frac{y^2}{b^2}=\frac{z}{c}(x>0,y>0,0<z<c)$ 下的极值. 为计算简单起见,略去常数 4.

设 $F=xy(c-z)-\lambda\left(\frac{x^2}{a^2}+\frac{y^2}{b^2}-\frac{z}{c}\right)$. 解方程组

$$\begin{cases}\frac{\partial F}{\partial x}=y(c-z)-2\lambda\frac{x}{a^2}=0, & ①\\ \frac{\partial F}{\partial y}=x(c-z)-2\lambda\frac{y}{b^2}=0, & ②\\ \frac{\partial F}{\partial z}=-xy+\frac{\lambda}{c}=0, & ③\\ \frac{x^2}{a^2}+\frac{y^2}{b^2}=\frac{z}{c}. & ④\end{cases}$$

将 ①,②,③ 三式分别乘以 $x,y,(c-z)$,比较即得

$$\frac{x^2}{a^2}=\frac{y^2}{b^2}=\frac{c-z}{2c}.$$

代入 ④ 式,可得 $x=\frac{a}{2},y=\frac{b}{2},z=\frac{c}{2},h=c-z=\frac{c}{2}$.

因边界上 $V\to 0$,故长方体的最大值必在区域内达到. 故当长方体的尺寸分别为 $a,b,\frac{c}{2}$ 时,其体积最大.

【3699】 求点 $M_0(x_0,y_0,z_0)$ 到平面 $Ax+By+Cz+D=0$ 上的点的最短距离.

解 按题设,求 $r^2=(x-x_0)^2+(y-y_0)^2+(z-z_0)^2$ 在条件 $Ax+By+Cz+D=0$ 下的极值. 设 $F(x,y,z)=r^2+\lambda(Ax+By+Cz+D)$. 解方程组

$$\begin{cases}\frac{\partial F}{\partial x}=2(x-x_0)+\lambda A=0, & ①\\ \frac{\partial F}{\partial y}=2(y-y_0)+\lambda B=0, & ②\\ \frac{\partial F}{\partial z}=2(z-z_0)+\lambda C=0, & ③\\ Ax+By+Cz+D=0. & ④\end{cases}$$

由 ①,②,③ 可得

$$x = x_0 - \frac{1}{2}\lambda A, y = y_0 - \frac{1}{2}\lambda B, z = z_0 - \frac{1}{2}\lambda C. \quad ⑤$$

代入 ④,得

$$\lambda = \frac{2(Ax_0 + By_0 + Cz_0 + D)}{A^2 + B^2 + C^2}, \quad ⑥$$

将 ⑤,⑥ 代入 $r^2 = (x - x_0)^2 + (y - y_0)^2 + (z - z_0)^2$ 中,得 $r = \dfrac{|Ax_0 + By_0 + Cz_0 + D|}{\sqrt{A^2 + B^2 + C^2}}$.

当 x, y, z 中有任一个趋于无穷时,r 趋于无穷. 因此,在区域内 r 必取最小值.

于是,点 $M_0(x_0, y_0, z_0)$ 到平面 $Ax + By + Cz + D = 0$ 上的点的最短距离为

$$r = \frac{|Ax_0 + By_0 + Cz_0 + D|}{\sqrt{A^2 + B^2 + C^2}}.$$

【3700】 求空间二直线 $\dfrac{x - x_1}{m_1} = \dfrac{y - y_1}{n_1} = \dfrac{z - z_1}{p_1}$, $\dfrac{x - x_2}{m_2} = \dfrac{y - y_2}{n_2} = \dfrac{z - z_2}{p_2}$ 之间的最短距离.

解 显然,当两直线不平行时,直线上一点趋于无穷远处时,与另一直线上各点的距离,都趋于无穷. 因此,不平行两直线的最短距离必在有限处达到.

为了书写简洁,采用向量的表达形式. 用

$$\boldsymbol{r}_1(t) = \boldsymbol{l}_1 t + \boldsymbol{r}_{10} \text{ 表示直线} \frac{x - x_1}{m_1} = \frac{y - y_1}{n_1} = \frac{z - z_1}{p_1}, \quad ①$$

$$\boldsymbol{r}_2(s) = \boldsymbol{l}_2 s + \boldsymbol{r}_{20} \text{ 表示直线} \frac{x - x_2}{m_2} = \frac{y - y_2}{n_2} = \frac{z - z_2}{p_2}, \quad ②$$

其中 t, s 为参数,$\boldsymbol{l}_1 = (m_1, n_1, p_1)$,$\boldsymbol{l}_2 = (m_2, n_2, p_2)$,$\boldsymbol{r}_{10} = (x_1, y_1, z_1)$,$\boldsymbol{r}_{20} = (x_2, y_2, z_2)$.

又记 $\boldsymbol{r}_0 = \boldsymbol{r}_{10} - \boldsymbol{r}_{20} = (x_1 - x_2, y_1 - y_2, z_1 - z_2)$. 起点在直线 ② 上,终点在直线 ① 上的向量为

$$\boldsymbol{u}(t, s) = (\boldsymbol{l}_1 t + \boldsymbol{r}_{10}) - (\boldsymbol{l}_2 s + \boldsymbol{r}_{20}) = \boldsymbol{l}_1 t - \boldsymbol{l}_2 s + \boldsymbol{r}_0. \quad ③$$

本题即求 $|\boldsymbol{u}(t, s)|$ 的最小值,它必在有限的 t, s 上取得. 令

$$w = |\boldsymbol{u}(t, s)|^2 = |\boldsymbol{l}_1 t - \boldsymbol{l}_2 s + \boldsymbol{r}_0|^2 = \boldsymbol{l}_1^2 t^2 + \boldsymbol{l}_2^2 s^2 + \boldsymbol{r}_0^2 - 2(\boldsymbol{l}_1 \cdot \boldsymbol{l}_2)st + 2(\boldsymbol{l}_1 \cdot \boldsymbol{r}_0)t - 2(\boldsymbol{l}_2 \cdot \boldsymbol{r}_0)s,$$

其中 $\boldsymbol{l}_1^2 = \boldsymbol{l}_1 \cdot \boldsymbol{l}_1$,$\boldsymbol{l}_2^2 = \boldsymbol{l}_2 \cdot \boldsymbol{l}_2$,$\boldsymbol{r}_0^2 = \boldsymbol{r}_0 \cdot \boldsymbol{r}_0$.

w 取得极值的必要条件为

$$\frac{\partial w}{\partial t} = 2[\boldsymbol{l}_1^2 t - (\boldsymbol{l}_1 \cdot \boldsymbol{l}_2)s + (\boldsymbol{l}_1 \cdot \boldsymbol{r}_0)] = 0, \frac{\partial w}{\partial s} = 2[\boldsymbol{l}_2^2 s - (\boldsymbol{l}_1 \cdot \boldsymbol{l}_2)t - (\boldsymbol{l}_2 \cdot \boldsymbol{r}_0)] = 0.$$

由此可解得唯一的临界点(t_0, s_0):

$$t_0 = -\frac{\boldsymbol{l}_2^2(\boldsymbol{l}_1 \cdot \boldsymbol{r}_0) - (\boldsymbol{l}_1 \cdot \boldsymbol{l}_2)(\boldsymbol{l}_2 \cdot \boldsymbol{r}_0)}{\boldsymbol{l}_1^2 \boldsymbol{l}_2^2 - (\boldsymbol{l}_1 \cdot \boldsymbol{l}_2)^2}, s_0 = \frac{\boldsymbol{l}_1^2(\boldsymbol{l}_2 \cdot \boldsymbol{r}_0) - (\boldsymbol{l}_1 \cdot \boldsymbol{l}_2)(\boldsymbol{l}_1 \cdot \boldsymbol{r}_0)}{\boldsymbol{l}_1^2 \boldsymbol{l}_2^2 - (\boldsymbol{l}_1 \cdot \boldsymbol{l}_2)^2}.$$

于是,$|\boldsymbol{u}(t_0, s_0)|$ 即为所求的最短距离. 下面计算 $|\boldsymbol{u}(t_0, s_0)|$. 令 $\Delta = \sqrt{\boldsymbol{l}_1^2 \boldsymbol{l}_2^2 - (\boldsymbol{l}_1 \cdot \boldsymbol{l}_2)^2}$,显然有

$$\Delta^2 = |\boldsymbol{l}_1|^2 \cdot |\boldsymbol{l}_2|^2 - [|\boldsymbol{l}_1| \cdot |\boldsymbol{l}_2| \cos(\widehat{\boldsymbol{l}_1, \boldsymbol{l}_2})]^2 = |\boldsymbol{l}_1|^2 \cdot |\boldsymbol{l}_2|^2 \sin^2(\widehat{\boldsymbol{l}_1, \boldsymbol{l}_2}) = |\boldsymbol{l}_1 \times \boldsymbol{l}_2|^2,$$

即 $\Delta = |\boldsymbol{l}_1 \times \boldsymbol{l}_2|$. 将 t_0 及 s_0 代入 ③ 式,得

$$\boldsymbol{u}(t_0, s_0) = -\frac{1}{\Delta^2}(\boldsymbol{l}_1 \cdot \boldsymbol{r}_0)[\boldsymbol{l}_2^2 \boldsymbol{l}_1 - (\boldsymbol{l}_1 \cdot \boldsymbol{l}_2)\boldsymbol{l}_2] - \frac{1}{\Delta^2}(\boldsymbol{l}_2 \cdot \boldsymbol{r}_0)[\boldsymbol{l}_1^2 \boldsymbol{l}_2 - (\boldsymbol{l}_1 \cdot \boldsymbol{l}_2)\boldsymbol{l}_1] + \boldsymbol{r}_0.$$

通过计算,不难看出

$$\boldsymbol{u}(t_0, s_0) \cdot \boldsymbol{l}_1 = -\frac{1}{\Delta^2}(\boldsymbol{l}_1 \cdot \boldsymbol{r}_0)[\boldsymbol{l}_2^2 \boldsymbol{l}_1^2 - (\boldsymbol{l}_1 \cdot \boldsymbol{l}_2)^2] - \frac{1}{\Delta^2}(\boldsymbol{l}_2 \cdot \boldsymbol{r}_0)[\boldsymbol{l}_1^2(\boldsymbol{l}_1 \cdot \boldsymbol{l}_2) - (\boldsymbol{l}_1 \cdot \boldsymbol{l}_2)\boldsymbol{l}_1^2] + (\boldsymbol{r}_0 \cdot \boldsymbol{l}_1) = 0,$$

$$\boldsymbol{u}(t_0, s_0) \cdot \boldsymbol{l}_2 = 0.$$

因此,得 $\boldsymbol{u}(t_0, s_0) \mathbin{/\mkern-6mu/} \boldsymbol{l}_1 \times \boldsymbol{l}_2$. 令 $\boldsymbol{n}_0 = \dfrac{\boldsymbol{l}_1 \times \boldsymbol{l}_2}{\Delta}$,则

$$|\boldsymbol{n}_0|=1,$$

$$|\boldsymbol{u}_0(t_0,s_0)|=|\boldsymbol{u}(t_0,s_0)\cdot\boldsymbol{n}_0|=\frac{|\boldsymbol{r}_0\cdot(\boldsymbol{l}_1\times\boldsymbol{l}_2)|}{\Delta}=\pm\frac{1}{\Delta}\begin{vmatrix}x_1-x_2 & y_1-y_2 & z_1-z_2\\ m_1 & n_1 & p_1\\ m_2 & n_2 & p_2\end{vmatrix},$$

其中 $\Delta=\sqrt{\begin{vmatrix}m_1 & n_1\\ m_2 & n_2\end{vmatrix}^2+\begin{vmatrix}n_1 & p_1\\ n_2 & p_2\end{vmatrix}^2+\begin{vmatrix}p_1 & m_1\\ p_2 & m_2\end{vmatrix}^2}$,且正负号的选取保证所得结果为正值.

【3701】 求抛物线 $y=x^2$ 和直线 $x-y-2=0$ 之间的最短距离.

解 设(x_1,y_1)为抛物线 $y=x^2$ 上任一点,(x_2,y_2)为直线 $x-y-2=0$ 上的任一点. 按题意,考虑函数 $r^2=(x_2-x_1)^2+(y_2-y_1)^2$ 在条件 $y_1-x_1^2=0$ 及 $x_2-y_2-1=0$ 下的极值. 显然,由几何知,当两点(x_1,y_1)和(x_2,y_2)至少有一伸向无穷时,r 也必趋于无穷大,故 r 的最小值必在有限处达到.

设 $F(x_1,x_2,y_1,y_2)=r^2+\lambda_1(y_1-x_1^2)+\lambda_2(x_2-y_2-2)$. 解方程组

$$\begin{cases}\dfrac{\partial F}{\partial x_1}=-2(x_2-x_1)-2\lambda_1x_1=0,\\[2mm] \dfrac{\partial F}{\partial x_2}=2(x_2-x_1)+\lambda_2=0,\\[2mm] \dfrac{\partial F}{\partial y_1}=-2(y_2-y_1)+\lambda_1=0,\\[2mm] \dfrac{\partial F}{\partial y_2}=2(y_2-y_1)-\lambda_2=0,\\[2mm] y_1=x_1^2,\\ x_2-y_2-2=0,\end{cases}$$

得唯一的一组解 $x_1=\dfrac{1}{2},y_1=\dfrac{1}{4};x_2=\dfrac{11}{8},y_2=-\dfrac{5}{8}$.

于是,所求的最短距离为 $r_0=\sqrt{\left(\dfrac{11}{8}-\dfrac{1}{2}\right)^2+\left(-\dfrac{5}{8}-\dfrac{1}{4}\right)^2}=\dfrac{7}{8}\sqrt{2}$.

【3702】 求有心二次曲线 $Ax^2+2Bxy+Cy^2=1$ 的半轴.

解 设(x_0,y_0)为二次曲线 $Ax^2+2Bxy+Cy^2=1$ 上的点,则$(-x_0,-y_0)$也为该曲线上点. 因此,原点$(0,0)$即为曲线的中心. 按题意,应求函数 $u=x^2+y^2$ 在条件 $Ax^2+2Bxy+Cy^2=1$ 下的极值.

设 $F=x^2+y^2-\lambda(Ax^2+2Bxy+Cy^2-1)$. 解方程组

$$\begin{cases}-\dfrac{1}{2}\dfrac{\partial F}{\partial x}=(\lambda A-1)x+\lambda By=0,\\[2mm] -\dfrac{1}{2}\dfrac{\partial F}{\partial y}=\lambda Bx+(\lambda C-1)y=0,\\[2mm] Ax^2+2Bxy+Cy^2=1.\end{cases}$$

要上述方程组(前面的两个方程)有非零解,λ 必须满足二次方程

$$\begin{vmatrix}\lambda A-1 & \lambda B\\ \lambda B & \lambda C-1\end{vmatrix}=0. \qquad ①$$

由题设知二次曲线为有心的,因此 $AC^2-B^2\neq 0$.

由方程 ① 可求得两根 λ_1 和 $\lambda_2(\lambda_1\geqslant\lambda_2)$. 将 λ 的值代入方程组,求得对应于 λ_1 的解(x_1,y_1)及对应于 λ_2 的解(x_2,y_2). 相应地,有

$$u(x_1,y_1)=x_1^2+y_1^2=x_1[\lambda_1(Ax_1+By_1)]+y_1[\lambda_1(Bx_1+Cy_1)]=\lambda_1(Ax_1^2+2Bx_1y_1+Cy_1^2)=\lambda_1,$$

同理 $u(x_2,y_2)=x_2^2+y_2^2=\lambda_2$.

(1) 当 $AC-B^2>0$ 且 $A+C>0$(或 $A>0$)时,由 ① 解得

$$\lambda_i=\frac{(A+C)\pm\sqrt{(A+C)^2-4(AC-B^2)}}{2(AC-B^2)}>0,$$

即有 $\lambda_1 \geqslant \lambda_2 > 0$. 显然 u 的最大值及最小值必在区域内达到. 因此,λ_1 及 λ_2 分别为 u 的最大值及最小值. 此时,所对应的曲线为椭圆,长、短半轴的平方分别为 λ_1 及 λ_2. 当 $\lambda_1 = \lambda_2(A = C, B = 0)$ 时为圆.

当 $A + C < 0$(或 $A < 0$) 时,两根 λ_i 均为负,相应曲线无轨迹.

(2) 当 $AC - B^2 < 0$ 时,$\lambda_1 > 0$,$\lambda_2 < 0$. 此时只有一个极值 λ_1,对应的曲线为双曲线. λ_1 为实半轴的平方(λ_2 表面上无意义,但实质上为虚半轴的平方),其中特别是 $B = 0$ 时,曲线退化为一对相交直线.

【3703】 求有心二次曲面 $Ax^2 + By^2 + Cz^2 + 2Dxy + 2Eyz + 2Fxz = 1$ 的半轴.

解 同 3702 题可知,曲面的中心为(0,0,0). 按题意,达到曲面半轴的点(x,y,z)一定是函数 $u(x,y,z) = x^2 + y^2 + z^2$ 在条件 $Ax^2 + By^2 + Cz^2 + 2Dxy + 2Eyz + 2Fxz = 1$ 下的临界点(但不一定是极值点. 例如,椭球面的中间轴所在的点).

设 $F = u - \lambda(Ax^2 + By^2 + Cz^2 + 2Dxy + 2Eyz + 2Fxz - 1)$. 解方程组

$$\begin{cases} -\dfrac{1}{2}\dfrac{\partial F}{\partial x} = (\lambda A - 1)x + \lambda Dy + \lambda Fz = 0, \\ -\dfrac{1}{2}\dfrac{\partial F}{\partial y} = \lambda Dx + (\lambda B - 1)y + \lambda Ez = 0, \\ -\dfrac{1}{2}\dfrac{\partial F}{\partial z} = \lambda Fx + \lambda Ey + (\lambda C - 1)z = 0, \\ Ax^2 + By^2 + Cz^2 + 2Dxy + 2Eyz + 2Fxz = 1. \end{cases}$$

要上述方程组(前面的三个方程)有非零解,λ 必须满足三次方程

$$\begin{vmatrix} \lambda A - 1 & \lambda D & \lambda F \\ \lambda D & \lambda B - 1 & \lambda E \\ \lambda F & \lambda E & \lambda C - 1 \end{vmatrix} = 0.$$

设三根为 $\lambda_1 \geqslant \lambda_2 \geqslant \lambda_3$. 对应于此三根可求出满足方程组的临界点. 与 3702 题相同,可证明在这些临界点处 $u(x,y,z)$ 的值恰为 $\lambda_i(i = 1,2,3)$,即 λ_i 为曲面半轴的平方(严格地说,$\lambda_i < 0$ 时不能认为它是半轴的平方).

与二次曲线的情况类似,根据 λ_i 的正负可讨论曲面半轴的虚、实等问题,这对熟悉二次曲面分类的读者无实质性的困难,因此,省略掉这些繁琐的讨论.

【3704】 求平面 $Ax + By + Cz = 0$ 与柱体$\dfrac{x^2}{a^2} + \dfrac{y^2}{b^2} \leqslant 1$ 相交所成椭圆的面积.

解 只要确定所得椭圆的长短半轴$\bar{a}$ 及$\bar{b}$,即可按公式 $S = \pi\bar{a}\,\bar{b}$ 求得椭圆的面积.

注意到原点(0,0,0) 在原椭圆柱面的中心轴上,且截平面 $Ax + By + Cz = 0$ 又通过它. 因此,原点是截线椭圆的中心,从而长短半轴$\bar{a}$ 及$\bar{b}$ 的平方$\bar{a}^2$ 及$\bar{b}^2$,分别为函数 $u = x^2 + y^2 + z^2$ 在条件 $Ax + By + Cz = 0$ 及$\dfrac{x^2}{a^2} + \dfrac{y^2}{b^2} = 1$ 下的最大值和最小值.

设 $F = u + 2\lambda(Ax + By + Cz) - \mu\left(\dfrac{x^2}{a^2} + \dfrac{y^2}{b^2} - 1\right)$. 于是,达到最大值、最小值的点的坐标必须满足方程组

$$\begin{cases} \dfrac{1}{2}\dfrac{\partial F}{\partial x} = \left(1 - \dfrac{\mu}{a^2}\right)x + \lambda A = 0, & ① \\ \dfrac{1}{2}\dfrac{\partial F}{\partial y} = \left(1 - \dfrac{\mu}{b^2}\right)y + \lambda B = 0, & ② \\ \dfrac{1}{2}\dfrac{\partial F}{\partial z} = z + \lambda C = 0, & ③ \\ Ax + By + Cz = 0, & ④ \\ \dfrac{x^2}{a^2} + \dfrac{y^2}{b^2} = 1. & ⑤ \end{cases}$$

将①,②,③ 三式分别乘以 x,y,z 后,然后相加,得 $x^2 + y^2 + z^2 = \mu$,即从方程组可解得 $u(x,y,z) = \mu$. 由

①,②,③,④ 知,若要 x,y,z 及 λ 不全为零,μ 必须满足下列方程(同时 μ 只要满足下列方程,临界点 (x,y,z) 也一定有解):

$$\begin{vmatrix} 1-\frac{\mu}{a^2} & 0 & 0 & A \\ 0 & 1-\frac{\mu}{b^2} & 0 & B \\ 0 & 0 & 1 & C \\ A & B & C & 0 \end{vmatrix}=0,$$

展开后,得

$$\frac{C^2}{a^2b^2}\mu^2-\left(\frac{B^2}{a^2}+\frac{A^2}{b^2}+\frac{C^2}{a^2}+\frac{C^2}{b^2}\right)\mu+(A^2+B^2+C^2)=0.$$

此方程有两正根. 显然即为最大值及最小值 $\bar{a}^2,\bar{b}^2$. 由韦达定理知

$$\bar{a}^2\,\bar{b}^2=\frac{a^2b^2(A^2+B^2+C^2)}{C^2},$$

故椭圆面积

$$\pi\bar{a}\,\bar{b}=\frac{\pi ab\,\sqrt{A^2+B^2+C^2}}{|C|}\quad (C\neq 0).$$

当 $C=0$ 时,平面 $Ax+By=0$ 过 Oz 轴,显然得不到椭圆截面.

【3705】 求平面 $x\cos\alpha+y\cos\beta+z\cos\gamma=0$(其中 $\cos^2\alpha+\cos^2\beta+\cos^2\gamma=1$)与椭球 $\frac{x^2}{a^2}+\frac{y^2}{b^2}+\frac{z^2}{c^2}\leqslant 1$ 相交所成截面的面积.

解 截面为一椭圆. 与 3704 题一样,只要先考虑函数 $u=x^2+y^2+z^2$ 在条件

$$x\cos\alpha+y\cos\beta+b\cos\gamma=0 \text{ 及 } \frac{x^2}{a^2}+\frac{y^2}{b^2}+\frac{z^2}{c^2}=1$$

下的极值($a>0,b>0,c>0$).

设 $F=u+2\lambda_1(x\cos\alpha+y\cos\beta+z\cos\gamma)-\lambda_2\left(\frac{x^2}{a^2}+\frac{y^2}{b^2}+\frac{z^2}{c^2}-1\right)$. 解方程组

$$\begin{cases} \frac{1}{2}\frac{\partial F}{\partial x}=\left(1-\frac{\lambda_2}{a^2}\right)x+\lambda_1\cos\alpha=0, & ① \\ \frac{1}{2}\frac{\partial F}{\partial y}=\left(1-\frac{\lambda_2}{b^2}\right)y+\lambda_1\cos\beta=0, & ② \\ \frac{1}{2}\frac{\partial F}{\partial z}=\left(1-\frac{\lambda_2}{c^2}\right)z+\lambda_1\cos\gamma=0, & ③ \\ x\cos\alpha+y\cos\beta+z\cos\gamma=0, & ④ \\ \frac{x^2}{a^2}+\frac{y^2}{b^2}+\frac{z^2}{c^2}=1. & ⑤ \end{cases}$$

将 ①,②,③ 三式分别乘以 x,y,z,然后相加,即得 $u=x^2+y^2+z^2=\lambda_2$.

由 ①,②,③,④ 知,若要 x,y,z 及 λ_1 不全为零,λ_2 必须满足下列方程

$$\begin{vmatrix} 1-\frac{\lambda_2}{a^2} & 0 & 0 & \cos\alpha \\ 0 & 1-\frac{\lambda_2}{b^2} & 0 & \cos\beta \\ 0 & 0 & 1-\frac{\lambda_2}{c^2} & \cos\gamma \\ \cos\alpha & \cos\beta & \cos\gamma & 0 \end{vmatrix}=0.$$

展开整理得

$$\left(\frac{\cos^2\alpha}{b^2c^2}+\frac{\cos^2\beta}{c^2a^2}+\frac{\cos^2\gamma}{a^2b^2}\right)\lambda_2^2-\left(\frac{\cos^2\alpha}{b^2}+\frac{\cos^2\alpha^2}{c^2}+\frac{\cos^2\beta}{c^2}+\frac{\cos^2\beta}{a^2}+\frac{\cos^2\gamma}{a^2}+\frac{\cos^2\gamma}{b^2}\right)\lambda_2+1=0.$$

此方程有两正根,显然即为椭圆的长短半轴的平方$\bar{a}^2,\bar{b}^2$. 由韦达定理知

$$\bar{a}^2\,\bar{b}^2=\frac{a^2b^2c^2}{a^2\cos^2\alpha+b^2\cos^2\beta+c^2\cos^2\gamma}.$$

于是,所求椭圆的面积为

$$S=\pi\bar{a}\bar{b}=\frac{\pi abc}{\sqrt{a^2\cos^2\alpha+b^2\cos^2\beta+c^2\cos^2\gamma}}.$$

【3706】 根据费马原理,光在最短时间内从一点传播到另一点. 假定点A和点B位于交界面为平面的不同的光介质中,并且光的传播速度在第一种介质中等于v_1,而在第二种介质中等于v_2,试推出光的折射定律.

解 如图6.45所示,光线从点A射出,沿着折线AMB到达点B. 由A,B作垂直于l的直线AC及BD,并与直线l交于点C及点D. 设$AC=a,BD=b,CD=d$,选择角度α,β为变量,则

$$AM=\frac{a}{\cos\alpha},BM=\frac{b}{\cos\beta},CM=a\tan\alpha,MD=b\tan\beta.$$

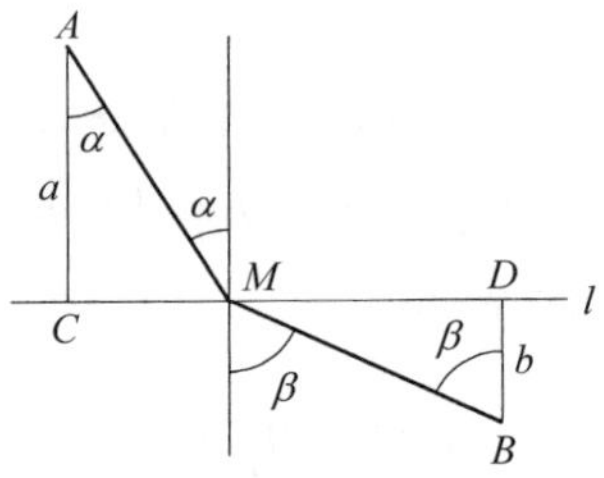

图 6.45

于是,问题转化为求函数

$$f(\alpha,\beta)=\frac{a}{v_1\cos\alpha}+\frac{b}{v_2\cos\beta}$$

在条件$a\tan\alpha+b\tan\beta=d$下的最小值,其中$-\frac{\pi}{2}<\alpha<\frac{\pi}{2},-\frac{\pi}{2}<\beta<\frac{\pi}{2}$(当$M$在$C$与$D$之间时,$\alpha>0$,$\beta>0$;当$M$在点$C$的左边时,$\alpha<0,\beta>0$;当$M$在点$D$的右边时$\alpha>0,\beta<0$). 显然$f(\alpha,\beta)$是连续函数;又当$\alpha\to\left(\frac{\pi}{2}\right)^-$时,这时点$M$从右边伸向无穷远,$\beta\to\left(-\frac{\pi}{2}\right)^+$,显然$f(\alpha,\beta)\to+\infty$;当$\alpha\to\left(-\frac{\pi}{2}\right)^+$时,这时点$M$从左边伸向无穷远,$\beta\to\left(\frac{\pi}{2}\right)^-$,显然也有$f(\alpha,\beta)\to+\infty$. 由此可知$f(\alpha,\beta)$在有限处达到最小值,此处必为临界点. 设

$$F=\frac{a}{v_1\cos\alpha}+\frac{b}{v_1\cos\beta}-\lambda(a\tan\alpha+b\tan\beta-d),$$

注意到由

$$\begin{cases}\dfrac{\partial F}{\partial\alpha}=\dfrac{a\sin\alpha}{v_1\cos^2\alpha}-\dfrac{\lambda a}{\cos^2\alpha}=0,\\[2ex]\dfrac{\partial F}{\partial\beta}=\dfrac{b\sin\beta}{v_2\cos^2\beta}-\dfrac{\lambda b}{\cos^2\beta}=0,\end{cases}$$

即得$\frac{\sin\alpha}{v_1}=\lambda,\frac{\sin\beta}{v_2}=\lambda$. 于是,在临界点必满足

$$\frac{\sin\alpha}{\sin\beta}=\frac{v_1}{v_2}.$$

由此可知，光的传播路径必满足上面的关系. 这就是著名的光线折射定律，此时，由点 A 到点 B 的光线传播所需要的时间最短.

【3707】 一折射棱镜的折射角为 α，折射率为 n，光线以怎样的入射角射向此棱镜侧面，其偏向角（即入射线与出射线之间的角）为最小？求此最小偏向角.

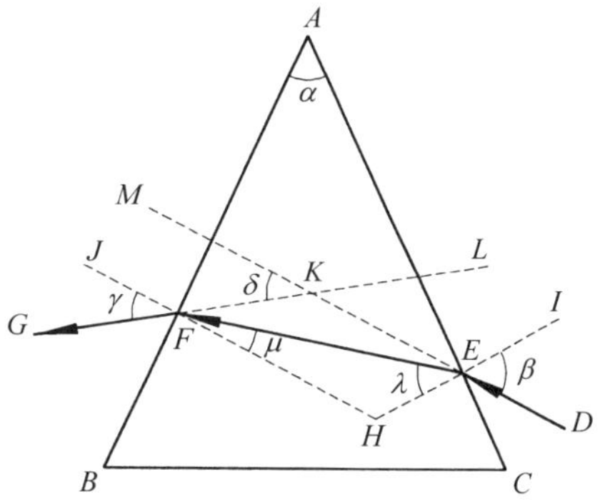

图 6.46

解 如图 6.46 所示，ABC 为棱镜. $\angle BAC=\alpha$ 为棱镜顶角（即棱镜的折射角），DE 为入射光线，折射后从 F 点折射出棱镜，射出线为 FG，IH 和 JH 分别为入射点和射出点的法线，相交于 $H(IH\perp AC, JH\perp AB)$. 入射线 DE 的延长线 DM 与射出线的反向延长线 FL 交于 K. 令 $\angle DEI=\beta, \angle GFJ=\gamma, \angle GKM=\delta, \angle HEF=\lambda, \angle EFH=\mu$. 按题意即问：当 β 在 $\left(0,\frac{\pi}{2}\right)$ 之间的一定范围内变化时，δ 何时达到最小值. 这本是一元函数的极值问题，然因牵涉的变量关系太多，因此把它看作多元函数的条件极值问题.

由折射定律（3706 题）可知

$$\sin\beta=n\sin\lambda, \quad ①$$

$$\sin\gamma=n\sin\mu. \quad ②$$

由几何关系不难求出 $\alpha,\beta,\gamma,\delta,\lambda$ 及 μ 之间的关系：

$$\lambda+\mu=\alpha, \quad ③$$

$$\delta=\beta+\gamma-\alpha. \quad ④$$

由于 α 为常数，故从 ①，②，③，④ 四式中消去 λ,μ 及 γ 就得到 δ 作为 β 的函数. 令

$$F(\beta,\gamma,\lambda,\mu)=\beta+\gamma-\alpha+k_1(\sin\beta-n\sin\lambda)+k_2(n\sin\mu_2-\sin\gamma)+k_2(\lambda+\mu-\alpha).$$

临界点适合下列方程组

$$\begin{cases}\dfrac{\partial F}{\partial\beta}=1+k_1\cos\beta=0, & ⑤\\ \dfrac{\partial F}{\partial\gamma}=1-k_2\cos\gamma=0, & ⑥\\ \dfrac{\partial F}{\partial\lambda}=-k_1n\cos\lambda+k_3=0, & ⑦\\ \dfrac{\partial F}{\partial\mu}=k_2n\cos\mu+k_3=0. & ⑧\end{cases}$$

由 ⑦，⑧ 消去 k_3，得

$$k_1\cos\lambda=-k_2\cos\mu. \quad ⑨$$

由 ⑤，⑥ 得 $k_1=-\dfrac{1}{\cos\beta}, k_2=\dfrac{1}{\cos\gamma}$，代入 ⑨，两边平方，即得

$$\frac{\cos^2\lambda}{\cos^2\beta}=\frac{\cos^2\mu}{\cos^2\gamma} \text{或} \frac{1-\sin^2\lambda}{1-\sin^2\beta}=\frac{1-\sin^2\mu}{1-\sin^2\gamma}. \quad ⑩$$

将 ①，② 代入 ⑩，得 $\dfrac{1-\sin^2\lambda}{1-n^2\sin^2\lambda}=\dfrac{1-\sin^2\mu}{1-n^2\sin^2\mu}$，整理后得

$$(n^2-1)(\sin^2\lambda-\sin^2\mu)=0.$$

由于 $0<\lambda<\frac{\pi}{2}, 0<\mu<\frac{\pi}{2}$，故 $\sin\lambda=\sin\mu$ 或 $\lambda=\mu$. 代入 ③，得 $\lambda=\mu=\frac{\alpha}{2}$. 从而

$$\beta=\gamma=\arcsin\left(n\sin\frac{\alpha}{2}\right)$$

所求得的 β 即为唯一的临界点. 于是 $\beta=\arcsin\left(n\sin\frac{\alpha}{2}\right)$.

根据物理知识,作为本题所讨论的对象:顶角较小的分光棱镜,在区域内确实存在着最小的折射. 于是,当入射角 $\beta=\arcsin\left(n\sin\frac{\alpha}{2}\right)$ 时,则 $\delta=2\arcsin\left(n\sin\frac{\alpha}{2}\right)-\alpha$ 应为最小偏向角. 至于作其他用途的各种棱镜,光线的折射路径不仅与顶角有关,而且大部分与整个棱镜的构造有关,这已不属于本题所考虑的对象,因而,也不再对它们进行讨论.

【3708】 变量 x 和 y 满足系数待定的线性方程 $y=ax+b$,经过一系列精度相同的测量,对于 x 和 y 得到值 $x_i,y_i(i=1,2,\cdots,n)$. 利用最小二乘法,求系数 a 和 b 的最可靠数值.

解 根据最小二乘法,系数 a 和 b 的最可靠数值是使误差的平方和 $M=\sum_{i=1}^{n}(ax_i+b-y_i)^2$ 为最小. 因此,上述问题可以通过求解方程组

$$\begin{cases}\dfrac{\partial M}{\partial a}=2\sum_{i=1}^{N}(ax_i+b-y_i)x_i=0,\\ \dfrac{\partial M}{\partial b}=2\sum_{i=1}^{N}(ax_i+b-y_i)=0\end{cases}$$

来解决. 记 $\langle x,y\rangle=\sum_{i=1}^{n}x_iy_i,\langle x,x\rangle=\sum_{i=1}^{n}x_i^2,\langle x,1\rangle=\sum_{i=1}^{n}x_i,\langle y,1\rangle=\sum_{i=1}^{n}y_i$,则上述方程组化为

$$\begin{cases}a\langle x,x\rangle+b\langle x,1\rangle=\langle x,y\rangle,\\ a\langle x,1\rangle+bn=\langle y,1\rangle.\end{cases}$$

系数行列式

$$\Delta=\begin{vmatrix}\langle x,x\rangle & \langle x,1\rangle\\ \langle x,1\rangle & n\end{vmatrix}=n\sum_{i=1}^{n}x_i^2-\left(\sum_{i=1}^{n}x_i\right)^2=(n-1)\sum_{i=1}^{n}x_i^2-2\sum_{i\neq j}x_ix_j=\sum_{i\neq j}(x_i-x_j)^2.$$

当 $\Delta\neq 0$ 时,方程组有唯一的一组解,且

$$a=\frac{\begin{vmatrix}\langle x,y\rangle & \langle x,1\rangle\\ \langle y,1\rangle & n\end{vmatrix}}{\begin{vmatrix}\langle x,x\rangle & \langle x,1\rangle\\ \langle x,1\rangle & n\end{vmatrix}}=\frac{n\sum_{i=1}^{n}x_iy_i-\left(\sum_{i=1}^{n}x_i\right)\left(\sum_{i=1}^{n}y_i\right)}{\sum_{i\neq j}(x_i-x_j)^2},$$

$$b=\frac{\begin{vmatrix}\langle x,x\rangle & \langle x,y\rangle\\ \langle x,1\rangle & \langle y,1\rangle\end{vmatrix}}{\begin{vmatrix}\langle x,x\rangle & \langle x,1\rangle\\ \langle x,1\rangle & n\end{vmatrix}}=\frac{\left(\sum_{i=1}^{n}x_i^2\right)\left(\sum_{i=1}^{n}y_i\right)-\left(\sum_{i=1}^{n}x_iy_i\right)\left(\sum_{i=1}^{n}x_i\right)}{\sum_{i\neq j}(x_i-x_j)^2}.$$

显然,此时 M 为最小. 因此,上述 a 和 b 即为所求.

【3709】 在平面上给定 n 个点 $M_i(x_i,y_i)(i=1,2,\cdots,n)$,直线 $x\cos\alpha+y\sin\alpha-p=0$ 在怎样的位置时,这些点与此直线的偏差平方和最小?

解 给定点与直线的偏差平方和 $M(\alpha,p)=\sum_{i=1}^{n}(x_i\cos\alpha+y_i\sin\alpha-p)^2$. 记

$$\bar{x}=\frac{1}{n}\sum_{i=1}^{n}x_i,\bar{y}=\frac{1}{n}\sum_{i=1}^{n}y_i,\overline{xy}=\frac{1}{n}\sum_{i=1}^{n}x_iy_i,\bar{x^2}=\frac{1}{n}\sum_{i=1}^{n}x_i^2,\bar{y^2}=\frac{1}{n}\sum_{i=1}^{n}y_i^2,$$

则所求直线的参数 α 和 p 应满足方程

$$\begin{aligned}\frac{\partial M}{\partial\alpha}&=2\sum_{i=1}^{n}(x_i\cos\alpha+y_i\sin\alpha-p)(y_i\cos\alpha-x_i\sin\alpha)\\&=2\sum_{i=1}^{n}\left[x_iy_i\cos 2\alpha+(y_i^2-x_i^2)\frac{\sin 2\alpha}{2}-y_ip\cos\alpha+x_ip\sin\alpha\right]\\&=n[2\overline{xy}\cos 2\alpha+(\bar{y^2}-\bar{x^2})\sin 2\alpha-2p(\bar{y}\cos\alpha-\bar{x}\sin\alpha)]=0,\end{aligned}\qquad ①$$

$$\frac{\partial M}{\partial p}=-2\sum_{i=1}^{n}(x_i\cos\alpha+y_i\sin\alpha-p)=-2n(\bar{x}\cos\alpha+\bar{y}\sin\alpha-p)=0. \quad ②$$

由 ② 式,解得

$$p=\bar{x}\cos\alpha+\bar{y}\sin\alpha. \quad ③$$

将 ③ 式代入 ① 式,得

$$\tan 2\alpha=\frac{2(\overline{x}\cdot\overline{y}-\overline{x}\,\overline{y})}{[\overline{x^2}-(\overline{x})^2][\overline{y^2}-(\overline{y})^2]}. \quad ④$$

在$[0,2\pi)$范围内,④ 式的解 α 共有四个:$\alpha_0,\alpha_0+\frac{\pi}{2},\alpha_0+\pi,\alpha_0+\frac{3\pi}{2}$,其中 $0\leqslant\alpha_0<\frac{\pi}{2}$. 将这四个解代入 ③ 式可以求出 p. 根据习惯,取 $p\geqslant 0$,故上述四个 α 只有两个满足 $p\geqslant 0$ 的要求. 记为 $\alpha_1,p_1;\alpha_2,p_2$,这样就得到两条互相垂直的直线:

$$\begin{cases}x\cos\alpha_1+y\sin\alpha_1-p_1=0, & ⑤\\ x\cos\alpha_2+y\sin\alpha_2-p_2=0. & ⑥\end{cases}$$

显然,$M(\alpha,p)$ 一定在 p 为有限值的点上取最小值. 因此,只要比较 $M(\alpha_1,p_1)$ 和 $M(\alpha_2,p_2)$ 的值,M 较小的那条直线即为所求.

注 当 ④ 式分母为零而分子不为零时,解为 $2\alpha=\frac{\pi}{2},\frac{3\pi}{2},\frac{5\pi}{2},\frac{7\pi}{2}$. 当分子分母同时为零时,有无穷多个解,即任意一条过 n 个点的质心的直线均使 $M(\alpha,p)$ 为最小,具体的讨论不进行了.

也可能同时有一对或两对 α 使 $p=0$,但此时代表的直线仍只有互相垂直的两条,只是直线方程 ⑤ 或 ⑥ 有两种不同的表示法而已.

特殊情况下也可能有 $M(\alpha_1,p_1)=M(\alpha_2,p_2)$,此时使 M 取最小值的直线有两条.

【3710】 在区间$[1,3]$内用线性函数 $ax+b$ 来近似地代替函数 x^2,使得绝对偏差

$$\Delta=\sup|x^2-(ax+b)|\ (1\leqslant x\leqslant 3)$$

最小.

解 考虑函数 $u(a,b)=\Delta^2=\sup\limits_{1\leqslant x\leqslant 3}[x^2-(ax+b)]^2$,$f(x,a,b)=x^2-(ax+b)$.

由于$\frac{\partial f}{\partial x}=2x-a$,故当固定$a,b$时,$f(x,a,b)$ 只在 $x=\frac{a}{2}$ 处达到极值 $f\left(\frac{a}{2},a,b\right)$. 当限制$1\leqslant x\leqslant 3$时,只有当 $2<a<6$ 时,$f(x,a,b)$ 才可能在 $1<x<3$ 内部达到极值. 于是

$$u(a,b)=\begin{cases}\max\left\{f^2(1,a,b),f^2(3,a,b),f^2\left(\frac{a}{2},a,b\right)\right\}, & 2<a<6,\\ \max\{f^2(1,a,b),f^2(3,a,b)\}, & a\leqslant 2 \text{ 或 } a\geqslant 6.\end{cases}$$

从上式得知,对一切(a,b) 均有 $u(a,b)>0$.

设从上式已解出平面区域 Ω_1,Ω_2 及 Ω_3,使得

$$u(a,b)=\begin{cases}f^2(1,a,b)=(1-a-b)^2, & (a,b)\in\Omega_1,\\ f^2(3,a,b)=(9-3a-b)^2, & (a,b)\in\Omega_2,\\ f^2\left(\frac{a}{2},a,b\right)=\left(\frac{a^2}{4}+b\right)^2, & (a,b)\in\Omega_3,\end{cases}\quad 2<a<6.$$

由于 $u(a,b)>0$,不难看出 $u(a,b)$ 在区域 $\Omega_i(i=1,2,3)$ 内部均无临界点. 再看区域边界的状况,以 Ω_1 及 Ω_3 的边界为例. 根据 $u(a,b)$ 的连续性,即知在边界上有 $u(a,b)=(1-a-b)^2$,且满足条件

$$(1-a-b)^2=\left(\frac{a^2}{4}+b\right)^2.$$

下求满足条件极值的必要条件的点. 设 $F(a,b)=(1-a-b)^2+\lambda\left[(1-a-b)^2-\left(\frac{a^2}{4}+b\right)^2\right]$,则

$$\begin{cases} \dfrac{\partial F}{\partial a} = -2(1+\lambda)(1-a-b) - \lambda a\left(\dfrac{a^2}{4}+b\right), \\ \dfrac{\partial F}{\partial b} = -2(1+\lambda)(1-a-b) - 2\lambda\left(\dfrac{a^2}{4}+b\right). \end{cases}$$

使$\dfrac{\partial F}{\partial a}=0$,$\dfrac{\partial F}{\partial b}=0$且满足条件$1-a-b\neq 0$,$\dfrac{a^2}{4}+b\neq 0$的点没有.

同法可证:在Ω_1,Ω_2及Ω_2,Ω_3的边界上也无临界点,但是,$u(a,b)$一定在区域内达到最小值.因此,只能在Ω_1,Ω_2,Ω_3的边界交点上取最小值,即在满足方程

$$(1-a-b)^2=(9-3a-b)^2=\left(\frac{a^2}{4}+b\right)^2 \quad ①$$

的点(a,b)上取最小值. 方程①可转化为下面四组方程:

$$\begin{cases} 1-a-b=9-3a-b=-\left(\dfrac{a^2}{4}+b\right), & ② \\ 1-a-b=9-3a-b=\dfrac{a^2}{4}+b, & ③ \\ 1-a-b=-(9-3a-b)=-\left(\dfrac{a^2}{4}+b\right), & ④ \\ 1-a-b=-(9-3a-b)=\dfrac{a^2}{4}+b. & ⑤ \end{cases}$$

方程组②无解.

方程组③的解为$a=4,b=-\dfrac{7}{2}$,对应的$\Delta=\dfrac{1}{2}$.

方程组④的解为$a=2,b=1$,对应的$\Delta=2$.

方程组⑤的解为$a=6,b=-7$,对应的$\Delta=2$.

综上所述,在区间$(1,3)$内,用线性函数$4x-\dfrac{7}{2}$来近似地代替函数x^2,即可使绝对偏差Δ为最小,且

$$\Delta_{\min}=\frac{1}{2}.$$

过关检测

过关检测题

1.（2024 首都师范大学）讨论函数 $f(x,y)=\left(1+\frac{2}{x^2}\right)^{\frac{x^4}{x^2+y^2}}$ 在点(0,0)处的累次极限和重极限的存在性，若存在求其值.

2.（2024 华南师范大学）计算极限 $\lim\limits_{\substack{x\to+\infty\\y\to+\infty}}\left(\frac{xy}{x^2+y^2}\right)^{x^2}$.

3.（2024 山东大学）设函数 $z=z(x,y)$ 满足方程 $F\left(x+\frac{z}{y},y+\frac{z}{x}\right)=0$，求 $z-x\frac{\partial z}{\partial x}-y\frac{\partial z}{\partial y}$.

4.（2024 山东大学）设二元连续可微函数 F 在直角坐标下可写为 $F(x,y)=g(y)f(x)$，在极坐标系中可写为 $F(r\cos\theta,r\sin\theta)=h(r)$，若 $F(x,y)$ 无零点，求 $F(x,y)$.

5.(2024 南开大学) 设 z 是由方程 $2x^3z-3x^2y^2-2xyz^2-4y^3z+4=0$ 确定的 x,y 的隐函数,在 $x=2,y=1,z=2$ 点计算全微分 $\mathrm{d}z$.

6.(2024 中国科学技术大学) 若 $z=f\left(x+y,xy,\dfrac{x}{y}\right)$,其中 $f(u,v,w)$ 具有二阶连续偏导数,试求 $\dfrac{\partial z}{\partial x}$ 与 $\dfrac{\partial^2 z}{\partial x^2}$.

7.(2024 中国科学技术大学) 设 $f(x,y)$ 具有一阶偏导数,且 $\dfrac{\partial f}{\partial x}$ 在 $(0,0)$ 处连续,证明:$\dfrac{\mathrm{d}}{\mathrm{d}t}f(tu,tv)\Big|_{t=0}=u\dfrac{\partial}{\partial x}f(0,0)+v\dfrac{\partial}{\partial y}f(0,0)$.

8.(2024 合肥工业大学) 已知 $f(x,y)=\begin{cases}xy\dfrac{x^2-y^2}{x^2+y^2}, & (x,y)\neq(0,0),\\ 0, & (x,y)=(0,0).\end{cases}$ 证明:$f(x,y)$ 在 $(0,0)$ 处连续,并计算 $f'_x(0,0)$ 和 $f''_{xy}(0,0)$.

9.(2024 合肥工业大学) 设有方程 $\cos(x+y)+e^{y+x^2}-x^3y^3=2$.

(1) 证明:在点(0,0)的某邻域内能确定唯一的隐函数 $y=f(x)$.

(2) 判断在(0,0)的某邻域内能否确定隐函数 $x=f(y)$?并说明理由.

10.(2024 吉林大学) 设 $u=u(x,y)$,$v=v(x,y)$ 是由方程组 $\begin{cases}xu-yv=0,\\yu+xv=2\end{cases}$ 在点 $(x_0,y_0,u_0,v_0)=(1,1,1,1)$ 的某个邻域内定义的隐函数,求 $\dfrac{\partial u}{\partial x}(1,1)$,$\dfrac{\partial u}{\partial y}(1,1)$,$\dfrac{\partial v}{\partial x}(1,1)$,$\dfrac{\partial v}{\partial y}(1,1)$.

11.(2024 东南大学) 设 $f(x,y)=\begin{cases}\dfrac{x^2y}{\sqrt{x^2+y^2}}, & x^2+y^2\neq 0,\\0, & x^2+y^2=0,\end{cases}$ 求二阶偏导数 $f''_{xy}(x,y)$.

12.(2024 东南大学) 设 $D=\{(x,y)\mid 0<x<1,0<y<+\infty\}$,证明:对任意的 $(x,y)\in D$,成立不等式 $yx^y(1-x)<\dfrac{1}{e}$.

13.(2024 电子科技大学)若 $u=xyz$,则 $\mathrm{d}^3u=$ __________.

14.(2024 电子科技大学)已知曲面 $z=xy$,曲面上某点处的法线与平面 $x+3y+z+9=0$ 垂直,则该点的坐标为__________.

15.(2024 电子科技大学)讨论方程组 $\begin{cases} xy+y+y^2z=0, \\ x^y+yz-z^2+5=0 \end{cases}$ 在 $P(1,-2,1)$ 的附近能否确定形如 $x=f(z),y=g(z)$ 的隐函数组?

16.(2024 华南师范大学)已知 u 是关于 x,y 的函数,且满足:

$$u=f(x,y,z,t),g(y,z,t)=0,h(z,t)=0.$$

求 $\dfrac{\partial u}{\partial x},\dfrac{\partial u}{\partial y}$.

17.(2024 华南师范大学)设

$$f(x,y)=\begin{cases}(x^2+y^2)\sin\dfrac{1}{x^2+y^2}, & (x,y)\neq(0,0),\\ 0, & (x,y)=(0,0),\end{cases}$$

证明:(1)$f(x,y)$ 在(0,0) 处连续;

(2)$f(x,y)$ 在(0,0) 处存在偏导数;

(3)$f(x,y)$ 在(0,0) 处的偏导数不连续;

(4)$f(x,y)$ 在(0,0) 处可微.

18.(2024 北京师范大学)设 $f(x,y,z)$ 有连续的偏导数,且满足 $-y\dfrac{\partial f}{\partial x}+x\dfrac{\partial f}{\partial y}+b\dfrac{\partial f}{\partial z}\geqslant c$,其中 b,c 为正实数,证明:当(x,y,z) 沿着 $x=b\cos t,y=b\sin t,z=bt,t\in[0,+\infty)$ 趋于无穷时,$f(x,y,z)\to+\infty$.

19.(2024 华东师范大学)设 $f:\mathbf{R}^2\to\mathbf{R}$ 连续可微,$f(0,0)=0$,且 $f'_y(0,0)\neq0$,考虑迭代:$y_0(x)=0,y_{n+1}(x)=y_n(x)-(f'_y(0,0))^{-1}f(x,y_n(x))$,定义

$$u_{n+1}(x)=y_{n+1}(x)-y_n(x),n\geqslant0.$$

(1) 证明:对任何 $\varepsilon>0$,存在 $\delta>0$,当 $x\in(-\delta,\delta)$ 时,$|y_n(x)|<\varepsilon$ 对任何 $n\geqslant0$ 成立,进而当 δ 充分小时,存在 $0<p<1$ 使得对任意 $|x|<\delta$,有 $|u_{n+1}(x)|'\leqslant p|u_n(x)|$.

(2) 证明:$y(x)=\sum\limits_{n=1}^{\infty}u_n(x)$ 是 $f(x,y)=0$ 在(0,0) 附近确定的一个连续隐函数.

20.(2024 东北师范大学)求球面$\begin{cases}x=\cos\theta\sin\varphi,\\ y=\sin\theta\sin\varphi,\\ z=\cos\varphi\end{cases}$在对应$\theta=\varphi=\dfrac{\pi}{4}$处的切平面和法线方程.

21.(2024 东北师范大学)由方程组$\begin{cases}x^2+y^2-uv=0,\\ xy+u^2-v^2=0\end{cases}$能否确定$u,v$为$x$与$y$的函数?在能确定隐函数的条件下,求$u_x,v_x,u_y,v_y$.

22.(2024 陕西师范大学)已知$z=z(x,y)$是由方程$x+2y+3z=e^z$确定的隐函数,计算$\dfrac{\partial z}{\partial x}$,$\dfrac{\partial z}{\partial y}$,$\dfrac{\partial^2 z}{\partial x^2}$,$\dfrac{\partial^2 z}{\partial y\partial x}$.

23.（2024 陕西师范大学）设三元函数 $f(x,y,z)$ 在 $D=\{(x,y,z)\mid x+y+z\leqslant 1\}$ 上可微，且 $\forall(x,y,z)\in D$，有 $|f'_x(x,y,z)|\leqslant 1$，$|f'_y(x,y,z)|\leqslant 2$，$|f'_z(x,y,z)|\leqslant 3$.
证明：$\forall(x_1,y_1,z_1),(x_2,y_2,z_2)\in D$，有

$$|f(x_2,y_2,z_2)-f(x_1,y_1,z_1)|\leqslant|x_2-x_1|+2|y_2-y_1|+3|z_2-z_1|.$$

24.（2024 中国人民大学）求 $f(x,y,z)=xyz$ 在条件 $\begin{cases}x^2+y^2+z^2=1,\\x+y+z=0\end{cases}$ 下的极值.

25.（2024 厦门大学）求 $f(x,y)=x^2+y^2-12x+16y$ 在 $D=\{(x,y)\mid x^2+y^2\leqslant 25\}$ 上的最值.

26.（2024 吉林大学）求 $f(x,y)=2x^2+4xy-2y^2$ 在闭区域 $D=\{(x,y)\mid x^2+y^2\leqslant 5\}$ 上的最大值和最小值.

27. (2024 电子科技大学) 求 $x+2y=1$ 与 $x^2+2y^2+z^2=1$ 相交曲线上的点到原点距离最小的点.

28. (2024 东北师范大学) 求函数 $f(x,y)=\sin x+\sin y+\sin(x+y)$ 在 $[0,2\pi]\times[0,2\pi]$ 上的所有极值点.

29. (2024 首都师范大学) 证明:二元函数 $f(x,y)=x^3-4x^2+2xy-y^2$ 在 $\mathbf{R}^2$ 上有唯一的极值点,且该极值点是极大值点但不是最大值点.

30. (2024 华中科技大学) 解答如下问题:

(1) 证明:二元函数 $z=f(P)$ 在 $D\subset\mathbf{R}^2$ 上一致连续的充分必要条件是对 D 上任意两点列 $\{P_n\}$,$\{Q_n\}$,只要距离 $d(P_n,Q_n)\to 0(n\to\infty)$,就有 $f(P_n)-f(Q_n)\to 0(n\to\infty)$.

(2) 判断函数 $g(x,y)=\begin{cases}\dfrac{x^4y^4}{x^4+y^4}, & x^4+y^4\neq 0,\\ 0, & x^4+y^4=0\end{cases}$ 在 $\mathbf{R}^2$ 上的一致连续性.

答案解析

1. **解** 先判断累次极限存在再求累次极限.

$$\lim_{x\to0}\lim_{y\to0}f(x,y)=\lim_{x\to0}\lim_{y\to0}\left(1+\frac{2}{x^2}\right)^{\frac{x^4}{x^2+y^2}}=\lim_{x\to0}\left(1+\frac{2}{x^2}\right)^{\frac{x^4}{x^2}}=\lim_{x\to0}\left(1+\frac{2}{x^2}\right)^{x^2}=\mathrm{e}^2.$$

$$\lim_{y\to0}\lim_{x\to0}f(x,y)=\lim_{y\to0}\lim_{x\to0}\left(1+\frac{2}{x^2}\right)^{\frac{x^4}{x^2+y^2}}=\lim_{y\to0}\mathrm{e}^{\lim\limits_{x\to0}\frac{x^4}{x^2+y^2}\cdot\frac{2}{x^2}}=\lim_{y\to0}\mathrm{e}^{2\lim\limits_{x\to0}\frac{x^2}{x^2+y^2}}$$

$$=\lim_{y\to0}\mathrm{e}^{2\lim\limits_{x\to0}\frac{0}{y^2}}=\mathrm{e}^0=1,$$

即 $\lim\limits_{x\to0}\lim\limits_{y\to0}\left(1+\frac{2}{x^2}\right)^{\frac{x^4}{x^2+y^2}}=\mathrm{e}^2$，$\lim\limits_{y\to0}\lim\limits_{x\to0}\left(1+\frac{2}{x^2}\right)^{\frac{x^4}{x^2+y^2}}=1$.

再判断重极限是否存在，取路径 $y=kx(k\neq0)$，则

$$\lim_{\substack{y\to0\\y=kx}}\left(1+\frac{2}{x^2}\right)^{\frac{x^4}{x^2+y^2}}=\lim_{x\to0}\left(1+\frac{2}{x^2}\right)^{\frac{x^4}{x^2+(kx)^2}}=\lim_{x\to0}\left(1+\frac{2}{x^2}\right)^{\frac{x^2}{k^2+1}}=\mathrm{e}^{\lim\limits_{x\to0}\frac{2}{x^2}\cdot\frac{x^2}{k^2+1}}=\mathrm{e}^{\frac{2}{k^2+1}}.$$

由于极限与 k 有关，并不唯一，所以重极限 $\lim\limits_{\substack{x\to0\\y\to0}}f(x,y)$ 不存在. 或者，由于

$$\lim_{x\to0}\lim_{y\to0}f(x,y)\neq\lim_{y\to0}\lim_{x\to0}f(x,y).$$

所以重极限不存在.

2. **解** 不妨设 $x>0,y>0$，则 $0<\frac{xy}{x^2+y^2}\leqslant\frac{1}{2}$，故

$$0\leqslant\left(\frac{xy}{x^2+y^2}\right)^{x^2}\leqslant\left(\frac{1}{2}\right)^{x^2}\to0\begin{pmatrix}x\to+\infty\\y\to+\infty\end{pmatrix}.$$

由夹逼准则可知，$\lim\limits_{\substack{x\to+\infty\\y\to+\infty}}\left(\frac{xy}{x^2+y^2}\right)^{x^2}=0$.

3. **解** 设 $u=x+\frac{z}{y}$，$v=y+\frac{z}{x}$，则 $F(u,v)=0$.

方程 $F(u,v)=0$ 两边分别对 x,y 求偏导，得

$$F_u\cdot\left(1+\frac{1}{y}\frac{\partial z}{\partial x}\right)+F_v\cdot\frac{x\frac{\partial z}{\partial x}-z}{x^2}=0,F_u\cdot\frac{y\frac{\partial z}{\partial y}-z}{y^2}+F_v\cdot\left(1+\frac{1}{x}\frac{\partial z}{\partial y}\right)=0.$$

于是 $\frac{\partial z}{\partial x}=\dfrac{\frac{z}{x^2}F_v-F_u}{\frac{1}{y}F_u+\frac{1}{x}F_v}$，$\frac{\partial z}{\partial y}=\dfrac{\frac{z}{y^2}F_u-F_v}{\frac{1}{y}F_u+\frac{1}{x}F_v}$，则

$$x\frac{\partial z}{\partial x}+y\frac{\partial z}{\partial y}=x\cdot\frac{\frac{z}{x^2}F_v-F_u}{\frac{1}{y}F_u+\frac{1}{x}F_v}+y\cdot\frac{\frac{z}{y^2}F_u-F_v}{\frac{1}{y}F_u+\frac{1}{x}F_v}$$

$$=\frac{(z-xy)\left(\frac{1}{y}F_u+\frac{1}{x}F_v\right)}{\frac{1}{y}F_u+\frac{1}{x}F_v}=z-xy.$$

从而 $z - x\dfrac{\partial z}{\partial x} - y\dfrac{\partial z}{\partial y} = xy$.

4. **解** 注意到 $\dfrac{\partial F}{\partial \theta} = \dfrac{\partial F}{\partial x}\dfrac{\partial x}{\partial \theta} + \dfrac{\partial F}{\partial y}\dfrac{\partial y}{\partial \theta} = f'(x)g(y)(-r\sin\theta) + f(x)g'(y)r\cos\theta$

$$= -yf'(x)g(y) + xf(x)g'(y).$$

另一方面有 $\dfrac{\partial F}{\partial \theta} = \dfrac{\partial h(r)}{\partial \theta} = 0$. 于是

$$-yf'(x)g(y) + xf(x)g'(y) = 0.$$

当 $x \neq 0, y \neq 0$ 时,有 $\dfrac{f'(x)}{xf(x)} = \dfrac{g'(y)}{yg(y)}$. 此式对任意的 $x \neq 0, y \neq 0$ 恒成立,于是

$$\frac{f'(x)}{xf(x)} = \frac{g'(y)}{yg(y)} = \lambda, \quad ①$$

其中 λ 为任意常数.

由 ① 得 $\dfrac{f'(x)}{f(x)} = \lambda x$,即 $(\ln f)' = \left(\dfrac{\lambda}{2}x^2\right)'$,所以

$$\ln f(x) = \frac{\lambda}{2}x^2 + C, \quad ②$$

其中 C 为任意常数.

由 ② 得到 $f(x) = C_1 e^{\frac{\lambda x^2}{2}}$,其中 C_1 为任意常数.

由 ① 还可得到 $g(y) = C_2 e^{\frac{\lambda y^2}{2}}$,其中 C_2 为任意常数.

最后得到 $F(x,y) = Ce^{\frac{\lambda(x^2+y^2)}{2}}$,其中 C,λ 为任意常数. $F(x,y)$ 在 $x=0$ 或 $y=0$ 的值由连续性得到.

5. **解** 对 x 求偏导,$6x^2z + 2x^3z_x - 6xy^2 - 2yz^2 - 4xyzz_x - 4y^3z_x = 0$,即 $z_x(2,1,2) = 7$.

对 y 求偏导,$2x^3z_y - 6x^2y - 2xz^2 - 4xyzz_y - 12y^2z - 4y^3z_y = 0$,即

$$z_y(2,1,2) = -16.\ dz = 7dx - 16dy.$$

6. **解** $z_x = f'_1 + yf'_2 + \dfrac{1}{y}f'_3$,

$$z_{xx} = f''_{11} + yf''_{12} + \frac{1}{y}f''_{13} + f''_{21} + yf''_{22} + \frac{1}{y}f''_{23} + f''_{31} + yf''_{32} + \frac{1}{y}f''_{33},$$

$$= f''_{11} + (y+1)f''_{12} + \left(\frac{1}{y}+1\right)f''_{13} + yf''_{22} + \left(\frac{1}{y}+y\right)f''_{23} + \frac{1}{y}f''_{33}.$$

7. **证** $\dfrac{d}{dt}f(tu,tv)\Big|_{t=0} = \lim\limits_{t\to 0}\dfrac{f(tu,tv) - f(0,0)}{t}$

$$= \lim_{t\to 0}\frac{f(tu,tv) - f(0,tv) + f(0,tv) - f(0,0)}{t}$$

$$= u\lim_{t\to 0}\frac{f(tu,tv) - f(0,tv)}{tu} + v\lim_{t\to 0}\frac{f(0,tv) - f(0,0)}{tv}$$

$$= u\lim_{t\to 0}f'_x(0,tv) + vf'_y(0,0) = uf'_x(0,0) + vf'_y(0,0).$$

8. **证** 由于 $|f(x,y)| \leqslant \left|\dfrac{xy(x+y)(x-y)}{x^2+y^2}\right| \leqslant \dfrac{|x+y|\cdot|x-y|}{2} \leqslant \dfrac{1}{2}(|x|+|y|)$,

于是对 $\forall \varepsilon > 0, \exists \delta = \varepsilon$,当 $|x| < \delta, |y| < \delta$ 时,有

$$|f(x,y)-f(0,0)|\leqslant\frac{1}{2}(|x|+|y|)<\varepsilon,$$

即 $f(x,y)$ 在点$(0,0)$ 处连续.

当$(x,y)\neq(0,0)$ 时,$f'_x(x,y)=\dfrac{y(x^4-y^4+4x^2y^2)}{(x^2+y^2)^2}$,$f'_y(x,y)=\dfrac{x(x^4-y^4-4x^2y^2)}{(x^2+y^2)^2}$.

当$(x,y)=(0,0)$ 时,由定义得

$$f'_x(0,0)=\lim_{\Delta x\to 0}\frac{f(0+\Delta x,0)-f(0,0)}{\Delta x}=\lim_{\Delta x\to 0}\frac{0-0}{\Delta x}=0,$$

$$f'_y(0,0)=\lim_{\Delta y\to 0}\frac{f(0,0+\Delta y)-f(0,0)}{\Delta y}=\lim_{\Delta y\to 0}\frac{0-0}{\Delta y}=0.$$

故

$$f''_{xy}(0,0)=\lim_{\Delta y\to 0}\frac{f'_x(0,0+\Delta y)-f'_x(0,0)}{\Delta y}=\lim_{\Delta y\to 0}\frac{\frac{\Delta y[-(\Delta y)^4]}{(\Delta y)^4}-0}{\Delta y}=-1,$$

$$f''_{yx}(0,0)=\lim_{\Delta x\to 0}\frac{f'_y(0+\Delta x,0)-f'_y(0,0)}{\Delta x}=\lim_{\Delta x\to 0}\frac{\frac{\Delta x\cdot(\Delta x)^4}{(\Delta x)^4}-0}{\Delta x}=1.$$

9. **证** (1) 令 $F(x,y)=\cos(x+y)+\mathrm{e}^{y+x^2}-x^3y^3-2$,则 $F(x,y)$ 具有连续的偏导数,且 $F(0,0)=0$,$F'_y(0,0)=1$. 据隐函数存在定理可知,方程 $F(x,y)=0$ 在$(0,0)$ 某邻域内能确定唯一隐函数 $y=f(x)$.

(2) 首先计算$\dfrac{\mathrm{d}y}{\mathrm{d}x}=-\dfrac{F'_x}{F'_y}=\dfrac{\sin(x+y)-2x\mathrm{e}^{y+x^2}+3x^2y^3}{-\sin(x+y)+\mathrm{e}^{y+x^2}-3x^3y^2}$. 由于 $y(0)=0$,故 $y'(0)=0$,从而 $y=o(x)$,即$\lim\limits_{x\to 0}\dfrac{\sin(x+y)}{x}=\lim\limits_{x\to 0}\dfrac{\sin(x+o(x))}{x}=1$.

$$y''(0)=\lim_{x\to 0}\frac{y'(x)-y'(0)}{x}=\lim_{x\to 0}\frac{\frac{\sin(x+y)}{x}-2\mathrm{e}^{y+x^2}+3xy^3}{-\sin(x+y)+\mathrm{e}^{y+x^2}-3x^3y^2}=-1.$$

由于 $y''(0)=-1<0$,故 $y=f(x)$ 在 $x=0$ 的左侧严格增加,在 $x=0$ 的右侧严格减少,故在点$(0,0)$ 的任意邻域内,当 $y<0$ 且 $|y|$ 充分小时,方程 $F(x,y)=0$ 有两个解 x_1,x_2,因此不存在隐函数 $x=\varphi(y)$.

10. **解** 由方程组解得 $u=\dfrac{2y}{x^2+y^2}$,$v=\dfrac{2x}{x^2+y^2}$. 对 x,y 分别求偏导得

$$\frac{\partial u}{\partial x}=\frac{\partial v}{\partial y}=-\frac{4xy}{(x^2+y^2)^2},\frac{\partial u}{\partial y}=-\frac{\partial v}{\partial x}=\frac{2x^2-2y^2}{x^2+y^2}.$$

从而有

$$\frac{\partial u}{\partial x}(1,1)=\frac{\partial v}{\partial y}(1,1)=-1,\frac{\partial u}{\partial y}(1,1)=\frac{\partial v}{\partial x}(t,1)=0.$$

11. **解** (1) 当 $x^2+y^2\neq 0$ 时,有

$$f'_x(x,y)=\frac{2xy\sqrt{x^2+y^2}-x^2y\cdot\frac{1}{2}(x^2+y^2)^{-\frac{1}{2}}\cdot 2x}{x^2+y^2}$$

$$=\frac{2x^3y+2xy^3-x^3y}{(x^2+y^2)^{\frac{3}{2}}}=\frac{xy(x^2+2y^2)}{(x^2+y^2)^{\frac{3}{2}}}.$$

$$f'_y(x,y)=\frac{x^2\cdot\sqrt{x^2+y^2}-x^2y\cdot\frac{1}{2}(x^2+y^2)^{-\frac{1}{2}}\cdot 2y}{x^2+y^2}$$
$$=\frac{x^4}{(x^2+y^2)^{\frac{3}{2}}}.$$

进而求二阶混合偏导数为

$$f''_{xy}(x,y)=\frac{x(x^2+6y^2)\cdot(x^2+y^2)-3x(x^2+2y^2)\cdot y^2}{(x^2+y^2)^{\frac{5}{2}}}$$
$$=\frac{x^3(x^2+4y^2)}{(x^2+y^2)^{\frac{5}{2}}}(x^2+y^2\neq 0).$$

(2) 当 $x^2+y^2=0$ 时,有 $f'_x(0,0)=\lim\limits_{x\to 0}\frac{f(x,0)-f(0,0)}{x}=\lim\limits_{x\to 0}\frac{0-0}{x}=0.$

同理 $f'_y(0,0)=0$. 进而求二阶混合偏导数为

$$f''_{xy}(0,0)=\lim_{y\to 0}\frac{f'_x(0,y)-f'_x(0,0)}{y}=\lim_{y\to 0}\frac{0-0}{y}=0.$$

所以 $f''_{xy}(x,y)=\begin{cases}\dfrac{x^3(x^2+4y^2)}{(x^2+y^2)^{\frac{5}{2}}}, & x^2+y^2\neq 0,\\ 0, & x^2+y^2=0.\end{cases}$

12. **证** 令 $f(x,y)=yx^y(1-x)$,则 $f'_x(x,y)=x^{y-1}y(xy+x-y)=0$,

$f'_y(x,y)=x^{y-1}x(1-x)(1+y\ln x)=0$,因而有 $x^{y-1}=0$ 或者 $\begin{cases}y\ln x=-1,\\ xy=y-x.\end{cases}$

(1) 当 $x^{y-1}=0$ 时,有拟驻点 $(0,y_0)$,则 $f(0,y_0)=0$.

(2) 当 $\begin{cases}y\ln x=-1,\\ xy=y-x,\end{cases}$ 则 $\begin{cases}y=-\dfrac{1}{\ln x},\\ y=\dfrac{x}{1-x},\end{cases}$ 即 $y=-\dfrac{1}{\ln x}=\dfrac{x}{1-x}$. 从而

$$f(x,y)=yx^y(1-x)=x^{y+1}=x^{1-\frac{1}{\ln x}},0<x<1.$$

令函数 $g(x)=x^{1-\frac{1}{\ln x}},0<x<1$,求导得 $g'(x)=x^{1-\frac{1}{\ln x}}=\dfrac{1}{e}>0$. 所以 $g(x)=x^{1-\frac{1}{\ln x}}$,

$0<x<1$ 单调递增,且 $\lim\limits_{x\to 1^-}g(x)=\lim\limits_{x\to 1^-}x^{1-\frac{1}{\ln x}}=\dfrac{1}{e}$,则 $g(x)=x^{1-\frac{1}{\ln x}}<\dfrac{1}{e}$,故

$$f(x,y)=yx^y(1-x)<\frac{1}{e}.$$

即对 $\forall(x,y)\in D$,有 $yx^y(1-x)<\dfrac{1}{e}$.

13. **解** 利用偏导数计算公式,有

$\dfrac{\partial u}{\partial x}=yz,\dfrac{\partial^2 u}{\partial x^2}=0,\dfrac{\partial^3 u}{\partial x^3}=0.\dfrac{\partial u}{\partial y}=xz,\dfrac{\partial^2 u}{\partial y^2}=0,\dfrac{\partial^3 u}{\partial y^3}=0.\dfrac{\partial u}{\partial z}=xy,\dfrac{\partial^2 u}{\partial z^2}=0,\dfrac{\partial^3 u}{\partial z^3}=0.$

$\dfrac{\partial^2 u}{\partial x^2\partial y}=\dfrac{\partial^2 u}{\partial x\partial y^2}=\dfrac{\partial^2 u}{\partial x^2\partial z}=\dfrac{\partial^2 u}{\partial x\partial z^2}=\dfrac{\partial^2 u}{\partial y^2\partial z}=\dfrac{\partial^2 u}{\partial y\partial z^2}=0.$

利用上述已知结果,利用高阶微分公式,有

$$du=yz\,dx+xz\,dy+xy\,dz,$$
$$d^2u=2z\,dx\,dy+2y\,dx\,dz+2x\,dy\,dz,d^3u=6\,dx\,dy\,dz.$$

14. **解** 曲面 $z=xy$ 上点 (x,y,z) 的法向量为 $(y,x,-1)$. 由题意, $(y,x,-1)\parallel(1,3,1)$, 所以 $\frac{y}{1}=\frac{x}{3}=\frac{-1}{1}$, 即 $y=-1, x=-3, z=xy=-1\times(-3)=3$.

于是该点坐标为 $(-3,-1,3)$.

15. **解** 易知点 $P(1,-2,1)$ 是方程组的解, 即 P 满足初始条件, 令

$$\begin{cases}F(x,y,z)=xy+y+y^2z,\\ G(x,y,z)=x^y+yz-z^2+5,\end{cases}$$

则 F,G 在 $\mathbf{R}^3$ 上有连续的各阶偏导数, 再考察 F,G 在点 P 处关于所有变量的雅可比矩阵.

$$\begin{pmatrix}F'_x & F'_y & F'_z\\ G'_x & G'_y & G'_z\end{pmatrix}\Bigg|_P=\begin{pmatrix}y & x+1+2yz & y^2\\ yx^{y-1} & x^y\ln x+z & y-2z\end{pmatrix}\Bigg|_{P(1,-2,1)}=\begin{pmatrix}-2 & -2 & 4\\ -2 & 1 & -4\end{pmatrix}.$$

由于

$$\frac{\partial(F,G)}{\partial(x,y)}\bigg|_P=\begin{vmatrix}-2 & -2\\ -2 & 1\end{vmatrix}=-6\neq 0,\ \frac{\partial(F,G)}{\partial(x,z)}\bigg|_P=\begin{vmatrix}-2 & 4\\ -2 & -4\end{vmatrix}=16\neq 0,$$

于是由隐函数组定理, 在点 P 的近旁, x,y 可看作以 z 为自变量形如 $x=f(z), y=g(z)$ 的可微隐函数组.

16. **解** 方程组由五个变量、三个方程构成. 确定了三个二元函数, 其中 x,y 为自变量. 由 $u=f(x,y,z,t), g(y,z,t)=0, h(z,t)=0$, 可得

$$\begin{cases}\dfrac{\partial u}{\partial x}=f'_1+f'_3\cdot\dfrac{\partial z}{\partial x}+f'_4\cdot\dfrac{\partial t}{\partial x},\\[2mm] \dfrac{\partial g}{\partial z}\cdot\dfrac{\partial z}{\partial x}+\dfrac{\partial g}{\partial t}\cdot\dfrac{\partial t}{\partial x}=0,\\[2mm] \dfrac{\partial h}{\partial z}\cdot\dfrac{\partial z}{\partial x}+\dfrac{\partial h}{\partial t}\cdot\dfrac{\partial t}{\partial x}=0.\end{cases}$$

所以 $\frac{\partial z}{\partial x}=0, \frac{\partial t}{\partial x}=0$, 于是 $\frac{\partial u}{\partial x}=f'_1(x,y,z,t)$. 从而

$$\begin{cases}\dfrac{\partial u}{\partial y}=f'_2+f'_3\cdot\dfrac{\partial z}{\partial y}+f'_4\cdot\dfrac{\partial t}{\partial y},\\[2mm] \dfrac{\partial g}{\partial y}+\dfrac{\partial g}{\partial z}\cdot\dfrac{\partial z}{\partial y}+\dfrac{\partial g}{\partial t}\cdot\dfrac{\partial t}{\partial y}=0,\\[2mm] \dfrac{\partial h}{\partial z}\cdot\dfrac{\partial z}{\partial y}+\dfrac{\partial h}{\partial t}\cdot\dfrac{\partial t}{\partial y}=0,\end{cases}$$

$$\frac{\partial u}{\partial y}=f'_2+\frac{f'_4\cdot\dfrac{\partial g}{\partial y}\cdot\dfrac{\partial h}{\partial z}-f'_3\cdot\dfrac{\partial g}{\partial y}\cdot\dfrac{\partial h}{\partial t}}{\dfrac{\partial g}{\partial z}\cdot\dfrac{\partial h}{\partial t}-\dfrac{\partial g}{\partial t}\cdot\dfrac{\partial h}{\partial z}}.$$

17. **证** (1) 根据无穷小量与有界函数之积仍为无穷小量, 有

$$\lim_{(x,y)\to(0,0)}f(x,y)=\lim_{(x,y)\to(0,0)}(x^2+y^2)\sin\frac{1}{x^2+y^2}=0=f(0,0).$$

所以 $f(x,y)$ 在 $(0,0)$ 处连续.

(2) 由偏导数定义可知,

$$f'_x(0,0)=\lim_{x\to 0}\frac{f(x,0)-f(0,0)}{x-0}=\lim_{x\to 0}\frac{x^2\sin\dfrac{1}{x^2}}{x}=\lim_{x\to 0}x\sin\frac{1}{x^2}=0.$$

由对称性可知，$f'_y(0,0)=0$.

(3) 对 $f(x,y)$ 求在 $(x,y)\neq(0,0)$ 的偏导数，则

$$f'_x(x,y)=\begin{cases}2x\sin\dfrac{1}{x^2+y^2}-\dfrac{2x\cos\dfrac{1}{x^2+y^2}}{x^2+y^2}, & (x,y)\neq(0,0),\\ 0, & (x,y)=(0,0),\end{cases}$$

取路径 $y=x$ 可知

$$\begin{aligned}\lim_{\substack{x\to0\\y=x}}f'_x(x,y)&=\lim_{x\to0}\left(2x\sin\frac{1}{x^2+x^2}-\frac{1}{x^2+x^2}2x\cos\frac{1}{x^2+x^2}\right)\\&=\lim_{x\to0}\left(2x\sin\frac{1}{2x^2}-\frac{1}{x}\cos\frac{1}{2x^2}\right)=-\lim_{x\to0}\frac{1}{x}\cos\frac{1}{2x^2}.\end{aligned}$$

该极限不存在，所以 $f'_x(x,y)$ 在 $(0,0)$ 处不连续. 同理，$f'_y(x,y)$ 在 $(0,0)$ 处不连续.

(4) 由可微定义，

$$\begin{aligned}&\lim_{\substack{x\to0\\y\to0}}\frac{f(x,y)-f(0,0)-f'_x(0,0)x-f'_y(0,0)y}{\sqrt{x^2+y^2}}\\&=\lim_{\substack{x\to0\\y\to0}}\frac{(x^2+y^2)\sin\dfrac{1}{x^2+y^2}}{\sqrt{x^2+y^2}}=\lim_{\substack{x\to0\\y\to0}}\sqrt{x^2+y^2}\sin\frac{1}{x^2+y^2}=0.\end{aligned}$$

所以 $f(x,y)$ 在 $(0,0)$ 处可微.

18. **证** 令 $F(t)=f(b\cos t,b\sin t,bt)$，则

$$\frac{\mathrm{d}F(t)}{\mathrm{d}t}=-b\sin tf'_x+b\cos tf'_y+bf'_z=-yf'_x+xf'_y+bf'_z\geqslant c.$$

由微分中值定理，$\exists\xi_t\in(0,t)$ 使得 $F(t)-F(0)=F'(\xi_t)t\geqslant ct$.

于是 $\lim\limits_{t\to+\infty}F(t)=+\infty$，即 $\lim\limits_{t\to+\infty}f(x,y,z)=\lim\limits_{t\to+\infty}F(t)=+\infty$.

19. **证** (1) 首先注意到

$$\begin{aligned}y_{n+1}(x)-y_n(x)&=y_n(x)-y_{n-1}(x)-\frac{f(x,y_n(x))-f(x,y_{n-1}(x))}{f'_y(0,0)}\\&=\left(1-\frac{f'_y(x,z_n)}{f'_y(0,0)}\right)(y_n(x)-y_{n-1}(x)),\end{aligned}$$

这里 $z_n=\theta y_{n-1}(x)+(1-\theta)y_n(x),0<\theta<1$. 由于 f'_y 连续，所以 $\exists a,b>0$，当 $(x,y)\in[-a,a]\times[-b,b]$ 时，有 $\left|1-\dfrac{f'_y(x,y)}{f'_y(0,0)}\right|\leqslant\dfrac{1}{2}$.

对 $\forall\varepsilon>0$，取充分小的 $\delta>0$，使 $\left|\dfrac{f(x,0)}{f'_y(0,0)}\right|\leqslant\dfrac{1}{2}\min\{\varepsilon,b\}$，则

$$|y_1(x)-y_0(x)|\leqslant\frac{1}{2}\min\{\varepsilon,b\}.$$

利用数学归纳法可得 $|y_{n+1}(x)-y_n(x)|\leqslant\dfrac{1}{2^{n+1}}\min\{\varepsilon,b\}$. 所以

$$\begin{aligned}|y_{n+1}(x)|&\leqslant|y_{n+1}(x)-y_n(x)+\cdots+y_1(x)-y_0(x)|\\&<\left(\frac{1}{2^{n+1}}+\frac{1}{2^n}+\cdots+\frac{1}{2}\right)\min\{b,\varepsilon\}<\min\{b,\varepsilon\}.\end{aligned}$$

对本题而言，取 $p=\dfrac{1}{2}$ 即可.

(2) 在原点附近，$|u_{n+1}(x)| \leqslant p|u_n(x)|$ 且 $p \in (0,1)$，由数学归纳法可知 $|u_n(x)| \leqslant p^{n-1}|u_1(x)|$ $n \geqslant 1$，进而

$$\sum_{n=1}^{\infty}|u_n(x)| \leqslant \sup_{[-\delta,\delta]}|u_1(x)|\sum_{n=1}^{\infty}|p|^{n-1} < +\infty.$$

所以 $y(x)=\sum_{n=1}^{\infty}u_n(x)$ 在 $(-\delta,\delta)$ 上一致收敛，进而连续可微. 由(1) 可知 $y_n(0)=0$，由一致收敛可知 $y(0)=0$. 对

$$y_{n+1}(x)=y_n(x)-\frac{f(x,y_n(x))}{f'_y(0,0)},$$

令 $n\to\infty$ 取极限可得，$y(x)=y(x)-\dfrac{f(x,y(x))}{f'_y(0,0)}$，进而 $f(x,y(x))=0$，即证.

20. **解** 利用偏导数求法可得矩阵 $\begin{bmatrix}\dfrac{\partial x}{\partial\theta} & \dfrac{\partial y}{\partial\theta} & \dfrac{\partial z}{\partial\theta}\\ \dfrac{\partial x}{\partial\varphi} & \dfrac{\partial y}{\partial\varphi} & \dfrac{\partial z}{\partial\varphi}\end{bmatrix}=\begin{pmatrix}-\sin\theta\sin\varphi & \cos\theta\sin\varphi & 0\\ \cos\theta\cos\varphi & \sin\theta\cos\varphi & -\sin\varphi\end{pmatrix}$.

$$\left.\frac{\partial(y,z)}{\partial(\theta,\varphi)}\right|_{(\frac{\pi}{4},\frac{\pi}{4})}=-\cos\theta\sin^2\varphi\,|_{(\frac{\pi}{4},\frac{\pi}{4})}=-\frac{\sqrt{2}}{4},\left.\frac{\partial(z,x)}{\partial(\theta,\varphi)}\right|_{(\frac{\pi}{4},\frac{\pi}{4})}$$

$$=-\sin\theta\sin^2\varphi\,|_{(\frac{\pi}{4},\frac{\pi}{4})}=-\frac{\sqrt{2}}{4},$$

$$\left.\frac{\partial(x,y)}{\partial(\theta,\varphi)}\right|_{(\frac{\pi}{4},\frac{\pi}{4})}=-\sin\varphi\cos\varphi\,|_{(\frac{\pi}{4},\frac{\pi}{4})}=-\frac{1}{2},$$

从而法向量为 $\boldsymbol{n}=-\dfrac{\sqrt{2}}{4}(1,1,\sqrt{2})$.

又当 $\theta=\varphi=\dfrac{\pi}{4}$ 时，有 $(x,y,z)=\left(\dfrac{1}{2},\dfrac{1}{2},\dfrac{\sqrt{2}}{2}\right)$. 故所求的切平面方程为

$$1\cdot\left(x-\frac{1}{2}\right)+1\cdot\left(y-\frac{1}{2}\right)+\sqrt{2}\cdot\left(z-\frac{\sqrt{2}}{2}\right)=0,$$

即

$$x+y+\sqrt{2}z-2=0.$$

法线方程为

$$\frac{x-\frac{1}{2}}{1}=\frac{y-\frac{1}{2}}{1}=\frac{z-\frac{\sqrt{2}}{2}}{\sqrt{2}}.$$

21. **解** 令 $\begin{cases}F(x,y,u,v)=x^2+y^2-uv,\\ G(x,y,u,v)=xy+u^2-v^2,\end{cases}$ 则 $\dfrac{D(F,G)}{D(u,v)}=\begin{vmatrix}-v & -u\\ 2u & -2v\end{vmatrix}=2(u^2+v^2)$.

当 $(x,y)\neq(0,0)$ 时，满足上述方程组的 u,v 不同时为零. 也就是 $\dfrac{D(F,G)}{D(u,v)}\neq 0$，即在 (x,y) 的邻域内能确定隐函数 $u=u(x,y)$，$v=v(x,y)$，且

$$u_x=-\frac{\dfrac{\partial(F,G)}{\partial(x,v)}}{\dfrac{\partial(F,G)}{\partial(u,v)}}=-\frac{\begin{vmatrix}F_x & F_v\\ G_x & G_v\end{vmatrix}}{\begin{vmatrix}F_u & F_v\\ G_u & G_v\end{vmatrix}}=-\frac{\begin{vmatrix}2x & -u\\ y & -2v\end{vmatrix}}{\begin{vmatrix}-v & -u\\ 2u & -2v\end{vmatrix}}=\frac{4xv-yu}{2(u^2+v^2)},$$

$$v_x=-\frac{\frac{\partial(F,G)}{\partial(u,x)}}{\frac{\partial(F,G)}{\partial(u,v)}}=-\frac{\begin{vmatrix}F_u & F_x\\ G_u & G_x\end{vmatrix}}{\begin{vmatrix}F_u & F_v\\ G_u & G_v\end{vmatrix}}=-\frac{\begin{vmatrix}-v & 2x\\ 2u & y\end{vmatrix}}{\begin{vmatrix}-v & -u\\ 2u & -2v\end{vmatrix}}=\frac{yv+4xu}{2(u^2+v^2)},$$

$$u_y=-\frac{\frac{\partial(F,G)}{\partial(y,v)}}{\frac{\partial(F,G)}{\partial(u,v)}}=-\frac{\begin{vmatrix}F_y & F_v\\ G_y & G_v\end{vmatrix}}{\begin{vmatrix}F_u & F_v\\ G_u & G_v\end{vmatrix}}=-\frac{\begin{vmatrix}2y & -u\\ x & -2v\end{vmatrix}}{\begin{vmatrix}-v & -u\\ 2u & -2v\end{vmatrix}}=\frac{4yv-xu}{2(u^2+v^2)},$$

$$v_y=-\frac{\frac{\partial(F,G)}{\partial(u,y)}}{\frac{\partial(F,G)}{\partial(u,v)}}=-\frac{\begin{vmatrix}F_u & F_y\\ G_u & G_y\end{vmatrix}}{\begin{vmatrix}F_u & F_v\\ G_u & G_v\end{vmatrix}}=-\frac{\begin{vmatrix}-v & 2y\\ 2u & x\end{vmatrix}}{\begin{vmatrix}-v & -u\\ 2u & -2v\end{vmatrix}}=\frac{xv+4yu}{2(u^2+v^2)},$$

即 $u_x=\frac{4xv-yu}{2(u^2+v^2)},v_x=\frac{yv+4xu}{2(u^2+v^2)},u_y=\frac{4yv-xu}{2(u^2+v^2)},v_y=\frac{xv+4yu}{2(u^2+v^2)}$.

22. **解** **方法一** 方程 $x+2y+3z=e^z$ 两边对 x 求导,得 $1+3z_x=z_xe^z$, ①

$$z_x=\frac{1}{e^z-3}.$$

同理方程 $x+2y+3z=e^z$ 两边对 y 求导,得 $2+3z_y=z_ye^z$, ②

由 ①② 得 $z_y=\frac{2}{e^z-3}$.

方法二 方程 $x+2y+3z=e^z$ 两端取全微分,得 $dx+2dy+3dz=e^zdz$.

所以 $dz=\frac{1}{e^z-3}dx+\frac{2}{e^z-3}dy$,故 $z'_x=\frac{1}{e^z-3},z'_y=\frac{2}{e^z-3}$.

方法三 令 $F(x,y,z)=e^z-3z-x-2y$,所以 $F'_x=-1,F'_y=-2,F'_z=e^z-3$.

所以 $z_x=-\frac{F'_x}{F'_z}=\frac{1}{e^z-3},z_y=-\frac{F'_x}{F'_z}=\frac{2}{e^z-3}$.

① 式两边对 x 求导得 $3z''_{xx}=z''_{xx}e'_z+(z_x)^2e^z$,因此 $z''_{xx}=-\frac{e^z}{(e^z-3)^3}$.

① 式两边对 y 求导得 $3z''_{xy}=z''_{xy}e^z+z'_xz_ye^z$,因此 $z''_{xy}=\frac{z_xz_ye^z}{3-e^z}=-\frac{2e^z}{(e^z-3)^3}$.

23. **证** 由拉格朗日中值定理,

$$\begin{aligned}|f(x_2,y_2,z_2)-f(x_1,y_1,z_1)|&=|f(x_2,y_2,z_2)-f(x_1,y_2,z_2)+f(x_1,y_2,z_2)-\\&\quad f(x_1,y_1,z_2)+f(x_1,y_1,z_2)-f(x_1,y_1,z_1)|\\&\leqslant|f(x_2,y_2,z_2)-f(x_1,y_2,z_2)|+|f(x_1,y_2,z_2)-\\&\quad f(x_1,y_1,z_2)|+|f(x_1,y_1,z_2)-f(x_1,y_1,z_1)|\\&=|f'_x(\alpha,y_2,z_2)(x_2-x_1)|+|f'_y(x_1,\beta,z_2)(y_2-y_1)|+\\&\quad|f'_z(x_1,y_1,\gamma)(z_2-z_1)|\\&\leqslant|x_2-x_1|+2|y_2-y_1|+3|z_2-z_1|.\end{aligned}$$

24. **解** 设 $L(x,y,z,\lambda,\mu)=xyz+\lambda(x^2+y^2+z^2-1)+\mu(x+y+z)$,令

$$\begin{cases}L'_x=yz+2\lambda x+\mu=0,\\ L'_y=xz+2\lambda y+\mu=0,\\ L'_z=xy+2\lambda z+\mu=0,\\ L'_\lambda=x^2+y^2+z^2-1=0,\\ L'_\mu=x+y+z=0,\end{cases}\quad 从而\begin{cases}L'_y-L'_x=(x-y)(z-2\lambda)=0,\\ L'_z-L'_y=(y-z)(x-2\lambda)=0.\end{cases}$$

当 $x=y$ 时,有

$$z=-2x\Rightarrow L'_\lambda=6x^2-1=0\Rightarrow x=\pm\frac{1}{\sqrt{6}}\Rightarrow(x,y,z)=\pm\left(\frac{1}{\sqrt{6}},\frac{1}{\sqrt{6}},-\frac{2}{\sqrt{6}}\right).$$

当 $z=2\lambda$ 时,有 $x=z$ 或 $y=z$.

当 $x=z$ 时,有 $y=-2x\Rightarrow L'_\lambda=6x^2-1=0\Rightarrow x=\pm\frac{1}{\sqrt{6}}\Rightarrow(x,y,z)=\pm\left(\frac{1}{\sqrt{6}},-\frac{2}{\sqrt{6}},\frac{1}{\sqrt{6}}\right)$.

当 $y=z$ 时,有 $x=-2y\Rightarrow L'_\lambda=6y^2-1=0\Rightarrow y=\pm\frac{1}{\sqrt{6}}\Rightarrow(x,y,z)=\pm\left(-\frac{2}{\sqrt{6}},\frac{1}{\sqrt{6}},\frac{1}{\sqrt{6}}\right)$.

从而 $f\left(\frac{1}{\sqrt{6}},\frac{1}{\sqrt{6}},-\frac{2}{\sqrt{6}}\right)=f\left(\frac{1}{\sqrt{6}},-\frac{2}{\sqrt{6}},\frac{1}{\sqrt{6}}\right)=f\left(-\frac{2}{\sqrt{6}},\frac{1}{\sqrt{6}},\frac{1}{\sqrt{6}}\right)=-\frac{1}{3\sqrt{6}}$,

$$f\left(-\frac{1}{\sqrt{6}},-\frac{1}{\sqrt{6}},\frac{2}{\sqrt{6}}\right)=f\left(-\frac{1}{\sqrt{6}},\frac{2}{\sqrt{6}},-\frac{1}{\sqrt{6}}\right)=f\left(\frac{2}{\sqrt{6}},-\frac{1}{\sqrt{6}},-\frac{1}{\sqrt{6}}\right)=\frac{1}{3\sqrt{6}}.$$

故 $f(x,y,z)$ 在该条件下的极小值是 $-\frac{1}{3\sqrt{6}}$,极大值是 $\frac{1}{3\sqrt{6}}$.

25. **解** 当取 D 的边界时,令 $x=5\cos\theta,y=5\sin\theta$,则

$$f(x,y)=25+20(4\sin\theta-3\cos\theta)=25-100\sin(\theta-\varphi).$$

所以此时,最大值为 125,最小值为 -75.

当取 D 内部,令

$$\begin{cases}f'_x(x,y)=2x-12=0,\\ f'_y(x,y)=2y+16=0,\end{cases}$$

则驻点为 $(6,-8)$. 此时极值为 $f(6,-8)=-100$.

又 $(6,-8)\notin D$. 故所求二元函数 $f(x,y)$ 的最大值为 125,最小值为 -75.

26. **解** **方法一** 令 $x=r\cos\beta,y=r\sin\beta$,则 $r\leqslant\sqrt{5}$,那么

$$\begin{aligned}f(r\cos\beta,r\sin\beta)&=2(r\cos\beta)^2+4r\cos\beta\cdot r\sin\beta-2(r\sin\beta)^2\\&=2(r\cos\beta)^2+2(r\sin\beta)^2+4r\cos\beta\cdot r\sin\beta-4(r\sin\beta)^2\\&=2r^2+4r^2\cos\beta\cdot\sin\beta-4r^2\sin^2\beta=2r^2+4r^2(\cos\beta\cdot\sin\beta-\sin^2\beta)\\&=2r^2(\sin^2\beta+\cos^2\beta+2\cos\beta\cdot\sin\beta-2\sin^2\beta)\\&=2r^2(\cos^2\beta+2\cos\beta\cdot\sin\beta-\sin^2\beta)=2r^2(\sin(2\beta)+\cos(2\beta))\\&=2\sqrt{2}r^2\sin\left(2\beta+\frac{\pi}{4}\right).\end{aligned}$$

故当 $2\beta+\frac{\pi}{4}=\frac{\pi}{2}$,即 $\beta=\frac{\pi}{8}$ 时,$\max f(x,y)=2\sqrt{2}\times5\times\sin\left(\frac{\pi}{2}\right)=10\sqrt{2}$.

当 $2\beta+\frac{\pi}{4}=-\frac{\pi}{2}$,即 $\beta=-\frac{3\pi}{8}$ 时,$\max f(x,y)=2\sqrt{2}\times5\times\sin\left(-\frac{\pi}{2}\right)=-10\sqrt{2}$.

所以 $f(x,y)$ 在闭区域 D 上的最大值为$10\sqrt{2}$ 和最小值为 $-10\sqrt{2}$.

方法二 (1) 当 $D=\{(x,y)\mid x^2+y^2=5\}$ 时,令$\begin{cases}x=\sqrt{5}\cos\alpha,\\ y=\sqrt{5}\sin\alpha,\end{cases}$则

$$\begin{aligned}f(\alpha)&=2(\sqrt{5}\cos\alpha)^2+4\cdot\sqrt{5}\cos\alpha\cdot\sqrt{5}\sin\alpha-2(\sqrt{5}\sin\alpha)^2\\&=10(\sin(2\alpha)+\cos(2\alpha))=10\sqrt{2}\sin\left(2\alpha+\frac{\pi}{4}\right).\end{aligned}$$

所以,此时 f 的最大值为 $10\sqrt{2}$,f 的最小值为 $-10\sqrt{2}$.

(2) 当 $D=\{(x,y)\mid x^2+y^2<5\}$ 时,令

$$L=2x^2+4xy-2y^2+\lambda(x^2+y^2-5),$$

求其偏导数并令其偏导数为零,则

$$\begin{cases}L_x=4x+4y+2\lambda x=0,\\ L_y=4x-4y+2\lambda y=0,\\ L_\lambda=x^2+y^2-5=0,\end{cases}\Rightarrow\begin{cases}2x+2y+\lambda x=0,\\ 2x-2y+\lambda y=0,\\ x^2+y^2-5=0,\end{cases}\Rightarrow\begin{cases}(2+\lambda)x=-2y,\\ (\lambda-2)y=-2x,\\ x^2+y^2-5=0.\end{cases}$$

(ⅰ) 当 $\lambda=-2$ 或 $\lambda=2$ 时,均有 $x=y=0$. 但是,此时不满足:$x^2+y^2-5=0$,故不可能存在.

(ⅱ) 当 $\lambda\neq-2$ 且 $\lambda\neq 2$ 时,有$(\lambda-2)(2+\lambda)=4$,解得 $\lambda=-2\sqrt{2}$ 或 $\lambda=2\sqrt{2}$.

将 $\lambda=-2\sqrt{2}$ 代入$(2+\lambda)x=-2y$,可得$(\sqrt{2}-1)x=y$.

再代入 $x^2+y^2-5=0$ 中可得

$$x=-\sqrt{\frac{5}{4-2\sqrt{2}}}\text{ 或 }x=\sqrt{\frac{5}{4-2\sqrt{2}}}.$$

进而分别解得 $y=-(\sqrt{2}-1)\sqrt{\dfrac{5}{4-2\sqrt{2}}}$ 或 $y=(\sqrt{2}-1)\sqrt{\dfrac{5}{4-2\sqrt{2}}}$.

故驻点为 $\left(-\sqrt{\dfrac{5}{4-2\sqrt{2}}},-(\sqrt{2}-1)\sqrt{\dfrac{5}{4-2\sqrt{2}}}\right)$,$\left(\sqrt{\dfrac{5}{4-2\sqrt{2}}},(\sqrt{2}-1)\sqrt{\dfrac{5}{4-2\sqrt{2}}}\right)$.

将 $\lambda=2\sqrt{2}$ 代入$(2+\lambda)x=-2y$ 中可得 $-(1+\sqrt{2})x=y$.

再代入 $x^2+y^2-5=0$ 中可得 $x=-\sqrt{\dfrac{5}{4+2\sqrt{2}}}$ 或 $x=\sqrt{\dfrac{5}{4+2\sqrt{2}}}$. 进而分别解得

$$y=(\sqrt{2}+1)\sqrt{\frac{5}{4+2\sqrt{2}}}\text{ 或 }y=-(\sqrt{2}+1)\sqrt{\frac{5}{4+2\sqrt{2}}}.$$

所以,驻点为

$$\left(-\sqrt{\frac{5}{4+2\sqrt{2}}},(\sqrt{2}+1)\sqrt{\frac{5}{4+2\sqrt{2}}}\right)\text{和}\left(\sqrt{\frac{5}{4+2\sqrt{2}}},-(\sqrt{2}+1)\sqrt{\frac{5}{4+2\sqrt{2}}}\right).$$

且 $f\left(-\sqrt{\dfrac{5}{4-2\sqrt{2}}},-(\sqrt{2}-1)\sqrt{\dfrac{5}{4-2\sqrt{2}}}\right)=\dfrac{5}{2-\sqrt{2}}+\dfrac{10(\sqrt{2}-1)}{2-\sqrt{2}}-\dfrac{5(\sqrt{2}-1)^2}{2-\sqrt{2}}$.

$$f\left(\sqrt{\frac{5}{4-2\sqrt{2}}},(\sqrt{2}-1)\sqrt{\frac{5}{4-2\sqrt{2}}}\right)=10\sqrt{2}.$$

$$f\left(-\sqrt{\frac{5}{4+2\sqrt{2}}},(\sqrt{2}+1)\sqrt{\frac{5}{4+2\sqrt{2}}}\right)=\frac{5}{2+\sqrt{2}}-\frac{10(\sqrt{2}+1)}{2+\sqrt{2}}-\frac{5(\sqrt{2}+1)^2}{2+\sqrt{2}}$$

$$=\frac{-20(1+\sqrt{2})}{2+\sqrt{2}}=-10\sqrt{2}.$$

所以 $f(x,y)$ 在闭区域 D 上的最大值为 $10\sqrt{2}$ 和最小值为 $-10\sqrt{2}$.

27.**解** **方法一** 设交线上点 (x,y,z) 到原点的距离 $d=\sqrt{x^2+y^2+z^2}$. 故令 $L(x,y,z,\lambda,\mu)=(x^2+y^2+z^2)+\lambda(x+2y-1)+\mu(x^2+2y^2+z^2-1)$. 分别求关于 x,y,z,λ,μ 的偏导数并令其为 0,有

$$\begin{cases}L_x=2x+\lambda+2x\mu=0,\\L_y=2y+2\lambda+4\mu y=0,\\L_z=2z+2\mu z=0,\\L_\lambda=x+2y-1=0,\\L_\mu=x^2+2y^2+z^2-1=0,\end{cases}$$

得到驻点为 $(1,0,0),\left(-\frac{1}{3},\frac{2}{3},0\right)$.

又 $d=\sqrt{x^2+y^2+z^2}$ 在有界闭集合 $\begin{cases}x+2y=1,\\x^2+2y^2+z^2=1\end{cases}$ 上连续. 因此必有最大值和最小值,且 $d(1,0,0)=1,d\left(-\frac{1}{3},\frac{2}{3},0\right)=\frac{\sqrt{5}}{3}$.

所以相交曲线上的点到原点距离最小的点为 $\left(-\frac{1}{3},\frac{2}{3},0\right)$.

方法二 联立 $\Gamma:\begin{cases}x+2y=1,\\x^2+2y^2+z^2=1,\end{cases}$ 则 $6\left(y-\frac{1}{3}\right)^2+z^2=\frac{2}{3}$.

故 Γ 在 yOz 面的投影曲线为

$$\begin{cases}y=\frac{1}{3}+\frac{1}{3}\cos\theta,\\z=\sqrt{\frac{2}{3}}\sin\theta,\end{cases}\quad\theta\in[0,2\pi].$$

从而 Γ 的参数方程为

$$\begin{cases}x=\frac{1}{3}-\frac{2}{3}\cos\theta,\\y=\frac{1}{3}+\frac{1}{3}\cos\theta,\\z=\sqrt{\frac{2}{3}}\sin\theta,\end{cases}\quad\theta\in[0,2\pi].$$

于是 $d^2=-\frac{1}{9}(1+\cos\theta)^2+1$,当 $\cos\theta=1$ 时,交线上的点距离原点的距离最近,其坐标为 $\left(-\frac{1}{3},\frac{2}{3},0\right)$.

28.**解** 令 $f'_x(x,y)=\cos x+\cos(x+y)=0,f'_y(x,y)=\cos y+\cos(x+y)=0$,则 $\cos(x+y)=-\cos x=-\cos y$,驻点为

$$(x,y)=(2\pi n_1+\pi,2\pi n_2+\pi),(n_1\in\mathbf{Z},n_2\in\mathbf{Z}),$$

$$(x,y)=\left(\frac{6\pi n_1-\pi}{3},\frac{6\pi n_2-\pi}{3}\right),(n_1\in\mathbf{Z},n_2\in\mathbf{Z}),$$

$$(x,y)=\left(\frac{6\pi n_1+\pi}{3},\frac{6\pi n_2+\pi}{3}\right),(n_1\in\mathbf{Z},n_2\in\mathbf{Z}).$$

又因$(x,y)\in[0,2\pi]\times[0,2\pi]$,则驻点为$(\pi,\pi)$,$\left(\frac{5\pi}{3},\frac{5\pi}{3}\right)$,$\left(\frac{\pi}{3},\frac{\pi}{3}\right)$.再求混合偏导数

$$\begin{cases}A=f''_{xx}(x,y)=-\sin x-\sin(x+y),\\B=f''_{xy}(x,y)=-\sin(x+y),\\C=f''_{yy}(x,y)=-\sin y-\sin(x+y).\end{cases}$$

当驻点为$(x,y)=(\pi,\pi)$时,有$A=0,B=0,C=0$.又因为驻点(π,π)的左右两侧极限值为$f(0^+,0^+)>0,f(0^-,0^-)<0$.所以$(\pi,\pi)$是拐点,非极值点.当驻点为$\left(\frac{5\pi}{3},\frac{5\pi}{3}\right)$时,

有$A=\sqrt{3},B=\frac{\sqrt{3}}{2},C=\sqrt{3}$.又因为$AC-B^2=3-\frac{3}{4}=\frac{9}{4}>0,A=\sqrt{3}>0$.

所以,点$\left(\frac{5\pi}{3},\frac{5\pi}{3}\right)$为极小值点,且$f\left(\frac{5\pi}{3},\frac{5\pi}{3}\right)=\sin\frac{5\pi}{3}+\sin\frac{5\pi}{3}+\sin\frac{10\pi}{3}=-\frac{3\sqrt{3}}{2}$.

当驻点为$\left(\frac{\pi}{3},\frac{\pi}{3}\right)$时,有$A=-\sqrt{3},B=-\frac{\sqrt{3}}{2},C=-\sqrt{3}$.

又因为$AC-B^2=3-\frac{3}{4}=\frac{9}{4}>0,A=-\sqrt{3}<0$.

所以,点$\left(\frac{\pi}{3},\frac{\pi}{3}\right)$是极大值点,$f\left(\frac{\pi}{3},\frac{\pi}{3}\right)=\sin\frac{\pi}{3}+\sin\frac{\pi}{3}+\sin\frac{2\pi}{3}=\frac{3\sqrt{3}}{2}$.

综上所述,$f(x,y)$有两个极值点:极小值点$\left(\frac{5\pi}{3},\frac{5\pi}{3}\right)$,极大值点$\left(\frac{\pi}{3},\frac{\pi}{3}\right)$.

29. **证** 令$\begin{cases}f'_x(x,y)=3x^2-8x+2y=0,\\f'_y(x,y)=2x-2y=0,\end{cases}$解得驻点为$(0,0)$和$(2,2)$,且$f(0,0)=0$,$f(2,2)=-4$.令

$$\begin{cases}A=f''_{xx}(x,y)=6x-8,\\B=f''_{xy}(x,y)=2,\\C=f''_{yy}(x,y)=-2.\end{cases}$$

在点$(0,0)$,有$A=-8,B=2,C=-2,AC-B^2=12>0,A=-8<0$.所以$(0,0)$为极大值点,极大值为$f(0,0)=0$.

在点$(2,2)$,有$A=4,B=2,C=-2,AC-B^2=-12<0$,所以$(2,2)$不为极值点.

又因为$f(+\infty,0)=+\infty>f(0,0)=0$.所以点$(0,0)$是极大值点但不是最大值点.

30. **解** (1) 必要性.设点列$\{P_n\},\{Q_n\}\subset I$满足$\lim\limits_{n\to\infty}|P_n-Q_n|=0$.

对$\forall\varepsilon>0$,由f的一致连续性知$\exists\delta>0$,当$|P'-P''|<\delta$,有$|f(P')-f(P'')|<\varepsilon$.

由$\lim\limits_{n\to\infty}|P_n-Q_n|=0$,$\exists N$,当$n>N$时,有$|P_n-Q_n|<\delta$.

又当$|P'-P''|<\delta$时,有$|f(P')-f(P'')|<\varepsilon$,故$n>N$时有$|f(P_n)-f(Q_n)|<\varepsilon$.所以$f(P_n)-f(Q_n)|\to 0$.

充分性.若f不一致连续,则必然$\exists\varepsilon_0>0$,使得对$\forall\delta>0$,存在满足$|P'-P''|<\delta$的

P', P'',使得 $|f(P')-f(P'')|\geqslant \varepsilon_0$.

对任意正整数 n 可取 $P_n, Q_n\in I$,使得 $|P_n-Q_n|<\dfrac{1}{n}$,且 $|f(P_n)-f(Q_n)|\geqslant \varepsilon_0$.

由于 $|P_n-Q_n|<\dfrac{1}{n}$,故 $|P_n-Q_n|\to 0$.但 $|f(P_n)-f(Q_n)|\geqslant \varepsilon_0$,故 $|f(P_n)-f(Q_n)|\not\to 0$.

与题设条件矛盾,故 f 一致连续.

(2) 考虑 $|(x,x)-(y,y)|\to 0$ 时 $|g(x,x)-g(y,y)|=\dfrac{x^4-y^4}{2}$.

易证 x^4 在 $\mathbf{R}$ 上非一致连续(取 $x_n=n+\dfrac{1}{n}, y_n=n$,则 $|x_n-y_n|\to 0$ 但 $x_n^4-y_n^4\not\to 0$).

所以 $|x-y|\to 0$ 时蕴含 $|(x,x)-(y,y)|\to 0$ 且 $|g(x,x)-g(y,y)|\not\to 0$.

由(1)可知非一致连续.当然,也可取 $P_n=(n+\dfrac{1}{n}, n+\dfrac{1}{n}), Q_n=(n,n)$.

第7章 含参变量的积分

本章概括

本章为含参变量的积分，包括《吉米多维奇数学分析习题集》中与含参变量的积分相关的190道习题，涵盖了含参变量的常义积分、含参变量的反常积分、积分的一致收敛性、反常积分号下的微分法和积分法、欧拉积分及傅里叶积分公式等5节内容.

本章研究含参变量的函数的积分，即含参变量积分. 在许多自然科学问题中都会用到含参变量积分，比如傅里叶变换、拉普拉斯变换以及欧拉积分等. 本章重点讨论含参变量函数的定积分和反常积分. 其他积分如重积分、曲线积分和曲面积分等类型的含参积分有类似的结论，有兴趣的读者可以自己去探究.

知识图谱

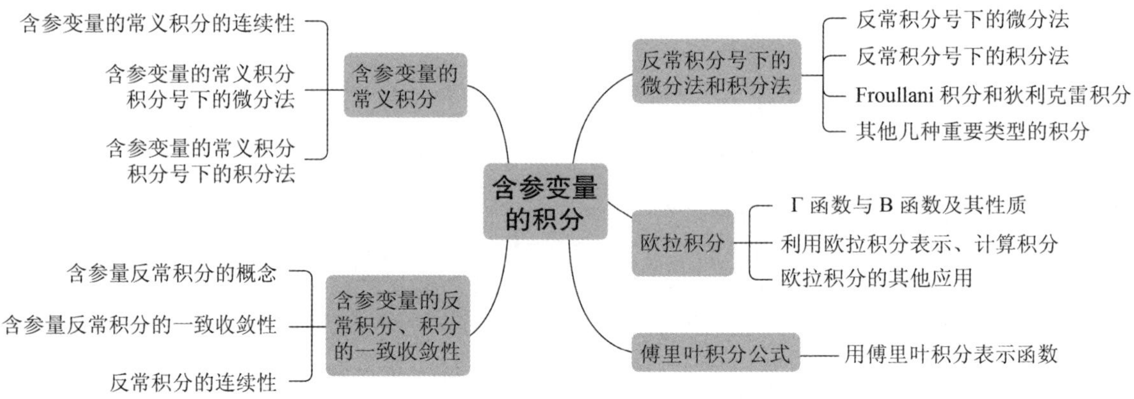

第1节 含参变量的常义积分（习题3711—3740）

知识点预览

序号	知识点	题目序号	所在页码
1	含参变量的常义积分的连续性	3711—3715	P217
2	含参变量的常义积分积分号下的微分法	3716—3735	P219
3	含参变量的常义积分积分号下的积分法	3736—3740	P227

知识点1 含参变量的常义积分的连续性

若 $f(x,y)$ 在有界区域 $[a,A]\times[b,B]$ 上连续，则 $F(y)=\int_a^A f(x,y)\mathrm{d}x$ 在 $[b,B]$ 上连续.

习题 3711—3715 含参变量的常义积分的连续性

【3711】 证明：不连续函数 $f(x,y)=\operatorname{sgn}(x-y)$ 的积分 $F(y)=\int_0^1 f(x,y)\mathrm{d}x$ 为连续函数. 作出函数 $u=F(y)$ 的图像.

证 当 $-\infty<y<0$ 时，$F(y)=\int_0^1 1\cdot\mathrm{d}x=1$；

当 $0\leqslant y\leqslant 1$ 时，$F(y)=\int_0^y(-1)\mathrm{d}x+\int_y^1 1\cdot\mathrm{d}x=1-2y$；

当 $1<y<+\infty$ 时，$F(y)=\int_0^1(-1)\mathrm{d}x=-1$.

由于

$$\lim_{y\to0^+}F(y)=\lim_{y\to0^+}(1-2y)=1,\ \lim_{y\to0^-}F(y)=1$$

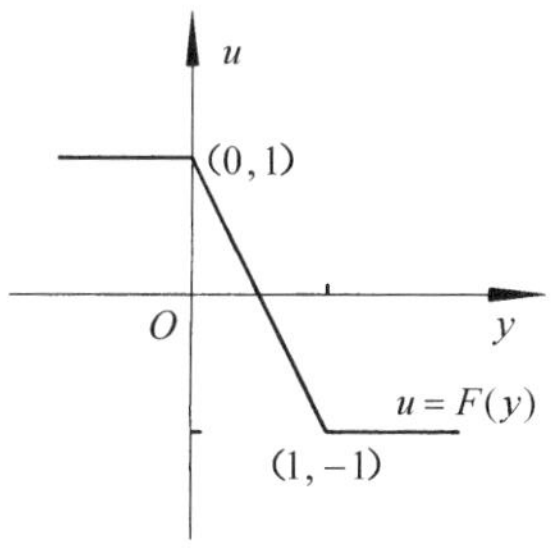

图 7.1

且 $F(0)=1$，即有 $F(0^+)=F(0^-)=F(0)$，故 $u=F(y)$ 当 $y=0$ 时连续.

同法可证 $u=F(y)$ 当 $y=1$ 时也连续. 当 $y\neq0,y\neq1$ 时，$u=F(y)$ 显然连续. 于是，$u=F(y)$ 在整个 Oy 轴上均连续. 如图 7.1 所示.

【3712】 研究 $F(y)=\int_0^1\frac{yf(x)}{x^2+y^2}\mathrm{d}x$ 的连续性，其中 $f(x)$ 为在 $[0,1]$ 上正的连续函数.

解 当 $y\neq0$ 时，被积函数连续，因此 $F(y)$ 为连续函数.

当 $y=0$ 时，显然有 $F(0)=0$.

当 $y>0$ 时，设 m 为 $f(x)$ 在 $[0,1]$ 上的最小值，则 $m>0$. 由于

$$F(y)\geqslant m\int_0^1\frac{y}{x^2+y^2}\mathrm{d}x=m\arctan\frac{1}{y}\text{ 及 }\lim_{y\to0^+}\arctan\frac{1}{y}=\frac{\pi}{2},$$

故有 $\lim\limits_{y\to0^+}F(y)\geqslant\frac{m\pi}{2}>0$. 于是 $F(y)$ 当 $y=0$ 时不连续.

【3713】 求：

(1) $\lim\limits_{\alpha\to0}\int_\alpha^{1+\alpha}\frac{\mathrm{d}x}{1+x^2+\alpha^2}$；　　(2) $\lim\limits_{\alpha\to0}\int_{-1}^1\sqrt{x^2+\alpha^2}\,\mathrm{d}x$；

(3) $\lim\limits_{\alpha\to0}\int_0^2 x^2\cos\alpha x\,\mathrm{d}x$；　　(4) $\lim\limits_{n\to\infty}\int_0^1\dfrac{\mathrm{d}x}{1+\left(1+\dfrac{x}{n}\right)^n}$.

解　(1) 因为$\dfrac{1}{1+x^2+\alpha^2}$，$\alpha$，$1+\alpha$都是$\alpha$的连续函数，故含参变量$\alpha$的积分$F(\alpha)=\int_\alpha^{1+\alpha}\dfrac{\mathrm{d}x}{1+x^2+\alpha^2}$是$(-\infty,+\infty)$上的连续函数，因此

$$\lim_{\alpha\to0}\int_\alpha^{1+\alpha}\frac{\mathrm{d}x}{1+x^2+\alpha^2}=\lim_{\alpha\to0}F(\alpha)=F(0)=\int_0^1\frac{\mathrm{d}x}{1+x^2}=\frac{\pi}{4}.$$

(2) 同(1)，$F(\alpha)=\int_{-1}^1\sqrt{x^2+\alpha^2}\,\mathrm{d}x$是$(-\infty,+\infty)$上的连续函数，因此

$$\lim_{\alpha\to0}\int_{-1}^1\sqrt{x^2+\alpha^2}\,\mathrm{d}x=\lim_{\alpha\to0}F(\alpha)=F(0)=\int_{-1}^1\sqrt{x^2}\,\mathrm{d}x=2\int_0^1 x\,\mathrm{d}x=1.$$

(3) 同(1)，$F(\alpha)=\int_0^2 x^2\cos\alpha x\,\mathrm{d}x$是$(-\infty,+\infty)$上的连续函数，因此，

$$\lim_{\alpha\to0}\int_0^2 x^2\cos\alpha x\,\mathrm{d}x=\lim_{\alpha\to0}F(\alpha)=F(0)=\int_0^2 x^2\,\mathrm{d}x=\frac{8}{3}.$$

(4) 考虑二元函数 $f(x,y)=\begin{cases}\dfrac{1}{1+(1+xy)^{\frac{1}{y}}}, & 0\leqslant x\leqslant1,0<y\leqslant1,\\ \dfrac{1}{1+\mathrm{e}^x}, & 0\leqslant x\leqslant1,y=0.\end{cases}$

由$\lim\limits_{u\to0^+}(1+u)^{\frac{1}{u}}=\mathrm{e}$易知$f(x,y)$是$[0,1]\times[0,1]$上的连续函数. 故积分$F(y)=\int_0^1 f(x,y)\mathrm{d}x$是$[0,1]$上的连续函数，因此$\lim\limits_{y\to0^+}F(y)=F(0)$，从而有

$$\lim_{n\to\infty}\int_0^1\frac{\mathrm{d}x}{1+\left(1+\dfrac{x}{n}\right)^n}=\lim_{n\to\infty}F\left(\frac{1}{n}\right)=F(0)=\int_0^1 f(x,0)\mathrm{d}x$$

$$=\int_0^1\frac{\mathrm{d}x}{1+\mathrm{e}^x}=\ln\frac{\mathrm{e}^x}{1+\mathrm{e}^x}\Big|_0^1=\ln\frac{2\mathrm{e}}{1+\mathrm{e}}.$$

【3714】　设函数$f(x)$在闭区间$[A,B]$上连续，证明：

$$\lim_{h\to0^+}\frac{1}{h}\int_a^x[f(t+h)-f(t)]\mathrm{d}t=f(x)-f(a)(A<a<x<B).$$

证　由于$f(x)$在$[A,B]$上连续，故在$[A,B]$上存在原函数$F(x)$. 于是

$$\lim_{h\to0^+}\frac{1}{h}\int_a^x[f(t+h)-f(t)]\mathrm{d}t=\lim_{h\to0^+}\frac{1}{h}[F(x+h)-F(a+h)-F(x)+F(a)]$$
$$=\lim_{h\to0^+}\frac{F(x+h)-F(x)}{h}-\lim_{h\to0^+}\frac{F(a+h)-F(a)}{h}$$
$$=F'(x)-F'(a)=f(x)-f(a).$$

【3715】　在表达式$\lim\limits_{y\to0}\int_0^1\dfrac{x}{y^2}\mathrm{e}^{-\frac{x^2}{y^2}}\mathrm{d}x$中，可否在积分符号下取极限？

解　不能. 事实上，$\lim\limits_{y\to0}\int_0^1\dfrac{x}{y^2}\mathrm{e}^{-\frac{x^2}{y^2}}\mathrm{d}x=\lim\limits_{y\to0}\left(-\dfrac{1}{2}\mathrm{e}^{-\frac{x^2}{y^2}}\Big|_0^1\right)=\lim\limits_{y\to0}\left(\dfrac{1}{2}-\dfrac{1}{2}\mathrm{e}^{-\frac{1}{y^2}}\right)=\dfrac{1}{2}$，而

$$\int_0^1\left(\lim_{y\to0}\frac{x}{y^2}\mathrm{e}^{-\frac{x^2}{y^2}}\right)\mathrm{d}x=\int_0^1 0\,\mathrm{d}x=0.$$

知识点2 含参变量的常义积分积分号下的微分法

若函数 $f(x,y)$ 在有界区域 $R=[a,A]\times[b,B]$ 上连续，并且偏导数 $f'_y(x,y)$ 在区域 R 上连续，则当 $y\in[b,B]$ 时有

$$\frac{\mathrm{d}}{\mathrm{d}y}\int_a^A f(x,y)\mathrm{d}x=\int_a^A f'_y(x,y)\mathrm{d}x.$$

在更一般的情况下，当积分的下限和上限为参数 y 的可微函数 $\varphi(y)$ 和 $\psi(y)$，并且当 $y\in[b,B]$ 时，$a\leqslant\varphi(y)\leqslant A$，$a\leqslant\psi(y)\leqslant A$，则有

$$\frac{\mathrm{d}}{\mathrm{d}y}\int_{\varphi(y)}^{\psi(y)} f(x,y)\mathrm{d}x=f[\psi(y),y]\psi'(y)-f[\varphi(y),y]\varphi'(y)+\int_{\varphi(y)}^{\psi(y)} f'_y(x,y)\mathrm{d}x,y\in[b,B].$$

习题3716—3735 含参变量的常义积分积分号下的微分法

【3716】 当 $y=0$ 时，可否根据莱布尼茨法则计算 $F(y)=\int_0^1\ln\sqrt{x^2+y^2}\,\mathrm{d}x$ 的导数？

解 不能. 事实上，当 $y\neq 0$ 时，

$$F(y)=\int_0^1\ln\sqrt{x^2+y^2}\,\mathrm{d}x=x\ln\sqrt{x^2+y^2}\,\Big|_{x=0}^{x=1}-\int_0^1\frac{x^2}{x^2+y^2}\mathrm{d}x$$

$$=\ln\sqrt{1+y^2}-\int_0^1\left(1-\frac{y^2}{x^2+y^2}\right)\mathrm{d}x=\ln\sqrt{1+y^2}-1+y\arctan\frac{1}{y}.$$

又 $F(0)=\int_0^1\ln x\mathrm{d}x=x\ln x\Big|_0^1-\int_0^1\mathrm{d}x=-1$，由此可知

$$F'_+(0)=\lim_{y\to 0^+}\frac{F(y)-F(0)}{y}=\lim_{y\to 0^+}\left[\frac{\ln(1+y^2)}{2y}+\arctan\frac{1}{y}\right]=\frac{\pi}{2},$$

$$F'_-(0)=\lim_{y\to 0^-}\frac{F(y)-F(0)}{y}=\lim_{y\to 0^-}\left[\frac{\ln(1+y^2)}{2y}+\arctan\frac{1}{y}\right]=-\frac{\pi}{2},$$

故 $F'(0)$ 不存在.

另一方面，当 $x>0$ 时，$\left(\frac{\partial}{\partial y}\ln\sqrt{x^2+y^2}\right)\Big|_{y=0}=\frac{y}{x^2+y^2}\Big|_{y=0}\equiv 0$，故 $\int_0^1\left(\frac{\partial}{\partial y}\ln\sqrt{x^2+y^2}\right)\Big|_{y=0}\mathrm{d}x=0$.
由此可知，当 $y=0$ 时不能在积分号下求导数，就是求右导数或求左导数也不行，因为

$$F'_+(0)=\frac{\pi}{2}\neq 0=\int_0^1\left(\frac{\partial}{\partial y}\ln\sqrt{x^2+y^2}\right)\Big|_{y=0}\mathrm{d}x,F'_-(0)=-\frac{\pi}{2}\neq 0=\int_0^1\left(\frac{\partial}{\partial y}\ln\sqrt{x^2+y^2}\right)\Big|_{y=0}\mathrm{d}x.$$

【3717】 若 $F(x)=\int_x^{x^2}\mathrm{e}^{-xy^2}\mathrm{d}y$，计算 $F'(x)$.

解 $F'(x)=\frac{\mathrm{d}}{\mathrm{d}x}(x^2)\mathrm{e}^{-y^2}\Big|_{y=x^2}-\frac{\mathrm{d}x}{\mathrm{d}x}\mathrm{e}^{-xy^2}\Big|_{y=x}+\int_x^{x^2}\frac{\partial}{\partial x}(\mathrm{e}^{-xy^2})\mathrm{d}y=2x\mathrm{e}^{-x^5}-\mathrm{e}^{x^3}-\int_x^{x^2}y^2\mathrm{e}^{-xy^2}\mathrm{d}y.$

【3718】 求 $F'(\alpha)$：

(1) $F(\alpha)=\int_{\sin\alpha}^{\cos\alpha}\mathrm{e}^{\alpha\sqrt{1-x^2}}\mathrm{d}x$；

(2) $F(\alpha)=\int_{a+\alpha}^{b+\alpha}\frac{\sin\alpha x}{x}\mathrm{d}x$；

(3) $F(\alpha)=\int_0^{\alpha}\frac{\ln(1+\alpha x)}{x}\mathrm{d}x$；

(4) $F(\alpha)=\int_0^{\alpha}f(x+\alpha,x-\alpha)\mathrm{d}x$；

(5) $F(\alpha)=\int_0^{\alpha^2}\mathrm{d}x\int_{x-\alpha}^{x+\alpha}\sin(x^2+y^2-\alpha^2)\mathrm{d}y$，

解 (1) $F'(\alpha)=-\sin\alpha\mathrm{e}^{\alpha|\sin\alpha|}-\cos\alpha\mathrm{e}^{\alpha|\cos\alpha|}+\int_{\sin\alpha}^{\cos\alpha}\sqrt{1-x^2}\,\mathrm{e}^{\alpha\sqrt{1-x^2}}\mathrm{d}x.$

(2) $F'(\alpha)=\dfrac{\sin\alpha(b+\alpha)}{b+\alpha}-\dfrac{\sin\alpha(a+\alpha)}{a+\alpha}+\displaystyle\int_{a+\alpha}^{b+\alpha}\cos\alpha x\,dx$

$$=\left(\frac{1}{\alpha}+\frac{1}{b+\alpha}\right)\sin\alpha(b+\alpha)-\left(\frac{1}{\alpha}+\frac{1}{a+\alpha}\right)\sin\alpha(a+\alpha).$$

(3) $F'(\alpha)=\dfrac{1}{\alpha}\ln(1+\alpha^2)+\displaystyle\int_0^{\alpha}\frac{1}{1+\alpha x}dx=\frac{2}{\alpha}\ln(1+\alpha^2).$

(4) 设 $u=x+\alpha, v=x-\alpha$，则 $F(\alpha)=\displaystyle\int_0^{\alpha}f(u,v)dx$. 于是

$$\begin{aligned}F'(\alpha)&=f(2\alpha,0)+\int_0^{\alpha}[f'_u(u,v)-f'_v(u,v)]dx\\&=f(2\alpha,0)+2\int_0^{\alpha}f'_u(u,v)dx-\int_0^{\alpha}[f'_u(u,v)+f'_v(u,v)]dx\\&=f(2\alpha,0)+2\int_0^{\alpha}f'_u(u,v)dx-\int_0^{\alpha}\frac{d}{dx}f(u,v)dx\\&=f(2\alpha,0)+2\int_0^{\alpha}f'_u(u,v)dx-f(x+\alpha,x-\alpha)\Big|_{x=0}^{x=\alpha}\\&=f(2\alpha,0)+2\int_0^{\alpha}f'_u(u,v)dx-[f(2\alpha,0)-f(\alpha,-\alpha)]\\&=f(\alpha,-\alpha)+2\int_0^{\alpha}f'_u(u,v)dx.\end{aligned}$$

(5) $F'(\alpha)=2\alpha\displaystyle\int_{\alpha^2-\alpha}^{\alpha^2+\alpha}\sin(\alpha^4+y^2-\alpha^2)dy+\int_0^{\alpha^2}\left[\frac{\partial}{\partial\alpha}\int_{x-\alpha}^{x+\alpha}\sin(x^2+y^2-\alpha^2)dy\right]dx$

$=2\alpha\displaystyle\int_{\alpha^2-\alpha}^{\alpha^2+\alpha}\sin(\alpha^4+y^2-\alpha^2)dy+\int_0^{\alpha^2}\{\sin[x^2+(x+\alpha)^2-\alpha^2]-$

$\sin[x^2+(x-\alpha)^2-\alpha^2](-1)+\displaystyle\int_{x-\alpha}^{x+\alpha}(-2\alpha)\cos(x^2+y^2-\alpha^2)dy\}dx$

$=2\alpha\displaystyle\int_{\alpha^2-\alpha}^{\alpha^2+\alpha}\sin(\alpha^4+y^2-\alpha^2)dy+\int_0^{\alpha^2}\{\sin(2x^2+2\alpha x)+\sin(2x^2-2\alpha x)+\int_{x-\alpha}^{x+\alpha}(-2\alpha)\cos(x^2+$

$y^2-\alpha^2)dy\}dx$

$=2\alpha\displaystyle\int_{\alpha^2-\alpha}^{\alpha^2+\alpha}\sin(\alpha^4+y^2-\alpha^2)dy+2\int_0^{\alpha^2}\sin 2x^2\cos 2\alpha x\,dx-2\alpha\int_0^{\alpha^2}dx\int_{x-\alpha}^{x+\alpha}\cos(x^2+y^2-\alpha^2)dy.$

【3719】 若 $F(x)=\displaystyle\int_0^x(x+y)f(y)dy$，其中 $f(x)$ 为可微函数，求 $F''(x)$.

解 $F'(x)=2xf(x)+\displaystyle\int_0^x f(y)dy$, $F''(x)=2f(x)+2xf'(x)+f(x)=3f(x)+2xf'(x)$.

【3720】 设 $F(x)=\displaystyle\int_a^b f(y)|x-y|dy$，其中 $a<b$ 及 $f(y)$ 为可微函数，求 $F''(x)$.

解 当 $x\in(a,b)$ 时，由于 $F(x)=\displaystyle\int_a^x(x-y)f(y)dy+\int_x^b(y-x)f(y)dy$，故

$$\begin{aligned}F'(x)&=\frac{d}{dx}\int_a^x(x-y)f(y)dy-\frac{d}{dx}\int_b^x(y-x)f(y)dy\\&=\int_a^x\frac{\partial}{\partial x}[(x-y)f(y)]dy-\int_b^x\frac{\partial}{\partial x}[(y-x)f(y)]dy\\&=\int_a^x f(y)dy+\int_b^x f(y)dy,\end{aligned}$$

$$F''(x)=f(x)+f(x)=2f(x).$$

当 $x\notin(a,b)$ 时，若 $x\leqslant a$，则 $F(x)=\displaystyle\int_a^b(y-x)f(y)dy$，故有

$$F'(x)=\int_a^b\frac{\partial}{\partial x}[(y-x)f(y)]dy=-\int_a^b f(y)dy, F''(x)=0;$$

同理，若 $x\geqslant b$，则 $F(x)=\displaystyle\int_a^b(x-y)f(y)dy$，故有

$$F'(x)=\int_a^b \frac{\partial}{\partial x}[(x-y)f(y)]\mathrm{d}y=\int_a^b f(y)\mathrm{d}y, F''(x)=0.$$

总之，$F''(x)=\begin{cases}2f(x), & x\in(a,b),\\ 0, & x\notin(a,b).\end{cases}$

【3721】 设 $F(x)=\dfrac{1}{h^2}\int_0^h \mathrm{d}\xi\int_0^h f(x+\xi+\eta)\mathrm{d}\eta(h>0)$，其中 $f(x)$ 连续，求 $F''(x)$.

解 $F(x)=\dfrac{1}{h^2}\int_0^h \mathrm{d}\xi\int_0^h f(x+\xi+\eta)\mathrm{d}\eta=\dfrac{1}{h^2}\int_0^h \mathrm{d}\xi\int_{x+\xi}^{x+\xi+h} f(u)\mathrm{d}u$. 于是

$$\begin{aligned}F'(x)&=\frac{1}{h^2}\int_0^h\left[\frac{\partial}{\partial x}\int_{x+\xi}^{x+\xi+h}f(u)\mathrm{d}u\right]\mathrm{d}\xi=\frac{1}{h^2}\int_0^h[f(x+\xi+h)-f(x+\xi)]\mathrm{d}\xi\\&=\frac{1}{h^2}\int_{x+h}^{x+2h}f(u)\mathrm{d}u-\int_x^{x+h}f(u)\mathrm{d}u,\\F''(x)&=\frac{1}{h^2}[f(x+2h)-f(x+h)-f(x+h)+f(x)]\\&=\frac{1}{h^2}[f(x+2h)-2f(x+h)+f(x)].\end{aligned}$$

【3722】 设 $F(x)=\int_0^x f(t)(x-t)^{n-1}\mathrm{d}t$，求 $F^{(n)}(x)$.

解

$$\begin{aligned}F'(x)&=\int_0^x\frac{\partial}{\partial x}[f(t)(x-t)^{n-1}]\mathrm{d}t=(n-1)\int_0^x f(t)(x-t)^{n-2}\mathrm{d}t,\\F''(x)&=(n-1)(n-2)\int_0^x f(t)(x-t)^{n-3}\mathrm{d}t,\\&\vdots\\F^{(n-1)}(x)&=(n-1)!\int_0^x f(t)\mathrm{d}t,\end{aligned}$$

最后得 $F^{(n)}(x)=(n-1)!f(x)$.

【3723】 在$[1,3]$上用线性函数 $a+bx$ 近似代替 $f(x)=x^2$，使 $\int_1^3(a+bx-x^2)^2\mathrm{d}x$ 取最小值.

解 设 $F(a,b)=\int_1^3(a+bx-x^2)^2\mathrm{d}x$，则由于 $F(a,b)$ 是 a 和 b 的二元连续函数，并且易知当 $r=\sqrt{a^2+b^2}\to+\infty$ 时，$F(a,b)\to+\infty$，故 $F(a,b)$ 必在有限处取得最小值. 解方程组

$$\begin{cases}\dfrac{\partial F}{\partial a}=2\int_1^3(a+bx-x^2)\mathrm{d}x=4a+8b-\dfrac{52}{3}=0,\\ \dfrac{\partial F}{\partial b}=2\int_1^3 x(a+bx-x^2)\mathrm{d}x=8a+\dfrac{52}{3}b-40=0,\end{cases}$$

得唯一的一组解 $a=-\dfrac{11}{3},b=4$.

于是，当 $a=-\dfrac{11}{3},b=4$ 时，$F(a,b)$ 达最小值，即所求的线性函数为 $4x-\dfrac{11}{3}$.

【3724】 求近似公式 $\sqrt{1+x^2}\approx a+bx(0\leqslant x\leqslant 1)$ 使函数 $a+bx$ 及 $\sqrt{1+x^2}$ 在已知区间$[0,1]$上的均方偏差为最小，

解 按题设，即在$[0,1]$上用线性函数 $a+bx$ 近似代替 $f(x)=\sqrt{1+x^2}$，使得

$$\int_0^1(a+bx-\sqrt{1+x^2})^2\mathrm{d}x$$

取最小. 设 $F(a,b)=\int_0^1(a+bx-\sqrt{1+x^2})^2\mathrm{d}x$，则 $F(a,b)$ 是 a 和 b 的二元连续函数，并且易知当 $r=\sqrt{a^2+b^2}\to+\infty$ 时，$F(a,b)\to+\infty$，故 $F(a,b)$ 必在有限处取得最小值. 解方程组

$$\begin{cases}\dfrac{\partial F}{\partial a}=2\displaystyle\int_0^1(a+bx-\sqrt{1+x^2})\mathrm{d}x=2a+b-[\sqrt{2}+\ln(1+\sqrt{2})]=0,\\ \dfrac{\partial F}{\partial b}=2\displaystyle\int_0^1 x(a+bx-\sqrt{1+x^2})\mathrm{d}x=a+\dfrac{2}{3}b-\dfrac{2}{3}(2\sqrt{2}-1)=0,\end{cases}$$

得唯一的一组解 $a\approx 0.934, b\approx 0.427$.

于是,当 $a\approx 0.934, b\approx 0.427$ 时,$F(a,b)$ 为最小值,即所求的近似公式为

$$\sqrt{1+x^2}\approx 0.934+0.427x(0\leqslant x\leqslant 1).$$

【3725】 求完全椭圆积分 $E(k)=\int_0^{\frac{\pi}{2}}\sqrt{1-k^2\sin^2\varphi}\mathrm{d}\varphi$ 及 $F(k)=\int_0^{\frac{\pi}{2}}\dfrac{\mathrm{d}\varphi}{\sqrt{1-k^2\sin^2\varphi}}$ $(0<k<1)$ 的导数,并用函数 $E(k)$ 和 $F(k)$ 表示出来. 证明:$E(k)$ 满足方程

$$E''(k)+\frac{1}{k}E'(k)+\frac{E(k)}{1-k^2}=0.$$

解
$$E'(k)=-\int_0^{\frac{\pi}{2}}\frac{k\sin^2\varphi}{\sqrt{1-k^2\sin^2\varphi}}\mathrm{d}\varphi=\frac{1}{k}\int_0^{\frac{\pi}{2}}\frac{1-k^2\sin^2\varphi-1}{\sqrt{1-k^2\sin^2\varphi}}\mathrm{d}\varphi$$
$$=\frac{1}{k}\left[\int_0^{\frac{\pi}{2}}\sqrt{1-k^2\sin^2\varphi}\mathrm{d}\varphi\right]-\int_0^{\frac{\pi}{2}}\frac{\mathrm{d}\varphi}{\sqrt{1-k^2\sin^2\varphi}}=\frac{E(k)-F(k)}{k}. \quad ①$$

$$F'(k)=\int_0^{\frac{\pi}{2}}\frac{k\sin^2\varphi}{(1-k^2\sin^2\varphi)^{\frac{3}{2}}}\mathrm{d}\varphi=-\frac{1}{k}\int_0^{\frac{\pi}{2}}\frac{(1-k^2\sin^2\varphi)-1}{(1-k^2\sin^2\varphi)^{\frac{3}{2}}}\mathrm{d}\varphi$$
$$=-\frac{1}{k}\int_0^{\frac{\pi}{2}}\frac{\mathrm{d}\varphi}{\sqrt{1-k^2\sin^2\varphi}}+\frac{1}{k}\int_0^{\frac{\pi}{2}}\frac{\mathrm{d}\varphi}{(1-k^2\sin^2\varphi)^{\frac{3}{2}}}.$$

易证

$$(1-k^2\sin^2\varphi)^{-\frac{3}{2}}=\frac{1}{1-k^2}(1-k^2\sin^2\varphi)^{\frac{1}{2}}-\frac{k^2}{1-k^2}\frac{\mathrm{d}}{\mathrm{d}\varphi}[\sin\varphi\cos\varphi(1-k^2\sin^2\varphi)^{-\frac{1}{2}}].$$

故有 $\int_0^{\frac{\pi}{2}}(1-k^2\sin^2\varphi)^{-\frac{3}{2}}\mathrm{d}\varphi=\dfrac{1}{1-k^2}\int_0^{\frac{\pi}{2}}(1-k^2\sin^2\varphi)^{\frac{1}{2}}\mathrm{d}\varphi$. 于是

$$F'(k)=-\frac{F(k)}{k}+\frac{E(k)}{k(1-k^2)}. \quad ②$$

由 ① 式,对 k 再求导数,并注意到 ② 式,即得

$$E''(k)=\frac{[E'(k)-F'(k)]k-[E(k)-F(k)]}{k^2}$$
$$=\frac{\left[\dfrac{E(k)-F(k)}{k}+\dfrac{F(k)}{k}-\dfrac{E(k)}{k(1-k^2)}\right]k-kE'(k)}{k^2}$$
$$=-\frac{E(k)}{1-k^2}-\frac{E'(k)}{k},$$

即 $E''(k)+\dfrac{E'(k)}{k}+\dfrac{E(k)}{1-k^2}=0$.

【3726】 证明:阶数 n 为整数的贝塞尔函数

$$J_n(x)=\frac{1}{\pi}\int_0^{\pi}\cos(n\varphi-x\sin\varphi)\mathrm{d}\varphi$$

满足贝塞尔方程 $x^2J_n''(x)+xJ_n'(x)+(x^2-n^2)J_n(x)=0$.

证 $J_n'(x)=\dfrac{1}{\pi}\int_0^{\pi}\sin\varphi\sin(n\varphi-x\sin\varphi)\mathrm{d}\varphi, J_n''(x)=-\dfrac{1}{\pi}\int_0^{\pi}\sin^2\varphi\cos(n\varphi-x\sin\varphi)\mathrm{d}\varphi$. 于是

$$x^2J_n''(x)+xJ_n'(x)+(x^2-n^2)J_n(x)$$
$$=-\frac{1}{\pi}\int_0^{\pi}[(x^2\sin^2\varphi+n^2-x^2)\cos(n\varphi-x\sin\varphi)-x\sin\varphi\sin(n\varphi-x\sin\varphi)]\mathrm{d}\varphi$$

$$=-\frac{1}{\pi}\int_0^{\pi}[(n^2-x^2\cos^2\varphi)\cos(n\varphi-x\sin\varphi)-x\sin\varphi\sin(n\varphi-x\sin\varphi)]\mathrm{d}\varphi$$

$$=-\frac{1}{\pi}(n+x\cos\varphi)\sin(n\varphi-x\sin\varphi)\Big|_0^{\pi}=0.$$

【3727】 设 $I(\alpha)=\int_0^{\alpha}\frac{\varphi(x)\mathrm{d}x}{\sqrt{\alpha-x}}$,其中 $\varphi(x)$ 及 $\varphi'(x)$ 在 $[0,a]$ 上连续. 证明:当 $0<\alpha<a$ 时,有 $I'(\alpha)=\frac{\varphi(0)}{\sqrt{\alpha}}+\int_0^{\alpha}\frac{\varphi'(x)}{\sqrt{\alpha-x}}\mathrm{d}x$.

提示 令 $x=\alpha t$.

证 当 $\varphi(\alpha)\neq 0$ 时,$\lim\limits_{x\to\alpha^-}\frac{\varphi(x)}{\sqrt{\alpha-x}}=\infty$,故不能直接在积分号下求导数.

设 $x=\alpha t$,则积分化为 $I(\alpha)=\sqrt{\alpha}\int_0^1\frac{\varphi(\alpha t)}{\sqrt{1-t}}\mathrm{d}t$.

由于 $\frac{1}{\sqrt{1-t}}$ 在 $[0,1]$ 上绝对可积,故积分号下可以求导数. 于是

$$I'(\alpha)=\frac{1}{2\sqrt{\alpha}}\int_0^1\frac{\varphi(\alpha t)}{\sqrt{1-t}}\mathrm{d}t+\sqrt{\alpha}\int_0^1\frac{t\varphi'(\alpha t)}{\sqrt{1-t}}\mathrm{d}t.$$

再将 $x=\alpha t$ 代入上式,得

$$I'(\alpha)=\frac{1}{2\alpha}\int_0^{\alpha}\frac{\varphi(x)}{\sqrt{\alpha-x}}\mathrm{d}x+\frac{1}{\alpha}\int_0^{\alpha}\frac{x\varphi'(x)}{\sqrt{\alpha-x}}\mathrm{d}x. \qquad ①$$

利用分部积分法可得

$$\frac{1}{\alpha}\int_0^{\alpha}\frac{\varphi(x)}{\sqrt{\alpha-x}}\mathrm{d}x=\frac{2}{\sqrt{\alpha}}\varphi(0)+\frac{2}{\alpha}\int_0^{\alpha}\sqrt{\alpha-x}\varphi'(x)\mathrm{d}x. \qquad ②$$

另一方面,又有

$$\int_0^{\alpha}\frac{x\varphi'(x)}{\sqrt{\alpha-x}}\mathrm{d}x=-\int_0^{\alpha}\sqrt{\alpha-x}\varphi'(x)\mathrm{d}x+\alpha\int_0^{\alpha}\frac{\varphi'(x)}{\sqrt{\alpha-x}}\mathrm{d}x. \qquad ③$$

将 ② 式及 ③ 式代入 ① 式,得

$$I'(\alpha)=\frac{\varphi(0)}{\sqrt{\alpha}}+\int_0^{\alpha}\frac{\varphi'(x)}{\sqrt{\alpha-x}}\mathrm{d}x.$$

【3728】 设 $u(x)=\int_0^1 K(x,y)v(y)\mathrm{d}y$,其中 $K(x,y)=\begin{cases}x(1-y), & x\leqslant y,\\ y(1-x), & x>y\end{cases}$ 及 $v(y)$ 都连续,证明:函数 $u(x)$ 满足方程 $u''(x)=-v(x)(0\leqslant x\leqslant 1)$.

证 由题设得 $u(x)=\int_0^x y(1-x)v(y)\mathrm{d}y+\int_x^1 x(1-y)v(y)\mathrm{d}y$. 于是

$$u'(x)=x(1-x)v(x)-\int_0^x yv(y)\mathrm{d}y-x(1-x)v(x)+\int_x^1(1-y)v(y)\mathrm{d}y$$

$$=-\int_0^x yv(y)\mathrm{d}y+\int_x^1(1-y)v(y)\mathrm{d}y,$$

$$u''(x)=-xv(x)-(1-x)v(x)=-v(x).$$

所以,函数 $u(x)$ 满足方程 $u''(x)=-v(x)(0\leqslant x\leqslant 1)$.

【3729】 设 $F(x,y)=\int_{\frac{x}{y}}^{xy}(x-yz)f(z)\mathrm{d}z$,其中 $f(z)$ 为可微函数,求 $F''_{xy}(x,y)$.

解 $F'_x(x,y)=y(x-xy^2)f(xy)+\int_{\frac{x}{y}}^{xy}f(z)\mathrm{d}z$,

$$F''_{xy}=(x-xy^2)f(xy)+y(-2xy)f(xy)+y(x-xy^2)f'(xy)x+xf(xy)+\frac{x}{y^2}f\left(\frac{x}{y}\right)$$

$$=x(2-3y^2)f(xy)+x^2y(1-y^2)f'(xy)+\frac{x}{y^2}f\left(\frac{x}{y}\right).$$

【3730】 设 $f(x)$ 为二阶可微函数及 $F(x)$ 为可微函数. 证明:函数

$$u(x,t)=\frac{1}{2}[f(x-at)+f(x+at)]+\frac{1}{2a}\int_{x-at}^{x+at}F(z)\mathrm{d}z$$

满足弦的振动方程 $\frac{\partial^2 u}{\partial t^2}=a^2\frac{\partial^2 u}{\partial x^2}$ 及初始条件:$u(x,0)=f(x)$,$u'_t(x,0)=F(x)$.

证 $\frac{\partial u}{\partial t}=\frac{1}{2}[-af'(x-at)+af'(x+at)]+\frac{1}{2}F(x+at)+\frac{1}{2}F(x-at)$,

$$\frac{\partial^2 u}{\partial t^2}=\frac{1}{2}[a^2f''(x-at)+a^2f''(x+at)]+\frac{a}{2}F'(x+at)-\frac{a}{2}F'(x-at). \qquad ①$$

$$\frac{\partial u}{\partial x}=\frac{1}{2}[f'(x-at)+f'(x+at)]+\frac{1}{2a}F(x+at)-\frac{1}{2a}F(x-at),$$

$$\frac{\partial^2 u}{\partial x^2}=\frac{1}{2}[f''(x-at)+f''(x+at)]+\frac{1}{2a}F'(x+at)-\frac{1}{2a}F'(x-at). \qquad ②$$

比较 ① 式及 ② 式,即得 $\frac{\partial^2 u}{\partial t^2}=a^2\frac{\partial^2 u}{\partial x^2}$. 此外,还有

$$u(x,0)=\frac{1}{2}[f(x-0\cdot a)+f(x+0\cdot a)]+\frac{1}{2a}\int_{x-0\cdot a}^{x+0\cdot a}F(z)\mathrm{d}z=f(x).$$

$$u'_t(x,0)=\frac{1}{2}[-af'(x)+af'(x)]+\frac{1}{2}F(x)+\frac{1}{2}F(x)=F(x).$$

【3731】 证明:若函数 $f(x)$ 在$[0,1]$上连续,且当 $0\leqslant\xi\leqslant l$ 时 $(x-\xi)^2+y^2+z^2\neq 0$,则函数 $u(x,y,z)=\int_0^l\frac{f(\xi)\mathrm{d}\xi}{\sqrt{(x-\xi)^2+y^2+z^2}}$ 满足拉普拉斯方程 $\frac{\partial^2 u}{\partial x^2}+\frac{\partial^2 u}{\partial y^2}+\frac{\partial^2 u}{\partial z^2}=0$.

证 利用积分号下的求导法则,得

$$\frac{\partial u}{\partial x}=-\int_0^l\frac{2(x-\xi)f(\xi)\mathrm{d}\xi}{2[(x-\xi)^2+y^2+z^2]^{\frac{3}{2}}}=-\int_0^l\frac{(x-\xi)f(\xi)\mathrm{d}\xi}{[(x-\xi)^2+y^2+z^2]^{\frac{3}{2}}},$$

$$\frac{\partial^2 u}{\partial x^2}=\int_0^l\frac{f(\xi)[2(x-\xi)^2-y^2-z^2]}{[(x-\xi)^2+y^2+z^2]^{\frac{5}{2}}}\mathrm{d}\xi. \qquad ①$$

同法可得

$$\frac{\partial^2 u}{\partial y^2}=\int_0^l\frac{f(\xi)[-(x-\xi)^2+2y^2-z^2]}{[(x-\xi)^2+y^2+z^2]^{\frac{5}{2}}}\mathrm{d}\xi. \qquad ②$$

$$\frac{\partial^2 u}{\partial z^2}=\int_0^l\frac{f(\xi)[-(x-\xi)^2-y^2+2z^2]}{[(x-\xi)^2+y^2+z^2]^{\frac{5}{2}}}\mathrm{d}\xi. \qquad ③$$

将 ①②③ 三式相加,即得 $\frac{\partial^2 u}{\partial x^2}+\frac{\partial^2 u}{\partial y^2}+\frac{\partial^2 u}{\partial z^2}=0$.

【应用对参数的微分法,计算下列积分(3732—3735)】

【3732】 $\int_0^{\frac{\pi}{2}}\ln(a^2\sin^2x+b^2\cos^2x)\mathrm{d}x$.

解 将 b 视为常数,a 视为参变量. 令 $I(a)=\int_0^{\frac{\pi}{2}}\ln(a^2\sin^2x+b^2\cos^2x)\mathrm{d}x$.

先设 $a>0,b>0$,则有 $I'(a)=\int_0^{\frac{\pi}{2}}\frac{2a\sin^2x}{a^2\sin^2x+b^2\cos^2x}\mathrm{d}x$;

若 $a=b$,有 $I'(a)=\frac{2}{a}\int_0^{\frac{\pi}{2}}\sin^2x\mathrm{d}x=\frac{\pi}{2a}$.

若 $a\neq b$,令 $t=\tan x$,得

$$I'(a)=\frac{2}{a}\int_0^{+\infty}\frac{t^2\mathrm{d}t}{(t^2+1)\left(t^2+\frac{b^2}{a^2}\right)}=\frac{2}{a}\left(\frac{a^2}{a^2-b^2}\arctan t-\frac{b^2}{a^2-b^2}\,\frac{a}{b}\arctan\frac{at}{b}\right)\Bigg|_0^{+\infty}=\frac{\pi}{a+b}.$$

因此，$I'(a)=\frac{\pi}{a+b}(0<a<+\infty)$，积分得 $I(a)=\pi\ln(a+b)+C(0<a<+\infty)$，其中 C 为常数.

令 $a=b$ 得 $I(b)=\pi\ln 2b+C$，而 $I(b)=\int_0^{\frac{\pi}{2}}\ln b^2\mathrm{d}x=\pi\ln b$，解得 $C=-\pi\ln 2$. 于是

$$I(a)=\pi\ln(a+b)-\pi\ln 2=\pi\ln\frac{a+b}{2}(0<a<+\infty).$$

若 $a<0$ 或 $b<0$，则可化为 $a>0$ 且 $b>0$ 的情形，得

$$\begin{aligned}I(a)&=\int_0^{\frac{\pi}{2}}\ln(a^2\sin^2x+b^2\cos^2x)\mathrm{d}x\\&=\int_0^{\frac{\pi}{2}}\ln(|a|^2\sin^2x+|b|^2\cos^2x)\mathrm{d}x=I(|a|)=\pi\ln\frac{|a|+|b|}{2}.\end{aligned}$$

于是，不论 a,b 是正是负，均有 $\int_0^{\frac{\pi}{2}}\ln(a^2\sin^2x+b^2\cos^2x)\mathrm{d}x=\pi\ln\frac{|a|+|b|}{2}$.

【3733】 $\int_0^{\pi}\ln(1-2a\cos x+a^2)\mathrm{d}x$.

解 设 $I(a)=\int_0^{\pi}\ln(1-2a\cos x+a^2)\mathrm{d}x$.

当 $|a|<1$ 时，由于 $1-2a\cos x+a^2\geqslant 1-2|a|+a^2=(1-|a|)^2>0$，故 $\ln(1-2a\cos x+a^2)$ 为连续函数且具有连续导数，从而可在积分号下求导数. 将 $I(a)$ 对 a 求导数，得

$$\begin{aligned}I'(a)&=\int_0^{\pi}\frac{-2\cos x+2a}{1-2a\cos x+a^2}\mathrm{d}x=\frac{1}{a}\int_0^{\pi}\left(1+\frac{a^2-1}{1-2a\cos x+a^2}\right)\mathrm{d}x\\&=\frac{\pi}{a}-\frac{1-a^2}{a}\int_0^{\pi}\frac{\mathrm{d}x}{(1+a^2)-2a\cos x}=\frac{\pi}{a}-\frac{1-a^2}{a(1+a^2)}\int_0^{\pi}\frac{\mathrm{d}x}{1+\left(\frac{-2a}{1+a^2}\right)\cos x}\\&=\frac{\pi}{a}-\frac{2}{a}\arctan\left(\frac{1+a}{1-a}\tan\frac{x}{2}\right)\Bigg|_0^{\pi}=\frac{\pi}{a}-\frac{2}{a}\cdot\frac{\pi}{2}=0.\end{aligned}$$

于是，当 $|a|<1$ 时，$I(a)=C$（常数）. 但是，$I(0)=0$，故 $C=0$. 从而，$I(a)=0$.

当 $|a|>1$ 时，令 $b=\frac{1}{a}$，则 $|b|<1$，并有 $I(b)=0$. 于是，有

$$I(a)=\int_0^{\pi}\ln\left(\frac{b^2-2b\cos x+1}{b^2}\right)\mathrm{d}x=I(b)-2\pi\ln|b|=-2\pi\ln|b|=2\pi\ln|a|.$$

当 $|a|=1$ 时，有

$$\begin{aligned}I(1)&=\int_0^{\pi}\ln 2(1-\cos x)\mathrm{d}x=\int_0^{\pi}\left(\ln 4+2\ln\sin\frac{x}{2}\right)\mathrm{d}x=2\pi\ln 2+4\int_0^{\frac{\pi}{2}}\ln\sin t\mathrm{d}t\\&=2\pi\ln 2+4\left(-\frac{\pi}{2}\ln 2\right)=0.\end{aligned}$$

同法可得 $I(-1)=0$.

综上所述，$\int_0^{\pi}\ln(1-2a\cos x+a^2)\mathrm{d}x=\begin{cases}0, & |a|\leqslant 1,\\ 2\pi\ln|a|, & |a|>1.\end{cases}$

注 本题用到 2033 题(1) 和 2353 题(1) 的结果.

【3734】 $\int_0^{\frac{\pi}{2}}\frac{\arctan(a\tan x)}{\tan x}\mathrm{d}x$.

解 令 $I(a)=\int_0^{\frac{\pi}{2}}f(x,a)\mathrm{d}x$，其中 $f(x,a)=\frac{\arctan(a\tan x)}{\tan x}$.

由于 $\lim\limits_{x\to 0^+}f(x,a)=a$，$\lim\limits_{x\to(\frac{\pi}{2})^-}f(x,a)=0$，故补充定义 $f(0,a)=a$，$f\left(\frac{\pi}{2},a\right)=0$，则 $f(x,a)$ 在 $\left[0,\frac{\pi}{2}\right]\times(-\infty,+\infty)$ 上连续.

又当$\left(0,\frac{\pi}{2}\right)\times(-\infty,+\infty)$时，有$f'_a(x,a)=\frac{1}{\tan x}\frac{\tan x}{1+a^2\tan^2 x}=\frac{1}{1+a^2\tan^2 x}$.

又 $f(0,a)=a, f\left(\frac{\pi}{2},a\right)=0$，故$f'_a(0,a)=1, f'_a\left(\frac{\pi}{2},a\right)=0$. 由此可知

$$f'_a(x,a)=\begin{cases}\frac{1}{1+a^2\tan^2 x}, & 0\leqslant x<\frac{\pi}{2}, -\infty<a<+\infty,\\ 0, & x=\frac{\pi}{2}, -\infty<a<+\infty.\end{cases}$$

显然$f'_a(x,a)$在$\left[0,\frac{\pi}{2}\right]\times(0,+\infty)$上连续，在$\left[0,\frac{\pi}{2}\right]\times(-\infty,0)$上也连续（注意，在点$x=\frac{\pi}{2}$，$a=0$不连续），在积分号下求导数可得

$$I'(a)=\int_0^{\frac{\pi}{2}}\frac{dx}{1+a^2\tan^2 x}(0<a<+\infty\text{ 或 }-\infty<a<0).$$

作代换 $\tan x=t$，当$a^2\neq 1$时有

$$\int_0^{\frac{\pi}{2}}\frac{dx}{1+a^2\tan^2 x}=\int_0^{+\infty}\frac{dt}{(1+t^2)(1+a^2t^2)}=\frac{1}{1-a^2}\int_0^{+\infty}\left(\frac{1}{1+t^2}-\frac{a^2}{a^2t^2+1}\right)dt=\frac{\pi}{2(1+|a|)}.$$

若$a^2=1$，则$\int_0^{\frac{\pi}{2}}\frac{dx}{1+a^2\tan^2 x}=\int_0^{\frac{\pi}{2}}\cos^2 x dx=\frac{1}{2}\cdot\frac{\pi}{2}=\frac{\pi}{4}$.

总之，$I'(a)=\frac{\pi}{2(1+|a|)}(0<a<+\infty$ 或 $-\infty<a<0)$. 积分得

$$I(a)=\frac{\pi}{2}\ln(1+a)+C_1(0<a<+\infty), I(a)=-\frac{\pi}{2}\ln(1-a)+C_2(-\infty<a<0),$$

其中C_1,C_2是两个常数. 由于$f(x,a)$在$\left[0,\frac{\pi}{2}\right]\times(-\infty,+\infty)$上连续，故$I(a)$在$(-\infty,+\infty)$上连续，因此$\lim\limits_{a\to 0^+}I(a)=\lim\limits_{a\to 0^-}I(a)=I(0)$；但$I(0)=0$，$\lim\limits_{a\to 0^+}I(a)=C_1$，$\lim\limits_{a\to 0^-}I(a)=C_2$，故$C_1=C_2=0$.

于是 $I(a)=\frac{\pi}{2}\operatorname{sgn}a\ln(1+|a|)(-\infty<a<+\infty)$.

【3735】 $\int_0^{\frac{\pi}{2}}\ln\frac{1+a\cos x}{1-a\cos x}\frac{dx}{\cos x}\quad(|a|<1)$.

解　方法一　设$I(a)=\int_0^{\frac{\pi}{2}}\ln\frac{1+a\cos x}{1-a\cos x}\frac{dx}{\cos x}$. 由于

$$\frac{1+a\cos x}{1-a\cos x}=\frac{1-a^2\cos^2 x}{1-2a\cos x+a^2\cos^2 x}\geqslant\frac{1-a^2}{1+2|a|+a^2}=\frac{1-a^2}{(1+|a|)^2}>0,$$

故 $\ln\frac{1+a\cos x}{1-a\cos x}$ 为连续函数. 又由于

$$\lim_{x\to\left(\frac{\pi}{2}\right)^-}\frac{1}{\cos x}\ln\frac{1+a\cos x}{1-a\cos x}=\lim_{t\to 0}\frac{\ln(1+at)-\ln(1-at)}{t}=\lim_{t\to 0}\frac{\frac{a}{1+at}-\frac{-a}{1-at}}{1}=2a,$$

补充被积函数在$x=\frac{\pi}{2}$处的值为$2a$，即易知被积函数连续，且对a有连续导数，故可在积分号下求导数，得

$$\begin{aligned}I'(a)&=\int_0^{\frac{\pi}{2}}\left(\frac{1}{1+a\cos x}+\frac{1}{1-a\cos x}\right)dx\\&=\frac{2}{\sqrt{1-a^2}}\left[\arctan\left(\sqrt{\frac{1-a}{1+a}}\tan\frac{x}{2}\right)+\arctan\left(\sqrt{\frac{1+a}{1-a}}\tan\frac{x}{2}\right)\right]\Bigg|_0^{\frac{\pi}{2}}=\frac{\pi}{\sqrt{1-a^2}},\end{aligned}$$

从而 $I(a)=\pi\arcsin a+C(|a|<1)$，又$I(0)=0$，故$C=0$. 于是

$$\int_0^{\frac{\pi}{2}}\ln\frac{1+a\cos x}{1-a\cos x}\frac{dx}{\cos x}=\pi\arcsin a(|a|<1).$$

方法二　把被积函数表成下述积分形式

$$\frac{1}{\cos x}\ln\frac{1+a\cos x}{1-a\cos x}=2a\int_0^1\frac{\mathrm{d}y}{1-a^2y^2\cos^2 x}.$$

注意，此式当 $x=\frac{\pi}{2}$ 时也成立，此时左端应理解为其极限值 $\lim\limits_{x\to(\frac{\pi}{2})^-}\frac{1}{\cos x}\ln\frac{1+a\cos x}{1-a\cos x}=2a.$

于是，当 $a\neq 0$ 时，

$$\int_0^{\frac{\pi}{2}}\ln\frac{1+a\cos x}{1-a\cos x}\frac{\mathrm{d}x}{\cos x}=2a\int_0^{\frac{\pi}{2}}\mathrm{d}x\int_0^1\frac{\mathrm{d}y}{1-a^2y^2\cos^2 x}=2a\int_0^1\mathrm{d}y\int_0^{\frac{\pi}{2}}\frac{\mathrm{d}x}{1-a^2y^2\cos^2 x}$$

$$=2a\int_0^1\frac{\pi}{2\sqrt{1-a^2y^2}}\mathrm{d}y=\pi a\cdot\frac{1}{a}\arcsin ay\Big|_0^1=\pi\arcsin a;$$

当 $a=0$ 时，原积分显然为零. 因此

$$\int_0^{\frac{\pi}{2}}\ln\frac{1+a\cos x}{1-a\cos x}\frac{\mathrm{d}x}{\cos x}=\pi\arcsin a(|a|<1).$$

注 本题用到 2033 题(1) 的结果，即得

$$\int_0^{\frac{\pi}{2}}\frac{\mathrm{d}x}{1-a^2y^2\cos^2 x}=\frac{1}{2}\int_0^{\frac{\pi}{2}}\left(\frac{1}{1+ay\cos x}+\frac{1}{1-ay\cos x}\right)\mathrm{d}x$$

$$=\frac{1}{2}\frac{2}{\sqrt{1-a^2y^2}}\left[\arctan\left(\sqrt{\frac{1-ay}{1+ay}}\tan\frac{x}{2}\right)+\arctan\left(\sqrt{\frac{1+ay}{1-ay}}\tan\frac{x}{2}\right)\right]\Bigg|_0^{\frac{\pi}{2}}$$

$$=\frac{1}{2}\frac{2}{\sqrt{1-a^2y^2}}\frac{\pi}{2}=\frac{\pi}{2\sqrt{1-a^2y^2}}.$$

知识点3 含参变量的常义积分积分号下的积分法

若函数 $f(x,y)$ 在 $[a,A]\times[b,B]$ 上连续，则

$$\int_b^B\mathrm{d}y\int_a^A f(x,y)\mathrm{d}x=\int_a^A\mathrm{d}x\int_b^B f(x,y)\mathrm{d}y.$$

习题 3736—3740 含参变量的常义积分积分号下的积分法

【3736】 利用公式 $\frac{\arctan x}{x}=\int_0^1\frac{\mathrm{d}y}{1+x^2y^2}$. 计算积分 $\int_0^1\frac{\arctan x}{x}\frac{\mathrm{d}x}{\sqrt{1-x^2}}$.

解 $\int_0^1\frac{\arctan x}{x}\frac{\mathrm{d}x}{\sqrt{1-x^2}}=\int_0^1\frac{\mathrm{d}x}{\sqrt{1-x^2}}\int_0^1\frac{\mathrm{d}y}{1+x^2y^2}$.

因函数 $\frac{1}{1+x^2y^2}$ 在 $[0,1]\times[0,1]$ 上连续，且 $\frac{1}{\sqrt{1-x^2}}$ 在 $[0,1]$ 上绝对可积，故上述积分号可交换，即

$$\int_0^1\frac{\arctan x}{x}\frac{\mathrm{d}x}{\sqrt{1-x^2}}=\int_0^1\mathrm{d}y\int_0^1\frac{\mathrm{d}x}{\sqrt{1-x^2}(1+x^2y^2)}.\qquad ①$$

作代换 $x=\cos t$，可得

$$\int_0^1\frac{\mathrm{d}x}{\sqrt{1-x^2}(1+x^2y^2)}=\int_0^{\frac{\pi}{2}}\frac{\mathrm{d}t}{1+y^2\cos^2 t}=\frac{1}{\sqrt{1+y^2}}\arctan\frac{\tan t}{\sqrt{1+y^2}}\Bigg|_0^{\frac{\pi}{2}}=\frac{\pi}{2\sqrt{1+y^2}}.\qquad ②$$

于是，由 ① 式及 ② 式即得

$$\int_0^1\frac{\arctan x}{x}\frac{\mathrm{d}x}{\sqrt{1-x^2}}=\int_0^1\frac{\pi\mathrm{d}y}{2\sqrt{1+y^2}}=\frac{\pi}{2}\ln(y+\sqrt{1+y^2})\Big|_0^1=\frac{\pi}{2}\ln(1+\sqrt{2}).$$

【3737】 应用积分号下积分法，计算积分 $\int_0^1\frac{x^b-x^a}{\ln x}\mathrm{d}x(a>0,b>0)$.

解 首先注意,因为

$$\lim_{x\to0^+}\frac{x^b-x^a}{\ln x}=0,\ \lim_{x\to1^-}\frac{x^b-x^a}{\ln x}=\lim_{x\to1^-}\frac{bx^{b-1}-ax^{a-1}}{x^{-1}}=\lim_{x\to1^-}(bx^b-ax^a)=b-a,$$

故$\int_0^1\frac{x^b-x^a}{\ln x}\mathrm{d}x$不是反常积分,且补充被积函数在$x=0$时的值为0,在$x=1$时的值为$b-a$,则可理解为区间$[0,1]$上连续函数的积分. 由于

$$\frac{x^b-x^a}{\ln x}=\int_a^b x^y\mathrm{d}y(0\leqslant x\leqslant1),$$

注意,$x=0$时左端规定为0,$x=1$时右端规定为$b-a$,而函数x^y在$[0,1]\times[a,b]$上连续(不妨设$a<b$),故有

$$\int_0^1\frac{x^b-x^a}{\ln x}\mathrm{d}x=\int_0^1\mathrm{d}x\int_a^b x^y\mathrm{d}y=\int_a^b\mathrm{d}y\int_0^1 x^y\mathrm{d}x=\int_a^b\frac{\mathrm{d}y}{1+y}=\ln\frac{1+b}{1+a}.$$

【3738】 计算积分:

(1)$\int_0^1\sin\left(\ln\frac{1}{x}\right)\frac{x^b-x^a}{\ln x}\mathrm{d}x$; (2)$\int_0^1\cos\left(\ln\frac{1}{x}\right)\frac{x^b-x^a}{\ln x}\mathrm{d}x(a>0,b>0)$.

解 (1) 不妨设$a<b$.

$$\int_0^1\sin\left(\ln\frac{1}{x}\right)\frac{x^b-x^a}{\ln x}\mathrm{d}x=\int_0^1\sin\left(\ln\frac{1}{x}\right)\mathrm{d}x\int_a^b x^y\mathrm{d}y=\int_a^b\mathrm{d}y\int_0^1\sin\left(\ln\frac{1}{x}\right)x^y\mathrm{d}x,$$

这里,当$x=0$时,$\sin\left(\ln\frac{1}{x}\right)x^y$理解为零,从而$\sin\left(\ln\frac{1}{x}\right)x^y$在$[0,1]\times[a,b]$上连续,故可交换积分次序.

作代换$x=\mathrm{e}^{-t}$,可得

$$\int_0^1\sin\left(\ln\frac{1}{x}\right)x^y\mathrm{d}x=\int_0^{+\infty}\mathrm{e}^{-(y+1)t}\sin t\mathrm{d}t$$

$$=\frac{1}{1+(1+y)^2}[-(y+1)\sin t-\cos t]\mathrm{e}^{-(y+1)t}\Big|_0^{+\infty}=\frac{1}{1+(1+y)^2}.$$

于是

$$\int_0^1\sin\left(\ln\frac{1}{x}\right)\frac{x^b-x^a}{\ln x}\mathrm{d}x=\int_a^b\frac{\mathrm{d}y}{1+(1+y)^2}=\arctan(1+y)\Big|_a^b$$

$$=\arctan(1+b)-\arctan(1+a)=\arctan\frac{b-a}{1+(1+b)(1+a)}.$$

(2) 同(1) 并利用1826题的结果易得

$$\int_0^1\cos\left(\ln\frac{1}{x}\right)\frac{x^b-x^a}{\ln x}\mathrm{d}x=\int_a^b\mathrm{d}y\int_0^1\cos\left(\ln\frac{1}{x}\right)x^y\mathrm{d}x=\int_a^b\frac{1+y}{1+(1+y)^2}\mathrm{d}y$$

$$=\frac{1}{2}\ln[1+(1+y)^2]\Big|_a^b=\frac{1}{2}\ln\frac{b^2+2b+2}{a^2+2a+2}.$$

注 本题用到1826题和1827题的结果.

【3739】 设$F(k)$和$E(k)$为完全椭圆积分(参阅3725题). 证明公式:

(1)$\int_0^k kF(k)\mathrm{d}k=E(k)-k_1^2F(k)$; (2)$\int_0^k kE(k)\mathrm{d}k=\frac{1}{3}[(1+k^2)E(k)-k_1^2F(k)]$,

其中$k_1^2=1-k^2$.

证 (1) 利用3725题的结果,可得

$$[E(k)-k_1^2F(k)]'=E'(k)+2kF(k)-(1-k^2)F'(k)$$

$$=\frac{E(k)-F(k)}{k}+2kF(k)-(1-k^2)\left[\frac{E(k)}{k(1-k^2)}-\frac{F(k)}{k}\right]=kF(k).$$

于是$E(k)-k_1^2F(k)=\int_0^k kF(k)\mathrm{d}k+C$,其中$C$为常数. 但当$k=0$时,上式左端为$E(0)-F(0)=0$,右端等

于 C，故 $C=0$. 于是有

$$\int_0^k kF(k)\mathrm{d}k = E(k) - k_1^2 F(k).$$

(2) 由于

$$\begin{aligned}
&\frac{1}{3}[(1+k^2)E(k)-k_1^2F(k)]' \\
&= \frac{1}{3}[2kE(k)+(1+k^2)E'(k)+2kF(k)-(1-k^2)F'(k)] \\
&= \frac{1}{3}\left\{2kE(k)+(1+k^2)\frac{E(k)-F(k)}{k}+2kF(k)-(1-k^2)\left[\frac{E(k)}{k(1-k^2)}-\frac{F(k)}{k}\right]\right\} \\
&= kE(k),
\end{aligned}$$

故

$$\frac{1}{3}[(1+k^2)E(k)-k_1^2F(k)] = \int_0^k kE(k)\mathrm{d}k + C,$$

以 $k=0$ 代入上式，得 $C=0$. 于是

$$\int_0^k kE(k)\mathrm{d}k = \frac{1}{3}[(1+k^2)E(k)-k_1^2F(k)].$$

注 本题用到 3725 题的结果.

【3740】 证明公式：$\int_0^x uJ_0(u)\mathrm{d}u = xJ_1(x)$，其中 $J_0(x)$ 及 $J_1(x)$ 为阶数是 0 与 1 的贝塞尔函数(参阅 3726 题).

证

$$\begin{aligned}
\int_0^x uJ_0(u)\mathrm{d}u &= \frac{1}{\pi}\int_0^x u\mathrm{d}u\int_0^x \cos(-u\sin\varphi)\mathrm{d}\varphi \\
&= \frac{1}{\pi}\int_0^x u\mathrm{d}u\int_0^\pi [\cos(\varphi-u\sin\varphi)\cos\varphi+\sin(\varphi-u\sin\varphi)\sin\varphi]\mathrm{d}\varphi \\
&= \frac{1}{\pi}\int_0^x \mathrm{d}u\int_0^\pi u\cos(\varphi-u\sin\varphi)\cos\varphi\mathrm{d}\varphi+\frac{1}{\pi}\int_0^x \mathrm{d}u\int_0^\pi u\sin(\varphi-u\sin\varphi)\sin\varphi\mathrm{d}\varphi \\
&= \frac{1}{\pi}\int_0^x \mathrm{d}u\int_0^\pi \cos(\varphi-u\sin\varphi)\mathrm{d}(u\sin\varphi)+\frac{1}{\pi}\int_0^\pi \mathrm{d}\varphi\int_0^x u\sin(\varphi-u\sin\varphi)\mathrm{d}(u\sin\varphi-\varphi) \\
&= \frac{1}{\pi}\int_0^x \mathrm{d}u\int_0^\pi \cos(\varphi-u\sin\varphi)\mathrm{d}(u\sin\varphi-\varphi)+\frac{1}{\pi}\int_0^x \mathrm{d}u\int_0^\pi \cos(\varphi-u\sin\varphi)\mathrm{d}\varphi+ \\
&\quad \frac{1}{\pi}\int_0^\pi \mathrm{d}\varphi\int_0^x u\mathrm{d}\cos(\varphi-u\sin\varphi) \\
&= \frac{1}{\pi}\int_0^x \mathrm{d}u\int_0^\pi \cos(\varphi-u\sin\varphi)\mathrm{d}\varphi+\frac{1}{\pi}\int_0^\pi x\cos(\varphi-x\sin\varphi)\mathrm{d}\varphi- \\
&\quad \frac{1}{\pi}\int_0^\pi \mathrm{d}\varphi\int_0^x \cos(\varphi-u\sin\varphi)\mathrm{d}u \\
&= \frac{1}{\pi}\int_0^x \mathrm{d}u\int_0^\pi \cos(\varphi-u\sin\varphi)\mathrm{d}\varphi+\frac{1}{\pi}\int_0^\pi x\cos(\varphi-x\sin\varphi)\mathrm{d}\varphi- \\
&\quad \frac{1}{\pi}\int_0^x \mathrm{d}u\int_0^\pi \cos(\varphi-u\sin\varphi)\mathrm{d}\varphi \\
&= \frac{1}{\pi}\int_0^\pi x\cos(\varphi-x\sin\varphi)\mathrm{d}\varphi = xJ_1(x),
\end{aligned}$$

上述各式中的被积函数显然为 u 及 φ 的二元连续函数，因此，交换积分顺序是合理的.

第2节 含参变量的反常积分、积分的一致收敛性（习题3741—3783）

知识点预览

序号	知识点	题目序号	所在页码
1	含参量反常积分的概念	3741—3750	P230
2	含参量反常积分的一致收敛性	3751—3771	P235
3	反常积分的连续性	3772—3783	P243

知识点1 含参量反常积分的概念

1. 含参量反常积分 设二元函数 $f(x,y)$ 在区域 $R=\{(x,y)\mid a\leqslant x<+\infty,y\in I\}$ 上有定义，其中 I 为一区间. $\forall y\in I$，无穷积分 $\int_a^{+\infty}f(x,y)\mathrm{d}x$ 都收敛，即 $\forall y\in I$，都存在唯一一个无穷积分(值) $\int_a^{+\infty}f(x,y)\mathrm{d}x$ 与之对应，于是 $\int_a^{+\infty}f(x,y)\mathrm{d}x$ 是区间 I 上的函数，记为

$$\varphi(y)=\int_a^{+\infty}f(x,y)\mathrm{d}x,y\in I,$$

称为含参量的反常积分.

2. 收敛域 使得反常积分 $\int_a^{+\infty}f(x,y)\mathrm{d}x$ 收敛的全体 y 点组成的集合称为该含参量反常积分的收敛域.

3. 含参量反常积分与函数项级数的关系.

反常积分 $\int_a^{+\infty}f(x,y)\mathrm{d}x$ 与级数 $\sum_{n=1}^{\infty}\int_{A_n}^{A_{n+1}}f(x,y)\mathrm{d}x,y\in I$ 有相同的敛散性，其中 $\{A_n\}$ 是任一趋于 $+\infty$ 的递增数列(其中 $A_1=a$).

习题3741—3746 含参量的反常积分的收敛域

【求下列含参量反常积分的收敛域(3741－3746)】

【3741】 $\int_a^{+\infty}\frac{\mathrm{e}^{-ax}}{1+x^2}\mathrm{d}x.$

解 当 $a\geqslant 0$ 时，$\frac{\mathrm{e}^{-ax}}{1+x^2}\leqslant\frac{1}{1+x^2}$，而积分 $\int_a^{+\infty}\frac{\mathrm{d}x}{1+x^2}=\arctan x\Big|_0^{+\infty}=\frac{\pi}{2}$ 收敛，故原积分收敛.

当 $a<0$ 时，原积分显然发散. 于是，积分 $\int_a^{+\infty}\frac{\mathrm{e}^{-ax}}{1+x^2}\mathrm{d}x$ 的收敛域为$[0,+\infty)$.

【3742】 $\int_\pi^{+\infty}\frac{x\cos x}{x^p+x^q}\mathrm{d}x.$

解 首先对 x 求导有 $\left(\frac{x}{x^p+x^q}\right)'=\frac{(1-p)x^p+(1-q)x^q}{(x^p+x^q)^2}.$

若 $\max\{p,q\}>1$，则当 x 充分大时 $\left(\dfrac{x}{x^p+x^q}\right)'<0$，从而函数 $\dfrac{x}{x^p+x^q}$ 递减，且 $\lim\limits_{x\to+\infty}\dfrac{x}{x^p+x^q}=0$. 又因 $\left|\int_\pi^A\cos x\mathrm{d}x\right|=|\sin A|\leqslant 1$（对 $\forall A>\pi$），故由狄利克雷判别法知积分 $\int_\pi^{+\infty}\dfrac{x\cos x}{x^p+x^q}\mathrm{d}x$ 收敛.

若 $\max\{p,q\}\leqslant 1$，则恒有 $\left(\dfrac{x}{x^p+x^q}\right)'\geqslant 0$，故函数 $\dfrac{x}{x^p+x^q}$ 在 $[\pi,+\infty)$ 上递增. 故对任何正整数 n，有

$$\int_{2n\pi}^{2n\pi+\frac{\pi}{4}}\frac{x\cos x}{x^p+x^q}\mathrm{d}x>\frac{\sqrt{2}}{2}\int_{2n\pi}^{2n\pi+\frac{\pi}{4}}\frac{x}{x^p+x^q}\mathrm{d}x\geqslant\frac{\sqrt{2}}{2}\frac{\pi}{\pi^p+\pi^q}\frac{\pi}{4}=\frac{\sqrt{2}\pi^2}{8(\pi^p+\pi^q)}>0,$$

由柯西准则知积分 $\int_\pi^{+\infty}\dfrac{x\cos x}{x^p+x^q}\mathrm{d}x$ 发散.

【3743】 $\displaystyle\int_0^{+\infty}\frac{\sin x^q}{x^p}\mathrm{d}x.$

解 若 $q=0$，由于积分 $\int_A^{+\infty}\dfrac{1}{x^p}\mathrm{d}x$ 仅当 $p>1$ 时收敛，$\int_0^A\dfrac{1}{x^p}\mathrm{d}x$ 仅当 $p<1$ 时收敛，故当 $q=0$ 时，积分 $\int_0^{+\infty}\dfrac{\sin 1}{x^p}\mathrm{d}x$ 对于任何的 p 都发散.

若 $q\neq 0$，则 $\int_0^{+\infty}\dfrac{\sin x^q}{x^p}\mathrm{d}x=\int_0^{+\infty}x^{-p}\sin x^q\mathrm{d}x$，由 2380 题的结果知当 $\left|\dfrac{1-p}{q}\right|<1$ 时，原积分收敛.

注 本题用到 2380 题的结果.

【3744】 $\displaystyle\int_0^2\frac{\mathrm{d}x}{|\ln x|^p}.$

解 考虑积分 $\int_0^1\dfrac{\mathrm{d}x}{|\ln x|^p}=\int_0^1\dfrac{\mathrm{d}x}{\ln^p\left(\dfrac{1}{x}\right)}=\int_0^1\ln^{-p}\left(\dfrac{1}{x}\right)\mathrm{d}x$，由 2362 题可知：当 $-p>-1$ 即 $p<1$ 时收敛. 再考虑积分 $\int_1^2\dfrac{\mathrm{d}x}{|\ln x|^p}=\int_1^2\dfrac{\mathrm{d}x}{\ln^p x}$. 由于

$$\lim_{x\to1^+}(x-1)^p\frac{1}{\ln^p x}=\left(\lim_{x\to1^+}\frac{x-1}{\ln x}\right)^p=\left(\lim_{x\to1^+}\frac{1}{x^{-1}}\right)^p=1,$$

故当 $p<1$ 时，积分 $\int_1^2\dfrac{\mathrm{d}x}{\ln^p x}$ 收敛，当 $p\geqslant 1$ 时，积分 $\int_1^2\dfrac{\mathrm{d}x}{\ln^p x}$ 发散.

于是，仅当 $p<1$ 时，积分 $\int_0^2\dfrac{\mathrm{d}x}{|\ln x|^p}$ 收敛.

【3745】 $\displaystyle\int_0^1\frac{\cos\frac{1}{1-x}}{\sqrt[n]{1-x^2}}\mathrm{d}x.$

解 $\int_0^1\dfrac{\cos\frac{1}{1-x}}{\sqrt[n]{1-x^2}}\mathrm{d}x=\int_0^1\dfrac{\cos\frac{1}{1-x}}{\sqrt[n]{1-x}\sqrt[n]{1+x}}\mathrm{d}x$. 由于当 $0\leqslant x\leqslant 1$ 时，对于任意的 n，$\dfrac{1}{\sqrt[n]{1+x}}$ 是单调有界函数，故原积分与积分 $\int_0^1\dfrac{\cos\frac{1}{1-x}}{\sqrt[n]{1-x}}\mathrm{d}x$ 同敛散. 对此积分作代换 $t=\dfrac{1}{1-x}$，则得

$$\int_0^1\frac{\cos\frac{1}{1-x}}{\sqrt[n]{1-x}}\mathrm{d}x=\int_1^{+\infty}\frac{\cos t}{t^{2-\frac{1}{n}}}\mathrm{d}t.$$

易知积分 $\int_1^{+\infty}\dfrac{\cos t}{t^\alpha}\mathrm{d}t$ 仅当 $\alpha>0$ 时收敛.

事实上，当 $\alpha>0$ 时它显然收敛；当 $\alpha=0$ 时它显然发散；当 $\alpha<0$ 时，令 $\beta=-\alpha(\beta>0)$，则对于正整数

n 有

$$\int_{2n\pi}^{2n\pi+\frac{\pi}{4}} t^{\beta}\cos t\mathrm{d}t > (2n\pi)^{\beta}\frac{1}{\sqrt{2}}\frac{\pi}{4} \to +\infty(n\to\infty),$$

故积分$\int_1^{+\infty} t^{\beta}\cos t\mathrm{d}t$ 发散.

于是,积分$\int_0^1 \frac{\cos\frac{1}{1-x}}{\sqrt[n]{1-x^2}}\mathrm{d}x$ 仅当 $2-\frac{1}{n}>0$ 时收敛,即仅当 $n<0$ 或 $n>\frac{1}{2}$ 时收敛.

【3746】 $\int_0^{+\infty} \frac{\sin x}{x^p+\sin x}\mathrm{d}x(p>0)$.

解 因为

$$\lim_{x\to0^+}\frac{\sin x}{x^p+\sin x}=\lim_{x\to0^+}\frac{\frac{\sin x}{x}}{x^{p-1}+\frac{\sin x}{x}}=\begin{cases}1, & p>1,\\ \frac{1}{2}, & p=1,\\ 0, & p<1,\end{cases}$$

故 $x=0$ 不是被积函数$\frac{\sin x}{x^p+\sin x}$ 的瑕点,因此,只要讨论积分$\int_2^{+\infty}\frac{\sin x}{x^p+\sin x}\mathrm{d}x(p>0)$ 的敛散性. 由于

$$\frac{\sin x}{x^p+\sin x}=\frac{\sin x}{x^p}-\frac{\sin^2 x}{x^p(x^p+\sin x)},$$

而$\int_2^{+\infty}\frac{\sin x}{x^p}\mathrm{d}x$ 收敛(当 $p>0$ 时),故只要讨论$\int_2^{+\infty}\frac{\sin^2 x}{x^p(x^p+\sin x)}\mathrm{d}x$ 的敛散性.
但当 $p>0$ 且 $x\geqslant 2$ 时,有

$$0\leqslant\frac{1}{2}\left[\frac{1}{x^p(x^p+1)}-\frac{\cos 2x}{x^p(x^p+1)}\right]=\frac{\sin^2 x}{x^p(x^p+1)}\leqslant\frac{\sin^2 x}{x^p(x^p+\sin x)}\leqslant\frac{\sin^2 x}{x^p(x^p-1)}\leqslant\frac{1}{x^p(x^p-1)},$$

而易知当 $p>0$ 时积分$\int_2^{+\infty}\frac{\cos 2x}{x^p(x^p+1)}\mathrm{d}x$ 收敛,当 $0<p\leqslant\frac{1}{2}$ 时积分$\int_2^{+\infty}\frac{\mathrm{d}x}{x^p(x^p\pm1)}$ 发散,当 $p>\frac{1}{2}$ 时积分$\int_2^{+\infty}\frac{\mathrm{d}x}{x^p(x^p\pm1)}$ 收敛, 故当 $p>\frac{1}{2}$ 时积分$\int_2^{+\infty}\frac{\sin^2 x}{x^p(x^p+\sin x)}\mathrm{d}x$ 收敛, 当 $0<p\leqslant\frac{1}{2}$ 时积分 $\int_2^{+\infty}\frac{\sin^2 x}{x^p(x^p+\sin x)}\mathrm{d}x$ 发散. 由此可知,仅当 $p>\frac{1}{2}$ 时积分$\int_0^{+\infty}\frac{\sin x}{x^p+\sin x}\mathrm{d}x(p>0)$ 收敛.

习题 3747—3750 利用级数研究反常积分的收敛性

【利用级数研究下列积分的收敛性(3747—3750)】

【3747】 $\int_0^{+\infty}\frac{\cos x}{x+a}\mathrm{d}x$.

解 设 $a>0$. 先证明:对任何数列

$$0=a_0<a_1<a_2<\cdots<a_n<\cdots(a_n\to+\infty),$$

级数$\sum_{n=0}^{\infty}\int_{a_n}^{a_{n+1}}\frac{\cos x}{x+a}\mathrm{d}x$ 都收敛. 事实上,有

$$\int_{a_n}^{a_{n+1}}\frac{\cos x}{x+a}\mathrm{d}x=\frac{\sin x}{x+a}\Big|_{a_n}^{a_{n+1}}+\int_{a_n}^{a_{n+1}}\frac{\sin x}{(x+a)^2}\mathrm{d}x,$$

故

$$\sum_{n=m}^{m+p-1}\int_{a_n}^{a_{n+1}}\frac{\cos x}{x+a}\mathrm{d}x=\frac{\sin a_{m+p}}{a_{m+p}+a}-\frac{\sin a_m}{a_m+a}+\int_{a_{m+1}}^{a_{m+p}}\frac{\sin x}{(x+a)^2}\mathrm{d}x.$$

从而

$$\left|\sum_{n=m}^{m+p-1}\int_{a_n}^{a_{n+1}}\frac{\cos x}{x+a}\mathrm{d}x\right|\leqslant\frac{1}{a_{m+p}+a}+\frac{1}{a_m+a}+\int_{a_m}^{a_{m+1}}\frac{\mathrm{d}x}{(x+a)^2}$$
$$=\frac{1}{a_{m+p}+a}+\frac{1}{a_m+a}+\left(\frac{1}{a_m+a}-\frac{1}{a_{m+p}+a}\right)=\frac{2}{a_m+a},$$

由柯西收敛准则知，级数$\sum_{n=0}^{\infty}\int_{a_n}^{a_{n+1}}\frac{\cos x}{x+a}\mathrm{d}x$收敛. 因此积分$\int_0^{+\infty}\frac{\cos x}{x+a}\mathrm{d}x$收敛.

若$a=0$，显然瑕积分$\int_0^{\frac{\pi}{2}}\frac{\cos x}{x}\mathrm{d}x$发散，故反常积分$\int_0^{+\infty}\frac{\cos x}{x}\mathrm{d}x$发散.

下设$a<0$. 若$a=-\left(n+\frac{1}{2}\right)\pi(n=0,1,2,\cdots)$，则

$$\int_0^{+\infty}\frac{\cos x}{x+a}\mathrm{d}x=\int_0^{(n+1)\pi}\frac{\cos x}{x+a}\mathrm{d}x+\int_{(n+1)\pi}^{+\infty}\frac{\cos x}{x+a}\mathrm{d}x=\int_0^{(n+1)\pi}\frac{\cos x}{x+a}\mathrm{d}x+(-1)^{n+1}\int_0^{+\infty}\frac{\cos t}{t+\frac{\pi}{2}}\mathrm{d}t.$$

由上所证，右端第二个积分收敛. 又由于

$$\lim_{x\to(n+\frac{1}{2})\pi}\frac{\cos x}{x+a}=(-1)^{n+1},$$

故右端第一个积分收敛(它不是反常积分，补充被积函数在$x=\left(n+\frac{1}{2}\right)\pi$时的值为$(-1)^{n+1}$后即为连续函数的积分)；从而，此时积分$\int_0^{+\infty}\frac{\cos x}{x+a}\mathrm{d}x$收敛.

若$a<0$但$a\neq-\left(n+\frac{1}{2}\right)\pi(n=0,1,2,\cdots)$，此时$\cos(-a)\neq0$. 由连续性，可取$\delta>0$，使当$-a\leqslant x\leqslant-a+\delta$时$\cos x$保持定号且$|\cos x|\geqslant\frac{1}{2}|\cos(-a)|$. 于是

$$\left|\int_{-a}^{-a+\delta}\frac{\cos x}{x+a}\mathrm{d}x\right|\geqslant\frac{1}{2}|\cos(-a)|\int_{-a}^{-a+\delta}\frac{\mathrm{d}x}{x+a}=+\infty.$$

由此可知，瑕积分$\int_{-a}^{-a+\delta}\frac{\cos x}{x+a}\mathrm{d}x$发散. 从而积分$\int_0^{+\infty}\frac{\cos x}{x+a}\mathrm{d}x$发散.

综上所述，积分$\int_0^{+\infty}\frac{\cos x}{x+a}\mathrm{d}x$仅当$a>0$及$a=-\left(n+\frac{1}{2}\right)\pi(n=0,1,2,\cdots)$时收敛.

【3748】 $\int_0^{+\infty}\frac{x\mathrm{d}x}{1+x^n\sin^2x}(n>0)$.

解 由于被积函数非负，故只要考虑化为一种特殊的(正项)级数即可.

$$\int_0^{+\infty}\frac{x\mathrm{d}x}{1+x^n\sin^2x}=\int_0^{\frac{\pi}{4}}\frac{x\mathrm{d}x}{1+x^n\sin^2x}+\sum_{k=1}^{\infty}\int_{(k-1)\pi+\frac{\pi}{4}}^{k\pi-\frac{\pi}{4}}\frac{x\mathrm{d}x}{1+x^n\sin^2x}+\sum_{k=1}^{\infty}\int_{k\pi-\frac{\pi}{4}}^{k\pi+\frac{\pi}{4}}\frac{x\mathrm{d}x}{1+x^n\sin^2x}.$$

又积分

$$0<\int_{(k-1)\pi+\frac{\pi}{4}}^{k\pi-\frac{\pi}{4}}\frac{x\mathrm{d}x}{1+x^n\sin^2x}<\int_{(k-1)\pi+\frac{\pi}{4}}^{k\pi-\frac{\pi}{4}}\frac{k\pi\mathrm{d}x}{1+[(k-1)\pi]^n\sin^2x},$$
$$\int_{k\pi-\frac{\pi}{4}}^{k\pi+\frac{\pi}{4}}\frac{(k-1)\pi\mathrm{d}x}{1+[(k+1)\pi]^n\sin^2x}<\int_{k\pi-\frac{\pi}{4}}^{k\pi+\frac{\pi}{4}}\frac{x\mathrm{d}x}{1+x^n\sin^2x}<\int_{k\pi-\frac{\pi}{4}}^{k\pi+\frac{\pi}{4}}\frac{(k+1)\pi\mathrm{d}x}{1+[(k-1)\pi]^n\sin^2x},$$

且

$$\int_{(k-1)\pi+\frac{\pi}{4}}^{k\pi-\frac{\pi}{4}}\frac{\mathrm{d}x}{1+a^2\sin^2x}=-\frac{1}{\sqrt{1+a^2}}\arctan\frac{\cot x}{\sqrt{1+a^2}}\Bigg|_{(k-1)\pi+\frac{\pi}{4}}^{k\pi-\frac{\pi}{4}}$$
$$=\frac{2}{\sqrt{1+a^2}}\arctan\frac{1}{\sqrt{1+a^2}}<\frac{2}{\sqrt{1+a^2}}\frac{\pi}{4}=\frac{\pi}{2\sqrt{1+a^2}},$$
$$\int_{k\pi-\frac{\pi}{4}}^{k\pi+\frac{\pi}{4}}\frac{\mathrm{d}x}{1+a^2\sin^2x}=\frac{1}{\sqrt{1+a^2}}\arctan(\sqrt{1+a^2}\tan x)\Bigg|_{k\pi-\frac{\pi}{4}}^{k\pi+\frac{\pi}{4}}=\frac{2}{\sqrt{1+a^2}}\arctan\sqrt{1+a^2}.$$

由于$\frac{\pi}{4}<\arctan\sqrt{1+a^2}<\frac{\pi}{2}$，从而

$$\frac{\pi}{2\sqrt{1+a^2}}<\int_{k\pi-\frac{\pi}{4}}^{k\pi+\frac{\pi}{4}}\frac{dx}{1+a^2\sin^2 x}<\frac{\pi}{\sqrt{1+a^2}}.$$

于是

$$0<\int_{(k-1)\pi+\frac{\pi}{4}}^{k\pi-\frac{\pi}{4}}\frac{xdx}{1+x^n\sin^2 x}<\frac{k\pi^2}{2\sqrt{1+[(k-1)\pi]^n}},$$

$$\frac{(k-1)\pi^2}{2\sqrt{1+[(k+1)\pi]^n}}<\int_{k\pi-\frac{\pi}{4}}^{k\pi+\frac{\pi}{4}}\frac{x\,dx}{1+x^n\sin^2 x}<\frac{(k+1)\pi^2}{\sqrt{1+[(k-1)\pi]^n}}.$$

由于当 $n>4$ 时，级数 $\sum\limits_{k=1}^{\infty}\frac{k\pi^2}{2\sqrt{1+[(k-1)\pi]^n}}$ 及 $\sum\limits_{k=1}^{\infty}\frac{(k+1)\pi^2}{\sqrt{1+[(k-1)\pi]^n}}$ 收敛；

而当 $n\leqslant 4$ 时，级数 $\sum\limits_{k=1}^{\infty}\frac{(k-1)\pi^2}{2\sqrt{1+[(k+1)\pi]^4}}$ 发散.

故级数 $\sum\limits_{k=1}^{\infty}\int_{(k-1)\pi+\frac{\pi}{4}}^{k\pi}\frac{xdx}{1+x^n\sin^2 x}$ 当 $n>4$ 时收敛，而级数 $\sum\limits_{k=1}^{\infty}\int_{k\pi-\frac{\pi}{4}}^{k\pi+\frac{\pi}{4}}\frac{xdx}{1+x^n\sin^2 x}$ 仅当 $n>4$ 时收敛.

因此，积分 $\int_0^{+\infty}\frac{xdx}{1+x^n\sin^2 x}$ 仅当 $n>4$ 时收敛.

【3749】 $\int_{\pi}^{+\infty}\frac{dx}{x^p\sqrt[3]{\sin^2 x}}$.

解 由于被积函数非负，故只要考虑化为一种特殊的(正项) 级数即可.

$$\int_{\pi}^{+\infty}\frac{dx}{x^p\sqrt[3]{\sin^2 x}}=\sum_{n=1}^{\infty}\int_{n\pi}^{(n+1)\pi}\frac{dx}{x^p\sqrt[3]{\sin^2 x}}=\sum_{n=1}^{\infty}\int_0^{\pi}\frac{dx}{(x+n\pi)^p\sqrt[3]{\sin^2 x}}.$$

于是

$$\int_0^{\pi}\frac{dx}{\sqrt[3]{\sin^2 x}}\cdot\sum_{n=1}^{\infty}\frac{1}{(n+1)^p\pi^p}<\int_{\pi}^{+\infty}\frac{dx}{x^p\sqrt[3]{\sin^2 x}}<\int_0^{\pi}\frac{dx}{\sqrt[3]{\sin^2 x}}\cdot\sum_{n=1}^{\infty}\frac{1}{n^p\pi^p}.$$

易证积分 $\int_0^{\pi}\frac{dx}{\sqrt[3]{\sin^2 x}}$ 收敛，且级数 $\sum\limits_{n=1}^{\infty}\frac{1}{n^p}$ 当 $p>1$ 时收敛，当 $p\leqslant 1$ 时发散. 因此原积分仅当 $p>1$ 时收敛.

【3750】 $\int_0^{+\infty}\frac{\sin(x+x^2)}{x^n}dx$.

解 $$\int_0^{+\infty}\frac{\sin(x+x^2)}{x^n}dx=\int_0^{1}\frac{\sin(x+x^2)}{x^n}dx+\int_1^{+\infty}\frac{\sin(x+x^2)}{x^n}dx.$$

易知右端第一个积分($x=0$ 可能是瑕点) 当 $n<2$ 时收敛，当 $n\geqslant 2$ 时发散.

下面讨论右端第二个积分.

先设 $n>-1$. 对任何数列 $1=a_0<a_1<\cdots<a_k<\cdots(a_k\to+\infty)$，

$$\int_{a_k}^{a_{k+1}}\frac{\sin(x+x^2)}{x^n}dx=-\int_{a_k}^{a_{k+1}}\frac{d[\cos(x+x^2)]}{x^n(1+2x)}$$

$$=-\frac{\cos(x+x^2)}{x^n(1+2x)}\Bigg|_{a_k}^{a_{k+1}}-\int_{a_k}^{a_{k+1}}\frac{[2(n+1)x+n]\cos(x+x^2)}{x^{n+1}(1+2x)^2}dx,$$

故 $\sum\limits_{k=m}^{m+p-1}\int_{a_k}^{a_{k+1}}\frac{\sin(x+x^2)}{x^n}dx=-\frac{\cos(x+x^2)}{x^n(1+2x)}\Bigg|_{a_m}^{a_{m+p}}-\int_{a_m}^{a_{m+p}}\frac{[2(n+1)x+n]\cos(x+x^2)}{x^{n+1}(1+2x)^2}dx$，从而

$$\left|\sum_{k=m}^{m+p-1}\int_{a_k}^{a_{k+1}}\frac{\sin(x+x^2)}{x^n}dx\right|\leqslant\frac{1}{2a_m^{n+1}}+\frac{1}{2a_{m+p}^{n+1}}+\int_{a_m}^{a_{m+p}}\frac{2(n+1)x+|n|}{x^{n+1}(1+2x)^2}dx.$$

因为 $\lim\limits_{x\to+\infty}x^{n+2}\cdot\frac{2(n+1)x+|n|}{x^{n+1}(1+2x)^2}=\frac{n+1}{2}>0$，$n+2>1$，故积分 $\int_1^{+\infty}\frac{2(n+1)x+|n|}{x^{n+1}(1+2x)^2}dx$ 收敛. 由此可知，$\forall\varepsilon>0$，$\exists N$，当 $m>N$ 时，对 $\forall p\in\mathbf{N}_+$，均有

$$\left|\sum_{k=m}^{m+p-1}\int_{a_k}^{a_{k+1}}\frac{\sin(x+x^2)}{x^n}dx\right|<\varepsilon.$$

由柯西收敛准则知，级数$\sum_{k=0}^{\infty}\int_{a_k}^{a_{k+1}}\frac{\sin(x+x^2)}{x^n}dx$收敛，从而积分$\int_1^{+\infty}\frac{\sin(x+x^2)}{x^n}dx$收敛.

再设$n\leqslant -1$.令ξ_k和η_k分别表示方程$x^2+x=2k\pi+\frac{\pi}{4}$和$x^2+x=2k\pi+\frac{\pi}{2}$的(唯一)正根，其中$k\in \mathbf{N}_+$，即

$$\xi_k=\frac{1}{2}(\sqrt{1+8k\pi+\pi}-1),\eta_k=\frac{1}{2}(\sqrt{1+8k\pi+2\pi}-1).$$

于是，$\eta_k>\xi_k\to+\infty(k\to\infty)$，故有(注意$-n\geqslant 1$)

$$\int_{\xi_k}^{\eta_k}\frac{\sin(x+x^2)}{x^n}dx>\frac{1}{\sqrt{2}}\int_{\xi_k}^{\eta_k}x^{-n}dx\geqslant\frac{1}{\sqrt{2}}\int_{\xi_k}^{\eta_k}x\,dx>\frac{1}{\sqrt{2}}\xi_k(\eta_k-\xi_k)$$

$$=\frac{\pi}{4\sqrt{2}}\frac{\sqrt{1+8k\pi+\pi}-1}{\sqrt{1+8k\pi+2\pi}+\sqrt{1+8k\pi+\pi}}\to\frac{\pi}{8\sqrt{2}}(k\to\infty).$$

由此可知，此时积分$\int_1^{+\infty}\frac{\sin(x+x^2)}{x^n}dx$发散.

综上所述，积分$\int_0^{+\infty}\frac{\sin(x+x^2)}{x^n}dx$仅当$-1<n<2$时收敛.

知识点2 含参量反常积分的一致收敛性

1. 一致收敛的定义 设函数$f(x,y)$在$[a,+\infty)\times(y_1,y_2)$内连续.若$\forall\varepsilon>0$，$\exists B=B(\varepsilon)>a$，当$b\geqslant B$时，对$\forall y\in(y_1,y_2)$有

$$\left|\int_b^{+\infty}f(x,y)dx\right|<\varepsilon,$$

则称反常积分$\int_a^{+\infty}f(x,y)dx$在区间(y_1,y_2)内一致收敛.

2. 一致收敛的判定

(1) **定义判别法** 含参量反常积分$\int_a^{+\infty}f(x,y)dx$在I上一致收敛的充要条件是：$\lim\limits_{A\to\infty}F(A)=0$，其中$F(A)=\sup\limits_{y\in I}\int_A^{+\infty}f(x,y)dx$.

(2) **魏尔斯特拉斯判别法** 设有函数$F(x)$，使得

$$|f(x,y)|\leqslant F(x),\forall(x,y)\in[a,+\infty)\times I,$$

若积分$\int_a^{+\infty}F(x)dx$收敛，则$\int_a^{+\infty}f(x,y)dx$关于y在I上一致收敛.

这里，称函数$F(x)$为优函数或强函数.该判别法也称为优函数判别法.

(3) **柯西准则** 积分$\int_a^{+\infty}f(x,y)dx$在区间(y_1,y_2)内一致收敛的充分必要条件为：若$\forall\varepsilon>0$，$\exists B=B(\varepsilon)>a$，使得只要$b'>B$及$b''>B$，对$\forall y\in(y_1,y_2)$有

$$\left|\int_{b'}^{b''}f(x,y)dx\right|<\varepsilon.$$

(4) **级数判别法** 含参量反常积分$\int_a^{+\infty}f(x,y)dx$在I上一致收敛的充要条件是：对任一趋于$+\infty$的递增数列$\{A_n\}$(其中$A_1=a$)，函数项级数$\sum_{n=1}^{\infty}\int_{A_n}^{A_{n+1}}f(x,y)dx=\sum_{n=1}^{\infty}u_n(y)$在$I$上一致收敛.

(5) **狄利克雷判别法** 设

(ⅰ) 对一切实数 $N > a$，含参量正常积分 $\int_a^N f(x,y)\mathrm{d}x$ 对参量 y 在 I 上一致有界，即存在正数 M，对一切 $N > a$ 及一切 $y \in I$，都有 $\left|\int_a^N f(x,y)\mathrm{d}x\right| \leqslant M$；

(ⅱ) 对每一个 $y \in I$，函数 $g(x,y)$ 为 x 的单调函数，且 $x \to +\infty$ 时，$g(x,y)$ 对参量 y 一致收敛于 0，

则含参量反常积分 $\int_a^{+\infty} f(x,y)g(x,y)\mathrm{d}x$ 在 I 上一致收敛.

(6) **阿贝尔判别法** 设

(ⅰ) $\int_a^{+\infty} f(x,y)\mathrm{d}x$ 在 I 上一致收敛；

(ⅱ) 对每一个 $y \in I$，函数 $g(x,y)$ 为 x 的单调函数，且对参量 y 在 I 上一致有界，

则含参量反常积分 $\int_a^{+\infty} f(x,y)g(x,y)\mathrm{d}x$ 在 I 上一致收敛.

习题 3751—3771 含参量反常积分的一致收敛性

【3751】 用肯定语气叙述，积分 $\int_0^{+\infty} f(x,y)\mathrm{d}x$ 关于 y 在 (y_1,y_2) 内不一致收敛.

解 $\exists \varepsilon_0 > 0$，对 $\forall B > 0$，$\exists b_0 \geqslant B$，$\exists y_0 \in (y_1,y_2)$，使得 $\left|\int_{b_0}^{+\infty} f(x,y_0)\mathrm{d}x\right| \geqslant \varepsilon_0$，则 $\int_0^{+\infty} f(x,y)\mathrm{d}x$ 关于 y 在 (y_1,y_2) 内不一致收敛.

【3752】 证明：若(ⅰ) 积分 $\int_a^{+\infty} f(x)\mathrm{d}x$ 收敛；(ⅱ) 函数 $\varphi(x,y)$ 有界，且关于 x 单调，则积分 $\int_a^{+\infty} f(x)\varphi(x,y)\mathrm{d}x$ 在对应区域内一致收敛.

证 设 $|\varphi(x,y)| \leqslant L$，则由题设(ⅰ) 知：$\forall \varepsilon > 0$，$\exists B = B(\varepsilon)$，当 $A' > A > B$ 时，有

$$\left|\int_A^{A'} f(x)\mathrm{d}x\right| < \frac{\varepsilon}{2L}. \qquad ①$$

由积分第二中值定理知存在 $\xi \in [A,A']$，使

$$\int_A^{A'} f(x)\varphi(x,y)\mathrm{d}x = \varphi(A+0,y)\cdot\int_A^{\xi} f(x)\mathrm{d}x + \varphi(A'-0,y)\cdot\int_{\xi}^{A'} f(x)\mathrm{d}x. \qquad ②$$

由 ① 式，得

$$\left|\int_A^{\xi} f(x)\mathrm{d}x\right| < \frac{\varepsilon}{2L},\ \left|\int_{\xi}^{A'} f(x)\mathrm{d}x\right| < \frac{\varepsilon}{2L}.$$

于是，由 ② 式，可得 $\left|\int_A^{A'} f(x)\varphi(x,y)\mathrm{d}x\right| < L\cdot\frac{\varepsilon}{2L} + L\cdot\frac{\varepsilon}{2L} = \varepsilon$，即积分 $\int_a^{+\infty} f(x)\varphi(x,y)\mathrm{d}x$ 在对应的 y 区域内一致收敛.

【3753】 证明：一致收敛的积分 $I = \int_1^{+\infty} \mathrm{e}^{-\frac{1}{y^2}\left(x-\frac{1}{y}\right)^2}\mathrm{d}x\ (0 < y < 1)$ 不存在其积分收敛且与参数无关的强函数.

证 $\forall \varepsilon > 0$，取 $A_0 > 1$ 充分大，使 $\int_{A_0-\frac{\sqrt{\pi}}{\varepsilon}}^{+\infty} \mathrm{e}^{-u^2}\mathrm{d}u < \varepsilon$.

下证：当 $A > A_0$ 时，对 $y \in (0,1)$，均有 $\int_A^{+\infty} \mathrm{e}^{-\frac{1}{y^2}\left(x-\frac{1}{y}\right)^2}\mathrm{d}x < \varepsilon$. 事实上，

当$\frac{\varepsilon}{\sqrt{\pi}}\leqslant y<1$时，

$$\int_A^{+\infty}e^{-\frac{1}{y^2}(x-\frac{1}{y})^2}dx<\int_A^{+\infty}e^{-(x-\frac{1}{y})^2}dx=\int_{A-\frac{1}{y}}^{+\infty}e^{-u^2}du\leqslant\int_{A-\frac{\sqrt{\pi}}{\varepsilon}}^{+\infty}e^{-u^2}du<\int_{A_0-\frac{\sqrt{\pi}}{\varepsilon}}^{+\infty}e^{-u^2}du<\varepsilon;$$

当$0<y<\frac{\varepsilon}{\sqrt{\pi}}$时，

$$\int_A^{+\infty}e^{-\frac{1}{y^2}(x-\frac{1}{y})^2}dx<\int_1^{+\infty}e^{-\frac{1}{y^2}(x-\frac{1}{y})^2}dx=\int_1^{\frac{1}{y}}e^{-\frac{1}{y^2}(x-\frac{1}{y})^2}dx+\int_{\frac{1}{y}}^{+\infty}e^{-\frac{1}{y^2}(x-\frac{1}{y})^2}dx$$

$$=\int_0^{\frac{1}{y}-1}e^{-\frac{1}{y^2}t^2}dt+\int_0^{+\infty}e^{-\frac{1}{y^2}t^2}dt<2\int_0^{+\infty}e^{-\frac{t^2}{y^2}}dt=2y\int_0^{+\infty}e^{-u^2}du=2y\frac{\sqrt{\pi}}{2}<\varepsilon.$$

由此可知，积分$\int_1^{+\infty}e^{-\frac{1}{y^2}(x-\frac{1}{y})^2}dx$关于$y$在$(0,1)$内一致收敛.

最后证明，不存在这样的函数$\varphi(x)(x\geqslant1)$，使

$$0<e^{-\frac{1}{y^2}(x-\frac{1}{y})^2}\leqslant\varphi(x)(x\geqslant1,0<y<1),\qquad ①$$

并且$\int_1^{+\infty}\varphi(x)dx$收敛.

用反证法. 假定有这样的函数$\varphi(x)$存在，则由$\int_1^{+\infty}\varphi(x)dx$收敛可知，必$\exists x_0>1$使$\varphi(x_0)<1$. 故令$y_0=\frac{1}{x_0}$，则$0<y_0<1$且$e^{-\frac{1}{y_0^2}(x_0-\frac{1}{y_0})^2}=1>\varphi(x_0)$，这与①式矛盾. 由此可知，一致收敛的积分$I$的被积函数不存在其积分收敛且与参数无关的强函数.

【3754】 证明：积分$I=\int_0^{+\infty}\alpha e^{-\alpha x}dx$有以下结论：

(1) 在任何区间$[a,b](a>0)$上一致收敛；(2) 在区间$[0,b]$内非一致收敛.

证 显然，积分I对于每一个定值$\alpha\geqslant0$收敛. 事实上，

当$\alpha=0$时，$\int_0^{+\infty}\alpha e^{-\alpha x}dx=0$；当$\alpha>0$时，$\int_0^{+\infty}\alpha e^{-\alpha x}dx=-e^{-\alpha x}\Big|_0^{+\infty}=1$.

(1) $|\alpha e^{-\alpha x}|\leqslant be^{-ax}$，又$\int_0^{+\infty}be^{-ax}dx$收敛，所以$I=\int_0^{+\infty}\alpha e^{-\alpha x}dx$关于$\alpha$在区间$[a,b](a>0)$上一致收敛.

(2) 取$\varepsilon_0=\frac{1}{e^2}$，$\forall M>0$，不妨设$M>\frac{1}{b}$，取$A_1=M+1>M$，$A_2=2(M+1)>M$，取$\alpha_0=\frac{1}{M+1}\in[0,b]$，但有

$$\left|\int_{A_1}^{A_2}\alpha_0e^{-\alpha_0x}dx\right|=-e^{-\alpha_0x}\Big|_{M+1}^{2(M+1)}=\frac{e-1}{e^2}>\frac{1}{e^2}.$$

因此，积分$I=\int_0^{+\infty}\alpha e^{-\alpha x}dx$在区间$[0,b]$内非一致收敛.

【3755】 证明：狄利克雷积分$I=\int_0^{+\infty}\frac{\sin\alpha x}{x}dx$有以下结论：

(1) 在每一个不包含数值$\alpha=0$的闭区间$[a,b]$上一致收敛；

(2) 在包含数值$\alpha=0$的每一个闭区间$[a,b]$上非一致收敛.

证 不失一般性，只考虑$\alpha>0$.

(1) 由于积分$\int_0^{+\infty}\frac{\sin z}{z}dz=\frac{\pi}{2}$收敛，故$\forall\varepsilon>0$，$\exists A_0$，当$A>A_0$时，有$\left|\int_A^{+\infty}\frac{\sin z}{z}dz\right|<\varepsilon$.

当$\alpha>0$时，由于$\int_A^{+\infty}\frac{\sin\alpha x}{x}dx=\int_{A\alpha}^{+\infty}\frac{\sin z}{z}dz$，取$A>\frac{A_0}{a}$，对于$\forall\alpha\geqslant a>0$，就有$\left|\int_A^{+\infty}\frac{\sin\alpha x}{x}dx\right|<\varepsilon$.

于是，在区间$0<a\leqslant\alpha\leqslant b$上，积分$I$一致收敛.

(2) 取 $\varepsilon_0=\dfrac{\pi}{4}$，$\forall A>0$，取 $A_0=A+1>A$，由于

$$\lim_{\alpha\to0^+}\int_{A_0}^{+\infty}\frac{\sin\alpha x}{x}\mathrm{d}x=\lim_{\alpha\to0^+}\int_{A_0\alpha}^{+\infty}\frac{\sin z}{z}\mathrm{d}z=\int_0^{+\infty}\frac{\sin z}{z}\mathrm{d}z=\frac{\pi}{2},$$

故 $\exists\alpha_0>0$，使得

$$\left|\int_{A_0}^{+\infty}\frac{\sin\alpha_0x}{x}\mathrm{d}x\right|>\frac{\pi}{4}=\varepsilon_0.$$

于是，在区间 $0\leqslant\alpha\leqslant b(b>0)$ 上，积分 I 不一致收敛.

【研究下列积分在所指定区间内的一致收敛性(3756—3770)】

【3756】 $\displaystyle\int_0^{+\infty}\mathrm{e}^{-\alpha x}\sin x\mathrm{d}x,[\alpha_0,+\infty),\alpha_0>0.$

解 由于当 $\alpha\in[\alpha_0,+\infty)$ 时，有 $|\mathrm{e}^{-\alpha x}\sin x|\leqslant\mathrm{e}^{-\alpha_0x}$，且 $\displaystyle\int_0^{+\infty}\mathrm{e}^{-\alpha_0x}\mathrm{d}x=\frac{1}{\alpha_0}$ 收敛，故积分 $\displaystyle\int_0^{+\infty}\mathrm{e}^{-\alpha x}\sin x\mathrm{d}x$ 在 $[\alpha_0,+\infty)$ 上一致收敛.

【3757】 $\displaystyle\int_1^{+\infty}x^{\alpha}\mathrm{e}^{-x}\mathrm{d}x,[a,b].$

解 当 $\alpha\in[a,b]$ 且 $x\geqslant1$ 时，有 $0<x^{\alpha}\mathrm{e}^{-x}\leqslant x^b\mathrm{e}^{-x}$. 由于 $\displaystyle\lim_{x\to+\infty}(x^2\cdot x^b\mathrm{e}^{-x})=\lim_{x\to+\infty}\frac{x^{b+2}}{\mathrm{e}^x}=0$，故积分 $\displaystyle\int_1^{+\infty}x^b\mathrm{e}^{-x}\mathrm{d}x$ 收敛，从而积分 $\displaystyle\int_1^{+\infty}x^{\alpha}\mathrm{e}^{-x}\mathrm{d}x$ 在 $[a,b]$ 上一致收敛.

【3758】 $\displaystyle\int_{-\infty}^{+\infty}\frac{\cos\alpha x}{1+x^2}\mathrm{d}x,(-\infty,+\infty).$

解 由于 $\left|\dfrac{\cos\alpha x}{1+x^2}\right|\leqslant\dfrac{1}{1+x^2}$，且 $\displaystyle\int_{-\infty}^{+\infty}\frac{\mathrm{d}x}{1+x^2}=\pi$ 收敛，故 $\displaystyle\int_{-\infty}^{+\infty}\frac{\cos\alpha x}{1+x^2}\mathrm{d}x$ 在 $(-\infty,+\infty)$ 上一致收敛.

【3759】 $\displaystyle\int_0^{+\infty}\frac{\mathrm{d}x}{(x+\alpha)^2+1},[0,+\infty).$

解 当 $\alpha\in[0,+\infty)$ 时，有 $0<\dfrac{1}{(x+\alpha)^2+1}\leqslant\dfrac{1}{1+x^2}$，且积分 $\displaystyle\int_0^{+\infty}\frac{\mathrm{d}x}{1+x^2}=\frac{\pi}{2}$ 收敛，故积分 $\displaystyle\int_0^{+\infty}\frac{\mathrm{d}x}{(x+\alpha)^2+1}$ 在 $[0,+\infty)$ 上一致收敛.

【3760】 $\displaystyle\int_0^{+\infty}\frac{\sin x}{x}\mathrm{e}^{-\alpha x}\mathrm{d}x,[0,+\infty).$

解 因为 $\displaystyle\lim_{x\to0^+}\frac{\sin x}{x}\mathrm{e}^{-\alpha x}=1$. 故 $x=0$ 不是瑕点.

方法一 由于 $\left|\displaystyle\int_0^A\sin x\mathrm{d}x\right|=|1-\cos A|\leqslant2$，函数 $\dfrac{\mathrm{e}^{-\alpha x}}{x}$ 在 $(0,+\infty)$ 关于 x 递减，且当 $x\to+\infty$ 时关于 α 一致趋于零(因为当 $0\leqslant\alpha<+\infty,x>0$ 时，有 $0<\dfrac{\mathrm{e}^{-\alpha x}}{x}\leqslant\dfrac{1}{x}$)，故由狄利克雷判别法知，积分 $\displaystyle\int_0^{+\infty}\frac{\sin x}{x}\mathrm{e}^{-\alpha x}\mathrm{d}x$ 关于 α 在 $[0,+\infty)$ 上一致收敛.

方法二 由积分第二中值定理知当 $A'>A>0$ 时，有

$$\left|\int_A^{A'}\frac{\sin x}{x}\mathrm{e}^{-\alpha x}\mathrm{d}x\right|=\left|\frac{1}{A}\int_A^{\xi}\mathrm{e}^{-\alpha x}\sin x\mathrm{d}x\right|,$$

其中 $A\leqslant\xi\leqslant A'$. 又 $\mathrm{e}^{-\alpha x}\sin x$ 的原函数是 $F_{\alpha}(x)=-\dfrac{\alpha\sin x+\cos x}{1+\alpha^2}\mathrm{e}^{-\alpha x}$，显然当 $\alpha\geqslant0,x>0$ 时，

$$|F_{\alpha}(x)|\leqslant\frac{\alpha+1}{1+\alpha^2}\leqslant\frac{2\alpha}{1+\alpha^2}+\frac{1}{1+\alpha^2}<2,$$

故当 $A'>A>0,0\leqslant\alpha<+\infty$ 时，有

$$\left|\int_A^{A'}\frac{\sin x}{x}e^{-\alpha x}dx\right|=\left|\frac{1}{A}[F_\alpha(\xi)-F_\alpha(A)]\right|<\frac{4}{A}.$$

由一致收敛的柯西收敛准则知积分$\int_0^{+\infty}\frac{\sin x}{x}e^{-\alpha x}dx$关于$\alpha$在$[0,+\infty)$上一致收敛.

【3761】 $\int_1^{+\infty}e^{-\alpha x}\frac{\cos x}{x^p}dx$，$[0,+\infty)$，其中$p>0$是常数.

解 由于$\left|\int_1^A\cos x dx\right|=|\sin A-\sin 1|\leqslant 2$，函数$\frac{e^{-\alpha x}}{x^p}$在$[1,+\infty)$上关于$x$递减且当$x\to+\infty$时关于$\alpha$一致趋于零(因为$0\leqslant\alpha<+\infty$，$x\geqslant 1$时，有$0<\frac{e^{-\alpha x}}{x^p}\leqslant\frac{1}{x^p}$)，故由狄利克雷判别法即知，积分$\int_1^{+\infty}e^{-\alpha x}\frac{\cos x}{x^p}dx$关于$\alpha$在$[0,+\infty)$上一致收敛.

注 也可仿3760题方法二，利用积分第二中值定理证明.

【3762】 $\int_0^{+\infty}\sqrt{\alpha}e^{-\alpha x^2}dx(0\leqslant\alpha<+\infty)$.

解 此积分是收敛的. 事实上，当$\alpha=0$时，积分为零；当$\alpha>0$时，设$\sqrt{\alpha}x=t$，则得

$$\int_0^{+\infty}\sqrt{\alpha}e^{-\alpha^2}dx=\int_0^{+\infty}e^{-t^2}dt=\frac{\sqrt{\pi}}{2}.$$

但是，此积分关于α在$[0,+\infty)$上不一致收敛. 取$\varepsilon_0=\frac{\sqrt{\pi}}{4}$，$\forall A>0$，取$A_0=A+1>A$，由于

$$\lim_{\alpha\to0^+}\int_{A_0}^{+\infty}\sqrt{\alpha}e^{-\alpha x^2}dx=\lim_{\alpha\to0^+}\int_{\sqrt{\alpha}A_0}^{+\infty}e^{-t^2}dt=\int_0^{+\infty}e^{-t^2}dt=\frac{\sqrt{\pi}}{2}.$$

故$\exists\alpha_0>0$，使得

$$\left|\int_{A_0}^{+\infty}\sqrt{\alpha_0}e^{-\alpha_0x^2}dx\right|>\frac{\sqrt{\pi}}{4}=\varepsilon_0.$$

于是，积分$\int_0^{+\infty}\sqrt{\alpha}e^{-\alpha x^2}dx$关于$\alpha$在$[0,+\infty)$上不一致收敛.

【3763】 $\int_{-\infty}^{+\infty}e^{-(x-\alpha)^2}dx$，(1)$a<\alpha<b$；(2)$-\infty<\alpha<+\infty$.

解 显然，对任何固定的α，积分$\int_{-\infty}^{+\infty}e^{-(x-\alpha)^2}dx$都收敛，作代换$x-\alpha=t$，有

$$\int_{-\infty}^{+\infty}e^{-(x-\alpha)^2}dx=\int_{-\infty}^{+\infty}e^{-t^2}dt=\sqrt{\pi}.$$

(1) 取正数R充分大，使$-R<a<b<R$. 显然，当$|x|\geqslant R$时，对一切$a<\alpha<b$，有

$$0<e^{-(x-\alpha)^2}<e^{-(|x|-R)^2},$$

显然积分$\int_{-\infty}^{+\infty}e^{-(|x|-R)^2}dx=2\int_{-\infty}^{+\infty}e^{-(x-R)^2}dx$收敛，故积分$\int_{-\infty}^{+\infty}e^{-(x-\alpha)^2}dx$关于$\alpha$在$(a,b)$内一致收敛.

(2) 取$\varepsilon_0=\frac{\sqrt{\pi}}{2}$，$\forall A>0$，取$A_0=A+1>A$，由于

$$\lim_{\alpha\to+\infty}\int_{A_0}^{+\infty}e^{-(x-\alpha)^2}dx=\lim_{\alpha\to+\infty}\int_{A_0-\alpha}^{+\infty}e^{-t^2}dt=\int_{-\infty}^{+\infty}e^{-t^2}dt=\sqrt{\pi}.$$

故$\exists\alpha_0>0$，使得

$$\left|\int_{A_0}^{+\infty}e^{-(x-\alpha_0)^2}dx\right|>\frac{\sqrt{\pi}}{2}=\varepsilon_0.$$

故$\int_0^{+\infty}e^{-(x-\alpha)^2}dx$关于$\alpha$在$(-\infty,+\infty)$内不一致收敛，且$\int_{-\infty}^{+\infty}e^{-(x-\alpha)^2}dx$关于$\alpha$在$(-\infty,+\infty)$内不一致收敛.

【3764】 $\int_0^{+\infty} e^{-x^2(1+y^2)}\sin x\mathrm{d}y(-\infty<x<+\infty)$.

解 此积分对任一个固定的 x 值,显然是收敛的,且当 $x>0$ 时,

$$\int_0^{+\infty} e^{-x^2(1+y^2)}\sin x\mathrm{d}y=\frac{\sin x}{x}e^{-x^2}\cdot\frac{\sqrt{\pi}}{2},$$

但是,积分 $\int_0^{+\infty} e^{-x^2(1+y^2)}\sin x\mathrm{d}y$ 关于 x 在 $(-\infty,+\infty)$ 内不一致收敛. 事实上,取 $\varepsilon_0=\frac{\sqrt{\pi}}{4}$, $\forall A>0$,取 $A_0=A+1>A$,由于

$$\lim_{x\to0^+}\int_{A_0}^{+\infty} e^{-x^2(1+y^2)}\sin x\mathrm{d}y=\lim_{x\to0^+}\left(\frac{\sin x}{x}e^{-x^2}\int_{A_0x}^{+\infty}e^{-t^2}\mathrm{d}t\right)=\int_0^{+\infty}e^{-t^2}\mathrm{d}t=\frac{\sqrt{\pi}}{2},$$

故 $\exists x_0>0$,使得

$$\left|\int_{A_0}^{+\infty} e^{-x_0^2(1+y^2)}\sin x_0\mathrm{d}y\right|>\frac{\sqrt{\pi}}{4}=\varepsilon_0.$$

故积分 $\int_0^{+\infty} e^{-x^2(1+y^2)}\sin x\mathrm{d}y$ 关于 x 在 $(-\infty,+\infty)$ 内不一致收敛.

【3765】 $\int_0^{+\infty}\frac{\sin x^2}{1+x^p}\mathrm{d}x(p\geqslant0)$.

解 由 2380 题易知,积分 $\int_0^{+\infty}\sin x^2\mathrm{d}x$ 收敛,又 $\frac{1}{1+x^p}(p\geqslant0)$ 在 $[0,+\infty)$ 上对 x 单调递减,且一致有界,即

$$0<\frac{1}{1+x^p}\leqslant1(p\geqslant0,x\geqslant0),$$

故由阿贝尔判别法知,积分 $\int_0^{+\infty}\frac{\sin x^2}{1+x^p}\mathrm{d}x$ 关于 p 在 $[0,+\infty)$ 上一致收敛.

【3766】 $\int_0^1 x^{p-1}\ln^q\frac{1}{x}\mathrm{d}x$,(1) $p\geqslant p_0>0$;(2) $p>0(q>-1)$.

解 注意到 $x=0$ 和 $x=1$ 都可能是瑕点. 作代换 $x=e^{-t}$,得

$$\int_0^1 x^{p-1}\ln^q\frac{1}{x}\mathrm{d}x=-\int_{+\infty}^0 e^{-(p-1)t}t^qe^{-t}\mathrm{d}t=\int_0^{+\infty}e^{-pt}t^q\mathrm{d}t,$$

右端的积分当 $p>0,q>-1$ 时收敛,从而左端的积分此时也收敛. 又由于($\varepsilon,\varepsilon'>0$ 很小)

$$\int_\varepsilon^{1-\varepsilon'}x^{p-1}\ln^q\frac{1}{x}\mathrm{d}x=\int_{\ln\frac{1}{1-\varepsilon'}}^{\ln\frac{1}{\varepsilon}}e^{-pt}t^q\mathrm{d}t,$$

故 $\int_0^1 x^{p-1}\ln^q\frac{1}{x}\mathrm{d}x$ 的一致收敛性等价于 $\int_0^{+\infty}e^{-pt}t^q\mathrm{d}t$ 的一致收敛性.

(1) 当 $p\geqslant p_0>0$ 时,由于

$$0<e^{-pt}t^q\leqslant e^{-p_0t}t^q(0<t<+\infty),$$

而积分 $\int_0^{+\infty}e^{-p_0t}t^q\mathrm{d}t$ 收敛,故积分 $\int_0^{+\infty}e^{-pt}t^q\mathrm{d}t$ 一致收敛. 从而原积分 $\int_0^1 x^{p-1}\ln^q\frac{1}{x}\mathrm{d}x$ 当 $p\geqslant p_0>0$ 时一致收敛.

(2) 对 $\forall A>0,p>0$,作代换 $pt=s$,则

$$\int_A^{+\infty}e^{-pt}t^q\mathrm{d}t=\frac{1}{p^{q+1}}\int_{pA}^{+\infty}s^qe^{-s}\mathrm{d}s,$$

由于 $q>-1$,故积分 $\int_0^{+\infty}s^qe^{-s}\mathrm{d}s$ 收敛,且显然 $0<\int_0^{+\infty}s^qe^{-s}\mathrm{d}s<+\infty$,于是,有

$$\lim_{p\to0^+}\int_A^{+\infty}e^{-pt}t^q\mathrm{d}t=+\infty,$$

由此即知,积分 $\int_0^{+\infty}e^{-pt}t^q\mathrm{d}t$ 关于 p 在 $(0,+\infty)$ 内非一致收敛. 从而,原积分 $\int_0^1 x^{p-1}\ln^q\frac{1}{x}\mathrm{d}x$ 关于 p 在 $(0,+\infty)$

内非一致收敛.

注 本题用到2361题的结果(在其中作代换 $pt=s$).

【3767】 $\int_0^1 \frac{x^n}{\sqrt{1-x^2}}dx(0\leqslant n<+\infty)$.

解 注意，$x=1$ 是瑕点. 由于当 $0\leqslant x<1$ 时，有

$$0\leqslant\frac{x^n}{\sqrt{1-x^2}}<\frac{1}{\sqrt{1-x^2}}(0\leqslant n<+\infty),$$

而积分$\int_0^1\frac{dx}{\sqrt{1-x^2}}=\arcsin x\Big|_0^1=\frac{\pi}{2}$ 收敛，故由魏尔斯特拉斯判别法知，积分$\int_0^1\frac{x^n}{\sqrt{1-x^2}}dx$ 关于 n 在 $[0,+\infty)$ 上一致收敛.

【3768】 $\int_0^1\sin\frac{1}{x}\frac{dx}{x^n}(0<n<2)$.

解 作代换$\frac{1}{x}=t$，则

$$\int_0^1\sin\frac{1}{x}\frac{dx}{x^n}=\int_1^{+\infty}t^{n-2}\sin t dt,$$

显然积分$\int_0^1\sin\frac{1}{x}\frac{dx}{x^n}$ 的一致收敛性等价于$\int_1^{+\infty}t^{n-2}\sin t dt$ 的一致收敛性.

显然，当 $n<2$ 时，积分$\int_1^{+\infty}t^{n-2}\sin t dt$ 收敛.

下证：当 $0<n<2$ 时，它不一致收敛. 事实上，当 $0<n<2$ 时，对任何正整数 m，有

$$\int_{2m\pi+\frac{\pi}{4}}^{2m\pi+\frac{\pi}{2}}t^{n-2}\sin t dt>\frac{\sqrt{2}}{2}\int_{2m\pi+\frac{\pi}{4}}^{2m\pi+\frac{\pi}{2}}\frac{dt}{t^{2-n}}>\frac{\sqrt{2}}{2}\frac{\pi}{4}\frac{1}{\left(2m\pi+\frac{\pi}{2}\right)^{2-n}}.$$

因 $\lim\limits_{n\to2^-}\frac{1}{\left(2m\pi+\frac{\pi}{2}\right)^{2-n}}=1$，故当 n 在 $0<n<2$ 内且与 2 充分接近时，必有$\frac{1}{\left(2m\pi+\frac{\pi}{2}\right)^{2-n}}>\frac{1}{2}$. 此时有

$$\int_{2m\pi+\frac{\pi}{4}}^{2m\pi+\frac{\pi}{2}}t^{n-2}\sin t dt>\frac{\sqrt{2}}{16}\pi>0,$$

故$\int_1^{+\infty}t^{n-2}\sin t dt$ 关于 n 在$(0,2)$ 内非一致收敛.

【3769】 $\int_0^2\frac{x^\alpha dx}{\sqrt[3]{(x-1)(x-2)^2}}\quad\left(|\alpha|<\frac{1}{2}\right)$.

解 首先注意 $x=1$，$x=2$ 是瑕点；$x=0$ 可能是瑕点. 将积分分成$(0,1)$ 及$(1,2)$ 上两个积分，即

$$\int_0^2\frac{x^\alpha dx}{\sqrt[3]{(x-1)(x-2)^2}}=\int_0^1\frac{x^\alpha dx}{\sqrt[3]{(x-1)(x-2)^2}}+\int_1^2\frac{x^\alpha dx}{\sqrt[3]{(x-1)(x-2)^2}}.$$

当 $0<x<1$ 且 $|\alpha|<\frac{1}{2}$ 时，$\left|\frac{x^\alpha}{\sqrt[3]{(x-1)(x-2)^2}}\right|<\frac{1}{x^{\frac{1}{2}}(1-x)^{\frac{1}{3}}(x-2)^{\frac{2}{3}}}$；

当 $1<x<2$ 且 $|\alpha|<\frac{1}{2}$ 时，$\left|\frac{x^\alpha}{\sqrt[3]{(x-1)(x-2)^2}}\right|<\frac{\sqrt{2}}{(1-x)^{\frac{1}{3}}(x-2)^{\frac{2}{3}}}$.

易知积分$\int_0^1\frac{1}{x^{\frac{1}{2}}(1-x)^{\frac{1}{3}}(x-2)^{\frac{2}{3}}}dx$ 与$\int_1^2\frac{\sqrt{2}}{(1-x)^{\frac{1}{3}}(x-2)^{\frac{2}{3}}}dx$ 都收敛，故由魏尔斯特拉斯判别法知，积分$\int_0^2\frac{x^\alpha}{\sqrt[3]{(x-1)(x-2)^2}}dx$ 关于 α 在$\left(-\frac{1}{2},\frac{1}{2}\right)$ 内一致收敛.

【3770】 $\int_0^1 \frac{\sin \alpha x}{\sqrt{|x-\alpha|}}\mathrm{d}x(0\leqslant\alpha\leqslant 1)$.

解
$$\int_0^1 \frac{\sin \alpha x}{\sqrt{|x-\alpha|}}\mathrm{d}x=\int_0^{\alpha}\frac{\sin \alpha x}{\sqrt{\alpha-x}}\mathrm{d}x+\int_{\alpha}^1\frac{\sin \alpha x}{\sqrt{x-\alpha}}\mathrm{d}x.$$

对于积分$\int_0^{\alpha}\frac{\sin \alpha x}{\sqrt{\alpha-x}}\mathrm{d}x$,由于
$$\left|\int_{\alpha-\eta}^{\alpha}\frac{\sin \alpha}{\sqrt{\alpha-x}}\mathrm{d}x\right|\leqslant\int_{\alpha-\eta}^{\alpha}\frac{\mathrm{d}x}{\sqrt{\alpha-x}}=2\sqrt{\eta},$$
故 $\forall\varepsilon>0$,只要取 $0<\eta<\frac{\varepsilon^2}{4}$,即有
$$\left|\int_{\alpha-\eta}^{\alpha}\frac{\sin \alpha}{\sqrt{\alpha-x}}\mathrm{d}x\right|<\varepsilon.$$
因此,积分$\int_0^{\alpha}\frac{\sin \alpha x}{\sqrt{\alpha-x}}\mathrm{d}x$ 关于 α 在$[0,1]$上一致收敛.

对于积分$\int_{\alpha}^1\frac{\sin \alpha x}{\sqrt{x-\alpha}}\mathrm{d}x$,由于
$$\left|\int_{\alpha}^{\alpha+\eta}\frac{\sin \alpha x}{\sqrt{x-\alpha}}\mathrm{d}x\right|\leqslant\int_{\alpha}^{\alpha+\eta}\frac{\mathrm{d}x}{\sqrt{x-\alpha}}=2\sqrt{\eta},$$
故 $\forall\varepsilon>0$,只要取 $0<\eta<\frac{\varepsilon^2}{4}$,即有
$$\left|\int_{\alpha}^{\alpha+\eta}\frac{\sin \alpha x}{\sqrt{x-\alpha}}\mathrm{d}x\right|<\varepsilon.$$
因此,积分$\int_0^{\alpha}\frac{\sin \alpha x}{\sqrt{\alpha-x}}\mathrm{d}x$ 关于 α 在$[0,1]$上一致收敛.

于是,积分$\int_0^1\frac{\sin \alpha x}{\sqrt{|x-\alpha|}}\mathrm{d}x$ 关于 α 在$[0,1]$上一致收敛.

【3771】 若一个积分在参量给定值的某邻域内一致收敛,则称此积分对参量的给定值一致收敛.

证明:积分 $I=\int_0^{+\infty}\frac{\alpha\mathrm{d}x}{1+\alpha^2x^2}$ 对每一个 $\alpha\neq 0$ 的值一致收敛,而对 $\alpha=0$ 非一致收敛.

证 对 $\forall\alpha_0\neq 0$,不妨设 $\alpha_0>0$. 取 $\delta>0$,使 $\alpha_0-\delta>0$. 下面证明积分 I 在$(\alpha_0-\delta,\alpha_0+\delta)$内一致收敛. 事实上,当 $\alpha\in(\alpha_0-\delta,\alpha_0+\delta)$ 时,由于
$$0<\frac{\alpha}{1+\alpha^2x^2}<\frac{\alpha_0+\delta}{1+(\alpha_0-\delta)^2x^2},$$
且$\int_0^{+\infty}\frac{\alpha_0+\delta}{1+(\alpha_0-\delta)^2x^2}\mathrm{d}x$ 收敛,由魏尔斯特拉斯判别法知,积分$\int_0^{+\infty}\frac{\alpha\mathrm{d}x}{1+\alpha^2x^2}$ 在$(\alpha_0-\delta,\alpha_0+\delta)$内一致收敛,从而在 α_0 点一致收敛. 由 α_0 的任意性知,积分 I 在每一个 $\alpha\neq 0$ 的值处一致收敛.

其次,证明积分 I 对 $\alpha=0$ 非一致收敛. 事实上,对原点的任何邻域$(-\delta,\delta)$,取 $\varepsilon_0=\frac{\pi}{4}$,$\forall A>0$,取 $A_0=A+1>A$,由于
$$\int_{A_0}^{+\infty}\frac{\alpha\mathrm{d}x}{1+\alpha^2x^2}=\int_{\alpha A_0}^{+\infty}\frac{\mathrm{d}t}{1+t^2}(\alpha>0),$$
$$\lim_{\alpha\to 0^+}\int_{\alpha A_0}^{+\infty}\frac{\mathrm{d}t}{1+t^2}=\int_0^{+\infty}\frac{\mathrm{d}t}{1+t^2}=\frac{\pi}{2},$$
故 $\exists\alpha_0>0$,使得
$$\left|\int_{A_0}^{+\infty}\frac{\alpha_0\mathrm{d}x}{1+\alpha_0^2x^2}\right|>\frac{\pi}{4}=\varepsilon_0.$$

故积分 I 对 $\alpha=0$ 点的任一邻域 $(-\delta,\delta)$ 内非一致收敛，从而积分 I 在 $\alpha=0$ 时非一致收敛.

知识点3 反常积分的连续性

设 $f(x,y)$ 区域 $\{(x,y)\mid a\leqslant x<+\infty,y\in I\}$ 上连续，若含参量反常积分 $\varphi(y)=\int_a^{+\infty}f(x,y)\mathrm{d}x$ 在 I 上一致收敛，则 $\varphi(y)$ 在 $x\in I$ 上连续. 即 $\forall y_0\in I$ 有

$$\lim_{y\to y_0}\int_a^{+\infty}f(x,y)\mathrm{d}x=\int_a^{+\infty}\lim_{y\to y_0}f(x,y)\mathrm{d}x,$$

积分号与极限号可以交换.

习题3772—3783 反常积分的连续性

【3772】 表达式 $\lim\limits_{\alpha\to0^+}\int_0^{+\infty}\alpha\mathrm{e}^{-\alpha x}\mathrm{d}x$ 中，极限号与积分号交换合理吗？

解 不合理.

事实上，由3754题(2)的结果知，积分 $\int_0^{+\infty}\alpha\mathrm{e}^{-\alpha x}\mathrm{d}x$ 关于 α 在 $[0,b]$ 收敛并非一致收敛，故一般不能应用积分号与极限号的交换定理. 对于本题，实际上也不能交换，这是由于

$$\int_0^{+\infty}(\lim_{\alpha\to0^+}\alpha\mathrm{e}^{-\alpha x})\mathrm{d}x=0,$$

$$\lim_{\alpha\to0^+}\int_0^{+\infty}\alpha\mathrm{e}^{-\alpha x}\mathrm{d}x=\lim_{\alpha\to0^+}(-\mathrm{e}^{-\alpha x})\Big|_0^{+\infty}=1,$$

故得

$$\lim_{\alpha\to0^+}\int_0^{+\infty}\alpha\mathrm{e}^{-\alpha x}\mathrm{d}x\neq\int_0^{+\infty}(\lim_{\alpha\to0^+}\alpha\mathrm{e}^{-\alpha x})\mathrm{d}x.$$

【3773】 已知积分 $\int_0^{+\infty}f(x)\mathrm{d}x$ 收敛，证明公式：$\lim\limits_{\alpha\to0^+}\int_0^{+\infty}\mathrm{e}^{-\alpha x}f(x)\mathrm{d}x=\int_0^{+\infty}f(x)\mathrm{d}x$.

证 容许 $f(x)$ 有有限个瑕点，不妨设只有一个瑕点 $x=0$. 已知积分 $\int_0^{+\infty}f(x)\mathrm{d}x$ 收敛且被积函数中不含有 α，故它关于 α 一致收敛. 又因函数 $\mathrm{e}^{-\alpha x}$ 对于固定的 $0\leqslant\alpha\leqslant1$，关于 $x(x>0)$ 递减，并且一致有界，即 $0<\mathrm{e}^{-\alpha x}\leqslant1(0\leqslant\alpha\leqslant1,x>0)$，根据阿贝尔判别法知，$\int_0^{+\infty}\mathrm{e}^{-\alpha x}f(x)\mathrm{d}x$ 关于 α 在 $[0,1]$ 上一致收敛. 于是，$\forall\varepsilon>0$，可取 $A_0>0$，使

$$\left|\int_{A_0}^{+\infty}f(x)\mathrm{d}x\right|<\frac{\varepsilon}{3},$$

且 $\forall\alpha\in[0,1]$ 有

$$\left|\int_{A_0}^{+\infty}\mathrm{e}^{-\alpha x}f(x)\mathrm{d}x\right|<\frac{\varepsilon}{3},$$

由瑕积分 $\int_0^{+\infty}f(x)\mathrm{d}x$ 收敛知，$\exists\eta>0(A_0>\eta)$，使得

$$\left|\int_0^{\eta}f(x)\mathrm{d}x\right|<\frac{\varepsilon}{5}\text{ 及 }\left|\int_0^{\eta}\mathrm{e}^{-\alpha x}f(x)\mathrm{d}x\right|<\frac{\varepsilon}{5}.$$

由于 $f(x)\in\mathbf{R}[0,A_0]$，故 $\exists M_0>0$，使 $\forall x\in[0,A_0]$ 有 $|f(x)|\leqslant M_0$.

再根据二元函数 $\mathrm{e}^{-\alpha x}$ 在 $(\alpha,x)\in[0,1]\times[\eta,A_0]$ 上一致连续知，$\exists\delta>0(\delta<1)$，当 $0<\alpha<\delta$ 时，对任意 $x\in[\eta,A_0]$，有 $0\leqslant1-\mathrm{e}^{-\alpha x}<\frac{\varepsilon}{5A_0M_0}$. 于是，当 $0<\alpha<\delta$ 时，有

$$\left|\int_0^{+\infty} e^{-\alpha x} f(x) dx - \int_0^{+\infty} f(x) dx\right|$$
$$= \left|\int_\eta^{A_0} (e^{-\alpha x} - 1) f(x) dx + \int_{A_0}^{+\infty} e^{-\alpha x} f(x) dx - \int_{A_0}^{+\infty} f(x) dx + \int_0^\eta e^{-\alpha x} f(x) dx - \int_0^\eta f(x) dx\right|$$
$$\leqslant \left|\int_\eta^{A_0} (e^{-\alpha x} - 1) f(x) dx\right| + \left|\int_{A_0}^{+\infty} e^{-\alpha x} f(x) dx\right| + \left|\int_{A_0}^{+\infty} f(x) dx\right| + \left|\int_0^\eta e^{-\alpha x} f(x) dx\right| + \left|\int_0^\eta f(x) dx\right|$$
$$< M_0 A_0 \cdot \frac{\varepsilon}{5A_0 M_0} + \frac{\varepsilon}{5} + \frac{\varepsilon}{5} + \frac{\varepsilon}{5} + \frac{\varepsilon}{5} = \varepsilon.$$

由此可知 $\lim\limits_{\alpha \to 0^+} \int_0^{+\infty} e^{-\alpha x} f(x) dx = \int_0^{+\infty} f(x) dx.$

【3774】 若 $f(x)$ 在区间 $(0, +\infty)$ 内绝对可积,证明:$\lim\limits_{n \to \infty} \int_0^{+\infty} f(x) \sin nx dx = 0.$

证 由 $f(x)$ 在区间 $(0, +\infty)$ 内的绝对可积性可知 $\forall \varepsilon > 0, \exists A > 0$,使得

$$\int_A^{+\infty} | f(x) | dx < \frac{\varepsilon}{3}.$$

于是

$$\left|\int_0^{+\infty} f(x) \sin nx dx\right| \leqslant \left|\int_0^A f(x) \sin nx dx\right| + \frac{\varepsilon}{3}.$$

先设 $f(x)$ 在 $[0,A]$ 中无瑕点. 在 $[0,A]$ 中插入分点 $0 = t_0 < t_1 < t_2 < \cdots < t_{m-1} < t_m = A$,并设 $f(x)$ 在 $[t_{k-1}, t_k]$ 上的下确界为 m_k,则有

$$\int_0^A f(x) \sin nx dx = \sum_{k=1}^m \int_{t_{k-1}}^{t_k} f(x) \sin nx dx = \sum_{k=1}^m \int_{t_{k-1}}^{t_k} [f(x) - m_k] \sin nx dx + \sum_{k=1}^m m_k \int_{t_{k-1}}^{t_k} \sin nx dx,$$

从而有

$$\left|\int_0^A f(x) \sin nx dx\right| \leqslant \sum_{k=1}^m w_k \Delta t_k + \sum_{k=1}^m | m_k | \frac{| \cos nt_{k-1} - \cos nt_k |}{n} \leqslant \sum_{k=1}^m w_k \Delta t_k + \frac{2}{n} \sum_{k=1}^m | m_k |,$$

其中 w_k 为 $f(x)$ 在区间 $[t_{k-1}, t_k]$ 上的振幅,$\Delta t_k = t_k - t_{k-1}$.

由于 $f(x)$ 在 $[0,A]$ 上可积,故可取某一分法,使得 $\left|\sum\limits_{k=1}^m w_k \Delta t_k\right| < \frac{\varepsilon}{3}$. 对于这样固定的分法,$\sum\limits_{k=1}^m | m_k |$ 为一定值,因而 $\exists N$,当 $n > N$ 时,有 $\frac{2}{n} \sum\limits_{k=1}^m | m_k | < \frac{\varepsilon}{3}$.

于是,对于上述所选取的 N,当 $n > N$ 时,有

$$\left|\int_0^{+\infty} f(x) \sin nx dx\right| \leqslant \left|\int_0^A f(x) \sin nx dx\right| + \left|\int_A^{+\infty} f(x) \sin nx dx\right|$$
$$\leqslant \sum_{k=1}^m w_k \Delta t_k + \frac{2}{n} \sum_{k=1}^m | m_k | + \int_A^{+\infty} | f(x) | dx < \frac{\varepsilon}{3} + \frac{\varepsilon}{3} + \frac{\varepsilon}{3} = \varepsilon,$$

即

$$\lim_{n \to \infty} \int_0^{+\infty} f(x) \sin nx dx = 0.$$

其次,设 $f(x)$ 在区间 $[0,A]$ 中有瑕点. 不妨设只有一个瑕点 0. 于是,$\forall \varepsilon > 0, \exists \eta > 0$,使得

$$\int_0^\eta | f(x) | dx < \frac{\varepsilon}{3}.$$

由于 $f(x)$ 在 $[\eta, A]$ 上无瑕点,故应用上述结果可知 $\exists N$,当 $n > N$ 时,恒有

$$\left|\int_\eta^A f(x) \sin nx dx\right| < \frac{\varepsilon}{3}.$$

于是,当 $n > N$ 时,有

$$\left|\int_0^{+\infty} f(x) \sin nx dx\right| \leqslant \int_0^\eta | f(x) | dx + \left|\int_\eta^A f(x) \sin nx dx\right| + \int_A^{+\infty} | f(x) | dx$$
$$< \frac{\varepsilon}{3} + \frac{\varepsilon}{3} + \frac{\varepsilon}{3} = \varepsilon.$$

即
$$\lim_{n\to\infty}\int_0^{+\infty} f(x)\sin nx\,dx = 0.$$

总之，当 $f(x)$ 在 $(0,+\infty)$ 内绝对可积，不论 $f(x)$ 在 $(0,+\infty)$ 内有无瑕点，均有
$$\lim_{n\to\infty}\int_0^{+\infty} f(x)\sin nx\,dx = 0.$$

【3775】 证明：若(1) 在每一个有限区间 (a,b) 内 $f(x,y)\to f(x,y_0)$；

(2) $|f(x,y)|\leqslant F(x)$，且 $\int_a^{+\infty}F(x)dx$ 收敛；

(3) 对 $\forall b>a$，$f(x,y)$ 关于 x 在 $[a,b]$ 上可积，则
$$\lim_{y\to y_0}\int_a^{+\infty} f(x,y)dx = \int_a^{+\infty}\lim_{y\to y_0} f(x,y)dx.$$

证 条件(1)表示当 $y\to y_0$ 时，当 x 在任何有限区间 (a,b) 上，$f(x,y)$ 都一致趋于 $f(x,y_0)$. 于是，有
$$\lim_{y\to y_0}\int_a^b f(x,y)dx = \int_a^b f(x,y_0)dx(\text{对 }\forall b>a).$$
又在不等式 $|f(x,y)|\leqslant F(x)$ 中令 $y\to y_0$（任意固定 x），得 $|f(x,y_0)|\leqslant F(x)$，故 $\int_a^{+\infty} f(x,y_0)dx$ 收敛.

$\forall\varepsilon>0$，由于 $\int_a^{+\infty}F(x)dx$ 收敛，故可取定某 $b>a$，使 $\int_b^{+\infty}F(x)dx<\frac{\varepsilon}{3}$. 对此 b，又可取 $\delta>0$，使当 $0<|y-y_0|<\delta$ 时，恒有
$$\left|\int_a^b f(x,y)dx-\int_a^b f(x,y_0)dx\right|<\frac{\varepsilon}{3}.$$
于是，当 $0<|y-y_0|<\delta$ 时，恒有
$$\begin{aligned}&\left|\int_a^{+\infty} f(x,y)dx-\int_a^{+\infty} f(x,y_0)dx\right|\\ \leqslant&\left|\int_a^b f(x,y)dx-\int_a^b f(x,y_0)dx\right|+\int_b^{+\infty}|f(x,y)|dx+\int_b^{+\infty}|f(x,y_0)|dx\\ <&\frac{\varepsilon}{3}+\int_b^{+\infty}F(x)dx+\int_b^{+\infty}F(x)dx<\frac{\varepsilon}{3}+\frac{\varepsilon}{3}+\frac{\varepsilon}{3}=\varepsilon.\end{aligned}$$
由此可知
$$\lim_{y\to y_0}\int_a^{+\infty} f(x,y)dx = \int_a^{+\infty} f(x,y_0)dx = \int_a^{+\infty}\lim_{y\to y_0} f(x,y)dx.$$

【3776】 利用积分号与极限号交换，计算积分
$$\int_0^{+\infty} e^{-x^2}dx = \int_0^{+\infty}\lim_{n\to\infty}\left[\left(1+\frac{x^2}{n}\right)^{-n}\right]dx.$$

解 先证积分号与极限号可以交换. 事实上，

(1) 函数 $\left(1+\frac{x^2}{n}\right)^{-n}$ 在 $0\leqslant x\leqslant A$ 上连续（任何 $A>0$），故它在 $[0,A]$ 上可积；

(2) $\left(1+\frac{x^2}{n}\right)^{-n}$ 在 $[0,A]$ 上关于 n 单调减少，且 $\lim\limits_{n\to\infty}\left(1+\frac{x^2}{n}\right)^{-n}=e^{-x^2}$ 为连续函数，故由狄尼定理知，当 $n\to\infty$ 时，函数 $\left(1+\frac{x^2}{n}\right)^{-n}$ 在 $[0,A]$ 上一致趋向于 e^{-x^2}；

(3) 由于 $0<\left(1+\frac{x^2}{n}\right)^{-n}\leqslant\frac{1}{1+x^2}(n=1,2,\cdots)$，且 $\int_0^{+\infty}\frac{dx}{1+x^2}=\frac{\pi}{2}<+\infty$，故 $\int_0^{+\infty}\left(1+\frac{x^2}{n}\right)^{-n}dx$ 关于 n 一致收敛. 因此，可以应用积分号与极限号的交换定理，从而得
$$\int_0^{+\infty} e^{-x^2}dx = \lim_{n\to\infty}\int_0^{+\infty}\frac{dx}{\left(1+\frac{x^2}{n}\right)^n}.$$

而

$$\int_0^{+\infty}\frac{\mathrm{d}x}{\left(1+\frac{x^2}{n}\right)^n}=\sqrt{n}\int_0^{+\infty}\frac{\mathrm{d}t}{(1+t^2)^n}=\sqrt{n}I_n,$$

又由于

$$I_{n-1}=\int_0^{+\infty}\frac{\mathrm{d}t}{(1+t^2)^{n-1}}=\frac{t}{(1+t^2)^{n-1}}\Big|_0^{+\infty}+2(n-1)\int_0^{+\infty}\frac{t^2}{(1+t^2)^n}\mathrm{d}t$$
$$=2(n-1)I_{n-1}-2(n-1)I_n,$$

故有 $I_n=\dfrac{2n-3}{2n-2}I_{n-1}$.

又因 $I_1=\int_0^{+\infty}\dfrac{\mathrm{d}t}{1+t^2}=\dfrac{\pi}{2}$,将上式递推即得

$$I_n=\frac{1\cdot 3\cdots(2n-3)}{2\cdot 4\cdots(2n-2)}\frac{\pi}{2}=\frac{(2n-3)!!}{(2n-2)!!}\frac{\pi}{2}.$$

于是

$$\int_0^{+\infty}\mathrm{e}^{-x^2}\mathrm{d}x=\lim_{n\to\infty}\frac{(2n-3)!!}{(2n-2)!!}\frac{\pi\sqrt{n}}{2}.$$

根据沃利斯公式,有

$$\frac{\pi}{2}=\lim_{n\to\infty}\frac{[(2n)!!]^2}{(2n+1)[(2n-1)!!]^2}=\lim_{n\to\infty}\frac{[(2n-2)!!]^2}{(2n-1)[(2n-3)!!]^2}.$$

最后得

$$\int_0^{+\infty}\mathrm{e}^{-x^2}\mathrm{d}x=\frac{\pi}{2}\lim_{n\to\infty}\frac{(2n-3)!!\sqrt{n}}{(2n-2)!!}=\frac{\pi}{2}\lim_{n\to\infty}\frac{(2n-3)!!\sqrt{2n-1}}{(2n-2)!!}\sqrt{\frac{n}{2n-1}}=\frac{\pi}{2}\sqrt{\frac{2}{\pi}}\sqrt{\frac{1}{2}}=\frac{\sqrt{\pi}}{2}.$$

注 参看菲赫金哥尔茨著《微积分学教程》第二卷 480 目定理 Ⅰ.

【3777】 证明:积分 $F(a)=\int_0^{+\infty}\mathrm{e}^{-(x-a)^2}\mathrm{d}x$ 是 $a\in(-\infty,+\infty)$ 上的连续函数.

证 $F(a)=\int_0^{+\infty}\mathrm{e}^{-(x-a)^2}\mathrm{d}x=\int_{-a}^{+\infty}\mathrm{e}^{-x^2}\mathrm{d}x=\int_{-a}^{0}\mathrm{e}^{-x^2}\mathrm{d}x+\int_0^{+\infty}\mathrm{e}^{-x^2}\mathrm{d}x=\int_0^{a}\mathrm{e}^{-x^2}\mathrm{d}x+\dfrac{\sqrt{\pi}}{2}$.

由变上限积分的性质知,积分$\int_0^a\mathrm{e}^{-x^2}\mathrm{d}x$ 是 $a\in(-\infty,+\infty)$ 上的连续函数,故 $F(a)$ 也是 $a\in(-\infty,+\infty)$ 内的连续函数.

【3778】 求函数 $F(a)=\int_0^{+\infty}\dfrac{\sin(1-a^2)x}{x}\mathrm{d}x$ 的不连续点,并作出 $y=F(a)$ 的图像.

解 当 $1-a^2>0$ 即 $|a|<1$ 时,

$$F(a)=\int_0^{+\infty}\frac{\sin(1-a^2)x}{(1-a^2)x}\mathrm{d}[(1-a^2)x]=\int_0^{+\infty}\frac{\sin t}{t}\mathrm{d}t=\frac{\pi}{2};$$

当 $1-a^2<0$ 即 $|a|>1$ 时,

$$F(a)=-\int_0^{+\infty}\frac{\sin(a^2-1)x}{(a^2-1)x}\mathrm{d}[(a^2-1)x]=-\int_0^{+\infty}\frac{\sin t}{t}\mathrm{d}t=-\frac{\pi}{2};$$

当 $1-a^2=0$ 即 $|a|=1$ 时,$F(a)=0$.

于是,$a=\pm1$ 为 $F(a)$ 不连续点. 如图 7.2 所示

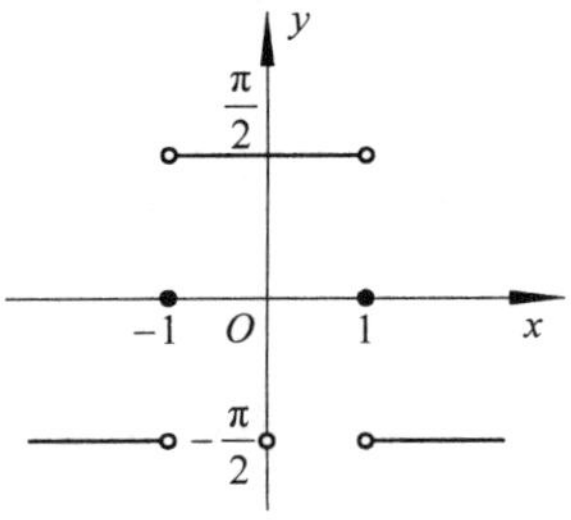

图 7.2

【研究下列函数在所指定区间内的连续性(3779—3783)】

【3779】 $F(\alpha)=\int_0^{+\infty}\dfrac{x\mathrm{d}x}{2+x^\alpha}$,$\alpha>2$.

解 对于积分$\int_1^{+\infty}\frac{x\mathrm{d}x}{2+x^\alpha}$. 由于当$x\geqslant 1$时,

$$0<\frac{x}{2+x^\alpha}<\frac{x}{x^\alpha}\leqslant\frac{1}{x^{\alpha_0-1}},$$

其中$\alpha\geqslant\alpha_0>2$,且积分$\int_1^{+\infty}\frac{\mathrm{d}x}{x^{\alpha_0-1}}$收敛,故积分$\int_1^{+\infty}\frac{x\mathrm{d}x}{2+x^\alpha}$关于$\alpha$在$[\alpha_0,+\infty)$上一致收敛,从而,积分$\int_0^{+\infty}\frac{x\mathrm{d}x}{2+x^\alpha}$关于$\alpha$在$[\alpha_0,+\infty)$上一致收敛. 因此,$F(\alpha)$在$[\alpha_0,+\infty)$上连续. 由$\alpha_0>2$的任意性,故知$F(\alpha)$在$(0,+\infty)$内连续.

【3780】 $F(\alpha)=\int_1^{+\infty}\frac{\cos x}{x^\alpha}\mathrm{d}x,\alpha>0.$

解 对$\forall A>1$,有$\left|\int_1^A\cos x\mathrm{d}x\right|\leqslant 2$,函数$\frac{1}{x^\alpha}$在$x\geqslant 1,\alpha>0$时关于$x$单调递减,且由$0<\frac{1}{x^\alpha}\leqslant\frac{1}{x^{\alpha_0}}$ $(x\geqslant 1,\alpha\geqslant\alpha_0>0)$知:当$x\to+\infty$时,$\frac{1}{x^\alpha}$在$[\alpha_0,+\infty)$时一致趋于零. 因此,由狄利克雷判别法知,积分$\int_1^{+\infty}\frac{\cos x}{x^\alpha}\mathrm{d}x$关于$\alpha$在$[\alpha_0,+\infty)$上一致收敛. 于是,函数$F(\alpha)$在$[\alpha_0,+\infty)$上连续. 由$\alpha_0>0$的任意性,知$F(\alpha)$在$(0,+\infty)$内连续.

【3781】 $F(\alpha)=\int_0^{\pi}\frac{\sin x}{x^\alpha(\pi-x)^\alpha}\mathrm{d}x,0<\alpha<2.$

解 $$F(\alpha)=\int_0^{\frac{\pi}{2}}\frac{\sin x}{x^\alpha(\pi-x)^\alpha}\mathrm{d}x+\int_{\frac{\pi}{2}}^{\pi}\frac{\sin x}{x^\alpha(\pi-x)^\alpha}\mathrm{d}x=\int_0^{\frac{\pi}{2}}\frac{\sin x}{x^\alpha(\pi-x)^\alpha}\mathrm{d}x-\int_{\frac{\pi}{2}}^{0}\frac{\sin(\pi-t)}{(\pi-t)^\alpha t^\alpha}\mathrm{d}t$$
$$=2\int_0^{\frac{\pi}{2}}\frac{\sin x}{x^\alpha(\pi-x)^\alpha}\mathrm{d}x.$$

由于当$0<\eta<1,0<\alpha_0\leqslant\alpha\leqslant\alpha_1<2$时,有

$$\int_0^\eta\frac{|\sin x|}{x^\alpha(\pi-x)^\alpha}\mathrm{d}x\leqslant\left(\frac{2}{\pi}\right)^\alpha\int_0^\eta\frac{\mathrm{d}x}{x^{\alpha-1}}\leqslant\left(\frac{2}{\pi}\right)^{\alpha_0}\int_0^\eta\frac{\mathrm{d}x}{x^{\alpha_1-1}}=\left(\frac{1}{\pi}\right)^{\alpha_0}\frac{1}{2-\alpha_1}\eta^{2-\alpha_1},$$

故$\forall\varepsilon>0$,当$0<\eta<\delta=\min\left\{1,(2-\alpha_1)^{\frac{1}{2-\alpha_1}}\left(\frac{\pi}{2}\right)^{\frac{\alpha_0}{2-\alpha_1}}\varepsilon^{\frac{1}{2-\alpha_1}}\right\}$时,对一切$\alpha_0\leqslant\alpha\leqslant\alpha_1$皆有

$$\left|\int_0^\eta\frac{\sin x}{x^\alpha(\pi-x)^\alpha}\mathrm{d}x\right|\leqslant\int_0^\eta\frac{|\sin x|}{x^\alpha(\pi-x)^\alpha}\mathrm{d}x<\varepsilon.$$

因此,瑕积分$\int_0^{\frac{\pi}{2}}\frac{\sin x}{x^\alpha(\pi-x)^\alpha}\mathrm{d}x$当$\alpha_0\leqslant\alpha\leqslant\alpha_1$时一致收敛. 从而$F(\alpha)$在$[\alpha_0,\alpha_1]$上连续. 由$0<\alpha_0<\alpha_1<2$的任意性知,$F(\alpha)$在$(0,2)$内连续.

【3782】 $F(\alpha)=\int_0^{+\infty}\frac{\mathrm{e}^{-x}}{|\sin x|^\alpha}\mathrm{d}x,0<\alpha<1.$

解 $F(\alpha)=\sum\limits_{N=0}^{\infty}\int_{n\pi}^{(n+1)\pi}\frac{\mathrm{e}^{-x}}{|\sin x|^\alpha}\mathrm{d}x=\sum\limits_{n=0}^{\infty}\int_0^{\pi}\frac{\mathrm{e}^{-(n\pi+t)}}{\sin^\alpha t}\mathrm{d}t$. 当$0<\alpha\leqslant\alpha_0<1$时,$\int_0^\pi\frac{\mathrm{e}^{-(n\pi+t)}}{\sin^\alpha t}\mathrm{d}t\leqslant\mathrm{e}^{-n\pi}\int_0^\pi\frac{1}{\sin^{\alpha_0}t}\mathrm{d}t$.

显然,积分$\int_0^\pi\frac{\mathrm{d}t}{\sin^{\alpha_0}t}=2\int_0^{\frac{\pi}{2}}\frac{\mathrm{d}t}{\sin^{\alpha_0}t}$,且$\lim\limits_{t\to 0^+}t^{\alpha_0}\frac{1}{\sin^{\alpha_0}t}=1$,故收敛. 而级数$\sum\limits_{n=1}^{\infty}\mathrm{e}^{-n\pi}$是公比为$\mathrm{e}^{-\pi}<1$的几何级数,也收敛. 于是,由魏尔斯特拉斯判别法知,级数$\sum\limits_{n=0}^{\infty}\int_0^\pi\frac{\mathrm{e}^{-(n\pi+t)}}{\sin^\alpha t}\mathrm{d}t$关于$\alpha$在$(0,\alpha_0]$上一致收敛. 从而,注意到被积函数是正的,可知积分关于α在$(0,\alpha_0]$上一致收敛. 因此,$F(\alpha)$在$(0,\alpha_0]$上连续. 由$\alpha_0<1$的任意性知,$F(\alpha)$在$(0,1)$内连续.

【3783】 $F(\alpha)=\int_0^{+\infty}\alpha\mathrm{e}^{-x\alpha^2}\mathrm{d}x,-\infty<\alpha<+\infty.$

解 当$\alpha\neq 0$时,$F(\alpha)=-\frac{1}{\alpha}\mathrm{e}^{-x\alpha^2}\Big|_0^{+\infty}=\frac{1}{\alpha}$,显然连续.

当 $\alpha=0$ 时，$F(0)=\int_0^{+\infty}0\cdot e^{-0}dx=0$. 于是，显然 $F(\alpha)$ 当 $\alpha=0$ 时不连续.

第3节 反常积分号下的微分法和积分法（习题3784—3840）

知识点预览

序号	知识点	题目序号	所在页码
1	反常积分号下的微分法	3784—3797	P248
2	反常积分号下的积分法	3798—3807	P260
3	Froullani 积分和狄利克雷积分	3808—3824	P263
4	其他几种重要类型的积分	3825—3840	P270

知识点1 反常积分号下的微分法

对参变量的微分法(莱布尼茨法则) 若

(1) 函数 $f(x,y)$ 及其导数 $f'_y(x,y)$ 在区域 $[a,+\infty)\times(y_1,y_2)$ 内连续；

(2) $\int_a^{+\infty}f(x,y)dx$ 收敛；

(3) $\int_a^{+\infty}f'_y(x,y)dx$ 关于 y 在 (y_1,y_2) 内一致收敛，则当 $y\in(y_1,y_2)$ 时，有

$$\frac{d}{dy}\int_a^{+\infty}f(x,y)dx=\int_a^{+\infty}f'_y(x,y)dx.$$

习题 3784—3797 反常积分号下的微分法

【3784】 利用公式 $\int_0^1 x^{n-1}dx=\frac{1}{n}\quad(n>0)$，计算积分 $I=\int_0^1 x^{n-1}\ln^m x\,dx$，其中 m 为正整数.

解 $\frac{dx^{n-1}}{dn}=x^{n-1}\ln x$（$n>0$ 为任意实数）. 积分 $\int_0^1 x^{n-1}\ln x\,dx$ 对于 $n\geqslant n_0>0$ 为一致收敛. 事实上，当 $0<x\leqslant 1$，$n\geqslant n_0>0$ 时，

$$|x^{n-1}\ln x|\leqslant -x^{n_0-1}\ln x,$$

而积分 $\int_0^1 x^{n_0-1}\ln x\,dx$ 显然收敛. 因此，由魏尔斯特拉斯判别法即知，积分 $\int_0^1 x^{n-1}\ln x\,dx$ 对 $n\geqslant n_0>0$ 一致收敛. 于是，当 $n\geqslant n_0$ 时，积分 $\int_0^1 x^{n-1}dx$ 对参数 n 求导数，积分与求导顺序可交换，即

$$\frac{d}{dn}\int_0^1 x^{n-1}dx=\int_0^1\frac{dx^{n-1}}{dn}dx=\int_0^1 x^{n-1}\ln x\,dx,$$

由 $n_0>0$ 的任意性知，上式对任意 $n>0$ 均成立.

同理对 n 逐次求导数,也可在积分号下求导数,即

$$\frac{\mathrm{d}^2}{\mathrm{d}n^2}\int_0^1 x^{n-1}\mathrm{d}x=\int_0^1\frac{\mathrm{d}}{\mathrm{d}n}(x^{n-1}\ln x)\mathrm{d}x=\int_0^1 x^{n-1}\ln^2 x\mathrm{d}x,$$

$$\vdots$$

由数学归纳法,可得

$$\frac{\mathrm{d}^m}{\mathrm{d}n^m}\int_0^1 x^{n-1}\mathrm{d}x=\int_0^1 x^{n-1}\ln^m x\mathrm{d}x.$$

但是,$\int_0^1 x^{n-1}\mathrm{d}x=\frac{1}{n}(n>0)$,故有$\frac{\mathrm{d}^m}{\mathrm{d}x^m}\int_0^1 x^{n-1}\mathrm{d}x=\frac{(-1)^m m!}{n^{m+1}}$. 从而得

$$\int_0^1 x^{n-1}\ln^m x\mathrm{d}x=\frac{(-1)^m m!}{n^{m+1}}.$$

注 本题用到 2362 题的结果.

【3785】 利用公式$\int_0^{+\infty}\frac{\mathrm{d}x}{x^2+a}=\frac{\pi}{2\sqrt{a}}\quad(a>0)$,计算积分 $I=\int_0^{+\infty}\frac{\mathrm{d}x}{(x^2+a)^{n+1}}$,其中 n 为正整数.

解 $\frac{\partial}{\partial a}\left(\frac{1}{x^2+a}\right)=-\frac{1}{(x^2+a)^2}$. 积分$\int_0^{+\infty}\frac{\mathrm{d}x}{(x^2+a)^2}$对 $a\geqslant a_0>0$ 一致收敛. 事实上,当 $x\geqslant 0,a\geqslant a_0>0$ 时,

$$\frac{1}{(x^2+a)^2}\leqslant\frac{1}{(x^2+a_0)^2},$$

而积分$\int_0^{+\infty}\frac{\mathrm{d}x}{(x^2+a_0)^2}$显然收敛. 故由魏尔斯特拉斯判别法知,积分$\int_0^{+\infty}\frac{\mathrm{d}x}{(x^2+a)^2}$当 $a\geqslant a_0>0$ 时一致收敛. 于是

$$\frac{\mathrm{d}}{\mathrm{d}a}\int_0^{+\infty}\frac{\mathrm{d}x}{x^2+a}=\int_0^{+\infty}\frac{\partial}{\partial a}\left(\frac{1}{x^2+a}\right)\mathrm{d}x=-\int_0^{+\infty}\frac{\mathrm{d}x}{(x^2+a)^2}.$$

由 $a_0>0$ 的任意性知,上式对一切 $a>0$ 均成立.

同理对积分$\int_0^{+\infty}\frac{\mathrm{d}x}{x^2+a}$逐次求导数,得

$$\frac{\mathrm{d}^n}{\mathrm{d}a^n}\int_0^{+\infty}\frac{\mathrm{d}x}{x^2+a}=(-1)^n n!\int_0^{+\infty}\frac{\mathrm{d}x}{(x^2+a)^{n+1}}.$$

但是

$$\frac{\mathrm{d}}{\mathrm{d}a}\int_0^{+\infty}\frac{\mathrm{d}x}{x^2+a}=\frac{\mathrm{d}}{\mathrm{d}a}\left(\frac{\pi}{2\sqrt{a}}\right)=-\frac{\pi}{2^2}\frac{1}{\sqrt{a^3}},$$

$$\frac{\mathrm{d}^2}{\mathrm{d}a^2}\int_0^{+\infty}\frac{\mathrm{d}x}{x^2+a}=\frac{\mathrm{d}}{\mathrm{d}a}\left(-\frac{\pi}{2^2}\frac{1}{\sqrt{a^3}}\right)=\frac{1\cdot 3\pi}{2^3}\frac{1}{\sqrt{a^5}},$$

由数学归纳法,可得

$$\frac{\mathrm{d}^n}{\mathrm{d}a^n}\int_0^{+\infty}\frac{\mathrm{d}x}{x^2+a}=\frac{(2n-1)!!\pi}{2^{n+1}}(-1)^n a^{-(n+\frac{1}{2})},$$

最后得

$$I=\frac{\pi}{2}\frac{(2n-1)!!}{(2n)!!}a^{-(n+\frac{1}{2})}.$$

【3786】 证明:狄利克雷积分 $I(\alpha)=\int_0^{+\infty}\frac{\sin\alpha x}{x}\mathrm{d}x$ 当 $\alpha\neq 0$ 时有导数,但不能用莱布尼茨法则来求它.

证 当 $\alpha>0$ 时,令 $\alpha x=y$,得

$$I(\alpha)=\int_0^{+\infty}\frac{\sin y}{y}\mathrm{d}y=\frac{\pi}{2}.$$

当 $\alpha<0$ 时,$I(\alpha)=-I(-\alpha)=-\frac{\pi}{2}$. 于是,当 $\alpha\neq 0$ 时,$I'(\alpha)=0$.

但是,如果利用莱布尼茨法则来求,即得错误的结果. 事实上,积分$\int_0^{+\infty}\frac{\partial}{\partial\alpha}\left(\frac{\sin\alpha x}{x}\right)\mathrm{d}x=\int_0^{+\infty}\cos\alpha x\mathrm{d}x$ 发散,而 $I'(\alpha)=0(\alpha\neq 0)$ 存在,因此,本题不能应用莱布尼茨法则求 $I'(\alpha)$.

【3787】 证明:函数 $F(\alpha)=\int_0^{+\infty}\frac{\cos x}{1+(x+\alpha)^2}\mathrm{d}x$ 在$(-\infty,+\infty)$内连续并且可微.

证 设 $\forall\alpha_0\in(-\infty,+\infty)$,记 $M=\max\{|\alpha_0-1|,|\alpha_0+1|\}$,则当 $x>M,\alpha\in(\alpha_0-1,\alpha_0+1)$ 时,有

$$\left|\frac{\cos x}{1+(x-\alpha)^2}\right|\leqslant\frac{1}{1+(x-M)^2},\left|\frac{\partial}{\partial\alpha}\left[\frac{\cos x}{1+(x+\alpha)^2}\right]\right|=\left|\frac{2(x+\alpha)\cos x}{[1+(x+\alpha)^2]^2}\right|\leqslant\frac{2}{1+(x-M)^2}.$$

由于积分$\int_0^{+\infty}\frac{\mathrm{d}x}{1+(x-M)^2}$ 收敛,故积分

$$\int_0^{+\infty}\frac{\cos x}{1+(x+\alpha)^2}\mathrm{d}x \text{ 及 } \int_0^{+\infty}\frac{\partial}{\partial\alpha}\left[\frac{\cos x}{1+(x+\alpha)^2}\right]\mathrm{d}x$$

在(α_0-1,α_0+1)内一致收敛. 从而,$F(\alpha)$ 在(α_0-1,α_0+1)内连续且可微,且可在积分号下求导数. 由 α_0 的任意性知,$F(\alpha)$ 在$(-\infty,+\infty)$内连续且可微.

【利用对参变量的微分法计算下列积分(3788—3791)】

【3788】 $\int_0^{+\infty}\frac{\mathrm{e}^{-\alpha x^2}-\mathrm{e}^{-\beta x^2}}{x}\mathrm{d}x(\alpha>0,\beta>0)$.

解 由于

$$\lim_{x\to 0^+}\frac{\mathrm{e}^{-\alpha x^2}-\mathrm{e}^{-\beta x^2}}{x}=\lim_{x\to 0^+}\frac{-2\alpha x\mathrm{e}^{-\alpha x^2}+2\beta x\mathrm{e}^{-\beta x^2}}{1}=0,$$

故 $x=0$ 不是瑕点. 又由于

$$\lim_{x\to+\infty}\left(x^2\cdot\frac{\mathrm{e}^{-\alpha x^2}-\mathrm{e}^{-\beta x^2}}{x}\right)=\lim_{x\to+\infty}\left(\frac{x}{\mathrm{e}^{\alpha x^2}}-\frac{x}{\mathrm{e}^{\beta x^2}}\right)=0,$$

故对任何 $\alpha>0,\beta>0$,积分$\int_0^{+\infty}\frac{\mathrm{e}^{-\alpha x^2}-\mathrm{e}^{-\beta x^2}}{x}\mathrm{d}x$ 都收敛. 将 $\beta>0$ 固定,把所求积分视为含参变量 $\alpha(\alpha>0)$ 的积分,令

$$I(\alpha)=\int_0^{+\infty}\frac{\mathrm{e}^{-\alpha x^2}-\mathrm{e}^{-\beta x^2}}{x}\mathrm{d}x\quad(\alpha>0).$$

而

$$\int_0^{+\infty}\frac{\partial}{\partial\alpha}\left(\frac{\mathrm{e}^{-\alpha x^2}-\mathrm{e}^{-\beta x^2}}{x}\right)\mathrm{d}x=-\int_0^{+\infty}x\mathrm{e}^{-\alpha x^2}\mathrm{d}x.$$

下证右端积分在 $\alpha\geqslant\alpha_0>0$ 时一致收敛. 事实上,当 $\alpha\geqslant\alpha_0,0\leqslant x<+\infty$ 时,$0\leqslant x\mathrm{e}^{-\alpha x^2}\leqslant x\mathrm{e}^{-\alpha_0 x^2}$,而积分$\int_0^{+\infty}x\mathrm{e}^{-\alpha_0 x^2}\mathrm{d}x=\frac{1}{2\alpha_0}$ 收敛,故积分$\int_0^{+\infty}x\mathrm{e}^{-\alpha x^2}\mathrm{d}x$ 关于 α 在$[\alpha_0,+\infty)$上一致收敛. 因此,当 $\alpha\in[\alpha_0,+\infty)$ 时,可在积分号下对参数求导数,即

$$I'(\alpha)=-\int_0^{+\infty}x\mathrm{e}^{-\alpha x^2}\mathrm{d}x=-\frac{1}{2\alpha}.$$

由 $\alpha_0>0$ 的任意性知,上式对一切 $\alpha>0$ 皆成立. 积分得

$$I(\alpha)=-\frac{1}{2}\ln\alpha+C(0<\alpha<+\infty),$$

其中 C 为待定的常数. 在此式中令 $\alpha=\beta$,并注意到

$$I(\beta)=\int_0^{+\infty}\frac{e^{-\beta x^2}-e^{-\beta x^2}}{x}dx=0,$$

即得 $0=I(\beta)=-\frac{1}{2}\ln\beta+C$，由此知 $C=\frac{1}{2}\ln\beta$. 于是

$$I(\alpha)=-\frac{1}{2}\ln\alpha+\frac{1}{2}\ln\beta=\frac{1}{2}\ln\frac{\beta}{\alpha}(\alpha>0),$$

即
$$\int_0^{+\infty}\frac{e^{-\alpha x^2}-e^{-\beta x^2}}{x}dx=\frac{1}{2}\ln\frac{\beta}{\alpha}(\alpha>0,\beta>0).$$

注 本题中，实际应考察积分 $I(\alpha)=\int_0^{+\infty}f(x,\alpha)dx$，其中

$$f(x,\alpha)=\begin{cases}\dfrac{e^{-\alpha x^2}-e^{-\beta x^2}}{x}, & 0<x<+\infty,\\ 0, & x=0.\end{cases}$$

易知 $f(x,\alpha)$ 是$[0,+\infty)\times(0,+\infty)$ 上的连续函数($\beta>0$ 固定). 可证明：

$$f'_\alpha(x,\alpha)=-xe^{-\alpha x^2}(0\leqslant x<+\infty,0<\alpha<+\infty).$$

事实上，当 $0<x<+\infty$ 时，此式显然成立. 因 $f(0,\alpha)\equiv0(0<\alpha<+\infty)$，故 $f'_\alpha(0,\alpha)=0(0<\alpha<+\infty)$. 因此，上式当 $x=0$ 时也成立. $f'_\alpha(x,\alpha)$ 显然是$[0,+\infty)\times(0,+\infty)$ 上的连续函数.

在以下许多题中，都应作此理解，但不必写出 $f(x,\alpha)$. 函数$\frac{e^{-\alpha x^2}-e^{-\beta x^2}}{x}$就代表 $f(x,\alpha)$($x=0$ 时规定其函数值为其极限值 0)，而公式

$$\frac{\partial}{\partial\alpha}\left(\frac{e^{-\alpha x^2}-e^{-\beta x^2}}{x}\right)=-xe^{-\alpha x^2}$$

当 $x=0$ 时也成立(如上述). 这样，才严格符合莱布尼茨法则(积分号下求导数)的条件.

另外，本题若利用逐次积分来做可更简单一些. 今作如下：易知(不妨设 $\alpha<\beta$)

$$\frac{e^{-\alpha x^2}-e^{-\beta x^2}}{x}=\int_\alpha^\beta xe^{-yx^2}dy,$$

而积分$\int_0^{+\infty}xe^{-yx^2}dx$ 当 $\alpha\leqslant y\leqslant\beta$ 时一致收敛(因为 $0\leqslant xe^{-yx^2}\leqslant xe^{-\alpha x^2}$，而$\int_0^{+\infty}xe^{-\alpha x^2}dx$ 收敛)，故可交换积分次序，得

$$\int_0^{+\infty}\frac{e^{-\alpha x^2}-e^{-\beta x^2}}{x}dx=\int_0^{+\infty}dx\int_\alpha^\beta xe^{-yx^2}dy=\int_\alpha^\beta dy\int_0^{+\infty}xe^{-yx^2}dx=\int_\alpha^\beta\frac{dy}{2y}=\frac{1}{2}\ln\frac{\beta}{\alpha}.$$

【3789】 $\int_0^{+\infty}\left(\frac{e^{-\alpha x}-e^{-\beta x}}{x}\right)^2dx(\alpha>0,\beta>0)$.

解 由于

$$\lim_{x\to0^+}\frac{e^{-\alpha x}-e^{-\beta x}}{x}=\lim_{x\to0^+}\frac{-\alpha e^{-\alpha x}+\beta e^{-\beta x}}{x}=\beta-\alpha,$$

故 $x=0$ 不是瑕点. 又由于

$$\lim_{x\to+\infty}x^2\left(\frac{e^{-\alpha x}-e^{-\beta x}}{x}\right)^2=0,$$

故积分$\int_0^{+\infty}\left(\frac{e^{-\alpha x}-e^{-\beta x}}{x}\right)^2dx$ 收敛($\alpha>0,\beta>0$).

同样，将 $\beta>0$ 固定，考虑含参变量 α 的积分

$$I(\alpha)=\int_0^{+\infty}\left(\frac{e^{-\alpha x}-e^{-\beta x}}{x}\right)^2dx(\alpha>0),$$

由于

$$\int_0^{+\infty}\frac{\partial}{\partial\alpha}\left(\frac{e^{-\alpha x}-e^{-\beta x}}{x}\right)^2dx=-2\int_0^{+\infty}\frac{e^{-2\alpha x}-e^{-(\alpha+\beta)x}}{x}dx=-2\ln\frac{\alpha+\beta}{2\alpha}(\alpha>0),$$

而当 $\alpha\geqslant\alpha_0>0,1\leqslant x<+\infty$ 时,

$$\left|\frac{e^{-2\alpha x}-e^{-(\alpha+\beta)x}}{x}\right|\leqslant\frac{2e^{-\alpha_0 x}}{x},$$

且$\int_1^{+\infty}\frac{e^{-\alpha_0 x}}{x}dx$ 收敛(因为 $\lim\limits_{x\to+\infty}x^2\frac{e^{-\alpha_0 x}}{x}=0$),故$\int_1^{+\infty}\frac{e^{-2\alpha x}-e^{-(\alpha+\beta)x}}{x}dx$ 当 $\alpha\geqslant\alpha_0$ 时一致收敛,从而$\int_0^{+\infty}\frac{e^{-2\alpha x}-e^{-(\alpha+\beta)x}}{x}dx$ 当 $\alpha\geqslant\alpha_0$ 时一致收敛(注意,因为 $\lim\limits_{x\to0^+}\frac{e^{-2\alpha x}-e^{-(\alpha+\beta)x}}{x}=\beta-\alpha$,故 $x=0$ 不是瑕点). 因此,根据莱布尼茨法则,当 $\alpha\geqslant\alpha_0$ 时可在积分号下求导数,即

$$I'(\alpha)=\int_0^{+\infty}\frac{\partial}{\partial\alpha}\left(\frac{e^{-\alpha x}-e^{-\beta x}}{x}\right)^2dx=-2\ln\frac{\alpha+\beta}{2\alpha}.$$

由 $\alpha_0>0$ 的任意性知,上式对一切 $\alpha>0$ 皆成立. 两端积分,并注意到

$$\int\ln\frac{\alpha+\beta}{2\alpha}d\alpha=\alpha\ln\frac{\alpha+\beta}{2\alpha}+\beta\ln(\alpha+\beta)+C,$$

即得

$$I(\alpha)=-2\alpha\ln\frac{\alpha+\beta}{2\alpha}-2\beta\ln(\alpha+\beta)+C_1,$$

其中 C_1 是待定常数. 令 $\alpha=\beta$,则因 $I(\beta)=0$,得 $0=-2\beta\ln\frac{2\beta}{2\beta}-2\beta\ln 2\beta+C_1$,故 $C_1=2\beta\ln 2\beta$. 于是

$$I(\alpha)=\ln\left(\frac{2\alpha}{\alpha+\beta}\right)^{2\alpha}-2\beta\ln(\alpha+\beta)+2\beta\ln 2\beta=\ln\frac{(2\alpha)^{2\alpha}(2\beta)^{2\beta}}{(\alpha+\beta)^{2\alpha+2\beta}},$$

即

$$\int_0^{+\infty}\left(\frac{e^{-\alpha x}-e^{-\beta x}}{x}\right)^2dx=\ln\frac{(2\alpha)^{2\alpha}(2\beta)^{2\beta}}{(\alpha+\beta)^{2\alpha+2\beta}}(\alpha>0,\beta>0).$$

注 本题用到 3798 题的结果$\int_0^{+\infty}\frac{e^{-ax}-e^{-bx}}{x}dx=\ln\frac{b}{a}(a>0,b>0)$.

【3790】 $\int_0^{+\infty}\frac{e^{-\alpha x}-e^{-\beta x}}{x}\sin mx\,dx(\alpha>0,\beta>0)$.

解 当 $m=0$ 时,$\int_0^{+\infty}\frac{e^{-\alpha x}-e^{-\beta x}}{x}\sin mx\,dx=0$,故下设 $m\neq0$. 由于

$$\lim_{x\to0^+}\frac{e^{-\alpha x}-e^{-\beta x}}{x}\sin mx=0,$$

故 $x=0$ 不是瑕点,从而,被积函数在区域:$0\leqslant x<+\infty$ 及 $\alpha>0,\beta>0$ 内连续($x=0$ 时的函数值理解为极限值). 又由于

$$\left|\frac{e^{-\alpha x}-e^{-\beta x}}{x}\sin mx\right|<\frac{e^{-\alpha x}-e^{-\beta x}}{x}(x>0),$$

而积分$\int_1^{+\infty}\frac{e^{-\alpha x}-e^{-\beta x}}{x}dx$收敛,故积分$\int_1^{+\infty}\frac{e^{-\alpha x}-e^{-\beta x}}{x}\sin mx\,dx$收敛,从而积分$\int_0^{+\infty}\frac{e^{-\alpha x}-e^{-\beta x}}{x}\sin mx\,dx$收敛. 当 $\alpha\geqslant\alpha_0>0$ 时,积分$\int_0^{+\infty}\frac{\partial}{\partial\alpha}\left(\frac{e^{-\alpha x}-e^{-\beta x}}{x}\sin mx\right)dx=-\int_0^{+\infty}e^{-\alpha x}\sin mx\,dx$ 一致收敛. 事实上,

$$|e^{-\alpha x}\sin mx|\leqslant e^{-\alpha_0 x}(x\geqslant0),$$

而积分$\int_0^{+\infty}e^{-\alpha_0 x}dx=\frac{1}{\alpha_0}$ 收敛. 于是,对于积分 $I(\alpha)=\int_0^{+\infty}\frac{e^{-\alpha x}-e^{-\beta x}}{x}\sin mx\,dx$,当 $\alpha\geqslant\alpha_0$ 时可应用莱布尼茨法则,得

$$I'(\alpha)=-\int_0^{+\infty}e^{-\alpha x}\sin mx\,dx=-\frac{m}{\alpha^2+m^2}.$$

由 $\alpha_0>0$ 的任意性知,上式对一切 $\alpha>0$ 均成立. 从而

$$I(\alpha)=-\int\frac{m}{\alpha^2+m^2}\mathrm{d}\alpha=-\arctan\frac{\alpha}{m}+C,$$

其中 C 是待定常数. 令 $\alpha=\beta$,则得 $I(\beta)=0=-\arctan\frac{\beta}{m}+C$,故 $C=\arctan\frac{\beta}{m}$. 最后得

$$\int_0^{+\infty}\frac{\mathrm{e}^{-\alpha x}-\mathrm{e}^{-\beta x}}{x}\sin mx\,\mathrm{d}x=\arctan\frac{\beta}{m}-\arctan\frac{\alpha}{m}(m\neq 0).$$

注 本题用到 1827 题的结果.

【3791】 $\int_0^{+\infty}\frac{\mathrm{e}^{-\alpha x}-\mathrm{e}^{-\beta x}}{x}\cos mx\,\mathrm{d}x(\alpha>0,\beta>0)$.

解 同 3790 题,可以证明:当 $\alpha\geqslant\alpha_0>0$ 时,对积分 $I(\alpha)=\int_0^{+\infty}\frac{\mathrm{e}^{-\alpha x}-\mathrm{e}^{-\beta x}}{x}\cos mx\,\mathrm{d}x$ 可应用莱布尼兹法则,得

$$I'(\alpha)=\int_0^{+\infty}\frac{\partial}{\partial\alpha}\left(\frac{\mathrm{e}^{-\alpha x}-\mathrm{e}^{-\beta x}}{x}\cos mx\right)\mathrm{d}x=-\int_0^{+\infty}\mathrm{e}^{-\alpha x}\cos mx\,\mathrm{d}x=-\frac{\alpha}{\alpha^2+m^2}.$$

由 $\alpha_0>0$ 的任意性知,上式对一切 $\alpha>0$ 均成立. 从而

$$I(\alpha)=-\int\frac{\alpha\mathrm{d}\alpha}{\alpha^2+m^2}=-\frac{1}{2}\ln(\alpha^2+m^2)+C,$$

其中 C 是待定常数. 令 $\alpha=\beta$,则得

$$I(\beta)=0=-\frac{1}{2}\ln(\beta^2+m^2)+C,$$

故 $C=\frac{1}{2}\ln(\beta^2+m^2)$. 最后得

$$\int_0^{+\infty}\frac{\mathrm{e}^{-\alpha x}-\mathrm{e}^{-\beta x}}{x}\cos mx\,\mathrm{d}x=\frac{1}{2}\ln\frac{\beta^2+m^2}{\alpha^2+m^2}(\alpha>0,\beta>0).$$

注 本题用到 1826 题的结果.

【计算下列积分(3792—3797)】

【3792】 $\int_0^1\frac{\ln(1-\alpha^2x^2)}{x^2\sqrt{1-x^2}}\mathrm{d}x(|\alpha|\leqslant 1)$.

解 由于

$$\lim_{x\to0^+}\frac{\ln(1-\alpha^2x^2)}{x^2\sqrt{1-x^2}}=\lim_{x\to0^+}\frac{\ln(1-\alpha^2x^2)}{x^2}=\lim_{x\to0^+}\frac{-\frac{2\alpha^2x}{1-\alpha^2x^2}}{2x}=-\alpha^2,$$

故 $x=0$ 不是瑕点. 从而,被积函数在 $0\leqslant x<1$ 及 $|\alpha|\leqslant1$ 内连续($x=0$ 时的函数值理解为极限值). 又由于当 $|\alpha|\leqslant 1$ 时,

$$\left|\frac{\ln(1-\alpha^2x^2)}{x^2\sqrt{1-x^2}}\right|\leqslant-\frac{\ln(1-x^2)}{x^2\sqrt{1-x^2}}(0<x<1),$$

而积分 $\int_0^1\frac{\ln(1-x^2)}{x^2\sqrt{1-x^2}}\mathrm{d}x$ 收敛(因为 $\lim_{x\to1^-}(1-x)^{\frac{2}{3}}\frac{\ln(1-x^2)}{x^2\sqrt{1-x^2}}=\lim_{x\to1^-}(1-x)^{\frac{1}{6}}\frac{\ln(1-x^2)}{x^2\sqrt{1+x}}=0$),故积分 $\int_0^1\frac{\ln(1-\alpha^2x^2)}{x^2\sqrt{1-x}}\mathrm{d}x$ 对 $|\alpha|\leqslant1$ 一致收敛. 从而为 α 的连续函数($-1\leqslant\alpha\leqslant1$). 另一方面,易知积分

$$\int_0^1\frac{\partial}{\partial\alpha}\left[\frac{\ln(1-\alpha^2x^2)}{x^2\sqrt{1-x^2}}\right]\mathrm{d}x=-2\alpha\int_0^1\frac{\mathrm{d}x}{(1-\alpha^2x^2)\sqrt{1-x^2}}$$

对 $|\alpha|\leqslant\alpha_0<1$ 一致收敛. 事实上,

$$\left|\frac{-2\alpha}{(1-\alpha^2x^2)\sqrt{1-x^2}}\right|\leqslant\frac{2}{1-\alpha_0^2}\,\frac{1}{\sqrt{1-x^2}}(0\leqslant x<1),$$

而积分 $\int_0^1\frac{dx}{\sqrt{1-x^2}}=\frac{\pi}{2}$ 收敛. 于是,对积分 $I(\alpha)=\int_0^1\frac{\ln(1-\alpha^2x^2)}{x^2\sqrt{1-x^2}}dx$ 当 $|\alpha|\leqslant\alpha_0$ 时可应用莱布尼茨法则,得

$$I'(\alpha)=-2\alpha\int_0^1\frac{dx}{(1-\alpha^2x^2)\sqrt{1-x^2}}.$$

由 $\alpha_0<1$ 的任意性知,上式对一切 $|\alpha|<1$ 均成立. 先求不定积分 $I_1=\int\frac{dx}{(1-\alpha^2x^2)\sqrt{1-x^2}}$,作代换 $x=\sin t$,易得

$$I_1=\int\frac{dt}{1-\alpha^2\sin^2t}=\frac{1}{2}\left(\int\frac{dt}{1-\alpha\sin t}+\int\frac{dt}{1+\alpha\sin t}\right).$$

再对右端两个积分作代换 $u=\tan\frac{t}{2}$,可得

$$\int\frac{dt}{1-\alpha\sin t}=\frac{2}{\sqrt{1-\alpha^2}}\arctan\left(\frac{\tan\frac{t}{2}-\alpha}{\sqrt{1-\alpha^2}}\right)+C_1,$$

$$\int\frac{dt}{1+\alpha\sin t}=\frac{2}{\sqrt{1-\alpha^2}}\arctan\left(\frac{\tan\frac{t}{2}+\alpha}{\sqrt{1-\alpha^2}}\right)+C_2.$$

从而

$$\begin{aligned}I'(\alpha)&=-2\alpha\int_0^{\frac{\pi}{2}}\frac{1}{2}\left(\frac{1}{1-\alpha\sin t}+\frac{1}{1+\alpha\sin t}\right)dt\\&=-\frac{2\alpha}{\sqrt{1-\alpha^2}}\left[\arctan\frac{\tan\frac{t}{2}-\alpha}{\sqrt{1-\alpha^2}}+\arctan\frac{\tan\frac{t}{2}+\alpha}{\sqrt{1-\alpha^2}}\right]\Bigg|_0^{\frac{\pi}{2}}\\&=-\frac{\pi\alpha}{\sqrt{1-\alpha^2}}\quad(|\alpha|<1).\end{aligned}$$

两端积分,得

$$I(\alpha)=-\pi\int\frac{\alpha d\alpha}{\sqrt{1-\alpha^2}}=\pi\sqrt{1-\alpha^2}+C\quad(|\alpha|<1),$$

其中 C 是待定常数. 令 $\alpha=0$,得 $I(0)=0=\pi+C$,故 $C=-\pi$,从而

$$I(\alpha)=-\pi(1-\sqrt{1-\alpha^2})(|\alpha|<1).$$

在此式两端令 $\alpha\to1^-$ 及 $\alpha\to(-1)^+$ 取极限,并注意到 $I(\alpha)$ 在 $[-1,1]$ 上的连续性,即得

$$I(1)=I(-1)=-\pi.$$

于是,当 $|\alpha|\leqslant1$ 时,

$$\int_0^1\frac{\ln(1-\alpha^2x^2)}{x^2\sqrt{1-x^2}}dx=-\pi(1-\sqrt{1-\alpha^2}).$$

【3793】 $\int_0^1\frac{\ln(1-\alpha^2x^2)}{\sqrt{1-x^2}}dx(|\alpha|\leqslant1)$.

解 同 3792 题,可以证明 $I(\alpha)=\int_0^1\frac{\ln(1-\alpha^2x^2)}{\sqrt{1-x^2}}dx$ 在 $[-1,1]$ 上连续,且当 $|\alpha|\leqslant\alpha_0\leqslant1$ 时可应用莱布尼茨法则. 于是

$$I'(\alpha)=\int_0^1\frac{\partial}{\partial\alpha}\left[\frac{\ln(1-\alpha^2x^2)}{\sqrt{1-x^2}}\right]dx=\int_0^1\frac{-2\alpha x^2}{(1-\alpha^2x^2)\sqrt{1-x^2}}dx=\frac{2}{\alpha}\int_0^1\frac{(1-\alpha^2x^2)-1}{(1-\alpha^2x^2)\sqrt{1-x^2}}dx$$

$$= \frac{2}{\alpha}\int_0^1 \frac{dx}{\sqrt{1-x^2}} - \frac{2}{\alpha}\int_0^1 \frac{dx}{(1-\alpha^2x^2)\sqrt{1-x^2}} = \frac{2}{\alpha}\ \frac{\pi}{2} - \frac{2}{\alpha}\ \frac{\pi}{\sqrt{1-\alpha^2}}$$

$$= \frac{\pi}{\alpha} - \frac{\pi}{\alpha\sqrt{1-\alpha^2}} \quad (|\alpha| \leqslant \alpha_0, \alpha \neq 0).$$

由 $\alpha_0 < 1$ 的任意性知,上式对一切 $0 < |\alpha| < 1$ 均成立. 两端积分得

$$I(\alpha) = \int\left(\frac{\pi}{\alpha} - \frac{\pi}{\alpha\sqrt{1-\alpha^2}}\right)d\alpha = \pi\ln|\alpha| + \pi\ln\left|\frac{1+\sqrt{1-\alpha^2}}{\alpha}\right| + C = \pi\ln(1+\sqrt{1-\alpha^2}) + C,$$

其中 $|\alpha| < 1, \alpha \neq 0, C$ 为待定常数. 令 $\alpha \to 0$,并注意到 $I(\alpha)$ 在 $\alpha = 0$ 连续,即得 $I(0) = 0 = \pi\ln 2 + C$,故 $C = -\pi\ln 2$,从而得

$$I(\alpha) = \pi\ln\frac{1+\sqrt{1-\alpha^2}}{2}(|\alpha| < 1).$$

在上式中令 $\alpha \to 1^-$ 及 $\alpha \to (-1)^+$,并注意到 $I(\alpha)$ 在 $[-1,1]$ 上连续,即知上式当 $\alpha = \pm 1$ 时也成立,即

$$\int_0^1 \frac{\ln(1-\alpha^2x^2)}{\sqrt{1-x^2}}dx = \pi\ln\frac{1+\sqrt{1-\alpha^2}}{2}(|\alpha| \leqslant 1).$$

【3794】 $\int_1^{+\infty} \frac{\arctan \alpha x}{x^2\sqrt{x^2-1}}dx.$

解 设 $I(\alpha) = \int_1^{+\infty} \frac{\arctan \alpha x}{x^2\sqrt{x^2-1}}dx$,显然有 $I(0) = 0$. 当 $\alpha > 0$ 时,由于

$$\lim_{x\to+\infty} x^3 \frac{\arctan \alpha x}{x^2\sqrt{x^2-1}} = \frac{\pi}{2},$$

故 $I(\alpha)$ 收敛. 其次,易知积分

$$\int_1^{+\infty} \frac{\partial}{\partial\alpha}\left(\frac{\arctan \alpha x}{x^2\sqrt{x^2-1}}\right)dx = \int_1^{+\infty} \frac{dx}{x(1+\alpha^2x^2)\sqrt{x^2-1}} = \int_0^1 \frac{t^2 dt}{\sqrt{1-t^2}(t^2+\alpha^2)}$$

对 $\alpha \geqslant 0$ 一致收敛. 事实上,当 $\alpha \geqslant 0, 0 \leqslant t < 1$ 时,有

$$\left|\frac{t^2}{\sqrt{1-t^2}(t^2+\alpha^2)}\right| \leqslant \frac{1}{\sqrt{1-t^2}},$$

且 $\int_0^1 \frac{dt}{\sqrt{1-t^2}}$ 收敛. 于是,可应用莱布尼茨法则,得

$$I'(\alpha) = \int_1^{+\infty} \frac{\partial}{\partial\alpha}\left(\frac{\arctan \alpha x}{x^2\sqrt{x^2-1}}\right)dx = \int_0^1 \frac{t^2 dt}{\sqrt{1-t^2}(t^2+\alpha^2)}$$

$$= \int_0^1 \frac{(t^2+\alpha^2)-\alpha^2}{\sqrt{1-t^2}(t^2+\alpha^2)}dt = \int_0^1 \frac{dt}{\sqrt{1-t^2}} - \alpha^2\int_0^1 \frac{dt}{\sqrt{1-t^2}(t^2+\alpha^2)}$$

$$= \frac{\pi}{2} - \alpha^2\ \frac{\pi}{2\alpha\sqrt{\alpha^2+1}} = \frac{\pi}{2} - \frac{\alpha\pi}{2\sqrt{1+\alpha^2}}(\alpha \geqslant 0).$$

从而有 $I(\alpha) = \frac{\pi}{2}\alpha - \frac{\pi}{2}\int \frac{\alpha d\alpha}{\sqrt{1+\alpha^2}} = \frac{\pi}{2}\alpha - \frac{\pi}{2}\sqrt{1+\alpha^2} + C(\alpha \geqslant 0)$,其中 C 为待定常数.

令 $\alpha = 0$,得 $I(0) = 0 = -\frac{\pi}{2} + C$,故 $C = \frac{\pi}{2}$.

于是,当 $\alpha \geqslant 0$ 时, $\int_1^{+\infty} \frac{\arctan \alpha x}{x^2\sqrt{x^2-1}}dx = \frac{\pi}{2}(1+\alpha-\sqrt{1+\alpha^2})$.

当 $\alpha < 0$ 时,$\int_1^{+\infty} \frac{\arctan \alpha x}{x^2\sqrt{x^2-1}}dx = -\int_1^{+\infty} \frac{\arctan(-\alpha)x}{x^2\sqrt{x^2-1}}dx = -\frac{\pi}{2}(1-\alpha-\sqrt{1+\alpha^2})$.

于是,当 $-\infty < \alpha < \infty$ 时,有$\int_1^{+\infty} \frac{\arctan \alpha x}{x^2\sqrt{x^2-1}}dx = \frac{\pi}{2}(1+|\alpha|-\sqrt{1+\alpha^2})\operatorname{sgn}\alpha$.

【3795】 $\int_0^{+\infty}\frac{\ln(\alpha^2+x^2)}{\beta^2+x^2}dx.$

解 首先计算积分 $I_\beta(\alpha)=\int_0^{+\infty}\frac{\ln(1+\alpha^2x^2)}{\beta^2+x^2}dx(\alpha\geqslant 0$ 是参数，$\beta>0$ 固定).
此积分当 $0\leqslant\alpha\leqslant\alpha_1(\alpha_1>0$ 为任何有限数)时一致收敛. 事实上，当 $0\leqslant\alpha\leqslant\alpha_1$ 时，

$$0\leqslant\frac{\ln(1+\alpha^2x^2)}{\beta^2+x^2}\leqslant\frac{\ln(1+\alpha_1^2x^2)}{\beta^2+x^2}(0\leqslant x<+\infty),$$

因为

$$\lim_{x\to+\infty}x^{\frac{3}{2}}\frac{\ln(1+\alpha_1^2x^2)}{\beta^2+x^2}=0,$$

故积分 $\int_0^{+\infty}\frac{\ln(1+\alpha_1^2x^2)}{\beta^2+x^2}dx$ 收敛. 于是，$I_\beta(\alpha)$ 是 $0\leqslant\alpha\leqslant\alpha_1$ 上的连续函数. 由 $\alpha_1>0$ 的任意性可知，$I_\beta(\alpha)$ 在$[0,+\infty)$ 上连续.

其次，易证积分

$$\int_0^{+\infty}\frac{\partial}{\partial\alpha}\left[\frac{\ln(1+\alpha^2x^2)}{\beta^2+x^2}\right]dx=\int_0^{+\infty}\frac{2\alpha x^2}{(\beta^2+x^2)(1+\alpha^2x^2)}dx=\frac{\pi}{\alpha\beta+1}$$

当 $0<\alpha_0\leqslant\alpha\leqslant\alpha_1$ 时一致收敛. 事实上，此时

$$0\leqslant\frac{2\alpha x^2}{(\beta^2+x^2)(1+\alpha^2x^2)}\leqslant\frac{2\alpha_1x^2}{(\beta^2+x^2)(1+\alpha_0^2x^2)}(0\leqslant x<+\infty),$$

而积分 $\int_0^{+\infty}\frac{2\alpha_1x^2}{(\beta^2+x^2)(1+\alpha_0^2x^2)}dx$ 收敛. 于是，根据莱布尼茨法则，当 $0\leqslant\alpha_0\leqslant\alpha\leqslant\alpha_1$ 时，可在积分号下求导数，得

$$I_\beta'(\alpha)=\frac{\pi}{\alpha\beta+1}.$$

由 α_1 与 α_0 的任意性知，上式对一切 $0<\alpha<+\infty$ 均成立，两端积分，得

$$I_\beta(\alpha)=\frac{\pi}{\beta}\ln(1+\alpha\beta)+C(0<\alpha<+\infty),$$

其中 C 是某常数. 在此式中令 $\alpha\to0^+$ 取极限，并注意到 $I_\beta(\alpha)$ 在$[0,+\infty)$ 上连续，得 $0=I_\beta(0)=0+C$，故 $C=0$. 因此

$$I_\beta(\alpha)=\frac{\pi}{\beta}\ln(1+\alpha\beta)(0\leqslant\alpha<+\infty).$$

又当 $\alpha>0,\beta>0$ 时，有

$$\begin{aligned}\int_0^{+\infty}\frac{\ln(\alpha^2+x^2)}{\beta^2+x^2}dx&=\int_0^{+\infty}\frac{2\ln\alpha+\ln\left(1+\frac{1}{\alpha^2}x^2\right)}{\beta^2+x^2}dx\\&=2\ln\alpha\int_0^{+\infty}\frac{dx}{\beta^2+x^2}+\int_0^{+\infty}\frac{\ln\left(1+\frac{1}{\alpha^2}x^2\right)}{\beta^2+x^2}dx\\&=\frac{\pi\ln\alpha}{\beta}+\frac{\pi}{\beta}\ln\left(1+\frac{\beta}{\alpha}\right)=\frac{\pi}{\beta}\ln(\alpha+\beta).\end{aligned}$$

此式当 $\alpha=0$ 时也成立，只要在两端令 $\alpha\to0^+$ 取极限即可. 这是因为积分

$$J(\alpha)=\int_0^{+\infty}\frac{\ln(\alpha^2+x^2)}{\beta^2+x^2}dx(\beta>0\text{ 固定})$$

当 $0\leqslant\alpha\leqslant\frac{1}{2}$ 时一致收敛(易知 $\int_0^{\frac{1}{2}}\frac{\ln(\alpha^2+x^2)}{\beta^2+x^2}dx$ 与 $\int_{\frac{1}{2}}^{+\infty}\frac{\ln(\alpha^2+x^2)}{\beta^2+x^2}dx$ 当 $0\leqslant\alpha\leqslant\frac{1}{2}$ 时都一致收敛)，事实上，

$$\left|\frac{\ln(\alpha^2+x^2)}{\beta^2+x^2}\right|\leqslant-\frac{2\ln x}{\beta^2+x^2}\left(0<x\leqslant\frac{1}{2},0\leqslant\alpha\leqslant\frac{1}{2}\right),\text{而}\int_0^{\frac{1}{2}}\frac{\ln x}{\beta^2+x^2}dx\text{ 收敛},$$

$0\leqslant\dfrac{\ln(\alpha^2+x^2)}{\beta^2+x^2}\leqslant\dfrac{\ln\left(\dfrac{1}{4}+x^2\right)}{\beta^2+x^2}\ \left(\dfrac{1}{2}\leqslant x<+\infty,0\leqslant\alpha\leqslant\dfrac{1}{2}\right)$，而$\displaystyle\int_{\frac{1}{2}}^{+\infty}\dfrac{\ln\left(\dfrac{1}{4}+x^2\right)}{\beta^2+x^2}\mathrm{d}x$ 收敛，故 $J(\alpha)$ 在点 $\alpha=0$ 右连续.

对于任意的 α 与 $\beta(\beta\neq0)$，有

$$\int_0^{+\infty}\frac{\ln(\alpha^2+x^2)}{\beta^2+x^2}\mathrm{d}x=\int_0^{+\infty}\frac{\ln(|\alpha|^2+x^2)}{|\beta|^2+x^2}\mathrm{d}x=\frac{\pi}{|\beta|}\ln(|\alpha|+|\beta|).$$

注意，当 $\beta=0$ 时上式不成立，右端无意义，易知左端的积分$\displaystyle\int_0^{+\infty}\frac{\ln(\alpha^2+x^2)}{x^2}\mathrm{d}x$ 发散.

【3796】 $\displaystyle\int_0^{+\infty}\frac{\arctan\alpha x\arctan\beta x}{x^2}\mathrm{d}x.$

解 先设 $\alpha\geqslant0,\beta\geqslant0$. 因 $\displaystyle\lim_{x\to0^+}\frac{\arctan\alpha x\arctan\beta x}{x^2}=\alpha\beta$，显然 $x=0$ 不是瑕点.
由于当 $\alpha\geqslant0,\beta\geqslant0$ 时，

$$\left|\frac{\arctan\alpha x\arctan\beta x}{x^2}\right|<\frac{\pi^2}{4}\frac{1}{x^2}(1\leqslant x<+\infty),$$

而积分$\displaystyle\int_1^{+\infty}\frac{\mathrm{d}x}{x^2}\mathrm{d}x$ 收敛，故积分$\displaystyle\int_1^{+\infty}\frac{\arctan\alpha x\arctan\beta x}{x^2}\mathrm{d}x$ 在 $\alpha\geqslant0,\beta\geqslant0$ 时一致收敛，从而，积分$\displaystyle\int_0^{+\infty}\frac{\arctan\alpha x\arctan\beta x}{x^2}\mathrm{d}x$ 也在 $\alpha\geqslant0,\beta\geqslant0$ 时一致收敛. 因此，函数 $I(\alpha,\beta)=\displaystyle\int_0^{+\infty}\frac{\arctan\alpha x\arctan\beta x}{x^2}\mathrm{d}x$ 是 $\alpha\geqslant0,\beta\geqslant0$ 上的二元连续函数.

再考察两个积分

$$J(\alpha,\beta)=\int_0^{+\infty}\frac{\partial}{\partial\alpha}\left(\frac{\arctan\alpha x\arctan\beta x}{x^2}\right)\mathrm{d}x=\int_0^{+\infty}\frac{\arctan\beta x}{x(1+\alpha^2x^2)}\mathrm{d}x,$$

$$K(\alpha,\beta)=\int_0^{+\infty}\frac{\partial}{\partial\beta}\left[\frac{\arctan\beta x}{x(1+\alpha^2x^2)}\right]\mathrm{d}x=\int_0^{+\infty}\frac{\mathrm{d}x}{(1+\alpha^2x^2)(1+\beta^2x^2)}.$$

由于当 $\alpha\geqslant\alpha_0>0,\beta\geqslant0$ 时，

$$\left|\frac{\arctan\beta x}{x(1+\alpha^2x^2)}\right|<\frac{\pi}{2}\frac{1}{x(1+\alpha_0^2x^2)}(1\leqslant x<+\infty),$$

而积分$\displaystyle\int_1^{+\infty}\frac{\mathrm{d}x}{x(1+\alpha_0^2x^2)}$ 收敛，故积分$\displaystyle\int_1^{+\infty}\frac{\arctan\beta x}{x(1+\alpha^2x^2)}\mathrm{d}x$ 当 $\alpha\geqslant\alpha_0,\beta\geqslant0$ 时一致收敛，从而，积分$\displaystyle\int_0^{+\infty}\frac{\arctan\beta x}{x(1+\alpha^2x^2)}\mathrm{d}x$ 当$\alpha\geqslant\alpha_0,\beta\geqslant0$ 时也一致收敛(因为 $\displaystyle\lim_{x\to0^+}\frac{\arctan\beta x}{x(1+\alpha^2x^2)}=\beta$，故 $x=0$ 不是瑕点). 因此，$J(\alpha,\beta)$ 当 $\alpha\geqslant\alpha_0,\beta\geqslant0$ 时连续，并且此时 $I(\alpha,\beta)$ 可在积分号下对 α 求导数，得

$$I'_\alpha(\alpha,\beta)=\int_0^{+\infty}\frac{\arctan\beta x}{x(1+\alpha^2x^2)}\mathrm{d}x=J(\alpha,\beta).\qquad ①$$

由 $\alpha_0>0$ 的任意性知，① 式对一切 $\alpha>0,\beta\geqslant0$ 成立；并且 $J(\alpha,\beta)$ 是 $\alpha>0,\beta\geqslant0$ 上的二元连续函数.

其次，由于当 $\beta\geqslant\beta_0>0,\alpha>0$ 时，

$$0<\frac{1}{(1+\alpha^2x^2)(1+\beta^2x^2)}\leqslant\frac{1}{1+\beta_0^2x^2}(0\leqslant x<+\infty),$$

而积分$\displaystyle\int_0^{+\infty}\frac{\mathrm{d}x}{1+\beta_0^2x^2}$ 收敛，故积分$\displaystyle\int_0^{+\infty}\frac{\mathrm{d}x}{(1+\alpha^2x^2)(1+\beta^2x^2)}$ 当 $\beta\geqslant\beta_0,\alpha>0$ 时一致收敛. 因此，$K(\alpha,\beta)$ 是 $\alpha>0,\beta\geqslant\beta_0$ 上的连续函数，并且 ① 式中的积分当 $\beta\geqslant\beta_0(\alpha>0)$ 时可在积分号下对 β 求导数，得

$$\begin{aligned}I''_{\alpha\beta}(\alpha,\beta)=J'_\beta(\alpha,\beta)&=\int_0^{+\infty}\frac{\mathrm{d}x}{(1+\alpha^2x^2)(1+\beta^2x^2)}\\&=\frac{\alpha^2}{\alpha^2-\beta^2}\int_0^{+\infty}\frac{\mathrm{d}x}{1+\alpha^2x^2}-\frac{\beta^2}{\alpha^2-\beta^2}\int_0^{+\infty}\frac{\mathrm{d}x}{1+\beta^2x^2}\\&=\frac{\alpha\pi}{2(\alpha^2-\beta^2)}-\frac{\beta\pi}{2(\alpha^2-\beta^2)}=\frac{\pi}{2(\alpha+\beta)},\end{aligned}$$

由 $\beta_0>0$ 的任意性知，对任何 $\alpha>0,\beta>0$ 均有

$$I''_{\alpha\beta}(\alpha,\beta)=J'_{\beta}(\alpha,\beta)=\frac{\pi}{2(\alpha+\beta)}. \qquad ②$$

在 ② 式中固定 $\alpha>0$，对 β 积分，得

$$I'_{\alpha}(\alpha,\beta)=J(\alpha,\beta)=\frac{\pi}{2}\ln(\alpha+\beta)+C(\alpha)(0<\beta<+\infty),$$

其中 $C(\alpha)$ 是依赖于 α 的常数. 在此式中令 $\beta\to0^+$，并注意到 $J(\alpha,\beta)$ 在 $\alpha>0,\beta\geqslant0$ 上连续，得

$$0=J(\alpha,0)=\lim_{\beta\to0^+}J(\alpha,\beta)=\frac{\pi}{2}\ln\alpha+C(\alpha),$$

故 $C(\alpha)=-\frac{\pi}{2}\ln\alpha$. 因此

$$I'_{\alpha}(\alpha,\beta)=\frac{\pi}{2}\ln\frac{\alpha+\beta}{\alpha}(\alpha>0,\beta>0).$$

再固定 $\beta>0$，对 α 积分(右端利用分部积分法)，得

$$I(\alpha,\beta)=\frac{\pi}{2}\alpha\ln\frac{\alpha+\beta}{\alpha}+\frac{\pi}{2}\beta\ln(\alpha+\beta)+C^*(\beta),$$

其中 $C^*(\beta)$ 是依赖于 β 的常数. 在此式中令 $\alpha\to0^+$，并注意到 $I(\alpha,\beta)$ 在 $\alpha\geqslant0,\beta\geqslant0$ 上连续，得

$$0=I(0,\beta)=\lim_{\alpha\to0^+}I(\alpha,\beta)=\frac{\pi}{2}\beta\ln\beta+C^*(\beta),$$

故 $C^*(\beta)=-\frac{\pi}{2}\beta\ln\beta$，于是

$$I(\alpha,\beta)=\frac{\pi}{2}\ln\frac{(\alpha+\beta)^{\alpha+\beta}}{\alpha^{\alpha}\beta^{\beta}}(\alpha>0,\beta>0).$$

显然，对于任何 α 与 β，有

$$\int_0^{+\infty}\frac{\arctan\alpha x\arctan\beta x}{x^2}\mathrm{d}x=\begin{cases}\operatorname{sgn}(\alpha\beta)\cdot\frac{\pi}{2}\ln\frac{(|\alpha|+|\beta|)^{|\alpha|+|\beta|}}{|\alpha|^{|\alpha|}\cdot|\beta|^{|\beta|}}, & \alpha\beta\neq0,\\ 0, & \alpha\beta=0.\end{cases}$$

注 在推导 ② 式时应设 $\alpha\neq\beta$，因为推导过程中分母含有 $\alpha^2-\beta^2$. 但由于 $K(\alpha,\beta)$ 是 $\alpha>0,\beta>0$ 上的连续函数，故通过取极限即知 ② 式当 $\alpha=\beta$ 时也成立.

【3797】 $\int_0^{+\infty}\frac{\ln(1+\alpha^2x^2)\ln(1+\beta^2x^2)}{x^4}\mathrm{d}x.$

解 先设 $\alpha\geqslant0,\beta\geqslant0$. 因为 $\lim_{x\to0^+}\frac{\ln(1+\alpha^2x^2)\ln(1+\beta^2x^2)}{x^4}=\alpha^2\beta^2$，故 $x=0$ 不是瑕点.
由于当 $0\leqslant\alpha\leqslant\alpha_1,0\leqslant\beta\leqslant\beta_1$ 时，恒有

$$0\leqslant\frac{\ln(1+\alpha^2x^2)\ln(1+\beta^2x^2)}{x^4}\leqslant\frac{\ln(1+\alpha_1^2x^2)\ln(1+\beta_1^2x^2)}{x^4},$$

而 $\int_0^{+\infty}\frac{\ln(1+\alpha_1^2x^2)\ln(1+\beta_1^2x^2)}{x^4}\mathrm{d}x$ 收敛(因为 $\lim_{x\to+\infty}x^2\frac{\ln(1+\alpha_1^2x^2)\ln(1+\beta_1^2x^2)}{x^4}=0$)，故积分 $\int_0^{+\infty}\frac{\ln(1+\alpha^2x^2)\ln(1+\beta^2x^2)}{x^4}\mathrm{d}x$ 当 $0\leqslant\alpha\leqslant\alpha_1,0\leqslant\beta\leqslant\beta_1$ 时一致收敛. 因此，函数

$$I(\alpha,\beta)=\int_0^{+\infty}\frac{\ln(1+\alpha^2x^2)\ln(1+\beta^2x^2)}{x^4}\mathrm{d}x \qquad ①$$

是 $0\leqslant\alpha\leqslant\alpha_1,0\leqslant\beta\leqslant\beta_1$ 上的二元连续函数. 由 $\alpha_1>0,\beta_1>0$ 的任意性知，$I(\alpha,\beta)$ 是 $\alpha\geqslant0,\beta\geqslant0$ 上的二元连续函数. 再考察两个积分

$$J(\alpha,\beta)=\int_0^{+\infty}\frac{\partial}{\partial\alpha}\left[\frac{\ln(1+\alpha^2x^2)\ln(1+\beta^2x^2)}{x^4}\right]\mathrm{d}x=\int_0^{+\infty}\frac{2\alpha\ln(1+\beta^2x^2)}{x^2(1+\alpha^2x^2)}\mathrm{d}x, \qquad ②$$

$$K(\alpha,\beta)=\int_0^{+\infty}\frac{\partial}{\partial\beta}\left[\frac{2\alpha\ln(1+\beta^2x^2)}{x^2(1+\alpha^2x^2)}\right]dx=\int_0^{+\infty}\frac{4\alpha\beta}{(1+\alpha^2x^2)(1+\beta^2x^2)}dx=\frac{2\pi\alpha\beta}{\alpha+\beta}.\qquad ③$$

由于当 $0<\alpha_0\leqslant\alpha\leqslant\alpha_1,0\leqslant\beta\leqslant\beta_1$ 时，恒有

$$0\leqslant\frac{2\alpha\ln(1+\beta^2x^2)}{x^2(1+\alpha^2x^2)}\leqslant\frac{2\alpha_1\ln(1+\beta_1^2x^2)}{x^2(1+\alpha_0^2x^2)}(0<x<+\infty),$$

易知积分$\int_0^{+\infty}\frac{2\alpha_1\ln(1+\beta_1^2x^2)}{x^2(1+\alpha_0^2x^2)}dx$收敛，故 ② 式中的积分在$[\alpha_0,\alpha_1]\times[0,\beta_1]$上一致收敛. 由此可知，$J(\alpha,\beta)$是$[\alpha_0,\alpha_1]\times[0,\beta_1]$上的连续函数，并且在其上 ① 中的积分可在积分号下对 α 求导数，得

$$I'_\alpha(\alpha,\beta)=\int_0^{+\infty}\frac{2\alpha\ln(1+\beta^2x^2)}{x^2(1+\alpha^2x^2)}dx=J(\alpha,\beta).\qquad ④$$

由 $\alpha_1>\alpha_0>0$ 及 $\beta_1>0$ 的任意性知，$J(\alpha,\beta)$ 是 $\alpha>0,\beta\geqslant0$ 上的连续函数，并且 ④ 式对 $\forall\alpha>0,\beta\geqslant0$ 都成立.

其次，当 $0<\alpha\leqslant\alpha_1,0<\beta_0\leqslant\beta\leqslant\beta_1$ 时，恒有

$$0<\frac{4\alpha\beta}{(1+\alpha^2x^2)(1+\beta^2x^2)}\leqslant\frac{4\alpha_1\beta_1}{1+\beta_0^2x^2}(0<x<+\infty),$$

而积分$\int_0^{+\infty}\frac{4\alpha_1\beta_1}{1+\beta_0^2x^2}dx$收敛，故 ③ 式中的积分在$(0,\alpha_1]\times[\beta_0,\beta_1]$上一致收敛. 于是，在其上 ② 式中的积分可在积分号下对 β 求导数，得

$$I''_{\alpha\beta}(\alpha,\beta)=J'_\beta(\alpha,\beta)=\int_0^{+\infty}\frac{4\alpha\beta}{(1+\alpha^2x^2)(1+\beta^2x^2)}dx=\frac{2\pi\alpha\beta}{\alpha+\beta}.\qquad ⑤$$

由 $\alpha_1>0,\beta_1>\beta_0>0$ 的任意性知，⑤ 式对一切 $\alpha>0,\beta>0$ 都成立. ⑤ 式两端对 β 积分（$\alpha>0$ 固定），得

$$I'_\alpha(\alpha,\beta)=J(\alpha,\beta)=2\pi\alpha\beta-2\pi\alpha^2\ln(\alpha+\beta)+C(\alpha)(0<\beta<+\infty),$$

其中 $C(\alpha)$ 是依赖于 α 的常数. 在此式中令 $\beta\to0^+$ 取极限，并注意到 $J(\alpha,\beta)$ 在 $\alpha>0,\beta\geqslant0$ 上连续，得

$$0=J(\alpha,0)=\lim_{\beta\to0^+}J(\alpha,\beta)=-2\pi\alpha^2\ln\alpha+C(\alpha),$$

故 $C(\alpha)=2\pi\alpha^2\ln\alpha$. 因此

$$I'_\alpha(\alpha,\beta)=2\pi\alpha\beta-2\pi\alpha^2\ln(\alpha+\beta)+2\pi\alpha^2\ln\alpha(\alpha>0,\beta>0).$$

两端再对 α 积分（$\beta>0$ 固定），得

$$I(\alpha,\beta)=\pi\alpha^2\beta-\frac{2}{3}\pi\alpha^3\ln(\alpha+\beta)+\frac{2\pi}{9}(\alpha+\beta)^3-\pi\alpha^2\beta-$$

$$\frac{2}{3}\pi\beta^3\ln(\alpha+\beta)+\frac{2}{3}\pi\alpha^3\ln\alpha-\frac{2\pi}{9}\alpha^3+C^*(\beta)(0<\alpha<+\infty),$$

其中 $C^*(\beta)$ 是依赖于 β 的常数. 在此式两端令 $\alpha\to0^+$ 取极限，并注意到 $I(\alpha,\beta)$ 在 $\alpha\geqslant0,\beta\geqslant0$ 上连续，得

$$0=I(0,\beta)=\lim_{\alpha\to0^+}I(\alpha,\beta)=\frac{2\pi}{9}\beta^3-\frac{2}{3}\alpha\beta^3\ln\beta+C^*(\beta),$$

故 $C^*(\beta)=-\frac{2}{9}\pi\beta^3+\frac{2}{3}\pi\beta^3\ln\beta$. 于是

$$I(\alpha,\beta)=-\frac{2}{3}\pi(\alpha^3+\beta^3)\ln(\alpha+\beta)+\frac{2\pi}{9}(\alpha+\beta)^3-\frac{2\pi}{9}\alpha^3-\frac{2}{9}\pi\beta^3+\frac{2}{3}\pi(\alpha^3\ln\alpha+\beta^3\ln\beta)$$

$$=\frac{2\pi}{3}[\alpha\beta(\alpha+\beta)+\alpha^3\ln\alpha+\beta^3\ln\beta-(\alpha^3+\beta^3)\ln(\alpha+\beta)](\alpha>0,\beta>0).$$

因此，对任意的 α,β 有

$$\int_0^{+\infty}\frac{\ln(1+\alpha^2x^2)\ln(1+\beta^2x^2)}{x^4}dx$$

$$=\begin{cases}\frac{2\pi}{3}[|\alpha\beta|(|\alpha|+|\beta|)+|\alpha|^3\ln|\alpha|+|\beta|^3\ln|\beta|-(|\alpha|^3+|\beta|^3)\ln(|\alpha|+|\beta|)], & \alpha\beta\neq0,\\ 0, & \alpha\beta=0.\end{cases}$$

知识点 2 反常积分号下的积分法

1. 对参变量的积分公式一 若满足以下条件：

(ⅰ) 函数 $f(x,y)$ 在$[a,+\infty)\times(y_1,y_2)$ 连续；

(ⅱ) $\int_a^{+\infty} f(x,y)\mathrm{d}x$ 在有限区间(y_1,y_2)内一致收敛，

则

$$\int_{y_1}^{y_2}\mathrm{d}y\int_a^{+\infty} f(x,y)\mathrm{d}x=\int_a^{+\infty}\mathrm{d}x\int_{y_1}^{y_2} f(x,y)\mathrm{d}y.$$

2. 对参变量的积分公式二 设函数 $f(x,y)$ 在$[a,+\infty)\times[c,+\infty)$ 连续，若满足以下条件：

(ⅰ) $\int_a^{+\infty} f(x,y)\mathrm{d}x$ 关于 y 在$[c,+\infty)$ 上内闭一致收敛，$\int_c^{+\infty} f(x,y)\mathrm{d}y$ 关于 x 在$[a,+\infty)$ 上内闭一致收敛；

(ⅱ) 积分$\int_a^{+\infty}\mathrm{d}x\int_c^{+\infty}|f(x,y)|\mathrm{d}y$ 与$\int_c^{+\infty}\mathrm{d}y\int_a^{+\infty}|f(x,y)|\mathrm{d}x$ 有一个收敛，

则

$$\int_a^{+\infty}\mathrm{d}x\int_c^{+\infty} f(x,y)\mathrm{d}y=\int_c^{+\infty}\mathrm{d}y\int_a^{+\infty} f(x,y)\mathrm{d}x.$$

习题 3798—3807 反常积分号下的积分法

【3798】 从等式$\frac{\mathrm{e}^{-ax}-\mathrm{e}^{-bx}}{x}=\int_a^b \mathrm{e}^{-xy}\mathrm{d}y$ 出发，计算积分$\int_0^{+\infty}\frac{\mathrm{e}^{-ax}-\mathrm{e}^{-bx}}{x}\mathrm{d}x(a>0,b>0)$.

解 不妨设 $a<b$，注意到 e^{-xy} 在区域：$x\geqslant 0,a\leqslant y\leqslant b$ 上连续. 又积分$\int_0^{+\infty}\mathrm{e}^{-xy}\mathrm{d}x$ 对 $a\leqslant y\leqslant b$ 是一致收敛的. 事实上，当 $x\geqslant 0,a\leqslant y\leqslant b$ 时，$0<\mathrm{e}^{-xy}\leqslant \mathrm{e}^{-ax}$，但积分$\int_0^{+\infty}\mathrm{e}^{-ax}\mathrm{d}x$ 收敛. 故积分$\int_0^{+\infty}\mathrm{e}^{-xy}\mathrm{d}x$ 一致收敛. 于是，利用对参数的积分公式，即得

$$\int_0^{+\infty}\mathrm{d}x\int_a^b \mathrm{e}^{-xy}\mathrm{d}y=\int_a^b\mathrm{d}y\int_0^{+\infty}\mathrm{e}^{-xy}\mathrm{d}x.$$

上式左端为$\int_0^{+\infty}\frac{\mathrm{e}^{-ax}-\mathrm{e}^{bx}}{x}\mathrm{d}x$，右端为$\int_a^b\frac{\mathrm{d}y}{y}=\ln\frac{b}{a}$. 从而得

$$\int_0^{+\infty}\frac{\mathrm{e}^{-ax}-\mathrm{e}^{-bx}}{x}\mathrm{d}x=\ln\frac{b}{a}(a>0,b>0).$$

【3799】 利用公式 $I^2=\int_0^{+\infty}\mathrm{e}^{-x^2}\mathrm{d}x\int_0^{+\infty} x\mathrm{e}^{-x^2y^2}\mathrm{d}y$，计算欧拉—泊松积分

$$I=\int_0^{+\infty}\mathrm{e}^{-x^2}\mathrm{d}x.$$

解 在积分 $I=\int_0^{+\infty}\mathrm{e}^{-x^2}\mathrm{d}x$ 中令 $x=ut$，其中 u 为任意正数，可得

$$I=u\int_0^{+\infty}\mathrm{e}^{-u^2t^2}\mathrm{d}t.$$

在上式两端乘以 $\mathrm{e}^{-u^2}\mathrm{d}u$，再对 u 从 0 到 $+\infty$ 积分，得

$$I^2=\int_0^{+\infty}e^{-u^2}\,du\int_0^{+\infty}ue^{-u^2t^2}\,dt. \qquad ①$$

由于被积函数 $ue^{-(1+t^2)u^2}$ 是非负的连续函数，并且积分

$$\int_0^{+\infty}e^{-(1+t^2)u^2}u\,du=\frac{1}{2(1+t^2)}\text{ 及}\int_0^{+\infty}e^{-(1+t^2)u^2}u\,dt=e^{-u^2}I,$$

分别对于 t 及 u 是连续的，积分互换后的逐次积分显然存在．于是，① 式中的积分顺序可以互换*)，并且有

$$I^2=\int_0^{+\infty}dt\int_0^{+\infty}e^{-(1+t^2)u^2}u\,du=\frac{1}{2}\int_0^{+\infty}\frac{dt}{1+t^2}=\frac{\pi}{4}.$$

由于 $I>0$，故

$$I=\int_0^{+\infty}e^{-x^2}\,dx=\frac{\sqrt{\pi}}{2}.$$

注 欧拉—泊松(Euler—Poisson)积分，又叫概率积分，在概率论中有着重要的应用．

*）参看菲赫金哥尔茨著《微积分学教程》第二卷 483 目定理 V 的系理．

【利用欧拉—泊松积分，求下列积分(3800—3806)】

【3800】 $\int_{-\infty}^{+\infty}e^{-(ax^2+2bx+c)}\,dx\,(a>0,ac-b^2>0)$.

解

$$\int_{-\infty}^{+\infty}e^{-(ax^2+2bx+c)}\,dx=\int_{-\infty}^{+\infty}e^{-\frac{1}{a}[(ax+b)^2+ac-b^2]}\,dx=e^{\frac{b^2-ac}{a}}\int_{-\infty}^{+\infty}e^{-\frac{1}{a}(ax+b)^2}\,dx$$
$$=e^{\frac{b^2-ac}{a}}\int_{-\infty}^{+\infty}\frac{1}{\sqrt{a}}e^{-t^2}\,dt=\frac{2}{\sqrt{a}}e^{\frac{b^2-ac}{a}}\int_0^{+\infty}e^{-t^2}\,dt$$
$$=\frac{2}{\sqrt{a}}e^{\frac{b^2-ac}{a}}\cdot\frac{\sqrt{\pi}}{2}=\sqrt{\frac{\pi}{a}}e^{\frac{b^2-ac}{a}}.$$

注 只要假定 $a>0$，原题中的条件 $ac-b^2>0$ 可去掉．

【3801】 $\int_{-\infty}^{+\infty}(a_1x^2+2b_1x+c_1)e^{-(ax^2+2bx+c)}\,dx\,(a>0,ac-b^2>0)$.

解 设 $\frac{1}{\sqrt{a}}(ax+b)=t$，则 $x=\frac{\sqrt{a}t-b}{a}$．代入得

$$\int_{-\infty}^{+\infty}(a_1x^2+2b_1x+c_1)e^{-(ax^2+2bx+c)}\,dx=\frac{1}{\sqrt{a}}e^{\frac{b^2-ac}{a}}\int_{-\infty}^{+\infty}\left[\frac{a_1}{a}t^2+\frac{2(ab_1-a_1b)}{a\sqrt{a}}t+\frac{a_1b^2-2abb_1}{a^2}+c_1\right]e^{-t^2}\,dt.$$

由于

$$\int_{-\infty}^{+\infty}t^2e^{-t^2}\,dt=-\frac{1}{2}\int_{-\infty}^{+\infty}t\,d(e^{-t^2})=-\frac{1}{2}te^{-t^2}\Big|_{-\infty}^{+\infty}+\frac{1}{2}\int_{-\infty}^{+\infty}te^{-t^2}\,dt=\frac{\sqrt{\pi}}{2},$$
$$\int_{-\infty}^{+\infty}te^{-t^2}\,dt=0\text{ 及}\int_{-\infty}^{+\infty}e^{-t^2}\,dt=2\int_0^{+\infty}e^{-t^2}\,dt=\sqrt{\pi},$$

故得

$$\int_{-\infty}^{+\infty}(a_1x^2+2b_1x+c_1)e^{-(ax^2+2bx+c)}\,dx=\frac{1}{\sqrt{a}}e^{\frac{b^2-ac}{a}}\left[\frac{a_1}{a}\frac{\sqrt{\pi}}{2}+\left(\frac{a_1b^2-2abb_1}{a^2}+c_1\right)\sqrt{\pi}\right]$$
$$=\frac{(a+2b^2)a_1-4abb_1+2a^2c_1}{2a^2}\sqrt{\frac{\pi}{a}}e^{\frac{b^2-ac}{a}}.$$

注 只要假定 $a>0$，原题中的条件 $ac-b^2>0$ 可去掉．

【3802】 $\int_{-\infty}^{+\infty} e^{-ax^2} \operatorname{ch} bx\,dx (a>0)$.

解 $\int_{-\infty}^{+\infty} e^{-ax^2} \operatorname{ch} bx\,dx = \frac{1}{2}\int_{-\infty}^{+\infty} e^{-ax^2}(e^{bx}+e^{-bx})dx = \frac{1}{2}\int_{-\infty}^{+\infty} e^{-(ax^2-bx)}dx + \frac{1}{2}\int_{-\infty}^{+\infty} e^{-(ax^2+bx)}dx$

$$= \frac{1}{2}\sqrt{\frac{\pi}{a}}e^{\frac{b^2}{4a}} + \frac{1}{2}\sqrt{\frac{\pi}{a}}e^{\frac{b^2}{4a}} = \sqrt{\frac{\pi}{a}}e^{\frac{b^2}{4a}}.$$

注 本题用到3800题的结果.

【3803】 $\int_{0}^{+\infty} e^{-\left(x^2+\frac{a^2}{x^2}\right)}dx \quad (a>0)$.

解 由于$\int_0^{+\infty} e^{-x^2}dx = \frac{\sqrt{\pi}}{2}$,故

$$\int_0^{+\infty} e^{-\left(x^2+\frac{a^2}{x^2}\right)}dx = e^{2a}\int_0^{+\infty} e^{-\left(x+\frac{a}{x}\right)^2}dx = e^{2a}\int_0^{+\infty} e^{-(x^2+4a)}dx = e^{-2a}\int_0^{+\infty} e^{-x^2}dx = \frac{\sqrt{\pi}}{2}e^{-2a}.$$

注 本题用到2355题和3800题的结果.

【3804】 $\int_0^{+\infty} \frac{e^{-\alpha x^2}-e^{-\beta x^2}}{x^2}dx \quad (\alpha>0,\beta>0)$.

解 由分部积分法知

$$\begin{aligned}\int_0^{+\infty} \frac{e^{-\alpha x^2}-e^{-\beta x^2}}{x^2}dx &= -\int_0^{+\infty}(e^{-\alpha x^2}-e^{-\beta x^2})d\left(\frac{1}{x}\right)\\ &= -\frac{e^{-\alpha x^2}-e^{-\beta x^2}}{x}\Bigg|_0^{+\infty} - 2\int_0^{+\infty}(\alpha e^{-\alpha x^2}-\beta e^{-\beta x^2})dx\\ &= -2\int_0^{+\infty}\sqrt{\alpha}e^{-(\sqrt{\alpha}x)^2}d(\sqrt{\alpha}x) + 2\int_0^{+\infty}\sqrt{\beta}e^{-(\sqrt{\beta}x)^2}d(\sqrt{\beta}x)\\ &= -2\sqrt{\alpha}\frac{\sqrt{\pi}}{2} + 2\sqrt{\beta}\frac{\sqrt{\pi}}{2} = \sqrt{\pi}(\sqrt{\beta}-\sqrt{\alpha}).\end{aligned}$$

【3805】 $\int_0^{+\infty} e^{-ax^2}\cos bx\,dx \quad (a>0)$.

解 令 $I(b)=\int_0^{+\infty} e^{-ax^2}\cos bx\,dx$. 由于 $e^{-ax^2}\cos bx$ 与$\frac{\partial}{\partial b}(e^{-ax^2}\cos bx) = -xe^{-ax^2}\sin bx$ 都是 $x\geqslant 0$, $-\infty<b<+\infty$ 上的连续函数,并且此时

$$|e^{-ax^2}\cos bx| \leqslant e^{-ax^2}, \; |xe^{-ax^2}\sin bx| \leqslant xe^{-ax^2},$$

而积分$\int_0^{+\infty} e^{-ax^2}dx$ 与$\int_0^{+\infty} xe^{-ax^2}dx$ 都收敛,故积分$\int_0^{+\infty} e^{-ax^2}\cos bx\,dx$ 与$\int_0^{+\infty} xe^{-ax^2}\sin bx\,dx$ 都在$(-\infty,+\infty)$上一致收敛,从而可在积分号下求导数,得

$$I'(b) = -\int_0^{+\infty} xe^{-ax^2}\sin bx\,dx(-\infty<b<+\infty).$$

利用分部积分法,得

$$\int_0^{+\infty} xe^{-ax^2}\sin bx\,dx = -\frac{1}{2a}e^{-ax^2}\sin bx\Bigg|_0^{+\infty} + \frac{b}{2a}\int_0^{+\infty} e^{-ax^2}\cos bx\,dx = \frac{b}{2a}I(b),$$

故 $I'(b) = -\frac{b}{2a}I(b)(-\infty<b<+\infty)$. 于是

$$\int \frac{I'(b)}{I(b)}db = -\frac{1}{2a}\int b\,db,$$

即
$$\ln I(b) = -\frac{b^2}{4a} + \ln C(-\infty<b<+\infty),$$

其中 C 是待定常数，也即 $I(b)=Ce^{-\frac{b^2}{4a}}(-\infty<b<+\infty)$，但

$$I(0)=\int_0^{+\infty}e^{-ax^2}\mathrm{d}x=\frac{1}{\sqrt{a}}\int_0^{+\infty}e^{-t^2}\mathrm{d}t=\frac{1}{2}\sqrt{\frac{\pi}{a}},$$

代入得 $C=\frac{1}{2}\sqrt{\frac{\pi}{a}}$. 于是

$$\int_0^{+\infty}e^{-ax^2}\cos bx\mathrm{d}x=I(b)=\frac{1}{2}\sqrt{\frac{\pi}{a}}e^{-\frac{b^2}{4a}}(-\infty<b<+\infty).$$

【3806】 (1) $\int_0^{+\infty}xe^{-ax^2}\sin bx\mathrm{d}x\quad(a>0)$. (2) $\int_0^{+\infty}x^{2n}e^{-x^2}\cos 2bx\mathrm{d}x$（$n$ 为正整数）.

解 (1) $\int_0^{+\infty}xe^{-ax^2}\sin bx\mathrm{d}x=-\frac{1}{2a}\int_0^{+\infty}\sin bx\mathrm{d}(e^{-ax^2})=-\frac{1}{2a}e^{-ax^2}\sin bx\Big|_0^{+\infty}+\frac{b}{2a}\int_0^{+\infty}e^{-ax^2}\cos bx\mathrm{d}x$

$$=\frac{b}{2a}\int_0^{+\infty}e^{-ax^2}\cos bx\mathrm{d}x=\frac{b}{4a}\sqrt{\frac{\pi}{a}}e^{-\frac{b^2}{4a}}.$$

注 本题用到 3805 题的结果.

(2) 由 3805 题得

$$\int_0^{+\infty}e^{-x^2}\cos 2bx\mathrm{d}x=\frac{\sqrt{\pi}}{2}e^{-b^2}. \qquad ①$$

积分

$$\int_0^{+\infty}\frac{\partial^k}{\partial b^k}(e^{-x^2}\cos 2bx)\mathrm{d}x=2^k\int_0^{+\infty}x^ke^{-x^2}\cos\left(2bx+\frac{k\pi}{2}\right)\mathrm{d}x, \qquad ②$$

而

$$\left|x^ke^{-x^2}\cos\left(2bk+\frac{k\pi}{2}\right)\right|\leqslant x^ke^{-x^2}\ (x\geqslant 0).$$

但是积分 $\int_0^{+\infty}x^ke^{-x^2}\mathrm{d}x$ 对于任意的正整数 k 均收敛，故积分②当 $-\infty<b<+\infty$ 时一致收敛. 因此，①式的左端可在积分号下求任意次导数，从而可得

$$\int_0^{+\infty}\frac{\partial^{2n}}{\partial b^{2n}}(e^{-x^2}\cos 2bx)\mathrm{d}x=\int_0^{+\infty}2^{2n}x^{2n}e^{-x^2}\cos(2bx+n\pi)\mathrm{d}x$$

$$=2^{2n}(-1)^n\int_0^{+\infty}x^{2n}e^{-x^2}\cos 2bx\mathrm{d}x=\frac{\sqrt{\pi}}{2}\frac{\mathrm{d}^{2n}}{\mathrm{d}b^{2n}}(e^{-b^2}).$$

即

$$\int_0^{+\infty}x^{2n}e^{-x^2}\cos 2bx\mathrm{d}x=(-1)^n\frac{\sqrt{\pi}}{2^{2n+1}}\frac{\mathrm{d}^{2n}}{\mathrm{d}b^{2n}}(e^{-b^2}).$$

【3807】 证明：$\lim\limits_{x\to+\infty}\sqrt{x}\int_{-\delta}^{\delta}e^{-axt^2}\mathrm{d}t=\sqrt{\frac{\pi}{a}}\ (a>0,\delta>0)$.

证 令 $u=\sqrt{ax}t$，再由 3799 题可得

$$\lim_{x\to+\infty}\sqrt{x}\int_{-\delta}^{\delta}e^{-axt^2}\mathrm{d}t=\frac{1}{\sqrt{a}}\lim_{x\to+\infty}\int_{-\delta}^{\delta}e^{-axt^2}\mathrm{d}(\sqrt{ax}t)=\frac{1}{\sqrt{a}}\lim_{x\to+\infty}\int_{-\sqrt{ax}\delta}^{\sqrt{ax}\delta}e^{-u^2}\mathrm{d}u$$

$$=\frac{2}{\sqrt{a}}\lim_{x\to+\infty}\int_0^{\sqrt{ax}\delta}e^{-u^2}\mathrm{d}u\doteq\frac{2}{\sqrt{a}}\int_0^{+\infty}e^{-u^2}\mathrm{d}u=\frac{2}{\sqrt{a}}\cdot\frac{\sqrt{\pi}}{2}=\sqrt{\frac{\pi}{a}}.$$

知识点 3 Froullani 积分和狄利克雷积分

1. Froullani 积分 设 $f\in\mathbf{C}(0,+\infty)$，形如

$$\int_0^{+\infty}\frac{f(ax)-f(bx)}{x}\mathrm{d}x(a>0,b>0) \qquad ①$$

的积分称为 Froullani 积分.

(1) 若(ⅰ) $f(x)$ 在 $x=0$ 连续;(ⅱ) $\lim\limits_{x\to+\infty} f(x)=f(+\infty)$ 存在(有限),则积分 ① 收敛,其值为

$$[f(0)-f(+\infty)]\ln\frac{b}{a}.$$

(2) 若(ⅰ) $f(x)$ 在 $x=0$ 连续;(ⅱ) $\forall A>0$,积分 $\int_A^{+\infty}\frac{f(x)}{x}\mathrm{d}x$ 存在,则积分 ① 收敛,其值为

$$f(0)\ln\frac{b}{a}.$$

(3) 若(ⅰ) $\forall A>0$,积分 $\int_A^{+\infty}\frac{f(x)}{x}\mathrm{d}x$ 存在;(ⅱ) $\lim\limits_{x\to+\infty} f(x)=f(+\infty)$ 存在(有限),则积分 ① 收敛,其值为

$$f(+\infty)\ln\frac{b}{a}.$$

2. 狄利克雷积分 $I=\int_0^{+\infty}\frac{\sin x}{x}\mathrm{d}x$ 收敛于 $\frac{\pi}{2}$.

习题 3808—3824 Froullani 积分和狄利克雷积分

【3808】 证明 Froullani 积分公式:

$$\int_0^{+\infty}\frac{f(ax)-f(bx)}{x}\mathrm{d}x=f(0)\ln\frac{b}{a}\ (a>0,b>0),$$

式中 $f(x)$ 为连续函数,积分 $\int_A^{+\infty}\frac{f(x)}{x}\mathrm{d}x$ 对 $\forall A>0$ 都有意义.

证 对 $\forall A>0$,有

$$\begin{aligned}\int_A^{+\infty}\frac{f(ax)-f(bx)}{x}\mathrm{d}x&=\int_A^{+\infty}\frac{f(ax)}{x}\mathrm{d}x-\int_A^{+\infty}\frac{f(bx)}{x}\mathrm{d}x\\&=\int_{Aa}^{+\infty}\frac{f(t)}{t}\mathrm{d}t-\int_{Ab}^{+\infty}\frac{f(t)}{t}\mathrm{d}t=\int_{Aa}^{Ab}\frac{f(t)}{t}\mathrm{d}t\\&=f(\xi)\int_{Aa}^{Ab}\frac{\mathrm{d}t}{t}=f(\xi)\ln\frac{b}{a}\ (Aa<\xi<Ab).\end{aligned}$$

当 $A\to0^+$ 时,$\xi\to0^+$. 由 $f(x)$ 在点 $x=0$ 的连续性,即得

$$\int_0^{+\infty}\frac{f(ax)-f(bx)}{x}\mathrm{d}x=f(0)\ln\frac{b}{a}.$$

【利用 Froullani 公式计算下列积分(3809—3811)】

【3809】 $\int_0^{+\infty}\frac{\cos ax-\cos bx}{x}\mathrm{d}x\quad(a>0,b>0)$.

解 由于 $\cos x$ 在 $[0,+\infty)$ 内连续,且对 $\forall A>0$,积分 $\int_A^{+\infty}\frac{\cos x}{x}\mathrm{d}x$ 存在,故由 Froullani 公式,有

$$\int_0^{+\infty}\frac{\cos ax-\cos bx}{x}\mathrm{d}x=\cos 0\cdot\ln\frac{b}{a}=\ln\frac{b}{a}.$$

【3810】 $\int_0^{+\infty}\frac{\sin ax-\sin bx}{x}\mathrm{d}x(a>0,b>0)$.

解 同 3809 题，由于 $\sin 0=0$，故$\int_0^{+\infty}\frac{\sin ax-\sin bx}{x}\mathrm{d}x=0$.

【3811】 $\int_0^{+\infty}\frac{\arctan ax-\arctan bx}{x}\mathrm{d}x(a>0,b>0)$.

解 令 $f(x)=\frac{\pi}{2}-\arctan x$，则 $f(x)$ 在$[0,+\infty)$上连续. 由于 $f(x)>0$ 且

$$\lim_{x\to+\infty}x^2\frac{f(x)}{x}=\lim_{x\to+\infty}\frac{\frac{\pi}{2}-\arctan x}{x^{-1}}=\lim_{x\to+\infty}\frac{-\frac{1}{1+x^2}}{-\frac{1}{x^2}}=1,$$

故对 $\forall A>0$，积分$\int_A^{+\infty}\frac{f(x)}{x}\mathrm{d}x$ 都存在. 因此，由 Froullani 公式，有

$$\int_0^{+\infty}\frac{\left(\frac{\pi}{2}-\arctan ax\right)-\left(\frac{\pi}{2}-\arctan bx\right)}{x}\mathrm{d}x=\frac{\pi}{2}\ln\frac{b}{a},$$

故

$$\int_0^{+\infty}\frac{\arctan ax-\arctan bx}{x}\mathrm{d}x=\frac{\pi}{2}\ln\frac{a}{b}.$$

【3812】 (1) 从积分 $I(\alpha)=\int_0^{+\infty}\mathrm{e}^{-\alpha x}\frac{\sin\beta x}{x}\mathrm{d}x$ 出发，计算狄利克雷积分

$$D(\beta)=\int_0^{+\infty}\frac{\sin\beta x}{x}\mathrm{d}x.$$

(2) 积分正弦被定义为

$$\mathrm{Si}\,x=\int_0^x\frac{\sin t}{t}\mathrm{d}t.$$

函数 $y=\mathrm{Si}\,x$ 的图像大致具有怎样的形状？

解 (1) 先设 $\beta>0$，将 β 固定，α 视为参变量. 仿 3760 题的证法，可知积分$\int_0^{+\infty}\mathrm{e}^{-\alpha x}\frac{\sin\beta x}{x}\mathrm{d}x$ 关于 α 在$[0,+\infty)$上一致收敛，从而 $I(\alpha)$ 是$[0,+\infty)$上的连续函数(注意，积分$\int_0^{+\infty}\mathrm{e}^{-\alpha x}\frac{\sin\beta x}{x}\mathrm{d}x$ 中 $x=0$ 不是瑕点，因为 $\lim\limits_{x\to0^+}\mathrm{e}^{-\alpha x}\frac{\sin\beta x}{x}=\beta$). 由于

$$\int_0^{+\infty}\frac{\partial}{\partial\alpha}\left(\mathrm{e}^{-\alpha x}\frac{\sin\beta x}{x}\right)\mathrm{d}x=-\int_0^{+\infty}\mathrm{e}^{-\alpha x}\sin\beta x\,\mathrm{d}x=-\frac{\beta}{\alpha^2+\beta^2},$$

易知积分$\int_0^{+\infty}\mathrm{e}^{-\alpha x}\sin\beta x\,\mathrm{d}x$ 当 $\alpha\geqslant\alpha_0>0$ 时一致收敛(因为此时 $|\mathrm{e}^{-\alpha x}\sin\beta x|\leqslant\mathrm{e}^{-\alpha_0 x}$，而$\int_0^{+\infty}\mathrm{e}^{-\alpha_0 x}\mathrm{d}x$ 收敛)，故知当 $\alpha\geqslant\alpha_0$ 时，积分$\int_0^{+\infty}\mathrm{e}^{-\alpha x}\frac{\sin\beta x}{x}\mathrm{d}x$ 可在积分号下求导数，得

$$I'(\alpha)=-\frac{\beta}{\alpha^2+\beta^2}.$$

由 $\alpha_0>0$ 的任意性知，上式对一切 $0<\alpha<+\infty$ 皆成立，两端对 α 积分，得

$$I(\alpha)=-\arctan\frac{\alpha}{\beta}+C(0<\alpha<+\infty), \qquad ①$$

其中 C 是某常数. 由 $|\sin u|\leqslant|u|$ 知

$$|I(\alpha)|\leqslant\beta\int_0^{+\infty}\mathrm{e}^{-\alpha x}\mathrm{d}x=\frac{\beta}{\alpha}(0<\alpha<+\infty),$$

由此可知 $\lim\limits_{\alpha\to+\infty}I(\alpha)=0$，在 ① 式两端令 $\alpha\to+\infty$ 取极限，得 $0=-\frac{\pi}{2}+C$，故 $C=\frac{\pi}{2}$. 于是

$$I(\alpha)=\frac{\pi}{2}-\arctan\frac{\alpha}{\beta}(0<\alpha<+\infty). \qquad ②$$

在②式两端令 $\alpha\to 0^+$ 取极限，并注意到 $I(\alpha)$ 当 $\alpha\geqslant 0$ 时连续，即得

$$D(\beta)=I(0)=\lim_{\alpha\to 0^+}I(\alpha)=\frac{\pi}{2}.$$

当 $\beta<0$ 时，$D(\beta)=-D(-\beta)=-\frac{\pi}{2}$. 又显然有 $D(0)=0$.

综上所述，有 $D(\beta)=\frac{\pi}{2}\operatorname{sgn}\beta$.

(2) 此函数为奇函数，根据函数取值的变换情况，图像只位于第一象限和第三象限. 在第一象限时，在 $(2k\pi,2k\pi+\pi)(k\in\mathbf{N}_+)$ 上单调递增，在 $(2k\pi+\pi,2k\pi+2\pi)(k\in\mathbf{N}_+)$ 上单调递减，极值点无数个，为 $x=k\pi$，拐点有无数个，分别为 $\tan x=x$ 的点处. 水平渐近线为 $y=\frac{\pi}{2}$. 第三象限图像与第一象限图像关于原点对称. 第一象限如图 7.3 所示.

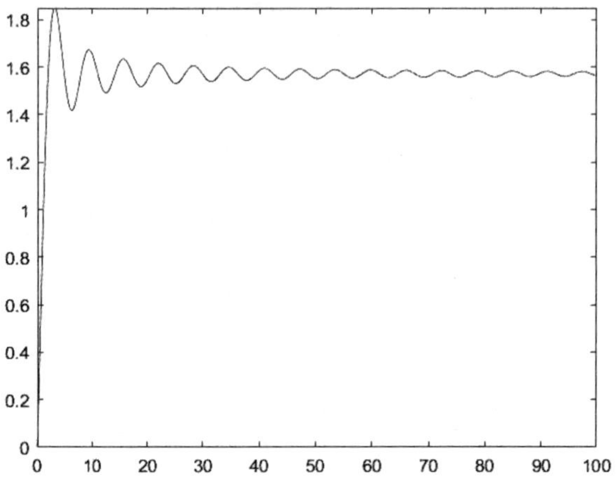

图 7.3

【利用狄利克雷积分和 Froullani 积分，求下列积分(3813—3822)】

【3813】 $\displaystyle\int_0^{+\infty}\frac{e^{-\alpha x^2}-\cos\beta x}{x^2}dx(\alpha>0)$.

解 令 $I(\beta)=\displaystyle\int_0^{+\infty}\frac{e^{-\alpha x^2}-\cos\beta x}{x^2}dx$. 因为

$$\lim_{x\to 0^+}\frac{e^{-\alpha x^2}-\cos\beta x}{x^2}=\lim_{x\to 0^+}\frac{-2\alpha x e^{-\alpha x^2}+\beta\sin\beta x}{2x}=\frac{\beta^2}{2}-\alpha,$$

故 $x=0$ 不是瑕点.

由于

$$\left|\frac{e^{-\alpha x^2}-\cos\beta x}{x^2}\right|\leqslant\frac{2}{x^2}(x>0),$$

而 $\displaystyle\int_1^{+\infty}\frac{dx}{x^2}$ 收敛，故 $\displaystyle\int_1^{+\infty}\frac{e^{-\alpha x^2}-\cos\beta x}{x^2}dx$ 关于 β 在 $(-\infty,+\infty)$ 上一致收敛，从而 $\displaystyle\int_0^{+\infty}\frac{e^{-\alpha x^2}-\cos\beta x}{x^2}dx$ 关于 β 在 $(-\infty,+\infty)$ 上也一致收敛. 于是 $I(\beta)$ 在 $(-\infty,+\infty)$ 连续.

下设 $\beta>0$. 由于

$$\int_0^{+\infty}\frac{\partial}{\partial\beta}\left(\frac{e^{-\alpha x^2}-\cos\beta x}{x^2}\right)dx=\int_0^{+\infty}\frac{\sin\beta x}{x}dx=\frac{\pi}{2},$$

而积分 $\displaystyle\int_0^{+\infty}\frac{\sin\beta x}{x}dx$ 在 $\beta\geqslant\beta_0>0$ 上一致收敛（这是因为当 $x\to+\infty$ 时 $\frac{1}{x}$ 单调递减趋于零，而 $\left|\displaystyle\int_0^A\sin\beta x\,dx\right|=\left|\frac{1-\cos\beta x}{x}\right|\leqslant\frac{2}{\beta_0}$，由狄利克雷判别法知 $\displaystyle\int_0^{+\infty}\frac{\sin\beta x}{x}dx$ 当 $\beta\geqslant\beta_0$ 时一致收敛）. 于是，当 $\beta\geqslant\beta_0$ 时，可在

积分号下求导数，得

$$I'(\beta)=\int_0^{+\infty}\frac{\sin\beta x}{x}\mathrm{d}x=\frac{\pi}{2}. \tag{①}$$

由 $\beta_0>0$ 的任意性知，① 式对一切 $\beta>0$ 皆成立. 于是

$$I(\beta)=\frac{\pi}{2}\beta+C(0<\beta<+\infty), \tag{②}$$

其中 C 是某常数. 在 ② 式两端令 $\beta\to0^+$ 取极限，并注意到 $I(\beta)$ 在$(-\infty,+\infty)$ 上连续，得

$$\int_0^{+\infty}\frac{e^{-\alpha x^2}-1}{x^2}\mathrm{d}x=I(0)=\lim_{\beta\to0^+}I(\beta)=C. \tag{③}$$

由 3804 题的结果知

$$\int_0^{+\infty}\frac{e^{-\alpha x^2}-e^{-\beta x^2}}{x^2}\mathrm{d}x=\sqrt{\pi}(\sqrt{\beta}-\sqrt{\alpha})(\alpha>0,\beta>0). \tag{④}$$

令 $J(\beta)=\int_0^{+\infty}\frac{e^{-\alpha x^2}-e^{-\beta x^2}}{x^2}\mathrm{d}x(\alpha>0)$. 仿上面的证明，易知$\int_0^{+\infty}\frac{e^{-\alpha x^2}-e^{-\beta x^2}}{x^2}\mathrm{d}x$ 当$\beta\geqslant0$时一致收敛，故 $J(\beta)$ 在$[0,+\infty)$ 上连续. 于是，在 ④ 式两端令 $\beta\to0^+$ 取极限，得

$$\int_0^{+\infty}\frac{e^{-\alpha x^2}-1}{x^2}\mathrm{d}x=J(0)=\lim_{\beta\to0^+}J(\beta)=-\sqrt{\pi\alpha}(\alpha>0),$$

以此代入 ③ 式，得 $C=-\sqrt{\pi\alpha}$. 于是

$$I(\beta)=\frac{\pi}{2}\beta-\sqrt{\pi\alpha}(0\leqslant\beta<+\infty).$$

当 $\beta<0$ 时，$I(\beta)=I(-\beta)=\frac{\pi}{2}(-\beta)-\sqrt{\pi\alpha}$. 总之，得

$$\int_0^{+\infty}\frac{e^{-\alpha x^2}-\cos\beta x}{x^2}\mathrm{d}x=\frac{\pi}{2}|\beta|-\sqrt{\pi\alpha}(\alpha>0).$$

注 本题用到 3812 题的结果.

【3814】 $\int_0^{+\infty}\frac{\sin\alpha x\sin\beta x}{x}\mathrm{d}x.$

解 $\int_0^{+\infty}\frac{\sin\alpha x\sin\beta x}{x}\mathrm{d}x=\frac{1}{2}\int_0^{+\infty}\frac{\cos(\alpha-\beta)x-\cos(\alpha+\beta)x}{x}\mathrm{d}x=\frac{1}{2}\ln\left|\frac{\alpha+\beta}{\alpha-\beta}\right|.$

注 本题用到 3809 题的结果.

【3815】 $\int_0^{+\infty}\frac{\sin\alpha x\cos\beta x}{x}\mathrm{d}x.$

解 $\int_0^{+\infty}\frac{\sin\alpha x\cos\beta x}{x}\mathrm{d}x=\frac{1}{2}\int_0^{+\infty}\frac{\sin(\alpha+\beta)x+\sin(\alpha-\beta)x}{x}\mathrm{d}x$

$$=\frac{1}{2}\int_0^{+\infty}\frac{\sin(\alpha+\beta)x-\sin(\beta-\alpha)x}{x}\mathrm{d}x=\begin{cases}0, & |\alpha|<|\beta|,\\ \frac{\pi}{4}\operatorname{sgn}\alpha, & |\alpha|=|\beta|,\\ \frac{\pi}{2}\operatorname{sgn}\alpha, & |\alpha|>|\beta|.\end{cases}$$

注 本题用到 3810 题和 3812 题的结果.

【3816】 $\int_0^{+\infty}\frac{\sin^3\alpha x}{x}\mathrm{d}x.$

解 由于 $\sin3\alpha x=3\sin\alpha x-4\sin^3\alpha x$，故

$$\int_0^{+\infty}\frac{\sin^3\alpha x}{x}\mathrm{d}x=\int_0^{+\infty}\frac{3\sin\alpha x-\sin 3\alpha x}{4x}\mathrm{d}x=\frac{\pi}{2}\operatorname{sgn}\alpha\left(\frac{3}{4}-\frac{1}{4}\right)=\frac{\pi}{4}\operatorname{sgn}\alpha.$$

注 本题用到 3812 题的结果.

【3817】 $\int_0^{+\infty}\left(\frac{\sin\alpha x}{x}\right)^2\mathrm{d}x.$

解 令 $I(\alpha)=\int_0^{+\infty}\left(\frac{\sin\alpha x}{x}\right)^2\mathrm{d}x$. 先设 $\alpha\geqslant 0$,显然 $x=0$ 不是瑕点,因为 $\lim\limits_{x\to 0^+}\left(\frac{\sin\alpha x}{x}\right)^2=\alpha^2$. 而由于 $\left(\frac{\sin\alpha x}{x}\right)^2\leqslant\frac{1}{x^2}$,又$\int_1^{+\infty}\frac{\mathrm{d}x}{x^2}$收敛,故$\int_1^{+\infty}\left(\frac{\sin\alpha x}{x}\right)^2\mathrm{d}x$ 关于 α 在$[0,+\infty)$上一致收敛,从而$\int_0^{+\infty}\left(\frac{\sin\alpha x}{x}\right)^2\mathrm{d}x$ 关于 α 在$[0,+\infty)$上一致收敛. 因此,$I(\alpha)$ 在$[0,+\infty)$上连续.

又因$\int_0^{+\infty}\frac{\partial}{\partial\alpha}\left(\frac{\sin\alpha x}{x}\right)^2\mathrm{d}x=\int_0^{+\infty}\frac{\sin 2\alpha x}{x}\mathrm{d}x=\frac{\pi}{2}$,而积分$\int_0^{+\infty}\frac{\sin 2\alpha x}{x}\mathrm{d}x$ 当 $\alpha\geqslant\alpha_0>0$ 时一致收敛(参看 3812 题的解题过程),故当 $\alpha\geqslant\alpha_0$ 时可在积分号下求导数,得

$$I'(\alpha)=\int_0^{+\infty}\frac{\sin 2\alpha x}{x}\mathrm{d}x=\frac{\pi}{2}. \qquad ①$$

由 $\alpha_0>0$ 的任意性知,① 式对一切 $\alpha>0$ 皆成立,两端积分,得

$$I(\alpha)=\frac{\pi}{2}\alpha+C(0<\alpha<+\infty),$$

其中 C 是某常数. 在上式两端令 $\alpha\to 0^+$ 取极限,并注意到 $I(\alpha)$ 在$[0,+\infty)$上连续知

$$0=I(0)=\lim_{\alpha\to 0^+}I(\alpha)=C.$$

于是,$I(\alpha)=\frac{\pi}{2}\alpha(0\leqslant\alpha<+\infty)$. 当 $\alpha<0$ 时,显然 $I(\alpha)=I(-\alpha)=\frac{\pi}{2}(-\alpha)$,故对于任何 α,有

$$\int_0^{+\infty}\left(\frac{\sin\alpha x}{x}\right)^2\mathrm{d}x=I(\alpha)=\frac{\pi}{2}|\alpha|.$$

【3818】 $\int_0^{+\infty}\left(\frac{\sin\alpha x}{x}\right)^3\mathrm{d}x.$

提示 两次使用分部积分法,并利用 3812 题及 3816 题的结果.

解
$$\begin{aligned}\int_0^{+\infty}\left(\frac{\sin\alpha x}{x}\right)^3\mathrm{d}x&=-\frac{1}{2}\int_0^{+\infty}\sin^3\alpha x\,\mathrm{d}\left(\frac{1}{x^2}\right)=-\frac{1}{2x^2}\sin^3\alpha x\Big|_0^{+\infty}+\frac{1}{2}\int_0^{+\infty}\frac{3\alpha\sin^2\alpha x\cos\alpha x}{x^2}\mathrm{d}x\\&=\frac{3\alpha}{2}\int_0^{+\infty}\frac{\sin^2\alpha x\cos\alpha x}{x^2}\mathrm{d}x=-\frac{3\alpha}{2}\int_0^{+\infty}\sin^2\alpha x\cos\alpha x\,\mathrm{d}\left(\frac{1}{x}\right)\\&=-\frac{3\alpha}{2x}\sin^2\alpha x\cos\alpha\Big|_0^{+\infty}+\frac{3\alpha}{2}\int_0^{+\infty}\frac{2\alpha\sin\alpha x\cos^2\alpha x-\alpha\sin^3\alpha x}{x}\mathrm{d}x\\&=\frac{3\alpha}{2}\int_0^{+\infty}\frac{2\alpha\sin\alpha x}{x}\mathrm{d}x-\frac{3\alpha}{2}\int_0^{+\infty}\frac{3\alpha\sin^3\alpha x}{x}\mathrm{d}x\\&=3\alpha^2\cdot\frac{\pi}{2}\operatorname{sgn}\alpha-\frac{9}{2}\alpha^2\cdot\frac{\pi}{4}\operatorname{sgn}\alpha=\frac{3\pi}{8}\alpha^2\operatorname{sgn}\alpha=\frac{3\pi}{8}\alpha|\alpha|.\end{aligned}$$

注 本题用到 3812 题和 3816 题的结果.

【3819】 $\int_0^{+\infty}\frac{\sin^4 x}{x^2}\mathrm{d}x.$

解
$$\begin{aligned}\int_0^{+\infty}\frac{\sin^4 x}{x^2}\mathrm{d}x&=-\frac{1}{x}\sin^4 x\Big|_0^{+\infty}+\int_0^{+\infty}\frac{4\sin^3 x\cos x}{x}\mathrm{d}x=\int_0^{+\infty}\frac{(3\sin x-\sin 3x)\cos x}{x}\mathrm{d}x\\&=\frac{3}{2}\int_0^{+\infty}\frac{\sin 2x}{x}\mathrm{d}x-\frac{1}{2}\int_0^{+\infty}\frac{\sin 4x}{x}\mathrm{d}x-\frac{1}{2}\int_0^{+\infty}\frac{\sin 2x}{x}\mathrm{d}x\end{aligned}$$

$$=\left(\frac{3}{2}-\frac{1}{2}-\frac{1}{2}\right)\frac{\pi}{2}=\frac{\pi}{4}.$$

注 本题用到 3812 题的结果.

【3820】 $\int_0^{+\infty}\frac{\sin^4\alpha x-\sin^4\beta x}{x}\mathrm{d}x.$

解 由于 $\sin^4 x=\frac{1}{8}(\cos 4x-4\cos 2x+3)$，故

$$\int_0^{+\infty}\frac{\sin^4\alpha x-\sin^4\beta x}{x}\mathrm{d}x$$

$$=\frac{1}{8}\int_0^{+\infty}\frac{\cos 4\alpha x-\cos 4\beta x}{x}\mathrm{d}x-\frac{1}{2}\int_0^{+\infty}\frac{\cos 2\alpha x-\cos 2\beta x}{x}\mathrm{d}x$$

$$=\frac{1}{8}\ln\left|\frac{\beta}{\alpha}\right|-\frac{1}{2}\ln\left|\frac{\beta}{\alpha}\right|=\frac{3}{8}\ln\left|\frac{\alpha}{\beta}\right|\ (\alpha\neq 0,\beta\neq 0).$$

注 (1) 若 $\alpha=\beta=0$，显然积分为零；若 $\alpha=0(\beta\neq 0)$ 或 $\beta=0(\alpha\neq 0)$，易知积分发散.
(2) 本题用到 3809 题的结果.

【3821】 $\int_0^{+\infty}\frac{\sin x^2}{x}\mathrm{d}x.$

解 作代换 $x=\sqrt{t}$，则有 $\int_0^{+\infty}\frac{\sin x^2}{x}\mathrm{d}x=\frac{1}{2}\int_0^{+\infty}\frac{\sin t}{t}\mathrm{d}t=\frac{\pi}{4}.$

注 本题用到 3812 题的结果.

【3822】 $\int_0^{+\infty}\mathrm{e}^{-kx}\frac{\sin\alpha x\sin\beta x}{x^2}\mathrm{d}x\ (k\geqslant 0,\alpha>0,\beta>0).$

解 $$\int_0^{+\infty}\mathrm{e}^{-kx}\frac{\sin\alpha x\sin\beta x}{x^2}\mathrm{d}x$$

$$=-\frac{1}{x}\mathrm{e}^{-kx}\sin\alpha x\sin\beta x\Big|_0^{+\infty}+\int_0^{+\infty}\frac{1}{x}\{-k\mathrm{e}^{-kx}\sin\alpha x\sin\beta x+$$
$$\mathrm{e}^{-kx}(\alpha\sin\beta x\cos\alpha x+\beta\sin\alpha x\cos\beta x)\}\mathrm{d}x$$

$$=\int_0^{+\infty}\mathrm{e}^{-kx}\frac{\alpha\sin\beta x\cos\alpha x+\beta\sin\alpha x\cos\beta x}{x}\mathrm{d}x-k\int_0^{+\infty}\mathrm{e}^{-kx}\frac{\sin\alpha x\sin\beta x}{x}\mathrm{d}x.$$

由于

$$\int_0^{+\infty}\mathrm{e}^{-kx}\frac{\alpha\sin\beta x\cos\alpha x}{x}\mathrm{d}x=\frac{\alpha}{2}\int_0^{+\infty}\mathrm{e}^{-kx}\frac{\sin(\alpha+\beta)x-\sin(\alpha-\beta)x}{x}\mathrm{d}x$$
$$=\frac{\alpha}{2}\left(\arctan\frac{\alpha+\beta}{k}-\arctan\frac{\alpha-\beta}{k}\right),$$

$$\int_0^{+\infty}\mathrm{e}^{-kx}\frac{\beta\sin\alpha x\cos\beta x}{x}\mathrm{d}x=\frac{\beta}{2}\left(\arctan\frac{\alpha+\beta}{k}+\arctan\frac{\alpha-\beta}{k}\right),$$

$$\int_0^{+\infty}\mathrm{e}^{-kx}\frac{\sin\alpha x\sin\beta x}{x}\mathrm{d}x$$

$$=\int_0^{+\infty}\frac{[(\mathrm{e}^{-kx}-1)+1][\cos(\alpha-\beta)x-\cos(\alpha+\beta)x]}{2x}\mathrm{d}x$$

$$=\frac{1}{2}\int_0^{+\infty}(\mathrm{e}^{-kx}-1)\frac{\cos(\alpha-\beta)x}{x}\mathrm{d}x-\frac{1}{2}\int_0^{+\infty}(\mathrm{e}^{-kx}-1)\frac{\cos(\alpha+\beta)x}{x}\mathrm{d}x+$$
$$\frac{1}{2}\int_0^{+\infty}\frac{\cos(\alpha-\beta)x-\cos(\alpha+\beta)x}{x}\mathrm{d}x$$

$$= \frac{1}{2} \cdot \frac{1}{2}\ln\frac{(\alpha-\beta)^2}{(\alpha-\beta)^2+k^2} - \frac{1}{2} \cdot \frac{1}{2}\ln\frac{(\alpha+\beta)^2}{(\alpha+\beta)^2+k^2} + \frac{1}{2}\ln\left|\frac{\alpha+\beta}{\alpha-\beta}\right|$$

$$= \frac{1}{4}\ln\frac{(\alpha+\beta)^2+k^2}{(\alpha-\beta)^2+k^2},$$

故 $\int_0^{+\infty} e^{-kx}\frac{\sin \alpha x \sin \beta x}{x^2}dx = \frac{\alpha+\beta}{2}\arctan\frac{\alpha+\beta}{k} - \frac{\alpha-\beta}{2}\arctan\frac{\alpha-\beta}{k} + \frac{k}{4}\ln\frac{(\alpha-\beta)^2+k^2}{(\alpha+\beta)^2+k^2}$.

注 本题用到 3812 题的结果.

【3823】 对于不同的 x 值,求狄利克雷间断乘子 $D(x) = \frac{2}{\pi}\int_0^{+\infty}\sin\lambda\cos\lambda x\frac{d\lambda}{\lambda}$,并作出函数 $y = D(x)$ 的图像.

解 $D(x) = \frac{1}{\pi}\int_0^{+\infty}\frac{\sin(1+x)\lambda + \sin(1-x)\lambda}{\lambda}d\lambda$.

当 $|x| < 1$ 时,$1+x > 0$ 及 $1-x > 0$,利用 3812 题的结果,即得

$$D(x) = \frac{1}{\pi}\left(\frac{\pi}{2} + \frac{\pi}{2}\right) = 1;$$

当 $|x| = 1$ 时,$1+x$ 及 $1-x$ 中总有一个为零,一个为正值,即得

$$D(x) = \frac{1}{\pi}\frac{\pi}{2} = \frac{1}{2};$$

当 $|x| > 1$ 时,$(1+x)(1-x) < 0$,即得 $D(x) = 0$. 如图 7.4 所示.

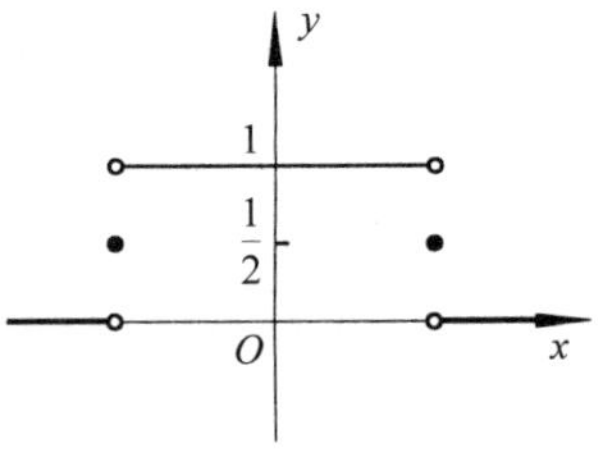

图 7.4

【3824】 计算积分:

(1)$V.P.\int_{-\infty}^{+\infty}\frac{\sin ax}{x+b}dx$;　(2)$V.P.\int_{-\infty}^{+\infty}\frac{\cos ax}{x+b}dx$.

解 (1)$V.P.\int_{-\infty}^{+\infty}\frac{\sin ax}{x+b}dx = V.P.\int_{-\infty}^{+\infty}\frac{\sin a(t-b)}{t}dt$

$$= V.P.\int_{-\infty}^{+\infty}\frac{\sin at\cos ab}{t}dt - V.P.\int_{-\infty}^{+\infty}\frac{\cos at\sin ab}{t}dt$$

$$= 2\int_0^{+\infty}\frac{\sin at}{t}\cos ab\,dt = \pi\operatorname{sgn} a \cdot \cos ab.$$

(2) 类似(1),可求得 $V.P.\int_{-\infty}^{+\infty}\frac{\cos ax}{x+b}dx = \pi\operatorname{sgn} a \cdot \sin ab$.

知识点 4 其他几种重要类型的积分

1. 拉普拉斯积分 $L = \int_0^{+\infty}\frac{\cos \alpha x}{1+x^2}dx$.

2. 菲涅尔积分

$$\int_0^{+\infty}\sin x^2dx = \frac{1}{2}\int_0^{+\infty}\frac{\sin x}{\sqrt{x}}dx \text{ 及 } \int_0^{+\infty}\cos x^2dx = \frac{1}{2}\int_0^{+\infty}\frac{\cos x}{\sqrt{x}}dx.$$

习题 3825—3840 其他几种重要类型的积分

【3825】 利用公式 $\frac{1}{1+x^2} = \int_0^{+\infty}e^{-y(1+x^2)}dy$,计算拉普拉斯积分 $L = \int_0^{+\infty}\frac{\cos \alpha x}{1+x^2}dx$.

解 $L = \int_0^{+\infty}\cos \alpha x dx\int_0^{+\infty}e^{-y(1+x^2)}dy$. 由于被积函数 $\cos \alpha x e^{-y(1+x^2)}$ 是$[0,+\infty)\times[0,+\infty)$上的连续

函数，并且绝对值的积分

$$\int_0^{+\infty}\mathrm{d}y\int_0^{+\infty}|\mathrm{e}^{-y(1+x^2)}\cos\alpha x|\,\mathrm{d}x\leqslant\int_0^{+\infty}\mathrm{e}^{-y}\mathrm{d}y\int_0^{+\infty}\mathrm{e}^{-yx^2}\mathrm{d}x$$

$$=\frac{\sqrt{\pi}}{2}\int_0^{+\infty}\frac{\mathrm{e}^{-y}}{\sqrt{y}}\mathrm{d}y=\sqrt{\pi}\int_0^{+\infty}\mathrm{e}^{-t^2}\mathrm{d}t=\frac{\pi}{2}<+\infty,$$

故原逐次积分可交换积分顺序，得

$$L=\int_0^{+\infty}\mathrm{e}^{-y}\mathrm{d}y\int_0^{+\infty}\mathrm{e}^{-yx^2}\cos\alpha x\,\mathrm{d}x=\int_0^{+\infty}\mathrm{e}^{-y}\cdot\frac{1}{2}\sqrt{\frac{\pi}{y}}\,\mathrm{e}^{-\frac{\alpha^2}{4y}}\mathrm{d}y$$

$$=\int_0^{+\infty}\sqrt{\pi}\,\mathrm{e}^{-\left[t^2+\frac{1}{t^2}\left(\frac{|\alpha|}{2}\right)^2\right]}\mathrm{d}t=\sqrt{\pi}\cdot\frac{\sqrt{\pi}}{2}\mathrm{e}^{-2\frac{|\alpha|}{2}}=\frac{\pi}{2}\mathrm{e}^{-|\alpha|}.$$

注 本题用到3805题和3803题的结果.

【3826】 计算积分 $L_1=\int_0^{+\infty}\frac{x\sin\alpha x}{1+x^2}\mathrm{d}x$.

解 由于 $\frac{\partial}{\partial\alpha}\left(\frac{\cos\alpha x}{1+x^2}\right)=-\frac{x\sin\alpha x}{1+x^2}$，因此考虑积分 $L=\int_0^{+\infty}\frac{\cos\alpha x}{1+x^2}\mathrm{d}x$.

由于 $\left|\frac{\cos\alpha x}{1+x^2}\right|\leqslant\frac{1}{1+x^2}$，而 $\int_0^{+\infty}\frac{\mathrm{d}x}{1+x^2}$ 收敛，故 $\int_0^{+\infty}\frac{\cos\alpha x}{1+x^2}\mathrm{d}x$ 关于 α 在 $(-\infty,+\infty)$ 上一致收敛. 又因当 $\alpha\geqslant\alpha_0\geqslant0$ 时，$\left|\int_0^A\sin\alpha x\,\mathrm{d}x\right|=\left|\frac{1-\cos\alpha A}{\alpha}\right|\leqslant\frac{2}{\alpha_0}$，而 $\frac{x}{1+x^2}$ 当 $x>1$ 时递减，且当 $x\to+\infty$ 时趋于零，于是，由狄利克雷判别法可知，积分 $\int_0^{+\infty}\frac{x\sin\alpha x}{1+x^2}\mathrm{d}x$ 关于 α 在 $[\alpha_0,+\infty)$ 上一致收敛. 因此，当 $\alpha\geqslant\alpha_0$ 时可在积分号下求导数，得

$$\frac{\mathrm{d}L}{\mathrm{d}\alpha}=-L_1. \qquad ①$$

由 $\alpha_0>0$ 的任意性知，① 式对一切 $\alpha>0$ 成立. 由3825题知，当 $\alpha>0$ 时，$L=\frac{\pi}{2}\mathrm{e}^{-\alpha}$. 于是，由 ① 式知

$$L_1=-\frac{\mathrm{d}L}{\mathrm{d}\alpha}=\frac{\pi}{2}\mathrm{e}^{-\alpha}\ (\alpha>0).$$

显然，当 $\alpha<0$ 时，$L_1=-\int_0^{+\infty}\frac{x\sin(-\alpha)x}{1+x^2}\mathrm{d}x=-\frac{\pi}{2}\mathrm{e}^{\alpha}$；而当 $\alpha=0$ 时，$L_1=0$.

综上所述，有 $L_1=\frac{\pi}{2}\operatorname{sgn}\alpha\,\mathrm{e}^{-|\alpha|}$.

【计算下列积分(3827—3829)】

【3827】 $\int_0^{+\infty}\frac{\sin^2x}{1+x^2}\mathrm{d}x$.

解 $\int_0^{+\infty}\frac{\sin^2x}{1+x^2}\mathrm{d}x=\frac{1}{2}\int_0^{+\infty}\frac{\mathrm{d}x}{1+x^2}-\frac{1}{2}\int_0^{+\infty}\frac{\cos 2x}{1+x^2}\mathrm{d}x=\frac{1}{2}\,\frac{\pi}{2}-\frac{1}{2}\,\frac{\pi}{2}\mathrm{e}^{-2}=\frac{\pi}{4}(1-\mathrm{e}^{-2})$.

注 本题用到3825题的结果.

【3828】 $\int_0^{+\infty}\frac{\cos\alpha x}{(1+x^2)^2}\mathrm{d}x$.

解 $\int_0^{+\infty}\frac{\cos\alpha x}{(1+x^2)^2}\mathrm{d}x=\int_0^{+\infty}\frac{\cos\alpha x}{1+x^2}\mathrm{d}x-\int_0^{+\infty}\frac{x^2\cos\alpha x}{(1+x^2)^2}\mathrm{d}x$

$$=\frac{\pi}{2}\mathrm{e}^{-|\alpha|}+\frac{1}{2}\int_0^{+\infty}x\cos\alpha x\,\mathrm{d}\left(\frac{1}{1+x^2}\right)$$

$$= \frac{\pi}{2}e^{-|\alpha|} + \frac{1}{2}\frac{x\cos\alpha x}{1+x^2}\Bigg|_0^{+\infty} - \frac{1}{2}\int_0^{+\infty}\frac{\cos\alpha x - \alpha x\sin\alpha x}{1+x^2}dx$$

$$= \frac{\pi}{2}e^{-|\alpha|} - \frac{1}{2}\int_0^{+\infty}\frac{\cos\alpha x}{1+x^2}dx + \frac{\alpha}{2}\int_0^{+\infty}\frac{x\sin\alpha x}{1+x^2}dx$$

$$= \frac{\pi}{2}e^{-|\alpha|} - \frac{\pi}{4}e^{-|\alpha|} + \frac{\alpha}{2}\frac{\pi}{2}\operatorname{sgn}\alpha\cdot e^{-|\alpha|} = \frac{\pi}{4}(1+|\alpha|)e^{-|\alpha|}.$$

注 本题用到 3825 题和 3826 题的结果.

【3829】 $\int_{-\infty}^{+\infty}\frac{\cos\alpha x}{ax^2+2bx+c}dx\,(a>0, ac-b^2>0)$.

解 $ax^2+2bx+c = a\left[\left(x+\frac{b}{a}\right)^2+\frac{ac-b^2}{a^2}\right]$. 令

$$m = \frac{\sqrt{ac-b^2}}{a}, t = \frac{1}{m}\left(x+\frac{b}{a}\right)(m>0),$$

则 $ax^2+2bx+c = am^2(t^2+1)$, $\cos\alpha x = \cos\alpha\left(mt-\frac{b}{a}\right) = \cos\alpha mt\cos\frac{b\alpha}{a} + \sin\alpha mt\sin\frac{b\alpha}{a}$. 于是

$$\int_{-\infty}^{+\infty}\frac{\cos\alpha x}{ax^2+2bx+c}dx = \frac{1}{am}\int_{-\infty}^{+\infty}\frac{\cos\alpha mt\cos\frac{b\alpha}{a}}{1+t^2}dt + \frac{1}{am}\int_{-\infty}^{+\infty}\frac{\sin\alpha mt\sin\frac{b\alpha}{a}}{1+t^2}dt.$$

由于 $\left|\frac{\cos\alpha mt}{1+t^2}\right| \leqslant \frac{1}{1+t^2}$,而$\int_{-\infty}^{+\infty}\frac{dt}{1+t^2} = \pi$收敛,故积分$\int_{-\infty}^{+\infty}\frac{\cos\alpha mt}{1+t^2}dt$收敛. 同理,积分$\int_{-\infty}^{+\infty}\frac{\sin\alpha mt}{1+t^2}dt$收敛.

又由于$\frac{\cos\alpha mt}{1+t^2}$为偶函数,$\frac{\sin\alpha mt}{1+t^2}$为奇函数,故

$$\int_{-\infty}^{+\infty}\frac{\cos\alpha mt}{1+t^2}dt = 2\int_0^{+\infty}\frac{\cos\alpha mt}{1+t^2}dt = \pi e^{-m|\alpha|}, \int_{-\infty}^{+\infty}\frac{\sin\alpha mt}{1+t^2}dt = 0.$$

从而得

$$\int_{-\infty}^{+\infty}\frac{\cos\alpha x}{ax^2+2bx+c}dx = \frac{1}{am}\cos\frac{b\alpha}{a}\cdot\pi e^{-m|\alpha|} = \frac{\pi}{\sqrt{ac-b^2}}\cos\frac{b\alpha}{a}e^{-\frac{|\alpha|\sqrt{ac-b^2}}{a}}.$$

注 本题用到 3825 题的结果.

【3830】 利用公式$\frac{1}{\sqrt{x}} = \frac{2}{\sqrt{\pi}}\int_0^{+\infty}e^{-xy^2}dy\,(x>0)$,计算菲涅尔积分

$$\int_0^{+\infty}\sin x^2dx = \frac{1}{2}\int_0^{+\infty}\frac{\sin x}{\sqrt{x}}dx \text{ 及 } \int_0^{+\infty}\cos x^2dx = \frac{1}{2}\int_0^{+\infty}\frac{\cos x}{\sqrt{x}}dx.$$

解 在积分$\frac{1}{\sqrt{x}} = \frac{2}{\sqrt{\pi}}\int_0^{+\infty}e^{-xy^2}dy$的两端乘以 $\sin x$,再在 $0<x_0\leqslant x\leqslant x_1$ 上积分,则得

$$\int_{x_0}^{x_1}\frac{\sin x}{\sqrt{x}}dx = \frac{2}{\sqrt{\pi}}\int_{x_0}^{x_1}dx\int_0^{+\infty}\sin x\cdot e^{-xy^2}dy.$$

由于 $|\sin x\cdot e^{-xy^2}| \leqslant e^{-x_0y^2}$,而$\int_0^{+\infty}e^{-x_0y^2}dy$收敛,故积分$\int_0^{+\infty}\sin x\cdot e^{-xy^2}dy$关于 x 在$[x_0,x_1]$上一致收敛,从而积分顺序可以互换,于是有

$$\int_{x_0}^{x_1}\frac{\sin x}{\sqrt{x}}dx = \frac{2}{\sqrt{\pi}}\int_0^{+\infty}dy\int_{x_0}^{x_1}\sin x\cdot e^{-xy^2}dx = -\frac{2}{\sqrt{\pi}}\int_0^{+\infty}\frac{e^{-xy^2}(y^2\sin x+\cos x)}{1+y^4}\Bigg|_{x_0}^{x_1}dy$$

$$= \frac{2}{\sqrt{\pi}}\sin x_0\int_0^{+\infty}\frac{y^2e^{-x_0y^2}}{1+y^4}dy + \frac{2}{\sqrt{\pi}}\cos x_0\int_0^{+\infty}\frac{e^{-x_0y^2}}{1+y^4}dy -$$

$$\frac{2}{\sqrt{\pi}}\sin x_1\int_0^{+\infty}\frac{y^2 e^{-x_1 y^2}}{1+y^4}dy-\frac{2}{\sqrt{\pi}}\cos x_1\int_0^{+\infty}\frac{e^{-x_1 y^2}}{1+y^4}dy,$$

上述等式右端的诸积分分别对 $0\leqslant x_0<+\infty,0\leqslant x_1<+\infty$ 都一致收敛. 事实上，$e^{-x_0 y^2}\leqslant 1,e^{-x_1 y^2}\leqslant 1$，且 $\int_0^{+\infty}\frac{y^2}{1+y^4}dy$ 及 $\int_0^{+\infty}\frac{dy}{1+y^4}$ 均收敛. 于是，它们分别都是 $x_0,x_1(0\leqslant x_0<+\infty,0\leqslant x_1<+\infty)$ 的连续函数. 从而，令 $x_0\to 0^+$ 在积分号下取极限，得

$$\int_0^{x_1}\frac{\sin x}{\sqrt{x}}dx=\frac{2}{\sqrt{\pi}}\int_0^{+\infty}\frac{dy}{1+y^4}-\frac{2}{\sqrt{\pi}}\sin x_1\int_0^{+\infty}\frac{y^2 e^{-x_1 y^2}}{1+y^2}dy-\frac{2}{\sqrt{\pi}}\cos x_1\int_0^{+\infty}\frac{e^{-x_1 y^2}}{1+y^4}dy,$$

由于上式右端的后两个积分均不超过积分 $\int_0^{+\infty}e^{-x_1 y^2}dy=\frac{1}{2}\sqrt{\frac{\pi}{x_1}}$，且 $\lim\limits_{x_1\to+\infty}\sqrt{\frac{\pi}{x_1}}=0$，令 $x_1\to+\infty$，可得

$$\int_0^{+\infty}\frac{\sin x}{\sqrt{x}}dx=\frac{2}{\sqrt{\pi}}\int_0^{+\infty}\frac{dy}{1+y^4}=\frac{2}{\sqrt{\pi}}\frac{\pi}{2\sqrt{2}}=\sqrt{\frac{\pi}{2}}.$$

最后得

$$\int_0^{+\infty}\sin x^2 dx=\frac{1}{2}\int_0^{+\infty}\frac{\sin x}{\sqrt{x}}dx=\frac{\sqrt{\pi}}{2\sqrt{2}}.$$

同法可得 $\int_0^{+\infty}\cos x^2 dx=\frac{\sqrt{\pi}}{2\sqrt{2}}$.

【求下列积分(3831—3833)】

【3831】 $\int_{-\infty}^{+\infty}\sin(ax^2+2bx+c)dx(a\neq 0)$.

解

$$\begin{aligned}&\int_{-\infty}^{+\infty}\sin(ax^2+2bx+c)dx\\&=\int_{-\infty}^{+\infty}\sin a\left[\left(x+\frac{b}{a}\right)^2+\frac{ac-b^2}{a^2}\right]dx=\int_{-\infty}^{+\infty}\sin\left(at^2+\frac{ac-b^2}{a}\right)dt\\&=\cos\frac{ac-b^2}{a}\int_{-\infty}^{+\infty}\sin at^2 dt+\sin\frac{ac-b^2}{a}\int_{-\infty}^{+\infty}\cos at^2 dt\\&=\operatorname{sgn} a\cos\frac{ac-b^2}{a}\frac{1}{\sqrt{|a|}}\int_{-\infty}^{+\infty}\sin y^2 dy+\sin\frac{ac-b^2}{a}\frac{1}{\sqrt{|a|}}\int_{-\infty}^{+\infty}\cos y^2 dy\\&=\sqrt{\frac{\pi}{2|a|}}\left(\operatorname{sgn} a\cos\frac{ac-b^2}{a}+\sin\frac{ac-b^2}{a}\right)=\sqrt{\frac{\pi}{|a|}}\sin\left(\frac{ac-b^2}{a}+\frac{\pi}{4}\operatorname{sgn} a\right).\end{aligned}$$

注 本题用到3830题的结果.

【3832】 $\int_{-\infty}^{+\infty}\sin x^2\cos 2ax dx$.

解

$$\begin{aligned}\int_{-\infty}^{+\infty}\sin x^2\cos 2ax dx&=\frac{1}{2}\int_{-\infty}^{+\infty}[\sin(x^2+2ax)+\sin(x^2-2ax)]dx\\&=\frac{1}{2}\left[\sqrt{\pi}\sin\left(\frac{\pi}{4}-a^2\right)+\sqrt{\pi}\sin\left(\frac{\pi}{4}-a^2\right)\right]=\sqrt{\pi}\sin\left(\frac{\pi}{4}-a^2\right).\end{aligned}$$

注 本题用到3831题的结果.

【3833】 $\int_{-\infty}^{+\infty}\cos x^2\cos 2ax dx$.

解

$$\begin{aligned}\int_{-\infty}^{+\infty}\cos x^2\cos 2ax dx&=\frac{1}{2}\int_{-\infty}^{+\infty}[\cos(x^2+2ax)+\cos(x^2-2ax)]dx\\&=\frac{1}{2}\int_{-\infty}^{+\infty}\left[\sin\left(x^2+2ax+\frac{\pi}{2}\right)+\sin\left(x^2-2ax+\frac{\pi}{2}\right)\right]dx\end{aligned}$$

$$=\frac{1}{2}2\sqrt{\pi}\sin\left(\frac{\pi}{2}-a^2+\frac{\pi}{4}\right)=\sqrt{\pi}\sin\left(\frac{\pi}{4}+a^2\right).$$

注 本题用到 3831 题的结果.

【3834】 证明公式:

(1) $\int_0^{+\infty}\frac{\cos\alpha x}{a^2-x^2}\mathrm{d}x=\frac{\pi}{2a}\sin a\alpha(\alpha\geqslant 0)$;

(2) $\int_0^{+\infty}\frac{x\sin\alpha x}{a^2-x^2}\mathrm{d}x=-\frac{\pi}{2}\cos a\alpha(\alpha>0)$.

这里 $a\neq 0$,积分应理解为在柯西主值的意义上.

证 (1) $\int_0^{+\infty}\frac{\cos\alpha x}{a^2-x^2}\mathrm{d}x$

$$=\lim_{\substack{\eta\to 0^+\\A\to+\infty}}\left[\int_0^{a-\eta}\frac{\cos\alpha x}{a^2-x^2}\mathrm{d}x+\int_{a+\eta}^{A}\frac{\cos\alpha x}{a^2-x^2}\mathrm{d}x\right]$$

$$=\frac{1}{2a}\lim_{\substack{\eta\to 0^+\\A\to+\infty}}\left(\int_0^{a-\eta}\frac{\cos\alpha x}{a-x}\mathrm{d}x+\int_0^{a-\eta}\frac{\cos\alpha x}{a+x}\mathrm{d}x+\int_{a+\eta}^{A}\frac{\cos\alpha x}{a-x}\mathrm{d}x+\int_{a+\eta}^{A}\frac{\cos\alpha x}{a+x}\mathrm{d}x\right)$$

$$=\frac{1}{2a}\lim_{\substack{\eta\to 0^+\\A\to+\infty}}\left[-\int_a^{\eta}\frac{\cos\alpha(a-t)}{t}\mathrm{d}t+\int_a^{2a-\eta}\frac{\cos\alpha(t-a)}{t}\mathrm{d}t-\int_{\eta}^{A-a}\frac{\cos\alpha(t+a)}{t}\mathrm{d}t+\int_{2a+\eta}^{A+a}\frac{\cos\alpha(t-a)}{t}\mathrm{d}t\right]$$

$$=\frac{1}{2a}\lim_{\substack{\eta\to 0^+\\A\to+\infty}}\left[\int_{\eta}^{A-a}\frac{\cos\alpha(t-a)}{t}\mathrm{d}t+\int_{A-a}^{A+a}\frac{\cos\alpha(t-a)}{t}\mathrm{d}t+\int_{2a+\eta}^{2a-\eta}\frac{\cos\alpha(t-a)}{t}\mathrm{d}t-\int_{\eta}^{A-a}\frac{\cos\alpha(t+a)}{t}\mathrm{d}t\right]$$

$$=\frac{1}{2a}\lim_{\substack{\eta\to 0^+\\A\to+\infty}}\left[\int_{\eta}^{A-a}\frac{\cos\alpha(t-a)-\cos\alpha(t+a)}{t}\mathrm{d}t+\int_{A-a}^{A+a}\frac{\cos\alpha(t-a)}{t}\mathrm{d}t-\int_{2a-\eta}^{2a+\eta}\frac{\cos\alpha(t-a)}{t}\mathrm{d}t\right]$$

$$=\frac{1}{2a}\lim_{\substack{\eta\to 0^+\\A\to+\infty}}\int_{\eta}^{A-a}\frac{2\sin\alpha t\sin a\alpha}{t}\mathrm{d}t+\frac{1}{2a}\lim_{A\to+\infty}\int_{A-a}^{A+a}\frac{\cos\alpha(t-a)}{t}\mathrm{d}t-\frac{1}{2a}\lim_{\eta\to+0}\int_{2a-\eta}^{2a+\eta}\frac{\cos\alpha(t-a)}{t}\mathrm{d}t$$

$$=\frac{\sin a\alpha}{a}\int_0^{+\infty}\frac{\sin\alpha t}{t}\mathrm{d}t=\frac{\pi}{2a}\sin a\alpha.$$

(2) $\int_0^{+\infty}\frac{x\sin\alpha x}{a^2-x^2}\mathrm{d}x$

$$=\lim_{\substack{\eta\to 0^+\\A\to+\infty}}\left(\int_0^{a-\eta}\frac{x\sin\alpha x}{a^2-x^2}\mathrm{d}x+\int_{a+\eta}^{A}\frac{x\sin\alpha x}{a^2-x^2}\mathrm{d}x\right)$$

$$=-\frac{1}{2}\lim_{\substack{\eta\to 0^+\\A\to+\infty}}\left(\int_0^{a-\eta}\frac{\sin\alpha x}{x-a}\mathrm{d}x+\int_0^{a-\eta}\frac{\sin\alpha x}{x+a}\mathrm{d}x+\int_{a+\eta}^{A}\frac{\sin\alpha x}{x-a}\mathrm{d}x+\int_{a+\eta}^{A}\frac{\sin\alpha x}{x+a}\mathrm{d}x\right)$$

$$=-\frac{1}{2}\lim_{\substack{\eta\to 0^+\\A\to+\infty}}\left[\int_{-a}^{-\eta}\frac{\sin\alpha(t+a)}{t}\mathrm{d}t+\int_a^{2a-\eta}\frac{\sin\alpha(t-a)}{t}\mathrm{d}t+\int_{\eta}^{A-a}\frac{\sin\alpha(t+a)}{t}\mathrm{d}t+\int_{2a+\eta}^{A+a}\frac{\sin\alpha(t-a)}{t}\mathrm{d}t\right]$$

$$=-\frac{1}{2}\lim_{\substack{\eta\to 0^+\\A\to+\infty}}\left[\int_{\eta}^{a}\frac{\sin\alpha(t-a)}{t}\mathrm{d}t+\int_a^{2a-\eta}\frac{\sin\alpha(t-a)}{t}\mathrm{d}t+\int_{\eta}^{A-a}\frac{\sin\alpha(t+a)}{t}\mathrm{d}t+\int_{2a+\eta}^{A+a}\frac{\sin\alpha(t-a)}{t}\mathrm{d}t\right]$$

$$=-\frac{1}{2}\lim_{\substack{\eta\to 0^+\\A\to+\infty}}\left[\int_{\eta}^{A-a}\frac{\sin\alpha(t-a)+\sin\alpha(t+a)}{t}\mathrm{d}t+\int_{A-a}^{A+a}\frac{\sin\alpha(t-a)}{t}\mathrm{d}t+\int_{2a+\eta}^{2a-\eta}\frac{\sin\alpha(t-a)}{t}\mathrm{d}t\right]$$

$$=-\frac{1}{2}\lim_{\substack{\eta\to 0^+\\A\to+\infty}}\int_{\eta}^{A-a}\frac{2\sin\alpha t\cos a\alpha}{t}\mathrm{d}t-\frac{1}{2}\lim_{A\to+\infty}\int_{A-a}^{A+a}\frac{\sin\alpha(t-a)}{t}\mathrm{d}t+\frac{1}{2}\lim_{\eta\to 0^+}\int_{2a-\eta}^{2a+\eta}\frac{\sin\alpha(t-a)}{t}\mathrm{d}t$$

$$=-\cos a\alpha\int_0^{+\infty}\frac{\sin\alpha t}{t}\mathrm{d}t=-\frac{\pi}{2}\cos a\alpha.$$

注 (1) 本题用到 3812 题的结果.

(2) 原题(1) 应加上条件 $\alpha \geqslant 0$. 当 $\alpha < 0$ 时,有

$$\int_0^{+\infty} \frac{\cos \alpha x}{a^2 - x^2} \mathrm{d}x = \int_0^{+\infty} \frac{\cos(-\alpha)x}{a^2 - x^2} \mathrm{d}x = \frac{\pi}{2a} \sin a(-\alpha) = -\frac{\pi}{2a} \sin a\alpha.$$

(3) 原题(2) 应加上条件 $\alpha > 0$. 当 $\alpha = 0$ 时等式显然不成立(左端等于 0,右端等于 $-\frac{\pi}{2}$);

当 $\alpha < 0$ 时,有

$$\int_0^{+\infty} \frac{x\sin \alpha x}{a^2 - x^2} \mathrm{d}x = -\int_0^{+\infty} \frac{x\sin(-\alpha)x}{a^2 - x^2} \mathrm{d}x = -\left[-\frac{\pi}{2}\cos a(-\alpha)\right] = \frac{\pi}{2}\cos a\alpha.$$

【3835】 对于函数 $f(t)$,求拉普拉斯变换 $F(p) = \int_0^{+\infty} \mathrm{e}^{-pt} f(t) \mathrm{d}t (p > 0)$. 设:

(1) $f(t) = t^n$ (n 为正整数); (2) $f(t) = \sqrt{t}$; (3) $f(t) = \mathrm{e}^{\alpha t}$;

(4) $f(t) = t\mathrm{e}^{-\alpha t}$; (5) $f(t) = \cos t$; (6) $f(t) = \frac{1 - \mathrm{e}^{-t}}{t}$;

(7) $f(t) = \sin \alpha\sqrt{t}$.

解 (1) **方法一** $F(p) = \int_0^{+\infty} \mathrm{e}^{-pt} t^n \mathrm{d}t = -\frac{1}{p} \mathrm{e}^{-pt} t^n \Big|_0^{+\infty} + \frac{n}{p}\int_0^{+\infty} \mathrm{e}^{-px} t^{n-1} \mathrm{d}t$

$$= \frac{n}{p}\int_0^{+\infty} \mathrm{e}^{-pt} t^{n-1} \mathrm{d}t = \overbrace{\cdots}^{n-1} = \frac{n!}{p^n}\int_0^{+\infty} \mathrm{e}^{-pt} \mathrm{d}t = \frac{n!}{p^{n+1}}.$$

方法二 $F(p) = \int_0^{+\infty} \mathrm{e}^{-pt} t^n \mathrm{d}t \xlongequal{u = pt} \frac{1}{p}\int_0^{+\infty} \mathrm{e}^{-u} \frac{u^n}{p^n} \mathrm{d}u$

$$= \frac{1}{p^{n+1}}\int_0^{+\infty} u^n \mathrm{e}^{-u} \mathrm{d}u = \frac{1}{p^{n+1}} \Gamma(n+1) = \frac{n!}{p^{n+1}}.$$

(2) **方法一** $F(p) = \int_0^{+\infty} \mathrm{e}^{-pt} \sqrt{t} \mathrm{d}t = -\frac{1}{p} \mathrm{e}^{-pt} \sqrt{t} \Big|_0^{+\infty} + \frac{1}{2p}\int_0^{+\infty} \mathrm{e}^{-pt} \frac{\mathrm{d}t}{\sqrt{t}} = \frac{1}{p}\int_0^{+\infty} \mathrm{e}^{-pu^2} \mathrm{d}u = \frac{\sqrt{\pi}}{2p\sqrt{p}}.$

方法二 $F(p) = \int_0^{+\infty} \mathrm{e}^{-pt} \sqrt{t} \mathrm{d}t \xlongequal{u = pt} \frac{1}{p}\int_0^{+\infty} \mathrm{e}^{-u} \frac{\sqrt{u}}{\sqrt{p}} \mathrm{d}u = \frac{1}{p\sqrt{p}}\int_0^{+\infty} \sqrt{u} \mathrm{e}^{-u} \mathrm{d}u = \frac{1}{p\sqrt{p}} \Gamma\left(\frac{3}{2}\right) = \frac{\sqrt{\pi}}{2p\sqrt{p}}.$

(3) $F(p) = \int_0^{+\infty} \mathrm{e}^{-pt} \mathrm{e}^{\alpha t} \mathrm{d}t = \int_0^{+\infty} \mathrm{e}^{(\alpha - p)t} \mathrm{d}t$. 当 $p > \alpha$ 时,$F(p) = \frac{1}{p - \alpha}$;当 $p \leqslant \alpha$ 时,积分发散.

(4) $F(p) = \int_0^{+\infty} t\mathrm{e}^{-pt} \mathrm{e}^{-\alpha t} \mathrm{d}t = \int_0^{+\infty} t\mathrm{e}^{-(p+\alpha)t} \mathrm{d}t = \frac{1}{(p+\alpha)^2} (p + \alpha > 0)$.

注 用到本题(1) 的结果:$n = 1$.

(5) $F(p) = \int_0^{+\infty} \mathrm{e}^{-pt} \cos t \mathrm{d}t = \frac{-p\cos t + \sin t}{p^2 + 1} \mathrm{e}^{-pt} \Big|_0^{+\infty} = \frac{p}{p^2 + 1}.$

(6) $F(p) = \int_0^{+\infty} \mathrm{e}^{-pt} \frac{1 - \mathrm{e}^{-t}}{t} \mathrm{d}t.$

由于 $\lim\limits_{t \to 0^+} \frac{1 - \mathrm{e}^{-t}}{t} = 1$,$\lim\limits_{t \to +\infty} \frac{1 - \mathrm{e}^{-t}}{t} = 0$,故函数 $\frac{1 - \mathrm{e}^{-t}}{t}$ 有界:$0 < \frac{1 - \mathrm{e}^{-t}}{t} \leqslant M =$ 常数 $(0 < t < +\infty)$.

由此可知,当 $p > 0$ 时,积分 $\int_0^{+\infty} \mathrm{e}^{-pt} \frac{1 - \mathrm{e}^{-t}}{t} \mathrm{d}t$ 收敛,并且

$$0 < F(p) \leqslant M\int_0^{+\infty} \mathrm{e}^{-pt} \mathrm{d}t = \frac{M}{p} (0 < p < +\infty). \quad ①$$

再考虑积分

$$\int_0^{+\infty}\frac{\partial}{\partial p}\left(e^{-pt}\frac{1-e^{-t}}{t}\right)dt=\int_0^{+\infty}e^{-pt}(e^{-t}-1)dt=\int_0^{+\infty}e^{-(p+1)t}dt-\int_0^{+\infty}e^{-pt}dt=-\frac{1}{p(p+1)}(p>0),$$

它对 $p\geqslant p_0>0$ 是一致收敛的. 因此,当 $p\geqslant p_0$ 时,可对函数 $F(p)$ 应用莱布尼茨法则,得

$$F'(p)=-\frac{1}{p(p+1)}(p\geqslant p_0).$$

由 $p_0>0$ 的任意性知,上式对一切 $p>0$ 均成立,两端积分,得

$$F(p)=\ln\frac{p+1}{p}+C(0<p<+\infty),\qquad ②$$

其中 C 是某常数. 由 ① 式知 $\lim\limits_{p\to+\infty}F(p)=0$.

于是,在 ② 式两端令 $p\to+\infty$ 取极限,得 $C=0$. 由此可知

$$F(p)=\ln\frac{p+1}{p}=\ln\left(1+\frac{1}{p}\right).$$

(7) $F(p)=\int_0^{+\infty}e^{-pt}\sin\alpha\sqrt{t}\,dt=2\int_0^{+\infty}ue^{-pu^2}\sin\alpha u\,du=\dfrac{\alpha\sqrt{\pi}}{2p\sqrt{p}}e^{-\frac{\alpha^2}{4p}}.$

注 本题用到 3806 题的结果.

【3836】 证明利普希茨积分公式:

$$\int_0^{+\infty}e^{-at}J_0(bt)dt=\frac{1}{\sqrt{a^2+b^2}}(a>0),$$

其中 $J_0(x)=\dfrac{1}{\pi}\int_0^{\pi}\cos(x\sin\varphi)d\varphi$ 为 0 阶贝塞尔函数(参阅 3726 题).

证 $$\int_0^{+\infty}e^{-at}J_0(bt)dt=\frac{1}{\pi}\int_0^{+\infty}e^{-at}dt\int_0^{\pi}\cos(bt\sin\varphi)d\varphi.$$

由于积分 $\int_0^{+\infty}e^{-at}\cos(bt\sin\varphi)dt$ 关于 φ 在 $[0,\pi]$ 上一致收敛,故可交换积分顺序,得

$$\begin{aligned}\int_0^{+\infty}e^{-at}J_0(bt)dt&=\frac{1}{\pi}\int_0^{\pi}d\varphi\int_0^{+\infty}e^{-at}\cos(bt\sin\varphi)dt\\&=\frac{1}{\pi}\int_0^{\pi}\left[\frac{-a\cos(bt\cos\varphi)+b\sin\varphi\sin(bt\sin\varphi)}{a^2+b^2\sin^2\varphi}e^{-at}\Big|_0^{+\infty}\right]d\varphi\\&=\frac{a}{\pi}\int_0^{\pi}\frac{d\varphi}{a^2+b^2\sin^2\varphi}=\frac{2a}{\pi}\int_0^{\frac{\pi}{2}}\frac{d\varphi}{a^2+b^2\sin^2\varphi}\\&=\frac{2a}{\pi}\int_0^{\frac{\pi}{2}}\frac{d(\tan\varphi)}{(a^2+b^2)\tan^2\varphi+a^2}=\frac{2a}{\pi}\int_0^{+\infty}\frac{dt}{(a^2+b^2)t^2+a^2}\\&=\frac{2a}{\pi}\frac{1}{a\sqrt{a^2+b^2}}\arctan\frac{\sqrt{a^2+b^2}}{a}t\Big|_0^{+\infty}=\frac{1}{\sqrt{a^2+b^2}}.\end{aligned}$$

【3837】 求魏尔斯特拉斯变换 $F(x)=\dfrac{1}{\sqrt{\pi}}\int_{-\infty}^{+\infty}e^{-(x-y)^2}f(y)dy$.

设:(1) $f(y)=1$;(2) $f(y)=y^2$;(3) $f(y)=e^{2ay}$;(4) $f(y)=\cos ay$.

解 (1) $F(x)=\dfrac{1}{\sqrt{\pi}}\int_{-\infty}^{+\infty}e^{-(x-y)^2}dy=\dfrac{1}{\sqrt{\pi}}\int_{-\infty}^{+\infty}e^{-u^2}du=\dfrac{2}{\sqrt{\pi}}\dfrac{\sqrt{\pi}}{2}=1.$

(2) $$\begin{aligned}F(x)&=\frac{1}{\sqrt{\pi}}\int_{-\infty}^{+\infty}e^{-(x-y)^2}y^2dy=\frac{1}{\sqrt{\pi}}\int_{-\infty}^{+\infty}e^{-u^2}(x+u)^2du\\&=\frac{1}{\sqrt{\pi}}\int_{-\infty}^{+\infty}e^{-u^2}u^2du+\frac{2x}{\sqrt{\pi}}\int_{-\infty}^{+\infty}e^{-u^2}udu+\frac{x^2}{\sqrt{\pi}}\int_{-\infty}^{+\infty}e^{-u^2}du.\end{aligned}$$

由于

$$\frac{1}{\sqrt{\pi}}\int_{-\infty}^{+\infty} e^{-u^2}u^2 du = \frac{2}{\sqrt{\pi}}\int_0^{+\infty} u^2 e^{-u^2} du = -\frac{1}{\sqrt{\pi}}\int_0^{+\infty} u d(e^{-u^2})$$

$$= -\frac{1}{\sqrt{\pi}} u e^{-u^2}\Big|_0^{+\infty} + \frac{1}{\sqrt{\pi}}\int_0^{+\infty} e^{-u^2} du = \frac{1}{\sqrt{\pi}}\frac{\sqrt{\pi}}{2} = \frac{1}{2},$$

及$\int_{-\infty}^{+\infty} e^{-u^2} u du = 0$,可得

$$F(x) = \frac{1}{2} + \frac{2x^2}{\sqrt{\pi}}\frac{\sqrt{\pi}}{2} = x^2 + \frac{1}{2}.$$

$$(3)F(x) = \frac{1}{\sqrt{\pi}}\int_{-\infty}^{+\infty} e^{-(x-y)^2} e^{2ay} dy = \frac{1}{\sqrt{\pi}}\int_{-\infty}^{+\infty} e^{-(x-y)^2+2ay} dy$$

$$= \frac{1}{\sqrt{\pi}} e^{a^2+2ax}\int_{-\infty}^{+\infty} e^{-(y-x-a)^2} dy = \frac{1}{\sqrt{\pi}} e^{a^2+2ax} 2\frac{\sqrt{\pi}}{2} = e^{a^2+2ax}.$$

$$(4)F(x) = \frac{1}{\sqrt{\pi}}\int_{-\infty}^{+\infty} e^{-(x-y)^2}\cos ay dy = \frac{1}{\sqrt{\pi}}\int_{-\infty}^{+\infty} e^{-u^2}\cos a(x+u) du$$

$$= \frac{\cos ax}{\sqrt{\pi}}\int_{-\infty}^{+\infty} e^{-u^2}\cos au du - \frac{\sin ax}{\sqrt{\pi}}\int_{-\infty}^{+\infty} e^{-u^2}\sin au du$$

$$= \frac{\cos ax}{\sqrt{\pi}}\frac{2}{2}\sqrt{\pi} e^{-\frac{a^2}{4}} - 0 = e^{-\frac{a^2}{4}}\cos ax.$$

注 本题用到 3805 题的结果.

【3838】 切比雪夫一埃尔米特多项式由公式 $H_n(x) = (-1)^n e^{x^2}\frac{d^n}{dx^n}(e^{-x^2})(n=0,1,2,\cdots)$ 定义,证明:

$$\int_{-\infty}^{+\infty} H_m(x)H_n(x)e^{-x^2} dx = \begin{cases} 0, & m \neq n, \\ 2^n n!\sqrt{\pi}, & m = n. \end{cases}$$

证 由 1209 题的结果知,$H_n(x)$ 为一个 n 次多项式,且 x^n 的系数为 2^n.不妨设 $m \leqslant n$,则

$$\int_{-\infty}^{+\infty} H_m(x)H_n(x)e^{-x^2} dx = \int_{-\infty}^{+\infty}(-1)^n H_m(x)\frac{d^n}{dx^n}(e^{-x^2})dx = (-1)^n\int_{-\infty}^{+\infty} H_m(x)d\left[\frac{d^{n-1}}{dx^{n-1}}(e^{-x^2})\right]$$

$$= (-1)^{n+1}\int_{-\infty}^{+\infty} H'_m(x)\frac{d^{n-1}}{dx^{n-1}}(e^{-x^2})dx = \cdots$$

$$= (-1)^{n+m}\int_{-\infty}^{+\infty} H_m^{(m)}(x)\frac{d^{n-m}}{dx^{n-m}}(e^{-x^2})dx = \cdots = (-1)^{2n}\int_{-\infty}^{+\infty} H_m^{(n)}(x)e^{-x^2} dx.$$

当 $m < n$ 时,$H_m^{(n)}(x) = 0$,故$\int_{-\infty}^{+\infty} H_m(x)H_n(x)e^{-x^2} dx = 0$;

当 $m = n$ 时,$H_m^{(n)}(x) = 2^n n!$,故

$$\int_{-\infty}^{+\infty} H_m(x)H_n(x)e^{-x^2} dx = 2^n n!\int_{-\infty}^{+\infty} e^{-x^2} dx = 2^n n!\sqrt{\pi}.$$

【3839】 计算在概率论中有重要意义的积分

$$\varphi(x) = \frac{1}{2\pi\sigma_1\sigma_2}\int_{-\infty}^{+\infty} e^{-\frac{\xi^2}{2\sigma_1^2}} e^{-\frac{(x-\xi)^2}{2\sigma_2^2}} d\xi(\sigma_1 > 0, \sigma_2 > 0).$$

解 注意到

$$\frac{\xi^2}{2\sigma_1^2} + \frac{(x-\xi)^2}{2\sigma_2^2} = \frac{1}{2\sigma_1^2\sigma_2^2}[(\sigma_1^2+\sigma_2^2)\xi^2 - 2\sigma_1^2 x\xi + \sigma_1^2 x^2],$$

并令 $a = \frac{\sigma_1^2+\sigma_2^2}{2\sigma_1^2\sigma_2^2}, b = -\frac{\sigma_1^2 x}{2\sigma_1^2\sigma_2^2}, c = \frac{\sigma_1^2 x^2}{2\sigma_1^2\sigma_2^2}$,即得

$$\varphi(x)=\frac{1}{2\pi\sigma_1\sigma_2}\int_{-\infty}^{+\infty}\mathrm{e}^{-(a\xi^2+2b\xi+c)}\,\mathrm{d}\xi=\frac{1}{2\pi\sigma_1\sigma_2}\sqrt{\frac{\pi}{a}}\ \mathrm{e}^{-\frac{ac-b^2}{a}}.$$

将 a,b,c 的表达式代入上式，并令 $\sigma=\sqrt{\sigma_1^2+\sigma_2^2}$，化简整理得

$$\varphi(x)=\frac{1}{\sigma\sqrt{2\pi}}\mathrm{e}^{-\frac{x^2}{2a^2}}.$$

注 本题用到 3800 题的结果.

【3840】 设函数 $f(x)$ 在区间 $(-\infty,+\infty)$ 内连续且绝对可积. 证明：积分

$$u(x,t)=\frac{1}{2a\sqrt{\pi t}}\int_{-\infty}^{+\infty}f(\xi)\mathrm{e}^{-\frac{(\xi-x)^2}{4a^2t}}\,\mathrm{d}\xi$$

满足热传导方程 $\frac{\partial u}{\partial t}=a^2\frac{\partial^2 u}{\partial x^2}$ 及初始条件 $\lim\limits_{t\to0^+}u(x,t)=f(x)$.

证 当 $t>0,-\infty<x<+\infty$ 时，$\left|f(\xi)\mathrm{e}^{-\frac{(\xi-x)^2}{4a^2t}}\right|\leqslant|f(\xi)|$，而 $\int_{-\infty}^{+\infty}|f(\xi)|\,\mathrm{d}\xi$ 收敛，故积分

$$\int_{-\infty}^{+\infty}f(\xi)\mathrm{e}^{-\frac{(\xi-x)^2}{4a^2t}}\,\mathrm{d}\xi$$

在 $t>0,-\infty<x<+\infty$ 上一致收敛，从而 $u(x,t)$ 是 $t>0,-\infty<x<+\infty$ 上的连续函数. 考虑积分

$$\int_{-\infty}^{+\infty}\frac{\partial}{\partial t}\left(f(\xi)\mathrm{e}^{-\frac{(\xi-x)^2}{4a^2t}}\right)\mathrm{d}\xi=\int_{-\infty}^{+\infty}f(\xi)\mathrm{e}^{-\frac{(\xi-x)^2}{4a^2t}}\frac{(\xi-x^2)^2}{4a^2t^2}\mathrm{d}\xi, \tag{①}$$

$$\int_{-\infty}^{+\infty}\frac{\partial}{\partial x}\left(f(\xi)\mathrm{e}^{-\frac{(\xi-x)^2}{4a^2t}}\right)\mathrm{d}\xi=\int_{-\infty}^{+\infty}f(\xi)\mathrm{e}^{-\frac{(\xi-x)^2}{4a^2t}}\frac{\xi-x}{2a^2t}\mathrm{d}\xi, \tag{②}$$

$$\int_{-\infty}^{+\infty}\frac{\partial}{\partial x^2}\left(f(\xi)\mathrm{e}^{-\frac{(\xi-x)^2}{4a^2t}}\right)\mathrm{d}\xi=\int_{-\infty}^{+\infty}f(\xi)\mathrm{e}^{-\frac{(\xi-x)^2}{4a^2t}}\left[-\frac{1}{2a^2t}+\frac{(\xi-x)^2}{4a^2t^2}\right]\mathrm{d}\xi. \tag{③}$$

先考察 ① 式中的积分.

由于对 $|x|\leqslant x_0,0<t_0\leqslant t\leqslant t_1$（$x_0,t_0,t_1$ 任意固定），当 $|\xi|>x_0$ 时，有

$$\left|f(\xi)\mathrm{e}^{-\frac{(\xi-x)^2}{4a^2t}}\frac{(\xi-x)^2}{4a^2t^2}\right|\leqslant|f(\xi)|\ \mathrm{e}^{-\frac{(|\xi|-x_0)^2}{4a^2t_1}}\ \frac{(|\xi|-x_0)^2}{4a^2t_0^2},$$

而

$$\lim_{|\xi|\to+\infty}\mathrm{e}^{-\frac{(|\xi|-x_0)^2}{4a^2t_1}}\ \frac{(|\xi|-x_0)^2}{4a^2t_0}=0,$$

故当 $|\xi|>x_0$ 时，有

$$\left|f(\xi)\mathrm{e}^{-\frac{(\xi-x)^2}{4a^2t}}\frac{(\xi-x)^2}{4a^2t^2}\right|\leqslant M|f(\xi)|,$$

其中 M 是某常数. 于是，根据 $\int_{-\infty}^{+\infty}|f(\xi)|\,\mathrm{d}\xi$ 收敛，由魏尔斯特拉斯判别法知，① 式中的积分在 $|x|\leqslant x_0$，$0<t_0\leqslant t\leqslant t_1$ 上一致收敛.

同理可证，② 式和 ③ 式中的积分都在 $|x|\leqslant x_0,0<t_0\leqslant t\leqslant t_1$ 上一致收敛. 于是，在其上可应用莱布尼茨法则在积分号下求导数，得

$$\frac{\partial u}{\partial t}=\frac{1}{4at\sqrt{\pi t}}\int_{-\infty}^{+\infty}f(\xi)\mathrm{e}^{-\frac{(\xi-x)^2}{4a^2t}}\left[\frac{(\xi-x)^2}{2a^2t}-1\right]\mathrm{d}\xi, \tag{④}$$

$$\frac{\partial u}{\partial x}=\frac{1}{2at\sqrt{\pi t}}\int_{-\infty}^{+\infty}f(\xi)\mathrm{e}^{-\frac{(\xi-x)^2}{4a^2t}}\frac{\xi-x}{2a^2t}\mathrm{d}\xi, \tag{⑤}$$

$$\frac{\partial^2 u}{\partial x^2}=\frac{1}{4a^3t\sqrt{\pi t}}\int_{-\infty}^{+\infty}f(\xi)\mathrm{e}^{-\frac{(\xi-x)^2}{4a^2t}}\left[\frac{(\xi-x)^2}{2a^2t}-1\right]\mathrm{d}\xi. \tag{⑥}$$

由 x_0,t_0,t_1 的任意性知，④⑤⑥ 三式对一切 $-\infty<x<+\infty,t>0$ 都成立. 根据 ④ 式及 ⑥ 式，即得

$$\frac{\partial u}{\partial t}=a^2\frac{\partial^2 u}{\partial x^2}(-\infty<x<+\infty,t>0).$$

下面证明

$$\lim_{t\to 0^+}u(x,t)=f(x)(-\infty<x<+\infty). \qquad ⑦$$

任意固定 x，易知 $t>0$，作变量代换 $u=\frac{\xi-x}{2a\sqrt{t}}$，有

$$\int_{-\infty}^{+\infty}e^{-\frac{(\xi-x)^2}{4a^2t}}d\xi=2a\sqrt{t}\int_{-\infty}^{+\infty}e^{-u^2}du=2a\sqrt{\pi t},$$

故

$$u(x,t)-f(x)=\frac{1}{2a\sqrt{\pi t}}\int_{-\infty}^{+\infty}[f(\xi)-f(x)]e^{-\frac{(\xi-x)^2}{4a^2t}}d\xi.$$

$\forall\varepsilon>0$，由 $f(x)$ 在点 x 连续知，$\exists\delta>0$，当 $|\xi-x|\leqslant\delta$ 时，有 $|f(\xi)-f(x)|<\frac{\varepsilon}{3}$. 又

$$u(x,t)-f(x)=\frac{1}{2a\sqrt{\pi t}}\left(\int_{-\infty}^{x-\delta}+\int_{x-\delta}^{x+\delta}+\int_{x+\delta}^{+\infty}\right)[f(\xi)-f(x)]e^{-\frac{(\xi-x)^2}{4a^2t}}d\xi=I_1+I_2+I_3.$$

下面分别估计 I_1,I_2 与 I_3，有

$$\begin{aligned}|I_2|&=\left|\frac{1}{2a\sqrt{\pi t}}\int_{x-\delta}^{x+\delta}[f(\xi)-f(x)]e^{-\frac{(\xi-x)^2}{4a^2t}}d\xi\right|<\frac{\varepsilon}{3}\left(\frac{1}{2a\sqrt{\pi t}}\int_{x-\delta}^{x+\delta}e^{-\frac{(\xi-x)^2}{4a^2t}}d\xi\right)\\&<\frac{\varepsilon}{3}\left(\frac{1}{2a\sqrt{\pi t}}\int_{-\infty}^{+\infty}e^{-\frac{(\xi-x)^2}{4a^2t}}d\xi\right)=\frac{\varepsilon}{3}.\end{aligned}$$

又有

$$\begin{aligned}|I_3|&=\left|\frac{1}{2a\sqrt{\pi t}}\int_{x+\delta}^{+\infty}[f(\xi)-f(x)]e^{-\frac{(\xi-x)^2}{4a^2t}}d\xi\right|\\&\leqslant\frac{1}{2a\sqrt{\pi t}}e^{-\frac{\delta^2}{4a^2t}}\int_{x+\delta}^{+\infty}|f(\xi)|d\xi+\frac{|f(x)|}{2a\sqrt{\pi t}}\int_{x+\delta}^{+\infty}e^{-\frac{(\xi-x)^2}{4a^2t}}d\xi\\&\leqslant\frac{1}{2a\sqrt{\pi t}}e^{-\frac{\delta^2}{4a^2t}}\int_{-\infty}^{+\infty}|f(\xi)|d\xi+\frac{|f(x)|}{\sqrt{\pi}}\int_{\frac{\delta}{2a\sqrt{t}}}^{+\infty}e^{-u^2}du,\end{aligned}$$

由此可知 $\lim\limits_{t\to 0^+}I_3=0$，同理可证 $\lim\limits_{t\to 0^+}I_1=0$. 故 $\exists\eta>0$，当 $0<t<\eta$ 时，有 $|I_3|<\frac{\varepsilon}{3}$，$|I_1|<\frac{\varepsilon}{3}$.
由此，当 $0<t<\eta$ 时，有

$$|u(x,t)-f(x)|<\frac{\varepsilon}{3}+\frac{\varepsilon}{3}+\frac{\varepsilon}{3}=\varepsilon.$$

故 ⑦ 式成立，证毕.

第4节 欧拉积分（习题3841—3880）

知识点预览

序号	知识点	题目序号	所在页码
1	Γ 函数与 B 函数及其性质	3841—3842	P280
2	利用欧拉积分表示、计算积分	3843—3871	P282
3	欧拉积分的其他应用	3872—3880	P290

知识点 1 Γ 函数与 B 函数及其性质

1. Γ 函数 当 $x>0$ 时，有

$$\Gamma(x)=\int_0^{+\infty}t^{x-1}\mathrm{e}^{-t}\mathrm{d}t.$$

Γ 函数的递推公式：$\Gamma(x+1)=x\Gamma(x)$.

若 n 为正整数，则

$$\Gamma(n+1)=n!;\Gamma\left(n+\frac{1}{2}\right)=\frac{1\cdot 3\cdots(2n-1)}{2^n}\sqrt{\pi}.$$

2. 延拓公式 当 x 不等于整数时，有

$$\Gamma(x)\Gamma(1-x)=\frac{\pi}{\sin \pi x}.$$

此公式可用来求自变量为负值的 Γ 函数.

3. B 函数 当 $x>0$ 及 $y>0$ 时，有 $\mathrm{B}(x,y)=\int_0^1 t^{x-1}(1-t)^{y-1}\mathrm{d}t.$

4. Γ 函数与 B 函数之间的关系 $\mathrm{B}(x,y)=\dfrac{\Gamma(x)\Gamma(y)}{\Gamma(x+y)}.$

习题 3841—3842 Γ 函数与 B 函数的性质

【3841】 证明：Γ 函数 $\Gamma(x)$ 在 $(0,+\infty)$ 内连续，并且有各阶连续导数.

证
$$\Gamma(x)=\int_0^{+\infty}t^{x-1}\mathrm{e}^{-t}\mathrm{d}t=\int_0^1 t^{x-1}\mathrm{e}^{-t}\mathrm{d}t+\int_1^{+\infty}t^{x-1}\mathrm{e}^{-t}\mathrm{d}t.$$

当 $x\geqslant x_0>0$ 时，$0<t^{x-1}\mathrm{e}^{-t}\leqslant t^{x_0-1}\mathrm{e}^{-t}(0<t<1)$，而$\int_0^1 t^{x_0-1}\mathrm{e}^{-t}\mathrm{d}t$ 收敛，故$\int_0^1 t^{x-1}\mathrm{e}^{-t}\mathrm{d}t$ 一致收敛；

又当 $x\leqslant x_1$ 时，$t^{x-1}\mathrm{e}^{-t}\leqslant t^{x_1-1}\mathrm{e}^{-t}(t\geqslant 1)$，而$\int_1^{+\infty}t^{x_1-1}\mathrm{e}^{-x}\mathrm{d}t$ 收敛，故当 $x\leqslant x_1$ 时$\int_1^{+\infty}t^{x-1}\mathrm{e}^{-t}\mathrm{d}t$ 一致收敛.

由此可知，积分$\int_0^{+\infty}t^{x-1}\mathrm{e}^{-t}\mathrm{d}t$ 当 $0<x_0\leqslant x\leqslant x_1$ 时一致收敛. 因此，$\Gamma(x)$ 在 $[x_0,x_1]$ 上连续. 由 x_0 及 $x_1(x_1>x_0>0)$ 的任意性，即知 $\Gamma(x)$ 在 $(0,+\infty)$ 内连续.

考虑积分

$$\int_0^{+\infty}\frac{\partial}{\partial x}(t^{x-1}e^{-t})dx=\int_0^{+\infty}t^{x-1}\ln t\cdot e^{-t}dt=\int_0^1 t^{x-1}\ln t\cdot e^{-t}dt+\int_1^{+\infty}t^{x-1}\ln t\cdot e^{-t}dt.$$

当 $x\geqslant x_0>0$ 时，$|t^{x-1}\ln t\cdot e^{-t}|\leqslant t^{x_0-1}|\ln t|(0<t\leqslant 1)$，因为

$$\lim_{t\to 0^+}t^{1-\frac{x_0}{2}}\cdot t^{x_0-1}|\ln t|=\lim_{t\to 0^+}(-t^{\frac{x_0}{2}}\ln t)=0,$$

且$\int_0^1 t^{x_0-1}|\ln t|dt$ 收敛，故积分$\int_0^1 t^{x-1}\ln t\cdot e^{-x}dt$ 当 $x\geqslant x_0>0$ 时一致收敛.

同样，当 $x\leqslant x_1$ 时，$|t^{x-1}\cdot\ln t\cdot e^{-t}|\leqslant t^{x_1}e^{-t}(t\geqslant 1)$，这是因为 $t\geqslant 1$ 时 $0\leqslant\ln t<t$，而积分$\int_1^{+\infty}t^{x_1}e^{-t}dt$ 收敛，故积分$\int_1^{+\infty}t^{x-1}\ln t\cdot e^{-t}dt$ 当 $x\leqslant x_1$ 时一致收敛.

因此，积分$\int_0^{+\infty}t^{x-1}\ln t\cdot e^{-t}dt$ 当 $0<x_0\leqslant x\leqslant x_1$ 时一致收敛.

故 $\Gamma(x)$ 在$[x_0,x_1]$上具有连续导数 $\Gamma'(x)$，且可在积分号下求导数，得

$$\Gamma'(x)=\int_0^{+\infty}t^{x-1}\ln t\cdot e^{-t}dt. \quad ①$$

由 x_0,x_1 的任意性可知，$\Gamma'(x)$ 在$(0,+\infty)$ 内连续，且 ① 式对 $x\in(0,+\infty)$ 皆成立.

完全类似地，可证 $\Gamma''(x)$ 在$(0,+\infty)$ 内连续，且可在 ① 式积分号下求导数. 一般地，由数学归纳法可知，对任何正整数 n，$\Gamma^{(n)}(x)$ 在$(0,+\infty)$ 内都连续，并且可在积分号下求导数，得

$$\Gamma^{(n)}(x)=\int_0^{+\infty}t^{x-1}(\ln t)^n e^{-t}dt(x>0).$$

【3842】 证明：B 函数 $B(x,y)$ 在$(0,+\infty)\times(0,+\infty)$ 内连续，并且有各阶连续导数.

证 由于当 $x\geqslant x_0>0, y\geqslant y_0>0$ 时，恒有

$$0<t^{x-1}(1-t)^{y-1}\leqslant t^{x_0-1}(1-t)^{y_0-1}(0<t<1),$$

而积分$\int_0^1 t^{x_0-1}(1-t)^{y_0-1}dt$ 收敛，故积分$\int_0^1 t^{x-1}(1-t)^{y-1}dt$ 在 $x\geqslant x_0, y\geqslant y_0$ 上一致收敛，从而 $B(x,y)$ 是 $x\geqslant x_0, y\geqslant y_0$ 上的二元连续函数. 由 $x_0>0, y_0>0$ 的任意性知，$B(x,y)$ 在$(0,+\infty)\times(0,+\infty)$ 内连续.

考虑积分

$$\int_0^1\frac{\partial}{\partial x}[t^{x-1}(1-t)^{y-1}]dt=\int_0^1 t^{x-1}(1-t)^{y-1}\ln t dt.$$

由于当 $x\geqslant x_0>0, y\geqslant y_0>0$ 时，恒有

$$|t^{x-1}(1-t)^{y-1}\ln t|\leqslant t^{x_0-1}(1-t)^{y_0-1}|\ln t|(0<t<1),$$

因为

$$\lim_{t\to 0^+}t^{1-\frac{x_0}{2}}t^{x_0-1}(1-t)^{y_0-1}|\ln t|=-\lim_{t\to 0^+}t^{\frac{x_0}{2}}\ln t=0,$$

$$\lim_{t\to 1^-}(1-t)^{1-\frac{y_0}{2}}\cdot t^{x_0-1}(1-t)^{y_0-1}|\ln t|=-\lim_{t\to 1^-}(1-t)^{\frac{y_0}{2}}\ln t=0,$$

故积分$\int_0^1 t^{x_0-1}(1-t)^{y_0-1}|\ln t|dt$ 收敛，因而积分$\int_0^1 t^{x-1}(1-t)^{y-1}\ln t dt$ 当 $x\geqslant x_0, y\geqslant y_0$ 时一致收敛. 因此，当 $x\geqslant x_0, y\geqslant y_0$ 时可在积分号下对 x 求导数，得

$$B_x'(x,y)=\int_0^1 t^{x-1}(1-t)^{y-1}\ln t dt, \quad ①$$

并且 $B_x'(x,y)$ 是 $x\geqslant x_0, x\geqslant y_0$ 上的连续函数. 由 $x_0>0, y_0>0$ 的任意性知，① 式对一切 $x>0, y>0$ 皆成立，并且 $B_x'(x,y)$ 是区域 $x>0, y>0$ 上的二元连续函数. 同理可证 $B_y'(x,y)$ 是区域 $x>0, y>0$ 上的二元连续函数，并且 $x>0, y>0$ 时，可在积分号下对 y 求导数，得

$$B_y'(x,y)=\int_0^1 t^{x-1}(1-t)^{y-1}\ln(1-t)dt.$$

完全类似地，利用数学归纳法，可证$\frac{\partial^n B(x,y)}{\partial x^i\partial y^{n-i}}$ 在区域 $x>0, y>0$ 上存在连续，并且

$$\frac{\partial^n \mathrm{B}(x,y)}{\partial x^i \partial y^{n-i}} = \int_0^1 t^{x-1}(1-t)^{y-1}(\ln t)^i[\ln(1-t)]^{n-i}\,\mathrm{d}t.$$

知识点 2 利用欧拉积分表示、计算积分

Γ 函数(Gamma 函数),也叫欧拉第二积分,是阶乘函数在实数与复数上扩展的一类函数. 该函数在分析学、概率论、偏微分方程和组合数学中有重要的应用. 与之有密切联系的是 B 函数,也叫第一类欧拉积分,可以用来快速计算同 Γ 函数形式相类似的积分.

习题 3843—3871 利用欧拉积分表示、计算积分

【利用欧拉积分计算下列积分(3843—3850)】

【3843】 $\int_0^1 \sqrt{x-x^2}\,\mathrm{d}x$.

解 $\int_0^1 \sqrt{x-x^2}\,\mathrm{d}x = \int_0^1 x^{\frac{1}{2}}(1-x)^{\frac{1}{2}}\,\mathrm{d}x = \mathrm{B}\left(\frac{3}{2},\frac{3}{2}\right) = \frac{\left[\Gamma\left(\frac{3}{2}\right)\right]^2}{\Gamma(3)} = \frac{\left[\frac{1}{2}\Gamma\left(\frac{1}{2}\right)\right]^2}{2!}$.

由于

$$\Gamma^2\left(\frac{1}{2}\right) = \Gamma\left(\frac{1}{2}\right)\Gamma\left(1-\frac{1}{2}\right) = \frac{\pi}{\sin\frac{\pi}{2}} = \pi,$$

故 $\Gamma\left(\frac{1}{2}\right) = \sqrt{\pi}$. 于是

$$\int_0^1 \sqrt{x-x^2}\,\mathrm{d}x = \frac{\pi}{8}.$$

【3844】 $\int_0^a x^2\sqrt{a^2-x^2}\,\mathrm{d}x \quad (a>0)$.

解

$$\int_0^a x^2\sqrt{a^2-x^2}\,\mathrm{d}x = a^4\int_0^a \left(\frac{x}{a}\right)^2\sqrt{1-\left(\frac{x}{a}\right)^2}\,\mathrm{d}\left(\frac{x}{a}\right) = a^4\int_0^1 u^2(1-u^2)^{\frac{1}{2}}\,\mathrm{d}u$$
$$= \frac{a^4}{2}\int_0^1 u(1-u^2)^{\frac{1}{2}}\,\mathrm{d}(u^2) = \frac{a^4}{2}\int_0^1 t^{\frac{1}{2}}(1-t)^{\frac{1}{2}}\,\mathrm{d}t = \frac{a^4}{2}\mathrm{B}\left(\frac{3}{2},\frac{3}{2}\right) = \frac{\pi a^4}{16}.$$

【3845】 $\int_0^{+\infty} \frac{\sqrt[4]{x}}{(1+x)^2}\,\mathrm{d}x$.

解 设 $\frac{x}{1+x} = t$,则 $x = \frac{t}{1-t}$,$\mathrm{d}x = \frac{1}{(1-t)^2}\mathrm{d}t$,代入即得

$$\int_0^{+\infty} \frac{\sqrt[4]{x}}{(1+x)^2}\,\mathrm{d}x = \int_0^1 t^{\frac{1}{4}}(1-t)^{-\frac{1}{4}}\,\mathrm{d}t = \mathrm{B}\left(\frac{5}{4},\frac{3}{4}\right) = \frac{\Gamma\left(\frac{5}{4}\right)\Gamma\left(\frac{3}{4}\right)}{\Gamma(2)}$$
$$= \frac{1}{4}\Gamma\left(\frac{1}{4}\right)\Gamma\left(\frac{3}{4}\right) = \frac{1}{4}\,\frac{\pi}{\sin\frac{\pi}{4}} = \frac{\pi}{2\sqrt{2}}.$$

【3846】 $\int_0^{+\infty} \frac{\mathrm{d}x}{1+x^3}$.

解 设 $x^3 = t$,则 $\int_0^{+\infty} \frac{\mathrm{d}x}{1+x^3} = \frac{1}{3}\int_0^{+\infty} \frac{t^{-\frac{2}{3}}}{1+t}\mathrm{d}t$,再作代换 $\frac{t}{1+t} = u$,即得

$$\int_0^{+\infty} \frac{\mathrm{d}x}{1+x^3} = \frac{1}{3}\int_0^1 u^{-\frac{2}{3}}(1-u)^{-\frac{1}{3}}\,\mathrm{d}u = \frac{1}{3}\mathrm{B}\left(\frac{1}{3},\frac{2}{3}\right) = \frac{1}{3}\,\frac{\Gamma\left(\frac{1}{3}\right)\Gamma\left(\frac{2}{3}\right)}{\Gamma(1)} = \frac{1}{3}\,\frac{\pi}{\sin\frac{\pi}{3}} = \frac{2\pi}{3\sqrt{3}}.$$

【3847】 $\int_0^{+\infty}\frac{x^2\mathrm{d}x}{1+x^4}$.

解 设 $x^4=t$,则$\int_0^{+\infty}\frac{x^2\mathrm{d}x}{1+x^4}=\frac{1}{4}\int_0^{+\infty}\frac{t^{-\frac{1}{4}}}{1+t}\mathrm{d}t$,再作代换$\frac{t}{1+t}=u$,即得

$$\int_0^{+\infty}\frac{x^2\mathrm{d}x}{1+x^4}=\frac{1}{4}\int_0^1 u^{-\frac{1}{4}}(1-u)^{-\frac{3}{4}}\mathrm{d}u=\frac{1}{4}\mathrm{B}\left(\frac{3}{4},\frac{1}{4}\right)=\frac{1}{4}\frac{\Gamma\left(\frac{3}{4}\right)\Gamma\left(\frac{1}{4}\right)}{\Gamma(1)}=\frac{1}{4}\frac{\pi}{\sin\frac{\pi}{4}}=\frac{\pi}{2\sqrt{2}}.$$

【3848】 $\int_0^{\frac{\pi}{2}}\sin^6 x\cos^4 x\mathrm{d}x$.

解 设 $t=\sin x$,则$\int_0^{\frac{\pi}{2}}\sin^6 x\cos^4 x\mathrm{d}x=\int_0^1 t^6(1-t^2)^{\frac{3}{2}}\mathrm{d}t$,再作代换 $t=\sqrt{u}$,即得

$$\int_0^{\frac{\pi}{2}}\sin^6 x\cos^4 x\mathrm{d}x=\frac{1}{2}\int_0^1 u^{\frac{5}{2}}(1-u)^{\frac{3}{2}}\mathrm{d}u=\frac{1}{2}\mathrm{B}\left(\frac{7}{2},\frac{5}{2}\right)=\frac{1}{2}\frac{\Gamma\left(\frac{7}{2}\right)\Gamma\left(\frac{5}{2}\right)}{\Gamma(6)}$$

$$=\frac{1}{2}\frac{\frac{5}{2}\cdot\frac{3}{2}\cdot\frac{1}{2}\sqrt{\pi}\cdot\frac{3}{2}\cdot\frac{1}{2}\sqrt{\pi}}{5!}=\frac{3\pi}{512}.$$

【3849】 $\int_0^1\frac{\mathrm{d}x}{\sqrt[n]{1-x^n}}(n>0)$.

解 设 $x^n=t$,即得

$$\int_0^1\frac{\mathrm{d}x}{\sqrt[n]{1-x^n}}=\frac{1}{n}\int_0^1 t^{\frac{1-n}{n}}(1-t)^{-\frac{1}{n}}\mathrm{d}t=\frac{1}{n}\mathrm{B}\left(\frac{1}{n},\frac{n-1}{n}\right)=\frac{1}{n}\frac{\Gamma\left(\frac{1}{n}\right)\Gamma\left(\frac{n-1}{n}\right)}{\Gamma(1)}=\frac{\pi}{n\sin\frac{\pi}{n}}.$$

【3850】 $\int_0^{+\infty}x^{2n}\mathrm{e}^{-x^2}\mathrm{d}x$($n$ 为正整数).

解 $\int_0^{+\infty}x^{2n}\mathrm{e}^{-x^2}\mathrm{d}x=\frac{1}{2}\int_0^{+\infty}x^{2n-1}\mathrm{e}^{-x^2}\mathrm{d}(x^2)=\frac{1}{2}\int_0^{+\infty}t^{\frac{2n-1}{2}}\mathrm{e}^{-t}\mathrm{d}t=\frac{1}{2}\Gamma\left(\frac{2n+1}{2}\right)$

$$=\frac{1}{2}\cdot\frac{1\cdot 3\cdots(2n-1)}{2^n}\sqrt{\pi}=\frac{(2n-1)!!}{2^{n+1}}\sqrt{\pi}.$$

【求下列积分的存在域,并用欧拉积分表示这些积分(3851—3871)】

解题思路 (1) 若 $\Gamma(x)=\int_0^{+\infty}t^{x-1}\mathrm{e}^{-t}\mathrm{d}t$ 收敛,则 $x>0$;

(2) 若 $\mathrm{B}(x,y)=\int_0^1 t^{x-1}(1-t)^{y-1}\mathrm{d}t$ 收敛,则 $x>0,y>0$.

由此来确定积分的存在域

【3851】 $\int_0^{+\infty}\frac{x^{m-1}}{1+x^n}\mathrm{d}x(n>0)$.

解 令 $x^n=t$,再令$\frac{t}{1+t}=u$,即得

$$\int_0^{+\infty}\frac{x^{m-1}}{1+x^n}\mathrm{d}x=\frac{1}{n}\int_0^{+\infty}\frac{t^{\frac{m-n}{n}}}{1+t}\mathrm{d}t=\frac{1}{n}\int_0^1 u^{\frac{m}{n}-1}(1-u)^{\frac{n-m}{n}-1}\mathrm{d}u,$$

此积分的存在域为$\frac{m}{n}>0$及$\frac{n-m}{n}>0$,即 $0<m<n$. 此时,有

$$\int_0^{+\infty}\frac{x^{m-1}}{1+x^n}\mathrm{d}x=\frac{1}{n}\mathrm{B}\left(\frac{m}{n},\frac{n-m}{n}\right)=\frac{1}{n}\frac{\Gamma\left(\frac{m}{n}\right)\Gamma\left(1-\frac{m}{n}\right)}{\Gamma(1)}=\frac{\pi}{n\sin\frac{m\pi}{n}}.$$

【3852】 $\int_0^{+\infty}\frac{x^{m-1}}{(1+x)^n}\mathrm{d}x$.

解 设$\frac{x}{1+x}=t$,即得

$$\int_0^{+\infty}\frac{x^{m-1}}{(1+x)^n}\mathrm{d}x=\int_0^1 t^{m-1}(1-t)^{n-m-1}\mathrm{d}t=\mathrm{B}(m,n-m),$$

存在域为 $m>0$ 及 $n-m>0$,即 $0<m<n$.

【3853】 $\int_0^{+\infty}\frac{x^m\mathrm{d}x}{(a+bx^n)^p}(a>0,b>0,n>0)$.

解 设$\frac{bx^n}{a+bx^n}=t$,则有

$$x=\left(\frac{a}{b}\right)^{\frac{1}{n}}\left(\frac{t}{1-t}\right)^{\frac{1}{n}},\mathrm{d}x=\frac{1}{n}\left(\frac{a}{b}\right)^{\frac{1}{n}}\frac{t^{\frac{1}{n}-1}}{(1-t)^{\frac{1}{n}+1}}\mathrm{d}t,$$

代入即得

$$\begin{aligned}\int_0^{+\infty}\frac{x^m}{(a+bx^n)^p}\mathrm{d}x&=\frac{1}{b^p}\int_0^{+\infty}\left(\frac{bx^n}{a+bx^n}\right)^p x^{m-np}\mathrm{d}x=\frac{a^{-p}}{n}\left(\frac{a}{b}\right)^{\frac{m+1}{n}}\int_0^1 t^{\frac{m+1}{n}-1}(1-t)^{p-\frac{m+1}{n}-1}\mathrm{d}t\\&=\frac{a^{-p}}{n}\left(\frac{a}{b}\right)^{\frac{m+1}{n}}\mathrm{B}\left(\frac{m+1}{n},p-\frac{m+1}{n}\right),\end{aligned}$$

存在域为$\frac{m+1}{n}>0$ 及 $p-\frac{m+1}{n}>0$,即 $0<m+1<np$.

【3854】 $\int_a^b\frac{(x-a)^m(b-x)^n}{(x+c)^{m+n+2}}\mathrm{d}x$.

解 设$\frac{b+c}{b-a}\cdot\frac{x-a}{x+c}=t$,则 $x=\frac{a+lct}{1-lt}$,其中 $l=\frac{b-a}{b+c}$,且

$$x-a=\frac{(a+c)lt}{1-lt},x-b=\frac{(a-b)+(b+c)lt}{1-lt},x+c=\frac{a+c}{1-lt},\mathrm{d}x=\frac{(a+c)l}{(1-lt)^2}\mathrm{d}t.$$

代入即得

$$\begin{aligned}\int_a^b\frac{(x-a)^m(b-x)^n}{(x+c)^{m+n+2}}\mathrm{d}x&=(-1)^n\frac{l^{m+1}}{(a+c)^{n+1}}\int_0^1 t^m[(a-b)+(b+c)lt]^n\mathrm{d}t\\&=\frac{(b-a)^{m+n+1}}{(a+c)^{n+1}(b+c)^{m+1}}\int_0^1 t^m(1-t)^n\mathrm{d}t=\frac{(b-a)^{m+n+1}}{(a+c)^{n+1}(b+c)^{m+1}}\mathrm{B}(m+1,n+1),\end{aligned}$$

存在域为 $m>-1$ 及 $n>-1$.

【3855】 $\int_0^1\frac{\mathrm{d}x}{\sqrt[n]{1-x^m}}(m>0)$.

解 设 $x^m=t$,即得$\int_0^1\frac{\mathrm{d}x}{\sqrt[n]{1-x^m}}=\frac{1}{m}\int_0^1 t^{\frac{1}{m}-1}(1-t)^{-\frac{1}{n}}\mathrm{d}t=\frac{1}{m}\mathrm{B}\left(\frac{1}{m},1-\frac{1}{n}\right)$.

存在域为 $1-\frac{1}{n}>0$,即 $n<0$ 或 $n>1$.

【3856】 $\int_0^{\frac{\pi}{2}}\sin^m x\cos^n x\,\mathrm{d}x$.

解 令 $\sin x=t$,再令 $t^2=u$,即得

$$\int_0^{\frac{\pi}{2}}\sin^m x\cos^n x\,\mathrm{d}x=\int_0^1 t^m(1-t^2)^{\frac{n-1}{2}}\mathrm{d}t=\frac{1}{2}\int_0^1 u^{\frac{m-1}{2}}(1-u)^{\frac{n-1}{2}}\mathrm{d}u=\frac{1}{2}\mathrm{B}\left(\frac{m+1}{2},\frac{n+1}{2}\right),$$

存在域为 $m>-1$ 及 $n>-1$.

【3857】 $\int_0^{\frac{\pi}{2}}\tan^n x\,\mathrm{d}x$.

解 令 $\sin x=t$,再令 $t^2=u$,即得

$$\int_0^{\frac{\pi}{2}}\tan^n x\mathrm{d}x=\int_0^1 t^n(1-t^2)^{-\frac{n+1}{2}}\mathrm{d}t=\frac{1}{2}\int_0^1 u^{\frac{n-1}{2}}(1-u)^{-\frac{n+1}{2}}\mathrm{d}u=\frac{1}{2}\mathrm{B}\left(\frac{n+1}{2},\frac{1-n}{2}\right)$$

$$=\frac{1}{2}\frac{\Gamma\left(\frac{n+1}{2}\right)\Gamma\left(1-\frac{n+1}{2}\right)}{\Gamma(1)}=\frac{1}{2}\frac{\pi}{\sin\frac{n+1}{2}\pi}=\frac{\pi}{2\cos\frac{n\pi}{2}},$$

存在域为$\frac{n+1}{2}>0$及$\frac{1-n}{2}>0$，即$|n|<1$.

【3858】 $\int_0^{\pi}\frac{\sin^{n-1}x}{(1+k\cos x)^n}\mathrm{d}x\quad(0<|k|<1)$.

解 设$\tan\frac{t}{2}=\sqrt{\frac{1-k}{1+k}}\tan\frac{x}{2}$，则有$\tan\frac{x}{2}=\sqrt{\frac{1+k}{1-k}}\tan\frac{t}{2}$，利用三角恒等式，可得

$$\sin x=\frac{\sqrt{1-k^2}\sin t}{1-k\cos t},\cos x=\frac{\cos t-k}{1-k\cos t},1+k\cos x=\frac{1-k^2}{1-k\cos t},\mathrm{d}x=\frac{\sqrt{1-k^2}}{1-k\cos t}\mathrm{d}t.$$

代入即得

$$\int_0^{\pi}\frac{\sin^{n-1}x}{(1+k\cos x)^n}\mathrm{d}x=(1-k^2)^{-\frac{n}{2}}\int_0^{\pi}\sin^{n-1}t\mathrm{d}t=2^{n-1}(1-k^2)^{-\frac{n}{2}}\int_0^{\pi}\sin^{n-1}\frac{t}{2}\cos^{n-1}\frac{t}{2}\mathrm{d}t.$$

在上式右端的最后一个积分中，依次作代换$\sin\frac{t}{2}=u,u^2=y$，即得

$$\int_0^{\pi}\frac{\sin^{n-1}x}{(1+k\cos x)^n}\mathrm{d}x=2^{n-1}(1-k^2)^{-\frac{n}{2}}\int_0^1 2u^{n-1}(1-u^2)^{\frac{n-2}{2}}\mathrm{d}u=2^{n-1}(1-k^2)^{-\frac{n}{2}}\int_0^1 y^{\frac{n-2}{2}}(1-y)^{\frac{n-2}{2}}\mathrm{d}y$$

$$=2^{n-1}(1-k^2)^{-\frac{n}{2}}\mathrm{B}\left(\frac{n}{2},\frac{n}{2}\right),$$

存在域为$n>0$.

【3859】 $\int_0^{+\infty}\mathrm{e}^{-x^n}\mathrm{d}x(n>0)$.

解 设$x^n=t$，即得$\int_0^{+\infty}\mathrm{e}^{-x^n}\mathrm{d}x=\frac{1}{n}\int_0^{+\infty}t^{\frac{1}{n}-1}\mathrm{e}^{-t}\mathrm{d}t=\frac{1}{n}\Gamma\left(\frac{1}{n}\right)$，存在域为$\frac{1}{n}>0$，即$n>0$.

【3860】 $\int_0^{+\infty}x^m\mathrm{e}^{-x^n}\mathrm{d}x$.

解 当$n>0$时，作代换$x^n=t$，则得

$$\int_0^{+\infty}x^m\mathrm{e}^{-x^n}\mathrm{d}x=\frac{1}{n}\int_0^{+\infty}t^{\frac{m+1}{n}-1}\mathrm{e}^{-t}\mathrm{d}t=\frac{1}{n}\Gamma\left(\frac{m+1}{n}\right);$$

当$n<0$时，仍作代换$x^n=t$，则得

$$\int_0^{+\infty}x^m\mathrm{e}^{-x^n}\mathrm{d}x=\frac{1}{n}\int_{+\infty}^0 t^{\frac{m+1}{n}}\mathrm{e}^{-t}\mathrm{d}t=-\frac{1}{n}\int_0^{+\infty}t^{\frac{m+1}{n}-1}\mathrm{e}^{-t}\mathrm{d}t=-\frac{1}{n}\Gamma\left(\frac{m+1}{n}\right).$$

将上式结果合并，即得当$n\neq 0$时，$\int_0^{+\infty}x^m\mathrm{e}^{-x}\mathrm{d}x=\frac{1}{|n|}\Gamma\left(\frac{m+1}{n}\right)$；

当$n=0$时，积分$\int_0^{+\infty}x^m\mathrm{e}^{-1}\mathrm{d}x$，显然发散. 因此，积分$\int_0^{+\infty}x^m\mathrm{e}^{-x^n}\mathrm{d}x$的存在域为$\frac{m+1}{n}>0$.

【3861】 $\int_0^1\left(\ln\frac{1}{x}\right)^p\mathrm{d}x$.

解 设$x=\mathrm{e}^{-t}$，即得

$$\int_0^1\left(\ln\frac{1}{x}\right)^p\mathrm{d}x=-\int_{+\infty}^0 t^p\mathrm{e}^{-t}\mathrm{d}t=\int_0^{+\infty}t^p\mathrm{e}^{-t}\mathrm{d}t=\Gamma(p+1),$$

存在域为$p>-1$

【3862】 $\int_0^{+\infty}x^p\mathrm{e}^{-ax}\ln x\mathrm{d}x(a>0)$.

解 由 3841 题的证明过程可知，积分$\int_0^{+\infty} x^p e^{-ax}\ln x dx$ 关于 p 在 $-1 < p_0 \leqslant p \leqslant p_1$ 时一致收敛. 因此，当 $p_0 \leqslant p \leqslant p_1$ 时，

$$\frac{\partial}{\partial p}\int_0^{+\infty} x^p e^{-ax} dx = \int_0^{+\infty} x^p e^{-ax}\ln x dx.$$

但是

$$\int_0^{+\infty} x^p e^{-ax} dx = \frac{1}{a^{p+1}}\int_0^{+\infty} t^p e^{-t} dt = \frac{\Gamma(p+1)}{a^{p+1}},$$

故

$$\int_0^{+\infty} x^p e^{-ax}\ln x dx = \frac{d}{dp}\left[\frac{\Gamma(p+1)}{a^{p+1}}\right](p_0 \leqslant p \leqslant p_1).$$

由 $-1 < p_0 < p_1$ 的任意性，即知上式对一切 $p > -1$ 均成立.

【3863】 $\int_0^{+\infty} \frac{x^{p-1}\ln x}{1+x} dx (p > 0)$.

解 由 3852 题的结果知 $B(p,1-p) = \int_0^{+\infty} \frac{x^{p-1}}{1+x} dx (0 < p < 1)$. 显然，所求积分

$$\int_0^{+\infty} \frac{x^{p-1}\ln x}{1+x} dx = \int_0^{+\infty} \frac{\partial}{\partial p}\left(\frac{x^{p-1}}{1+x}\right) dx.$$

下证积分$\int_0^{+\infty} \frac{x^{p-1}\ln x}{1+x} dx = \int_0^1 \frac{x^{p-1}\ln x}{1+x} dx + \int_1^{+\infty} \frac{x^{p-1}\ln x}{1+x} dx$ 在 $0 < p_0 \leqslant p \leqslant p_1 < 1$ 上一致收敛. 事实上，此时

$$\left|\frac{x^{p-1}\ln x}{1+x}\right| \leqslant \frac{x^{p_0-1}\,|\ln x|}{1+x}(0 < x \leqslant 1),$$

因为

$$\lim_{x\to 0^+} x^{1-\frac{p_0}{2}}\,\frac{x^{p_0-1}\,|\ln x|}{1+x} = \lim_{x\to 0^+}(-x^{\frac{p_0}{2}}\ln x) = 0,$$

故$\int_0^1 \frac{x^{p_0-1}\,|\ln x|}{1+x} dx$ 收敛，因而$\int_0^1 \frac{x^{p-1}\ln x}{1+x} dx$ 当 $p_0 \leqslant p \leqslant p_1$ 时一致收敛. 另一方面，当 $p_0 \leqslant p \leqslant p_1$ 时，有

$$0 \leqslant \frac{x^{p-1}\ln x}{1+x} \leqslant \frac{x^{p_1-1}\ln x}{1+x} \leqslant x^{p_1-2}\ln x (x \geqslant 1),$$

因为

$$\lim_{x\to+\infty} x^{1+\frac{1}{2}(1-p_1)} x^{p_1-2}\ln x = \lim_{x\to+\infty} x^{-\frac{1}{2}(1-p_1)}\ln x = 0,$$

故$\int_1^{+\infty} x^{p_1-2}\ln x dx$ 收敛，因而$\int_1^{+\infty} \frac{x^{p-1}\ln x}{1+x} dx$ 当 $p_0 \leqslant p \leqslant p_1$ 时一致收敛. 由此可知，积分$\int_0^{+\infty} \frac{x^{p-1}\ln x}{1+x} dx$ 当 $p_0 \leqslant p \leqslant p_1$ 时一致收敛. 从而当 $p_0 \leqslant p \leqslant p_1$ 时，可在积分号下求导数，得

$$\frac{d}{dp}B(p,1-p) = \int_0^{+\infty} \frac{x^{p-1}\ln x}{1+x} dx.$$

由 p_0, p_1 的任意性知，上式对一切 $0 < p < 1$ 皆成立. 由于

$$\frac{d}{dp}B(p,1-p) = \frac{d}{dp}\left(\frac{\pi}{\sin p\pi}\right) = -\frac{\pi^2\cos p\pi}{\sin^2 p\pi}(0 < p < 1),$$

故最后得

$$\int_0^{+\infty} \frac{x^{p-1}\ln x}{1+x} dx = -\frac{\pi^2\cos p\pi}{\sin^2 p\pi}(0 < p < 1).$$

【3864】 (1)$\int_0^{+\infty} \frac{x^{p-1}\ln^2 x}{1+x} dx (p > 0)$；(2)$\int_0^{+\infty} \frac{x\ln x}{1+x^3} dx$；(3)$\int_0^{+\infty} \frac{\ln^2 x}{1+x^4} dx$.

解 (1) 在 3863 题的基础上，考虑积分$\int_0^{+\infty} \frac{\partial}{\partial p}\left(\frac{x^{p-1}\ln x}{1+x}\right) dx = \int_0^{+\infty} \frac{x^{p-1}\ln^2 x}{1+x} dx.$

仿3863题的证明过程，可证积分$\int_0^{+\infty}\frac{x^{p-1}\ln^2 x}{1+x}dx$当$0<p_0\leqslant p\leqslant p_1<1$时一致收敛，从而积分$\int_0^{+\infty}\frac{x^{p-1}}{1+x}dx$可在积分号下对$p$求导数两次（当$p_0\leqslant p\leqslant p_1$时），得

$$\int_0^{+\infty}\frac{x^{p-1}\ln^2 x}{1+x}dx=\frac{d^2}{dp^2}B(p,1-p)=\frac{d^2}{dp^2}\left(\frac{\pi}{\sin^2 p\pi}\right)=-\frac{d}{dp}\left(\frac{\pi^2\cos p\pi}{\sin^2 p\pi}\right)=\frac{\pi^3(1+\cos^2 p\pi)}{\sin^3 p\pi}.$$

由p_0,p_1的任意性知，此式对一切$0<p<1$皆成立.

(2) 由于$\lim\limits_{x\to+\infty}x^{\frac{3}{2}}\cdot\frac{x\ln x}{1+x^3}=0$，故积分$\int_0^{+\infty}\frac{x\ln x}{1+x^3}dx$收敛. 令$t=x^3$，再由3863题可得

$$\int_0^{+\infty}\frac{x\ln x}{1+x^3}dx=\frac{1}{9}\int_0^{+\infty}\frac{t^{-\frac{1}{3}}\ln t}{1+t}dt=\frac{1}{9}\int_0^{+\infty}\frac{t^{\frac{2}{3}-1}\ln t}{1+t}dt=-\frac{1}{9}\frac{\pi^2\cos p\pi}{\sin^2 p\pi}=\frac{2}{27}\pi^2.$$

(3) 由于$\lim\limits_{x\to+\infty}x^2\cdot\frac{\ln^2 x}{1+x^4}=0$，故积分$\int_0^{+\infty}\frac{\ln^2 x}{1+x^4}dx$收敛. 令$t=x^4$，再由(1)可得

$$\int_0^{+\infty}\frac{\ln^2 x}{1+x^4}dx=\frac{1}{64}\int_0^{+\infty}\frac{t^{-\frac{3}{4}}\ln^2 t}{1+t}dt=\frac{1}{64}\int_0^{+\infty}\frac{t^{\frac{1}{4}-1}\ln t}{1+t}dt=\frac{1}{64}\cdot\frac{\pi^3\left(1+\cos^2\frac{1}{4}\pi\right)}{\sin^3\frac{1}{4}\pi}=\frac{3}{32\sqrt{2}}\pi^3.$$

【3865】 $\int_0^{+\infty}\frac{x^{p-1}-x^{q-1}}{(1+x)\ln x}dx.$

解 易知，当$0<p<1,0<q<1$时，积分$\int_0^{+\infty}\frac{x^{p-1}-x^{q-1}}{(1+x)\ln x}dx$收敛. 事实上，设$p<q$，则由

$$\lim_{x\to0^+}x^{1-p}\left|\frac{x^{p-1}-x^{q-1}}{(1+x)\ln x}\right|=\lim_{x\to0^+}\left|\frac{1-x^{q-p}}{(1+x)\ln x}\right|=0,$$

$$\lim_{x\to+\infty}x^{2-q}\left|\frac{x^{p-1}-x^{q-1}}{(1+x)\ln x}\right|=\lim_{x\to+\infty}\left|\frac{x^{1-(q-p)}-x}{(1+x)\ln x}\right|=0,$$

即知$\int_0^{+\infty}\frac{x^{p-1}-x^{q-1}}{(1+x)\ln x}dx$收敛.

考虑积分$\int_0^{+\infty}\frac{\partial}{\partial p}\left[\frac{x^{p-1}-x^{q-1}}{(1+x)\ln x}\right]dx=\int_0^{+\infty}\frac{x^{p-1}}{1+x}dx=B(p,1-p)=\frac{\pi}{\sin p\pi}$. 由于

$$0<\frac{x^{p-1}}{1+x}\leqslant\frac{x^{p_0-1}}{1+x}(0<x\leqslant1),0<\frac{x^{p-1}}{1+x}\leqslant\frac{x^{p_1-1}}{1+x}(1\leqslant x<+\infty),$$

且积分$\int_0^1\frac{x^{p_0-1}}{1+x}dx$和$\int_1^{+\infty}\frac{x^{p_1-1}}{1+x}dx$都收敛，可知积分$\int_0^{+\infty}\frac{x^{p-1}}{1+x}dx$当$0<p_0\leqslant p\leqslant p_1<1$时一致收敛，故当$0<p_0\leqslant p\leqslant p_1<1$时，可在积分号下对$p$求导数，得

$$I'(p)=\frac{\pi}{\sin p\pi},\qquad ①$$

其中$I(p)=\int_0^{+\infty}\frac{x^{p-1}-x^{q-1}}{(1+x)\ln x}dx$（$q$固定，$0<q<1$）.

由p_0,p_1的任意性知，①式对一切$0<p<1$均成立，两端积分，得

$$I(p)=\ln\left|\tan\frac{p\pi}{2}\right|+C(0<p<1),$$

其中C是常数. 在上式中令$p=q$，并由$I(q)=0$，得$0=I(q)=\ln\left|\tan\frac{q\pi}{2}\right|+C$，故$C=-\ln\left|\tan\frac{q\pi}{2}\right|$.

由此可知

$$\int_0^{+\infty}\frac{x^{p-1}-x^{q-1}}{(1+x)\ln x}dx=I(p)=\ln\left|\frac{\tan\frac{p\pi}{2}}{\tan\frac{q\pi}{2}}\right|(0<p<1,0<q<1).$$

注 本题用到3852题的结果.

【3866】 $\int_0^1 \frac{x^{p-1}-x^{-p}}{1-x}dx(0<p<1)$.

提示 此积分可以看作$\lim\limits_{\varepsilon\to 0^+}[B(p,\varepsilon)-B(1-p,\varepsilon)]$.

解 首先,由于$\lim\limits_{x\to 1^-}\frac{x^{p-1}-x^{-p}}{1-x}=\lim\limits_{x\to 1^-}\frac{(p-1)x^{p-2}+px^{-p-1}}{-1}=1-2p$,故$x=1$不是瑕点.

令$p_0=\max\{p,1-p\}$,则$0<p_0<1$. 取$p_0<p_0^*<1$. 由于

$$\lim_{x\to 0^+}x^{p_0^*}\left|\frac{x^{p-1}-x^{-p}}{1-x}\right|=\lim_{x\to 0^+}\left|\frac{x^{p_0^*-(1-p)}-x^{p_0^*-p}}{1-x}\right|=0,$$

故积分$\int_0^1 \frac{x^{p-1}-x^{-p}}{1-x}dx$绝对收敛$(0<p<1)$.

考察含参变量ε,$0\leqslant\varepsilon<1$的积分,$I(\varepsilon)=\int_0^1\frac{x^{p-1}-x^{-p}}{(1-x)^{1-\varepsilon}}dx$. 由于

$$\frac{|x^{p-1}-x^{-p}|}{(1-x)^{1-\varepsilon}}\leqslant\frac{|x^{p-1}-x^{-p}|}{1-x}(0<x<1),$$

而上面已证积分$\int_0^1\frac{|x^{p-1}-x^{-p}|}{1-x}dx$收敛,故积分$\int_0^1\frac{x^{p-1}-x^{-p}}{(1-x)^{1-\varepsilon}}dx$当$0\leqslant\varepsilon<1$时一致收敛. 由此可知,$I(\varepsilon)$是$[0,1)$上的连续函数. 但是,显然当$0<\varepsilon<1$时,有

$$\int_0^1\frac{x^{p-1}-x^{-p}}{(1-x)^{1-\varepsilon}}dx=B(p,\varepsilon)-B(1-p,\varepsilon).$$

于是,由$I(\varepsilon)$在$\varepsilon=0$右连续,得

$$\int_0^1\frac{x^{p-1}-x^{-p}}{1-x}dx=I(0)=\lim_{\varepsilon\to 0^+}I(\varepsilon)=\lim_{\varepsilon\to 0^+}[B(p,\varepsilon)-B(1-p,\varepsilon)].$$

根据Γ函数与B函数的关系以及$\Gamma(x)$和$\Gamma'(x)$在$(0,+\infty)$内连续,得

$$\begin{aligned}
&\lim_{\varepsilon\to 0^+}[B(p,\varepsilon)-B(1-p,\varepsilon)]\\
=&\lim_{\varepsilon\to 0^+}\frac{\Gamma(\varepsilon)[\Gamma(p)\Gamma(1-p+\varepsilon)-\Gamma(1-p)\Gamma(p+\varepsilon)]}{\Gamma(p+\varepsilon)\Gamma(1-p+\varepsilon)}\\
=&\lim_{\varepsilon\to 0^+}\frac{1}{\Gamma(p+\varepsilon)\Gamma(1-p+\varepsilon)\Gamma(1-\varepsilon)}\lim_{\varepsilon\to 0^+}\Gamma(\varepsilon)\Gamma(1-\varepsilon)[\Gamma(p)\Gamma(1-p+\varepsilon)-\Gamma(1-p)\Gamma(p+\varepsilon)]\\
=&\frac{1}{\Gamma(p)\Gamma(1-p)\Gamma(1)}\lim_{\varepsilon\to 0^+}\Gamma(\varepsilon)\Gamma(1-\varepsilon)[\Gamma(p)\Gamma(1-p+\varepsilon)-\Gamma(1-p)\Gamma(p+\varepsilon)]\\
=&\sin\pi p\lim_{\varepsilon\to 0^+}\frac{\Gamma(p)\Gamma(1-p+\varepsilon)-\Gamma(1-p)\Gamma(p+\varepsilon)}{\sin\pi\varepsilon}\\
=&\sin\pi p\lim_{\varepsilon\to 0^+}\frac{\Gamma(p)\Gamma'(1-p+\varepsilon)-\Gamma(1-p)\Gamma'(p+\varepsilon)}{\pi\cos\pi\varepsilon}\\
=&\frac{\sin\pi p}{\pi}[\Gamma(p)\Gamma'(1-p)-\Gamma(1-p)\Gamma'(p)].
\end{aligned}$$

但是,显然

$$\Gamma(p)\Gamma'(1-p)-\Gamma(1-p)\Gamma'(p)=-\frac{d}{dp}[\Gamma(p)\Gamma(1-p)]=-\frac{d}{dp}\left(\frac{\pi}{\sin p\pi}\right)=\frac{\pi^2\cos p\pi}{\sin^2 p\pi},$$

故最后得

$$\int_0^1\frac{x^{p-1}-x^{-p}}{1-x}dx=\pi\cot p\pi(0<p<1).$$

【3867】 $\int_0^{+\infty}\frac{\operatorname{sh}\alpha x}{\operatorname{sh}\beta x}dx(0<\alpha<\beta)$.

解 $\int_0^{+\infty}\frac{\operatorname{sh}\alpha x}{\operatorname{sh}\beta x}dx=\int_0^{+\infty}\frac{e^{\alpha x}-e^{-\alpha x}}{e^{\beta x}-e^{-\beta x}}dx=-\frac{1}{2\beta}\int_0^{+\infty}\frac{e^{(\alpha+\beta)x}-e^{(\beta-\alpha)x}}{1-e^{-2\beta x}}d(e^{-2\beta x})$

$$=-\frac{1}{2\beta}\int_1^0\frac{t^{-\frac{\alpha+\beta}{2\beta}}-t^{-\frac{\beta-\alpha}{2\beta}}}{1-t}dt=\frac{1}{2\beta}\int_0^1\frac{t^{\frac{\beta-\alpha}{2\beta}-1}-t^{-\frac{\beta-\alpha}{2\beta}}}{1-t}dt=\frac{\pi}{2\beta}\cot\frac{(\beta-\alpha)\pi}{2\beta}=\frac{\pi}{2\beta}\tan\frac{\alpha\pi}{2\beta}.$$

注 本题用到 3866 题的结果.

【3868】 $\int_0^1 \ln \Gamma(x)\mathrm{d}x$.

解 设 $1-x=t$,则有$\int_0^1 \ln \Gamma(x)\mathrm{d}x=\int_0^1 \ln \Gamma(1-t)\mathrm{d}t=\int_0^1 \ln \Gamma(1-x)\mathrm{d}x$. 相加即得

$$2\int_0^1 \ln \Gamma(x)\mathrm{d}x=\int_0^1 \ln[\Gamma(x)\Gamma(1-x)]\mathrm{d}x=\int_0^1 \ln \frac{\pi}{\sin \pi x}\mathrm{d}x=\ln \pi-\int_0^1 \ln \sin \pi x\mathrm{d}x$$

$$=\ln \pi-\frac{1}{\pi}\int_0^{\pi} \ln \sin t\mathrm{d}t=\ln \pi-\frac{1}{\pi}\left(\int_0^{\frac{\pi}{2}} \ln \sin t\mathrm{d}t+\int_{\frac{\pi}{2}}^{\pi} \ln \sin t\mathrm{d}t\right)$$

$$=\ln \pi-\frac{2}{\pi}\int_0^{\frac{\pi}{2}} \ln \sin t\mathrm{d}t=\ln \pi-\frac{2}{\pi}\left(-\frac{\pi}{2}\ln 2\right)=\ln 2\pi.$$

于是

$$\int_0^1 \ln \Gamma(x)\mathrm{d}x=\frac{1}{2}\ln 2\pi=\ln \sqrt{2\pi}.$$

注 本题用到 2353 题(1) 的结果.

【3869】 $\int_a^{a+1} \ln \Gamma(x)\mathrm{d}x(a>0)$.

解 设 $F(a)=\int_a^{a+1} \ln \Gamma(x)\mathrm{d}x=\int_0^{a+1} \ln \Gamma(x)\mathrm{d}x-\int_0^a \ln \Gamma(x)\mathrm{d}x$,则有

$$F'(a)=\ln \Gamma(a+1)-\ln \Gamma(a)=\ln \frac{\Gamma(a+1)}{\Gamma(a)}=\ln a.$$

两端积分,得

$$F(a)=a(\ln a-1)+C,$$

其中 C 为某常数. 令 $a\to 0^+$,得 $C=\ln \sqrt{2\pi}$. 于是

$$\int_a^{a+1} \ln \Gamma(x)\mathrm{d}x=a(\ln a-1)+\ln \sqrt{2\pi}.$$

注 本题用到 3868 题的结果.

【3870】 $\int_0^1 \ln \Gamma(x)\sin \pi x\mathrm{d}x$.

解 设 $x=1-t$,则有$\int_0^1 \ln \Gamma(x)\sin \pi x\mathrm{d}x=\int_0^1 \ln \Gamma(1-t)\sin \pi t\mathrm{d}t=\int_0^1 \ln \Gamma(1-x)\sin \pi x\mathrm{d}x$. 相加得

$$2\int_0^1 \ln \Gamma(x)\sin \pi x\mathrm{d}x=\int_0^1 \ln[\Gamma(x)\Gamma(1-x)\sin \pi x\mathrm{d}x]=\int_0^1\left(\ln \frac{\pi}{\sin \pi x}\right)\sin \pi x\mathrm{d}x$$

$$=\ln \pi\int_0^1 \sin \pi x\mathrm{d}x-\int_0^1 \sin \pi x\ln \sin \pi x\mathrm{d}x.$$

由于$\int_0^1 \sin \pi x\mathrm{d}x=-\frac{1}{\pi}\cos \pi x\Big|_0^1=\frac{2}{\pi}$ 及

$$\int_0^1 \sin \pi x\ln \sin \pi x\mathrm{d}x=\frac{1}{\pi}\int_0^{\pi} \sin t\ln \sin t\mathrm{d}t=\frac{2}{\pi}\int_0^{\pi} \sin \frac{t}{2}\cos \frac{t}{2}\left[\ln 2+\ln \sin \frac{t}{2}+\frac{1}{2}\ln\left(1-\sin^2 \frac{t}{2}\right)\right]\mathrm{d}t$$

$$=\frac{4}{\pi}\int_0^1 u\left[\ln 2+\ln u+\frac{1}{2}\ln(1-u^2)\right]\mathrm{d}u$$

$$=\frac{4}{\pi}\left[\frac{1}{2}u^2\ln 2+\frac{1}{2}u^2\left(\ln u-\frac{1}{2}\right)\Big|_0^1-\frac{1}{4}\int_0^1 \ln(1-u^2)\mathrm{d}(1-u^2)\right]$$

$$=\frac{4}{\pi}\left(\frac{1}{2}\ln 2-\frac{1}{4}+\frac{1}{4}\int_0^1 \ln t\mathrm{d}t\right)$$

$$=\frac{2}{\pi}\ln 2-\frac{1}{\pi}+\frac{1}{\pi}(t\ln t-t)\Big|_0^1=\frac{2}{\pi}\ln 2-\frac{2}{\pi},$$

故最后得$\int_0^1\ln\Gamma(x)\sin\pi x\mathrm{d}x=\frac{1}{2}\cdot\frac{2}{\pi}\ln\pi-\frac{1}{2}\left(\frac{2}{\pi}\ln 2-\frac{2}{\pi}\right)=\frac{1}{\pi}\left(1+\ln\frac{\pi}{2}\right)$.

【3871】 $\int_0^1\ln\Gamma(x)\cos 2n\pi x\mathrm{d}x$($n$ 为正整数).

解 设 $x=1-t$,则有

$$\int_0^1\ln\Gamma(x)\cos 2n\pi x\mathrm{d}x=\int_0^1\ln\Gamma(1-t)\cos 2n\pi t\mathrm{d}t=\int_0^1\ln\Gamma(1-x)\cos 2n\pi x\mathrm{d}x.$$

等式两端同加$\int_0^1\ln\Gamma(x)\cos 2n\pi x\mathrm{d}x$,得

$$2\int_0^1\ln\Gamma(x)\cos 2n\pi x\mathrm{d}x=\int_0^1\ln[\Gamma(x)\Gamma(1-x)]\cos 2n\pi x\mathrm{d}x=\int_0^1(\ln\pi-\ln\sin\pi x)\cos 2n\pi x\mathrm{d}x$$

$$=-\int_0^1\cos 2n\pi x\ln\sin\pi x\mathrm{d}x=-\frac{1}{\pi}\int_0^{\pi}\cos 2nt\ln\sin t\mathrm{d}t$$

$$=-\frac{1}{2n\pi}\sin 2nt\ln\sin t\Big|_0^{\pi}+\frac{1}{2n\pi}\int_0^{\pi}\frac{\sin 2nt\cos t}{\sin t}\mathrm{d}t=\frac{1}{2n\pi}\int_0^{\pi}\frac{\sin 2nt\cos t}{\sin t}\mathrm{d}t$$

$$=\frac{1}{4n\pi}\left[\int_0^{\pi}\frac{\sin(2n+1)t}{\sin t}\mathrm{d}t+\int_0^{\pi}\frac{\sin(2n-1)t}{\sin t}\mathrm{d}t\right]=\frac{1}{4n\pi}(\pi+\pi)=\frac{1}{2n}.$$

于是$\int_0^1\ln\Gamma(x)\cos 2n\pi x\mathrm{d}x=\frac{1}{4n}$.

注 本题用到 2296 题的结果.

知识点 3 欧拉积分的其他应用

通过变量代换得到欧拉积分的变形,进一步得到一些积分等式,可用于欧拉积分的化简、计算与证明.

习题 3872—3880 欧拉积分的其他应用

【利用欧拉积分证明下列等式(3872－3875)】

总体思路 将被积函数变形,得到欧拉积分的形式,从而得到要证等式.

【3872】 $\int_0^1\frac{\mathrm{d}x}{\sqrt{1-x^4}}\cdot\int_0^1\frac{x^2\mathrm{d}x}{\sqrt{1-x^4}}=\frac{\pi}{4}$.

证 令 $x^4=t$,则有

$$\int_0^1\frac{\mathrm{d}x}{\sqrt{1-x^4}}=\frac{1}{4}\int_0^1 t^{-\frac{3}{4}}(1-t)^{-\frac{1}{2}}\mathrm{d}x=\frac{1}{4}\mathrm{B}(\frac{1}{4},\frac{1}{2}),$$

$$\int_0^1\frac{x^2\mathrm{d}x}{\sqrt{1-x^4}}=\frac{1}{4}\int_0^1 t^{-\frac{1}{4}}(1-t)^{-\frac{1}{2}}\mathrm{d}x=\frac{1}{4}\mathrm{B}(\frac{3}{4},\frac{1}{2}),$$

因而有

$$\int_0^1\frac{\mathrm{d}x}{\sqrt{1-x^4}}\cdot\int_0^1\frac{x^2\mathrm{d}x}{\sqrt{1-x^4}}=\frac{1}{4}\mathrm{B}(\frac{1}{4},\frac{1}{2})\cdot\frac{1}{4}\mathrm{B}(\frac{3}{4},\frac{1}{2})$$

$$=\frac{1}{4^2}\frac{\Gamma\left(\frac{1}{4}\right)\Gamma\left(\frac{1}{2}\right)\Gamma\left(\frac{3}{4}\right)\Gamma\left(\frac{1}{2}\right)}{\Gamma\left(\frac{1}{4}+\frac{1}{2}\right)\Gamma\left(\frac{3}{4}+\frac{1}{2}\right)}$$

$$=\frac{1}{4^2}\frac{\Gamma\left(\frac{1}{4}\right)\Gamma\left(\frac{3}{4}\right)\left[\Gamma\left(\frac{1}{2}\right)\right]^2}{\frac{1}{4}\Gamma\left(\frac{3}{4}\right)\Gamma\left(\frac{1}{4}\right)}=\frac{\pi}{4}.$$

【3873】 $\int_0^{+\infty}e^{-x^4}dx\int_0^{+\infty}x^2e^{-x^4}dx=\frac{\pi}{8\sqrt{2}}$.

证 令 $x^4=t$,则有

$$\int_0^{+\infty}e^{-x^4}dx=\frac{1}{4}\int_0^{+\infty}t^{-\frac{3}{4}}e^{-t}dx=\frac{1}{4}\Gamma\left(\frac{1}{4}\right),$$

$$\int_0^{+\infty}x^2e^{-x^4}dx=\frac{1}{4}\int_0^{+\infty}t^{-\frac{1}{4}}e^{-t}dx=\frac{1}{4}\Gamma\left(\frac{3}{4}\right),$$

因而有

$$\int_0^{+\infty}e^{-x^4}dx\int_0^{+\infty}x^2e^{-x^4}dx=\frac{1}{4}\Gamma\left(\frac{1}{4}\right)\cdot\frac{1}{4}\Gamma\left(\frac{3}{4}\right)=\frac{1}{4^2}\frac{\pi}{\sin\frac{\pi}{4}}=\frac{\sqrt{2}\pi}{16}.$$

【3874】 $\prod_{m=1}^{n}\int_0^{+\infty}x^{m-1}e^{-x^n}dx=\left(\frac{1}{n}\right)^{n+\frac{1}{2}}(2\pi)^{\frac{n-1}{2}}$.

证 令 $t=x^n$,可得

$$\int_0^{+\infty}x^{m-1}e^{-x^n}dx=\frac{1}{n}\int_0^{+\infty}t^{\frac{m}{n}-1}e^{-t}dt=\frac{1}{n}\Gamma\left(\frac{m}{n}\right),$$

故

$$\prod_{m=1}^{n}\int_0^{+\infty}x^{m-1}e^{-x^n}dx=\prod_{m-1}^{n}\frac{1}{n}\Gamma\left(\frac{m}{n}\right)=\left(\frac{1}{n}\right)^n\prod_{m=1}^{n-1}\Gamma\left(\frac{m}{n}\right).$$

令 $E=\prod_{m=1}^{n-1}\Gamma\left(\frac{m}{n}\right)=\prod_{m=1}^{n-1}\Gamma\left(\frac{n-m}{n}\right)$,则

$$E^2=\prod_{m=1}^{n-1}\Gamma\left(\frac{m}{n}\right)\Gamma\left(\frac{n-m}{n}\right)=\prod_{m=1}^{n-1}\frac{\pi}{\sin\frac{m\pi}{n}}=\frac{\pi^{n-1}}{\prod_{m=1}^{n-1}\sin\frac{m\pi}{n}}.$$

由于

$$\frac{z^n-1}{z-1}=\prod_{m=1}^{n-1}\left(z-\cos\frac{2m\pi}{n}-i\sin\frac{2m\pi}{n}\right),$$

其中 $i^2=-1$. 令 $z\to1$ 取极限即得

$$n=\prod_{m=1}^{n-1}\left|1-\cos\frac{2m\pi}{n}-i\sin\frac{2m\pi}{n}\right|=2^{n-1}\prod_{m=1}^{n-1}\sin\frac{m\pi}{n},$$

故有 $\prod_{m=1}^{n-1}\sin\frac{m\pi}{n}=\frac{n}{2^{n-1}}$. 从而得

$$\prod_{m=1}^{n}\int_0^{+\infty}x^{m-1}e^{-x^n}dx=\left(\frac{1}{n}\right)^nE=\frac{1}{n^n}\cdot\pi^{\frac{n-1}{2}}\cdot\left(\frac{2^{n-1}}{n}\right)^{\frac{1}{2}}=\left(\frac{1}{n}\right)^{n+\frac{1}{2}}(2\pi)^{\frac{n-1}{2}}.$$

【3875】 $\lim_{n\to\infty}\int_0^{+\infty}e^{-x^n}dx=1$.

解 令 $t=x^n$,可得 $\int_0^{+\infty}e^{-x^n}dx=\frac{1}{n}\int_0^{+\infty}t^{\frac{1}{n}-1}e^{-t}dt=\frac{1}{n}\Gamma\left(\frac{1}{n}\right)$,由 3841 题知,$\Gamma(x)$ 在 $(0,+\infty)$ 内连续,故得

$$\lim_{n\to\infty}\int_0^{+\infty}e^{-x^n}dx=\lim_{n\to\infty}\frac{1}{n}\Gamma\left(\frac{1}{n}\right)=\lim_{n\to\infty}\Gamma\left(\frac{1}{n}+1\right)=\Gamma(1)=1.$$

【利用等式 $\frac{1}{x^m}=\frac{1}{\Gamma(m)}\int_0^{+\infty}t^{m-1}e^{-xt}dt\,(x>0)$,求下列积分(3876—3877)】

【3876】 $\int_0^{+\infty}\frac{\cos ax}{x^m}dx\,(0<m<1)$.

解 $$\int_0^{+\infty}\frac{\cos ax}{x^m}dx=\frac{1}{\Gamma(m)}\int_0^{+\infty}\cos ax\,dx\int_0^{+\infty}t^{m-1}e^{-xt}dt$$
$$=\frac{1}{\Gamma(m)}\int_0^{+\infty}t^{m-1}dt\int_0^{+\infty}e^{-xt}\cos ax\,dx=\frac{1}{\Gamma(m)}\int_0^{+\infty}t^{m-1}\frac{t}{a^2+t^2}dt$$
$$=\frac{1}{\Gamma(m)}\int_0^{\frac{\pi}{2}}(a\tan u)^m\frac{1}{a^2\sec^2 u}a\sec^2 u\,du=\frac{a^{m-1}}{\Gamma(m)}\int_0^{\frac{\pi}{2}}\tan^m u\,du$$
$$=\frac{\pi a^{m-1}}{2\Gamma(m)\cos\frac{m\pi}{2}}(a>0).$$

注 (1) 交换积分顺序的合理性证明如下:令 $f(x,t)=\cos ax\cdot t^{m-1}e^{-xt}(0<m<1,a>0)$.对 $\forall A>0$,有
$$\int_0^A dx\int_0^{+\infty}|f(x,t)|dt\leqslant\int_0^A dx\int_0^{+\infty}t^{m-1}e^{-xt}dt=\Gamma(m)\int_0^A\frac{dx}{x^m}<+\infty,$$
故对于 $\int_0^A dx\int_0^{+\infty}f(x,t)dt$ 可交换积分顺序,得
$$\int_0^A dx\int_0^{+\infty}f(x,t)dt=\int_0^{+\infty}dt\int_0^A f(x,t)dx.\qquad ①$$

但是
$$\int_0^{+\infty}dt\int_0^A f(x,t)dx=\int_0^{+\infty}t^{m-1}dt\int_0^A e^{-xt}\cos ax\,dx$$
$$=\int_0^{+\infty}t^{m-1}\left[\frac{e^{-At}(a\sin aA-t\cos aA)}{a^2+t^2}+\frac{t}{a^2+t^2}\right]dt,\qquad ②$$
而
$$\left|\frac{a\sin aA-t\cos aA}{a^2+t^2}\right|\leqslant\frac{a+t}{a^2+t^2}\leqslant M\quad(0<t<+\infty),$$
其中 M 是某常数,故
$$\int_0^{+\infty}\left|t^{m-1}\frac{e^{-At}(a\sin aA-t\cos aA)}{a^2+t^2}\right|dt\leqslant M\int_0^{+\infty}t^{m-1}e^{-At}dt=\frac{M}{A^m}\int_0^{+\infty}y^{m-1}e^{-y}dy=\frac{M\Gamma(m)}{A^m}.$$

由此可知
$$\lim_{A\to+\infty}\int_0^{+\infty}t^{m-1}\frac{e^{-At}(a\sin aA-t\cos aA)}{a^2+t^2}dt=0.$$

又积分 $\int_0^{+\infty}t^{m-1}\frac{t}{a^2+t^2}dt$ 收敛,在 ② 式两端令 $A\to+\infty$ 取极限,得
$$\lim_{A\to+\infty}\int_0^{+\infty}dt\int_0^A f(x,t)dx=\int_0^{+\infty}t^{m-1}\frac{t}{a^2+t^2}dt.$$

但是
$$\int_0^{+\infty}t^{m-1}\frac{t}{a^2+t^2}dt=\int_0^{+\infty}t^{m-1}dt\int_0^{+\infty}e^{-xt}\cos ax\,dx=\int_0^{+\infty}dt\int_0^{+\infty}f(x,t)dx.$$

于是,在 ① 式两端令 $A\to+\infty$ 取极限(由于右端极限存在,故左端极限也存在),得
$$\int_0^{+\infty}dx\int_0^{+\infty}f(x,t)dt=\int_0^{+\infty}dt\int_0^{+\infty}f(x,t)dx.$$

(2) 本题用到 3857 题的结果.

【3877】 $\int_0^{+\infty}\frac{\sin ax}{x^m}dx(0<m<2)$.

解 $$\int_0^{+\infty}\frac{\sin ax}{x^m}dx=\frac{1}{\Gamma(m)}\int_0^{+\infty}\sin ax\,dx\int_0^{+\infty}t^{m-1}e^{-xt}dt$$
$$=\frac{1}{\Gamma(m)}\int_0^{+\infty}t^{m-1}dt\int_0^{+\infty}e^{-xt}\sin ax\,dx=\frac{1}{\Gamma(m)}\int_0^{+\infty}t^{m-1}\frac{a}{a^2+t^2}dt$$

$$= \frac{a^{m-1}}{\Gamma(m)}\int_0^{\frac{\pi}{2}} \tan^{m-1} u\mathrm{d}u = \frac{\pi a^{m-1}}{2\Gamma(m)\cos\frac{m-1}{2}\pi} = \frac{\pi a^{m-1}}{2\Gamma(m)\sin\frac{m\pi}{2}}(a>0).$$

注 交换积分顺序的合理性可仿 3876 题证明，只要注意到 $|\sin ax| \leqslant ax(a>0,x>0)$. 于是，当 $0<m<2$ 时，对任何 $A>0$，有

$$\int_0^A \mathrm{d}x\int_0^{+\infty} |\sin ax \cdot t^{m-1}\mathrm{e}^{-xt}|\mathrm{d}t \leqslant \int_0^A \mathrm{d}x\int_0^{+\infty} axt^{m-1}\mathrm{e}^{-xt}\mathrm{d}t = a\Gamma(m)\int_0^A \frac{\mathrm{d}x}{x^{m-1}} < +\infty.$$

【3878】 求曲线 $r^n = a^n\cos n\varphi(a>0,n$ 为正整数）的弧长.

解 所求的弧长为

$$s = 2n\int_0^{\frac{\pi}{2n}} \sqrt{r^2+\left(\frac{\mathrm{d}r}{\mathrm{d}\varphi}\right)^2}\mathrm{d}\varphi = 2na\int_0^{\frac{\pi}{2n}} \cos^{\frac{1}{n}-1} n\varphi\mathrm{d}\varphi = 2a\int_0^{\frac{\pi}{2}} \cos^{\frac{1}{n}-1} t\mathrm{d}t = a\mathrm{B}\left(\frac{1}{2},\frac{1}{2n}\right).$$

注 本题用到 3856 题的结果.

【3879】 求由曲线 $|x|^n+|y|^n = a^n(n>0,a>0)$ 所围的面积.

解 所求的面积为

$$A = 4\int_0^a (a^n-x^n)^{\frac{1}{n}}\mathrm{d}x = \frac{4a^2}{n}\int_0^1 t^{\frac{1}{n}-1}(1-t)^{\frac{1}{n}}\mathrm{d}t = \frac{4a^2}{n}\mathrm{B}\left(\frac{1}{n},\frac{1}{n}+1\right)$$

$$= \frac{4a^2}{n}\frac{\Gamma\left(\frac{1}{n}\right)\Gamma\left(\frac{1}{n}+1\right)}{\Gamma\left(\frac{2}{n}+1\right)} = \frac{2a^2}{n}\frac{\left[\Gamma\left(\frac{1}{n}\right)\right]^2}{\Gamma\left(\frac{2}{n}\right)}.$$

【3880】 证明欧拉公式：

$$\int_0^{+\infty} t^{x-1}\mathrm{e}^{-\lambda t\cos\alpha}\cos(\lambda t\sin\alpha)\mathrm{d}t = \frac{\Gamma(x)}{\lambda^x}\cos\alpha x;$$

$$\int_0^{+\infty} t^{x-1}\mathrm{e}^{-\lambda t\cos\alpha}\sin(\lambda t\sin\alpha)\mathrm{d}t = \frac{\Gamma(x)}{\lambda^x}\sin\alpha x,$$

其中 $\lambda>0,x>0,-\frac{\pi}{2}<\alpha<\frac{\pi}{2}$.

证 由于当 $0<t<+\infty$ 时，

$$|t^{x-1}\mathrm{e}^{-\lambda t\cos\alpha}\cos(\lambda t\sin\alpha)| \leqslant t^{x-1}\mathrm{e}^{-\lambda t\cos\alpha},$$

作代换 $\lambda t\cos\alpha = u$，有

$$\int_0^{+\infty} t^{x-1}\mathrm{e}^{-\lambda t\cos\alpha}\mathrm{d}t = \frac{1}{(\lambda\cos\alpha)^x}\int_0^{+\infty} u^{x-1}\mathrm{e}^{-u}\mathrm{d}u = \frac{\Gamma(x)}{(\lambda\cos\alpha)^x} < +\infty,$$

故积分 $\int_0^{+\infty} t^{x-1}\mathrm{e}^{-\lambda t\cos\alpha}\cos(\lambda t\sin\alpha)\mathrm{d}t$ 收敛. 同理可证积分 $\int_0^{+\infty} t^{x-1}\mathrm{e}^{-\lambda t\cos x}\sin(\lambda t\sin\alpha)\mathrm{d}t$ 也收敛.

固定 $\lambda>0,x>0$，令

$$I(\alpha) = \int_0^{+\infty} t^{x-1}\mathrm{e}^{-\lambda t\cos\alpha}\cos(\lambda t\sin\alpha)\mathrm{d}t \left(-\frac{\pi}{2}<\alpha<\frac{\pi}{2}\right),$$

$$I_1(\alpha) = \int_0^{+\infty} t^{x-1}\mathrm{e}^{-\lambda t\cos\alpha}\sin(\lambda t\sin\alpha)\mathrm{d}t \left(-\frac{\pi}{2}<\alpha<\frac{\pi}{2}\right).$$

则

$$\frac{\partial}{\partial\alpha}[t^{x-1}\mathrm{e}^{-\lambda t\cos\alpha}\cos(\lambda t\sin\alpha)] = \lambda t^x\mathrm{e}^{-\lambda t\cos\alpha}[\sin\alpha\cos(\lambda t\sin\alpha)-\cos\alpha\sin(\lambda t\sin\alpha)],$$

故当 $-\frac{\pi}{2}+\varepsilon \leqslant \alpha \leqslant \frac{\pi}{2}-\varepsilon$ 时，恒有

$$|t^x e^{-\lambda t\cos\alpha}[\sin\alpha\cos(\lambda t\sin\alpha)-\cos\alpha\sin(\lambda t\sin\alpha)]|\leqslant 2t^x e^{-\lambda t\cos\alpha},$$

而

$$\int_0^{+\infty} t^x e^{-\lambda t\cos\alpha}dt=\frac{\Gamma(x+1)}{(\lambda\sin\alpha)^{x-1}}<+\infty,$$

故积分$\int_0^{+\infty}\frac{\partial}{\partial\alpha}[t^{x-1}e^{-\lambda t\cos\alpha}\cos(\lambda t\sin\alpha)]dt$. 在$-\frac{\pi}{2}+\varepsilon\leqslant\alpha\leqslant\frac{\pi}{2}-\varepsilon$上一致收敛. 于是,可在积分号下求导数,得

$$\begin{aligned}
I'(\alpha)&=\int_0^{+\infty}\frac{\partial}{\partial\alpha}[t^{x-1}e^{-\lambda t\cos\alpha}\cos(\lambda t\sin\alpha)]dt\\
&=\int_0^{+\infty}\lambda t^x e^{-\lambda t\cos\alpha}[\sin\alpha\cos(\lambda t\sin\alpha)-\cos\alpha\sin(\lambda t\sin\alpha)]dt\\
&=\int_0^{+\infty}t^x e^{-\lambda t\cos\alpha}d[\sin(\lambda t\sin\alpha)]+\int_0^{+\infty}t^x\sin(\lambda t\sin\alpha)d(e^{-\lambda t\cos\alpha})\\
&=t^x e^{-\lambda t\cos\alpha}\sin(\lambda t\sin\alpha)\Big|_0^{+\infty}-\int_0^{+\infty}\sin(\lambda t\sin\alpha)d(t^x e^{-\lambda t\cos\alpha})+\\
&\quad t^x e^{-\lambda t\cos\alpha}\sin(\lambda t\sin\alpha)\Big|_0^{+\infty}-\int_0^{+\infty}e^{-\lambda t\cos\alpha}d[t^x\sin(\lambda t\sin\alpha)]\\
&=-\int_0^{+\infty}xt^{x-1}e^{-\lambda t\cos\alpha}\sin(\lambda t\sin\alpha)dt+\int_0^{+\infty}\lambda t^x e^{-\lambda t\cos\alpha}\cos\alpha\sin(\lambda t\sin\alpha)dt-\\
&\quad\int_0^{+\infty}xt^{x-1}e^{-\lambda t\cos\alpha}\sin(\lambda t\sin\alpha)dt-\int_0^{+\infty}\lambda t^x e^{-\lambda t\cos\alpha}\sin\alpha\cos(\lambda t\sin\alpha)dt\\
&=-2x\int_0^{+\infty}t^{x-1}e^{-\lambda t\cos\alpha}\sin(\lambda t\sin\alpha)dt-\\
&\quad\int_0^{+\infty}\lambda t^x e^{-\lambda t\cos\alpha}[\sin\alpha\cos(\lambda t\sin\alpha)-\cos\alpha\sin(\lambda t\sin\alpha)]dt\\
&=-2xI_1(\alpha)-I'(\alpha),
\end{aligned}$$

故

$$I'(\alpha)=-xI_1(\alpha).\qquad ①$$

由$\varepsilon>0$的任意性知,①式对一切$-\frac{\pi}{2}<\alpha<\frac{\pi}{2}$皆成立. 同理可证

$$I_1'(\alpha)=xI(\alpha)\left(-\frac{\pi}{2}<\alpha<\frac{\pi}{2}\right).\qquad ②$$

由①式与②式,得

$$I''(\alpha)+x^2I(\alpha)=0\ \left(-\frac{\pi}{2}<\alpha<\frac{\pi}{2}\right).$$

解此微分方程,得

$$I(\alpha)=C_1\cos\alpha x+C_2\sin\alpha x\ \left(-\frac{\pi}{2}<\alpha<\frac{\pi}{2}\right),\qquad ③$$

其中C_1,C_2是两个常数. 在③式中令$\alpha=0$,得

$$C_1=I(0)=\int_0^{+\infty}t^{x-1}e^{-\lambda t}dt=\frac{\Gamma(x)}{\lambda^x}.$$

又在①式中令$\alpha=0$,得

$$I'(0)=-xI_1(0).\qquad ④$$

但是,根据③式

$$I'(0)=I'(\alpha)|_{\alpha=0}=(C_1x\sin\alpha x+C_2x\cos\alpha x)|_{\alpha=0}=C_2x,$$

又显然知$I_1(0)=0$;故由④式得$C_2=0$. 于是,最后得

$$I(\alpha)=\frac{\Gamma(x)}{\lambda^x}\cos\alpha x\ \left(-\frac{\pi}{2}<\alpha<\frac{\pi}{2}\right),$$

$$I_1(\alpha)=-\frac{1}{x}I'(\alpha)=\frac{\Gamma(x)}{\lambda^x}\sin\alpha x\ \left(-\frac{\pi}{2}<\alpha<\frac{\pi}{2}\right).$$

第5节 傅里叶积分公式(习题3881—3900)

知识点预览

知识点	题目序号	所在页码
用傅里叶积分表示函数	3881—3900	P295

知识点 用傅里叶积分表示函数

1. 用傅里叶积分表示函数 若(1) 函数 $f(x)$ 在$(-\infty,+\infty)$ 内有定义;(2) 在每一个有限区间内 $f(x)$ 及 $f'(x)$ 皆是分段连续;(3) $f(x)$ 在区间$(-\infty,+\infty)$ 内绝对可积,则在函数连续的一切点,可把函数表示成傅里叶积分的形式:

$$f(x)=\int_0^{+\infty}[a(\lambda)\cos\lambda x+b(\lambda)\sin\lambda x]\mathrm{d}\lambda, \quad ①$$

式中 $a(\lambda)=\dfrac{1}{\pi}\displaystyle\int_{-\infty}^{+\infty}f(\xi)\cos\lambda\xi\mathrm{d}\xi, b(\lambda)=\dfrac{1}{\pi}\displaystyle\int_{-\infty}^{+\infty}f(\xi)\sin\lambda\xi\mathrm{d}\xi$.

在函数 $f(x)$ 不连续的各点,公式 ① 的左端应改为$\dfrac{f(x+0)+f(x-0)}{2}$.

对于偶函数 $f(x)$,公式 ① 给出 $f(x)=\displaystyle\int_0^{+\infty}a(\lambda)\cos\lambda x\mathrm{d}\lambda$, ②

其中 $a(\lambda)=\dfrac{2}{\pi}\displaystyle\int_0^{+\infty}f(\xi)\cos\lambda\xi\mathrm{d}\xi$,并且对不连续的点也有同样的说明.

类似地,对于奇函数 $f(x)$ 可得 $f(x)=\displaystyle\int_0^{+\infty}b(\lambda)\sin\lambda x\mathrm{d}\lambda$, ③

其中 $b(\lambda)=\dfrac{2}{\pi}\displaystyle\int_0^{+\infty}f(\xi)\sin\lambda\xi\mathrm{d}\xi$.

2. 在区间$(0,+\infty)$ 内用傅里叶积分表示函数 若

(1) 函数 $f(x)$ 在$(0,+\infty)$ 内有定义;

(2) $f(x)$ 及 $f'(x)$ 在每一个有限区间$(a,b)\subset(0,+\infty)$ 内皆是分段连续;

(3) $f(x)$ 在$(0,+\infty)$ 内绝对可积,

则在该区间内可按用公式 ②(偶式延拓) 或用公式 ③(奇式延拓) 来表示出函数 $f(x)$.

习题 3881—3900 用傅里叶积分表示函数

【用傅里叶积分表示下列函数(3881—3894)】

【3881】 $f(x)=\begin{cases}1, & |x|<1,\\ 0, & |x|>1.\end{cases}$

解 由于函数 $f(x)$ 在 $|x|\neq1$ 有定义,且 $f(x)$ 和 $f'(x)$ 在任何有限区间上皆分段连续,特别是 $f(x)$ 在$(-\infty,+\infty)$ 内绝对可积,故可将 $f(x)$ 表成傅里叶积分的形式(以下各题如不加说明,均满足傅里叶积分展式成立的条件). 又由于 $f(x)$ 为偶函数,故 $b(\lambda)=0$,且

$$a(\lambda)=\frac{2}{\pi}\int_0^{+\infty}f(\xi)\cos\lambda\xi\mathrm{d}\xi=\frac{2}{\pi}\int_0^1\cos\lambda\xi\mathrm{d}\xi=\frac{2\sin\lambda}{\pi\lambda}.$$

于是，当 $|x|\neq 1$ 时（$|x|\neq 1$ 为 $f(x)$ 的连续点），有

$$f(x)=\frac{2}{\pi}\int_0^{+\infty}\frac{\sin\lambda}{\lambda}\cos\lambda x\mathrm{d}\lambda;$$

而当 $|x|=1$ 时为不连续点，由于

$$\frac{f(1+0)+f(1-0)}{2}=\frac{1}{2},\frac{f(-1+0)+f(-1-0)}{2}=\frac{1}{2},$$

故有 $\frac{2}{\pi}\int_0^{+\infty}\frac{\sin\lambda}{\lambda}\cos\lambda\mathrm{d}\lambda=\frac{1}{2}$.

注 此结果由3812题的结果也容易获得. 事实上，

$$\frac{2}{\pi}\int_0^{+\infty}\frac{\sin\lambda}{\lambda}\cos\lambda\mathrm{d}\lambda=\frac{1}{\pi}\int_0^{+\infty}\frac{\sin 2\lambda}{\lambda}\mathrm{d}\lambda=\frac{1}{\pi}\frac{\pi}{2}=\frac{1}{2}.$$

【3882】 $f(x)=\begin{cases}\operatorname{sgn}x, & |x|<1,\\ 0, & |x|>1.\end{cases}$

解 由于 $f(x)$ 为奇函数，故 $a(\lambda)=0$，且 $b(\lambda)=\frac{2}{\pi}\int_0^{+\infty}f(\xi)\sin\lambda\xi\mathrm{d}\xi=\frac{2}{\pi}\int_0^1\sin\lambda\xi\mathrm{d}\xi=\frac{2(1-\cos\lambda)}{\pi\lambda}$.

于是，当 $0<|x|\neq 1$ 时为连续点，有 $f(x)=\frac{2}{\pi}\int_0^{+\infty}\frac{1-\cos\lambda}{\lambda}\sin\lambda x\mathrm{d}\lambda$.

当 $x=0$ 时，虽为不连续点，但由于 $\frac{f(0+0)+f(0-0)}{2}=0,f(0)=0$，且右端积分显然为零，故上式仍成立.

而当 $|x|=1$ 时为不连续点，由于 $\frac{f(-1+0)+f(-1-0)}{2}=-\frac{1}{2},\frac{f(1+0)+f(1-0)}{2}=\frac{1}{2}$，故有

$$\frac{2}{\pi}\int_0^{+\infty}\frac{1-\cos\lambda}{\lambda}\sin\lambda\operatorname{sgn}x\mathrm{d}\lambda=\frac{1}{2}\operatorname{sgn}x.$$

注 此结果由3812题的结果也容易获得. 事实上，

$$\frac{2}{\pi}\operatorname{sgn}x\int_0^{+\infty}\frac{1-\cos\lambda}{\lambda}\sin\lambda\mathrm{d}\lambda=\frac{2}{\pi}\operatorname{sgn}x\left(\int_0^{+\infty}\frac{\sin\lambda}{\lambda}\mathrm{d}\lambda-\frac{1}{2}\int_0^{+\infty}\frac{\sin 2\lambda}{\lambda}\mathrm{d}\lambda\right)$$
$$=\frac{2}{\pi}\operatorname{sgn}x\cdot\left(\frac{\pi}{2}-\frac{\pi}{4}\right)=\frac{1}{2}\operatorname{sgn}x.$$

【3883】 $f(x)=\operatorname{sgn}(x-a)-\operatorname{sgn}(x-b)(b>a)$.

解 $$a(\lambda)=\frac{1}{\pi}\int_{-\infty}^{+\infty}f(\xi)\cos\lambda\xi\mathrm{d}\xi=\frac{1}{\pi}\int_a^b 2\cos\lambda\xi\mathrm{d}\xi=\frac{2(\sin b\lambda-\sin a\lambda)}{\pi\lambda},$$
$$b(\lambda)=\frac{1}{\pi}\int_{-\infty}^{+\infty}f(\xi)\sin\lambda\xi\mathrm{d}\xi=\frac{1}{\pi}\int_a^b 2\sin\lambda\xi\mathrm{d}\xi=\frac{2(\cos a\lambda-\cos b\lambda)}{\pi\lambda},$$

于是

$$f(x)=\int_0^{+\infty}[a(\lambda)\cos\lambda x+b(\lambda)\sin\lambda x]\mathrm{d}\lambda=\frac{2}{\pi}\int_0^{+\infty}\frac{\sin\lambda(x-a)-\sin\lambda(x-b)}{\lambda}\mathrm{d}\lambda.$$

当 $x=a$ 或 b 时，$f(x)=1$，而

$$\frac{f(a+0)+f(a-0)}{2}=1,\frac{f(b+0)+f(b-0)}{2}=1,$$

故上式对于不连续点 a 和 b 也成立.

【3884】 $f(x)=\begin{cases}h\left(1-\frac{|x|}{a}\right), & |x|\leqslant a,\\ 0, & |x|>a.\end{cases}$

解 由于 $f(x)$ 为偶函数，故

$$a(\lambda)=\frac{2}{\pi}\int_0^{+\infty}f(\xi)\cos\lambda\xi\mathrm{d}\xi=\frac{2h}{\pi}\int_0^a\left(1-\frac{\xi}{a}\right)\cos\lambda\xi\mathrm{d}\xi=\frac{2h(1-\cos a\lambda)}{\pi a\lambda^2}.$$

于是

$$f(x)=\frac{2h}{\pi a}\int_0^{+\infty}\frac{1-\cos a\lambda}{\lambda^2}\cos\lambda x\mathrm{d}\lambda(-\infty<x<+\infty),$$

$f(x)$ 处处连续，故不再讨论点 $x=\pm a$，以下各题类似，不再一一加以说明.

【3885】 $f(x)=\dfrac{1}{a^2+x^2}(a>0)$.

解 由于 $f(x)$ 为连续的偶函数，且绝对可积，有

$$\int_{-\infty}^{+\infty}\frac{\mathrm{d}x}{a^2+x^2}=\frac{1}{a}\arctan\frac{x}{a}\Big|_{-\infty}^{+\infty}=\frac{\pi}{a}<+\infty,$$

故

$$a(\lambda)=\frac{2}{\pi}\int_0^{+\infty}f(\xi)\cos\lambda\xi\mathrm{d}\xi=\frac{2}{\pi}\int_0^{+\infty}\frac{\cos\lambda\xi}{a^2+\xi^2}\mathrm{d}\xi$$
$$=\frac{2}{a\pi}\int_0^{+\infty}\frac{\cos\lambda ax}{1+x^2}\mathrm{d}x=\frac{2}{a\pi}\cdot\frac{\pi}{2}\mathrm{e}^{-a|\lambda|}=\frac{1}{a}\mathrm{e}^{-a|\lambda|}.$$

于是，$f(x)=\dfrac{1}{a}\displaystyle\int_0^{+\infty}\mathrm{e}^{-a\lambda}\cos\lambda x\mathrm{d}\lambda$ 或 $\dfrac{1}{a^2+x^2}=\dfrac{1}{a}\displaystyle\int_0^{+\infty}\mathrm{e}^{-a\lambda}\cos\lambda x\mathrm{d}\lambda(-\infty<x<+\infty)$.

注 本题用到 3825 题的结果.

【3886】 $f(x)=\dfrac{x}{a^2+x^2}(a>0)$.

解 $f(x)$ 是连续的奇函数，故

$$b(\lambda)=\frac{2}{\pi}\int_0^{+\infty}\frac{\xi\sin\lambda\xi}{a^2+\xi^2}\mathrm{d}\xi=\frac{2}{\pi}\int_0^{+\infty}\frac{x\sin a\lambda x}{1+x^2}\mathrm{d}x=\frac{2}{\pi}\cdot\frac{\pi}{2}\mathrm{e}^{-a|\lambda|}=\mathrm{e}^{-a|\lambda|}.$$

但不能根据傅里叶积分的理论来断定展式

$$\frac{x}{a^2+x^2}=\int_0^{+\infty}\mathrm{e}^{-a\lambda}\sin\lambda x\mathrm{d}\lambda(-\infty<x<+\infty)\qquad①$$

成立，这是因为函数 $f(x)=\dfrac{x}{a^2+x^2}$ 不是绝对可积的，因

$$\int_{-\infty}^{+\infty}\left|\frac{x}{a^2+x^2}\right|\mathrm{d}x=2\int_0^{+\infty}\frac{x}{a^2+x^2}\mathrm{d}x=\ln(a^2+x^2)\Big|_0^{+\infty}=+\infty.$$

但是，可以直接验证展式 ① 成立．事实上，

$$\int_0^{+\infty}\mathrm{e}^{-a\lambda}\sin\lambda x\mathrm{d}\lambda=\frac{\mathrm{e}^{a}(-a\sin\lambda x-x\cos\lambda x)}{a^2+x^2}\Bigg|_{\lambda=0}^{\lambda=+\infty}=\frac{x}{a^2+x^2}(-\infty<x<+\infty).$$

故展式 ① 成立.

注 本题用到 3826 题的结果.

【3887】 $f(x)=\begin{cases}\sin x, & |x|\leqslant\pi,\\ 0, & |x|>\pi.\end{cases}$

解 由于 $f(x)$ 为连续的奇函数，故

$$b(\lambda)=\frac{2}{\pi}\int_0^{+\infty}f(\xi)\sin\lambda\xi\mathrm{d}\xi=\frac{2}{\pi}\int_0^{\pi}\sin\xi\sin\lambda\xi\mathrm{d}\xi=\frac{2\sin\lambda\pi}{\pi(1-\lambda^2)}.$$

于是

$$f(x)=\frac{2}{\pi}\int_0^{+\infty}\frac{\sin\lambda\pi}{1-\lambda^2}\sin\lambda x\mathrm{d}\lambda(-\infty<x<+\infty).$$

【3888】 $f(x)=\begin{cases}\cos x, & |x|\leqslant\dfrac{\pi}{2},\\ 0, & |x|>\dfrac{\pi}{2}.\end{cases}$

解 由于 $f(x)$ 为连续的偶函数，故

$$a(\lambda)=\frac{2}{\pi}\int_0^{+\infty}f(\xi)\cos\lambda\xi\mathrm{d}\xi=\frac{2}{\pi}\int_0^{\frac{\pi}{2}}\cos\xi\cos\lambda\xi\mathrm{d}\xi=\frac{2\cos\dfrac{\lambda\pi}{2}}{\pi(1-\lambda^2)}.$$

于是

$$f(x)=\frac{2}{\pi}\int_0^{+\infty}\frac{\cos\dfrac{\lambda\pi}{2}}{1-\lambda^2}\cos\lambda x\mathrm{d}\lambda(-\infty<x<+\infty).$$

【3889】 $f(t)=\begin{cases}A\sin\omega t, & |t|\leqslant\dfrac{2n\pi}{\omega},\\ 0, & |t|>\dfrac{2n\pi}{\omega}\end{cases}$（$n$ 为正整数）.

解 由于 $f(t)$ 为连续的奇函数，故

$$b(\lambda)=\frac{2}{\pi}\int_0^{+\infty}f(\xi)\sin\lambda\xi\mathrm{d}\xi=\frac{2A}{\pi}\int_0^{\frac{2n\pi}{\omega}}\sin\omega\xi\sin\lambda\xi\mathrm{d}\xi=\frac{2A\omega\sin\dfrac{2n\pi\lambda}{\omega}}{\pi(\lambda^2-\omega^2)}.$$

于是

$$f(t)=\frac{2A\omega}{\pi}\int_0^{+\infty}\frac{\sin\dfrac{2n\pi\lambda}{\omega}}{\lambda^2-\omega^2}\sin\lambda t\mathrm{d}\lambda(-\infty<t<+\infty).$$

【3890】 $f(x)=\mathrm{e}^{-\alpha|x|}(\alpha>0)$.

解 由于 $f(x)$ 为连续的偶函数，且绝对可积，有

$$\int_{-\infty}^{+\infty}\mathrm{e}^{-\alpha|x|}\mathrm{d}x<+\infty,$$

故

$$a(\lambda)=\frac{2}{\pi}\int_0^{+\infty}f(\xi)\cos\lambda\xi\mathrm{d}\xi=\frac{2}{\pi}\int_0^{+\infty}\mathrm{e}^{-\alpha\xi}\cos\lambda\xi\mathrm{d}\xi=\frac{2\alpha}{\pi(\lambda^2+\alpha^2)}.$$

于是

$$f(x)=\mathrm{e}^{-\alpha|x|}=\frac{2\alpha}{\pi}\int_0^{+\infty}\frac{\cos\lambda x}{\lambda^2+\alpha^2}\mathrm{d}\lambda(-\infty<x<+\infty).$$

【3891】 $f(x)=\mathrm{e}^{-\alpha|x|}\cos\beta x(\alpha>0)$.

解 由于 $f(x)$ 为连续的偶函数，且绝对可积，有

$$\int_{-\infty}^{+\infty}\mathrm{e}^{-\alpha|x|}|\cos\beta x|\mathrm{d}x\leqslant\int_{-\infty}^{+\infty}\mathrm{e}^{-\alpha|x|}\mathrm{d}x<+\infty,$$

故

$$\begin{aligned}a(\lambda)&=\frac{2}{\pi}\int_0^{+\infty}f(\xi)\cos\lambda\xi\mathrm{d}\xi=\frac{2}{\pi}\int_0^{+\infty}\mathrm{e}^{-\alpha\xi}\cos\beta\xi\cos\lambda\xi\mathrm{d}\xi\\&=\frac{1}{\pi}\int_0^{+\infty}[\cos(\lambda+\beta)\xi+\cos(\lambda-\beta)\xi]\mathrm{e}^{-\alpha\xi}\mathrm{d}\xi=\frac{1}{\pi}\left[\frac{\alpha}{(\lambda+\beta)^2+\alpha^2}+\frac{\alpha}{(\lambda-\beta)^2+\alpha^2}\right].\end{aligned}$$

于是，$\mathrm{e}^{-\alpha|x|}\cos\beta x=\dfrac{\alpha}{\pi}\displaystyle\int_0^{+\infty}\left[\frac{1}{(\lambda+\beta)^2+\alpha^2}+\frac{1}{(\lambda-\beta)^2+\alpha^2}\right]\cos\lambda x\mathrm{d}\lambda(-\infty<x<+\infty)$.

【3892】 $f(x)=\mathrm{e}^{-\alpha|x|}\sin\beta x(\alpha>0)$.

解 由于 $f(x)$ 为连续的奇函数，且绝对可积，有

$$\int_{-\infty}^{+\infty}\mathrm{e}^{-\alpha|x|}|\sin\beta x|\mathrm{d}x\leqslant\int_{-\infty}^{+\infty}\mathrm{e}^{-\alpha|x|}\mathrm{d}x<+\infty,$$

故

$$b(\lambda)=\frac{2}{\pi}\int_0^{+\infty}f(\xi)\sin\lambda\xi\mathrm{d}\xi=\frac{2}{\pi}\int_0^{+\infty}\mathrm{e}^{-\alpha\xi}\sin\beta\xi\sin\lambda\xi\mathrm{d}\xi$$
$$=\frac{1}{\pi}\int_0^{+\infty}[\cos(\lambda-\beta)\xi-\cos(\lambda+\beta)\xi]\mathrm{e}^{-\alpha\xi}\mathrm{d}\xi=\frac{1}{\pi}\left[\frac{\alpha}{(\lambda-\beta)^2+\alpha^2}+\frac{\alpha}{(\lambda+\beta)^2+\alpha^2}\right]$$
$$=\frac{4\lambda\alpha\beta}{\pi[(\lambda-\beta)^2+\alpha^2][(\lambda+\beta)^2+\alpha^2]}.$$

于是 $\mathrm{e}^{-\alpha|x|}\sin\beta x=\frac{4\alpha\beta}{\pi}\int_0^{+\infty}\frac{\lambda\sin\lambda x}{[(\lambda-\beta)^2+\alpha^2][(\lambda+\beta)^2+\alpha^2]}\mathrm{d}\lambda(-\infty<x<+\infty)$.

【3893】 $f(x)=\mathrm{e}^{-x^2}$.

解　由于 $f(x)$ 为连续的偶函数，且绝对可积，有

$$\int_{-\infty}^{+\infty}\mathrm{e}^{-x^2}\mathrm{d}x=\sqrt{\pi}<+\infty,$$

故

$$a(\lambda)=\frac{2}{\pi}\int_0^{+\infty}f(\xi)\cos\lambda\xi\mathrm{d}\xi=\frac{2}{\pi}\int_0^{+\infty}\mathrm{e}^{-\xi^2}\cos\lambda\xi\mathrm{d}\xi=\frac{2}{\pi}\cdot\frac{1}{2}\sqrt{\pi}\mathrm{e}^{-\frac{\lambda^2}{4}}=\frac{1}{\sqrt{\pi}}\mathrm{e}^{-\frac{\lambda^2}{4}}.$$

于是 $\mathrm{e}^{-x^2}=\frac{1}{\sqrt{\pi}}\int_0^{+\infty}\mathrm{e}^{-\frac{\lambda^2}{4}}\cos\lambda x\mathrm{d}\lambda(-\infty<x<+\infty)$.

注　本题用到 3805 题的结果.

【3894】 $f(x)=x\mathrm{e}^{-x^2}$

解　由于 $f(x)$ 为连续的奇函数，且绝对可积，有

$$\int_{-\infty}^{+\infty}|x\mathrm{e}^{-x^2}|\mathrm{d}x=2\int_0^{+\infty}x\mathrm{e}^{-x^2}\mathrm{d}x<+\infty.$$

故

$$b(\lambda)=\frac{2}{\pi}\int_0^{+\infty}f(\xi)\sin\lambda\xi\mathrm{d}\xi=\frac{2}{\pi}\int_0^{+\infty}\xi\mathrm{e}^{-\xi^2}\sin\lambda\xi\mathrm{d}\xi$$
$$=\frac{1}{\pi}\int_0^{+\infty}\sin\lambda\xi\mathrm{d}(-\mathrm{e}^{-\xi^2})=-\frac{1}{\pi}\mathrm{e}^{-\xi^2}\sin\lambda\xi\Big|_0^{+\infty}+\frac{\lambda}{\pi}\int_0^{+\infty}\mathrm{e}^{-\xi^2}\cos\lambda\xi\mathrm{d}\xi$$
$$=\frac{\lambda}{\pi}\int_0^{+\infty}\mathrm{e}^{-\xi^2}\cos\lambda\xi\mathrm{d}\xi=\frac{\lambda}{\pi}\cdot\frac{1}{2}\sqrt{\pi}\mathrm{e}^{-\frac{\lambda^2}{4}}=\frac{\lambda}{2\sqrt{\pi}}\mathrm{e}^{-\frac{\lambda^2}{4}}.$$

于是 $x\mathrm{e}^{-x^2}=\frac{1}{2\sqrt{\pi}}\int_0^{+\infty}\lambda\mathrm{e}^{-\frac{\lambda^2}{4}}\sin\lambda x\mathrm{d}\lambda(-\infty<x<+\infty)$.

注　本题用到 3805 题的结果.

【3895】 用傅里叶积分来表示函数 $f(x)=\mathrm{e}^{-x}(0<x<+\infty)$.
(1) 用偶式延拓；(2) 用奇式延拓.

解　首先，函数 e^{-x} 在 $[0,+\infty)$ 内连续且绝对可积，有 $\int_0^{+\infty}\mathrm{e}^{-x}\mathrm{d}x=1<+\infty$.

(1) 用偶式延拓，则有

$$a(\lambda)=\frac{2}{\pi}\int_0^{+\infty}f(\xi)\cos\lambda\xi\mathrm{d}\xi=\frac{2}{\pi}\int_0^{+\infty}\mathrm{e}^{-\xi}\cos\lambda\xi\mathrm{d}\xi=\frac{2}{\pi(1+\lambda^2)}.$$

于是 $\mathrm{e}^{-x}=\frac{2}{\pi}\int_0^{+\infty}\frac{\lambda\cos\lambda x}{1+\lambda^2}\mathrm{d}\lambda(0<x<+\infty)$.

由于按偶式延拓的函数在点 $x=0$ 连续，故上式当 $x=0$ 时也成立，即上式成立的范围是 $[0,+\infty)$.

(2) 用奇式延拓，则有

$$b(\lambda)=\frac{2}{\pi}\int_0^{+\infty}f(\xi)\sin\lambda\xi\mathrm{d}\xi=\frac{2}{\pi}\int_0^{+\infty}\mathrm{e}^{-\xi}\sin\lambda\xi\mathrm{d}\xi=\frac{2\lambda}{\pi(1+\lambda^2)}.$$

于是 $\mathrm{e}^{-x}=\frac{2}{\pi}\int_0^{+\infty}\frac{\lambda\sin\lambda x}{1+\lambda^2}\mathrm{d}\lambda(0<x<+\infty)$.

但当 $x=0$ 时上式不成立. 事实上,左端的值为 1,右端的值为零.

【对于下列函数 $f(t)$,求傅里叶变换(3896—3899)】

傅里叶变换:$F(x)=\frac{1}{\sqrt{2\pi}}\int_{-\infty}^{+\infty}f(t)\mathrm{e}^{-\mathrm{i}tx}\mathrm{d}t=\frac{1}{\sqrt{2\pi}}\lim\limits_{l\to+\infty}\int_{-l}^{l}f(t)\mathrm{e}^{-\mathrm{i}tx}\mathrm{d}t.$

【3896】 $f(x)=\mathrm{e}^{-\alpha|x|}(\alpha>0)$.

解
$$F(x)=\frac{1}{\sqrt{2\pi}}\int_{-\infty}^{+\infty}\mathrm{e}^{-\alpha|t|}\mathrm{e}^{-\mathrm{i}tx}\mathrm{d}t=\frac{1}{\sqrt{2\pi}}\int_{-\infty}^{+\infty}\mathrm{e}^{-\alpha|t|}(\cos tx-\mathrm{i}\sin tx)\mathrm{d}t$$
$$=\frac{1}{\sqrt{2\pi}}\int_{-\infty}^{+\infty}\mathrm{e}^{-\alpha|t|}\cos tx\mathrm{d}t=\sqrt{\frac{2}{\pi}}\int_0^{+\infty}\mathrm{e}^{-\alpha t}\cos tx\mathrm{d}t=\sqrt{\frac{2}{\pi}}\frac{\alpha}{\alpha^2+x^2}.$$

【3897】 $f(x)=x\mathrm{e}^{-\alpha|x|}(\alpha>0)$.

解
$$F(x)=\frac{1}{\sqrt{2\pi}}\int_{-\infty}^{+\infty}t\mathrm{e}^{-\alpha|t|}\mathrm{e}^{-\mathrm{i}tx}\mathrm{d}t$$
$$=\frac{1}{\sqrt{2\pi}}\int_{-\infty}^{+\infty}t\mathrm{e}^{-\alpha|t|}(\cos tx-\mathrm{i}\sin tx)\mathrm{d}t=-\sqrt{\frac{2}{\pi}}\mathrm{i}\int_0^{+\infty}t\mathrm{e}^{-\alpha t}\sin tx\mathrm{d}t,$$

由于

$$I=\int_0^{+\infty}t\mathrm{e}^{-\alpha t}\sin tx\mathrm{d}t=-\frac{1}{\alpha}\mathrm{e}^{-\alpha t}t\sin tx\Big|_0^{+\infty}+\frac{1}{\alpha}\int_0^{+\infty}\mathrm{e}^{-\alpha t}(\sin tx+tx\cos tx)\mathrm{d}t$$
$$=\frac{1}{\alpha}\int_0^{+\infty}\mathrm{e}^{-\alpha t}\sin tx\mathrm{d}t+\frac{x}{\alpha}\int_0^{+\infty}t\mathrm{e}^{-\alpha t}\cos tx\mathrm{d}t$$
$$=\frac{x}{\alpha(\alpha^2+x^2)}-\frac{x}{\alpha^2}\mathrm{e}^{-\alpha t}t\cos tx\Big|_0^{+\infty}+\frac{x}{\alpha^2}\int_0^{+\infty}\mathrm{e}^{-\alpha t}(\cos tx-tx\sin tx)\mathrm{d}t$$
$$=\frac{x}{\alpha(\alpha^2+x^2)}+\frac{x}{\alpha^2}\int_0^{+\infty}\mathrm{e}^{-\alpha t}\cos tx\mathrm{d}t-\frac{x^2}{\alpha^2}\int_0^{+\infty}t\mathrm{e}^{-\alpha t}\sin tx\mathrm{d}t$$
$$=\frac{x}{\alpha(\alpha^2+x^2)}+\frac{x\alpha}{\alpha^2(\alpha^2+x^2)}-\frac{x^2}{\alpha^2}I,$$

故有 $\left(1+\frac{x^2}{\alpha^2}\right)I=\frac{2x}{\alpha(\alpha^2+x^2)}$ 或 $I=\frac{2\alpha x}{(\alpha^2+x^2)^2}$. 于是

$$F(x)=-\mathrm{i}\sqrt{\frac{8}{\pi}}\frac{\alpha x}{(\alpha^2+x^2)^2}.$$

【3898】 $f(x)=\mathrm{e}^{-\frac{x^2}{2}}$.

解
$$F(x)=\frac{1}{\sqrt{2\pi}}\int_{-\infty}^{+\infty}\mathrm{e}^{-\frac{t^2}{2}}\mathrm{e}^{-\mathrm{i}tx}\mathrm{d}t=\frac{1}{\sqrt{2\pi}}\int_{-\infty}^{+\infty}\mathrm{e}^{-\frac{t^2}{2}}(\cos tx-\mathrm{i}\sin tx)\mathrm{d}t$$
$$=\sqrt{\frac{2}{\pi}}\int_0^{+\infty}\mathrm{e}^{-\frac{t^2}{2}}\cos tx\mathrm{d}t=\sqrt{\frac{2}{\pi}}\cdot\frac{1}{2}\sqrt{2\pi}\mathrm{e}^{-\frac{x^2}{2}}=\mathrm{e}^{-\frac{x^2}{2}}.$$

注 本题用到 3805 题的结果.

【3899】 $f(x)=\mathrm{e}^{-\frac{x^2}{2}}\cos\alpha x$.

解
$$F(x)=\frac{1}{\sqrt{2\pi}}\int_{-\infty}^{+\infty}\mathrm{e}^{-\frac{t^2}{2}}\cos\alpha t\cdot\mathrm{e}^{-\mathrm{i}tx}\mathrm{d}t=\frac{1}{\sqrt{2\pi}}\int_{-\infty}^{+\infty}\mathrm{e}^{-\frac{t^2}{2}}\cos\alpha t\cdot(\cos tx-\mathrm{i}\sin tx)\mathrm{d}t$$
$$=\sqrt{\frac{2}{\pi}}\int_0^{+\infty}\mathrm{e}^{-\frac{t^2}{2}}\cos\alpha t\cos tx\mathrm{d}t=\frac{1}{\sqrt{2\pi}}\int_0^{+\infty}\mathrm{e}^{-\frac{t^2}{2}}[\cos(\alpha+x)t+\cos(\alpha-x)t]\mathrm{d}t$$

$$=\frac{1}{\sqrt{2\pi}}\left[\int_0^{+\infty}e^{-\frac{t^2}{2}}\cos(\alpha+x)t\,dt+\int_0^{+\infty}e^{-\frac{t^2}{2}}\cos(\alpha-x)t\,dt\right]$$

$$=\frac{1}{\sqrt{2\pi}}\left[\frac{1}{2}\sqrt{2\pi}e^{-\frac{(\alpha+x)^2}{2}}+\frac{1}{2}\sqrt{2\pi}e^{-\frac{(\alpha-x)^2}{2}}\right]=e^{-\frac{\alpha^2+x^2}{2}}\cdot\frac{e^{-\alpha x}+e^{\alpha x}}{2}=e^{-\frac{\alpha^2+x^2}{2}}\operatorname{ch}\alpha x.$$

注 本题用到 3805 题的结果.

【3900】 求函数 $\varphi(x)$ 及 $\psi(x)$，设：

(1) $\int_0^{+\infty}\varphi(y)\cos xy\,dy=\frac{1}{1+x^2}$； (2) $\int_0^{+\infty}\psi(y)\sin xy\,dy=e^{-x}(x>0)$.

解 (1) 令 $f(x)=\frac{1}{1+x^2}$，则 $f(x)$ 在$[0,+\infty)$ 上连续且绝对可积，故按偶函数延拓，有

$$f(x)=\int_0^{+\infty}\varphi(y)\cos xy\,dy\ (x\geqslant 0),$$

其中 $\varphi(y)=\frac{2}{\pi}\int_0^{+\infty}f(\lambda)\cos\lambda y\,d\lambda=\frac{2}{\pi}\int_0^{+\infty}\frac{\cos\lambda y}{1+\lambda^2}d\lambda=\frac{2}{\pi}\cdot\frac{\pi}{2}e^{-y}=e^{-y}$.

由此可知，函数 $\varphi(y)=e^{-y}(y\geqslant 0)$ 满足

$$\frac{1}{1+x^2}=\int_0^{+\infty}\varphi(y)\cos xy\,dy\ (x\geqslant 0),$$

显然 $x<0$ 时此式也成立，因为

$$\frac{1}{1+x^2}=\frac{1}{1+(-x)^2}=\int_0^{+\infty}\varphi(y)\cos(-x)y\,dy=\int_0^{+\infty}\varphi(y)\cos xy\,dy.$$

(2) 同样，令 $g(x)=e^{-x}(x>0)$，则 $g(x)$ 在$(0,+\infty)$ 上连续且绝对可积，故按奇函数延拓，有

$$g(x)=\int_0^{+\infty}\psi(y)\sin xy\,dy\ (x>0),$$

其中 $\psi(y)=\frac{2}{\pi}\int_0^{+\infty}g(\lambda)\sin\lambda y\,d\lambda=\frac{2}{\pi}\int_0^{+\infty}e^{-\lambda}\sin\lambda y\,d\lambda=\frac{2}{\pi}\frac{y}{1+y^2}(y\geqslant 0)$.

由此可知，函数 $\psi(y)=\frac{2}{\pi}\frac{y}{1+y^2}(y\geqslant 0)$ 满足 $e^{-x}=\int_0^{+\infty}\psi(y)\sin xy\,dy\ (x>0)$.

注 本题用到 3825 题的结果.

过关检测

过关检测题

1.(2024 山东大学)计算含参变量积分 $I(a)=\int_0^{+\infty}\frac{\arctan ax}{x(1+x^2)}dx(a>0)$.

2.(2024 华中师范大学)讨论 $f(x)=\int_0^{+\infty}xe^{-xy}dy$ 在$(0,+\infty)$上的一致收敛性.

3.(2024 合肥工业大学)证明:$F(x)=\int_1^{+\infty}\frac{y\sin xy}{1+y^2}dy$ 在$(0,+\infty)$内连续.

4.(2024 山东大学)设函数列 $f_n(x)=\sum\limits_{k=1}^{n}\frac{1}{k^x}$ 在$(1,+\infty)$内闭一致收敛,证明:$f_n(x)$ 在$(1,+\infty)$内不一致收敛.

5.（2023北京师范大学；2024中国科学技术大学）确定含参量积分 $I(\alpha)=\int_0^{+\infty}\frac{\ln(1+x^3)}{x^\alpha}\mathrm{d}x$ 的定义域与连续性.

6.（2024武汉大学）利用含参量积分求 $\int_0^1\frac{\arctan x}{x\sqrt{1-x^2}}\mathrm{d}x$.

7.（2024湘潭大学）讨论下列含参变量反常积分 $\int_0^{+\infty}\mathrm{e}^{-\alpha x}\sin x\mathrm{d}x$ 的一致收敛性：

(1) $\alpha\geqslant\alpha_0>0$；　(2) $\alpha>0$.

8.（2024东北师范大学）令 $f(t)=\int_1^{+\infty}\frac{\cos(xt)}{1+x^2}\mathrm{d}x$. 证明：

(1) 积分在 $t\in(-\infty,+\infty)$ 内一致收敛.

(2) $f(t)\in\mathbf{C}(-\infty,+\infty)$.

(3) $\lim\limits_{t\to+\infty}f(t)=0$.

9.(2024 浙江大学) 已知函数 $K(x,y)$ 在 $[0,1]\times[0,1]$ 连续，$f_1(x)$ 在 $[0,1]$ 上连续，证明：$f_n(x)=\int_0^x K(x,y)f_{n-1}(y)\mathrm{d}y$ 在 $[0,1]$ 上一致收敛于 0.

10.(2024 湖南大学) 设函数 $f(x)$ 在区间 $[0,+\infty)$ 上连续，证明：含参积分 $\int_0^{+\infty}\mathrm{e}^{-ax}f(x)\mathrm{d}x$ 在 $a\in[0,+\infty)$ 上一致收敛的充分必要条件为 $\int_0^{+\infty}f(x)\mathrm{d}x$ 收敛.

11.(2024 东南大学) 解答如下问题：

(1) 求极限 $\lim\limits_{x\to 0^+}\dfrac{1-\cos x}{\int_0^x \dfrac{\ln(1+xy)}{y}\mathrm{d}y}$.

(2) 计算含参量反常积分 $\int_0^{+\infty}\dfrac{\sin(xy)}{y\mathrm{e}^y}\mathrm{d}y$.

12.(2024 电子科技大学) 计算积分 $I(y)=\int_0^{+\infty}\mathrm{e}^{-x^2}\cos 2xy\,\mathrm{d}x$，其中 $y\in\mathbf{R}$.

13.(2024南京师范大学)证明：$\int_{0}^{+\infty} \frac{\cos x^2}{x^y} \mathrm{d}x$ 在 $(-1,1)$ 上内闭一致收敛.

14.(2023复旦大学)设 $x,t>0$，则含参变量积分 $I(t)=\int_{0}^{+\infty} \frac{\mathrm{e}^{-x}-\mathrm{e}^{-xt}}{x}\mathrm{d}x=$ ________.

15.(2023山东大学)计算积分 $\int_{0}^{+\infty} \mathrm{e}^{-px} \frac{\sin bx-\sin ax}{x}\mathrm{d}x$，其中 $p>0,b>a>0$.

16.(2023山东大学)设函数 $f(x)$ 在 $[0,1]$ 上连续且恒正，讨论 $g(y)=\int_{0}^{1} \frac{yf(x)}{x^2+y^2}\mathrm{d}x$ 的连续性，并证明你的结论.

17.(2023 河海大学) 设 $\alpha > 0$.

(1) 证明:$\int_0^{+\infty} \frac{1}{(1+x^2)(1+x^2y^2)}\mathrm{d}x$ 关于 y 在$[0,\alpha]$上一致收敛;

(2) 求$\int_0^{+\infty} \frac{\arctan \alpha x}{x(1+x^2)}\mathrm{d}x$.

18.(2023 北京邮电大学) 计算积分$\int_0^{+\infty} \frac{\cos x - \cos 2x}{x}\mathrm{e}^{-x}\mathrm{d}x$.

19.(2023 重庆大学) 设有含参变量的反常积分 $F(\alpha) = \int_0^{+\infty} x\mathrm{e}^{-\alpha x}\mathrm{d}x$. 证明:

(1) $F(\alpha) = \int_0^{+\infty} x\mathrm{e}^{-\alpha x}\mathrm{d}x$ 在$(0,+\infty)$内非一致收敛;

(2) 对任意的正常数 α_0, $F(\alpha) = \int_0^{+\infty} x\mathrm{e}^{-\alpha x}\mathrm{d}x$ 在$[\alpha_0,+\infty)$上一致收敛;

(3) $F(\alpha)$ 在$(0,+\infty)$内连续.

答案解析

1. **解** 令 $f(x,y)=\dfrac{1}{(1+x^2)(1+x^2y^2)}$，则 $f\in \mathbf{C}[0,+\infty)\times[0,a]$. 对 $\forall y\in[0,a]$，有

$$0\leqslant \frac{1}{(1+x^2)(1+x^2y^2)}\leqslant \frac{1}{1+x^2},$$

且$\displaystyle\int_0^{+\infty}\frac{1}{1+x^2}\mathrm{d}x=\frac{\pi}{2}$，由M判别法知$\displaystyle\int_0^{+\infty}\frac{1}{(1+x^2)(1+x^2y^2)}\mathrm{d}x$关于$y\in[0,a]$一致收敛，故原式

$$I(a)=\int_0^{+\infty}\frac{\arctan ax}{x(1+x^2)}\mathrm{d}x=\int_0^{+\infty}\mathrm{d}x\int_0^a\frac{1}{(1+x^2)(1+x^2y^2)}\mathrm{d}y$$
$$=\int_0^a\mathrm{d}y\int_0^{+\infty}\frac{1}{(1+x^2)(1+x^2y^2)}\mathrm{d}x=\int_0^a\frac{\pi}{2(1+y)}\mathrm{d}y=\frac{\pi}{2}\ln(1+a).$$

2. **解** $\displaystyle\sup_{x\in(0,+\infty)}\left|\int_M^{+\infty}x\mathrm{e}^{-xy}\mathrm{d}y\right|=\sup_{x\in(0,+\infty)}\mathrm{e}^{-Mx}=1\not\to 0$，所以 $f(x)$ 在$(0,+\infty)$ 内非一致收敛.

3. **证** 由于当 $y\to+\infty$ 时，函数$\dfrac{y}{1+y^2}$ 是关于 x 一致单调趋于 0 的，又有$\displaystyle\int_1^A\sin xy\mathrm{d}y\leqslant\frac{2}{x_0}$ $(x\geqslant x_0>0)$，故根据 Dirichlet 判别法可知 $F(x)$ 在$(0,+\infty)$ 内关于 x 一致收敛，从而函数 $F(x)$ 在$(0,+\infty)$ 内连续.

4. **证** 对 $\forall a>1, x\geqslant a$ 时，$\dfrac{1}{k^x}\leqslant\dfrac{1}{k^a}$，又$\displaystyle\sum_{k=1}^{\infty}\frac{1}{k^a}$ 收敛，故由比较审敛法知，$f_n(x)$ 在区间$[a,+\infty)$ 上一致收敛，即在$(1,+\infty)$ 内闭一致收敛. 若 $f_n(x)$ 在$(1,+\infty)$ 上一致收敛，则$\displaystyle\lim_{n\to\infty}f_n(x)=f(x)=\sum_{k=1}^{\infty}\frac{1}{k^x}$，又每一项是$(1,+\infty)$ 内的连续函数，但$\displaystyle\lim_{x\to1}f(x)=\sum_{k=1}^{\infty}\frac{1}{k}=+\infty$，矛盾. 从而 $f_n(x)$ 在$(1,+\infty)$ 内不一致收敛.

5. **解** 注意到 $x=0$ 可能为奇点，将积分写为

$$I(\alpha)=\int_0^1\frac{\ln(1+x^3)}{x^\alpha}\mathrm{d}x+\int_1^{+\infty}\frac{\ln(1+x^3)}{x^\alpha}\mathrm{d}x=I_1(\alpha)+I_2(\alpha).$$

因为当 $x\to0^+$ 时$\dfrac{\ln(1+x^3)}{x^\alpha}\sim\dfrac{1}{x^{\alpha-3}}$，所以只有当 $\alpha-3<1$，即 $\alpha<4$ 时，$I_1(\alpha)$ 才收敛，而显然只有当 $\alpha>1$ 时 $I_2(\alpha)$ 才收敛，所以 $I(\alpha)$ 的定义域为$(1,4)$.

现在说明 $I(\alpha)$ 在其定义域$(1,4)$ 上连续，为此只要说明在任意闭区间$[a,b]\subset(1,4)$ 上 $I(\alpha)$ 连续即可. 对任意闭区间$[a,b]\subset(1,4)$，由于

$$\left|\frac{\ln(1+x^3)}{x^\alpha}\right|=\frac{\ln(1+x^3)}{x^\alpha}\leqslant\frac{\ln(1+x^3)}{x^b},0<x\leqslant1,a\leqslant\alpha\leqslant b<4,$$

且$\displaystyle\int_0^1\frac{\ln(1+x^3)}{x^b}\mathrm{d}x$ 收敛，因此由魏尔斯特拉斯判别法，$I_1(\alpha)=\displaystyle\int_0^1\frac{\ln(1+x^3)}{x^\alpha}\mathrm{d}x$ 关于 $\alpha\in[a,b]$ 一致收敛，因此由被积函数$\dfrac{\ln(1+x^3)}{x^\alpha}$ 在$(0,1]\times[a,b]$ 上的连续性知，$I_1(\alpha)$ 在$[a,b]$ 上连续. 由于

$$\left|\frac{\ln(1+x^3)}{x^\alpha}\right|=\frac{\ln(1+x^3)}{x^\alpha}\leqslant\frac{\ln(1+x^3)}{x^a},1\leqslant x<+\infty,1<a\leqslant\alpha\leqslant b,$$

且$\int_0^1\frac{\ln(1+x^3)}{x^a}\mathrm{d}x$收敛,由魏尔斯特拉斯判别法,$\int_1^{+\infty}\frac{\ln(1+x^3)}{x^\alpha}\mathrm{d}x$关于$\alpha\in[a,b]$一致收敛,因此由被积函数$\frac{\ln(1+x^3)}{x^\alpha}$在$[1,+\infty)\times[a,b]$上的连续性知,$I_2(\alpha)$在$[a,b]$上连续.

综上所述,$I(\alpha)=I_1(\alpha)+I_2(\alpha)$在其定义域$(1,4)$内连续.

6. **解** 令$f(\alpha)=\int_0^1\frac{\arctan\alpha x}{x\sqrt{1-x^2}}\mathrm{d}x$,则$f'(\alpha)=\int_0^1\frac{\mathrm{d}x}{\sqrt{1-x^2}(1+x^2\alpha^2)}$. 令$x=\sin\theta$,得

$f'(\alpha)=\int_0^{\frac{\pi}{2}}\frac{\mathrm{d}\theta}{1+\alpha^2\sin^2\theta}=\frac{\pi}{2}\cdot\frac{1}{\sqrt{1+\alpha^2}}$,从而$f(\alpha)=\frac{\pi}{2}\ln\left|\alpha+\sqrt{1+\alpha^2}\right|+C$. 又$f(0)=0$,

且$f(0)=\frac{\pi}{2}\ln 1+C$,从而$C=0$,所以

$$\int_0^1\frac{\arctan x}{x\sqrt{1-x^2}}\mathrm{d}x=f(1)=\frac{\pi}{2}\ln(1+\sqrt{2}).$$

7. **解** (1) 当$\alpha\geqslant\alpha_0>0$,$|\mathrm{e}^{-\alpha x}\sin x|\leqslant\mathrm{e}^{-\alpha_0x}(x\geqslant0)$,$\int_0^{+\infty}\mathrm{e}^{-\alpha_0x}\mathrm{d}x$收敛,由魏尔斯特拉斯判别法,$\int_0^{+\infty}\mathrm{e}^{-\alpha x}\sin x\mathrm{d}x$在$\alpha\geqslant\alpha_0>0$上一致收敛.

(2) 当$\alpha>0$,取$\varepsilon_0=2\mathrm{e}^{-\pi}$,$\forall A>0$,取$A'=n\pi>A$,$A''=(n+1)\pi$,$\alpha=\alpha_n=\frac{1}{n+1}$,则当$n$充分大时,

$$\left|\int_{n\pi}^{(n+1)\pi}\mathrm{e}^{-\alpha_nx}\sin x\mathrm{d}x\right|\geqslant2\mathrm{e}^{-\pi}=\varepsilon_0,$$

由Cauchy收敛准则,$\int_0^{+\infty}\mathrm{e}^{-\alpha x}\sin x\mathrm{d}x$在$\alpha\in(0,+\infty)$内不一致收敛.

8. **证** (1) 由于$\left|\frac{\cos(xt)}{1+x^2}\right|\leqslant\frac{1}{1+x^2}$,而$\int_1^{+\infty}\frac{1}{1+x^2}\mathrm{d}x=\frac{\pi}{4}$有界. 由魏尔斯特拉斯判别法可知积分在$t\in(-\infty,+\infty)$内一致收敛.

(2) 因为$\frac{\cos(xt)}{1+x^2}$在$x\geqslant1,t\in\mathbf{R}$上连续,结合函数$f(t)$在$\mathbf{R}$上一致连续,由连续性定理可知$f(t)\in\mathbf{C}(-\infty,+\infty)$.

(3) 由积分的一致收敛性知,$\forall\varepsilon>0$,$\exists A$,$\forall t$,有$\left|\int_A^{+\infty}\frac{\cos(xt)}{1+x^2}\mathrm{d}x\right|<\varepsilon$. 由黎曼引理可知

$$\lim_{t\to+\infty}\int_1^A\frac{1}{1+x^2}\cos(xt)\mathrm{d}x=0.$$

所以,存在$T>0$,当$|t|>T$时,有$\left|\int_1^A\frac{\cos(xt)}{1+x^2}\mathrm{d}x\right|<\varepsilon$. 所以当$|t|>T$时,有$\left|\int_1^{+\infty}\frac{\cos(xt)}{1+x^2}\mathrm{d}x\right|<2\varepsilon$,即$\lim\limits_{t\to+\infty}f(t)=\lim\limits_{t\to+\infty}\int_1^{+\infty}\frac{\cos(xt)}{1+x^2}\mathrm{d}x=0$.

9. **证** 依题意,每一个f_n都是$[0,1]$上的连续函数. $\forall(x,y)\in[0,1]^2$,由$K(x,y)$和$f_1(x)$

的连续性可设存在正常数 M 和 C 使得 $|K(x,y)|\leqslant M$, $|f_1(x)|\leqslant C$, $\forall x\in[0,1]$.

接下来证明对任意的 $n\geqslant 1$,都有 $|f_{n+1}(x)|\leqslant C\cdot\dfrac{M^n x^n}{n!}$. 采用数学归纳法.

当 $n=1$ 时, $|f_2(x)|\leqslant\int_0^x|K(x,y)||f_1(y)|\mathrm{d}y\leqslant\int_0^x MC\mathrm{d}y=CMx$ 成立;

设当 $n=k$ 时命题成立,则

$$|f_{k+2}(x)|\leqslant\int_0^x|K(x,y)||f_{k+1}(y)|\mathrm{d}y\leqslant\int_0^x M\cdot C\cdot\frac{M^k y^k}{k!}\mathrm{d}y=C\cdot\frac{M^{k+1}x^{k+1}}{(k+1)!},$$

这说明命题在 $n=k+1$ 时也成立. 故引理得证.

$\forall n\in\mathbf{N}_+$, $|f_{n+1}(x)|\leqslant C\cdot\dfrac{M^n x^n}{n!}\leqslant\dfrac{CM^n}{n!}$,而 $\lim\limits_{n\to\infty}\dfrac{CM^n}{n!}=0$,故 $\{f_n(x)\}$ 一致收敛于 0.

10. **证** 必要性. 因为积分 $\int_0^{+\infty}\left(\mathrm{e}^{-ax}\cdot f(x)\right)\mathrm{d}x$ 在 $a\in[0,+\infty)$ 上一致收敛,令 $a=0$,则 $\int_0^{+\infty}f(x)\mathrm{d}x$ 收敛.

充分性. 因为 e^{-ax} 关于 $x(x>0)$ 单调递减,对 $\forall a\geqslant 0, x\geqslant 0$,有 $|\mathrm{e}^{-ax}|\leqslant 1$,且积分 $\int_0^{+\infty}f(x)\mathrm{d}x$ 收敛. 由阿贝尔判别法知,含参积分 $\int_0^{+\infty}\mathrm{e}^{-ax}\cdot f(x)\mathrm{d}x$ 在 $a\geqslant 0$ 上一致收敛.

11. **解** (1) 令 $u=xy$, $y=\dfrac{u}{x}$,则 $\mathrm{d}y=\dfrac{1}{x}\mathrm{d}u$,所以

$$\int_0^x\frac{\ln(1+xy)}{y}\mathrm{d}y=\int_0^{x^2}\frac{\ln(1+u)}{u}\mathrm{d}u.$$

由等价无穷小替换以及洛必达法则可知

$$\lim_{x\to0^+}\frac{1-\cos x}{\int_0^x\frac{\ln(1+xy)}{y}\mathrm{d}y}=\lim_{x\to0^+}\frac{1-\cos x}{\int_0^{x^2}\frac{\ln(1+u)}{u}\mathrm{d}u}=\lim_{x\to0^+}\frac{\frac{1}{2}x^2}{\int_0^{x^2}\frac{\ln(1+u)}{u}\mathrm{d}u}$$

$$=\lim_{x\to0^+}\frac{1}{2\cdot\frac{\ln(1+x^2)}{x^2}}=\lim_{x\to0^+}\frac{1}{2\cdot\frac{x^2}{x^2}}=\frac{1}{2}.$$

(2) 记 $I(x)=\int_0^{+\infty}\dfrac{\sin(xy)}{y\mathrm{e}^y}\mathrm{d}y$ 且 $I(0)=0$,则

$$I'(x)=\int_0^{+\infty}\frac{\partial}{\partial x}\left(\frac{\sin(xy)}{y\mathrm{e}^y}\right)\mathrm{d}y=\int_0^{+\infty}\mathrm{e}^{-y}\cos(xy)\mathrm{d}y$$

$$=\left[\frac{\mathrm{e}^{-y}(x\sin(xy)-\cos(xy))}{1+x^2}\right]\Bigg|_0^{+\infty}=\frac{1}{1+x^2}.$$

故 $I(x)=\int_0^x I'(t)\mathrm{d}t+I(0)=\int_0^x\dfrac{1}{1+t^2}\mathrm{d}t=\arctan x$,即 $\int_0^{+\infty}\dfrac{\sin(xy)}{y\mathrm{e}^y}\mathrm{d}y=\arctan x$.

12. **解** 记 $f(x,y)=\mathrm{e}^{-x^2}\cdot\cos(2xy)$,则 $f'_y(x,y)=-2x\mathrm{e}^{-x^2}\cdot\sin(2xy)$. 显然 $f(x,y)$ 与 $f'_y(x,y)$ 在 $[0,+\infty)\times(-\infty,+\infty)$ 上连续. 另外 $|\mathrm{e}^{-x^2}\cdot\cos(2xy)|\leqslant\mathrm{e}^{-x^2}$,而 $\int_0^{+\infty}\mathrm{e}^{-x^2}\mathrm{d}x$ 收敛. 由 M 判别法可知 $I(y)$ 在 $\mathbf{R}$ 上一致收敛. 而 $|-2x\mathrm{e}^{-x^2}\cdot\sin(2xy)|\leqslant 2x\mathrm{e}^{-x^2}$, $\int_0^{+\infty}x\mathrm{e}^{-x^2}\mathrm{d}x$ 收敛. 由 M 判别法知 $\int_0^{+\infty}f'_y(x,y)\mathrm{d}x$ 在 $\mathbf{R}$ 上一致收敛,由可微性定理可知

$$I'(y)=\int_0^{+\infty}f'_y(x,y)\mathrm{d}x=\int_0^{+\infty}[-2x\mathrm{e}^{-x^2}\cdot\sin(2xy)]\mathrm{d}x=\int_0^{+\infty}\sin(2xy)\mathrm{d}(\mathrm{e}^{-x^2})$$
$$=\mathrm{e}^{-x^2}\sin(2xy)\Big|_0^{+\infty}-2y\int_0^{+\infty}\mathrm{e}^{-x^2}\cos(2xy)\mathrm{d}x=-2yI(y).$$

解微分方程并结合 $I(0)=\dfrac{\sqrt{\pi}}{2}$ 可得 $I(y)=\dfrac{\sqrt{\pi}}{2}\mathrm{e}^{-y^2}$.

13. **证** 利用积分区域的可加性可知

$$\int_0^{+\infty}\frac{\cos(x^2)}{x^y}\mathrm{d}x=\int_0^1\frac{\cos(x^2)}{x^y}\mathrm{d}x+\int_1^{+\infty}\frac{\cos(x^2)}{x^y}\mathrm{d}x=I_1+I_2.$$

需要证明 I_1 和 I_2 分别在 $y\in(-1,1)$ 内闭一致收敛.

一方面,对 $\forall[y_1,y_2]\subset(-1,1)$,有

$$\left|\frac{\cos(x^2)}{x^y}\right|\leqslant\frac{1}{x^y}\leqslant\frac{1}{x^{y_2}},y\in[y_1,y_2].$$

而$\int_0^1\frac{1}{x^{y_2}}\mathrm{d}x$ 收敛. 故 $I_1=\int_0^1\frac{\cos(x^2)}{x^y}\mathrm{d}x$ 在$[y_1,y_2]$上一致收敛,从而 $I_1=\int_0^1\frac{\cos(x^2)}{x^y}\mathrm{d}x$ 在 $(-1,1)$ 上内闭一致收敛.

另一方面,作变换 $t=x^2$,则 $x=t^{\frac{1}{2}}$,且

$$\mathrm{d}x=\frac{1}{2}t^{-\frac{1}{2}}\mathrm{d}t.\ I_2=\int_1^{+\infty}\frac{\cos(x^2)}{x^y}\mathrm{d}x=\int_1^{+\infty}\frac{\cos t}{t^{\frac{y}{2}}}\frac{1}{2}t^{-\frac{1}{2}}\mathrm{d}t=\frac{1}{2}\int_1^{+\infty}\frac{\cos t}{t^{\frac{1}{2}(y+1)}}\mathrm{d}t.$$

由于满足如下条件:

(ⅰ) $\forall A\in[1,+\infty)$,$\left|\int_1^A\cos t\mathrm{d}t\right|\leqslant 2$,即$\int_1^A\cos t\mathrm{d}t$ 一致有界;

(ⅱ) 函数$\dfrac{1}{t^{\frac{1}{2}(y+1)}}$ 关于 t 单调递减;

(ⅲ) 对 $\forall y\in[y_1,y_2]$ 有 $\left|\dfrac{1}{t^{\frac{1}{2}(y+1)}}\right|\leqslant\left|\dfrac{1}{t^{\frac{1}{2}(y_1+1)}}\right|$. 而 $\lim\limits_{t\to+\infty}\dfrac{1}{t^{\frac{1}{2}(y_1+1)}}=0$. 即 $t\to+\infty$ 时,$\dfrac{1}{t^{\frac{1}{2}(y+1)}}$ 一致收敛到 0.

故根据含参变量积分的狄利克雷判别法可知,I_2 在$[y_1,y_2]$ 上一致收敛. 从而在$(-1,1)$ 上内闭一致收敛.

14. **解** **方法一** (Froullani 积分) 取 $f(x)=\mathrm{e}^{-x}$,由 Froullani 积分可知

$$I(t)=[f(0)-f(+\infty)]\ln t=\ln t.$$

引理(Froullani 积分) 设 $f\in\mathbf{C}[0,+\infty)$,且 $f(+\infty)<+\infty$,对于正实数 a,b,有

$$\int_0^{+\infty}\frac{f(ax)-f(bx)}{x}\mathrm{d}x=[f(0)-f(+\infty)]\ln\frac{b}{a}.$$

方法二 (交换积分次序) 计算可知

$$I(t)=\int_0^{+\infty}\mathrm{d}x\int_1^t\mathrm{e}^{-xs}\mathrm{d}s=\int_1^t\mathrm{d}s\int_0^{+\infty}\mathrm{e}^{-xs}\mathrm{d}x=\int_1^t\frac{1}{s}\mathrm{d}s=\ln t.$$

15. **解** 注意到$\dfrac{\sin(bx)-\sin(ax)}{x}=\int_a^b\cos(xy)\mathrm{d}y$,则由于 $|\mathrm{e}^{-px}\cos xy|\leqslant\mathrm{e}^{-px}$,且积分 $\int_0^{+\infty}\mathrm{e}^{-px}\mathrm{d}x$ 收敛,所以$\int_0^{+\infty}\mathrm{e}^{-px}\cos xy\mathrm{d}x$ 关于 $y\in[a,b]$ 一致收敛,再由 $\mathrm{e}^{-px}\cos xy$ 在

$[0,+\infty)\times[a,b]$ 上连续，所以积分号可以交换顺序，也就是

$$\int_0^{+\infty} e^{-px}\frac{\sin(bx)-\sin(ax)}{x}dx$$

$$=\int_0^{+\infty} e^{-px}\left[\int_a^b\cos(xy)dy\right]dx=\int_a^b dy\int_0^{+\infty} e^{-px}\cos(xy)dx$$

$$=\int_a^b\frac{p}{p^2+y^2}dy=\arctan\frac{b}{p}-\arctan\frac{a}{p}.$$

16. **解** 当 $y_0>0$ 时，取区间 $[c,d]$ 满足 $0<c<y_0<d$. 当 $y_0<0$ 时，取区间 $[c,d]$ 满足：$c<y_0<d<0$. 因为函数 $\frac{yf(x)}{x^2+y^2}$ 在闭矩形 $D:0\leqslant x\leqslant 1,c\leqslant y\leqslant d$ 上连续. 由连续性定理可知函数 $g(y)$ 在 $[c,d]$ 上连续，因此，函数 $g(y)$ 在任意点 $y_0\neq 0$ 都连续.

其次，设 $f(x)\geqslant m>0$，注意到 $g(0)=0$，而当 $y\neq 0$ 时，有

$$|g(y)|=\left|\int_0^1\frac{yf(x)}{x^2+y^2}dx\right|=|y|\int_0^1\frac{f(x)}{x^2+y^2}dx\geqslant|y|m\int_0^1\frac{1}{x^2+y^2}dx$$

$$=|y|m\left(\frac{1}{|y|}\arctan\frac{x}{|y|}\right)\Bigg|_{x=0}^{x=1}=m\arctan\frac{1}{|y|}\to\frac{m\pi}{2}(y\to 0),$$

即 $\lim\limits_{y\to 0}g(y)\neq g(0)=0$，可见 $y=0$ 是 $g(y)$ 的间断点.

17. **解** (1) 对 $\forall y\in[0,\alpha]$，有

$$0<\frac{1}{(1+x^2)(1+x^2y^2)}\leqslant\frac{1}{1+x^2},x\in[0,+\infty).$$

同时 $\int_0^{+\infty}\frac{1}{1+x^2}dx$ 收敛，所以 $\int_0^{+\infty}\frac{1}{(1+x^2)(1+x^2y^2)}dx$ 关于 y 在 $[0,\alpha]$ 上一致收敛.

(2) 为了方便，记 $I(\alpha)=\int_0^{+\infty}\frac{\arctan\alpha x}{x(1+x^2)}dx$，有

$$I(\alpha)=\int_0^{+\infty}dx\int_0^{\alpha}\frac{1}{(1+x^2)(1+x^2y^2)}dy.$$

而 $\frac{1}{(1+x^2)(1+x^2y^2)}$ 在 $[0,+\infty)\times[0,\alpha]$ 上连续，再结合(1)所证的一致收敛，就有

$$I(\alpha)=\int_0^{\alpha}dy\int_0^{+\infty}\frac{1}{(1+x^2)(1+x^2y^2)}dx$$

$$=\int_0^{\alpha}dy\int_0^{+\infty}\frac{1}{y^2-1}\left(\frac{y^2}{1+y^2x^2}-\frac{1}{1+x^2}\right)dx$$

$$=\int_0^{\alpha}\frac{1}{y^2-1}\left[y\arctan(xy)\Big|_0^{+\infty}-\arctan x\Big|_0^{+\infty}\right]dy$$

$$=\frac{\pi}{2}\int_0^{\alpha}\frac{1}{y+1}dy=\frac{\pi}{2}\ln(\alpha+1).$$

18. **解** 首先设所求积分为 I，则 $I=\int_0^{+\infty}dx\int_1^2 e^{-x}\sin xy\,dy$. 由于 $|e^{-x}\sin xy|\leqslant e^{-x}$，而积分 $\int_0^{+\infty}e^{-x}dx$ 收敛，所以 $\int_0^{+\infty}e^{-x}\sin xy\,dx$ 关于 $y\in[1,2]$ 一致收敛. 再由 $e^{-x}\sin xy$ 在 $[0,+\infty)\times[1,2]$ 上连续，所以上述积分号可以交换顺序，即

$$I=\int_1^2 dy\int_0^{+\infty}e^{-x}\sin xy\,dx=\int_1^2\frac{e^{-x}}{1+y^2}(-\sin xy-y\cos xy)\Big|_0^{+\infty}dy$$

$$=\int_1^2 \frac{y}{1+y^2}\mathrm{d}y=\frac{1}{2}\ln(1+y^2)\Big|_1^2=\frac{1}{2}\ln\frac{5}{2}.$$

19. **证** (1) 反证法. 若 $F(\alpha)$ 在 $(0,+\infty)$ 内一致收敛, 则对 $\forall\varepsilon>0$, $\exists A>0$, 当 $A''>A'>A$ 时, 对 $\forall\alpha\in(0,+\infty)$, 均有 $\left|\int_{A'}^{A''}x\mathrm{e}^{-\alpha x}\mathrm{d}x\right|<\varepsilon$. 特别地, 让 $\alpha\to0^+$, 有 $\left|\int_{A'}^{A''}x\mathrm{d}x\right|\leqslant\varepsilon$, 由柯西准则可知 $\int_0^{+\infty}x\mathrm{d}x$ 收敛, 矛盾. 所以 $F(\alpha)$ 在 $(0,+\infty)$ 内非一致收敛.

(2) 由于对 $\forall x\in[0,+\infty)$, $\alpha\in[\alpha_0,+\infty)$, 有 $|x\mathrm{e}^{-\alpha x}|\leqslant x\mathrm{e}^{-\alpha_0 x}$, 同时由反常积分的比较原则可知 $\int_0^{+\infty}x\mathrm{e}^{-\alpha_0 x}\mathrm{d}x$ 收敛, 于是 $F(\alpha)$ 在 $[\alpha_0,+\infty)$ 上一致收敛.

(3) 取 $\alpha_0\in(0,+\infty)$, 由(2)可知 $F(\alpha)$ 在 $\left[\frac{1}{2}\alpha_0,+\infty\right)$ 上一致收敛, 且 $x\mathrm{e}^{-\alpha x}$ 在 $[0,+\infty)\times\left[\frac{1}{2}\alpha_0,+\infty\right)$ 上连续, 因此 $F(\alpha)$ 在 $\left[\frac{1}{2}\alpha_0,+\infty\right)$ 上连续, 特别地, 也在 α_0 处连续, 再由 α_0 的任意性可知 $F(\alpha)$ 在 $(0,+\infty)$ 内连续.